Princípios AO do tratamento de fraturas

```
B922p   Buckley, Richard.
            Princípios AO do tratamento de fraturas / Richard Buckley,
        Christopher Moran, Theerachai Apivatthakakul ; tradução:
        Jacques Vissoky ; revisão técnica: Kodi Edson Kojima. – 3. ed. –
        Porto Alegre : Artmed, 2020.
            2 v. : il. color. ; 28 cm.

            ISBN 978-65-81335-00-7 (obra compl.). – 978-65-81335-
        01-4 (v. 1). – 978-65-81335-02-1 (v. 2)

            1. Medicina. 2. Fratura – Tratamento. I. Moran, Christopher.
        II. Apivatthakakul, Theerachai. III. Título.

                                                        CDU 616.001.5
```

Catalogação na publicação: Karin Lorien Menoncin - CRB-10/2147

Richard E. Buckley | Christopher G. Moran | Theerachai Apivatthakakul

Princípios AO do tratamento de fraturas

3ª Edição

Volume 2
Fraturas específicas

Tradução:
Jacques Vissoky

Revisão técnica:
Kodi Edson Kojima
Chefe do Grupo de Trauma Ortopédico do Hospital das Clínicas da Faculdade de Medicina da Universidade de São Paulo.
Doutor em Ciências da Saúde pela Faculdade de Ciências Médicas da Santa Casa de São Paulo.
Presidente da AOTrauma Internacional.

Porto Alegre
2020

Copyright ©2018 of the original English language edition by AO Foundation, Davos Platz, Switzerland.
Original title: "AO Principles of Fracture Management, Vol. 1: Principles, Vol. 2: Specific Fractures", 3rd edition, by Richard E. Buckley, Christopher G. Moran, and Theerachai Apivatthakakul.

Gerente editorial: *Letícia Bispo de Lima*

Colaboraram nesta edição:

Coordenador editorial: *Alberto Schwanke*

Editora: *Tiele Patricia Machado*

Preparação de originais: *Jéssica Aguirre da Silva*

Leitura final: *Sandra da Câmara Godoy*

Arte sobre capa original: *Kaéle Finalizando Ideias*

Editoração: *Clic Editoração Eletrônica Ltda.*

Nota

A medicina é uma ciência em constante evolução. À medida que novas pesquisas e a própria experiência clínica ampliam o nosso conhecimento, são necessárias modificações na terapêutica, onde também se insere o uso de medicamentos. Os autores desta obra consultaram as fontes consideradas confiáveis, num esforço para oferecer informações completas e, geralmente, de acordo com os padrões aceitos à época da publicação. Entretanto, tendo em vista a possibilidade de falha humana ou de alterações nas ciências médicas, os leitores devem confirmar estas informações com outras fontes. Por exemplo, e em particular, os leitores são aconselhados a conferir a bula completa de qualquer medicamento que pretendam administrar, para se certificar de que a informação contida neste livro está correta e de que não houve alteração na dose recomendada nem nas precauções e contraindicações para o seu uso. Essa recomendação é particularmente importante em relação a medicamentos introduzidos recentemente no mercado farmacêutico ou raramente utilizados.

Reservados todos os direitos de publicação ao
GRUPO A EDUCAÇÃO S.A.
(Artmed é um selo editorial do GRUPO A EDUCAÇÃO S.A.)
Av. Jerônimo de Ornelas, 670 – Santana
90040-340 – Porto Alegre – RS
Fone: (51) 3027-7000 Fax: (51) 3027-7070

SÃO PAULO
Rua Doutor Cesário Mota Jr., 63 – Vila Buarque
01221-020 – São Paulo – SP
Fone: (11) 3221-9033

SAC 0800 703-3444 – www.grupoa.com.br

É proibida a duplicação ou reprodução deste volume, no todo ou em parte, sob quaisquer formas ou por quaisquer meios (eletrônico, mecânico, gravação, fotocópia, distribuição na Web e outros), sem permissão expressa da Editora.

IMPRESSO NO BRASIL
PRINTED IN BRAZIL

Organizadores

Richard E. Buckley, MD, FRCSC
Professor
Foothills Hospital NW
0490 Ground Floor, McCaig Tower
3134 Hospital Drive
Calgary AB T2N 5A1
Canada

Christopher G. Moran, MD, FRCS
Professor
Department of Trauma and Orthopaedics
Nottingham University Hospital
Queen's Medical Centre
Derby Road
Nottingham NG7 2UH
UK

Theerachai Apivatthakakul, MD
Professor
Department of Orthopaedics
Faculty of Medicine
Chiang Mai University
Chiang Mai, 50200
Thailand

Organizador dos vídeos e das ilustrações

Thomas P. Rüedi, MD, FACS
Founding member, AO Foundation
Consultant, AOTrauma Education
Switzerland

Autores

Boyko Gueorguiev-Rüegg, PhD
Professor, Program Leader, Biomedical Development
AO Research Insititute Davos
Clavadelerstrasse 8
7270 Davos
Switzerland

Brian Bernstein, MD
P.O. Box 599
Constantia
Cape Town 7848
South Africa

Chanakarn Phornphutkul, MD
Department of Orthopaedics
Faculty of Medicine
Chiang Mai University
Chiang Mai, 50200
Thailand

Chang-Wug Oh, MD
Professor & Director
Department of Orthopedic Surgery
Kyungpook National University Hospital
130 Dongdeok-ro, Jung-gu
Daegu 700-721
South Korea

Ching-Hou Ma, MD
1, E-Da Road
Jiau-shu Tsuen, Yan Chau Shiang
Taiwan 824
Taiwan

Christoph Sommer, Dr Med
Kantonsspital Graubünden
Department Chirurgie
Loëstrasse 170
7000 Chur
Switzerland

Chunyan Jiang, MD
Beijing Jishuitan Hospital
31 Xinjiekoudongjie, Xicheng District
Beijing 100035
China

Cong-Feng Luo, MD
Orthopaedic Trauma Service III
Dept. Orthopaedic Surgery
Shanghai 6th People's Hospital Jiaotong University
600 Yi Shan Road
Shanghai 200233
China

Dankward Höntzsch, MD
Professor, BG Unfallklinik
Schnarrenbergstrasse 95
72076 Tübingen
Germany

Daren Forward, MA, FRCS, DM
The East Midlands Major Trauma Centre
Nottingham University Hospital
Nottingham NG7 2UH
UK

David M. Hahn, MD, FRCS (Orth)
Consultant, Trauma and Orthopaedic Surgeon
Nottingham University Hospital
Queen's Medical Centre
Nottingham NG72UH
UK

David Ring, MD, PhD
Associate Dean for Comprehensive Care
Professor of Surgery and Psychiatry
University of Texas at Austin
Department of Surgery and Perioperative Care
Dell Medical School
1912 Speedway
Austin, TX 78712
USA

Douglas A. Campell, ChM, FRCSE, FRCS (Orth)
Spire Leeds Hospital
Jackson Avenue
Leeds LS8 1NT
UK

Ernest Kwek, MD
Department of Orthopaedic Surgery
Tan Tock Seng Hospital
11 Jalan Tan Tock Seng
Singapore 308433
Singapore

Fan Liu, MD, PhD
Professor, Dept. of Orthopaedic Surgery
The Affiliated Hospital to Nantong University
20 Xi Si Road, Nantong
Jiangsu 226001
China

Friedrich Baumgaertel, MD, PhD
Associate Professor
Dept. of Orthopedics and Traumatology
University of Marburg – Private Practice
Neversstr. 7
Koblenz 56068
Germany

Hans J. Kreder MD, MPH, FRCS(C)
Sunnybrook Health Sciences Centre
2075 Bayview Ave.
Toronto ON M4N 3M5
Canada

Hans Peter Dimai, Prof, Dr Med
Medical University of Graz
Department of Internal Medicine
Division of Endocrinology and Metabolism
Auenbruggerplatz 15
Graz 8036
Austria

James B. Hunter, FRCSE (Orth)
Consultant, Trauma and Paediatric Orthopaedic Surgeon
Nottingham University Hospital
Queen's Medical Centre
Nottingham NG72UH
UK

James F. Kellam, MD, FRCS, FACS
McGovern Medical School
University of Texas
Health Science Center at Houston
6431 Fannin Street, Suite 6.146
Houston, TX 77030
USA

Autores

James Stannard, MD
Hansjorg Wyss Distinguished Chair in Orthopedic Surgery
1100 Virginia Ave,
Columbia, MO 65212
USA

John Arraf, MD, FRCPC
Department of Anesthesia
Foothills Medical Centre
1403 – 29 St NW
Calgary AB T2N 5A1
Canada

John R. Williams, DM, FRCS (Orth)
Upper Limb Trauma Unit
Royal Victoria Infirmary
Queen Victoria Road
Newcastle upon Tyne NE1 4LP
UK

John T. Capo, MD
377 Jersey Ave, Suite 280A
Jersey City, NJ 07302
USA

Jong-Keon Oh, MD
Department of Orthopaedic Surgery
Guro Hospital
Korea University College of Medicine
80 Guro 2-dong, Guro-gu
Seoul 152-703
South Korea

Jorge Daniel Barla, MD
Hospital Italiano de Buenos Aires – Orthopedics
Potosí 4247
Buenos Aires C1181ACH
Argentina

Keenwai Chong, MD
Bone Joint Institute of Singapore
08-01 Gleneagles Medical Centre
6 Napier road
Singapore 258499
Singapore

Les Grujic, MD
Orthopaedic & Arthritis Specialist Centre
Level 2, 145 Victoria Ave.
Chatswood NSW 2067
Australia

Mahmoud M. Odat, MD, FACS
Senior Consultant, Orthopedic & Trauma Surgeon
Arab Medical Center
P.O. Box 128
Amman 11831
Jordan

Mandeep S. Dhillon, MD, MBBS, MS (Ortho), MNAMS
Professor, Department of Orthopaedic Surgery
Post Graduate Institute of Medical Education and Research
92, Sector 24
P.O. Box 1511
Chandigarh 160012
India

Mark A. Lee, MD
Professor, Director, Orthopaedic Trauma Fellowship
Vice Chair for Research
UC Davis, Dept. of Orthopaedic Surgery
4860 Y Street, Suite 3800
Sacramento, CA 95817
USA

Markku Nousiainen, MD, MSc, FRCSC
Holland Orthopaedic and Arthritic Centre
Sunnybrook Health Sciences Centre
621-43 Wellesley St. East
Toronto ON M4Y 1H1
Canada

Markus Gosch, Prof, Dr Med
Medical Director, Department for Geriatrics
Paracelsus Medical University Salzburg, Austria
Nüremberg Hospital North
Prof.-Ernst-Nathan-Str. 1
Nüremberg 90419
Germany

Martin H. Hessmann, Dr Med
Professor, Academic Teaching Hospital Fulda
Dept. of Orthopaedic and Trauma Surgery
Pacelliallee 4
36043 Fulda
Germany

Martin Stoddart, PhD, FRSB
Professor
AO Research Institute Davos
Clavadelerstrasse 8
7270 Davos
Switzerland

Matej Kastelec, Dr Med
University Medical Centre Ljubljana
Zaloška cesta 7
1525 Ljubljana
Slovenia

Matthew Porteous, Dr Med
West Suffolk Hospital
Hardwick Lane
Bury St Edmunds
Suffolk IP33 2QZ
UK

Mauricio Kfuri, MD, PhD
Missouri Orthopedic Institute
1100 Virginia Ave
Columbia, MO 65201
USA

Michael Blauth, MD
Professor, Direktor der Univ. –Klinik für Unfallchirurgie
Director Department for Trauma Surgery
Anichstrasse 35
Innsbruck 6020
Austria

Michael McKee, MD, FRCSC
Professor and Chair
Department of Orthopaedic Surgery
University of Arizona, College of Medicine
Phoenix, Arizona, USA

Michael S. Sirkin, MD
140 Bergen St
Suite d1610
Newark NJ 07103
USA

Michael Schütz, Dr Med, FRACS
Professor, Geschäftsführender Direktor
Klinik für Unfall- und Wiederherstellungschirurgie
Klinik für Orthopädie
Universitätsklinikum Charité (CVK, CCM)
Augustenburger Platz 1
Berlin 13353
Germany

Olivier Borens, MD
Professeur, Service d'Orthopédie et de Traumatologie
Centre hospitalier universitaire vaudois (CHUV)
Rue Bugnon, 46
1011 Lausanne
Switzerland

Autores

Paulo Barbosa, MD
Hospital Quinta D'or
Rua Almirante Baltazar 435
São Cristovão
Rio de Janeiro CEP 209401-150
Brazil

Peter Giannoudis, Dr Med
Professor, Academic Department
Trauma & Orthopedic Surgery
Floor D, Clarendon Wing
Great George Street
Leeds General Infirmary
Leeds LS1 3EX
UK

Piet de Boer, FRCS
Oberdorfstrasse 1
8305 Dietlikon
Switzerland

R. Malcolm Smith, MD FRCS
Chief, Orthopaedic Trauma Service
Department of Orthopaedic Surgery
Massachussets General Hospital
55 Fruit Street YAW 3600
Boston MA 02114
USA

R. Geoff Richards, FBSE, FIOR
Professor, Director
AO Research Insititute Davos
Clavadelerstrasse 8
7270 Davos
Switzerland

Rami Mosheiff, Dr Med
Professor, Director of Orthopaedic Trauma Unit
Hadassah University Medical Center
Ein Kerem
P.O.B 12000
Jerusalem 91120
Israel

Reto Babst, Dr Med
Professor, Vorsteher Department Chirurgie
Leiter Klinik Orthopädie und Unfallchirurgie
Chefartz Unfallchirurgie
Luzerner Kantonsspital
6000 Luzern 16
Switzerland

Rodrigo Pesántez, MD
Professor
Avenida 9# 116-20
Consultorio 820
Bogotá
Colombia

Rogier K. J. Simmermacher, MD, Dr Med
Dept. of Surgery
University Medical Center Utrecht
PO Box 85500
GA Utrecht 3508
The Netherlands

Sherif A. Khaled, Dr Med
Professor, MB, Bch, MSc orthopedics, MD orthopedics
32 Falaky street, Awkaf building
Bab El Louk square
Cairo 11211
Egypt

Stefaan Nijs, MD
Head of the Dept. of Traumatology
UZ Leuven
Herestraat 49
Leuven 3000
Belgium

Stephen L. Kates, MD
Professor and Chair of Orthopaedic Surgery
Virginia Commonwealth University
Department of Orthopaedic Surgery
1200 E. Broad St
Richmond, VA 23298
USA

Susan Snape
Microbiology Department
Nottingham University Hospital
Queen's Medical Centre
Nottingham NG72UH
UK

Theddy Slongo, MD
Senior Consultant for Paediatric Trauma and Orthopedics
University Children's Hospital
Freiburgstrasse 7
3010 Bern
Switzerland

Thomas J. Luger, Prof, Dr Med
Department of Anaesthesiology and
General Intensive
Care Medicine
Anichstrasse 35
Innsbruck 6020
Austria

Wa'el Taha, MD
Department of Surgery
Prince Mohammed bin Abdulaziz National Guard
Health Affairs
Madina 41466
Saudi Arabia

Yves Harder, Dr Med
Professor, Vice-chief, Department of Surgery
Head, Plastic, Reconstructive and Aesthetic Surgery
Ente Ospedaliero Cantonale (EOC)
Ospedal Regionale di Lugano;
Sede Ospedale Italiano
Via Capelli
6962 Viganello – Lugano
Switzerland

Zsolt J. Balogh, MD
Professor, Director of Trauma
John Hunter Hospital
Locked Bag 1, Hunter Region
Newcastle NSW 2310
Australia

Agradecimentos

A produção e publicação desta nova edição de *Princípios AO do tratamento de fraturas* não teria sido possível sem a dedicação e o apoio de uma lista extensa de colaboradores. Aos cirurgiões AO, que doaram seu tempo e conhecimento, e aos colegas que ofereceram relatos de casos e imagens, assim como às equipes de nossas instituições médicas, da AOTrauma e do AO Education Institute: obrigado pela ajuda no desenvolvimento desta obra.

Embora haja muitas pessoas para agradecer, desejamos mencionar especialmente os seguintes colaboradores:

- Os membros da Comissão de Educação da AOTrauma, por reconhecerem a importância desta oportunidade educacional e por aprovarem o desenvolvimento desta publicação.
- Thomas Rüedi, por sua contínua orientação, apoio, mentoria e amizade. Este livro representa um legado dentro da comunidade da AOTrauma. Sua orientação e conexão à filosofia original "AO" foi o que permitiu que este espírito AO estivesse presente ao longo da produção deste manual.
- Urs Rüetschi e Robin Greene, do AO Education Institute, por sua orientação e conhecimento, bem como por disponibilizar extensos recursos e pessoal no preparo desta publicação, tornando-a a melhor possível.
- Os muitos colegas ao redor do mundo que forneceram capítulos, casos e imagens.
- Suthorn Bavonratanavech, por escrever o prefácio deste livro.
- Toda a equipe da AO Publishing, liderada por Carl Lau, por seu apoio profissional no gerenciamento do projeto, ilustrações médicas e projeto gráfico.
- A Equipe de Vídeo AO, liderada por Thommy Rüegg, por seu conhecimento e auxílio na produção do conteúdo de vídeo.
- Os ilustradores médicos do AO Surgery Reference, liderados por Lars Veum, por seu trabalho nas figuras.
- E, por fim, nossas famílias, por seu apoio carinhoso e encorajador ao longo deste projeto. Muito tempo foi passado longe da família para a produção deste livro e, sem a sua compreensão, este projeto não teria sido possível.

Richard E. Buckley, MD, FRCSC
Christopher G. Moran, MD, FRCS
Theerachai Apivatthakakul, MD

Prefácio

Suthorn Bavonratanavech
Ex-presidente 2014-2016 da Fundação AO
Tailândia

Quando um grupo de cirurgiões gerais e ortopedistas suíços fundou a Arbeitsgemeinschaft für Osteosynthesefragen (AO) em 1958, eles enfatizaram que a educação seria de extrema importância para o sucesso nos cuidados do trauma ortopédico. Uma nova revolução teve início em 1960, com o primeiro curso prático em Davos, na Suíça, que foi um modelo altamente bem-sucedido para a educação de adultos. Em 1963, foi publicado em alemão o primeiro relato escrito da AO sobre o tratamento cirúrgico de fraturas por Maurice E. Müller, Martin Allgöwer e Hans Willenegger. Mais tarde, o desenvolvimento técnico de métodos de fixação cirúrgica de fraturas, osteotomias e artrodeses foi aceito e adotado pelo Grupo AO suíço. Eles foram demonstrados detalhadamente em 1969 com a 1ª edição do *Manual de fixação interna*, que foi traduzido para o inglês e muitos outros idiomas, e se tornou um guia fundamental para os cirurgiões de trauma ortopédico ao redor do mundo. Foi um referencial para as técnicas precisas da AO desde 1970 até as duas décadas seguintes, com edições revisadas publicadas em 1977 e 1992. Em 1977, quando era um cirurgião jovem e inexperiente, aprendi muito sobre os princípios e técnicas da AO com o auxílio do livro. Naquela época, o *Manual* era a principal fonte de educação no trauma ortopédico, oferecendo orientações passo a passo sobre a execução do tratamento cirúrgico de fraturas.

Quarenta anos depois da fundação da AO, com a aceitação mundial do tratamento cirúrgico das fraturas, a publicação de *Princípios AO do tratamento de fraturas* foi atribuída a uma equipe internacional de cirurgiões e autores. O livro foi projetado não apenas para ser um manual de osteossíntese, mas principalmente para oferecer recomendações abrangentes e baseadas em evidências, assegurando o uso das técnicas mais avançadas. A 1ª edição de *Princípios AO do tratamento de fraturas* foi publicada em 2000, seguida pela 2ª edição, em 2007, e então, 10 anos mais tarde, por esta 3ª edição revisada e atualizada.

A missão da Fundação AO é "transformando a cirurgia, mudando vidas", e a equipe responsável por este livro deu continuidade a este legado de excelência com a 3ª edição de *Princípios AO do tratamento de fraturas*. É incomum na área médica que um livro-texto seja tão bem-sucedido e perdure por um período tão longo. Considerando os novos conhecimentos e as novas técnicas e tecnologia cirúrgicas, a 3ª edição apresenta códigos QR que conectam os leitores a uma diversidade de conteúdos educacionais AO *online* (em inglês). Esta edição permanece uma fonte primária de educação e, ao longo dos próximos anos, permitirá aos alunos conectarem-se às muitas formas de mídia eletrônica que estão se desenvolvendo rapidamente na internet.

Em nome da Fundação AO e dos cirurgiões da AO em todo o mundo, agradeço aos organizadores, autores e editores. Agradeço especialmente a Richard E. Buckley, Christopher G. Moran e Theerachai Apivatthakakul, assim como a Urs Ruetschi e sua equipe do AO Education Institute, por sua dedicação em produzir um livro excelente. Este livro formará o programa dos cursos AO em todo o mundo, e tenho a convicção de que o conhecimento fornecido por ele será tão benéfico à nova geração de cirurgiões AO como foi o original *Manual de fixação interna* para a minha geração.

Introdução

Esta é a 3ª edição do livro sobre os princípios AO do tratamento de fraturas, e é possível que seja a última versão impressa conforme adentramos a terceira década do século XXI, já que a maioria dos cirurgiões e alunos usam a internet como fonte fundamental de informação. A 1ª e a 2ª edições deste livro tiveram enorme sucesso, obtendo prêmios com as traduções em oito idiomas. Essas obras formaram currículos de cursos sobre tratamento cirúrgico de fraturas em todo o mundo. A 3ª edição se baseia neste formato bem-sucedido, porém, em vez de estar disponível apenas como um livro impresso ou eletrônico, tem uma plataforma *online* que integra recursos múltiplos de aprendizagem, a fim de permitir o acesso imediato dos alunos a AO Surgery Reference, vídeos de ensino, *webcasts*, palestras, demonstrações de técnicas cirúrgicas e referências bibliográficas.

Desde a publicação da 2ª edição, em 2007, a cirurgia de fraturas segue evoluindo. O papel e a função das placas bloqueadas estão agora mais bem definidos, com disponibilidade de muitas variedades de placas anatomicamente pré-moldadas, além da quantidade e dos tipos de implantes de minifragmentos terem aumentado consideravelmente. O uso difundido da cirurgia minimamente invasiva tem enfatizado a importância das partes moles na cirurgia de fraturas. Conflitos civis e militares ao redor do mundo têm levado a avanços significativos na reanimação de pacientes com politraumatismo, com mudanças no tempo e na abordagem à cirurgia de fraturas. Todas essas mudanças estão refletidas no texto.

Todos os capítulos foram profundamente revisados e reescritos, com novas ilustrações, animações e vídeos. O uso crescente de radiologia e imagens de cortes transversais foi abordado em um novo capítulo, pois o cirurgião deve estar ciente dessas tecnologias e do risco que a exposição à radiação representa a ele e a seus pacientes.

Também foi feita uma atualização e revisão abrangente de todas as referências, já que a cirurgia de fraturas tem desenvolvido uma base sólida de evidências, derivadas do número crescente de grandes ensaios controlados randomizados em nível nacional.

O envelhecimento populacional é um dos maiores desafios enfrentados pelos cirurgiões de fraturas em todo o mundo. As mudanças demográficas resultarão em um aumento exponencial nas fraturas por fragilidade; dessa forma, esta edição inclui um capítulo sobre esse tipo de fratura e cuidados ortogeriátricos. A cada ano, 2,9 milhões de próteses articulares totais são executadas no mundo, o que tem aumentado significativamente o número de fraturas periprotéticas. Esse crescente problema clínico é abordado em outro novo capítulo. O Volume 2, sobre fraturas específicas, também foi expandido, incluindo um novo capítulo sobre luxações de joelho.

Os organizadores desejam fazer um reconhecimento especial à contribuição de Thomas Rüedi, não só para este livro, mas para o ensino de cirurgia ao redor do mundo. Tom é uma inspiração para todos nós.

Os princípios fundamentais de cirurgia de fraturas não mudaram em 60 anos, mas nosso crescente conhecimento biológico e clínico, junto com os avanços na tecnologia, mudou o modo como aplicamos tais princípios. Cirurgias de fraturas bem-sucedidas requerem uma compreensão abrangente desses princípios, com atenção meticulosa a detalhes em cada etapa no cuidado do paciente. Esperamos que este livro seja um guia e forneça a base para uma carreira bem-sucedida na cirurgia de fraturas.

Richard E. Buckley, MD, FRCSC
Christopher G. Moran, MD, FRCS
Theerachai Apivatthakakul, MD

Siglas

AAS	ácido acetilsalicílico
ACO	anticoncepcional oral
ACP	analgesia controlada pelo paciente
ADM	amplitude de movimento
AFM	avaliação da função musculoesquelética
AFN	haste femoral anterógrada
AIEP	aço inoxidável eletropolido
AINEs	anti-inflamatórios não esteroides
AIS	escala abreviada de lesões
ALARA	tão baixo quanto razoavelmente possível (o princípio ALARA refere-se à proteção contra radiação)
ALP	abdutor longo do polegar
ANT	alumínio-nióbio-titânio
AO	Arbeitsgemeinschaft für Osteosynthesefragen
AP	anteroposterior
APG	ácido poliglicólico
APL	ácido poliláctico
ARUD	articulação radioulnar distal
ASIA	American Spinal Injury Association
ATC	angiotomografia computadorizada
ATCP	angiotomografia computadorizada pulmonar
ATLS	suporte avançado de vida no trauma
AVA	acidente com veículo automotor
BMP	proteína morfogenética óssea
β-TCP	β-fosfato tricálcico
CAC	cirurgia auxiliada por computador
CAP	compressão anteroposterior
CaP	fosfato de cálcio
CARS	síndrome da resposta compensatória anti-inflamatória
CCD	cirurgia de controle de danos
CCT	carga conforme tolerado
CDO	controle de danos ortopédicos
CE	Conformité Européene
CFCT	complexo fibrocartilaginoso triangular
CGI	cirurgia guiada por imagens
CIA	cuidado inicial apropriado
CL	compressão lateral
CMI	cirurgia minimamente invasiva
CMO	conteúdo mineral ósseo
COAC	cirurgia ortopédica auxiliada por computador
CP	carga parcial
CPPD	carga parcial com pododáctilos
cpTi	titânio comercialmente puro
CSSO	complexo suspensório superior do ombro
CT	carga total
CTM	células-tronco mesenquimais
CTMH	células-tronco mesenquimais humanas
CTP	cuidado total precoce
DCP	placa de compressão dinâmica
DCS	parafuso dinâmico condilar
DDO	doença distal degenerativa
DEXA	absorciometria de raios X de dupla energia
DFN	haste femoral proximal
DFN	haste femoral distal
DHS	parafuso dinâmico do quadril
DMO	densidade mineral óssea
dPA	pressão arterial diastólica
DSM	dor simpaticamente mantida
DSR	distrofia simpaticorreflexa, também chamada de síndrome de dor regional complexa (SDRC)
EAV	escala analógica visual
ECP	extensor curto do polegar
ECR	ensaio controlado randomizado
EGF	fator de crescimento epidérmico
EIEE	encavilhamento intramedular estável elástico
ELP	extensor longo do polegar
EMG	eletromiografia
EP	embolia pulmonar
ERC	enterobactérias resistentes a carbapenêmicos
ESA	exame sob anestesia
ESC	equipe da sala de cirurgia
FAI	fresa com aspiração e irrigação
FAV	fechamento auxiliado por vácuo
FCB	fosfato de cálcio bifásico
FDA	Food and Drug Administration
FDR	fratura distal do rádio
FGF	fator de crescimento do fibroblasto
FLP	flexor longo do polegar
FMO	falência de múltiplos órgãos
FRC	flexor radial do carpo
FUC	flexor ulnar do carpo
GC	grampo de compressão (para pelve)
GCS	Escala de Coma de Glasgow
GDF	fator de crescimento e diferenciação
GOS	Escala de Desfecho de Glasgow
HA	hidroxiapatita
HBPM	heparina de baixo peso molecular
HET	haste elástica de titânio
HFS	escala de fraturas de Hanover
hGH	hormônio do crescimento humano
HIEE	haste intramedular elástica estável
HNBD	heparina não fracionada de baixa dosagem
HUS	haste universal simplificada
IASP	International Association for the Study of Pain
IDCOM	imagem digital e comunicações em medicina
IGF	fator do crescimento insulínico
IGF-BP	proteínas de ligação do IGF
IM	intramedular
INR	razão normalizada internacional
ISS	escore de gravidade da lesão

ITB	índice tornozelo-braquial	**PMDC**	proteína morfogenética derivada da cartilagem
KTTP	tempo de tromboplastina parcial ativada	**PMMA**	polimetilmetacrilato
LCA	ligamento cruzado anterior	**PMN**	(neutrófilos) polimorfonucleares
LC-DCP	placa de compressão dinâmica de baixo contato	**PPMM**	pressão de perfusão muscular média
LCL	ligamento colateral lateral	**PQ**	pronador quadrado
LCM	ligamento colateral medial	**PTH**	paratormônio
LCP	ligamento cruzado posterior	**RAFI**	redução aberta e fixação interna
LCP	placa de compressão bloqueada	**RIA**	fresagem, irrigação e aspiração
LHS	parafuso de cabeça bloqueada	**RM**	ressonância magnética
LISS	sistema de estabilização menos invasivo	**RMN**	ressonância magnética nuclear
LPT	lateral proximal da tíbia	**RMQ**	ressonância magnética quantitativa
MEFiSTO	(sistema de fixação externa monolateral para traumatologia e ortopedia)	**RRA**	redução de risco absoluto (ou aumento)
MESS	escore de gravidade da extremidade esmagada	**RRR**	redução de risco relativo
MMA	metilmetacrilato	**RT**	retorno ao trabalho
MOD	matriz óssea desmineralizada	**SARA**	síndrome da angústia respiratória do adulto (ou aguda)
MPC	movimento passivo contínuo	**SC**	sala de cirurgia
MRC	Medical Research Council	**SCAI**	sistema de comunicação e arquivamento de imagens
MRSA	*Staphylococcus aureus* resistente à meticilina	**SDMO**	síndrome da disfunção de múltiplos órgãos
MSSA	*Staphylococus aureus* sensível à meticilina	**SDRC I**	síndrome da dor regional complexa tipo I
NAV	necrose avascular	**SDRC II**	síndrome da dor regional complexa tipo II
NNT	número necessário para tratar/número necessário para lesionar	**SEG**	síndrome da embolia gordurosa
NOFSP	nanopartículas de óxido de ferro superparamagnético	**SHTE**	sistema de haste tibial especial
OA	osteoartrite	**SIGN**	Surgical Implant Generation Network
OHT	ossificação heterotópica (ectópica)	**SIRS**	síndrome da resposta inflamatória sistêmica
OMI	osteossíntese minimamente invasiva	**SNC**	sistema nervoso central
OPMI	osteossíntese com placa minimamente invasiva	**SRE**	sistema reticuloendotelial
OTA	Orthopaedic Trauma Association	**SXA**	absorciometria de raios X de energia simples
OTD	Orthopedic Trauma Directions	**TC**	tomografia computadorizada
OTLS	órtese toracolombossacra	**TCA**	transplante de condrócitos autógenos
PART	pedículo de ancôneo refletido pelo tríceps	**TCCI**	tomografia computadorizada do corpo inteiro (para trauma)
PAd	pressão arterial diastólica	**TCE**	trauma craniencefálico
PAS	pressão arterial sistólica	**TCQ**	tomografia computadorizada quantitativa
PCR	proteína C-reativa	**TEPT**	transtorno de estresse pós-traumático
PDGF	fator de crescimento derivado das plaquetas	**TEV**	tromboembolismo venoso
PDLLA	poli-D, L-lactídeo	**TFN**	haste femoral trocantérica
PDS	polidioxanona	**TGF**	fator transformador do crescimento
PEEK	poli-éter-éter-cetona	**Ti-15Mo**	titânio molibdênio
PEG	polietilenoglicol	**TNF-α**	fator de necrose tumoral alfa
PEKK	poli-éter-cetona-cetona	**TPN**	terapia por pressão negativa, também chamada fechamento auxiliado por vácuo (FAV)
PEP	prevenção da embolia pulmonar		
PEPMUA	polietileno de peso molecular ultra alto	**TQPA**	tratamento químico com plasma anódico
PET	tomografia por emissão de pósitrons	**TRH**	terapia de reposição hormonal
PET-TC	tomografia por emissão de pósitrons combinada com tomografia computadorizada	**TVP**	trombose venosa profunda
		TXA	ácido tranexâmico
PFNA	haste femoral proximal antirrotação	**USP**	United States Pharmacopeia
PHILOS	sistema bloqueado interno da região proximal do úmero	**USQ**	ultrassonografia quantitativa
PHN	haste umeral proximal	**USS**	Universal Spine System
PIC	pressão intracraniana	**UTI**	unidade de terapia intensiva
PIM	pressão intramuscular	**VCI**	veia cava inferior
PLGA	poliglicolídeos	**VEGF**	fator de crescimento endotelial vascular
PLLA	polilactídeos	**VHS**	velocidade de hemossedimentação

Conteúdo educacional AO *online*

Diversos conteúdos são disponibilizados *online* pela AO (em inglês) e podem ser acessados a partir dos códigos QR impressos na abertura de cada capítulo. Usando um leitor de código QR em um dispositivo móvel, os leitores são levados a *sites* dedicados que contêm não apenas os Vídeos e Figuras/Animações do capítulo, mas também conteúdos educacionais da AO selecionados pelos organizadores especialmente para aquele tema.

Os conteúdos disponibilizados nos *sites* incluem:
- AO Surgery Reference
- AO Skills Lab
- AOSTaRT
- *Webinars* e *webcasts*
- Palestras
- Vídeos educativos
- Módulos de ensino a distância
- Aplicativos móveis
- Casos da ICUC

Esses conteúdos serão revisados e atualizados pelos organizadores à medida que novos recursos educacionais da AO são desenvolvidos, garantindo que os leitores mantenham-se conectados com as novidades da área.

Sumário

Volume 1 – Princípios

Seção 1
Filosofia da AO e princípios básicos

1.1	Filosofia e evolução da AO *Richard E. Buckley, Christopher G. Moran, Theerachai Apivatthakakul*	3
1.2	Biologia e biomecânica da consolidação óssea *Boyko Gueorguiev-Rüegg, Martin Stoddart*	9
1.3	Implantes e biotecnologia *Geoff Richards*	27
1.4	Classificação das fraturas *James F. Kellam*	39
1.5	Lesão de partes moles: fisiopatologia, avaliação e classificação *Brian Bernstein*	51

Seção 2
Tomada de decisão e planejamento

2.1	O paciente e a lesão: tomada de decisão na cirurgia do trauma *Christopher G. Moran*	73
2.2	Fraturas diafisárias: princípios *Piet de Boer*	83
2.3	Fraturas articulares: princípios *Chang-Wug Oh*	93
2.4	Planejamento pré-operatório *Matthew Hartooge*	105

Seção 3
Redução, vias de acesso e técnicas de fixação

Redução e vias de acesso

3.1.1	Redução cirúrgica *Rodrigo Pesantez*	117
3.1.2	Vias de acesso e manuseio intraoperatório de partes moles *Ching-Hou Ma*	137
3.1.3	Osteossíntese minimamente invasiva *Reto Babst*	149

Técnicas de estabilidade absoluta

3.2.1	Parafusos *Wa'el Taha*	173
3.2.2	Placas *Mark A. Lee*	185
3.2.3	Princípio da banda de tensão *Markku Nousiainen*	209

Técnicas de estabilidade relativa

3.3.1	Encavilhamento intramedular *Martin H. Hessmann*	217
3.3.2	Placa em ponte *Friedrich Baumgaertel*	241
3.3.3	Fixador externo *Rainhard Hoffmann*	253
3.3.4	Placas bloqueadas *Christoph Sommer*	269

Seção 4
Tópicos gerais

4.1	Politraumatismo: fisiopatologia, prioridades e tratamento *Peter V. Giannoudis*	**311**
4.2	Fraturas expostas *Rami Mosheiff*	**331**
4.3	Perda de partes moles: princípios do tratamento *Yves Harder*	**357**
4.4	Fraturas pediátricas *Theddy Slongo, James Hunter*	**379**
4.5	Profilaxia com antibióticos *Susan Snape*	**421**
4.6	Profilaxia do tromboembolismo *Hans J. Kreder*	**429**
4.7	Cuidados pós-operatórios: considerações gerais *Liu Fan, John Arraf*	**437**
4.8	Fraturas por fragilidade e cuidados ortogeriátricos *Michael Blauth, Markus Gosch, Thomas J. Luger, Hans Peter Dimai, Stephen L. Kates*	**451**
4.9	Riscos relacionados aos exames de imagem e à radiação *Chanakarn Phornphutkul*	**481**

Seção 5
Complicações

5.1	Consolidação viciosa *Mauricio Kfuri*	**493**
5.2	Não união asséptica *R. Malcolm Smith*	**513**
5.3	Infecção aguda *Olivier Borens, Michael S. Sirkin*	**529**
5.4	Infecção crônica e não união infectada *Stephen L. Kates, Olivier Borens*	**547**

Volume 2 – Fraturas específicas

Seção 6

Escápula e clavícula

6.1.1	Escápula *Michael McKee*	565
6.1.2	Clavícula *Ernest Kwek*	573

Úmero

6.2.1	Úmero, proximal *Chunyan Jiang*	587
6.2.2	Úmero, diáfise *John Williams*	607
6.2.3	Úmero, distal *David Ring*	623

Antebraço e mão

6.3.1	Proximal do antebraço e lesões complexas do cotovelo *Stefaan Nijs*	637
6.3.2	Antebraço, diáfise *John T. Capo*	657
6.3.3	Distal do rádio e do punho *Matej Kastelec*	673
6.3.4	Mão *Douglas A. Campbell*	699

Pelve e acetábulo

6.4	Anel pélvico *Daren Forward*	717
6.5	Acetábulo *Jorge Barla*	745

Fêmur e fraturas periprotéticas

6.6.1	Fêmur, proximal *Rogier K. J. Simmermacher*	773
6.6.2	Fêmur, diáfise (incluindo fraturas subtrocantéricas) *Zsolt J. Balogh*	789
6.6.3	Fêmur, distal *Jong-Keon Oh*	815
6.6.4	Fraturas periprotéticas *Michael Schütz*	837

Joelho

6.7.1	Patela *Mahmoud M. Odat*	853
6.7.2	Luxações do joelho *James Stannard*	865

Tíbia

6.8.1	Tíbia, proximal *Luo Cong-Feng*	877
6.8.2	Tíbia, diáfise *Paulo Roberto Barbosa de Toledo Lourenço*	899
6.8.3	Tíbia, distal intra-articular (pilão) *Sherif A. Khaled*	913

Maléolos e pé

6.9	Maléolos *David M. Hahn, Keenwai Chong*	933
6.10.1	Retropé – calcâneo e tálus *Richard E. Buckley*	961
6.10.2	Mediopé e antepé *Mandeep S. Dhillon*	983

Glossário *Christopher L. Colton, Christopher G. Moran*		G-1
Índice		I-1

Seção 6

Fraturas específicas

Seção 6
Fraturas específicas

Escápula e clavícula

6.1.1 Escápula — 565
Michael McKee

6.1.2 Clavícula — 573
Ernest Kwek

Úmero

6.2.1 Úmero, proximal — 587
Chunyan Jiang

6.2.2 Úmero, diáfise — 607
John Williams

6.2.3 Úmero, distal — 623
David Ring

Antebraço e mão

6.3.1 Proximal do antebraço e lesões complexas do cotovelo — 637
Stefaan Nijs

6.3.2 Antebraço, diáfise — 657
John T. Capo

6.3.3 Distal do rádio e do punho — 673
Matej Kastelec

6.3.4 Mão — 699
Douglas A. Campbell

Pelve e acetábulo

6.4 Anel pélvico — 717
Daren Forward

6.5 Acetábulo — 745
Jorge Barla

Fêmur e fraturas periprotéticas

6.6.1 Fêmur, proximal — 773
Rogier K. J. Simmermacher

6.6.2 Fêmur, diáfise (incluindo fraturas subtrocantéricas) — 789
Zsolt J. Balogh

6.6.3 Fêmur, distal — 815
Jong-Keon Oh

6.6.4 Fraturas periprotéticas — 837
Michael Schütz

Joelho

6.7.1 Patela — 853
Mahmoud M. Odat

6.7.2 Luxações do joelho — 865
James Stannard

Tíbia

6.8.1 Tíbia, proximal — 877
Luo Cong-Feng

6.8.2 Tíbia, diáfise — 899
Paulo Roberto Barbosa de Toledo Lourenço

6.8.3 Tíbia, distal intra-articular (pilão) — 913
Sherif A. Khaled

Maléolos e pé

6.9 Maléolos — 933
David M. Hahn, Keenwai Chong

6.10.1 Retropé – calcâneo e tálus — 961
Richard E. Buckley

6.10.2 Mediopé e antepé — 983
Mandeep S. Dhillon

6.1.1 Escápula

Michael McKee

1 Introdução

1.1 História

As fraturas da escápula têm sido tradicionalmente tratadas sem cirurgia. A não união da escápula após uma fratura é extremamente rara, e a consolidação viciosa era aceita com a expectativa de que a maioria dos pacientes teria um desfecho funcional razoável com pouca ou nenhuma dor. Entretanto, as evidências recentes têm demonstrado que a consolidação viciosa da escápula pode estar associada a distúrbio funcional significativo, especialmente com graus maiores de deformidade. Tal fato aumentou o interesse sobre o tratamento da fratura da escápula, incluindo melhores imagens tridimensionais, indicações para cirurgia, métodos de fixação e desfechos relacionados ao paciente.

1.2 Epidemiologia

As fraturas da escápula são relativamente raras (0,4-1,0% de todas as fraturas); em geral, são vistas em pacientes politraumatizados e normalmente causadas por força de grande intensidade. Por essa razão, o paciente deve ser cuidadosamente avaliado na busca de outras lesões potencialmente fatais, incluindo tórax instável, lesão aórtica não penetrante, hemotórax ou pneumotórax e contusão pulmonar, junto com outras fraturas (especialmente da clavícula, vistas em 25% dos casos) [1]. As fraturas isoladas são geralmente causadas por um golpe direto na parte de trás e são geralmente de natureza estrelada. As fraturas da borda anterior ou posterior da glenoide são geralmente resultado de luxação ou subluxação glenoumeral ("lesões ósseas de Bankart") [2], e o foco do tratamento é a restauração da estabilidade articular.

1.3 Características especiais

A escápula é um osso complexo que serve como origem importante para a musculatura do ombro, e a articulação escapulotorácica toma parte na estabilidade e movimento do ombro. O osso no corpo da escápula é fino, e a maioria dos pontos para a fixação de parafusos está disponível em torno das bordas da escápula. Além disso, a escápula tem vários processos importantes (coracoide, acrômio, espinha da escápula) que são significativos para a função do ombro e também servem como locais potenciais para a pega do parafuso. Goss [3] introduziu o conceito do complexo suspensor superior do ombro para explicar a biomecânica de algumas lesões do ombro.

2 Avaliação e diagnóstico

2.1 História do caso e exame físico

Os sintomas clínicos da fratura da escápula são inespecíficos e com frequência mascarados pelos sintomas de lesões concomitantes. As fraturas expostas são raras. Com a fratura do colo da escápula, o nervo supraescapular está em risco de ser lesionado, já que corre através da incisura escapular, na borda superior. As suspeitas de lesão desse nervo precisam ser descartadas por eletromiografia, assim como as suspeitas de lesão do nervo axilar.

2.2 Exames de imagem

O exame radiográfico consiste em três incidências de trauma do ombro (anteroposterior [AP] no plano escapular, lateral no plano escapular e projeção axilar). O envolvimento da glenoide requer uma tomografia computadorizada (TC) para determinar o número e o tamanho dos fragmentos, como também a extensão do desvio articular. Dada à complexidade da escápula, a reconstrução tridimensional na TC está se tornando cada vez mais popular para o planejamento pré-operatório. A clavícula deve ser sempre avaliada, já que as fraturas associadas são comuns.

3 Anatomia

O corpo da escápula é largo e achatado, fino na área média e mais espesso em torno das bordas axilar e vertebral. A espinha da escápula é uma estrutura proeminente na parte posterior, e o melhor acesso cirúrgico ao corpo e à espinha da escápula é posterior. O músculo deltoide envolve a maior parte do aspecto superior da escápula e deve ser refletido ou dividido, dependendo da abordagem selecionada. O coracoide e o acrômio são processos separados que são mais adequadamente acessados por meio de uma abordagem anterior e superior, respectivamente.

Fraturas específicas
6.1.1 Escápula

4 Classificação

4.1 Classificação AO/OTA de Fraturas e Luxações

A escápula é o osso numerado como 14 [4]. É dividida em três localizações: o processo (14A), o corpo (14B) e a fossa glenoide (14F).

5 Indicações cirúrgicas

As indicações cirúrgicas permanecem controversas. A intervenção cirúrgica é reservada a pacientes saudáveis e ativos com baixo risco operatório intrínseco. Os pacientes mais velhos e sedentários, com comorbidades médicas, são mais adequadamente tratados de forma não operatória. As indicações listadas são relativas, não absolutas, e a decisão em prosseguir com a cirurgia é feita somente após uma avaliação cuidadosa dos riscos e benefícios para cada paciente.

- Fratura da borda glenoide (anterior, inferior ou posterior) com instabilidade articular associada do ombro
- Desvio intra-articular maior ou igual a 5 mm que envolva mais de 25% da superfície articular
- Ângulo glenopolar < 22°
- Desvio medial da fratura do colo da glenoide > 2 cm
- 100% de desvio ou > 45° de angulação da fratura do corpo da escápula
- Fratura de processo completamente desviada (acrômio, coracoide, espinha da escápula)
- Má angulação significativa (retroversão ou anteversão) do colo da escápula
- Paciente jovem politraumatizado
- Complexo suspensor superior do ombro rompido (duas fraturas no anel)

6 Planejamento pré-operatório

6.1 Momento da cirurgia

A fixação aguda das fraturas da escápula é raramente indicada e existe tempo suficiente para estabilização do paciente (especialmente no contexto de politraumatismo) e para a obtenção das imagens pré-operatórias. Como em qualquer cirurgia de fratura, o sucesso depende do planejamento cuidadoso, de um paciente clinicamente otimizado e de uma robusta cobertura de partes moles do local antecipado de fixação da fratura. A cobertura de partes moles é raramente um problema. Hoje é "padrão de cuidado" que as imagens incluam TC pré-operatória (com reconstrução tridimensional se disponível) para planejar a fixação cirúrgica. A cirurgia de fratura da glenoide e escápula é um procedimento difícil em um osso irregular e complexo, que deve ser feito em condições ideais, ou seja, em um paciente estabilizado, com imagens e planejamento pré-operatório minucioso, e que a cirurgia seja feita em um paciente cuidadosamente posicionado, por um cirurgião bem descansado e experiente, com uma variedade de implantes potenciais manuseados por uma equipe de suporte cirúrgico habilitada.

6.2 Seleção do implante

Em geral, os implantes pequenos ou de minifragmentos são usados para a fixação da escápula e glenoide. As fraturas da borda da glenoide são estabilizadas com parafusos esponjosos de 4,0 mm de rosca parcial. As fraturas do corpo da escápula são tratadas com placas 1/3 de tubo ou placa de reconstrução de 3,5. As placas de compressão são muito grossas e a resistência adicionada não é necessária nesse contexto. Geralmente, exceto ao longo das bordas, o corpo da escápula é fino e aceita somente parafusos de 12-14 mm. As fraturas do acrômio, da espinha acromial ou do coracoide podem ser tratadas com placas de minifragmentos e parafusos de 2,7 mm. As placas pré-moldadas projetadas para a escápula e seus processos estão disponíveis e podem diminuir a quantidade de tempo necessária para colocação e moldagem durante a cirurgia.

6.3 Configuração da sala de cirurgia

A área do pescoço até a mão, incluindo a axila, é desinfetada com o antisséptico apropriado. A colocação de campos deve ser feita de modo a deixar o aspecto posterior do braço exposto, do ombro até o cotovelo. Então, a mão e o antebraço são preparados separadamente com uma malha fixada apropriadamente ao antebraço (**Fig. 6.1.1-1a**). O intensificador de imagem também é preparado.

O anestesista e o equipamento anestésico ficam ao lado do paciente. O cirurgião e o assistente ficam no lado da lesão. A equipe da sala de cirurgia fica perto (e atrás) dos cirurgiões. Quando necessário, o intensificador de imagem é introduzido a partir do topo da mesa cirúrgica. A tela do intensificador de imagem é colocada para a completa visão da equipe cirúrgica e do técnico em radiologia (**Fig. 6.1.1-1b**).

7 Cirurgia

7.1 Vias de acesso cirúrgicas

Existem várias vias de acesso cirúrgicas para a escápula e a escolha da abordagem dependerá do padrão da fratura e das fraturas especificamente direcionadas à fixação. Muitos padrões de fratura da escápula são complexos e nem sempre é necessário estabilizar toda linha de fratura. Os riscos e a desvantagens do tempo operatório adicional e da lesão das partes moles devem ser ponderadas em relação à redução ou à estabilidade obtidas pela fixação adicional.

7.1.1 Via de acesso deltopeitoral

Essa via de acesso é usada para as fraturas da borda glenoide anterior e inferior. Seguindo-se à reflexão do subescapular e com uma artrotomia anterior, a cabeça do úmero pode ser subluxada posteriormente para se visualizar a borda anterior da glenoide. Uma vez que a estabilidade da articulação é restaurada depois da fixação do fragmento, a cápsula é fechada anatomicamente, e o tendão seccionado ou dividido do subescapular é meticulosamente suturado para evitar qualquer limitação na mobilidade do ombro. Essa via de acesso também pode ser usada para expor e fixar as fraturas associadas do coracoide. Entretanto, não fornece exposição adequada para a maioria das fraturas do colo ou do corpo da glenoide.

7.1.2 Via de acesso superior

Essa via de acesso é usada para os fragmentos superiores da glenoide. A incisão de pele corre no sentido coronal no meio entre a clavícula e espinha da escápula, lateralmente, passando um pouco a articulação acromioclavicular. As fibras do músculo trapézio são divididas. Dependendo da localização do fragmento, o músculo supraespinal é cuidadosamente afastado em direção posterior ou anterior. A incisura escapular é sempre identificada para evitar lesão ao nervo supraescapular. As fraturas isoladas do acrômio podem também ser estabilizadas por essa abordagem, estendendo mais lateralmente a incisão. A exposição obtida nessa via de acesso é limitada e é restrita à glenoide superior e acrômio. Os padrões de fratura mais graves requerem uma via de acesso posterior.

7.1.3 Vias de acesso posteriores

A maioria das fraturas do corpo da escápula, do colo da glenoide, da glenoide posterior e da espinha da escápula é tratada pela via de acesso clássica descrita por Judet (**Fig. 6.1.1-2**). O paciente é colocado em decúbito lateral ou decúbito ventral com o braço preparado livremente. A incisão de pele começa no canto posterior do acrômio, segue a margem inferior da espinha da escápula até a borda medial da escápula e se curva inferiormente ao longo da borda medial até o ângulo inferior. O músculo deltoide é desinserido da espinha da escápula (deixando um pequeno manguito para facilitar a reinserção) e o músculo infraespinal pode ser completamente destacado de sua origem lateral e elevado a partir do aspecto posterior da escápula. Entretanto, essa dissecção clássica somente é necessária para o tratamento da fratura complexa da escápula, já que pode haver complicações de partes moles a partir dessa exposição extensa.

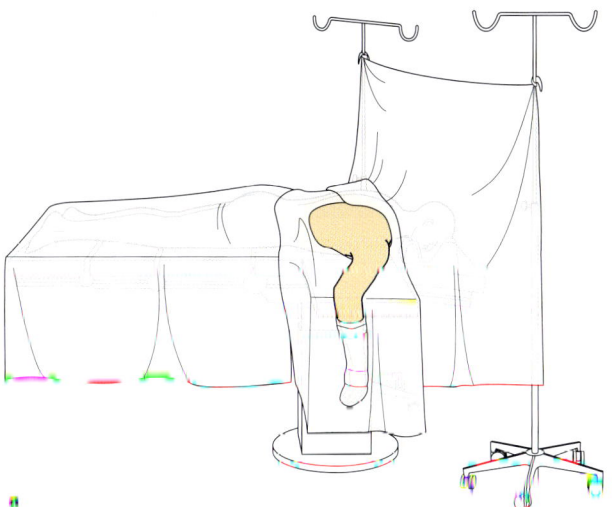
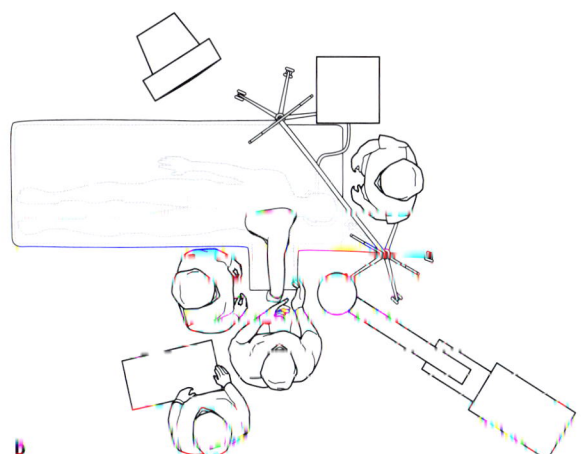

Fig. 6.1.1-1a-b
a Posicionamento e colocação de campos no paciente.
b Configuração da sala de cirurgia.

Fraturas específicas
6.1.1 Escápula

Um grau menor de dissecção é com frequência suficiente. Na maioria dos casos, somente a borda posterior da glenoide, o colo da escápula e a borda lateral da escápula precisam ser visualizados. A incisão cutânea para a abordagem posterior simplificada começa a 2 cm medialmente ao canto posterior do acrômio e corre em paralelo à borda lateral da espinha da escápula. A borda inferior do músculo deltoide é identificada e elevada. A escápula e a cápsula articular posterior são alcançadas através do intervalo entre os músculos infraespinal e redondo menor (um plano internervoso). A abdução do braço eleva a borda inferior do músculo deltoide, permitindo o acesso à parte cranial da cápsula articular. É preciso ter cuidado para não ferir o nervo supraescapular, que sai da incisura escapular, e o nervo axilar, que sai do espaço quadrangular logo abaixo do músculo redondo menor junto com a artéria circunflexa.

7.2 Redução

7.2.1 Fraturas dos processos escapulares

As fraturas não desviadas devem ser tratadas de forma não operatória. As fraturas desviadas da espinha da escápula frequentemente requerem tratamento operatório por causa do risco de não união e prejuízo funcional depois da consolidação viciosa. A espinha é abordada posteriormente, e o deltoide é refletido a partir dela. A fixação é alcançada com placas de reconstrução de 2,7, que são aplicadas ao aspecto posterior.

As fraturas isoladas do coracoide podem ocorrer centralmente ou perifericamente à origem do ligamento coracoclavicular. Nas fraturas centrais, mais frequentes, o ligamento em geral permanece intacto. Por conseguinte, o coracoide fraturado se desloca com a parte lateral da clavícula se houver uma luxação concomitante da articulação acromioclavicular. Nessa situação instável, o processo coracoide pode ser fixado com um parafuso de tração de 3,5 mm e a articulação acromioclavicular também é estabilizada.

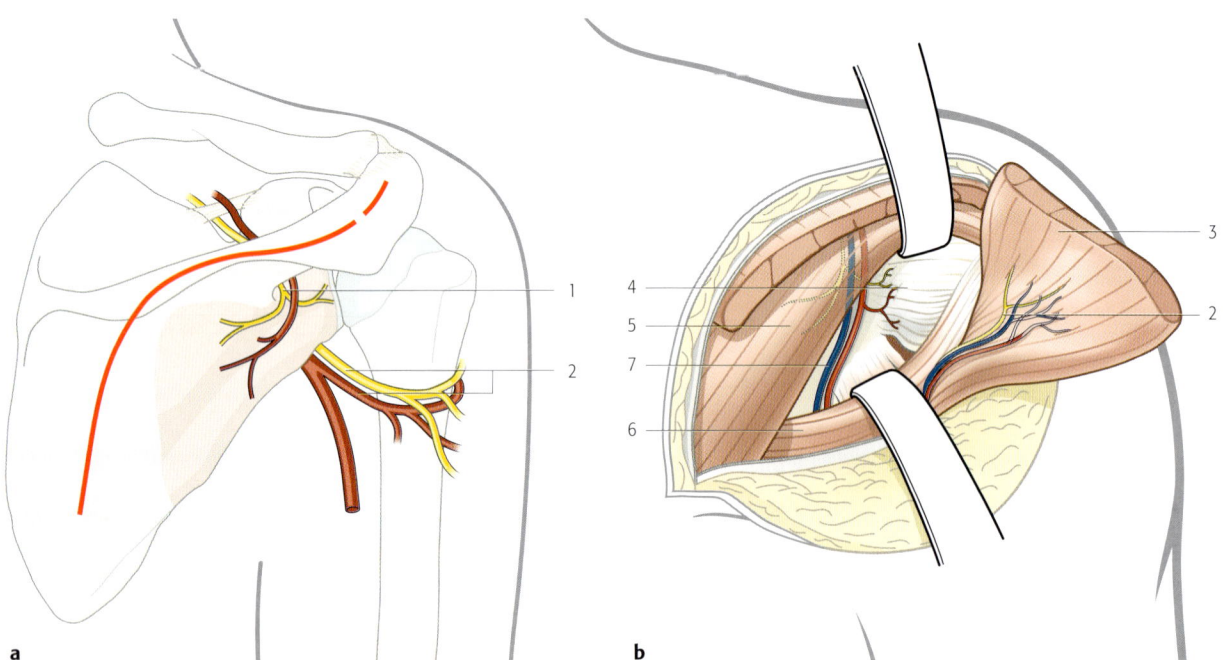

Fig. 6.1.1-2a-b Abordagem posterior da escápula.
a Decúbito lateral; incisão a partir da ponta do acrômio ao longo da margem inferior da espinha da escápula até a borda medial da escápula e curvada inferiormente ao longo da borda medial até o ângulo inferior da escápula.
   1 Nervo e artéria supraescapular
   2 Artéria circunflexa posterior do úmero/nervo axilar
b O músculo deltoide (3) é dissecado a partir da espinha da escápula e da base do acrômio com uma pequena borda de tecido deixada na espinha para facilitar a reinserção. O músculo deltoide é então cuidadosamente movido para o lado, evitando lesão ao nervo axilar e à artéria circunflexa do úmero (2). Abordagem da margem lateral da escápula e da glenoide (4) pela separação dos músculos infraespinal (5) e redondo menor (6). Uma pequena artrotomia é agora possível. Deve-se cuidar para não lesionar os vasos circunflexos escapulares (7).

As fraturas periféricas são tratadas conservadoramente, a menos que os fragmentos tenham perdido completamente todo contato devido à força de tração do músculo coracobraquial.

As fraturas desviadas do acrômio precisam ser reduzidas e fixadas, já que as consolidações viciosas podem levar ao impacto no manguito rotador. A fixação estável é alcançada com parafusos de tração de 2,7 mm ou com fios de banda de tensão.

7.2.2 Fraturas do colo da escápula

Se o colo da escápula for fraturado, o fragmento da glenoide fica em geral desviado medialmente. Esse encurtamento leva à redução da tensão e do comprimento de trabalho dos músculos do manguito rotador, que pode resultar em uma incapacidade funcional. Além disso, o fragmento da glenoide também pode estar rodado. Devido à tração da cabeça longa do músculo tríceps braquial, a superfície articular está mais frequentemente virada para baixo. De acordo com alguns autores, isso pode levar à instabilidade da articulação glenoumeral. O encurtamento de mais de 1 cm e a rotação de mais de 40 graus são considerados indicação para redução aberta e fixação interna por outro autor [5]. Geralmente, uma placa de reconstrução de 3,5 é aplicada na margem lateral por meio de uma abordagem posterior.

7.2.3 Fraturas articulares

As fraturas desviadas da borda anteroinferior da glenoide (fraturas de Bankart) devem ser tratadas cirurgicamente para restaurar a superfície articular e, mesmo com fragmentos pequenos, para evitar a instabilidade recorrente da articulação glenoumeral. Por meio de uma abordagem deltopeitoral, os fragmentos e o lábio glenoidal preso e a cápsula articular são reduzidos sob visão direta e fixados com parafusos de tração de 3,5 mm ou 2,7 mm inseridos a partir de fora da cápsula articular (**Fig. 6.1.1-3**). Arruelas de partes moles podem ser adicionadas para segurar melhor as partes moles associadas. Por causa da típica qualidade amolecida do osso nessa região, os parafusos devem ser suficientemente longos para obter uma fixação firme na cortical posterior do colo da escápula.

A maioria dos autores recomenda a redução aberta e fixação interna para as fraturas desviadas (mais que 5 mm) da fossa da glenoide para restaurar a congruência articular e para reduzir o risco de artrose pós-traumática. Ideberg [6], contudo, recomenda o tratamento não operatório para as fraturas articulares desviadas, desde que a cabeça do úmero permaneça centrada na fossa glenoidal. A decisão para operar deve ser baseada no desvio dos fragmentos, na idade e nível de atividade do paciente, nas comorbidades associadas e na habilidade do cirurgião.

Dependendo da morfologia da fratura (TC), é escolhida uma abordagem superior ou posterior. Os fragmentos articulares são fixados com parafusos de tração de 2,7 ou 3,5 mm. Em fraturas multifragmentadas que envolvam o corpo da escápula e da glenoide, é frequentemente suficiente apenas restaurar anatomicamente a superfície articular e realinhar a glenoide reconstruída à margem lateral, enquanto os fragmentos múltiplos do corpo não são tocados.

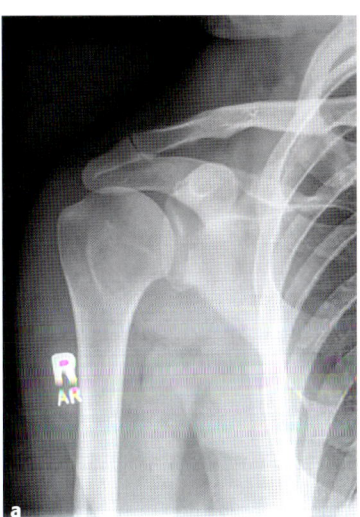
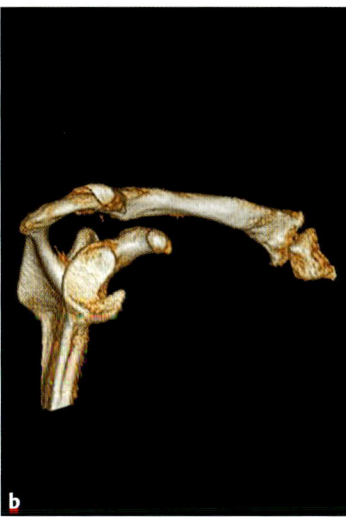
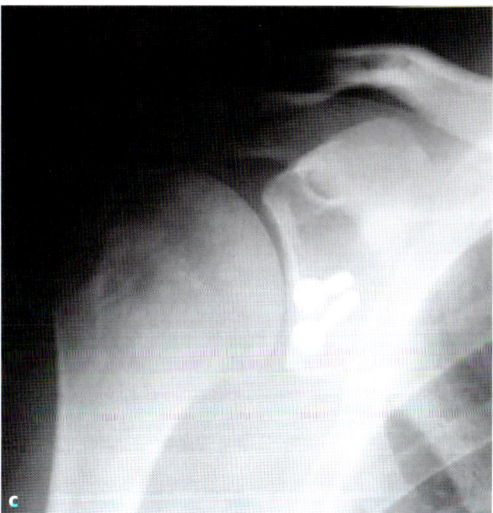

Fig. 6.1.1-3 a-c
a Fratura intra-articular da glenoide com desvio do fragmento anteroinferior.
b Tomografia computadorizada tridimensional.
c Redução através da cápsula articular parcialmente aberta, a fixação temporária com um fio de Kirschner foi seguida pela fixação com dois parafusos de tração.

7.2.4 Fraturas da escápula e da clavícula ipsilateral

As fraturas do colo da escápula e da clavícula ipsilateral (o chamado "ombro flutuante") representam uma ruptura dupla do complexo suspensor superior do ombro. Essa lesão, se desviada, pode levar à deformidade onde a glenoide tem sentido caudal, diminuindo o ângulo glenopolar e prejudicando a função [3]. Para evitar o encurtamento da cintura escapular e a função deficiente devido à fraqueza da abdução e rigidez, a redução aberta e fixação interna da clavícula e, possivelmente, do colo da glenoide pode ser indicada (**Fig. 6.1.1-4a-h**), particularmente nos casos com desvio medial significativo e encurtamento > 2 cm [7]. Publicações recentes, entretanto, relatam resultados igualmente bons com o tratamento não operatório. Edwards e colaboradores [8] concluíram que o tratamento não operatório das lesões flutuantes do ombro é apropriado, especialmente aquelas que estejam minimamente desviadas (menos que 5 mm). Egol e colaboradores [9] resumiram que o tratamento operatório não pode ser recomendado para todas essas lesões e que cada paciente deve ser individualmente tratado. Van Noort e colaboradores [10] declararam que essa lesão não é inerentemente instável e, na ausência de deslocamento caudal da glenoide, o tratamento não operatório alcança bons desfechos funcionais. Em geral, a intervenção operatória está indicada para as fraturas desviadas. A deformidade residual pode ser aditiva, porque múltiplas fraturas moderadamente desviadas podem resultar em deformidade maior do que a de uma fratura única isolada.

7.3 Fixação

Em geral, a instrumentação de mini e de pequenos fragmentos é usada para a fixação da glenoide e da escápula. Placas de reconstrução de 3,5 e de compressão dinâmica de baixo contato de 3,5 e 2,7 são o padrão (**Fig. 6.1.1-4f-h**), mas as placas 1/3 de tubo também podem ser usadas. Há disponibilidade de placas pré-moldadas projetadas para a fixação da escápula, embora suas vantagens e desvantagens específicas ainda não tenham sido definidas.

7.4 Desafios

Os desafios nessa área incluem: indicações operatórias em evolução, imagens, abordagens cirúrgicas e seleção dos implantes. Embora haja indicações específicas para cirurgia, elas permanecem pouco claras, sendo necessários estudos prospectivos e comparativos para definir quando a cirurgia é necessária. A compreensão da morfologia nas fraturas da escápula é um desafio importante pela complexa natureza tridimensional da escápula e seus vários processos. Por essa razão, a reconstrução tridimensional dos exames de TC é útil em muitas dessas fraturas (**Fig. 6.1.1-3b**). A escápula é envolta por uma espessa camada de tecido mole e músculo, e a exposição pode ser difícil. É um procedimento mais adequado a um cirurgião com experiência nas abordagens anteriores e posteriores do ombro.

8 Cuidados pós-operatórios

O regime pós-operatório dependerá da natureza do padrão da fratura a ser fixada. Entretanto, a articulação do ombro fica geralmente rígida após cirurgia da escápula e reabilitação insuficiente. Nas fraturas da borda anterior, o braço é mantido na posição em rotação interna em uma tipoia por 2 semanas, seguidas por exercícios de intensidade gradual para amplitude de movimento. A rotação externa completa é permitida depois da consolidação da fratura (normalmente em 6-8 semanas). As fraturas de borda posterior são mantidas em uma tala de rotação externa ("pistoleiro") por 2-4 semanas, sendo então permitida a mobilização gradual. Com a fixação estável, a maioria das fraturas do colo e do corpo da glenoide é colocada em uma tipoia para conforto, mas pode ser rapidamente mobilizada conforme a dor ceder, com exercícios ativos e passivos de amplitude irrestrita de movimento. O fortalecimento é permitido depois da consolidação da fratura, geralmente 6 semanas após a cirurgia.

9 Complicações

- Rigidez – a rigidez do ombro, em especial a restrição na rotação interna, é a complicação de significância clínica mais comum após a fixação das fraturas da escápula. Em uma grande metanálise, 9 pacientes de 234 casos tiveram rigidez disfuncional pós-operatória [12]. Se a fisioterapia agressiva falhar, a rigidez residual incapacitante pode ser tratada cirurgicamente com a remoção de material de síntese, liberação articular e manipulação.
- Infecção – a infecção superficial pode ser tratada com cuidados locais da ferida e antibióticos sistêmicos. Uma vez que a escápula é coberta por uma camada espessa de músculo e tecidos moles, a infecção profunda é rara, tendo sido relatada em 0 de 84 casos em uma série [12] e em 0 de 234 casos em outra [11]. É tratada com irrigação e debridamento da ferida, retenção dos implantes estáveis, identificação do microrganismo e antibióticos sistêmicos.
- Hematoma – os grandes espaços mortos na área periescapular podem ser exacerbados por abordagens cirúrgicas extensas e resultante formação de hematoma. Se suficientemente grande para demandar intervenção, o tratamento consiste na evacuação, irrigação e fechamento com drenos.
- Paralisia do nervo supraescapular – a vulnerabilidade do nervo supraescapular à lesão com fraturas da escápula ou da glenoide tem sido bem documentada. Pode ser aprisionado ou lacerado pela fratura, ou lesionado durante a abordagem cirúrgica. Se aprisionado na fratura, ele pode ser liberado; contudo pouco se pode fazer se houver uma divisão completa desse nervo. Dependendo da localização da lesão, a atrofia do supraespinal e do infraespinal (acima da incisura espinoglenóidea) ou do infraespinal isolado (no nível ou abaixo da incisura espinoglenóidea) irá ocorrer, e isso diminui a força e a amplitude da rotação externa.

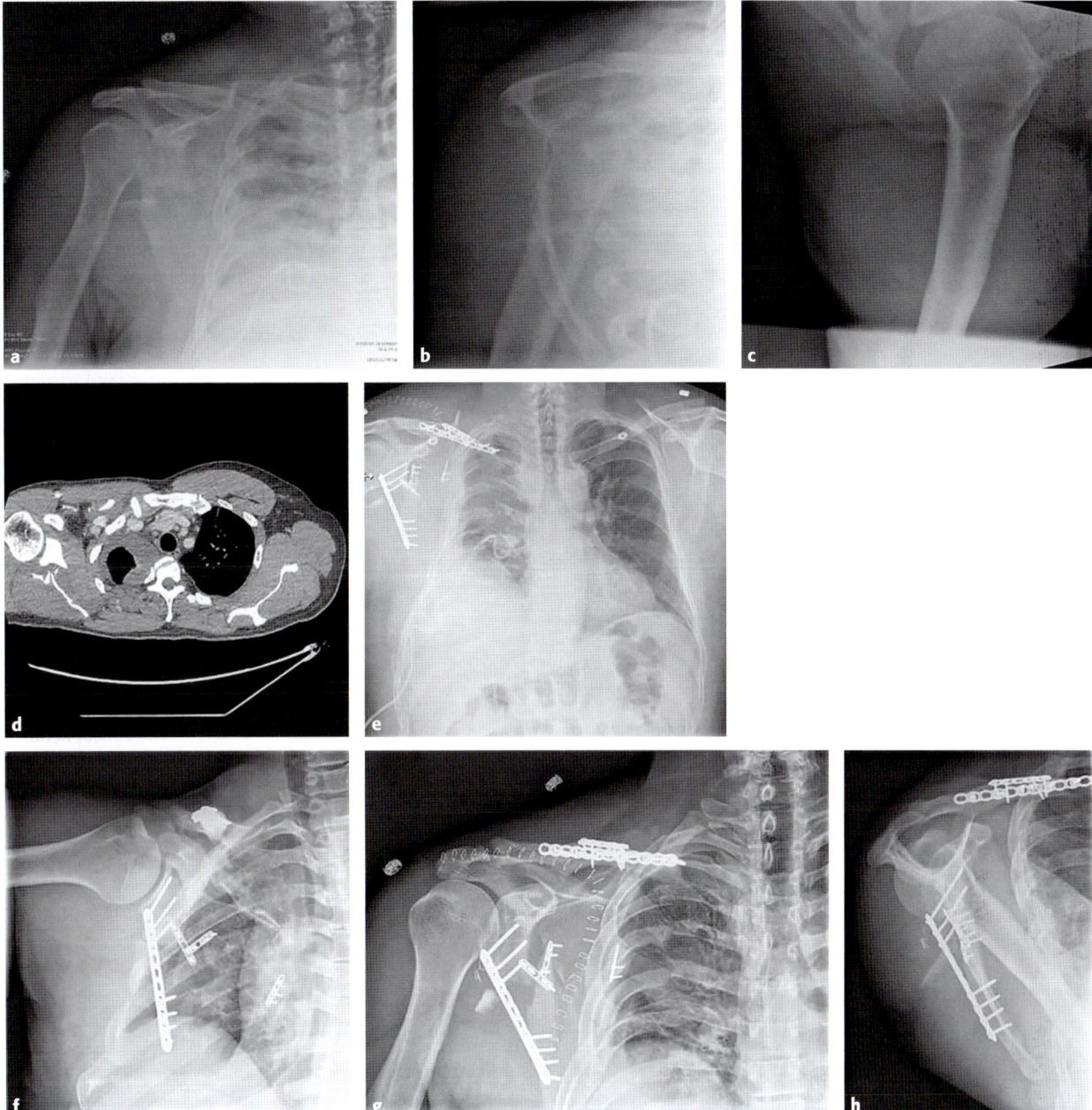

Fig. 6.1.1-4a–h Homem de 44 anos de idade que se envolveu em uma colisão de motocicleta. A combinação das fraturas da clavícula e do colo da escápula tornou todo o ombro e escápula instável. O tratamento lateral da aba apoia muito quando as peças das bordas.

a   Radiografia pré-operatória em vista AP da escápula e da clavícula direita.
b   Radiografia lateral pré-operatória da escápula direita.
c   Radiografia axial pré-operatória da escápula direita.
d   A tomografia computadorizada pré-operatória do tórax mostrou a fratura da escápula com encurtamento no lado direito, com uma fratura multifragmentada do colo da escápula e sangramento de tecidos moles na região do ombro direito.
e   Para restaurar a estabilidade, é geralmente suficiente fixar a clavícula com placas de reconstrução de 3,5 ou placa de compressão dinâmica de baixo contato de 3,5, 3,7 ou placa de compressão bloqueada de 3,5 suplementada com placas pequenas, conforme a necessidade, para ajudar com a redução. Esta imagem mostra a radiografia de tórax pós-operatória com a escápula e a clavícula internamente fixadas.
f–h Radiografias pós-operatórias em vista AP da escápula, AP do ombro e da clavícula e lateral da escápula mostrando a redução extensa que foi executada para alcançar um resultado estável com a escápula e a clavícula direita.

Fraturas específicas
6.1.1 Escápula

10 Prognóstico e desfecho

Existem poucas revisões prospectivas ou comparativas na literatura, mas as revisões retrospectivas demonstram resultados consistentemente bons com tratamento operatório ou não operatório. Duas séries focaram em fraturas da escápula (19 pacientes com um seguimento médio de 8 anos, e 18 pacientes com um seguimento médio de 2 anos) descrevendo o desfecho do tratamento não operatório e verificaram que os escores de Constant eram bons, mas declinavam nos pacientes com um ângulo glenopolar mais baixo (especialmente < 20 graus). De outra série de 13 pacientes com fraturas do colo da escápula, todos tiveram escores de Constant bons ou excelentes, mas todos os pacientes tinham um ângulo glenopolar > 20 graus. Outra série relatou resultados ruins em 6-15% dos pacientes tratados de maneira não operatória, em geral aqueles com fraturas mais gravemente desviadas. Um estudo [13] de 32 pacientes com fraturas do corpo da escápula verificou que um alto Escore de Gravidade de Lesão e fraturas associadas de costelas comprometiam o desfecho funcional. As séries operatórias focaram nas fraturas mais gravemente desviadas. Uma grande série recente [12], de 84 pacientes com várias fraturas da escápula tratadas por meio de uma abordagem extensa de Judet, relatou resultados radiográficos excelentes (nenhuma não união e somente três consolidações viciosas), sem nenhum caso de infecção. Outra série [14] que examinou o desfecho depois da fixação de fraturas dos processos escapulares (13 do acrômio e 14 da coracoide) relatou consolidação de todas as fraturas, com amplitude de movimento completa e nenhuma dor em qualquer dos pacientes.

Referências clássicas   Referências de revisão

11 Referências

1. **McGinnis M, Denton JR.** Fractures of the scapula: a retrospective study of 40 fractured scapulae. *J Trauma*. 1989 Nov;29(11):1488–1493.
2. **Thompson DA, Flynn TC, Miller PW, et al.** The significance of scapular fractures. *J Trauma*. 1985 Oct;25(10):974–977.
3. **Goss TP.** Double disruptions of the superior shoulder suspensory complex. *J Orthop Trauma*. 1993;7(2):99–106.
4. **Orthopaedic Trauma Association, Committee for Coding and Classification.** Fracture and dislocation compendium. *J Orthop Trauma*. 1996;10 Suppl 1:1–154.
5. **Ada JR, Miller ME.** Scapular fractures. Analysis of 113 cases. *Clin Orthop Relat Res*. 1991 Aug;(269):174–180.
6. **Ideberg R.** Fractures of the scapula involving the glenoid fossa. In: Bateman JE, Welsh RP, eds. *Surgery of the Shoulder*. Philadelphia: BC Decker; 1984:63–66.
7. **Rikli D, Regazzoni P, Renner N.** The unstable shoulder girdle: early functional treatment utilizing open reduction and internal fixation. *J Orthop Trauma*. 1995 Apr;9(2):93–97.
8. **Edwards SG, Whittle AP, Wood GW.** Nonoperative treatment of ipsilateral fractures of the scapula and clavicle. *J Bone Joint Surg Am*. 2000 Jun;82(6):774–780.
9. **Egol KA, Connor PM, Karunakar MA, et al.** The floating shoulder: clinical and functional results. *J Bone Joint Surg Am*. 2001 Aug;83-A(8):1188–1194.
10. **van Noort A, te Slaa RL, Marti RK, et al.** The floating shoulder. A multicentre study. *J Bone Joint Surg Br*. 2001 Aug;83(6):795–798.
11. **Dienstknecht T, Horst K, Pishnamaz M, et al.** A meta-analysis of operative versus nonoperative treatment in 463 scapular neck fractures. *Scand J Surg*. 2013;102(2):69–76.
12. **Bartonicek J, Fric V.** Scapular body fractures: results of operative treatment. *Int Orthop*. 2011 May;35(5):747–753.
13. **Anavian J, Gauger EM, Schroder LK, et al.** Surgical and functional outcomes after operative management of complex and displaced intra-articular glenoid fractures. *J Bone Joint Surg Am*. 2012 Apr 4;94(7):645–653.
14. **Cole PA, Gauger EM, Schroder LK.** Management of scapular fractures. *J Am Acad Orthop Surg*. 2012 Mar;20(3):130–141.

12 Agradecimentos

Agradecemos a Nikolaus Renner e Roger Simmermacher por sua contribuição para este capítulo na 2ª edição de *Princípios AO do tratamento de fraturas*.

6.1.2 Clavícula

Ernest Kwek

1 Introdução

As fraturas da clavícula têm sido tradicionalmente tratadas de forma não cirúrgica. Os estudos [1] publicados no início dos anos 1960 relataram taxas de não união abaixo de 1% e altas taxas de satisfação dos pacientes com o tratamento conservador. Entretanto, a literatura contemporânea tem desafiado tal entendimento e o tratamento cirúrgico ganhou proeminência em anos recentes.

1.1 Epidemiologia

Em adultos, entre 2,6 e 5% de todas as fraturas envolvem a clavícula. O terço médio da clavícula está envolvido em mais de 66% dessas lesões, seguido pela fratura do terço lateral em aproximadamente 25%, e da fratura do terço medial em 3%. Existe uma distribuição bimodal das fraturas, que ocorrem mais frequentemente em pacientes abaixo dos 30 anos e com um pico menor em pacientes acima dos 70 anos [2].

1.2 Características especiais

As metas do tratamento para as fraturas da clavícula incluem a redução da dor e a restauração da função do ombro. O tratamento não cirúrgico permanece o suporte terapêutico principal na maioria das fraturas. Ele consiste no uso de tipoia no período agudo, seguido por exercícios de amplitude de movimento e reforço muscular, conforme a dor diminui, geralmente depois de 2-6 semanas. O uso de um imobilizador em oito deve ser desencorajado, já que não oferece nenhum benefício e pode ser complicado por escaras de pressão na axila e taxas mais altas de não união [3].

2 Avaliação e diagnóstico

2.1 História do caso e exame físico

As fraturas da clavícula resultam de quedas com impacto direto sobre a ponta do ombro, geralmente por atividades esportivas ao ar livre em pacientes mais jovens e por quedas simples em pacientes mais velhos. É crucial determinar o mecanismo da lesão. As quedas de alta energia podem estar associadas a lesões na cabeça e no tórax, enquanto as fraturas depois de um trauma mínimo podem resultar de uma fratura patológica. As lesões do tipo tração requerem a exclusão precoce e cuidadosa da dissociação escapulotorácica e lesões neurológicas e vasculares. Clinicamente, os pacientes exibem edema e equimose, com deformidade e dor localizada no local da fratura (**Fig. 6.1.2-1a**). O estiramento de partes moles deve ser notado, já que pode produzir necrose e ulceração cutânea (**Fig. 6.1.2-1b**).

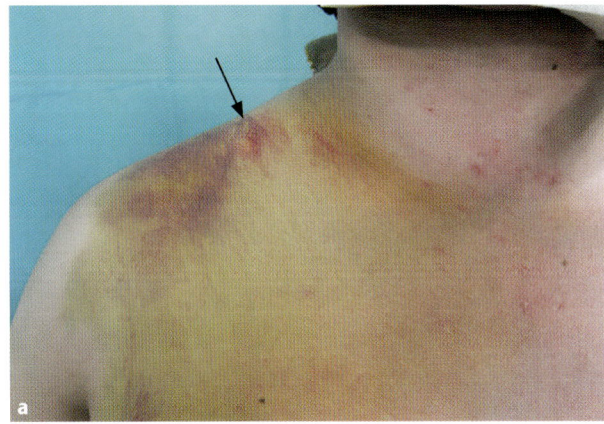
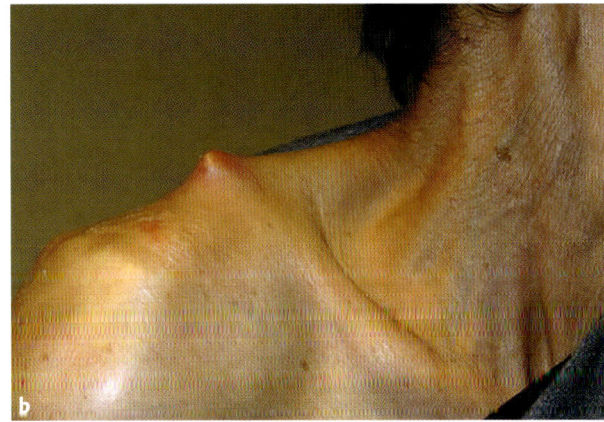

Fig. 6.1.2-1a-b
a Aspecto clínico de uma fratura aguda da clavícula, mostrando equimose cutânea. O fragmento proximal pode ser palpado logo abaixo da pele (seta).
b Um paciente com estiramento e ulceração da pele por causa do fragmento proximal subjacente.

2.2 Exames de imagem

A maioria das fraturas de clavícula pode ser diagnosticada com uma incidência AP simples (**Fig. 6.1.2-2a**). Uma incidência com inclinação cefálica de 20 graus elimina a sobreposição do gradil costal. Essas radiografias devem ser obtidas com o paciente em pé para demonstrar mais adequadamente o desvio da fratura (**Fig. 6.1.2-2b**). As incidências com estresse de carga podem auxiliar na avaliação da integridade dos ligamentos coracoclaviculares, nas lesões que envolvem a porção distal da clavícula ou a articulação acromioclavicular. A tomografia computadorizada está indicada nas lesões complexas da cintura escapular, e também melhora a visualização da extremidade medial da clavícula e da articulação esternoclavicular quando houver suspeita de lesão nesse local. As radiografias de tórax são úteis para excluir lesões torácicas associadas, avaliar o encurtamento na comparação com a clavícula contralateral e para excluir a dissociação escapulotorácica.

3 Anatomia

A clavícula tem uma forma em S com uma curva medialmente convexa e lateralmente côncava. É a única estrutura óssea entre o membro superior e o tronco, articulando-se com o acrômio lateralmente e com o esterno medialmente. Ela muda de um corte transversal triangular medialmente para uma seção média tubular e termina na extremidade acromial achatada e larga. A porção média mais fina da clavícula fica diretamente sob a pele com inserções musculares mínimas, tornando-a mais vulnerável ao trauma direto ou indireto. Sua extremidade medial está próxima aos vasos subclávios e ao ápice do pulmão, enquanto o plexo braquial corre debaixo da porção média. Os três ramos importantes do nervo supraclavicular cruzam superficialmente em direção à clavícula e há risco de lesão durante a abordagem cirúrgica (**Fig. 6.1.2-3**). A deformidade típica vista nas fraturas da diáfise da clavícula resulta da tração do músculo esternocleidomastóideo no fragmento medial, desviando-o para cima e para trás. O fragmento lateral é desviado para baixo pelo peso do braço e rodado pelo peitoral maior. Por fim, o encurtamento da clavícula é produzido pela tração dos músculos trapézio, peitoral e grande dorsal, que atuam sobre a cintura escapular.

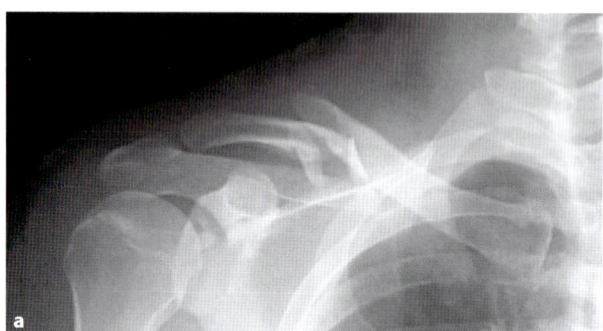
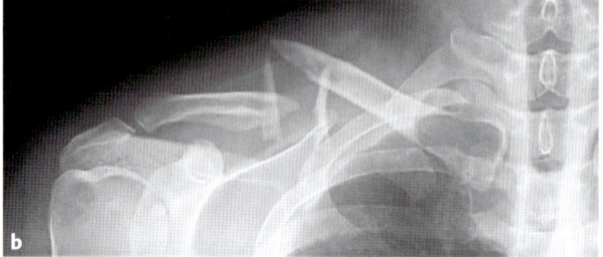

Fig. 6.1.2-2a-b
a   Radiografia AP de uma fratura multifragmentada da diáfise da clavícula.
b   Uma inclinação cefálica de 20° da mesma fratura, mostrando um desvio mais pronunciado.

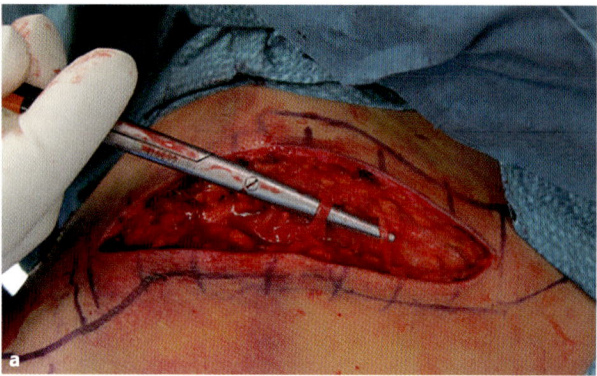
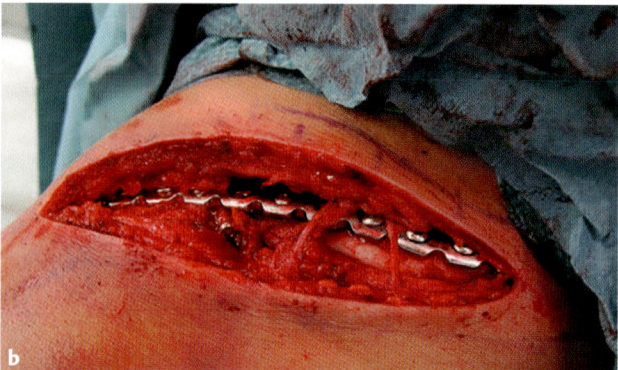

Fig. 6.1.2-3a-b   Nervos supraclaviculares expostos e preservados durante a cirurgia com uma incisão transversa e após a fixação.

4 Classificação

4.1 Classificação AO/OTA de Fraturas e Luxações

A clavícula é designada como osso 15. Tem três localizações: 15.1 (proximal [medial]), 15.2 (diafisária) e 15.3 (distal [lateral]). Os segmentos das extremidades proximal (medial) e distal (lateral) são divididos nos tipos A (extra-articular), B (articular parcial) e C (articular completo). O segmento diafisário é dividido nos tipos A (simples), B (cunha) e C (multifragmentada). Entretanto, a Classificação AO/OTA de Fraturas e Luxações atualmente tem limitado valor terapêutico e prognóstico, já que não leva em conta o grau de desvio da fratura.

4.2 Outros sistemas relevantes de classificação

A classificação de Allman é baseada na localização da fratura (I: terço médio, II: terço lateral, III: terço medial) [4]. Neer [5] classificou especificamente as fraturas do terço lateral, enfatizando a importância dos ligamentos coracoclaviculares (CC): a de tipo I ocorre distal aos ligamentos CC com desvio mínimo do fragmento medial; a do tipo II envolve os ligamentos CC e resulta em desvio superior do fragmento medial; a do tipo III se estende para a articulação acromioclavicular, com ligamentos CC intactos. Craig [6] combinou os sistemas de classificação de Allman e Neer e adicionou subgrupos para as fraturas pediátricas e multifragmentadas aos grupos medial e lateral.

A Classificação de Edimburgo é um sistema completo que foi desenvolvido por Robinson [2] depois de analisar 1.000 fraturas de clavícula. É o primeiro sistema para classificar fraturas da diáfise de acordo com o seu desvio e grau de cominução. As fraturas do tipo 1 envolvem a extremidade medial, as do tipo 2, as fraturas da diáfise, e as do tipo 3, a extremidade lateral. As fraturas da diáfise são divididas em tipos A e B, dependendo da presença ou da falta de contato cortical. As fraturas do tipo 2A são adicionalmente subdivididas em não desviadas (tipo 2A1) e anguladas (tipo 2A2), enquanto as fraturas do tipo 2B são subdivididas em simples ou com cunha (tipo 2B1) e multifragmentadas (tipo 2B2). As fraturas da extremidade medial e lateral são subdivididas em subgrupos 1 e 2, dependendo do envolvimento da articulação adjacente.

5 Indicações cirúrgicas

Indicações absolutas:

- Fraturas expostas
- Fraturas com perfuração iminente da pele

Indicações relativas:

- Lesões concomitantes do membro superior ipsilateral
- Ombro flutuante
- Politraumatismo
- Fraturas associadas a lesões neurovasculares
- Fraturas múltiplas de costelas ipsilaterais com deformidade da parede torácica
- Desvio significativo (encurtamento e/ou elevação) > 2,5 cm
- Elevação escapular por causa do encurtamento

5.1 Fraturas da diáfise

Há controvérsia em relação às indicações cirúrgicas nas fraturas agudamente desviadas da diáfise. A crença tradicional de que a maioria das fraturas mediodiafisárias consolida sem déficit funcional tem sido questionado por vários estudos prospectivos [7-11], que relataram taxas mais altas de não união e de consolidação viciosa sintomáticas (15-20%), escores funcionais mais baixos, como também fraqueza residual com o tratamento não operatório. Outros estudos [2] têm sugerido que tipos específicos de fratura com desvio de mais que uma largura clavicular ou cominução significativa têm risco para desfechos piores. Uma série retrospectiva [12] de 52 pacientes tratados conservadoramente mostrou que um encurtamento inicial de 2 cm ou mais era preditivo para não união e resultados piores.

Por outro lado, o grupo cirúrgico está associado a uma taxa mais alta de complicações e reoperação, principalmente por problemas associados ao material de síntese. Alguns autores [13], por conseguinte, têm advertido contra a superindicação cirúrgica de todas as fraturas desviadas da diáfise média da clavícula. Com a falta atual de consenso sobre quais fraturas desviadas devem receber tratamento cirúrgico, é crucial o aconselhamento adequado em relação aos riscos envolvidos e desfechos esperados.

5.2 Fraturas da extremidade lateral

A maioria das fraturas que envolvem a extremidade lateral da clavícula não são desviadas e são extra-articulares. Elas geralmente evoluem para consolidação sem problemas. As fraturas desviadas estão associadas a uma alta taxa de não união (aproximadamente 30%). Entretanto, os dados de vários estudos pequenos sugerem que a não união radiográfica nem sempre resulta em sintomas clinicamente relevantes. É, por conseguinte, recomendado que o tratamento cirúrgico para a fratura distal da clavícula desviada seja feito em uma base individual [14].

5.3 Fraturas da extremidade medial

Essas fraturas são geralmente tratadas de forma não cirúrgica, a menos que um desvio posterior significativo produza algum comprometimento do mediastino.

Fraturas específicas
6.1.2   Clavícula

6   Planejamento pré-operatório

6.1   Momento da cirurgia

Quando houver a indicação absoluta para cirurgia, esta deve ocorrer sem demora. Nas indicações relativas, o retardo da cirurgia além de 2-3 semanas pode prejudicar a facilidade da redução da fratura, especialmente quando a redução fechada e a fixação com técnicas percutâneas for planejada.

6.2   Seleção do implante

A fixação da clavícula pode ser alcançada com o uso de dispositivos intramedulares ou extramedulares. Historicamente, o encavilhamento intramedular das fraturas da diáfise geralmente utilizava fios rosqueados rígidos, mas era associada a uma taxa pequena, mas significativa, de complicações graves devido à migração do fio na cavidade torácica. Mais recentemente, têm sido usadas hastes elásticas de titânio inseridas a partir de um ponto de entrada medial usado para fraturas simples da diáfise média (**Fig. 6.1.2-4**). Esses implantes não podem ser bloqueados, embora dispositivos mais novos com essa facilidade tenham recentemente se tornado disponíveis [15].

Os implantes mais usados para fixação extramedular são as placas de compressão dinâmica ou as placas de reconstrução de 3,5. O uso de placas de reconstrução facilita a moldagem dos implantes para o difícil formato da clavícula (**Fig. 6.1.2-5**). Entretanto, elas são suscetíveis à deformação, que pode levar à consolidação viciosa ou falha do implante. Foram desenvolvidas placas de compressão bloqueada (LCPs) anatomicamente pré-moldadas para a clavícula, mas é fundamental reconhecer a grande variabilidade no formato da clavícula e a necessidade de uma moldagem adicional intraoperatória para evitar proeminência do material de síntese. Os parafusos de cabeça bloqueada são uma opção para usar nas fraturas laterais com um segmento distal curto e em pacientes idosos com osso osteoporótico. Estudos biomecânicos [16] mostraram

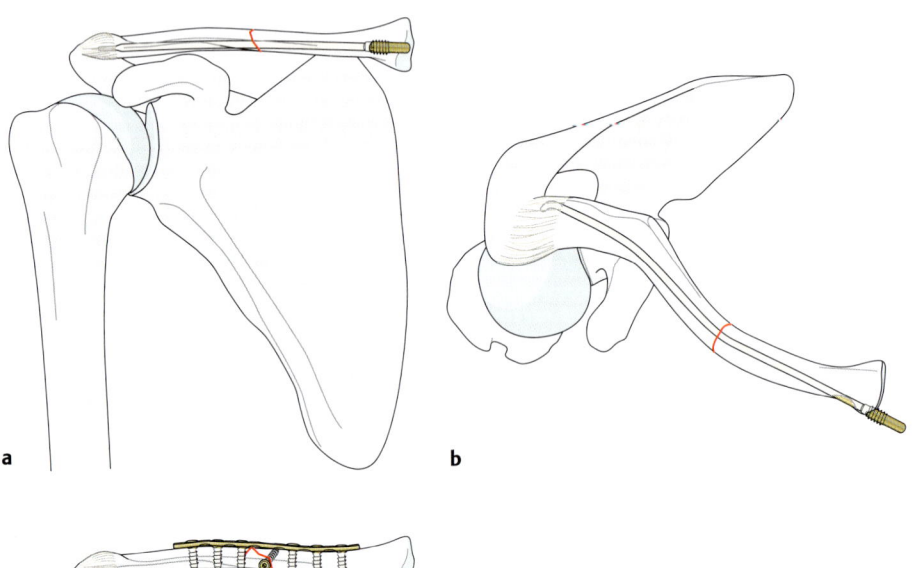

Fig. 6.1.2-4a-b   Uso de haste elástica de titânio inserida de forma anterógrada para fixar uma fratura mediodiafisária simples.

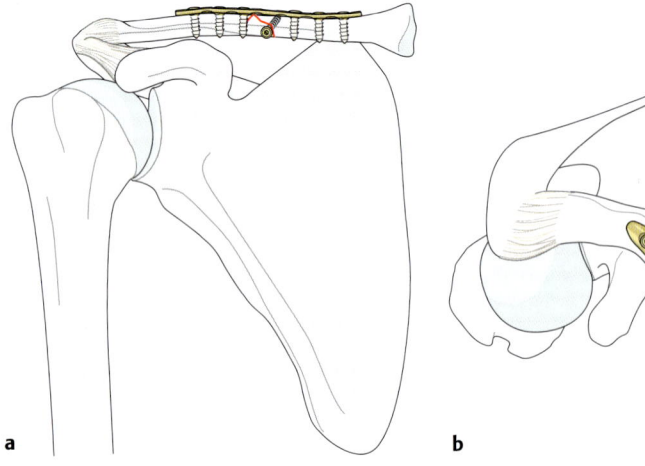

Fig. 6.1.2-5a-b   Uso de um parafuso de tração e placa de reconstrução de 3,5 com 7 orifícios superiormente posicionada para fixar uma fratura mediodiafisária.

que a fixação com placa bloqueada é superior, embora os estudos clínicos ainda sejam limitados. Um parafuso de 2,7 mm ou mesmo parafusos de 2,4 ou 2,0 mm permitem a fixação de parafuso com tração de fragmentos menores e intermediários para alcançar redução anatômica e fixação com estabilidade absoluta.

Para as fraturas desviadas da extremidade lateral, as placas anatômicas pré-moldadas foram introduzidas para permitir a inserção de mais parafusos bloqueados no fragmento distal. Para as fraturas onde o fragmento distal seja muito pequeno para fornecer pega razoável do parafuso, as placas claviculares em gancho têm um dispositivo de prolongamento lateral para se encaixar no aspecto posterior do acrômio. As técnicas derivadas do tratamento cirúrgico das luxações da articulação acromioclavicular, como os parafusos coracoclaviculares, técnicas de sutura e tipoia, ou fios de sutura tensionados podem fornecer adjuntos úteis à fixação primária ou servir como a reconstrução primária.

6.3 Configuração da sala de cirurgia

Uma vez que o cirurgião esteja satisfeito com a posição do paciente, a área cirúrgica é preparada com o antisséptico apropriado. Essa área deve incluir a base do pescoço, o esterno, a área peitoral, o braço e o aspecto posterior do ombro. Atenção particular deve ser dada à assepsia da axila (**Fig. 6.1.2-6**).

O anestesiologista e o equipamento anestésico devem ficar no pé da mesa. O cirurgião e o assistente ficam no lado da lesão. A equipe da sala de cirurgia se posiciona ao lado da lesão. Quando necessário, o intensificador de imagem pode ser introduzido a partir do topo da mesa cirúrgica. A tela do intensificador de imagem é posicionada para a completa visão da equipe cirúrgica e do técnico em radiologia (**Fig. 6.1.2-7**).

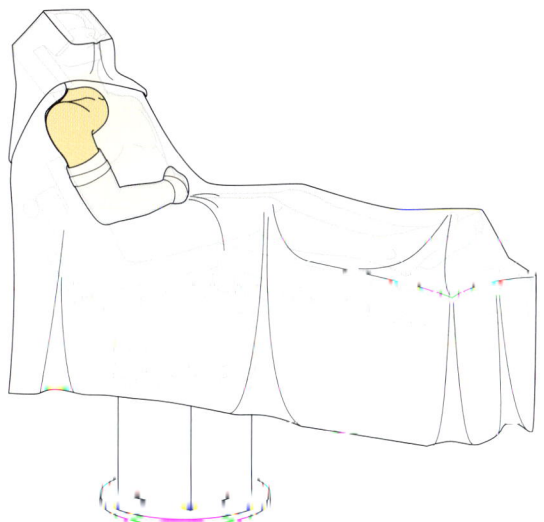

Fig. 6.1.2-6 O paciente em posição de cadeira de praia. A área da assepsia de pele é destacada, e o campo adesivo é aplicado ao campo cirúrgico.

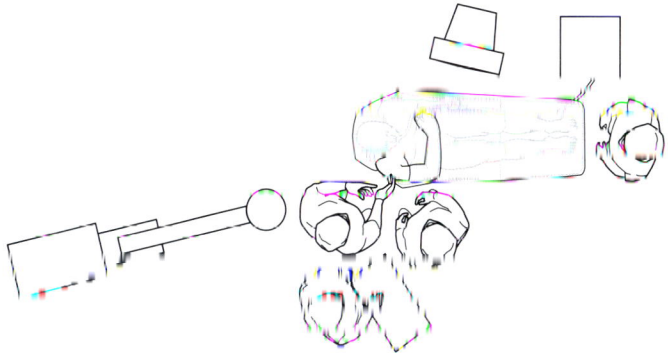

Fig. 6.1.2-7 Posicionamento da equipe da sala de cirurgia e do intensificador de imagem.

7 Cirurgia

7.1 Vias de acesso cirúrgicas

O paciente é colocado na posição de cadeira de praia ou semissentado (**Fig. 6.1.2-6**). Um pequeno coxim sob o ombro envolvido ajuda a elevar a clavícula para acesso mais fácil, e o braço deve ser preparado para permitir a manipulação. Uma incisão transversal ao longo do eixo longo da clavícula ou uma incisão "em sabre" paralela às linhas de Langer pode ser utilizada. A incisão transversal permite mais extensibilidade, enquanto a incisão vertical reduz o risco de lesão aos nervos supraclaviculares e oferece melhor aspecto estético. Independentemente da incisão escolhida, a pele e a camada subcutânea devem ser mobilizadas como uma camada única. Similarmente, a camada miofascial acima da clavícula é incisada em uma única camada. A preservação dessas duas camadas permite o fechamento por planos da incisão sobre a placa e minimiza as complicações na ferida. O cirurgião pode escolher a proteção dos nervos supraclaviculares, conforme são identificados.

7.2 Redução

Evitar o desnudamento periosteal agressivo dos fragmentos ósseos, especialmente nas direções posterior e inferior. As inserções de partes moles dos fragmentos verticais e intermediários devem ser preservadas sempre que possível, com remoção suficiente para permitir a redução à clavícula proximal ou distal. Os parafusos de pequenos ou minifragmentos podem ser introduzidos como parafusos de tração, convertendo a fratura em um padrão simples. As pinças de redução são então usadas para manipular a clavícula proximal e distal em um alinhamento anatômico, mantido com parafusos de tração ou fios adicionais. Uma redução minimamente invasiva combinada à osteossíntese com placa minimamente invasiva (OPMI), com uma placa pré-moldada e parafuso de redução ou miniplaca são algumas das opções para as fraturas multifragmentadas.

7.3 Fixação

7.3.1 Uso de placas

A fixação é alcançada com uma placa de compressão de 3,5, com uma placa de reconstrução, ou com uma LCP pré-moldada. As placas são geralmente aplicadas por via superior ou via anterior. A placa superior é biomecanicamente mais forte, em especial quando a cominução inferior está presente, além de ser uma abordagem mais simples. Os parafusos bicorticais são necessários e grande cuidado deve ser tomado na perfuração por causa do risco de ferir as estruturas neurovasculares subjacentes, especialmente no terço proximal da clavícula. Alguns cirurgiões preferem usar uma broca oscilante nessa situação. Os vasos também podem ser protegidos com um afastador rombo posicionado sob a clavícula, mas o cirurgião deve evitar o desnudamento excessivo dos tecidos moles. A posição anterior da placa é usada como uma alternativa para fornecer uma trajetória mais segura para a perfuração. Suas outras vantagens incluem menos proeminência da placa, facilidade de moldar e a capacidade de inserir parafusos mais longos no diâmetro anteroposterior (AP) – mais largo – da clavícula. Quando usada em modo de compressão ou de proteção, essa forma de fixação fornece estabilidade absoluta, e pode ser fixada com três parafusos bicorticais em cada lado (**Fig. 6.1.2-8**). Quando a estabilidade absoluta não for possível, devem ser seguidos os princípios da placa em ponte, com adequados comprimento da placa e parafusos, e também densidade da placa. A placa de reconstrução de 3,5 não é suficientemente forte para ser usada como placa em ponte, já que existem forças significativas sobre a clavícula que podem levar à deformação ou quebra da placa. A enxertia óssea não é necessária no contexto primário. Após a fixação, é vital fechar a camada miofascial com firmeza sobre a placa para assegurar a cobertura do implante e proteger contra infecção.

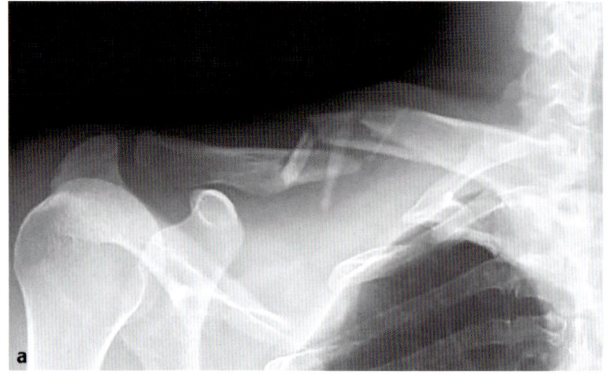
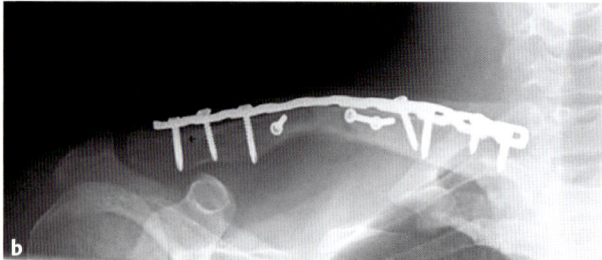

Fig. 6.1.2-8a-b
a Fratura multifragmentada da diáfise clavicular antes da fixação com placa.
b Três meses depois da fixação com parafusos de tração múltiplos e uma placa de proteção longa, mostrando boa consolidação.

7.3.2 Fixação intramedular

A fixação intramedular tem diversas vantagens, incluindo incisões menores, melhor aspecto estético, menos dissecção de partes moles e risco mais baixo de proeminência do material de síntese. As desvantagens incluem irritação ou deiscência da pele no ponto de inserção, o que frequentemente requer a remoção do implante e a sua migração. O bloqueio estático não é possível com os dispositivos atuais, como a haste elástica de titânio, e a sua incapacidade para controlar o comprimento e a rotação podem resultar em encurtamento secundário quando usada nas fraturas multifragmentadas. Essa técnica deve ser reservada para os padrões de fraturas simples, transversas ou oblíquas.

> A redução fechada de fraturas da clavícula nem sempre é fácil e o cirurgião deve se precaver de exposição excessiva à radiação, nas suas próprias mãos, durante esse procedimento.

Os implantes intramedulares podem ser inseridos de forma anterógrada ou retrógrada. O primeiro utiliza um ponto de entrada anteromedial no fragmento medial, enquanto o segundo utiliza um ponto de entrada posterolateral no fragmento lateral. O portal de entrada anterógrado é recomendado ao usar a haste elástica de titânio, já que é um marco facilmente localizável para inserção e remoção. Esse marco é 1-2 cm lateral à articulação esternoclavicular. Um orifício de broca de 2,5 mm é criado na cortical anterior e aumentado com um furador. Uma haste elástica de 2,0-3,5 mm é então inserida no canal medular e é passada, sob orientação de um intensificador de imagem, através do local da fratura. Se a redução fechada não for possível, ou um canal estreito tornar difícil a canulação do fragmento lateral, a redução percutânea com pinças de ponta pode ser tentada primeiro. Se ela falhar, uma incisão é feita sobre o local da fratura para a redução direta e para guiar a haste para dentro do fragmento lateral. Isso é necessário em aproximadamente 50% dos casos. A ponta da haste é avançada até a cortical distal do fragmento lateral. A extremidade medial da haste é cortada e um protetor rombo é usado para proteger a extremidade da haste (**Fig. 6.1.2-4a-b**).

7.3.3 Uso de placa minimamente invasiva

A osteossíntese com placa minimamente invasiva da clavícula tem sido proposta como uma técnica para introduzir um implante biomecanicamente mais forte, sem as desvantagens do uso da placa aberta ou da fixação intramedular. Esse procedimento tecnicamente trabalhoso requer a moldagem de uma placa LCP de reconstrução de 3,5 na superfície anterior da clavícula. Uma placa anteroinferior é preferida já que é mais fácil moldar, usando a clavícula não afetada como um gabarito, e a sua trajetória permite a inserção de parafusos mais longos [17]. Através de uma janela lateral, a placa é tunelizada medialmente sob o músculo peitoral maior. Uma segunda janela medial é criada para fixar a placa ao osso (**Fig. 6.1.2-9**). A redução fechada pode ser efetuada usando o método de *joystick* com parafusos de Schanz, ou com parafusos corticais comuns através da placa como uma ferramenta de redução. As preocupações iniciais com essa técnica incluem a lesão do nervo supraclavicular, mal alinhamento ou encurtamento que leve à deficiência funcional e o potencial para entortar ou quebrar a placa. Mais estudos são necessários para demonstrar se tal opção é superior ao uso da placa aberta convencional.

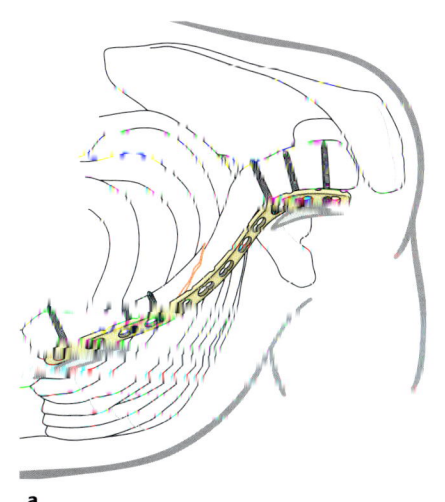

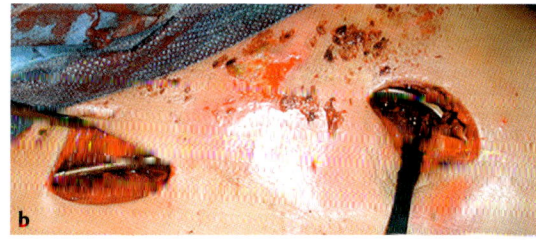

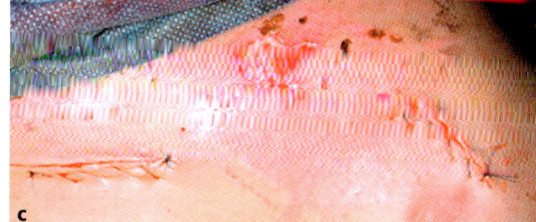

Fig. 6.1.2-9a-c
Fratura fixada com LCP (a) antes (b) e depois (c) do fechamento da ferida. A abordagem necessária para esse procedimento de osteossíntese com placa minimamente invasiva poderia evitar lesão de pele adicional. Uma abordagem aberta padrão para essa fratura mediodiafisária teria interferido com a lesão de partes moles.

Fraturas específicas
6.1.2   Clavícula

7.3.4 Fixação com placa das fraturas da extremidade lateral da clavícula

A escolha do implante para fixação com placa depende do tamanho do fragmento lateral. A fixação no fragmento lateral requer um mínimo de três parafusos bicorticais. De preferência, um parafuso de tração deve ser colocado através das fraturas oblíquas. Se o fragmento for muito pequeno para permitir pega suficiente, a placa de clavícula com gancho pode ser usada. O paciente é posicionado na posição de cadeira de praia ou semissentado, e a abordagem cirúrgica é lateral àquela usada para as fraturas mediodiafisárias. A incisão de pele é centrada na extremidade distal da clavícula, com extensão da ferida passando 1 cm da articulação acromioclavicular. Depois da dissecção da camada profunda, a articulação acromioclavicular é localizada com a ajuda de uma agulha hipodérmica (**Fig. 6.1.2-10**). A fratura é reduzida e segura com um fio de Kirschner ou, se a obliquidade da linha de fratura permitir, um parafuso de tração. O espaço subacromial é então perfurado com uma tesoura curva ou pinça hemostática para criar um caminho para o gancho. Uma placa

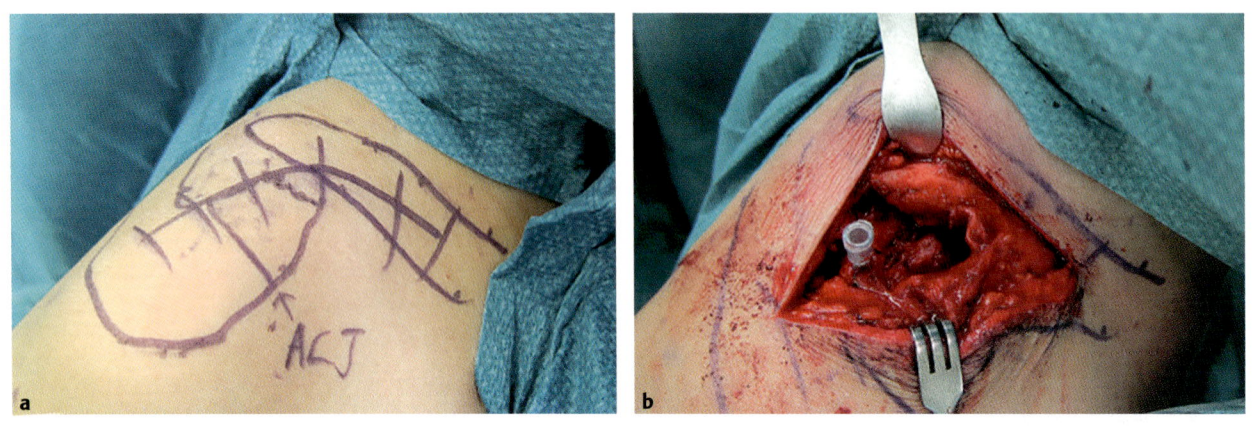

Fig. 6.1.2-10a-b   Incisão da pele e abordagem cirúrgica para as fraturas laterais da clavícula. A articulação acromioclavicular é marcada na pele (**a**) e localizada com a ajuda de uma agulha hipodérmica depois da dissecção (**b**).

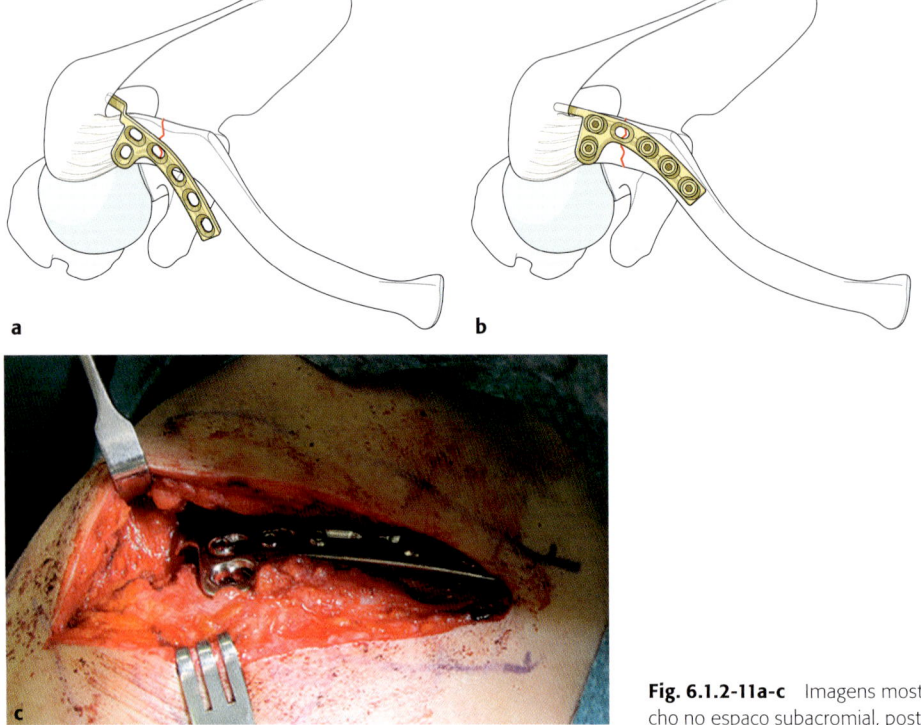

Fig. 6.1.2-11a-c   Imagens mostrando a colocação da placa com gancho no espaço subacromial, posterior à articulação acromioclavicular.

de tamanho apropriado é selecionada, e o gancho é inserido no espaço subacromial, posterior à articulação acromioclavicular. A placa é então reduzida até a superfície superior da clavícula (**Figs. 6.1.2-11-12**). Isso também pode ser feito com a inserção sequencial de parafusos corticais, usando a placa como uma alavanca para reduzir o fragmento distal ao fragmento proximal. A placa com gancho é o implante mais efetivo para manter a redução dessa fratura, mas sempre resulta em impacto subacromial com restrição dolorosa dos movimentos do ombro. O paciente deve ser informado que uma segunda operação será necessária para remover a placa uma vez que a fratura tenha consolidado. Em geral, a recuperação da função do ombro é boa após a remoção da placa.

Para as fraturas onde o fragmento lateral for grande, as placas bloqueadas anatômicas pré-moldadas laterais de clavícula estão agora disponíveis, o que permite a inserção de um número maior de parafusos bloqueados no fragmento distal (**Fig. 6.1.2-13, Fig. 6.1.2-14e-g**). Isso evita as complicações potenciais da placa com gancho na clavícula.

7.3.5 Tratamento das luxações da articulação acromioclavicular

As lesões da articulação acromioclavicular representam 12% das lesões da cintura escapular e frequentemente ocorrem em atletas jovens envolvidos em esportes de contato. O sistema de classificação mais comumente usado foi desenvolvido por Rockwood [18]. O tipo I é uma entorse da articulação, com os ligamentos coracoclaviculares intactos. O tipo II é uma ruptura do ligamento acromioclavicular, mas não dos ligamentos coracoclaviculares. O tipo III envolve a ruptura de ambos os ligamentos acromioclavicular e coracoclaviculares. Nas lesões do tipo IV, a parte distal da clavícula é desviada posteriormente para dentro do trapézio. Nas lesões do tipo V, ambos os ligamentos acromioclavicular e coracoclaviculares estão completamente rompidos e a articulação está desviada > 100%. As lesões do tipo VI são raras, onde a clavícula distal é desviada inferiormente sob o processo coracoide.

Para as lesões de tipos I e II, recomenda-se o tratamento não cirúrgico com um período de imobilização com tipoia.

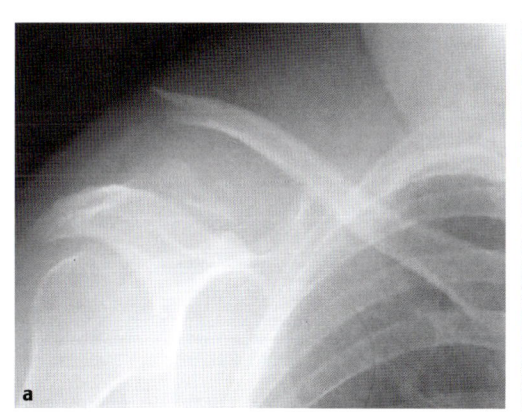

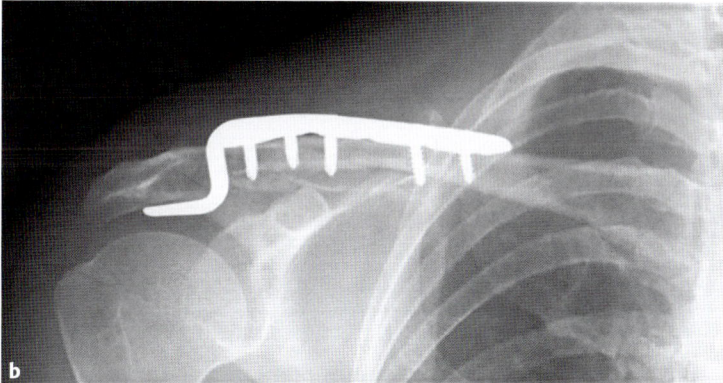

Fig. 6.1.2-12a-b Radiografias do mesmo paciente da **Fig. 6.1.2-10**, mostrando a fratura desviada da extremidade lateral da clavícula antes e depois da cirurgia.

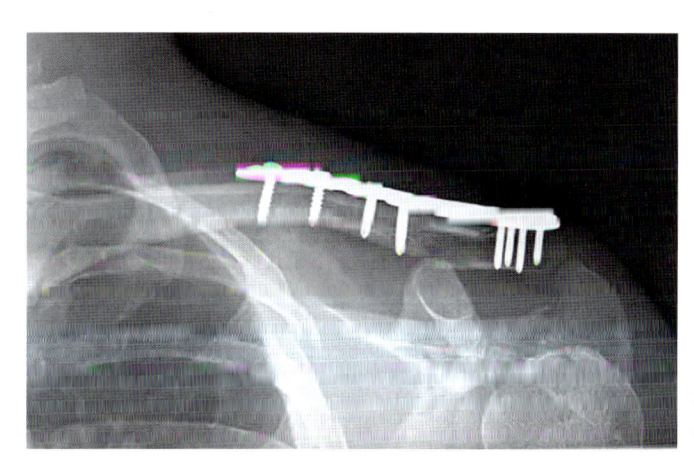

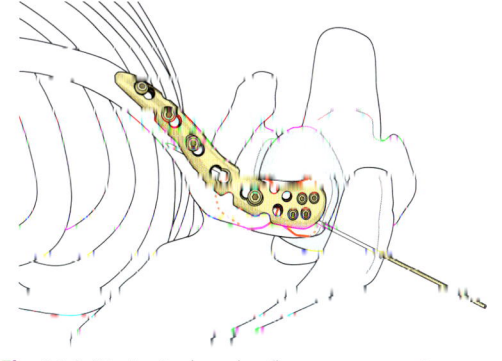

Fig. 6.1.2-13 Lesão de ombro flutuante com um fragmento considerável distal da clavícula fixado com uma placa anatômica pré-moldada. Note as fraturas que envolvem o processo do acrômio e a escápula.

Fraturas específicas
6.1.2 Clavícula

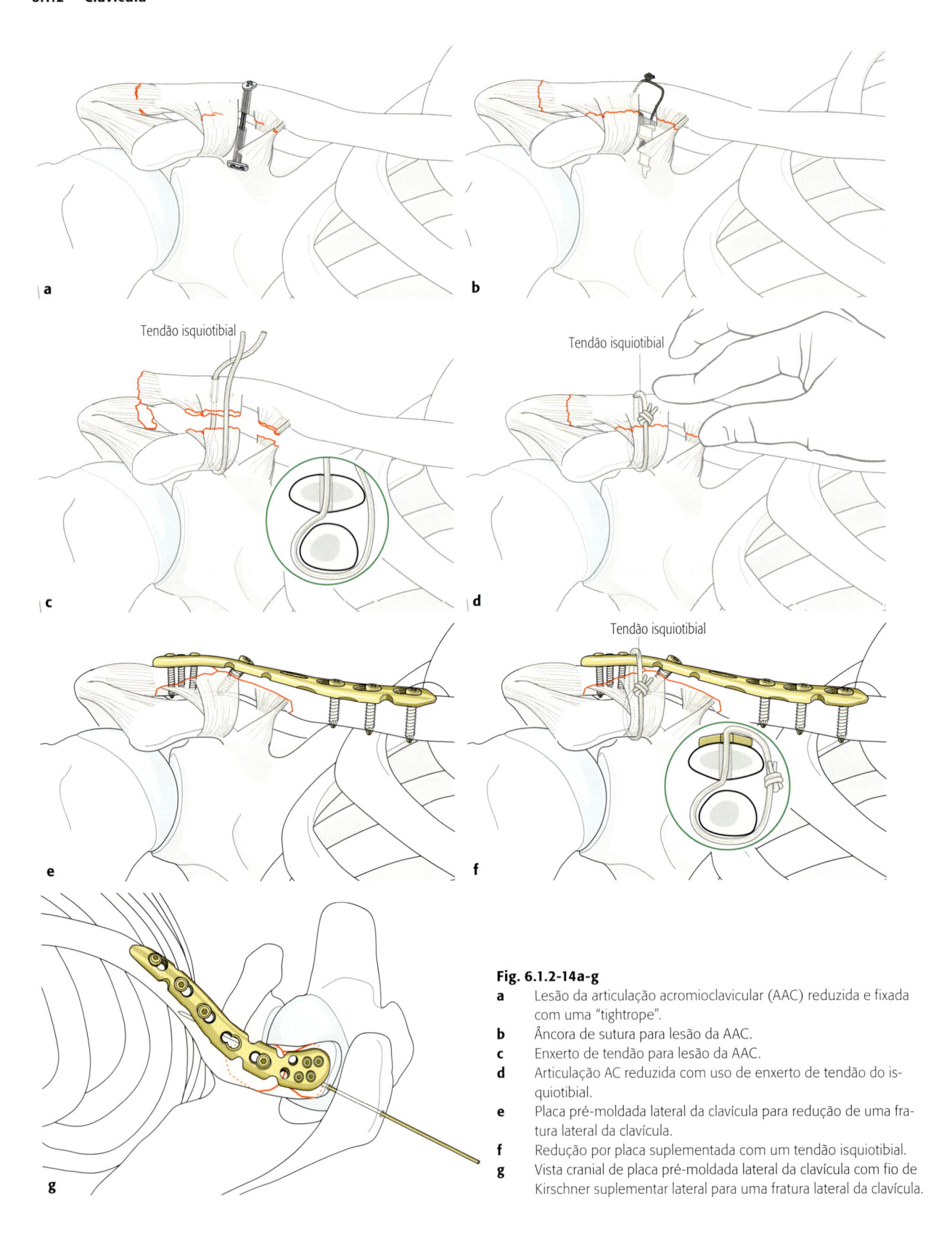

Fig. 6.1.2-14a–g
a Lesão da articulação acromioclavicular (AAC) reduzida e fixada com uma "tightrope".
b Âncora de sutura para lesão da AAC.
c Enxerto de tendão para lesão da AAC.
d Articulação AC reduzida com uso de enxerto de tendão do isquiotibial.
e Placa pré-moldada lateral da clavícula para redução de uma fratura lateral da clavícula.
f Redução por placa suplementada com um tendão isquiotibial.
g Vista cranial de placa pré-moldada lateral da clavícula com fio de Kirschner suplementar lateral para uma fratura lateral da clavícula.

O tratamento das lesões tipo III permanece controverso, mas a literatura atual [19] sugere uma vantagem para o tratamento não operatório em adultos jovens fisicamente ativos. Eles ficam com uma deformidade estética, mas recuperam boa função. Em lesões de grau mais alto (tipos IV-VI), a intervenção cirúrgica é indicada. Várias técnicas cirúrgicas foram descritas [20]:

- A técnica de Bosworth, pela inserção de um parafuso coracoclavicular, com ou sem reparo primário dos ligamentos (**Fig. 6.1.2-15**)
- Fixação por placa com gancho, similar àquela usada para as fraturas claviculares da extremidade lateral (**Fig. 6.1.2-16**)
- Estabilização artroscópica ou miniaberta usando fios de sutura tensionados (**Fig. 6.1.2-14a**) ou suturas com âncora (**Fig. 6.1.2-14b**)
- Sutura ou reforço dos ligamentos coracoclaviculares, onde uma laçada sintética ou de tendão é criada em torno da coracoide e da clavícula (**Fig. 6.1.2-14c-d**)

Os resultados dessas técnicas cirúrgicas têm sido satisfatórios, sem um consenso claro sobre qual método produz desfechos melhores, embora alguma perda da redução seja esperada [20].

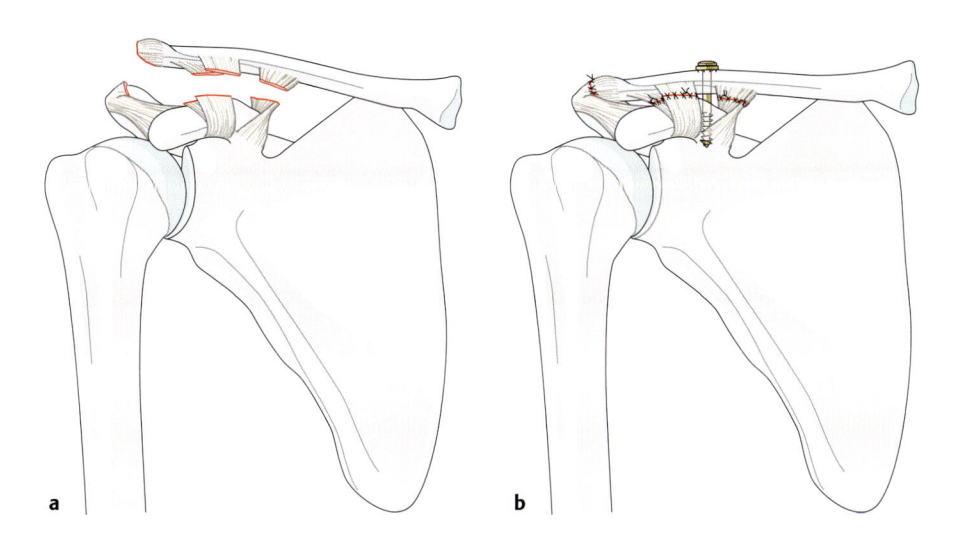

Fig. 6.1.2-15a-b Luxação acromioclavicular tipo V tratada com parafuso de Bosworth e reparo primário dos ligamentos acromioclavicular e coracoclaviculares.

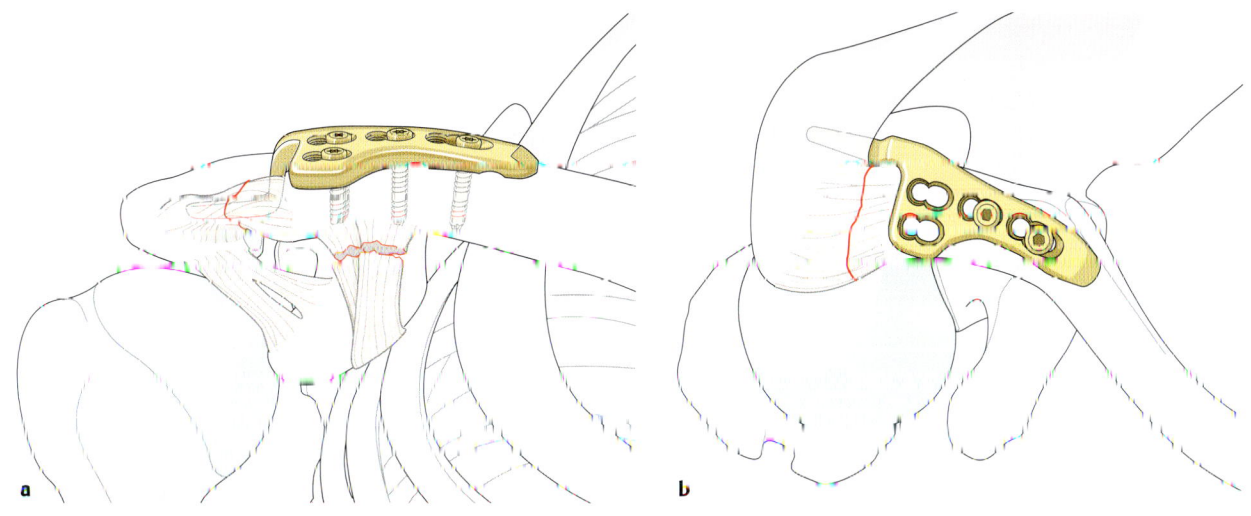

Fig. 6.1.2-16a-b Lesão da articulação acromioclavicular (AAC) reduzida e fixada com uma placa com gancho clavicular.

7.3.6 Tratamento das fraturas da extremidade medial da clavícula e das luxações da articulação esternoclavicular

Essas lesões são raras e há limitadas diretrizes de tratamento baseadas em evidência. As fraturas mediais da clavícula são em geral minimamente desviadas e extra-articulares, e podem ser tratadas de maneira conservadora. A fise medial da clavícula é a última fise a fechar-se no corpo humano, e se funde entre as idades de 23 e 25 anos. Assim, muitas lesões do lado medial são, na verdade, fraturas fisárias do tipo I ou II de Salter-Harris. O diagnóstico nas radiografias simples de rotina não é fácil, embora uma incidência de inclinação cefálica de 40 graus possa demonstrar o desvio da extremidade medial da clavícula em comparação com o lado normal. A tomografia computadorizada fornece as melhores imagens. As fraturas ou luxações anteriormente desviadas geralmente são passíveis de redução fechada, mas com frequência são instáveis e recidivam. Como a luxação ou desvio persistentes frequentemente não resultam em déficit funcional, é aconselhável que sejam tratados de forma expectante. O desvio posterior da extremidade medial da clavícula pode, raramente, resultar em comprometimento mediastinal superior, incluindo lesão vascular ou até obstrução traqueal e comprometimento de via aérea. A redução fechada na emergência deve ser tentada primeiro por retração do ombro ipsilateral. Caso isso não funcione, então uma pinça de osso ou de campo percutânea [21] pode ser usada para reduzir a articulação. Se o êxito não for alcançado, a estabilização aberta é necessária e deve ser feita juntamente com um cirurgião vascular. Se a radiologia intervencionista estiver disponível, um cateter com balão pode ser colocado antes da cirurgia para permitir o controle vascular proximal. A estabilização das fraturas mediais pode ser alcançada por meio de fixação com placa convencional ou placas bloqueadas de 3,5 se o fragmento medial for suficientemente grande. As placas anatômicas laterais da clavícula também podem permitir a inserção de mais parafusos para maior estabilidade. Para as luxações e fraturas onde o fragmento medial seja muito pequeno, a placa pode ser fixada ao esterno, construindo uma ponte através da articulação.

8 Cuidados pós-operatórios

Depois da cirurgia, o braço é apoiado em uma tipoia e os exercícios pendulares do ombro são iniciados. Uma visita de seguimento é recomendada em 2 semanas para inspecionar a ferida e controle radiográfico. A tipoia do braço pode ser descontinuada e são iniciados exercícios de amplitude de movimento irrestrita, mas o paciente é aconselhado a não efetuar nenhum esforço de levantamento. Os pacientes se sentem bem depois dessa cirurgia e a falha da fixação pode ocorrer naqueles pacientes que não sejam cooperativos. Se houver evidência de consolidação óssea em 6 semanas, os exercícios de fortalecimento são iniciados. Os pacientes devem ser aconselhados a evitar esportes de contato ou extremos nos primeiros 3 meses depois da cirurgia, até que a fratura esteja bem consolidada.

9 Complicações

9.1 Complicações precoces

- A infecção da ferida após a cirurgia tem sido relatada em até 4,8% [8]. Os riscos podem ser reduzidos pela manipulação cuidadosa de partes moles, fechamento em camadas por sobre o implante, e momento cirúrgico apropriado.
- A dormência infraclavicular é a complicação mais comum, relatada em até 83% dos pacientes, apesar das tentativas de preservação dos nervos supraclaviculares. Os estudos de história natural [22] mostram que esses sintomas diminuem com o passar do tempo e, embora possam persistir depois de 2 anos, não estão associados a perda funcional significativa.
- A proeminência do material de síntese e a irritação podem ocorrer dependendo da escolha, pelo cirurgião, do implante e método de fixação, especialmente com o uso de placas volumosas ou extremidades expostas de hastes. Isso pode ser reduzido com a aplicação de placas anatomicamente pré-moldadas de perfil baixo. O uso de placa na região anterior tem sido sugerido para reduzir a proeminência e a irritação pelo material de síntese. A remoção rotineira e precoce de placas é indesejável e expõe o paciente ao risco de refratura.
- A refratura pode ocorrer depois do tratamento cirúrgico e do conservador. Uma nova lesão depois do tratamento cirúrgico pode levar à dobra ou quebra do implante, ou a fraturas em torno do implante. A refratura no local original da fratura também pode ocorrer depois da remoção do implante. A fixação interna em tais casos é frequentemente necessária, já que problemas com a consolidação em um contexto de refratura são bastante comuns.
- Não união:
  - A taxa de não união com tratamento não cirúrgico das fraturas mediodiafisárias completamente desviadas é de 15%, e de 2% com o tratamento cirúrgico [23]. Isso corresponde a uma redução de risco relativo de 86%.
  - Os fatores de risco para não união incluem desvio completo da fratura, encurtamento maior que 2 cm, tabagismo, idade mais avançada, trauma de energia mais alta e refratura [24].
    Os pacientes sintomáticos com não união vão precisar de fixação com placa para estabilidade mecânica e, possivelmente, enxerto ósseo autógeno adicional.
  - Um enxerto estrutural ou intercalar pode ser necessário em casos de não união recalcitrantes com qualidade óssea ruim ou com perda óssea excessiva.
  - A não união da extremidade lateral da clavícula é tratada com fixação com ou sem enxerto ósseo quando o fragmento for grande. Quando o fragmento for pequeno, a excisão da extremidade lateral é preferida.

9.2 Complicações tardias

- A osteoartrite da articulação acromioclavicular ocorre mais frequentemente após as fraturas intra-articulares (tipo 3B2 de Edimburgo). Se sintomática e não responsiva a modalidades não operatórias, a excisão da extremidade distal da clavícula pode ser feita por via aberta ou artroscópica.
- Consolidação viciosa:
  - Todas as fraturas desviadas e tratadas de forma conservadora irão curar em graus variados de consolidação viciosa.
  - O encurtamento da cintura escapular, junto com a má rotação do fragmento distal, pode resultar em perda da força e da resistência, especialmente na abdução do ombro [7]. O estreitamento do desfiladeiro torácico também pode resultar em sintomas compressivos do plexo braquial. A antepulsão escapular, resultante do mau alinhamento da articulação escapulotorácica, pode ocasionar sintomas periescapulares de dor e espasmo muscular.
  - A osteotomia corretiva e a fixação com placa podem ser benéficas em pacientes bem selecionados, em quem os sintomas sejam claramente atribuídos à consolidação viciosa.

10 Prognóstico e desfecho

Os estudos recentes têm relatado desfechos favoráveis após o tratamento cirúrgico das fraturas mediodiafisárias desviadas da clavícula. Em uma metanálise de seis ensaios controlados randomizados [9], as taxas de não união e de consolidação viciosa sintomática foram significativamente mais baixas no grupo cirúrgico. O grupo cirúrgico também experimentou uma diminuição mais cedo da dor e melhores escores de Constant e DASH [9]. Apesar disso, deve ficar claro que esses resultados se aplicam a um subgrupo específico de pacientes com indicadores prognósticos ruins, incluindo desvio significativo da fratura, encurtamento e cominuição. É esperado que a maioria das fraturas claviculares possa progredir para a consolidação descomplicada e retorno à função normal com o tratamento não operatório. Uma revisão recente [25] ajuda a esclarecer o tratamento para as luxações acromioclaviculares.

Fraturas específicas
6.1.2 Clavícula

Referências clássicas   Referências de revisão

11 Referências

1. **Neer CS II.** Nonunion of the clavicle. *J Am Med Assoc.* 1960 Mar 5;172:1006–1011.
2. **Robinson CM.** Fractures of the clavicle in the adult. Epidemiology and classification. *J Bone Joint Surg Br.* 1998 May;80(3):476–484.
3. **Andersen K, Jensen PO, Lauritzen J.** Treatment of clavicular fractures. Figure-of-eight bandage versus a simple sling. *Acta Orthop Scand.* 1987 Feb;58(1):71–74.
4. **Allman FL Jr.** Fractures and ligamentous injuries of the clavicle and its articulation. *J Bone Joint Surg Am.* 1967 Jun;49(4):774–784.
5. **Neer CS 2nd.** Fractures of the distal third of the clavicle. *Clin Orthop Relat Res.* 1968 May–Jun;58:43–50.
6. **Craig EV.** Fractures of the clavicle. In: Rockwood CA Jr, Matsen FA 3rd, eds. *The Shoulder.* Philadephia: WB Saunders; 1990:367–412.
7. **McKee MD, Pedersen EM, Jones C, et al.** Deficits following nonoperative treatment of displaced midshaft clavicular fractures. *J Bone Joint Surg Am.* 2006 Jan;88(1):35–40.
8. **Canadian Orthopaedic Trauma Society.** Nonoperative treatment compared with plate fixation of displaced midshaft clavicular fractures. A multicenter, randomized clinical trial. *J Bone Joint Surg Am.* 2007 Jan;89(1):1–10.
9. **McKee RC, Whelan DB, Schemitsch EH, et al.** Operative versus nonoperative care of displaced midshaft clavicular fractures: a meta-analysis of randomized clinical trials. *J Bone Joint Surg Am.* 2012 Apr 18;94(8):675–684.
10. **Robinson CM, Goudie EB, Murray IR, et al.** Open reduction and plate fixation versus nonoperative treatment for displaced midshaft clavicular fractures. *J Bone Joint Surg Am.* 2013 Sep 4;95(17):1576–1584.
11. **Kulshrestha V, Roy T, Audige L.** Operative versus nonoperative management of displaced midshaft clavicle fractures: a prospective cohort study. *J Bone Joint Surg Am.* 2011;25:31–38.
12. **Hill JM, McGuire MH, Crosby LA.** Closed treatment of displaced middle-third fractures of the clavicle gives poor results. *J Bone Joint Surg Br.* 1997 Jul;79(4):537–539.
13. **Khan LAK, Bradnock TJ, Scott C, et al.** Fractures of the clavicle. *J Bone Joint Surg Am.* 2009 Feb;91(2):447–460.
14. **Banerjee R, Waterman B, Padalecki Jeff, et al.** Management of distal clavicle fractures. *J Am Acad Orthop Surg.* 2011 Jul;19(7):392–401.
15. **King PR, Ikram A, Lamberts RP.** The treatment of clavicular shaft fractures with an innovative locked intramedullary device. *J Shoulder Elbow Surg.* 2015 Jan;2481):e1–6.
16. **Demirhan M, Bilsel K, Atalar AC, et al.** Biomechanical comparison of fixation techniques in midshaft clavicular fractures. *J Orthop Trauma.* 2011 May;25(5):272–278.
17. **Sohn HS, Kim BY, Shin SJ.** A surgical technique for minimally invasive plate osteosynthesis of clavicular midshaft fractures. *J Orthop Trauma.* 2013;27:e92–e96.
18. **Rockwood CA Jr.** Injuries to the acromioclavicular joint. In: Rockwood CA Jr, Green DP, eds. *Fractures in Adults.* 2nd ed. Philadephia: JB Lippincott; 1984;860–910.
19. **Canadian Orthopedic Trauma Society.** Multicenter RCT of operative versus nonoperative treatment of acute displaced acromioclavicular joint dislocations: a multicenter RCT. *J Orthop Trauma.* 2015;29:479–487.
20. **Li XN, Ma R, Bedi A, et al.** Current concepts review: management of acromioclavicular joint injuries. *J Bone Joint Surg Am.* 2014 Jan 1;96(1):73–84.
21. **Groh GI, Wirth MA, Rockwood CA Jr.** Treatment of traumatic posterior sternoclavicular dislocations. *J Shoulder Elbow Surg.* 2011 Jan;20(1):107–113.
22. **Wang L, Ang M, Kwek E, et al.** The clinical evolution of cutaneous hypoesthesia following plate fixation in displaced clavicle fractures. *Indian J Orthop.* 2014;48:10–13.
23. **Zlowodzki M, Zelle BA, Cole PA, et al.** Treatment of acute midshaft clavicle fractures: systematic review of 2144 fractures: On behalf of the Evidence-Based Orthopaedic Trauma Working Group. *J Orthop Trauma.* 2005;19:504–507.
24. **Murray IR, Foster CJ, Eros A, et al.** Risk factors for nonunion after nonoperative treatment of displaced midshaft fractures of the clavicle. *J Bone Joint Surg Am.* 2013 Jul 3;95(13):1153–1158.
25. **Virk M, Apostolakos J, Cote M, et al.** Operative and non-operative treatment of acromio-clavicular dislocation: a critical analysis review. *J Bone Joint Surg.* 2015 Oct;3(10):e5.

12 Agradecimentos

Agradecemos a Nikolaus Renner e Rogier Simmermacher por sua contribuição para este capítulo na 2ª edição de *Princípios AO do tratamento de fraturas.*

6.2.1 Úmero, proximal

Chunyan Jiang

1 Introdução

1.1 Epidemiologia

As fraturas proximais do úmero são comuns e se caracterizam, principalmente, como o resultado de lesões de baixa energia na população idosa. A maioria das fraturas proximais do úmero não é desviada ou está minimamente desviada e pode ser tratada com sucesso de forma conservadora, além de apenas 10-20% das fraturas requererem cirurgia [1]. A fratura proximal do úmero é a terceira mais comum de todo o corpo, representando 4-10% de todas as fraturas [1]. A incidência anual relatada está entre 31 e 250 por 100.000 em adultos; com o aumento da população de idosos, ela sobe continuamente.

1.2 Características especiais

As fraturas proximais do úmero em pacientes com osteoporose são problemas desafiadores. Uma revisão sistemática [2] do tratamento não operatório em pacientes idosos com fraturas proximais do úmero demonstrou altas taxas de consolidação e de bons desfechos funcionais. O tratamento não operatório das fraturas desviadas evita os problemas relacionados ao implante, que são comuns após o tratamento cirúrgico. Entretanto, resultados consistentemente satisfatórios nem sempre podem ser esperados com o tratamento não operatório [3-5]. As placas bloqueadas com parafusos com estabilidade angular fornecem maior estabilidade na osteoporose, mas a taxa de complicações permanece alta [6].

2 Avaliação e diagnóstico

2.1 História do caso e exame físico

A história detalhada deve incluir a idade do paciente, o nível de atividade e o mecanismo da lesão. A maioria das fraturas proximais do úmero ocorre em pacientes idosos, por uma queda da própria altura sobre o braço estendido [1], e a osteoporose desempenha um papel importante com o aumento da incidência na população de mulheres idosas. As fraturas proximais do úmero nos pacientes jovens geralmente ocorrem com um trauma de alta energia. Eles sofrem lesões mais graves de partes moles e fraturas multifragmentadas. A convulsão ou o choque elétrico também podem resultar em fraturas proximais do úmero, com ou sem luxação.

Um exame físico completo deve avaliar toda a extremidade superior e focar em outras áreas para excluir outras lesões, incluindo o pescoço e a coluna vertebral. O edema e a equimose podem se espalhar para áreas dependentes; o edema grave pode ocasionalmente estar associado a uma lesão vascular. Embora as fraturas expostas sejam raras, as fraturas fechadas graves podem causar uma tração séria e necrose da pele por pressão. A deformidade da articulação do ombro pode não ser visível; a deformidade óbvia sugere uma luxação. A amplitude de movimentos restringida deve ser distinguida das lesões do manguito rotador. A função motora e sensitiva do nervo axilar deve ser sempre avaliada e, caso uma luxação estiver presente, deve-se avaliar a função do plexo braquial e os pulsos no nível do punho.

Fraturas específicas
6.2.1 Úmero, proximal

2.2 Exames de imagem

As radiografias simples são o melhor método básico para avaliar as fraturas proximais do úmero. A série radiográfica de trauma em três incidências deve ser obtida, incluindo uma anteroposterior (AP) verdadeira, e uma vista lateral da articulação do ombro, junto com uma incidência axilar (**Fig. 6.2.1-1a-d**).

A incidência axilar padrão (com o braço abduzido em aproximadamente 90 graus) é impossível por causa da dor e do risco de desvio adicional da fratura (**Fig. 6.2.1-1e-f**). Por conseguinte, uma incidência axilar modificada (incidência de Velpeau) pode ser obtida sem a abdução excessiva do ombro (**Fig. 6.2.1-1g**).

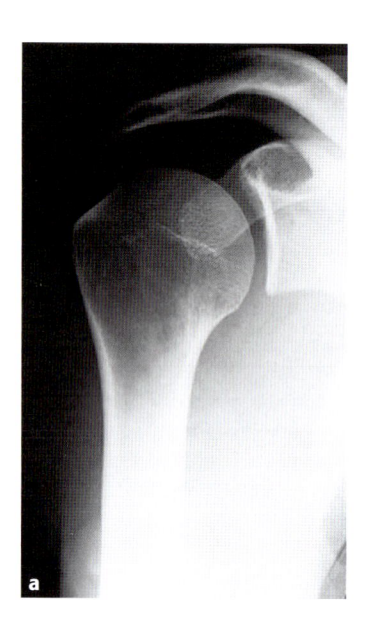

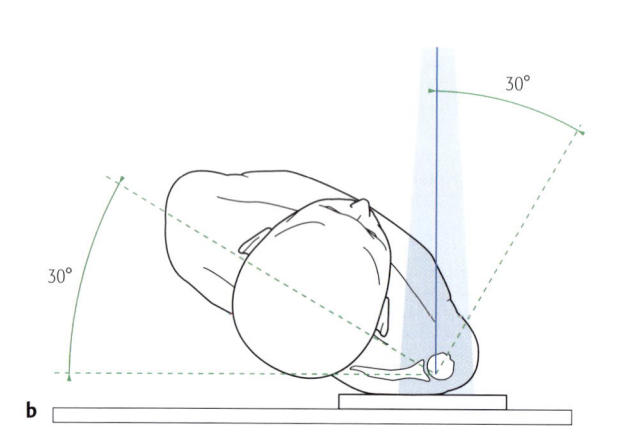

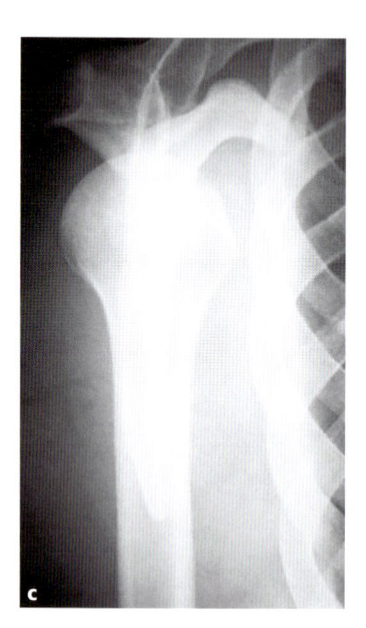

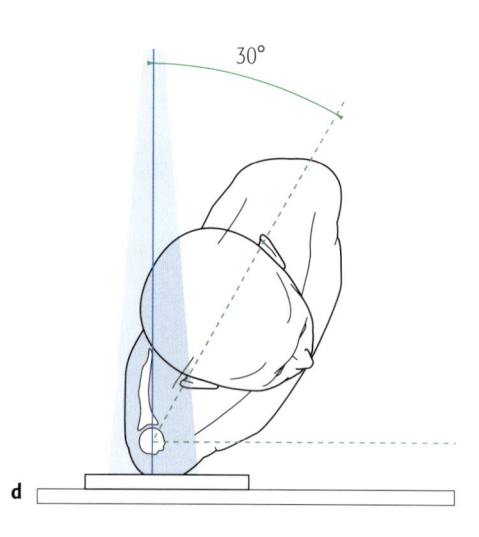

Fig. 6.2.1-1a-g Radiografias da série de trauma. Com uma fratura aguda, todas as radiografias são obtidas com o paciente em pé ou sentado e o braço apoiado para minimizar a dor.

a-b Vista anteroposterior (AP) verdadeira da glenoide. O paciente deve ficar de frente para a fonte de raio X, com o aspecto posterior do lado afetado contra a placa de raio X. O tronco oposto é rodado em pelo menos 30°.

c-d Incidência lateral transescapular. O paciente fica com a fonte de raio X no lado oposto e o ombro afetado é colocado contra a placa de raio X. O tronco é girado em 30° para longe do feixe de raios X, que é, então, dirigido posteriormente ao longo da espinha da escápula.

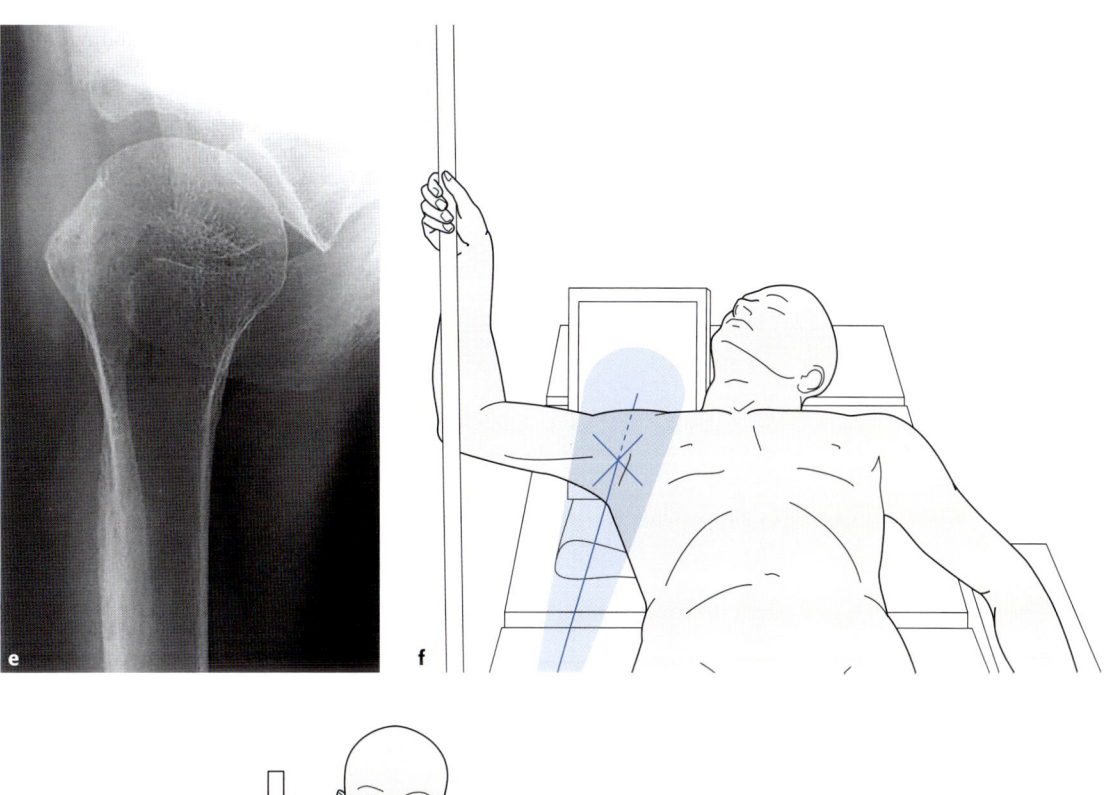

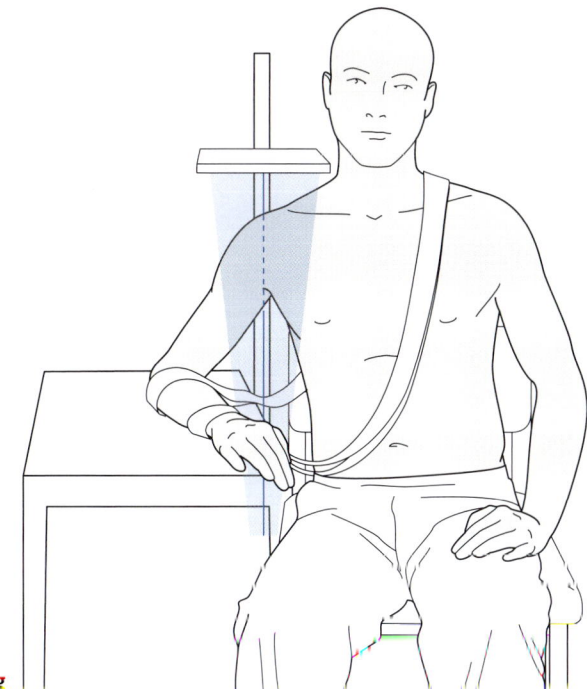

Princípios AO do tratamento de fraturas
Volume 2

Fig. 6.2.1-1a–g (cont.) Radiografias da série de trauma. Com uma fratura aguda, todas as radiografias são obtidas com o paciente em pé ou sentado e o braço é apoiado para minimizar a dor.

e–f Visão axilar. O paciente é deitado em posição supina, com a placa de raios X colocada acima do ombro. É necessária uma abdução de cerca de 70°, que pode ser dolorosa no contexto agudo.

g Incidência de Velpeau.

Fraturas específicas
6.2.1 Úmero, proximal

A tomografia computadorizada (TC) fornece informação adicional importante para avaliar as fraturas complexas proximais do úmero. As reconstruções coronais, sagitais e tridimensionais fornecem detalhes adicionais sobre as linhas da fratura, a glenoide e a cabeça do úmero (**Fig. 6.2.1-2**).

3   Anatomia

A compreensão minuciosa da anatomia da extremidade proximal do úmero e de seus tecidos moles circundantes é crucial para a redução e fixação de fraturas. O ângulo coluna central-diafisário (CCD) é de 135 graus. A cabeça do úmero é normalmente retrovertida no colo, olhando aproximadamente 25 graus para trás (variação média: 18-30 graus) em relação ao eixo epicondilar distal do úmero. Os quatro fragmentos comuns da fratura proximal do úmero são a cabeça do úmero, a grande tuberosidade, a pequena tuberosidade e a diáfise [6]. O sulco bicipital é feito de osso cortical denso e o tendão do bíceps (cabeça longa) é um marco importante para referência. A grande tuberosidade é a inserção para o tendão do supraespinal superiormente, para o tendão do infraespinal posterior e superiormente e para o tendão do redondo menor posteriormente. A pequena tuberosidade é a inserção do tendão do subescapular (**Fig. 6.2.1-3**). Essas importantes inserções tendíneas facilitam a redução e a fixação das fraturas osteoporóticas proximais do úmero usando suturas no manguito rotador.

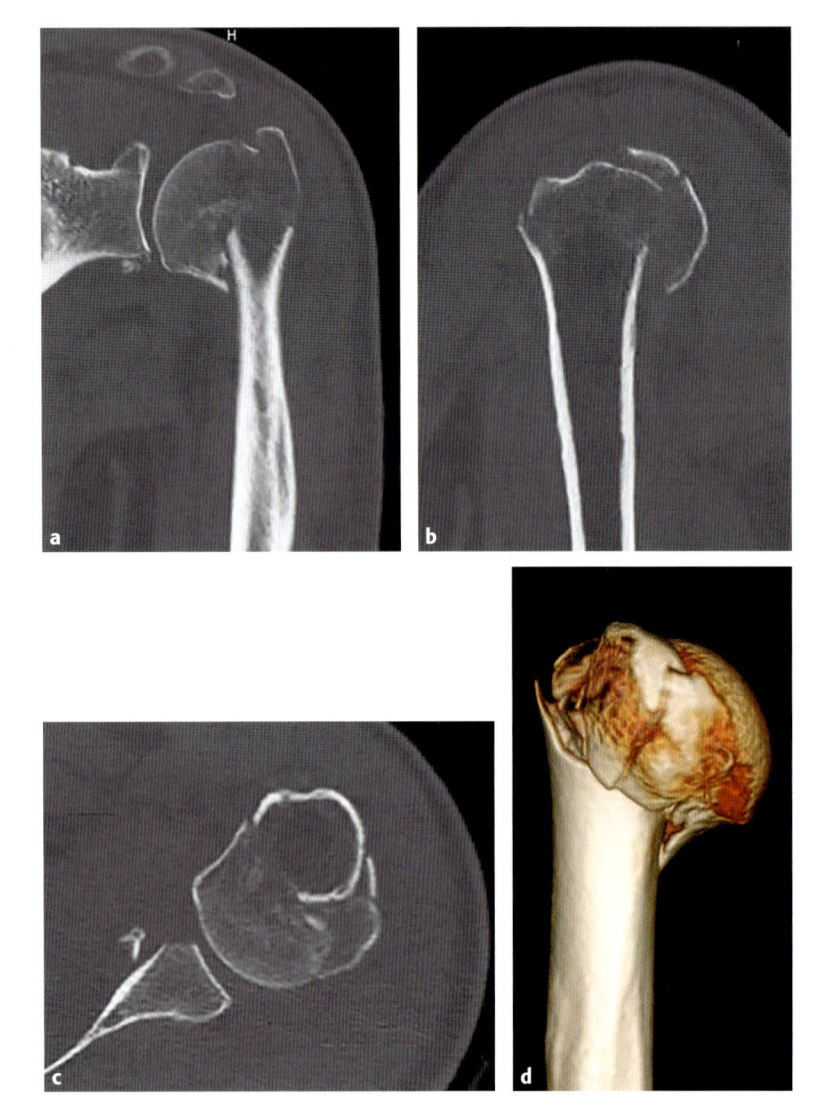

Fig. 6.2.1-2a-d   A tomografia computadorizada (TC) coronal (**a**), sagital (**b**), transversa (**c**) e a reconstrução tridimensional (**d**) fornecem mais detalhes da fratura.

O dano no suprimento sanguíneo da cabeça do úmero pode causar osteonecrose avascular [7]. O ramo arqueado ascende a partir da artéria circunflexa umeral anterior e penetra na cabeça umeral. Acreditava-se que fornecia o principal suprimento sanguíneo para a porção articular da cabeça do úmero. Entretanto, em um estudo com cadáveres, Hettrich e colaboradores [8] verificaram que a artéria circunflexa umeral posterior fornece 64% do suprimento sanguíneo para a cabeça do úmero. Desse modo, a artéria circunflexa umeral posterior pode ter um papel mais importante na manutenção da perfusão da cabeça do úmero em fraturas proximais do úmero (**Fig. 6.2.1-4**). O comprimento da espícula dorsomedial do colo cirúrgico metafisário é crítico para a perfusão da cabeça anatômica do úmero [9]. Uma fratura do colo cirúrgico desviada em valgo abre a dobradiça medial e pode também romper o suprimento sanguíneo à cabeça do úmero.

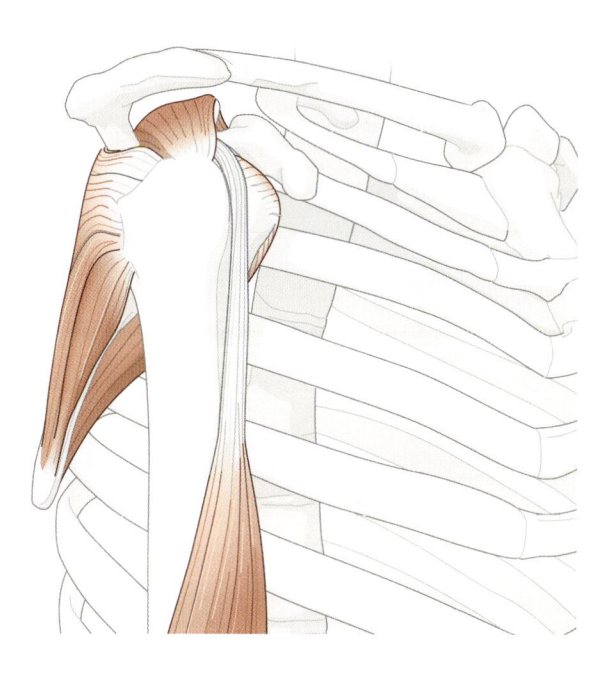

Fig. 6.2.1-3 Os tendões do manguito rotador facilitam a redução e a fixação dos fragmentos da tuberosidade.

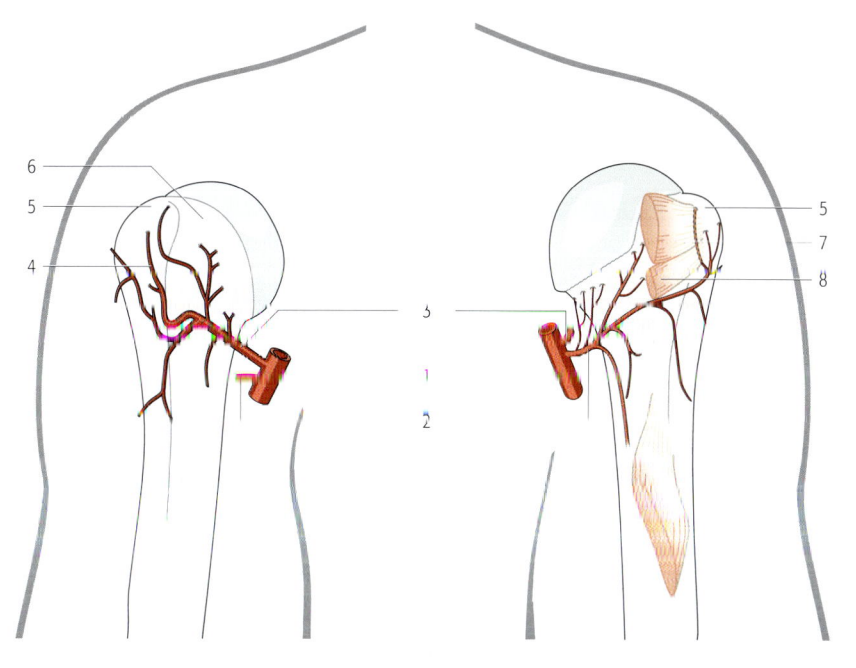

Fig. 6.2.1-4 Anatomia vascular da cabeça do úmero.
1. Artéria axilar
2. Artéria circunflexa umeral posterior
3. Artéria circunflexa umeral anterior
4. Ramo ascendente lateral da artéria circunflexa umeral anterior
5. Grande tuberosidade
6. Pequena tuberosidade
7. Inserção tendínea do músculo infraespinhoso
8. Inserção tendínea do músculo redondo menor

Fraturas específicas
6.2.1 Úmero, proximal

4 Classificações

4.1 Classificação AO/OTA de Fraturas e Luxações

A gravidade da fratura proximal do úmero aumenta de A1 até C3, de forma que a Classificação AO/OTA de Fraturas e Luxações pode dirigir o tratamento e também é prognóstica para o suprimento vascular da cabeça do úmero e para o desfecho (**Fig. 6.2.1-5**).

4.2 Classificação de Neer

Em 1970, Neer [6] propôs um sistema de classificação baseado nas partes anatômicas da extremidade proximal do úmero e seu desvio entre si. A má posição > 1 cm e a angulação > 45° são consideradas como desvio. A classificação de Neer é uma classificação amplamente usada para as fraturas proximais do úmero.

4.3 Classificação LEGO

Hertel e colaboradores [9] desenvolveram o sistema LEGO de classificação. Essa classificação enfatiza a localização da linha de fratura entre cada uma das quatro partes da extremidade proximal do úmero e as diferentes combinações com base no número de partes que estão fraturadas.

5 Indicações cirúrgicas

A seleção do tratamento apropriado depende do tipo de fratura, da qualidade do osso, das forças deformantes, das habilidades do cirurgião (experiência, preferência), da cooperação do paciente e das suas expectativas.

As fraturas não desviadas e as fraturas impactadas devem ser tratadas por imobilização com tipoia por 2-3 semanas, com exercícios pendulares precoces e, então, amplitude de movimento ativa. As fraturas desviadas em pacientes com osteoporose e acima de 75 anos com baixa demanda devem ser tratadas com o tratamento não operatório. A redução fechada, se necessária, é tentada sob intensificação de imagem. Se o alinhamento for alcançado e a redução for estável, o braço é imobilizado em uma tipoia.

As indicações para redução da fratura e estabilização incluem:

- Fraturas desviadas (definidas por Neer [6] como um desvio do fragmento > 1 cm ou angulação > 45 graus)
- Fraturas com *split* da cabeça
- Lesões neurovasculares combinadas
- Fraturas expostas
- Fraturas instáveis com ruptura da dobradiça medial
- Ombro flutuante
- Politraumatismo
- Fraturas-luxações irredutíveis

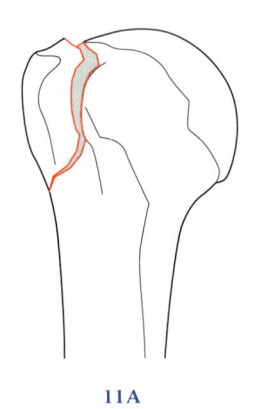

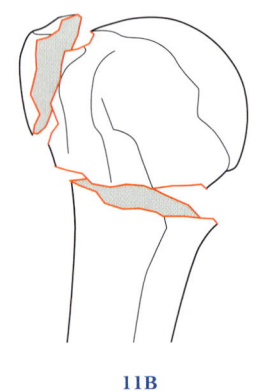

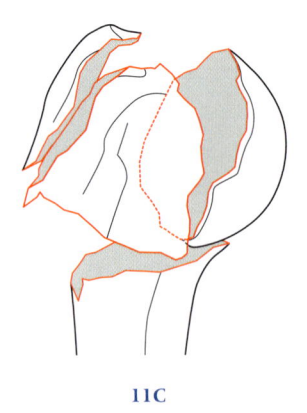

11A

11B

11C

Úmero, segmento da extremidade proximal,
11A fratura extra-articular, unifocal de 2 partes (colo cirúrgico)
11B fratura extra-articular, bifocal, 3 partes
11C fratura articular ou fratura em 4 partes (colo anatômico)

Fig. 6.2.1-5 Classificação AO/OTA de Fraturas e Luxações – proximal do úmero. Por causa da anatomia ímpar da extremidade proximal do úmero, a classificação é modificada para esta área especial.

6 Planejamento pré-operatório

6.1 Momento da cirurgia

As fraturas proximais do úmero raramente requerem cirurgia imediata e há poucos estudos sobre como o momento da cirurgia afeta os desfechos clínicos. Resultados satisfatórios podem ser esperados em casos retardados [10], mas, em estudos comparativos [10, 11], a intervenção cirúrgica precoce parece produzir melhores desfechos funcionais, não importando o tratamento realizado.

6.2 Seleção do implante

A escolha dos implantes para as fraturas proximais do úmero deve ser baseada na personalidade da lesão, incluindo as características da fratura, as características do paciente e os tecidos moles. A função do manguito rotador também é um fator importante. Os fios de Kirschner rosqueados são principalmente usados em pacientes imaturos com placas fisárias abertas, enquanto as suturas, a banda de tensão ou os parafusos podem ser utilizados em fraturas de 2 partes da tuberosidade com boa qualidade óssea. As placas bloqueadas são amplamente usadas nas fraturas desviadas, mas as complicações relacionadas à placa e a qualidade óssea devem ser levadas em conta. Se a redução fechada puder ser alcançada e mantida durante a cirurgia, uma técnica minimamente invasiva, como a fixação percutânea, osteossíntese com placa minimamente invasiva (OPMI) ou encavilhamento intramedular (IM), pode ser feita para minimizar a perturbação adicional do suprimento sanguíneo no local da fratura. A artroplastia pode ser indicada para as fraturas complexas ou fraturas-luxações com osso osteoporótico do idoso. Entretanto, é impossível predizer a consolidação do(s) fragmento(s) da grande tuberosidade depois da cirurgia [12] e pode resultar em função deficiente. A artroplastia total reversa do ombro tem suscitado mais interesse na última década. Os estudos comparativos [12, 13] mostram que a artroplastia reversa fornece desfechos mais previsíveis e mais funcionais que a hemiartroplastia isolada, mas persistem as considerações sobre a longevidade desses implantes.

6.3 Configuração da sala de cirurgia

Depois da assepsia de todo o braço e ombro, do pescoço até as pontas dos dedos, a mão e o antebraço são cobertos com uma malha impermeável. Um campo em U é colocado pela axila. O ápice do U fica na parede torácica lateral e as duas extremidades são agrupadas anterior e posteriormente para se encontrar na raiz do pescoço (**Fig. 6.2.1-6**). O intensificador de imagem também precisa ser preparado.

O cirurgião fica de frente para o ombro do paciente, adjacente à mesa operatória e à axila, ou ele se posiciona entre o paciente e o braço abduzido, de frente para a axila. O assistente pode ficar por trás do ombro do paciente. A equipe da sala de cirurgia fica entre os dois cirurgiões. A tela do intensificador de imagem é colocada para a completa visão da equipe cirúrgica e do técnico em radiologia (**Fig. 6.2.1-7**).

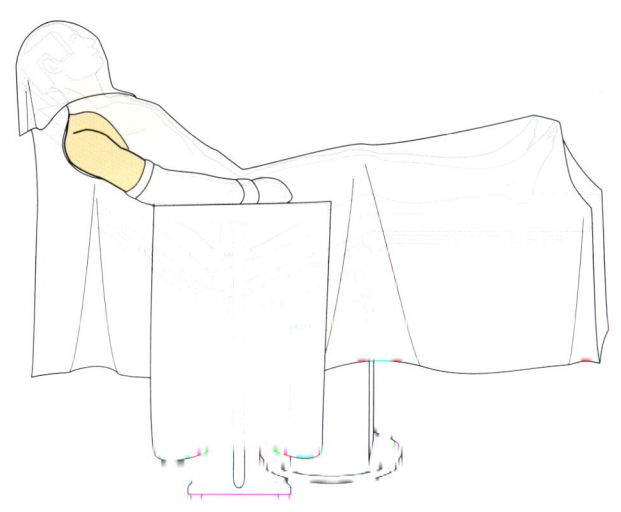

Fig. 6.2.1-6 O paciente é colocado na posição de cadeira de praia com o ombro direito apoiado em uma parte radiolucente da mesa operatória. O paciente e o intensificador de imagem são, então, preparados.

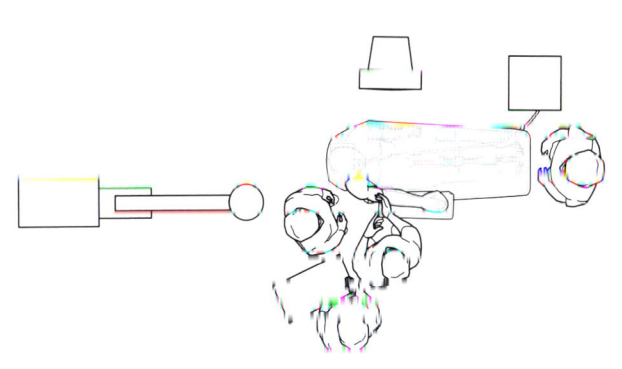

Fig. 6.2.1-7 Configuração da sala de cirurgia.

Fraturas específicas
6.2.1 Úmero, proximal

7 Cirurgia

7.1 Vias de acesso cirúrgicas

7.1.1 Via de acesso deltopeitoral

A via de acesso deltopeitoral é a mais frequentemente usada durante a redução aberta e fixação interna ou na artroplastia. O paciente é geralmente colocado em uma posição de cadeira de praia (**Fig. 6.2.1-6**). A incisão começa no processo coracoide proximalmente e passa logo anterior ao deltoide, e se estende até a porção média e distal do deltoide. A veia cefálica é dissecada e afastada lateralmente com o músculo deltoide ou medialmente com o músculo peitoral maior (**Fig. 6.2.1-8**). A seguir, o intervalo entre o deltoide e os músculos peitorais é desenvolvido e a fáscia clavipeitoral é então aberta. O ligamento coracoacromial é identificado. A dissecção romba no espaço subacromial e debaixo do deltoide, mais a liberação parcial da inserção do deltoide distalmente, podem melhorar a visualização. O braço é ligeiramente abduzido para relaxar o deltoide, de forma que possa ser lateralmente afastado com facilidade, sem tensão excessiva. A porção anterior da inserção do deltoide no acrômio deve ser protegida durante a cirurgia. A cabeça longa do bíceps fica no sulco bicipital entre as tuberosidades e é um marco importante para identificar tanto a grande quanto a pequena tuberosidade.

As vantagens da via de acesso deltopeitoral são:

- Melhor proteção do deltoide
- Melhor visualização e liberação da cápsula inferior
- Risco mais baixo de lesão do nervo axilar

As desvantagens incluem:

- O posicionamento da placa pode ser difícil devido à obstrução do deltoide
- Visualização ruim do aspecto posterior da tuberosidade
- A exposição pode ser difícil em indivíduos musculosos

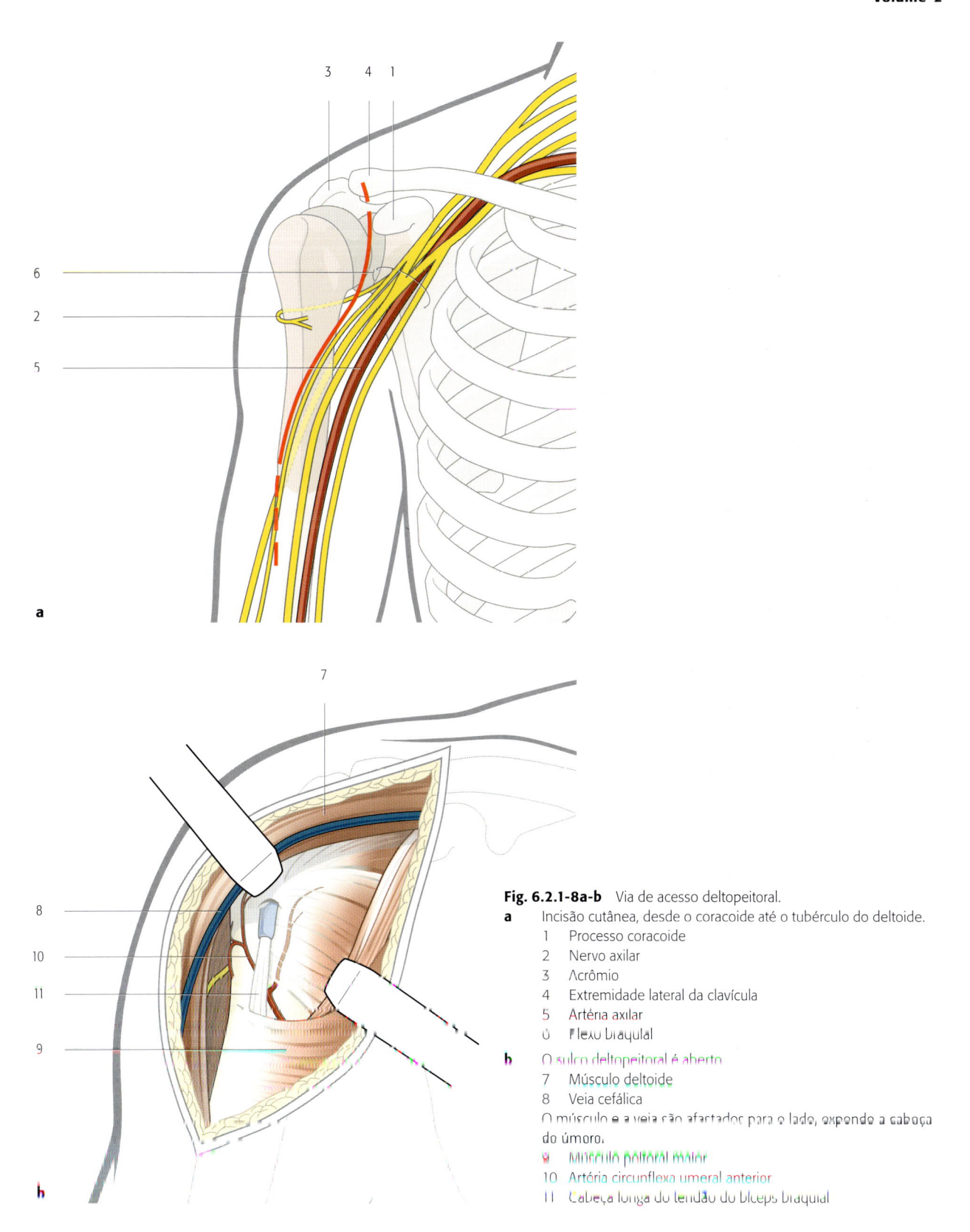

Princípios AO do tratamento de fraturas
Volume 2

Fig. 6.2.1-8a-b Via de acesso deltopeitoral.
a   Incisão cutânea, desde o coracoide até o tubérculo do deltoide.
   1   Processo coracoide
   2   Nervo axilar
   3   Acrômio
   4   Extremidade lateral da clavícula
   5   Artéria axilar
   6   Plexo braquial
b   O sulco deltopeitoral é aberto.
   7   Músculo deltoide
   8   Veia cefálica
O músculo e a veia são afastados para o lado, expondo a cabeça do úmero.
   9   Músculo peitoral maior
   10 Artéria circunflexa umeral anterior
   11 Cabeça longa do tendão do bíceps braquial

Fraturas específicas
6.2.1 Úmero, proximal

7.1.2 Via de acesso transdeltoide (divisão do deltoide)

Esta via de acesso é indicada para as fraturas da grande tuberosidade, OPMI, ou encavilhamento. A incisão começa no canto anterolateral do acrômio e se estende 5 cm até o aspecto lateral do úmero. O deltoide é liberado de forma romba entre as fibras anterior e média até a bolsa subdeltoidea (**Fig. 6.2.1-9**). Cuidadosamente proteger o nervo axilar ao longo da cirurgia. Se a tuberosidade estiver fraturada e precisar ser fixada, ou OPMI for aplicada, colocar uma sutura de permanência no deltoide dividido, 5 cm lateral e distalmente ao acrômio para prevenir a lesão do nervo axilar. A rotação interna e externa permite a redução e fixação da grande tuberosidade. A placa lateral deve ser cuidadosamente inserida por baixo do nervo.

As vantagens da abordagem transdeltoide incluem:

- Melhor visualização de ambas as tuberosidades
- Fácil acesso da placa ao aspecto lateral do úmero

As desvantagens incluem:

- Risco de dano ao músculo deltoide
- Lesão do nervo axilar

Fig. 6.2.1-9 Via de acesso lateral transdeltoide. Incisão a partir do canto anterolateral do acrômio, estendendo-se distalmente não mais do que 5 cm.
1   Articulação acromioclavicular
2   Nervo axilar
3   As linhas azuis demarcam a "zona segura" para observar o nervo axilar e o proteger de dano cirúrgico. Essa "zona segura" não é incisada na pele, mas o nervo axilar pode ser palpado da incisão acima, dentro e por sob o deltoide.

7.2 Redução e fixação

As suturas de tração na junção tendão-osso são úteis para manejar e reduzir os fragmentos da tuberosidade sem cominução adicional dos fragmentos da fratura (**Fig. 6.2.1-10**). Para as fraturas isoladas em 2 partes da tuberosidade, a sutura é mais confiável que os parafusos. Para as fraturas de 2 partes do colo cirúrgico, a redução da cortical medial é importante, especialmente nas fraturas do tipo em varo. Para as fraturas mais complexas de 3 ou 4 partes, sempre restaurar o ângulo normal colo-diáfise usando a técnica de *joystick* (**Fig. 6.2.1-11**) ou com um descolador periosteal ou gancho de osso para manipular o fragmento da cabeça

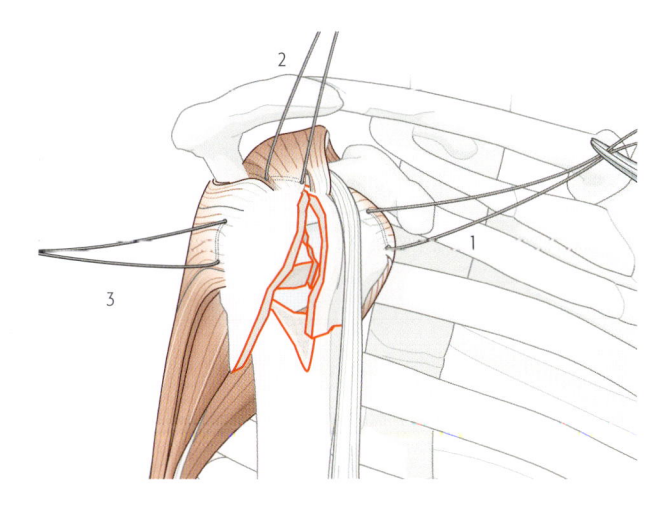

Fig. 6.2.1-10 Suturas de tração na junção tendão-osso do manguito rotador.
1   Tendão do subescapular
2   Tendão do supraespinhoso
3   Tendão do infraespinhoso

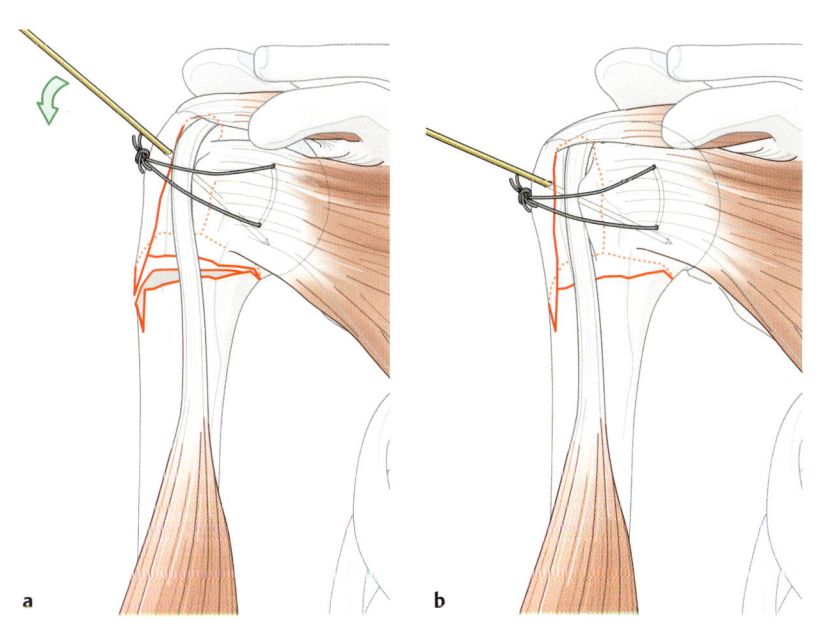

Fig. 6.2.1-11a-b Usar o *joystick* para controlar a cabeça e restaurar o ângulo normal colo-diáfise.

Fraturas específicas
6.2.1 Úmero, proximal

(**Fig. 6.2.1-12**). Fios de Kirschner temporários, da cabeça até a diáfise, ou anteriormente da diáfise até a cabeça, podem ser usados para segurar a redução e evitar a interferência com a aplicação da placa (**Fig. 6.2.1-13**). As técnicas de redução indireta (p. ex., sutura colocada nos tendões do manguito rotador) são usadas para amarrar juntos os fragmentos da tuberosidade. Isso é recomendado para evitar a fragmentação dos finos fragmentos da tuberosidade e para proteger o seu suprimento sanguíneo restante (**Fig. 6.2.1-14**).

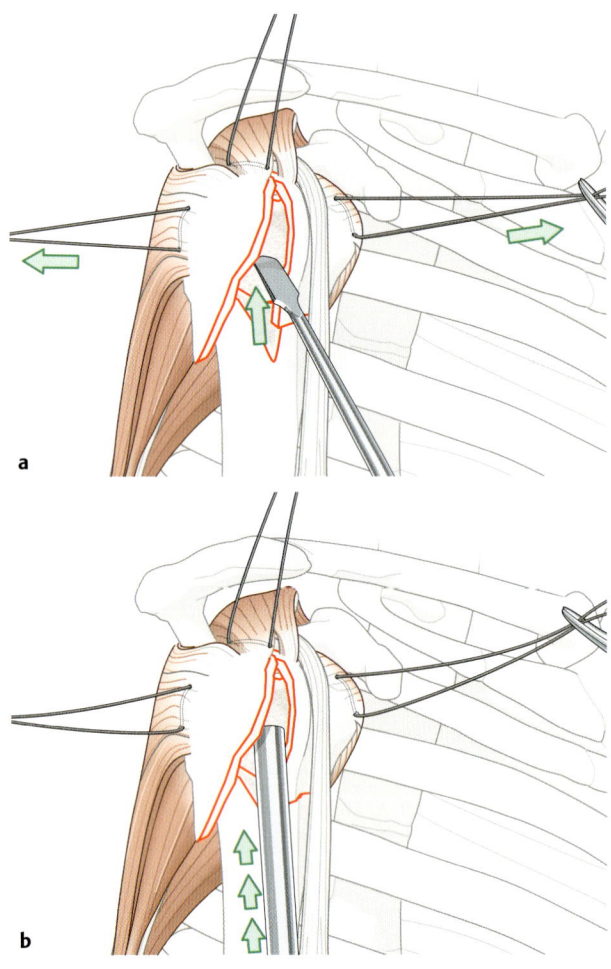

Fig. 6.2.1-12a-b Descolador periosteal ou gancho de osso usado para reduzir a cabeça em varo para a posição em valgo.

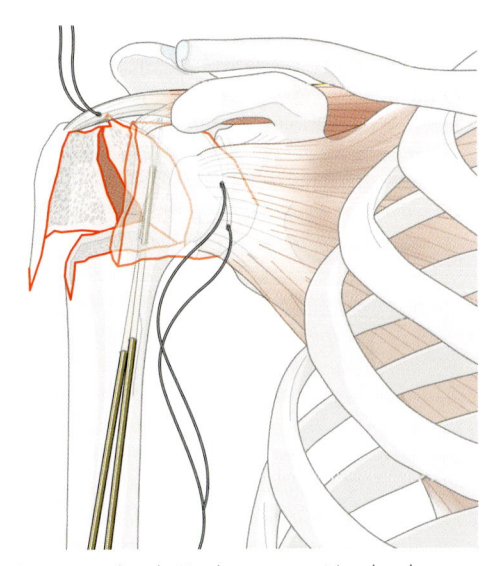

Princípios AO do tratamento de fraturas
Volume 2

Fig. 6.2.1-13 Fixação com fios de Kirschner temporários da cabeça e diáfise para evitar a posição da placa.

a

b

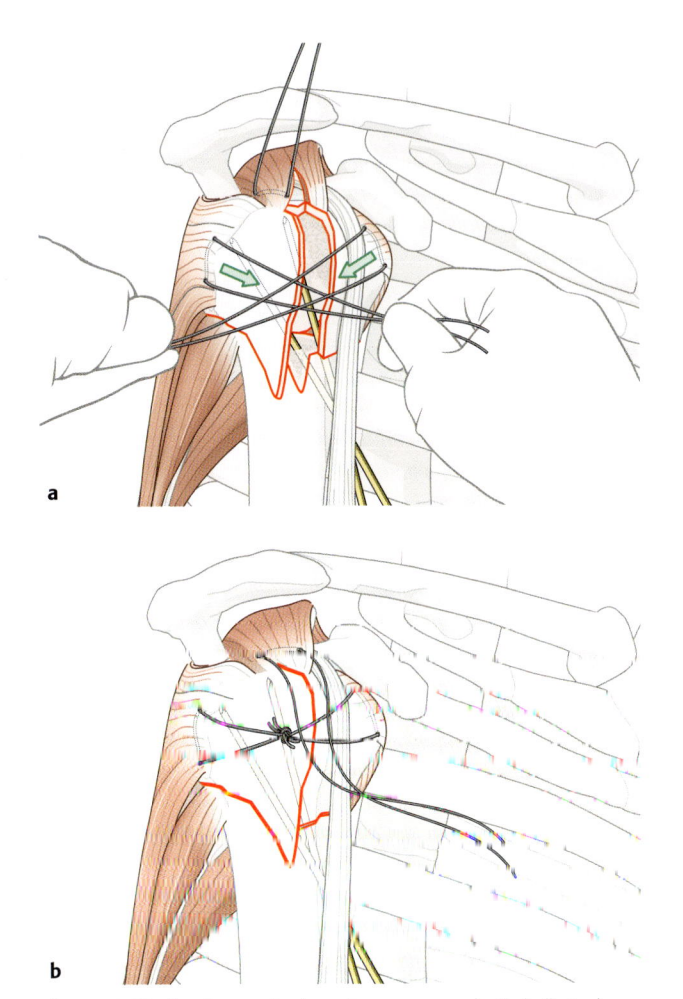

Fig. 6.2.1-14a-b Amarração das suturas para a redução indireta das tuberosidades.

599

Fraturas específicas
6.2.1 Úmero, proximal

Os parafusos de tração podem ser usados em fraturas isoladas da tuberosidade, em fraturas de duas partes com boa qualidade óssea, ou em combinação com outros implantes em fraturas complexas. O uso dos parafusos isolados não é recomendado, já que a força de fixação do parafuso é relativamente ruim na parte metafisária proximal do úmero. Em fraturas simples da tuberosidade, a força de fixação da sutura é maior que a fixação por parafuso. Usando uma âncora de sutura, a técnica de dupla polia pode ser usada para alcançar melhor redução e força de fixação (**Fig. 6.2.1-15**). A fixação adjunta da sutura junto com a placa ou a fixação com haste é obrigatória para uma melhor estabilidade biomecânica (**Fig. 6.2.1-16**).

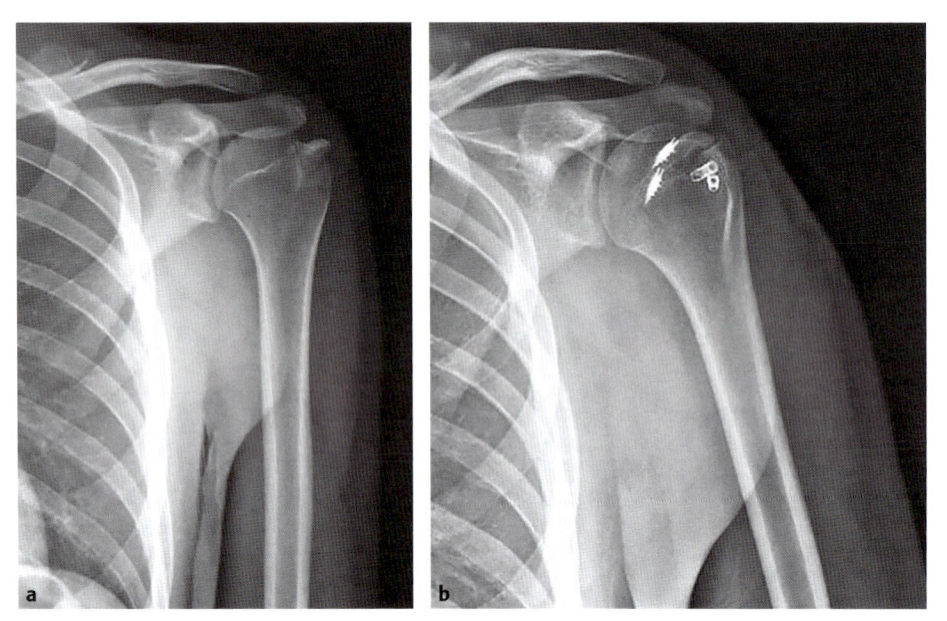

Fig. 6.2.1-15a-b Fixação de fratura isolada da grande tuberosidade com uma âncora de sutura.

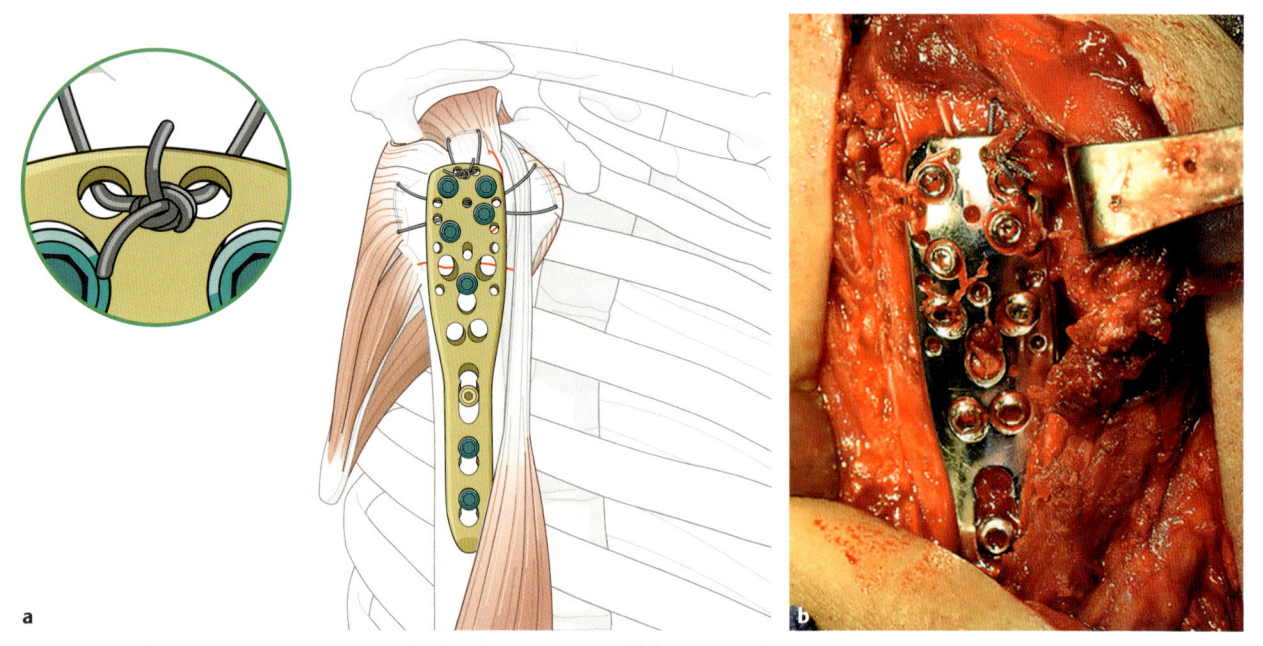

Fig. 6.2.1-16a-b Fixação com sutura adicional à placa fornece mais estabilidade, especialmente no osso osteoporótico.

As hastes intramedulares minimizam a exposição cirúrgica do local de fratura. Primeiro, trazer a diáfise alinhada com a cabeça, sob o intensificador de imagem, e alcançar a redução antes de inserir a haste. Uma haste reta é inserida no úmero sobre um fio guia. A recentemente projetada haste *multilock* permite a fixação das fraturas da tuberosidade e auxilia com o reparo do manguito rotador por meio de suturas (**Fig. 6.2.1-17**).

A haste IM pode ser usada nas fraturas em 2 partes do colo cirúrgico e em certos tipos de fraturas em 3 e 4 partes com as estruturas do anel proximal relativamente intactas. Acredita-se que as hastes intramedulares sejam menos invasivas e ofereçam estabilidade suficiente para a carga axial e de torção em comparação com as placas bloqueadas [14]. Recentemente foram introduzidos novos desenhos de hastes intramedulares (IM) com múltiplos parafusos bloqueados proximais para o tratamento das fraturas proximais do úmero. Os testes biomecânicos têm provado que as hastes IM têm maior resistência à flexão e forças rotacionais em comparação às placas. Entretanto, a colocação da haste IM pode causar fraturas iatrogênicas da grande tuberosidade e lesões do manguito rotador, que podem levar a sintomas e fraqueza persistentes no pós-operatório. Evitar pequenas incisões e usar uma haste reta, já que o ponto de entrada é na cabeça do úmero em vez de através do manguito rotador.

A placa bloqueada é um dos implantes mais amplamente usado para a fixação da fratura proximal do úmero. A placa deve ser colocada lateralmente ao sulco bicipital. Os parafusos do cálcar (dois parafusos que correm tangencialmente à curvatura medial do colo cirúrgico do úmero) são importantes para manter o suporte medial (**Fig. 6.2.1-18**), especialmente no caso da fratura desviada em varo com cominução da cortical medial [15].

A posição correta da placa é (**Fig. 6.2.1-19**):

1. Aproximadamente 5-8 mm distal ao topo da grande tuberosidade
2. Alinhada corretamente ao longo do eixo da diáfise umeral
3. Ligeiramente posterior ao sulco bicipital (2-4 mm)
4. Para confirmar a posição axial correta da placa, inserir um fio de Kirschner através do orifício proximal do bloco guia. O fio de Kirschner deve ficar sobre o topo da cabeça do úmero.

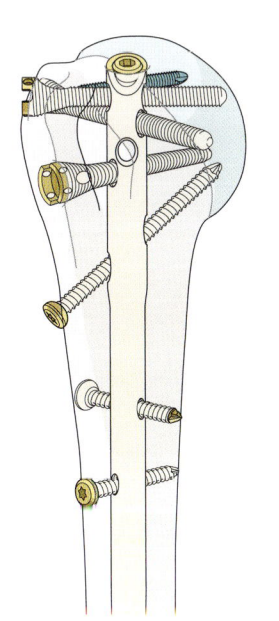

Fig. 6.2.1-17 A haste *multilock* com parafuso multidirecional e fixação por sutura.

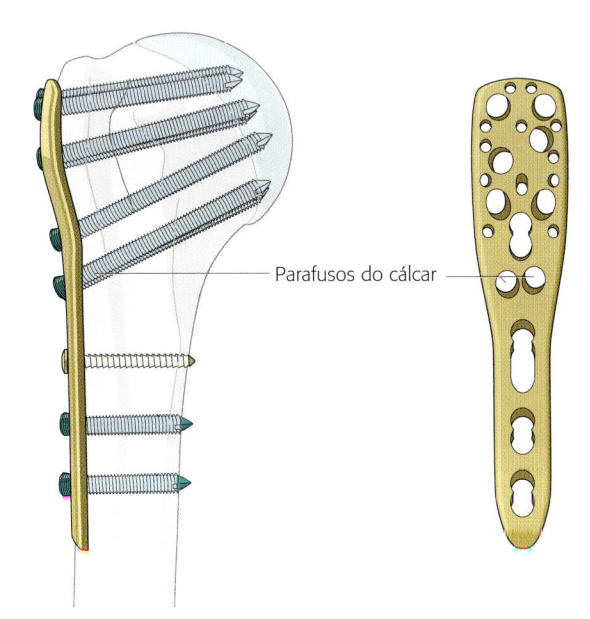

Fig. 6.2.1-18 Os parafusos do cálcar fornecem suporte medial e previnem o colapso em varo.

Fraturas específicas
6.2.1 Úmero, proximal

A OPMI evita a dissecção excessiva dos tecidos moles e diminui a chance de não união e infecção [16]. A redução fechada é feita com auxílio do intensificador de imagem. A abordagem proximal é feita com a divisão do deltoide e a abordagem distal é feita na inserção do deltoide. A placa é inserida perto do osso e profundamente ao nervo axilar.

A técnica de OPMI fornece desfechos clínicos e radiográficos satisfatórios, mas é limitada para tratar as fraturas complexas proximais do úmero. Se uma redução fechada não puder ser alcançada para a OPMI, então a redução aberta deve ser considerada [16].

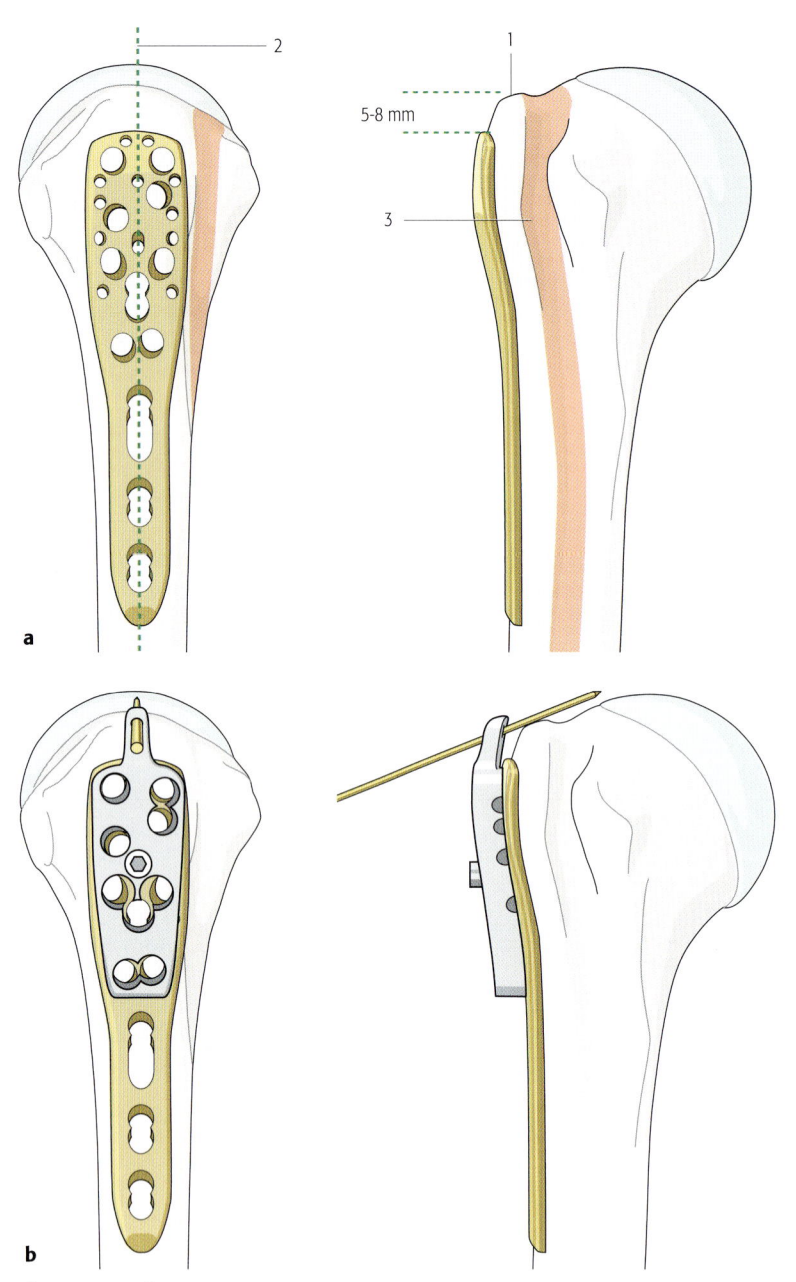

Fig. 6.2.1-19a-b
a Posição correta da PHILOS a partir do topo da grande tuberosidade (1), ao longo do eixo da diáfise do úmero (2) e posterior ao sulco bicipital (3).
b O bloco guia e o fio de Kirschner para o posicionamento da PHILOS a partir da grande tuberosidade.

A hemiartroplastia ou a artroplastia reversa do ombro também tem algum papel no tratamento das fraturas complexas proximais do úmero com osteoporose ou fratura-luxação. Estudos recentes [12, 13] mostraram que a artroplastia reversa do ombro é mais previsível e confiável que a hemiartroplastia para tratar as fraturas complexas em pacientes idosos.

7.3 Tratamento cirúrgico de fraturas específicas

1a) Quando é melhor usar a redução fechada e os fios ou parafusos percutâneos:

- Padrões de fratura simples em pacientes mais jovens com osso bom
- Fratura isolada da grande tuberosidade
- Padrões de fratura impactada em valgo

1b) Quando é melhor NÃO usar redução e pinagem fechadas:

- Fraturas com *split* da cabeça ou fraturas-luxações
- Padrões de fratura complexa onde o cálcar medial estiver fragmentado

2a) Quando é melhor usar o encavilhamento IM:

- Fraturas desviadas em que a estrutura anular proximal está relativamente intacta, mas o complexo da cabeça permanece instável em relação à diáfise
- Fraturas completamente desviadas em 2 partes do colo cirúrgico no idoso

2b) Quando é melhor NÃO usar o encavilhamento IM:

- Fraturas desviadas de 3 e 4 partes e *split* da cabeça do úmero

3a) Quando é melhor usar a redução aberta e fixação interna e placas bloqueadas:

- Fraturas em 2 e 3 partes com desvio significativo ou incongruência articular
- A maioria das fraturas em 4 partes, especialmente em pacientes jovens
- Deformidade excessiva em varo ou em valgo

3b) Quando é melhor NÃO usar a redução aberta e fixação interna e placas bloqueadas:

- Fraturas com *split* da cabeça
- Pacientes idosos com cominução significativa, fratura-luxação, ou fraturas multifragmentadas desviadas

4a) Quando é melhor usar a hemiartroplastia:

- Paciente de meia-idade com fratura-luxação grave em 3 ou 4 partes

4b) Quando é melhor NÃO usar a hemiartroplastia:

- Pacientes idosos com fraturas cominutivas e osteoporóticas da tuberosidade
- Padrões de fratura salváveis
- Quando houver significativa patologia do manguito rotador

5a) Quando é melhor usar uma artroplastia reversa do ombro para substituir o proximal do úmero:

- Paciente idoso com fratura-luxação grave
- Deficiência concomitante do manguito rotador

5b) Quando é melhor NÃO usar uma artroplastia reversa do ombro para substituir o proximal do úmero:

- Pacientes jovens com padrões de fratura que podem ser salvas

7.4 Desafios

Embora o uso de placas bloqueadas melhore significativamente o tratamento das fraturas proximais do úmero [17], as complicações são amplamente relatadas. A penetração do parafuso e a perda de redução depois da cirurgia são as complicações mais comumente publicadas.

A osteoporose apresenta grandes desafios à fixação com placa, especialmente em fraturas complexas com cortical fina e osso subcondral fraco, já que existe uma pega deficiente dos parafusos e até mesmo as placas bloqueadas podem não fornecer suficiente estabilidade para prevenir a perda de redução. A transferência continuada de carga resulta então em osteólise, perda adicional da redução e, finalmente, causa uma falha do implante [18]. A artroplastia do ombro pode se tornar mais importante no algoritmo de tratamento.

A integridade da dobradiça medial está altamente correlacionada com os desfechos pós-operatórios [15]. A região do cálcar medial contribui significativamente para o desfecho após a fixação de uma fratura proximal do úmero e deve ser anatomicamente restaurada sempre que for possível. Foi relatado que a cominução medial é correlacionada à perda da redução depois da fixação das fraturas proximais do úmero [15]. A cominução medial grave com deformidade em varo pode criar um grande desafio à redução satisfatória e fixação estável. O uso de placa dupla, a enxertia intramedular com fíbula de banco e a colocação de parafusos no cálcar podem reforçar a estabilidade biomecânica da fixação da fratura do úmero proximal [19].

Fraturas específicas
6.2.1 Úmero, proximal

8 Cuidados pós-operatórios

A reabilitação é essencial para maximizar a função após uma fratura proximal do úmero, não importando se é tratada operatoriamente (por fixação ou artroplastia) ou conservadoramente. As construções com implantes devem ser suficientemente estáveis para permitir o movimento passivo durante a cirurgia e a reabilitação imediatamente após a cirurgia. O mesmo protocolo de reabilitação (**Tab. 6.2.1-1**) é usado para o tratamento não operatório e operatório e deve começar 10-14 dias depois da cirurgia.

Tabela 6.2.1-1   Protocolo de reabilitação do ombro

Fase	Duração (semanas)	Reabilitação
1	0-6	Exercícios pendulares
		Exercícios de amplitude de movimento passiva
		Evitar exercícios de amplitude de movimento ativa por 6 semanas
2	6-10	Tipoia ortopédica por 2-3 semanas
		Se houver evidência clínica de consolidação e os fragmentos se moverem como uma unidade, e nenhum desvio for visível na radiografia, então: • Movimento ativo-assistido para frente e elevação lateral do braço • Semanas 6-8: uso funcional parcial • Semana 8: adicionar movimento ativo e não assistido • Semana 8: adicionar reforço isométrico
3	> 10	Se houver consolidação óssea, mas rigidez articular, então: • Adicionar terapia manual com movimento passivo por fisioterapeuta • Adicionar reforço isotônico, concêntrico e excêntrico

9 Complicações

9.1 Penetração do parafuso

Essa é a complicação mais comumente relatada, e pode ser devido a um erro técnico intraoperatório ou ser secundária à perda de redução com impacção e consolidação viciosa em varo. Os parafusos de ângulo fixo não podem ser retrocedidos, ocorrendo a penetração articular. Uma causa menos frequente é o colapso da cabeça do úmero por causa de necrose avascular [17, 20]. A colocação do parafuso deve ser monitorada pelo intensificador de imagem em todas as posições para confirmar que os parafusos estejam corretamente posicionados.

9.2 Necrose avascular

A necrose avascular da cabeça do úmero é relativamente frequente, com a taxa global aproximando-se de 35%. Ela pode levar à dor, redução da amplitude de movimentos e artrite glenoumeral. A fixação com placa parece estar associada a uma incidência mais alta devido à dissecção de partes moles [17, 20].

Os fatores de predisposição mais importantes são [9]:
- Comprimento da extensão metafisária dorsomedial
- Integridade da dobradiça medial
- Tipo de fratura

Apesar da alta incidência de necrose avascular, ela é frequentemente assintomática, com 77% dos pacientes ainda mostrando resultados funcionais bons a excelentes. Essa taxa se compara favoravelmente a 80% dos casos com resultados "aceitáveis" quando a artroplastia primária for usada.

9.3 Consolidação viciosa e não união

A consolidação viciosa está frequentemente acompanhada da perda do suporte cortical medial [17, 20], que leva a uma deformidade em varo. A redução do suporte cortical medial é importante. Em fraturas osteoporóticas, onde a redução anatômica não é possível, é recomendado impactar a cortical medial da diáfise na cabeça para produzir uma redução mais estável.

9.4 Lesões nervosas

A lesão do nervo axilar pode ocorrer durante a redução de uma fratura-luxação de fragmentos gravemente desviados. A dissecção cirúrgica cuidadosa ao usar a abordagem com divisão do deltoide, ou ao inserir afastadores, reduzirá o risco de lesão nervosa.

A lesão do plexo braquial e da artéria axilar podem estar associadas com a luxação da cabeça do úmero na axila. A redução precoce é essencial e requer anestesia geral, com relaxamento muscular, se houver uma fratura associada do colo do úmero. A redução aberta na emergência pode ser, por vezes, necessária se houver lesão nervosa evoluindo com a luxação que não possa ser reduzida por manipulação fechada.

10 Prognóstico e desfecho

Vários fatores estão correlacionados com um bom prognóstico e desfecho. Os mais importantes são a complexidade e o grau de desvio da fratura e também a integridade do manguito rotador. O tamanho da extensão do fragmento metafisário posteromedial e a integridade da dobradiça medial estão associados ao suprimento vascular para a cabeça do úmero [9]. A integridade da dobradiça medial, junto com a cominução da fratura, é um indicador importante na redução e estabilização da fratura [21, 22]. A orientação da cabeça, impacção do colo cirúrgico e desvio das tuberosidades se correlacionam fortemente com o desfecho [23, 24]. A idade está associada ao risco elevado de complicações em curto prazo [9]. A osteoporose pode diminuir a resistência da fixação, mas não há nenhuma evidência de que a qualidade óssea ruim, isoladamente, poderia aumentar o risco de falha mecânica com o uso de uma placa bloqueada [25]. A artroplastia reversa de ombro é uma alternativa à hemiartroplastia para o tratamento das fraturas graves [26].

Fraturas específicas
6.2.1 Úmero, proximal

Referências clássicas   **Referências de revisão**

11 Referências

1. **Court-Brown CM, Garg A, McQueen MM.** The epidemiology of proximal humeral fractures. *Acta Orthop Scand.* 2001 Aug;72(4):365–371.
2. **Iyengar JJ, Devcic Z, Sproul RC, et al.** Nonoperative treatment of proximal humerus fractures: a systematic review. *J Orthop Trauma.* 2011 Oct;25(10):612–617.
3. **Hauschild O, Konrad G, Audige L, et al.** Operative versus non-operative treatment for two-part surgical neck fractures of the proximal humerus. *Arch Orthop Trauma Surg.* 2013 Oct;133(10):1385–1393.
4. **Olerud P, Ahrengart L, Ponzer S, et al.** Internal fixation versus nonoperative treatment of displaced 3-part proximal humeral fractures in elderly patients: a randomized controlled trial. *J Shoulder Elbow Surg.* 2011 Jul;20(5):747–755.
5. **Sanders RJ, Thissen LG, Teepen JC, et al.** Locking plate versus nonsurgical treatment for proximal humeral fractures: better midterm outcome with nonsurgical treatment. *J Shoulder Elbow Surg.* 2011 Oct;20(7):1118–1124.
6. **Neer CS 2nd.** Displaced proximal humeral fractures. I. Classification and evaluation. *J Bone Joint Surg Am.* 1970 Sep;52(6):1077–1089.
7. **Gerber C, Schneeberger AG, Vinh TS.** The arterial vascularization of the humeral head. *J Bone Joint Surg Am.* 1990 Dec;72(10):1486–1494.
8. **Hettrich CM, Boraiah S, Dyke JP, et al.** Quantitative assessment of the vascularity of the proximal part of the humerus. *J Bone Joint Surg Am.* 2010 Apr;92(4):943–948.
9. **Hertel R, Hempfing A, Stiehler M, et al.** Predictors of humeral head ischemia after intracapsular fracture of the proximal humerus. *J Shoulder Elbow Surg.* 2004 Jul-Aug;13(4):427–433.
10. **Lu Y, Jiang C, Zhu Y, et al.** Delayed ORIF of proximal humerus fractures at a minimum of 3 weeks from injury: a functional outcome study. *Eur J Orthop Surg Traumatol.* 2014 Jul;24(5):715–721.
11. **Menendez ME, Ring D.** Does the timing of surgery for proximal humeral fracture affect inpatient outcomes? *J Shoulder Elbow Surg.* 2014 Sep;23(9):1257–1262.
12. **George M, Khazzam M, Chin P, et al.** Reverse shoulder arthroplasty for the treatment of proximal humeral fractures. *JBJS Rev.* 2014:2(10).
13. **Sebastiá-Forcada E, Cebrián-Gómez R, Lizaur-Utrilla A, et al.** Reverse shoulder arthroplasty versus hemiarthroplasty for acute proximal humeral fractures. A blinded, randomized, controlled, prospective study. *J Shoulder Elbow Surg.* 2014 Oct;23(10):1419–1426.
14. **Dietz SO, Hartmann F, Schwarz T, et al.** Retrograde nailing versus locking plate osteosynthesis of proximal humeral fractures: a biomechanical study. *J Shoulder Elbow Surg.* 2012 May;21(5):618–624.
15. **Gardner MJ, Weil Y, Barker JU, et al.** The importance of medial support in locked plating of proximal humerus fractures. *J Orthop Trauma.* 2007 Mar;21(3):185–191.
16. **Sohn HS, Shin SJ.** Minimally invasive plate osteosynthesis for proximal humeral fractures: clinical and radiologic outcomes according to fracture type. *J Shoulder Elbow Surg.* 2014 Sep;23(9):1334–1340.
17. **Sproul RC, Iyengar JJ, Devcic Z, et al.** A systematic review of locking plate fixation of proximal humerus fractures. *Injury.* 2011 Apr;42(4):408–413.
18. **Resch H.** Proximal humeral fractures: current controversies. *J Shoulder Elbow Surg.* 2011 Jul;20(5):827–832.
19. **Schliemann B, Wähnert D, Theisen C, et al.** How to enhance the stability of locking plate fixation of proximal humerus fractures? An overview of current biomechanical and clinical data. *Injury.* 2015 Jul;46(7):1207–1214.
20. **Jost B, Spross C, Grehn H, et al.** Locking plate fixation of fractures of the proximal humerus: analysis of complications, revision strategies and outcome. *J Shoulder Elbow Surg.* 2013 Apr;22(4):542–549.
21. **Petrigliano FA, Bezrukov N, Gamradt SC, et al.** Factors predicting complication and reoperation rates following surgical fixation of proximal humeral fractures. *J Bone Joint Surg Am.* 2014 Sep 17;96(18):1544–1551.
22. **Südkamp N, Bayer J, Hepp P, et al.** Open reduction and internal fixation of proximal humeral fractures with use of the locking proximal humerus plate. Results of a prospective, multicenter, observational study. *J Bone Joint Surg Am.* 2009 Jun;91(6):1320–1328.
23. **Foruria AM, de Gracia MM, Larson DR, et al.** The pattern of the fracture and displacement of the fragments predict the outcome in proximal humeral fractures. *J Bone Joint Surg Br.* 2011 Mar;93(3):378–386.
24. **Jawa A, Burnikel D.** Treatment of proximal humeral fractures—a critical analysis review. *JBJS Rev.* 2016 Jan;4(1).
25. **Kralinger F, Blauth M, Goldhahn J, et al.** The influence of local bone density on the outcome of one hundred and fifty proximal humeral fractures treated with a locking plate. *J Bone Joint Surg Am.* 2014 Jun 18;96(12):1026–1032.
26. **McAnany S, Parsons B.** Treatment of proximal humeral fractures. *JBJS Rev.* 2014 Apr 29;2(4).

12 Agradecimentos

Agradecemos a Pierre Guy por sua contribuição para a 2ª edição de *Princípios AO do tratamento de fraturas*.

6.2.2 Úmero, diáfise

John Williams

1 Introdução – epidemiologia

As fraturas da diáfise do úmero compõem aproximadamente 1% de todas as fraturas. Em geral, elas são o resultado de trauma direto, mas também ocorrem nos esportes nos quais as forças rotacionais são grandes, como, por exemplo, no beisebol ou na luta greco-romana [1]. Nas fraturas do terço médio ou distal da diáfise, há risco de lesão do nervo radial. Em uma pequena porcentagem de casos, as fraturas da diáfise do úmero estão associadas a lesão vascular. As fraturas expostas são incomuns, mas podem representar lesões sérias, particularmente se associadas a esmagamento em lesões laborais.

2 Avaliação e diagnóstico

2.1 História do caso e exame físico

Uma história cuidadosa, levando em conta o mecanismo da lesão, ajudará a decidir a probabilidade de outras lesões não ósseas associadas e a possibilidade de lesões em outras regiões do corpo. A avaliação de doenças concomitantes e dos níveis normais de atividade é uma parte essencial da avaliação do paciente.

O braço deve ser examinado na busca de edema, equimoses, deformidade e presença de feridas expostas, lembrando que elas podem ser posteriores ou mediais. O membro inteiro deve ser cuidadosamente examinado na busca de alterações vasculares e neurológicas. A avaliação dos nervos radial e interósseo posterior na busca de uma "lesão nervosa primária" é essencial antes de qualquer manobra de redução [2].

2.2 Exames de imagem

As imagens radiográficas são obtidas em dois planos perpendiculares. As radiografias devem mostrar todo o comprimento, incluindo as articulações do ombro e do cotovelo no mesmo filme, para permitir a avaliação do alinhamento e rotação. Se a fratura se estender para dentro das articulações do ombro ou do cotovelo, as incidências com imagens intraoperatórias ou uma tomografia computadorizada podem ser úteis, com ou sem renderização de superfície/volume.

3 Anatomia

A diáfise do úmero se estende a partir do colo cirúrgico proximalmente até os côndilos do úmero distalmente. Tem um formato cilíndrico proximalmente, é cônica em sua seção média, e no terço distal se torna drasticamente mais achatada no plano coronal. A cabeça do úmero é proximal e alinhada com o canal medular. Os côndilos umerais não estão alinhados à extremidade distal do canal, mas angulados anteriormente em 45 graus. Distalmente, a superfície dorsal triangular é limitada pelas cristas supracondilares medial e lateral e pela fossa do olécrano.

Os músculos do braço estão divididos em compartimentos flexor anterior e extensor posterior. Se a fratura estiver situada entre o manguito rotador e o músculo peitoral maior, a cabeça do úmero estará abduzida, flexionada e externamente rodada em relação à glenoide, e a diáfise tracionada em extensão, abdução, e translação anterior e medial em relação à cabeça. Se a fratura ficar entre o músculo peitoral e a inserção do deltoide, o fragmento proximal será aduzido e o fragmento distal será lateralmente desviado. Nas fraturas distais à inserção do deltoide, o fragmento proximal estará abduzido. No caso de uma fratura proximal ao braquiorradial e músculos extensores, o fragmento distal será rodado lateralmente. As fraturas distais tendem a cair em varo.

A artéria e a veia braquial, bem como os nervos mediano e ulnar, atravessam o compartimento anterior medialmente ao músculo coracobraquial proximalmente, e ao músculo braquial distalmente.

O nervo axilar e a artéria circunflexa umeral posterior se originam posteriormente e circundam o colo cirúrgico por volta de 5-6 cm abaixo da borda lateral do acrômio. O nervo radial corre posteriormente através do músculo tríceps braquial, ocupando o sulco radial na área mediodiafisária (**Fig. 6.2.2-1**) [3].

Fraturas específicas
6.2.2 Úmero, diáfise

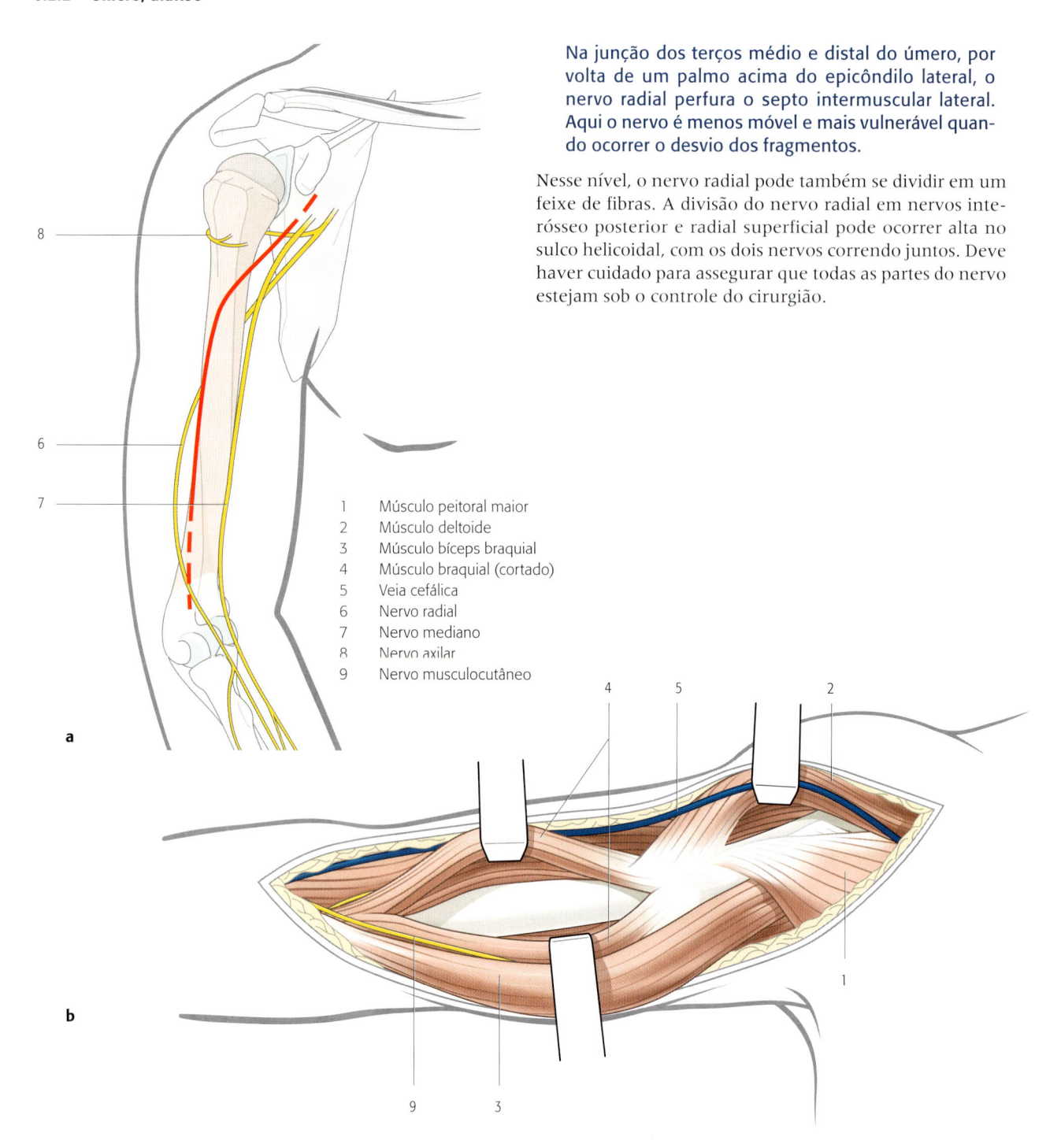

Na junção dos terços médio e distal do úmero, por volta de um palmo acima do epicôndilo lateral, o nervo radial perfura o septo intermuscular lateral. Aqui o nervo é menos móvel e mais vulnerável quando ocorrer o desvio dos fragmentos.

Nesse nível, o nervo radial pode também se dividir em um feixe de fibras. A divisão do nervo radial em nervos interósseo posterior e radial superficial pode ocorrer alta no sulco helicoidal, com os dois nervos correndo juntos. Deve haver cuidado para assegurar que todas as partes do nervo estejam sob o controle do cirurgião.

1   Músculo peitoral maior
2   Músculo deltoide
3   Músculo bíceps braquial
4   Músculo braquial (cortado)
5   Veia cefálica
6   Nervo radial
7   Nervo mediano
8   Nervo axilar
9   Nervo musculocutâneo

Fig. 6.2.2-1a-b   Via de acesso anterior extensível [3].
a   A incisão inicia no processo coracoide e continua ao longo do sulco deltopeitoral em direção à inserção do deltoide. A incisão se curva distalmente ao longo da borda lateral do músculo bíceps braquial.
b   Conforme a incisão se estende distalmente, o músculo braquial é dividido (o terço lateral do músculo é suprido pelo nervo radial e os dois terços mediais pelo nervo musculocutâneo) para expor a superfície anterior do distal do úmero. Ambos os nervos estão em risco: o nervo radial, onde perfura o septo intermuscular distalmente, e o nervo musculocutâneo do antebraço, conforme ele sai entre o bíceps braquial e o braquiorradial.

4 Classificação

4.1 Classificação AO/OTA de Fraturas e Luxações

A classificação das fraturas da diáfise do úmero (como para qualquer osso longo) utiliza a Classificação AO/OTA de Fraturas e Luxações. Úmero: osso 1, diáfise; segmento 2. A gravidade da fratura aumenta de 12A1: uma fratura helicoidal simples com grande área de contato até 12C3: uma fratura segmentar cominutiva multifragmentada (**Fig. 6.2.2-2**).

4.2 Outras classificações relevantes

Não existem outras classificações globais úteis, embora haja algumas fraturas com epônimo, como a fratura helicoidal baixa distal da diáfise, a fratura de Holstein-Lewis, que frequentemente está associada a uma lesão do nervo radial.

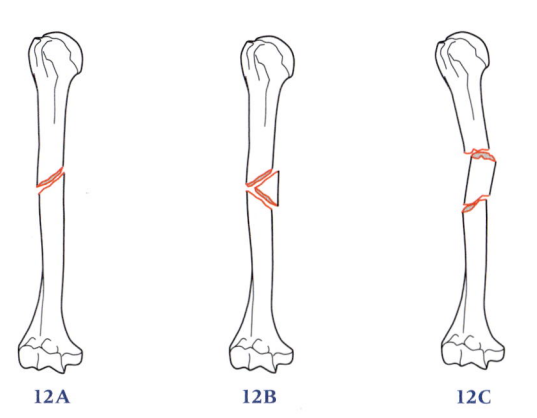

12A Úmero, segmento diafisário, **fratura simples**
12B Úmero, segmento diafisário, **fratura em cunha**
12C Úmero, segmento diafisário, **fratura multifragmentada**

Fig. 6.2.2-2 Classificação AO/OTA de Fraturas e Luxações – úmero, segmento diafisário.

5 Indicações cirúrgicas

Há indicações absolutas e relativas para a estabilização cirúrgica (**Tab. 6.2.2-1**). A idade do paciente, o padrão de fratura, as lesões ou doenças associadas, bem como a capacidade de cooperar com o tratamento precisam ser consideradas. A fixação com placa pode ser usada em quase todas as fraturas do úmero, e é a melhor opção para as fraturas da diáfise proximal ou distal, particularmente se houver uma extensão intra-articular.

As hastes intramedulares (IM) são a melhor opção para as fraturas patológicas ou patológicas iminentes da diáfise do úmero.

Numerosos métodos de tratamento não operatório para as fraturas da diáfise do úmero foram descritos, incluindo o uso de gesso, talas e imobilização tipo Velpeau.

A imobilização funcional é o tratamento mais amplamente aceito das fraturas da diáfise do úmero (Fig. 6.2.2-3).

Resultados bons a excelentes têm sido relatados, com taxas de consolidação de 95% [4, 5]. Uma angulação moderada (< 20 graus de angulação anterior e 30 graus de varo), rotação (< 40 graus) e encurtamento (< 3 cm) são funcionalmente bem tolerados. Os pacientes estão, de forma geral, se tornando menos tolerantes com as deformidades estéticas significativas, primariamente o varo e o encurtamento, e em particular se o encurtamento levar a uma necessidade de alteração significativa na roupa.

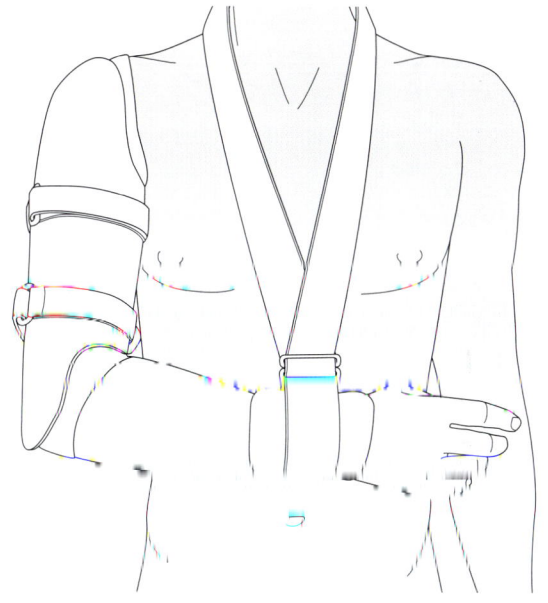

Fig. 6.2.2-3 Seção umeral mostrando um paciente com o braço direito em imobilizador de Sarmiento e tipoia.

Tabela 6.2.2-1	Indicações para osteossíntese
Indicações absolutas	Fraturas expostas
	Ombro ou cotovelo flutuante
	Lesão vascular
	Fraturas bilaterais do úmero (trauma múltiplo)
	Lesão secundária do nervo radial
Indicações relativas	Fraturas segmentares
	Incapacidade de manter a redução com o tratamento não operatório
	Fraturas transversas
	Obesidade
	Fratura patológica
	Não união
	Déficits neurológicos, doença de Parkinson
	Lesão do plexo braquial

Fraturas específicas
6.2.2 Úmero, diáfise

6 Planejamento pré-operatório

6.1 Momento da cirurgia

Raramente há quaisquer indicações para a cirurgia de emergência nas fraturas da diáfise do úmero além daquela com uma lesão vascular associada. As fraturas expostas devem ser prontamente tratadas. Caso contrário, tais fraturas são mais adequadamente tratadas por um cirurgião experiente, em um momento oportuno.

6.2 Seleção do implante

Os implantes têm que ser específicos para o paciente. Os pacientes maiores precisam da placa de compressão dinâmica (DCP) ou da placa de compressão bloqueada (LCP) de 4,5, enquanto a maioria dos pacientes requer a LCP de 3,5. Em todos os casos, os implantes selecionados devem ter 8 orifícios ou mais. O membro superior tem uma excursão rotacional grande e, por causa disso, é aconselhável usar uma placa longa para maximizar o comprimento do braço de alavanca (**Fig. 6.2.2-4**). Os implantes se ajustam na

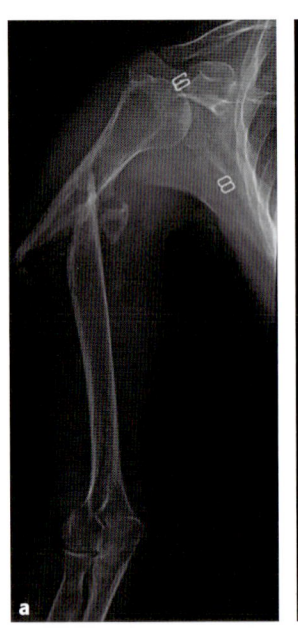

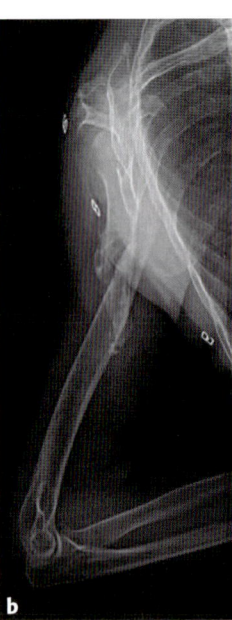

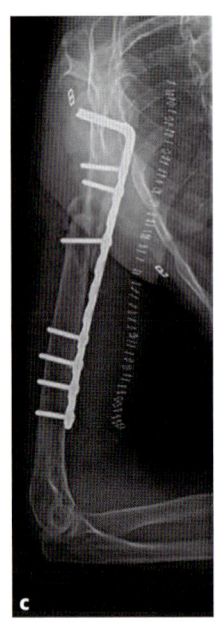

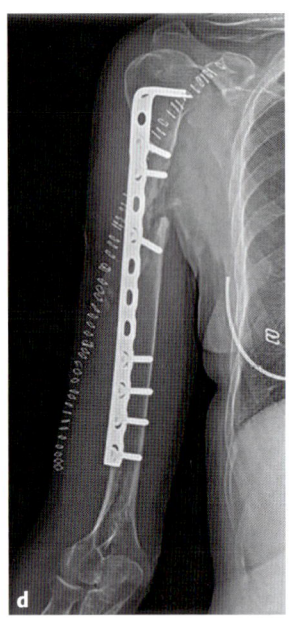

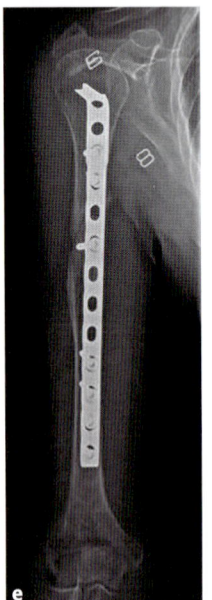

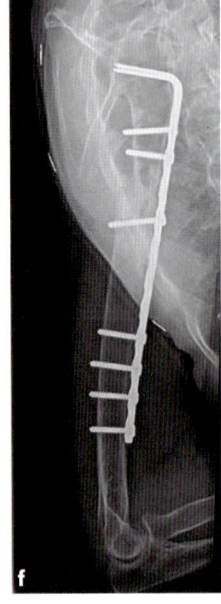

Fig. 6.2.2-4a-f Um paciente de 62 anos de idade com um retardo de consolidação do úmero demonstrando o princípio do uso de uma placa longa para conquistar o grande braço de alavanca que existe no úmero.
- **a-b** Retardo de consolidação de fratura helicoidal do úmero, inicialmente tratada de forma não cirúrgica.
- **c-d** Redução pós-operatória com placa de compressão dinâmica de baixo contato de 4,5, placa-lâmina umeral e parafusos de tração.
- **e-f** Radiografias em 4 meses mostrando boa consolidação, com a amplitude de movimento tendo retornado ao normal.

superfície posterior, anterior, medial ou lateral. Na maioria das vezes, podem ser usados parafusos não bloqueados nos orifícios combinados da LCP. Entretanto, no osso de má qualidade, os parafusos bloqueados ou as placas-lâmina também podem ser usados. No úmero, os parafusos de cabeça bloqueada devem sempre ser bicorticais devido às grandes forças rotacionais. O planejamento cuidadoso e a aplicação dos princípios AO são necessários para assegurar uma construção convincente, seja pelo uso da placa em compressão, proteção ou no modo em ponte.

As fraturas da diáfise do úmero que se estendem a partir das fraturas periarticulares são com frequência tratadas com placas pré-moldadas anatomicamente específicas, como a versão "metafisária" mais grossa do sistema PHILOS, ou as placas distais de 3,5 que são tão grossas e resistentes quanto as placas de 4,5, mas usam parafusos de 3,5 mm (placa metafisária de 3,5 para região medial distal do úmero ou placa extra-articular distal do úmero [lateral]).

A haste intramedular canulada está disponível em vários diâmetros e vários comprimentos. Ambos os parâmetros devem ser determinados antes da inserção da haste. Uma régua radiográfica deve estar disponível para medir intraoperatoriamente o comprimento e o diâmetro. A versão longa da haste Multiloc pode ser usada. Os pontos de inserção proximal são diferentes para ambas as hastes, e ambas requerem o bloqueio distal a mão livre, mas têm um bloqueio proximal guiado pelo guia externo.

6.3 Configuração da sala de cirurgia
6.3.1 Abordagem anterior

Depois de posicionar o paciente e aplicar um torniquete no braço, todo ele – incluindo as pontas dos dedos – é desinfetado com o antisséptico apropriado. Os fluidos de assepsia não devem correr para baixo do torniquete.

Os campos estéreis devem ser colocados para assegurar um ambiente impermeável no local operatório. Uma vez que o campo em torno da mão pode ser volumoso, pode ser mais apropriado embrulhar a mão em uma malha estéril fixada com fita adesiva ou um campo plástico adesivo (**Fig. 6.2.2-5**). Preparar o intensificador de imagem.

O cirurgião se senta olhando para a cabeça do paciente, o assistente no lado oposto, e a equipe da sala de cirurgia na extremidade da mesa auxiliar. O intensificador de imagem é trazido a partir do lado do assistente em relação à mesa auxiliar. O assistente terá que se mover quando as imagens forem obtidas. A tela do intensificador de imagem é colocada para a completa visão da equipe cirúrgica e do técnico em radiologia (**Fig. 6.2.2-6**).

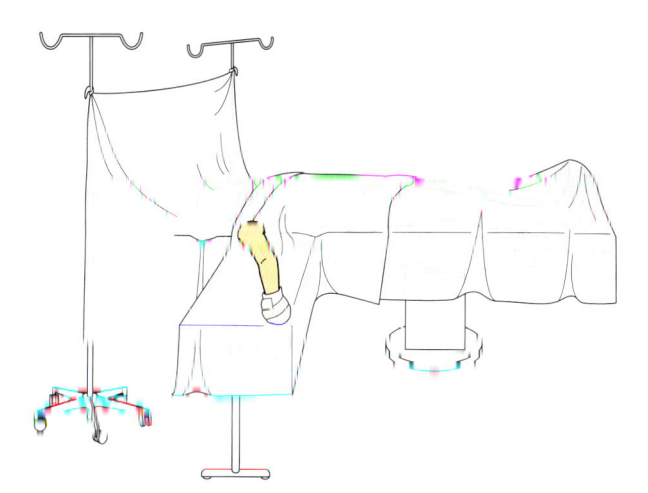

Fig. 6.2.2-5 Posicionamento e preparação do paciente.

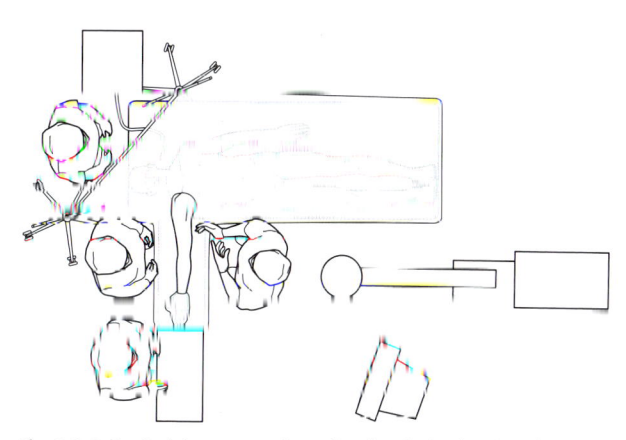

Fig. 6.2.2-6 Posicionamento da equipe da sala de cirurgia e do intensificador de imagem.

Fraturas específicas
6.2.2 Úmero, diáfise

6.3.2 Via de acesso posterior

A colocação de campos deve ser feita de modo a deixar os aspectos anterior e posterior do braço expostos, desde o ombro até o cotovelo. Preparar a mão e o antebraço separadamente com uma malha fixada apropriadamente ao antebraço (**Fig. 6.2.2-7**).

O anestesista e o equipamento anestésico ficam ao lado do paciente. O cirurgião e o assistente ficam no lado da lesão. A equipe da sala de cirurgia fica entre (atrás) os cirurgiões. Quando necessário, o intensificador de imagem é introduzido a partir do topo da mesa cirúrgica. Colocar a tela do intensificador de imagem para a completa visão da equipe cirúrgica e do técnico de radiologia (**Fig. 6.2.2-8**).

7 Cirurgia

O uso da placa permite ao cirurgião reduzir e manter os fragmentos articulares ou periarticulares críticos. Embora o uso de placa possa ser tecnicamente trabalhoso, os resultados são previsíveis. A rigidez associada de ombro ou cotovelo é infrequente, a menos que haja extensão periarticular ou intra-articular dos planos de fratura [6-8]. O uso de placa também é mais apropriado para corrigir os casos de consolidação viciosa após osteotomia e permanece o tratamento de escolha para a não união do úmero [9].

Outra opção para tratar as fraturas do úmero é o encavilhamento IM. Os desenhos recentes incluem hastes com diâmetros menores, que são mais flexíveis, têm múltiplas opções de bloqueio e podem comprimir a fratura. As hastes do úmero podem ser inseridas de forma anterógrada ou retrógrada, fresadas ou não (**Fig. 6.2.2-9**).

Para usar uma haste simples, a fratura deve estar localizada entre o colo cirúrgico e a transição entre a diáfise e a metáfise distal. Os desenhos mais recentes de haste permitem o tratamento de fraturas que se estendem até a porção proximal do úmero. O encavilhamento intramedular desempenha um papel particular nas fraturas patológicas [10] e nas fraturas segmentares. Com uma boa técnica, o encavilhamento IM permite um bom alinhamento da fratura e estabilidade adequada, com bons resultados funcionais [11]. O encavilhamento fechado não permite a visualização intraoperatória do nervo radial. A maioria dos dispositivos IM são inseridos de forma anterógrada. O encavilhamento retrógrado, via aspecto superior da fossa olecraniana, é possível, mas é tecnicamente trabalhoso e com um risco significativo de fratura iatrogênica distal do úmero.

A fixação externa é raramente usada para tratar as fraturas da diáfise do úmero e é principalmente limitada ao tratamento inicial de casos com grave lesão de partes moles, perda óssea, contaminação grosseira, lesão vascular ou infecção.

7.1 Vias de acesso cirúrgicas

7.1.1 Via de acesso anterior

A colocação de uma placa em fraturas diafisárias proximais do úmero (**Fig. 6.2.2-10**) pode ser feita por meio da abordagem anterolateral. Esta abordagem, que é uma extensão distal da via de acesso deltopeitoral, também pode ser usada para as fraturas do terço superior e médio. O paciente é colocado em posição supina ou em posição de cadeira de praia, de preferência em uma mesa radiotransparente. Na parte distal da exposição, o músculo braquial é

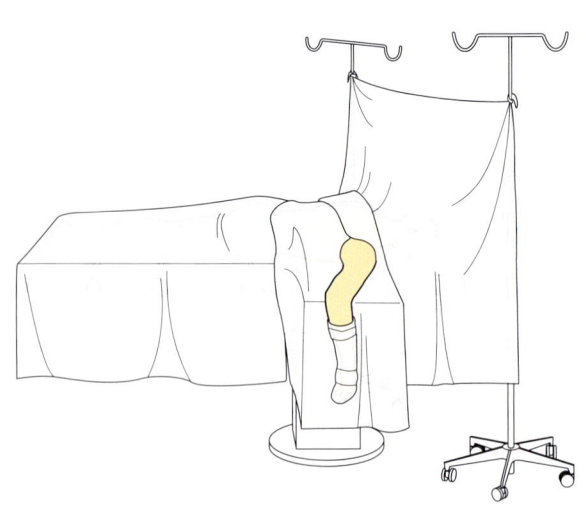

Fig. 6.2.2-7 Posicionamento e preparação do paciente.

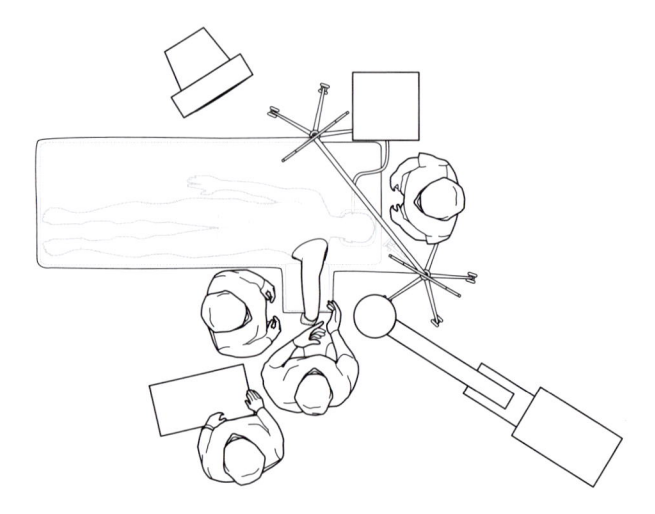

Fig. 6.2.2-8 Posicionamento da equipe da sala de cirurgia e do intensificador de imagem.

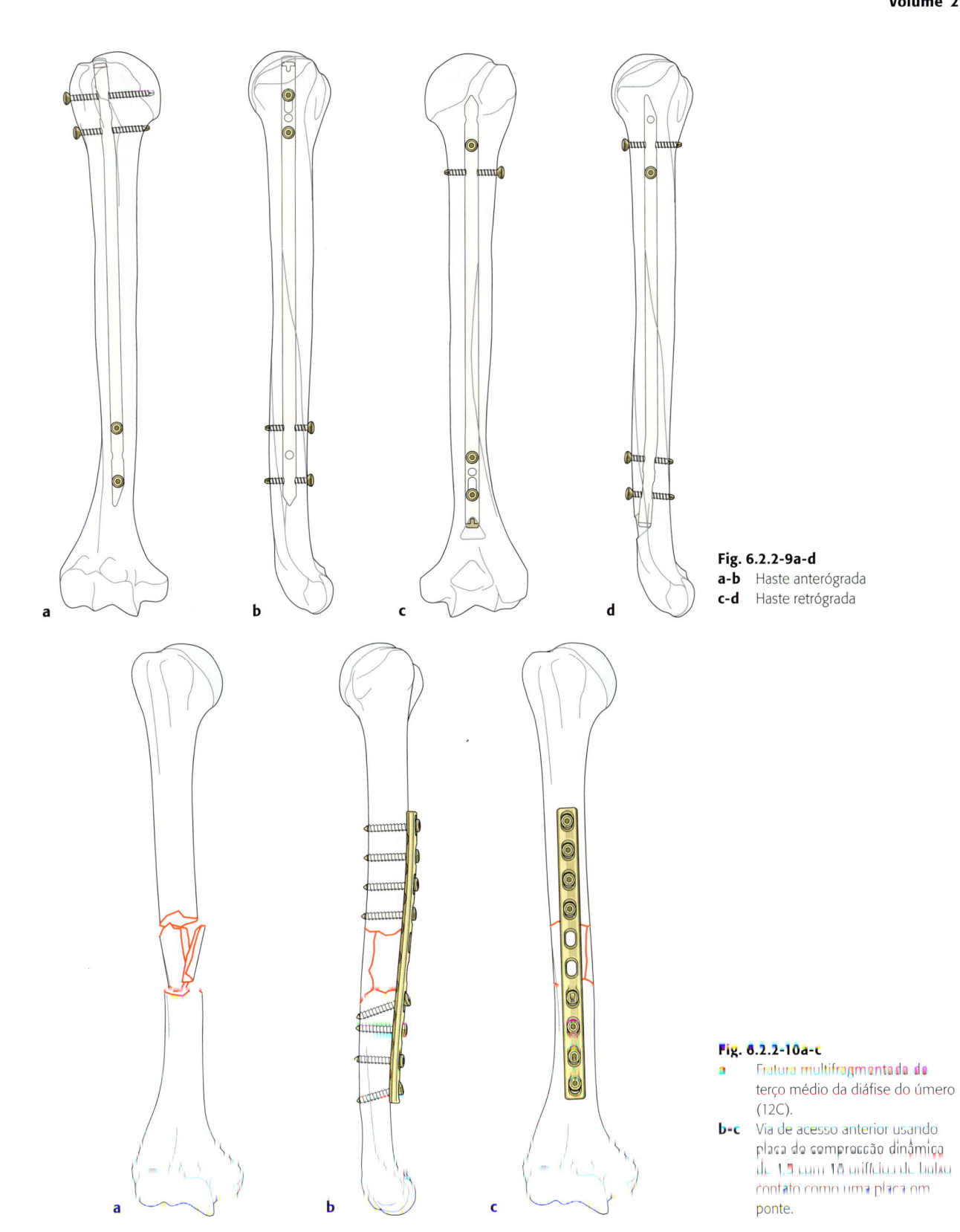

Princípios AO do tratamento de fraturas
Volume 2

Fig. 6.2.2-9a-d
a-b Haste anterógrada
c-d Haste retrógrada

Fig. 6.2.2-10a-c
a Fratura multifragmentada de terço médio da diáfise do úmero (12C).
b-c Via de acesso anterior usando placa de compressão dinâmica de 4,5 com 10 orifícios de baixo contato como uma placa em ponte.

613

Fraturas específicas
6.2.2 Úmero, diáfise

a

1 Músculo tríceps braquial, cabeça longa
2 Músculo tríceps braquial, cabeça lateral
3 Artéria braquial profunda
4 Nervo radial
5 Septo intermuscular lateral
6 Nervo ulnar
7 Músculo deltoide
8 Nervo axilar
9 Músculo braquial

b

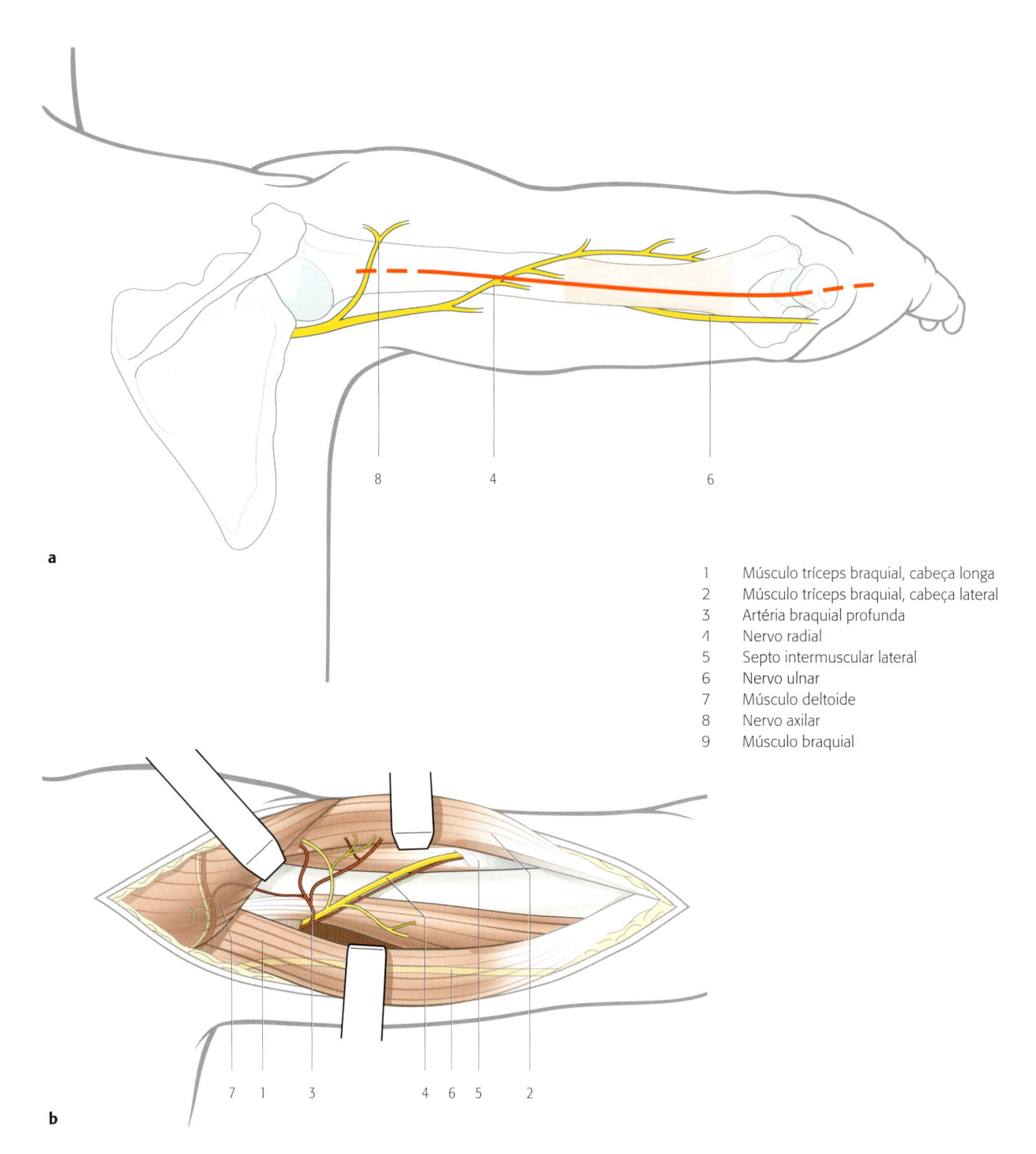

Fig. 6.2.2-11a-b Via de acesso posterior para o terço distal da diáfise do úmero.
a A incisão cutânea começa na ponta do olécrano e corre proximalmente em uma linha reta ao longo da linha média posterior do braço.
b O músculo tríceps braquial é dividido de forma romba entre as cabeças longa (1) e lateral (2). Distalmente, no tendão, a dissecção cortante é necessária. A artéria braquial profunda (3) corre com o nervo radial (4) no sulco helicoidal e também está em risco de lesão. O nervo radial deve ser identificado e localizado até que passe dentro do septo intermuscular lateral (5). O nervo ulnar (6), embora não seja geralmente visto, pode ser ferido pelo afastamento descuidado no lado medial da ferida distal.

dividido e o nervo radial é protegido com a porção lateral do braquial sendo usada como uma barreira (**Fig. 6.2.2-1**). O nervo radial penetra no septo intramuscular lateral e pode estar surpreendentemente perto da extremidade da placa. É preciso ter cuidado para garantir que o nervo não fique preso sob a placa, e se o cirurgião escolher visualizar e proteger o nervo, a dissecção e a manipulação devem ser gentis para evitar uma neuropraxia [3].

7.1.2 Via de acesso posterior

Ela é geralmente mais usada para as fraturas que envolvem o terço distal do úmero (**Fig. 6.2.2-11-12**). Entretanto, é facilmente estendida para as fraturas mais proximais uma vez que o nervo radial tenha sido identificado. Deve haver cuidado mais proximalmente, já que o nervo axilar será encontrado a aproximadamente 5 cm abaixo da margem lateral do acrômio. O paciente é colocado em uma posição de decúbito ventral ou lateral. Para o posicionamento em decúbito ventral, o braço fraturado repousa sobre uma mesa auxiliar radiotransparente, com o antebraço pendendo para fora (**Fig. 6.2.2-13**). Para a posição de decúbito lateral, o paciente é suportado por coxins ou uma almofada de ar. É importante ser possível produzir uma imagem radiograficamente completa do osso em dois planos, de preferência sem mover o braço, ao longo do procedimento. Essa imagem é em geral mais fácil na posição de decúbito ventral completo. A identificação do nervo radial é uma parte fundamental dessa abordagem: o músculo tríceps é cuidadosamente dividido e o nervo pode ser identificado por dissecção gentil e romba, e pela palpação.

7.1.3 Osteossíntese com placa minimamente invasiva

As abordagens minimamente invasivas devem ser consideradas ao utilizar uma placa em uma fratura multifragmentada da diáfise do úmero e são geralmente feitas com um par de incisões – uma distal e uma proximal. A incisão distal é habitualmente anterior: o braquial é dividido e o nervo radial é evitado, conforme ele penetra no septo intermuscular lateral. Uma incisão distal mais lateral pode ser usada para aplicar uma placa vinda de baixo para o

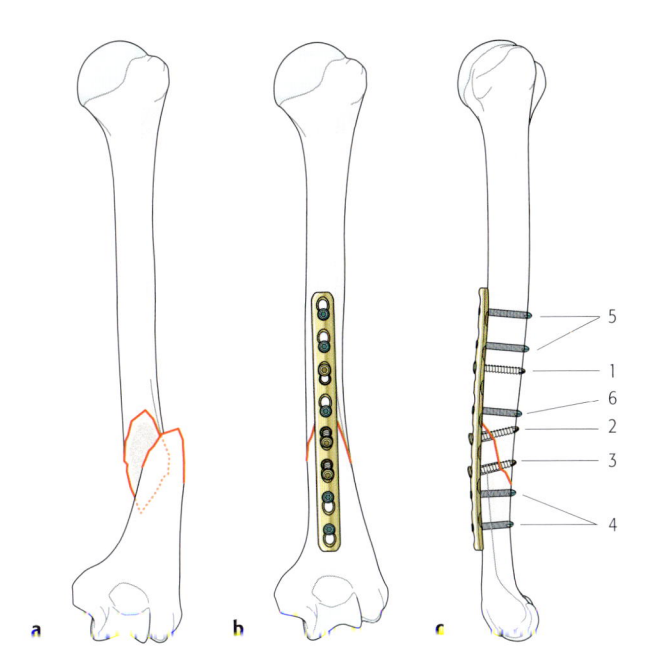

Fig. 6.2.2-12a-c
a Fratura oblíqua simples distal da diáfise do úmero (12A2).
b-c Abordagem posterior ao terço distal da diáfise. Redução aberta e fixação interna com uma placa de compressão bloqueada com 8 orifícios usada para estabilidade absoluta. Dois parafusos de tração foram colocados através da placa. Nestas fraturas, não é possível colocar quatro parafusos distais à fratura, já que a placa sofre impacto na fossa do olécrano e restringe a extensão do cotovelo. Os parafusos de cabeça bloqueada fornecem estabilidade angular adicional à fixação distal da placa. O planejamento cuidadoso para este tipo de fixação é essencial e a ordem da inserção dos parafusos está demonstrada (1-6).

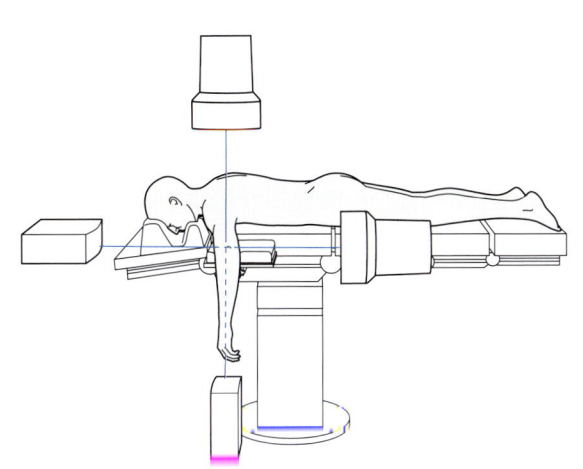

Fig. 6.2.2-13 Encavilhamento intramedular retrogrado: o paciente é posicionado em decúbito ventral, com o braço fraturado sobre uma mesa auxiliar radiolucente. A região proximal da diáfise e a cabeça do úmero devem estar visíveis em dois planos com o intensificador de imagem para permitir o bloqueio proximal.

Fraturas específicas
6.2.2 Úmero, diáfise

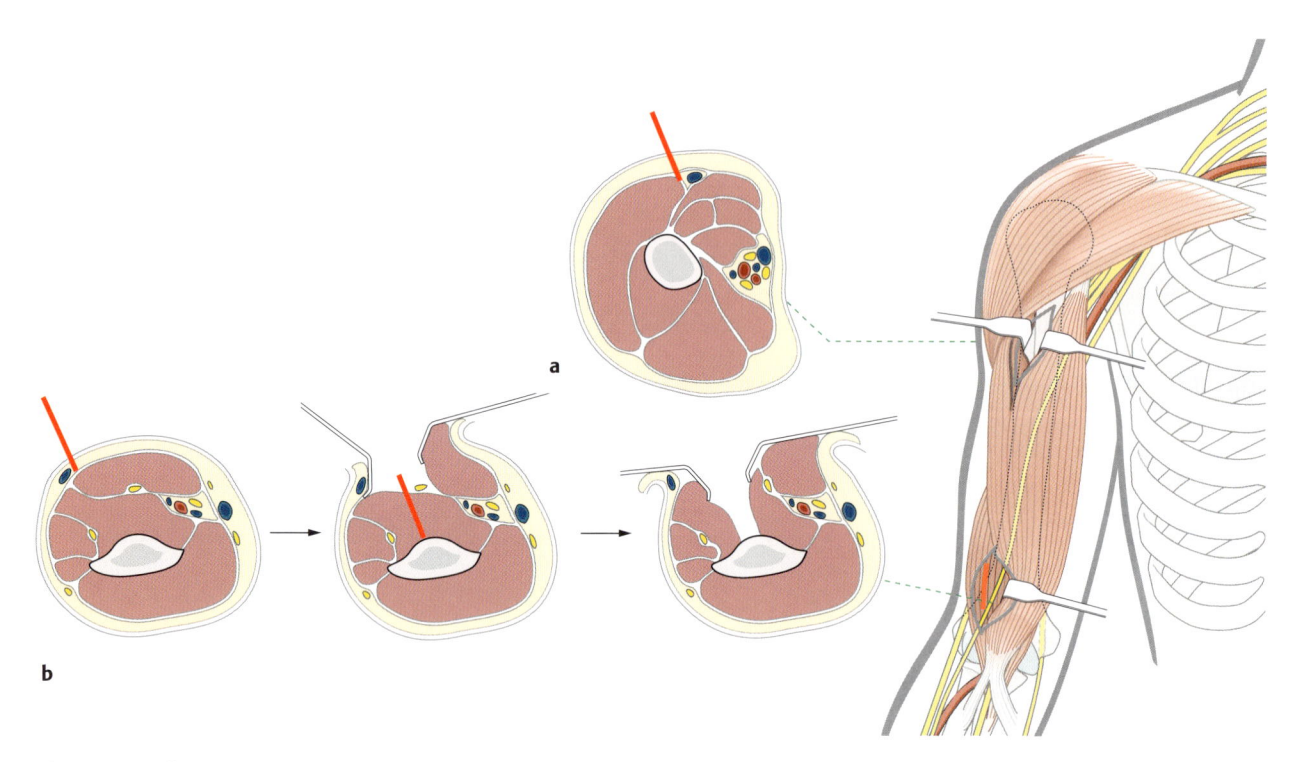

Fig. 6.2.2-14a-b Abordagens passo a passo para a porção proximal e distal da diáfise do úmero.

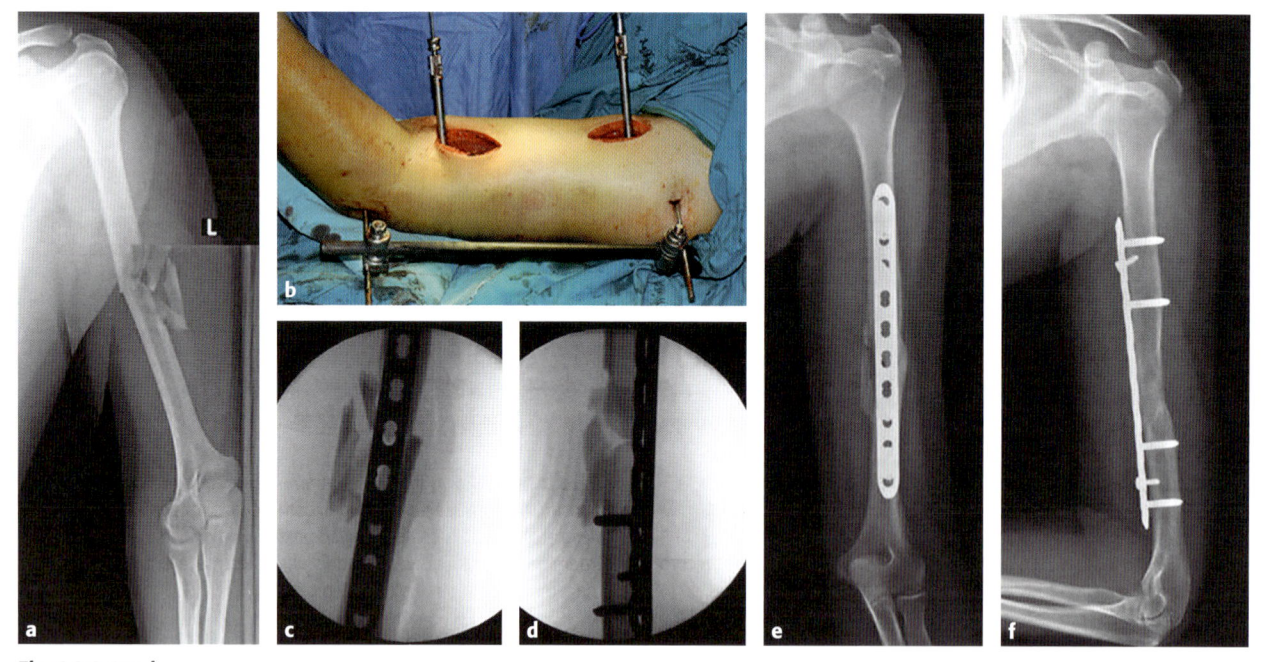

Fig. 6.2.2-15a-i
a   Fratura cominutiva em cunha da diáfise do úmero.
b   Duas incisões separadas, com a placa inserida sob o músculo braquial, redução e manutenção com o uso de um fixador externo.
c-d Redução intraoperatória.
e-f Radiografias pós-operatórias em 6 meses que mostram a consolidação com formação de calo.

lado lateral, mas grande cuidado deve ser tomado para evitar uma lesão do nervo radial.

Em ambos os casos, a incisão deve ser suficientemente longa para que o cirurgião tenha certeza que o nervo radial (lateralmente) e o nervo mediano e a artéria braquial (medialmente) estejam seguros. As incisões proximais são anteriores, com uma placa correndo ao longo da superfície anterior, ou laterais, com uma placa correndo lateralmente ou em helicoidal para ficar anteriormente em sua extensão distal (**Fig. 6.2.2-14**). As técnicas de osteossíntese com placa minimamente invasiva são difíceis e têm o benefício de reduzir o dano às partes moles, mas não são isentas de riscos (**Fig. 6.2.2-15**) [12].

7.1.4 Via de acesso medial

Não é muito usada, mas é uma opção quando os tecidos moles posteriores e anterolaterais estiverem ruins, ou quando houver uma lesão vascular associada. Também tem sido preconizada para pacientes obesos e para a não união ou o uso de duas placas. O nervo ulnar é afastado posteriormente e o nervo mediano e as estruturas vasculares são protegidos anteriormente.

7.1.5 Encavilhamento intramedular

O encavilhamento anterógrado é executado com o paciente em decúbito dorsal ou semissentado/posição de cadeira de praia, com o tórax elevado em aproximadamente 30 graus. A exposição é feita por meio de uma pequena abordagem de divisão anterolateral do deltoide, que começa a partir do canto anterolateral do acrômio e se estende por mais ou menos 3 cm (**Fig. 6.2.2-16**). As fibras anteriores do deltoide podem precisar ser desinseridas da frente do acrômio e, mais tarde, reinseridas. O manguito rotador é visualizado e incisado em linha com as suas fibras. A cartilagem articular da cabeça do úmero está visível entre as fibras afastadas do tendão do supraespinhoso. A visualização radiográfica adequada de todas as partes do osso é essencial ao longo do procedimento de encavilhamento.

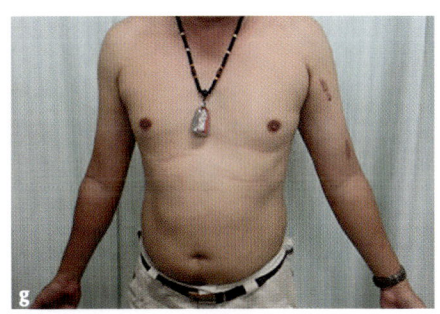

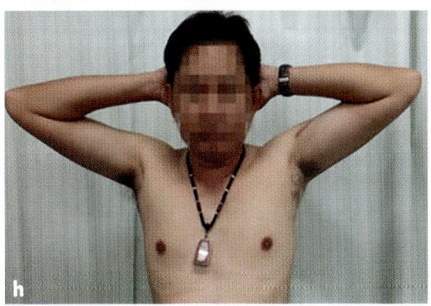

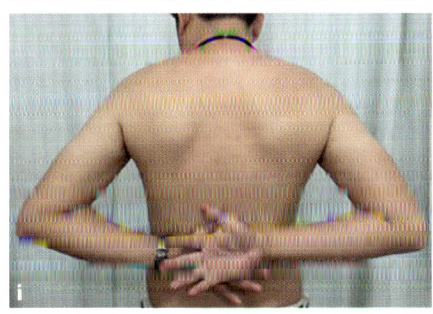

Fig. 6.2.2-15a-i (cont.)
g-i   Incisões e função.

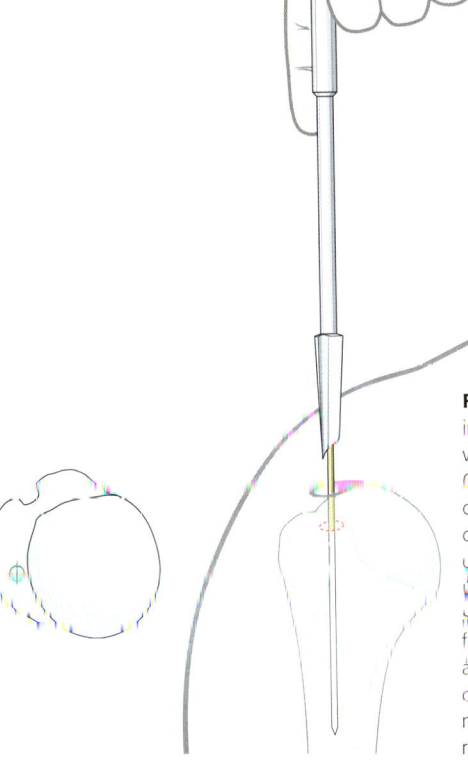

Fig. 6.2.2-16 Encavilhamento intramedular anterógrado com via de acesso transdeltoide. O paciente é colocado em decúbito dorsal ou semissentado, com o tórax elevado em mais ou menos 30°. A cabeça do úmero e a grande tuberosidade são alcançadas pela divisão das fibras do músculo deltoide logo à frente do acrômio. O ponto de entrada ideal está situado no sulco medial à grande tuberosidade.

Fraturas específicas
6.2.2 Úmero, diáfise

O encavilhamento retrógrado é executado com o paciente em decúbito ventral. O acesso para o encavilhamento retrógrado requer uma incisão de mais ou menos 8 cm de comprimento sobre a porção distal do úmero, iniciando na ponta do olécrano. A cortical dorsal da área supracondilar é exposta por uma abordagem com divisão do tríceps (**Fig. 6.2.2-17**). O ponto de entrada está junto à borda proximal da fossa olecraniana. O ponto de entrada deve ser identificado com cuidado e iniciado com uma broca de 3,2 mm, seguida por uma de 4,5 mm e, então, cuidadosamente alargada com uma broca, para evitar fraturas supracondilares, causadas pela haste flexionando o segmento distal. As fraturas supracondilares iatrogênicas transversas do tipo flexão são um risco real com o encavilhamento retrógrado, e sob nenhuma circunstância a haste deve ser forçada ou impactada com martelo.

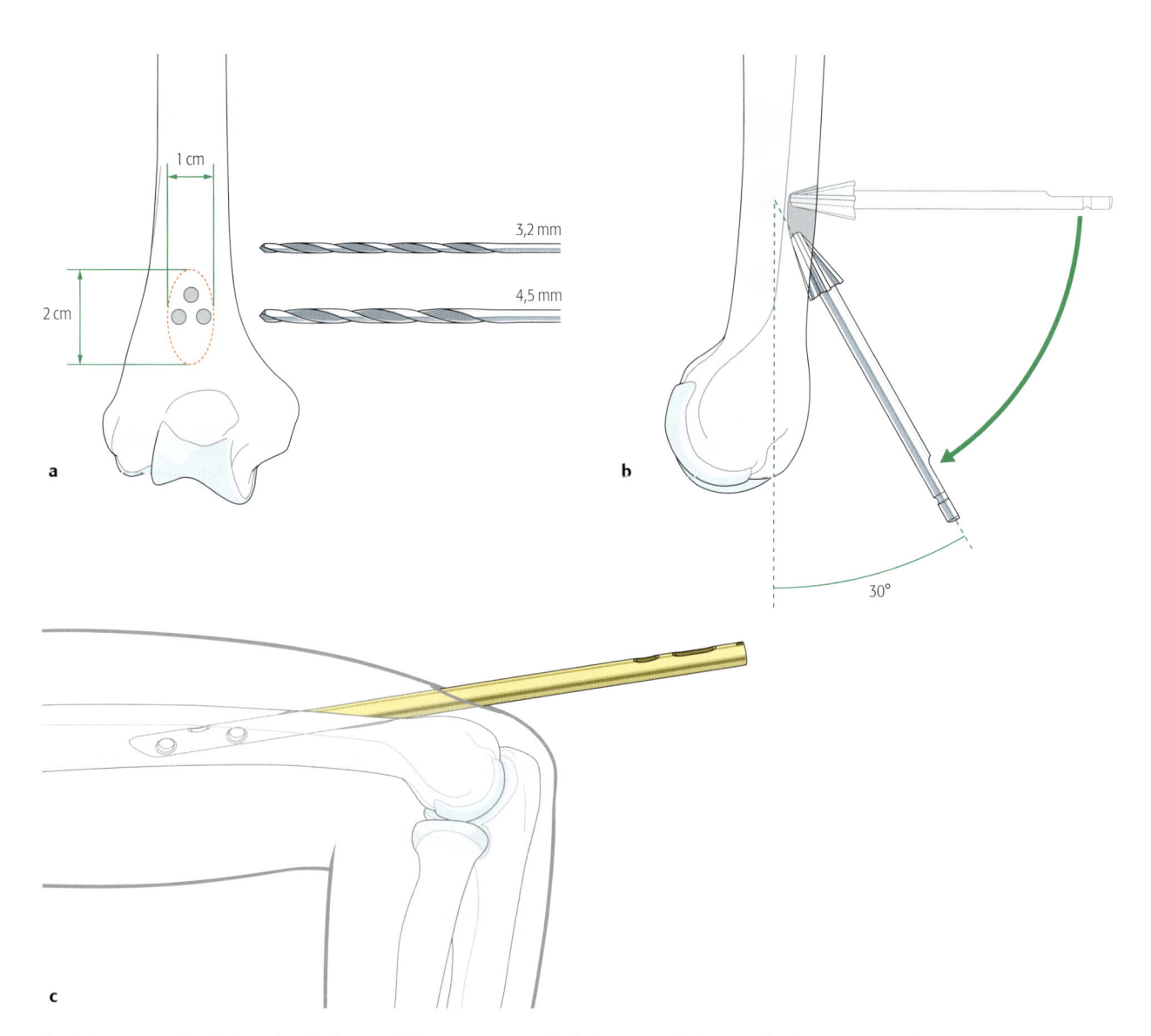

Fig. 6.2.2-17a-c Uma incisão de pele de 8 cm é feita na parte posterior do braço a partir da ponta do olécrano, proximalmente. Depois de dividir o músculo tríceps braquial, a superfície triangular dorsal distal do úmero é exposta. A cápsula da articulação do cotovelo não é aberta. O ponto de entrada está localizado no centro desse triângulo. Para alcançar um acesso descomplicado ao canal medular, a abertura distal deve ser oblíqua em 30° e ser suficientemente grande. Três orifícios são perfurados perpendicularmente a essa superfície dorsal com uma broca de 3,2 mm (**a**). Os furos são então aumentados com uma broca de 4,5 mm. O ponto de entrada é aumentado, usando uma broca de 8,5 mm, até uma largura de 10 mm e um comprimento de 20 mm (**b**). O ângulo do eixo da broca é progressivamente diminuído durante a perfuração até que o eixo da broca fique quase em linha com o trajeto do canal medular. A haste intramedular é então inserida (**c**).

7.2 Redução

A redução para o uso de placa deve ser atraumática, com ruptura mínima dos tecidos moles. Ela é alcançada por tração cuidadosa para restaurar o comprimento, o alinhamento e a rotação. Em fraturas oblíquas ou helicoidais, isso pode ser mantido com uma pinça de redução com ponta ou fio de cerclagem. As fraturas transversas são, em geral, reduzidas mais adequadamente usando a placa. A placa é colocada sobre o periósteo para proteger o suprimento sanguíneo periosteal. A fixação externa temporária é uma ferramenta útil para obter e manter a redução em fraturas multifragmentadas. As técnicas minimamente invasivas também podem ser usadas, mas o cirurgião deve ter um bom conhecimento da anatomia e estar ciente do risco às estruturas neurovasculares, tais como o nervo radial. No encavilhamento fechado, a redução é alcançada com a haste ou o fio-guia sob orientação de imagem.

7.3 Fixação

7.3.1 Placa

A fim de alcançar a fixação adequada da placa, os parafusos devem alcançar 6-8 corticais (geralmente 3-4 furos), com os parafusos acima e abaixo da fratura. O objetivo, sempre que possível, deve ser a compressão interfragmentar, seja colocando um parafuso de tração (idealmente posicionado através da placa), ou pela aplicação da pré-tensão axial com os orifícios de compressão dinâmica ou o dispositivo de tensão articulado.

Nenhum desnudamento periosteal deve ser feito para a fixação da placa ou colocação dos parafusos. É obrigatório ter a certeza que o nervo radial não está aprisionado sob a extremidade da placa. Isso é feito por meio da observação direta.

7.3.2 Haste intramedular

A haste IM é introduzida, sem força, enquanto o seu progresso é monitorado por intensificação de imagem. Se houver uma resistência significativa à inserção da haste, há três opções: aumentar o ponto de entrada, alargar o canal IM com fresas, ou escolher uma haste de menor diâmetro. Com movimentos rotacionais cuidadosos e sem usar um martelo, a haste é avançada manualmente até o gap da fratura depois da sua redução. Várias combinações de bloqueio proximal e distal são possíveis. O bloqueio duplo é aconselhável, tanto proximal quanto distalmente, para reforçar a estabilidade da haste. Para adicionar compressão interfragmentar e realçar a estabilidade rotacional, um dispositivo específico de compressão é usado em fraturas transversas ou oblíquas curtas; ele não pode ser usado em fraturas longitudinalmente instáveis.

7.3.3 Fixador externo

Para a fixação externa, uma armação unilateral monoplanar curto é suficiente para a estabilização da fratura (**Fig. 6.2.2-18**). O posicionamento aberto limitado dos Schanz é recomendado, porque os cursos dos nervos e dos vasos são variáveis. Uma pequena incisão é feita, com dissecção romba até o osso, e o guia é colocado através dessa incisão para proteger todos os nervos [13].

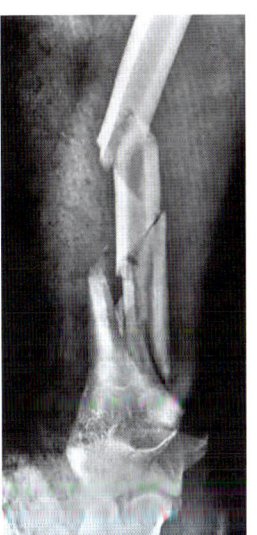

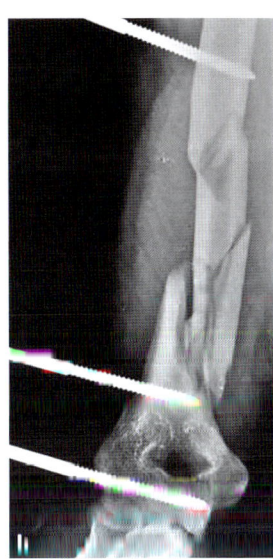

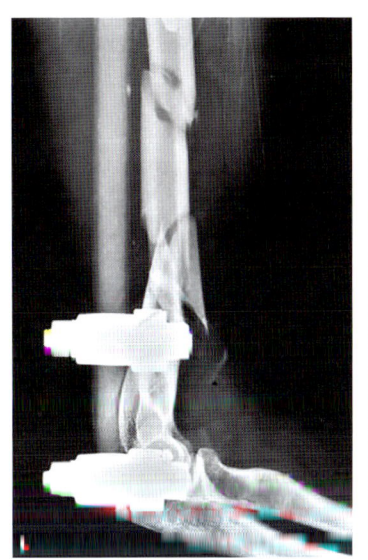

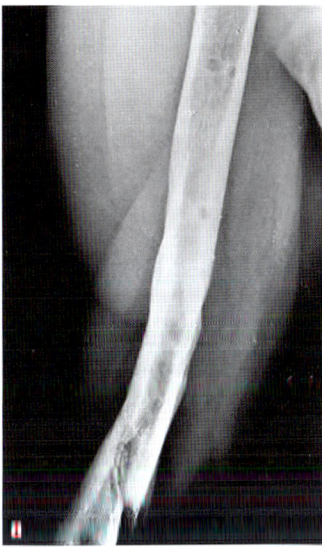

Fig. 6.2.2-18a-d Fixação externa.
a   Fratura multifragmentada fechada da diáfise do úmero (12C3).
b-c Fixação externa unilateral. O parafuso de Schanz mais distal está posicionado distalmente à fossa do olécrano.
d   O seguimento em 1 ano mostra a consolidação completa.

7.4 Desafios

As fraturas do úmero geralmente consolidam após o tratamento não operatório. Entretanto, alguns pacientes têm uma chance mais alta de consolidação retardada ou não união, e o tratamento operatório deve ser considerado (ver a seção 5 deste capítulo). As mulheres obesas com osteoporose tendem a apresentar dificuldades na fixação e consolidação. O nervo radial deve ser sempre examinado cuidadosamente no momento da primeira avaliação, no momento da redução fechada e no momento da cirurgia.

8 Cuidados pós-operatórios

A amplitude de movimento do cotovelo e do ombro é gradualmente aumentada por mobilização ativo-assistida até que a incisão tenha cicatrizado. O movimento ativo pode então começar e, com uma reconstrução estável do úmero, o paciente pode mover com segurança a extremidade, mesmo contra a resistência.

Depois do encavilhamento IM os exercícios do ombro e cotovelo podem iniciar imediatamente, mas os movimentos rotacionais contra a resistência devem ser minimizados. Com o uso de placa ou encavilhamento do úmero, sob circunstâncias adequadas, o paciente é capaz de usar dispositivos de auxílio à marcha sem restrições.

9 Complicações

9.1 Complicações precoces
- Fratura iatrogênica com o encavilhamento
- Paralisia do nervo radial com lesão inicial, com redução fechada ou com intervenção operatória [2, 14]
- Retardo de consolidação
- Consolidação viciosa
- Infecção

Uma complicação temida é a paralisia do nervo radial, que resulta em uma queda do punho. Quando os pacientes se apresentam inicialmente com um déficit de nervo radial e uma lesão fechada é quase sempre uma neuropraxia; a exploração primária do nervo não é absolutamente indicada.

Mais de 95% das lesões nervosas se recuperarão espontaneamente [2, 14]. Os pacientes podem ser seguidos clinicamente e com estudos eletrodiagnósticos seriados.

A paralisia do nervo radial em lesões expostas requer exploração, já que existe uma taxa significativa de laceração traumática. Se o nervo estiver lacerado, o precoce reparo microcirúrgico ou o enxerto de nervo conferem a melhor chance de um bom desfecho. A paralisia nervosa pós-procedimento deve ser explorada quando o nervo não tiver sido visto em toda a sua extensão durante o procedimento.

Para prevenir a lesão do nervo axilar ao executar o encavilhamento IM anterógrado, é aconselhável fazer pequenas incisões na pele, efetuar uma dissecção romba até o osso e usar cânulas protetoras; os parafusos de bloqueio não devem protruir além de 2 mm da cortical distal.

9.2 Complicações tardias
- Não união
- Consolidação viciosa
- Falha do implante, especialmente no osso osteoporótico

A fixação inadequada, o manuseio errado de partes moles e a dissecção periosteal circunferencial podem contribuir para o desenvolvimento de uma não união. No uso da placa, os princípios de manejo cuidadoso das partes moles devem ser atentamente seguidos.

A falha do implante é incomum, a menos que ocorra em osso osteoporótico, ou em combinação com uma seleção deficiente de implante ou técnica operatória.

A infecção precoce e tardia pode ocorrer, embora seja menos comum no membro superior em comparação às fraturas de membros inferiores. Os riscos de infecção devem ser ponderados contra as vantagens do tratamento operatório para cada paciente individual, considerando cuidadosamente as comorbidades e fatores de risco, como o diabetes.

10 Prognóstico e desfecho

O tratamento não operatório é ainda o método de escolha para a maioria de fraturas da diáfise do úmero, com alguma forma de imobilização da fratura. Ele produz resultados bons e confiáveis, sem os riscos do tratamento operatório. O tamanho do gap de fratura, o tabagismo e o sexo feminino são fatores que aumentam independentemente o tempo de consolidação nas fraturas tratadas daquela maneira [15-17].

A fixação com placa alcança resultados consistentemente bons quando usada em fraturas expostas e fechadas. De acordo com relatos publicados de 600 casos de placas no úmero, existe uma taxa de consolidação de 92-98% e a enxertia óssea primária é somente usada para fraturas complexas, multifragmentadas ou com perda óssea. A taxa de infecção é menor que 1% e a paralisia iatrogênica do nervo radial é de 3%. Mais de 97% desses pacientes alcançam bons resultados funcionais [18].

Em um estudo multicêntrico prospectivo [11], 104 pacientes foram tratados com a haste de úmero não fresada para fraturas da diáfise do úmero. Os cirurgiões avaliaram o procedimento e consideraram 90% como excelentes ou bons em pacientes, e como excelentes ou bons em 95% dos casos.

Existem dois ensaios randomizados prospectivos publicados [7, 19] que compararam o uso da placa ao encavilhamento IM bloqueado. Ambos os estudos relatam taxas semelhantes de consolidação, mas existe uma taxa mais alta de complicações no grupo do encavilhamento IM. O encavilhamento anterógrado está associado a uma incidência significativa de sintomas no ombro.

As técnicas minimamente invasivas para a fixação do úmero podem se provar mais eficazes para os pacientes conforme a experiência é obtida, mas ainda precisam ser avaliadas em um ensaio controlado e randomizado [20]. Uma revisão crítica recente [21] analisou o tratamento das fraturas da diáfise do úmero.

Referências clássicas   Referências de revisão

11   Referências

1. **Ekholm R, Adami J, Tidermark J, et al.** Fractures of the shaft of the humerus: an epidemiological study of 401 fractures. *J Bone Joint Surg Br.* 2006 Nov; 88(11):1469–1473.
2. **Ekholm R, Ponzer S, Tornkvist H, et al.** Primary radial nerve palsy in patients with acute humeral shaft fractures. *J Orthop Trauma.* 2008;22(6):408–414.
3. **Hoppenfeld S, deBoer P, Buckley R.** Surgical Exposures in Orthopedics: The Anatomic Approach. 5th ed. Philadelphia: Lippincott Williams & Wilkins; 2016:74–83.
4. **Sarmiento A, Kinman PB, Galvin EG, et al.** Functional bracing of fractures of the shaft of the humerus. *J Bone Joint Surg Am.* 1977 Jul;59(5): 596–601.
5. **Zagorski JB, Latta LL, Zych GA, et al.** Diaphyseal fractures of the humerus: treatment with prefabricated braces. *J Bone Joint Surg Am.* 1988 Apr;70(4):607–610.
6. **Bell MJ, Beauchamp CG, Kellam JK, et al.** The results of plating humeral shaft fractures in patients with multiple injuries. The Sunnybrook experience. *J Bone Joint Surg Br.* 1985 Mar;67(2):293–296.
7. **McCormack RG, Brien D, Buckley RE, et al.** Fixation of fractures of the shaft of the humerus by dynamic compression plate or intramedullary nail: a prospective, randomised trial. *J Bone Joint Surg Br.* 2000 Apr;82(3):336–339.
8. **Huttunen TT, Kannus P, Lepola V, et al.** Surgical treatment of humeral-shaft fractures: a register-based study in Finland between 1987 and 2009. *Injury.* 2012 Oct;43(10):1704–1708.
9. **Marti RK, Verheyen CC, Besselaar PP.** Humeral shaft nonunion: evaluation of uniform surgical repair in fifty-one patients. *J Orthop Trauma.* 2002 Feb;16(2):108–115.
10. **Redmond BJ, Biermann JS, Blasier RB.** Interlocking intramedullary nailing of pathological fractures of the shaft of the humerus. *J Bone Joint Surg Am.* 1996 Jun;78(6):891–896.
11. **Blum J, Rommens PM, Janzing H, et al.** [Retrograde nailing of humerus shaft fractures with the unreamed humerus nail. An international multicenter study]. *Unfallchirurg.* 1998;101(5):342–352. German.
12. **Kim JW, Oh CW, Byun YS, et al.** A prospective randomized study of operative treatment for noncomminuted humeral shaft fractures: conventional open plating versus minimal invasive plate osteosynthesis. *J Orthop Trauma.* 2015 Apr;29(4):189–194.
13. **Scaglione M, Fabbri L, Dell' Omo D, et al.** The role of external fixation in the treatment of humeral shaft fractures: a retrospective case study review on 83 humeral fractures. *Injury.* 2015 Feb;46(2):265–269.
14. **Korompilias AV, Lykissas MG, Kostas-Agnantis IP, et al.** Approach to radial nerve palsy caused by humerus shaft fracture: is primary exploration necessary? *Injury.* 2013 Mar;44(3):323–326.
15. **Neuhaus V, Menendez M, Kurylo J, et al.** Risk factors for fracture mobility six weeks after initiation of brace treatment of mid-diaphyseal humeral fractures. *J Bone Joint Surg.* 2014 Mar 5;96(5):403–407.
16. **Shields E, Sundem L, Childs S, et al.** Factors predicting patient-reported functional outcome scores after humeral shaft fractures. *Injury.* 2015 Apr;46(4):693–698.
17. **Mahabier KC, Vogels LM, Punt BJ, et al.** Humeral shaft fractures: retrospective results of non-operative and operative treatment of 186 patients. *Injury.* 2013 Apr;44(4):427–430.
18. **Chen F, Wang Z, Bhattacharyya T.** Outcomes of nails versus plates for humeral shaft fractures: a Medicare cohort study. *J Orthop Trauma.* 2013 Feb;27(2):68–72.
19. **Chapman JR, Henley MB, Agel J, et al.** Randomized prospective study of humeral shaft fracture fixation: intramedullary nails versus plates. *J Orthop Trauma.* 2000 Mar–Apr;14(3):162–166.
20. **Bhandari M, Schemitsch E.** Fractures of the humeral shaft. In: Browner B, Jupiter J, Levine A, et al, eds. Skeletal Trauma. 5th ed. Philadelphia: Saunders; 2015.
21. **Attum B, Obremsky W.** Treatment of humeral shaft fractures: a critical analysis review. *JBJS Rev.* 2015

12   Agradecimentos

Agradecemos a Pol Rommens e Robert McCormack por sua contribuição para a 2ª edição de *Princípios AO do tratamento de fraturas*.

Fraturas específicas
6.2.2 Úmero, diáfise

6.2.3 Úmero, distal

David Ring

1 Introdução

As fraturas distais do úmero constituem um desafio para os cirurgiões. Problemas como não união, consolidação viciosa, infecção, falha de material de síntese, rigidez e osteoartrite tardia têm sido comuns, embora os avanços recentes tenham resultado em desfechos melhores.

1.1 Epidemiologia

Existe uma distribuição bimodal das fraturas distais do úmero com respeito à idade e ao gênero, com picos de incidência em pacientes que sejam homens jovens e mulheres mais velhas. A maioria das fraturas é intra-articular e envolvem ambas as colunas (articular completa: tipo C) ou são fraturas articulares parciais do capítelo ou da tróclea (tipo B) [1].

> A meta do tratamento cirúrgico é a redução anatômica da articulação e a correção do alinhamento da metáfise, com fixação estável para permitir o movimento ativo dentro de poucos dias da cirurgia.

1.2 Osteoporose grave

Pode ser difícil alcançar a fixação interna estável em pacientes com osso osteoporótico, e o tratamento não cirúrgico ou a artroplastia total do cotovelo podem ser considerados. Entretanto, a artroplastia total de cotovelo requer rígidas limitações de atividade, eventualmente irá afrouxar e pode estar associada a complicações graves que podem ser difíceis ou impossíveis de serem tratadas. Os pacientes inativos geralmente evoluem bem com o tratamento não operatório, seja com imobilização gessada, uma tipoia ou um imobilizador. Os pacientes inativos que desenvolvem não uniões instáveis podem ser tratados com artroplastia total do cotovelo.

2 Avaliação e diagnóstico

2.1 História do caso e exame físico

No idoso, uma queda simples pode causar fraturas complexas. A osteoporose torna a fixação difícil, mas ainda plausível [2]. Os pacientes jovens normalmente sofrem essa fratura em decorrência de uma lesão de alta energia, e os politraumatismos são comuns. O exame físico deve incluir todos os três nervos importantes que cruzam a articulação do cotovelo. A lesão frequentemente resulta em hiperextensão em um cotovelo estendido, e as feridas expostas são habitualmente posteriores. A lesão vascular não é incomum, especialmente com fraturas expostas, devendo ser descartada.

A síndrome compartimental pode ocorrer quando houver uma lesão desviada do antebraço ou do punho em adição a uma lesão instável do cotovelo. A dor intensa e a incapacidade para tolerar a extensão dos dedos, seja ativa ou passiva, sugerem a possibilidade de síndrome compartimental. Os pulsos periféricos devem ser palpados pré-operatoriamente, mas é necessário recordar que, por causa do excelente suprimento sanguíneo colateral longitudinal em torno do cotovelo, é possível que haja pulso mesmo quando a artéria braquial tiver sido lesada. Algumas equipes de trauma preferem fazer a fixação definitiva com placa e parafusos antes do reparo vascular, mas, dado o potencial para uma cirurgia prolongada e difícil para reparar uma fratura complexa distal do úmero, a estabilização temporária com um fixador externo ou o *shunt* temporário da artéria também devem ser considerados. O posicionamento do paciente e o planejamento das incisões devem levar em conta o fato de que a artéria braquial não pode ser exposta por meio de uma abordagem cutânea posterior.

2.2 Exames de imagem

Radiografias de alta qualidade (incidências anteroposterior [AP], lateral e oblíqua), radiografias com tração e tomografia computadorizada (TC) podem ajudar no planejamento da cirurgia. As radiografias com tração são obtidas quando o paciente estiver anestesiado. As imagens tridimensionais por TC com o rádio e a ulna removidos podem ser úteis. As vistas no tafoni han antigua sau ocasionalmente úteis para o planejamento.

Fraturas específicas
6.2.3 Úmero, distal

3 Anatomia

A extremidade distal do úmero forma um triângulo ósseo forte (formado por duas colunas e a tróclea central), com o olécrano e a fossa coronoide no centro. A coluna lateral tem o capitelo na sua superfície anterior, mas a superfície posterior é não articular e pode ser usada como um local para uma placa. A tróclea em forma de carretel é central em vez de medial e o eixo de rotação fica ligeiramente na frente e anterior à diáfise do úmero. A coluna lateral se curva anteriormente com o centro de rotação, mas a coluna medial (incluindo o epicôndilo medial) está alinhada com a diáfise umeral. A colocação de uma placa reta na superfície posterolateral do úmero tem o risco de retificar o úmero distal.

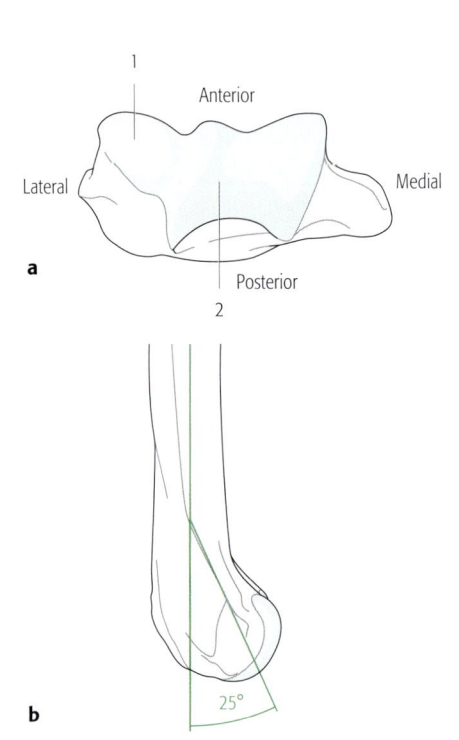

A coronoide e a fossa olecraniana acomodam os processos correspondentes em flexão e extensão terminais. Para o movimento completo, as fossas anterior e posterior devem estar livres de metal ou tecido cicatricial, e a translação anterior da tróclea com a diáfise deve ser restaurada. Os ligamentos colaterais são essenciais para a estabilidade. O ligamento colateral medial se origina a partir da superfície inferior do epicôndilo medial, onde fica vulnerável à dissecção excessiva (**Fig. 6.2.3-1**).

4 Classificação

É importante diferenciar as fraturas que envolvem uma ou ambas as colunas (o osso entre a base e o ápice do olécrano/fossa coronoide) e as fraturas que envolvem a superfície articular e talvez os epicôndilos, mas não as colunas (fraturas do capitelo e da tróclea). As fraturas de coluna única são incomuns. As fraturas isoladas da coluna lateral são habitualmente simples, mas as fraturas isoladas da coluna medial tendem a apresentar fragmentação articular complexa, incluindo impacção (mau alinhamento estável) de parte ou toda a tróclea. A maioria das fraturas bicolunares envolve a superfície articular; as fraturas extra-articulares distais do úmero são relativamente incomuns (**Fig. 6.2.3-2**).

5 Indicações cirúrgicas

- Fraturas intra-articulares desviadas
- Fraturas expostas
- Fraturas com lesões nervosas ou vasculares
- Politraumatismo

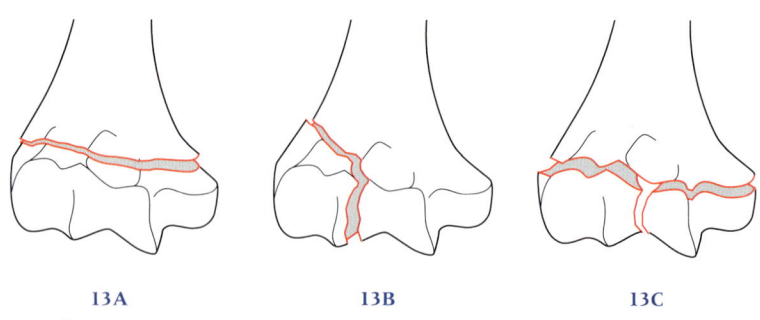

Fig. 6.2.3-1a-b Anatomia cirúrgica.
a Vista inferior da porção distal do úmero mostrando o capitelo (1) e a tróclea (2). A superfície posterior do capitelo é extra-articular, e uma placa pode ser colocada aqui.
b A tróclea é central entre as colunas e ligeiramente angulada anteriormente (25°).

13A Úmero, segmento da extremidade distal, **fratura extra-articular**
13B Úmero, segmento da extremidade distal, **fratura articular parcial**
13C Úmero, segmento da extremidade distal, **fratura articular completa**
Fig. 6.2.3-2 Classificação AO/OTA de Fraturas e Luxações – distal do úmero.

6 Planejamento pré-operatório

6.1 Momento da cirurgia

A cirurgia urgente para as fraturas distais do úmero somente é necessária nas lesões expostas e em lesões vasculares com isquemia. A maior parte consiste em lesões fechadas e que podem ser tratadas em um momento oportuno. O planejamento inclui toda a tática cirúrgica – antibióticos, posicionamento do paciente, abordagem cirúrgica, enxertia óssea, etc. – definidos passo a passo (**Fig. 6.2.3-3**).

6.2 Seleção do implante

Dependendo do tipo e do local da fratura, existe uma seleção de implantes que podem ser usados.

Fratura A1 (fraturas do epicôndilo medial): A fixação é raramente necessária nas fraturas A1, já que a lesão principal é a luxação. As fraturas amplamente desviadas são algumas vezes reparadas. A fixação com parafuso em geral é suficiente. Para fragmentos maiores, os parafusos de 3,5 ou 4,0 mm são mais confiáveis que os fios de Kirschner. Os parafusos canulados podem facilitar o procedimento.

Fraturas A2, A3 e C1: As fraturas articulares completas ou de ambas as colunas são estabilizadas com duas placas. As placas de reconstrução de 3,5 são mais fáceis de moldar, mas as placas de compressão dinâmica de baixo contato (LC-DCP) são mais fortes. As placas terço de tubo são muito fracas e somente devem ser usadas como suporte na coluna ulnar, e sempre em combinação com uma segunda placa mais forte. As placas de compressão bloqueadas (LCPs) pré-moldadas também podem ser usadas e são muito úteis para as fraturas baixas e transversas (A3).

Fratura B1: As fraturas da coluna lateral geralmente podem ser reparadas com uma placa lateral única e parafusos.

Fratura B2: As fraturas da coluna medial frequentemente têm fragmentação articular complexa. A osteotomia do olécrano pode ajudar a expor e reparar a lesão. Os fragmentos articulares pequenos podem ser reparados com pequenos parafusos sem cabeça, fios de Kirschner rosqueados, ou fios absorvíveis. A tróclea com frequência está fora do local, mas estável (impactada). Assegurar que ela seja reduzida à posição apropriada.

Fratura B3: As fraturas articulares do capítelo e da tróclea anterior são fixadas com implantes, como parafusos sem cabeça, parafusos com cabeças sepultadas, fios de Kirschner rosqueados pequenos ou fios reabsorvíveis. Quando a parte posterior da coluna lateral for fraturada, particularmente quando estiver fragmentada, uma placa e parafusos (e potencialmente um enxerto ósseo estrutural) podem ajudar na fixação.

Fraturas C2 e C3: A LCP pré-moldada é o implante-padrão nesse caso, e pode também vir em um sistema de parafuso de bloqueio com ângulo variável. A fratura C3 é habitualmente reconstruída no paciente jovem com lesão de alta energia, mas, no indivíduo idoso e osteoporótico, a artroplastia total de cotovelo deve ser considerada.

> A artroplastia total de cotovelo é usada com moderação. Somente é apropriada nos pacientes com demandas funcionais limitadas ou artrite de cotovelo preexistente [3].

Placas pré-moldadas foram desenvolvidas por vários fabricantes, e a maioria dos desenhos mais novos incorporam os parafusos de cabeça bloqueada (LHSs), que fornecem estabilidade angular e diminuem a chance de soltura dos parafusos. Essas placas, como a LCP, podem ser úteis em pacientes com fraturas colunares muito baixas, significativa cominução metafisária ou qualidade óssea ruim [4].

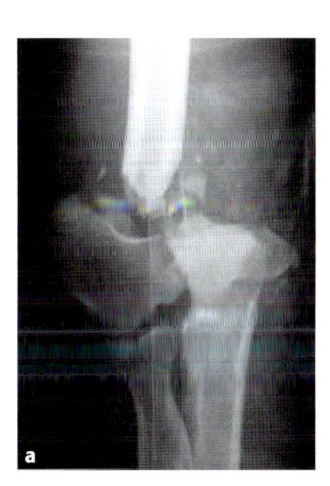

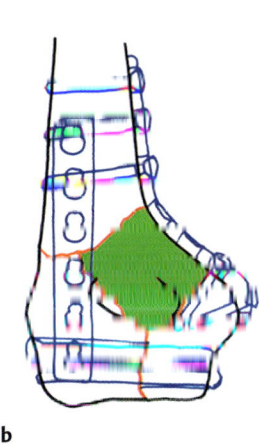

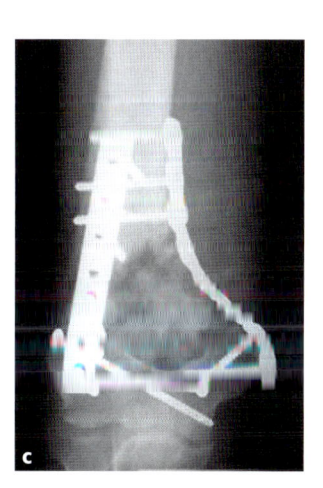

Fig. 6.2.3-3a-c O planejamento é essencial para as fraturas distais do úmero.
a Fratura metafisária multifragmentada exposta articular simples (13C2).
b O planejamento pré-operatório demonstrou a extensão da folha óssea.
c Cinco semanas após a cirurgia, a articulação está realinhada, e a fratura fixada. A fratura articular consolidou, e o enxerto ósseo metafisário está sendo incorporado.

Fraturas específicas
6.2.3 Úmero, distal

6.3 Configuração da sala de cirurgia

Um campo de extremidade é aplicado ao braço afetado, garantindo que cobertura suficiente seja alcançada para o acesso ao campo cirúrgico (**Fig. 6.2.3-4**). A parte distal do antebraço é preparada com uma malha e fixado com uma fita, e o local do enxerto ósseo e o intensificador de imagem são preparados separadamente. Diferentes posições de imagens são em geral alcançadas rodando o braço do paciente, mas, às vezes, é necessário rodar o intensificador de imagem.

O cirurgião se senta ou fica em pé adjacente à axila do paciente. O assistente se senta ou fica em pé opostamente ao cirurgião. Eles podem precisar se mover para permitir o acesso do intensificador de imagem. A equipe da sala de cirurgia está posicionada diretamente em linha com o braço entre os dois cirurgiões. O intensificador de imagem é trazido a partir da cabeceira da mesa. É possível, em algumas mesas radiolucentes de pedestal, trazer para dentro o intensificador de imagem a partir do lado oposto da mesa, interferindo menos com o campo cirúrgico. A tela do intensificador de imagem é colocada para a completa visão da equipe cirúrgica e do técnico em radiologia (**Fig. 6.2.3-5**).

7 Cirurgia

7.1 Vias de acesso cirúrgicas

O paciente pode ser colocado em posição supina (com o braço preparado sobre o corpo), em decúbito lateral (com o braço sobre uma almofada ou um suporte) ou em decúbito ventral. Na posição de decúbito lateral, o braço repousa sobre um travesseiro enrolado, em um suporte cilíndrico ou sobre uma barra acolchoada de cerca de 4 cm de diâmetro, permitindo 120 graus de flexão do cotovelo (**Fig. 6.2.3-6**). A posição supina com o braço apoiado em uma mesa auxiliar é preferível para as fraturas B3, quando for usada uma exposição lateral estendida. Se a fratura for mais complexa que o antecipado, o braço pode ser preparado sobre o corpo, e a osteotomia do olécrano é executada. O enxerto ósseo é raramente necessário, mas, em fraturas complexas, é aconselhável avisar ao paciente sobre a possibilidade e preparar um local doador. Na maioria dos casos, o torniquete estéril é colocado alto no braço, mas somente deve ser inflado se um sangramento excessivo prejudicar a visão para dissecção cirúrgica como, por exemplo, durante a dissecção do nervo ulnar. Quando a exposição estiver completa, o torniquete pode ser liberado para redução e fixação.

Fig. 6.2.3-4 Via de acesso posterior distal do úmero: preparação e desinfecção do paciente.

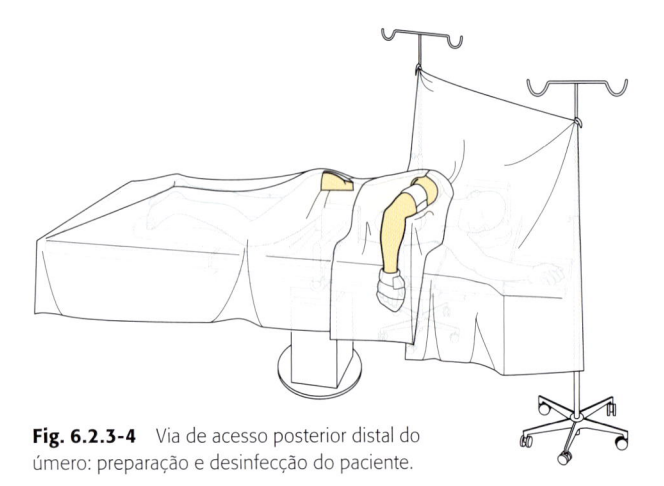

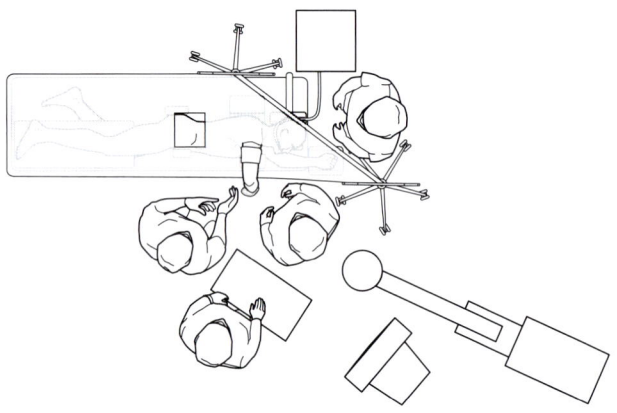

Fig. 6.2.3-5 Configuração da sala de cirurgia.

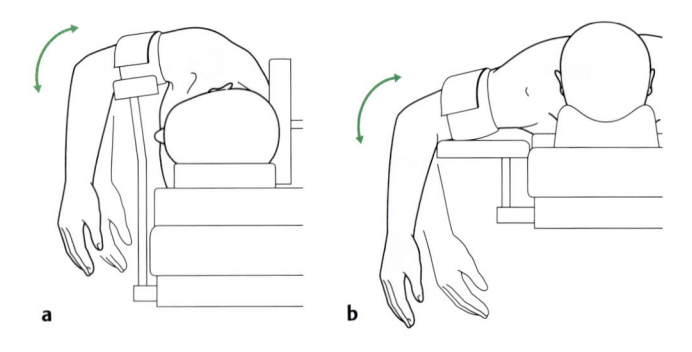

Fig. 6.2.3-6a-b Posições alternativas para a via de acesso posterior distal do úmero.
a   Posicionamento do paciente em decúbito lateral, com o braço apoiado em um suporte acolchoado.
b   O paciente fica em decúbito ventral com o braço em um suporte radiolucente, ou (como ilustrado) um suporte acolchoado.

Todos os aspectos do cotovelo podem ser acessados por uma incisão cutânea posterior na linha média, elevando retalhos mediais e laterais conforme a necessidade (**Fig. 6.2.3-7a**). As vantagens de uma incisão cutânea posterior incluem:

- Evitar os ramos nervosos cutâneos maiores
- Acesso a todas as partes do cotovelo (incluindo a anterior) por meio de uma única incisão
- Uma cicatriz relativamente benigna

As desvantagens incluem uma cicatriz mais longa e o potencial para hematoma ou problemas de pele com os extensos retalhos de pele, embora, na prática, os problemas da ferida e da pele sejam incomuns depois de uma cirurgia da extremidade superior. Se a ferida for estendida proximalmente em direção à metade da diáfise do úmero, deve haver cuidado para proteger o nervo radial. Alguns cirurgiões evitam uma incisão sobre a ponta do olécrano, enquanto outros não veem nenhum problema com uma incisão reta. A incisão lateral direta pode ser usada para as fraturas isoladas que envolvem o capítelo e a tróclea.

O tratamento ideal do nervo ulnar é ainda debatido. Uma grande porcentagem das fraturas bicolunares e da coluna medial se beneficia de uma placa que se estende próximo ou até o túnel cubital. O nervo ulnar precisa ser mobilizado para fixar muitas fraturas. A maioria dos cirurgiões libera por inteiro e move o nervo ulnar temporariamente durante a fixação interna. Alguns cirurgiões deixam o nervo nos tecidos subcutâneos anteriores e outros reposicionam o nervo de volta no sulco.

Ocasionalmente, a fratura pode ser fixada com o nervo ulnar exposto, mas não movido. Isso poderia ajudar a limitar o potencial para neuropatia ulnar pela desvascularização e manipulação do nervo.

Para ajudar em cirurgia futura, é essencial que a o registro cirúrgico descreva claramente como o nervo ulnar foi tratado e a sua posição em relação aos implantes. Um diagrama pode ser muito útil.

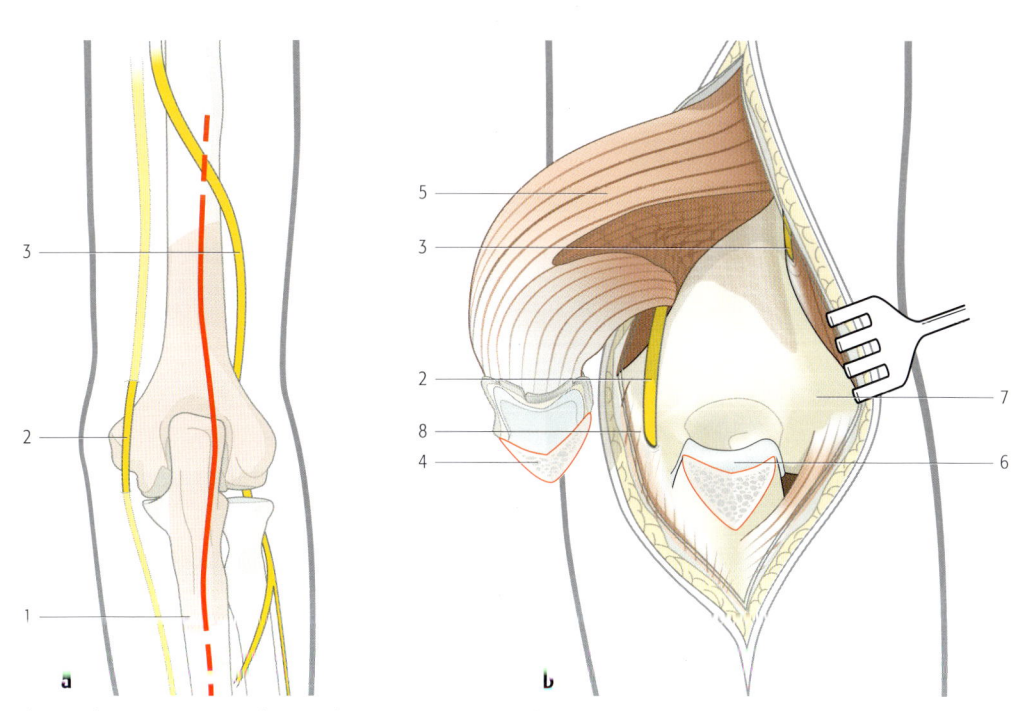

Fig. 6.2.3-7a–b Via de acesso posterior do cotovelo sem osteotomia do olécrano.

a A incisão de pele começa no meio do aspecto posterior do úmero. Alguns cirurgiões gostam de curvar a incisão para o lado lateral (radial) do olécrano (1). Uma alternativa é usar uma incisão reta. O nervo ulnar (2) é identificado e protegido. O nervo radial (3) está em risco na parte proximal da ferida e deve ser cuidadosamente identificado e protegido se a dissecção proximal for executada.

b A osteotomia tipo chevron do olécrano (1) permite a mobilização do músculo tríceps braquial (5) para o lado ou proximalmente. Isso dá excelente exposição distal do úmero, incluindo a tróclea (8), o capítulo radial (7) e o epicôndilo medial (0).

Fraturas específicas
6.2.3 Úmero, distal

As fraturas extra-articulares podem ser reparadas com precisão por meio de uma exposição com divisão do tríceps (p. ex., de Campbell [5, 6]) e é particularmente útil nas fraturas expostas, cuja maioria tem uma fenda no tríceps, posteriormente, por onde a diáfise do úmero protruiu. Essa fenda pode ser estendida em uma exposição de Campbell. As fraturas extra-articulares e as bicolunares articulares simples podem ser acessadas com uma abordagem com divisão do tríceps, na qual uma fenda na linha média que divide o músculo tríceps braquial é criada e elevada para longe do úmero posterior e do olécrano. Essas fraturas também podem ser reduzidas com precisão ao deixar a inserção do tríceps intacta, trabalhando através de janelas medial e lateral com uma exposição que eleva o tríceps (p. ex., Alonso-Llames, **Fig. 6.2.3-8** [7]).

A exposição preferida para a fratura articular é discutível. A osteotomia do olécrano dá excelente exposição extensível, mas expõe o paciente a eventos adversos

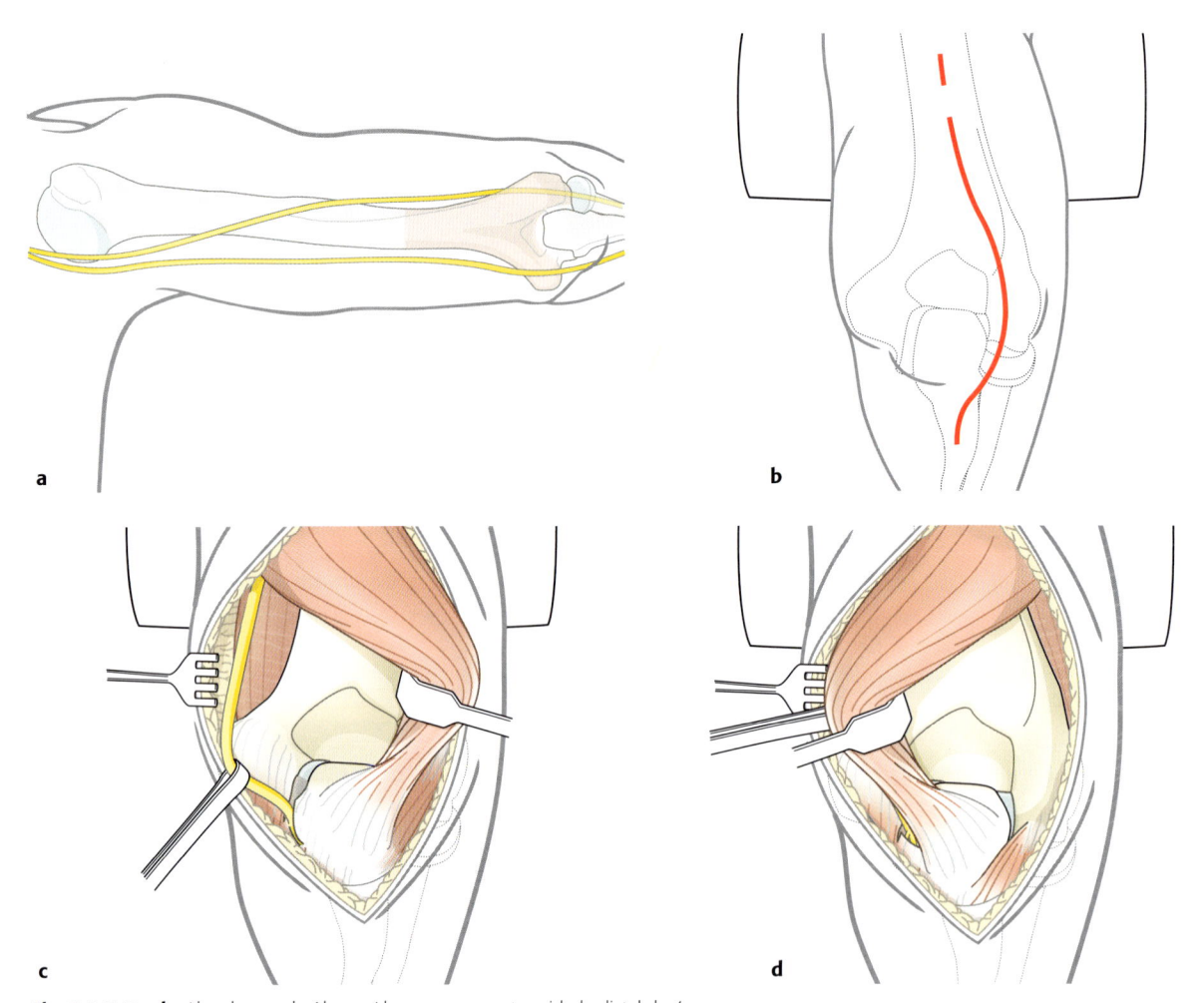

Fig. 6.2.3-8a-d Abordagem de Alonso-Llames para a extremidade distal do úmero.
- **a** Para algumas fraturas extra-articulares e articulares simples distais do úmero, uma abordagem que deixa intacta a inserção do tríceps pode fornecer exposição adequada para redução e fixação.
- **b** Fazer uma incisão reta que começa nivelada com a junção dos terços médio e distal, sendo centrada na diáfise umeral. Alguns cirurgiões fazem uma incisão reta, enquanto outros preferem curvar a incisão em torno do olécrano no lado radial. A incisão termina sobre a diáfise da ulna. Um retalho subcutâneo baseado na ulna é desenvolvido.
- **c** Janela ulnar. Como um primeiro passo, o nervo ulnar é isolado e protegido com um reparo. Proximalmente, o nervo ulnar é seguido ao longo de seu curso no septo intermuscular medial, e o músculo tríceps é mobilizado radialmente.
- **d** Janela radial. A fáscia do tríceps é dividida e o músculo é mobilizado a partir do septo intermuscular lateral e do úmero em direção ao lado ulnar. Distalmente, o músculo ancôneo é desinserido da coluna radial conforme necessário. Essa abordagem permite ao cirurgião acessar não mais do que o quarto distal do úmero.

Princípios AO do tratamento de fraturas
Volume 2

relacionados à osteotomia. Essas complicações estão associadas a criação, fixação e consolidação da osteotomia. Uma segunda cirurgia para remover implantes incômodos no olécrano pode ser uma boa troca para se alcançar uma boa redução e fixação da fratura.

> Os problemas associados à osteotomia do olécrano podem ser limitados com a dissecção meticulosa e técnicas específicas para criar e reparar a osteotomia [9].

Uma vez que a osteotomia transversal é inerentemente instável, a osteotomia em chevron distalmente apontada é preferível (**Vídeo 6.2.3-1**). A osteotomia é iniciada com uma serra oscilante e completada pela quebra do osso subcondral, alavancando a osteotomia exposta aberta com um osteótomo. A quebra da cortical anterior facilita o reposicionamento e aumenta a estabilidade da fixação devido à interdigitação dos fragmentos (**Fig. 6.2.3-7b**, **Fig. 6.2.3-9**).

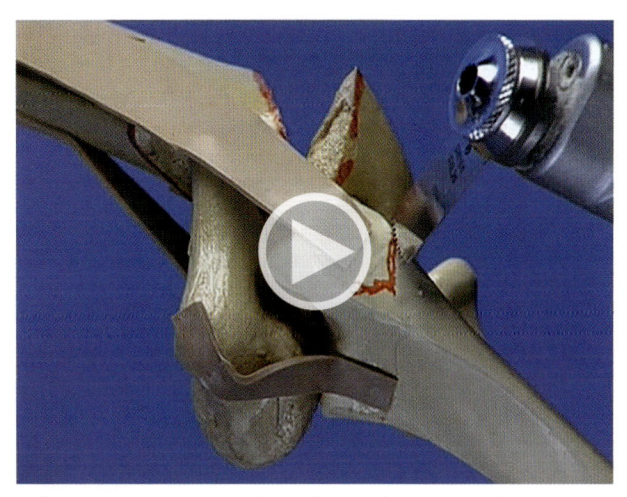

Vídeo 6.2.3-1 A osteotomia em chevron do olécrano é iniciada com uma serra oscilante e completada pela alavancagem da osteotomia aberta com um osteótomo.

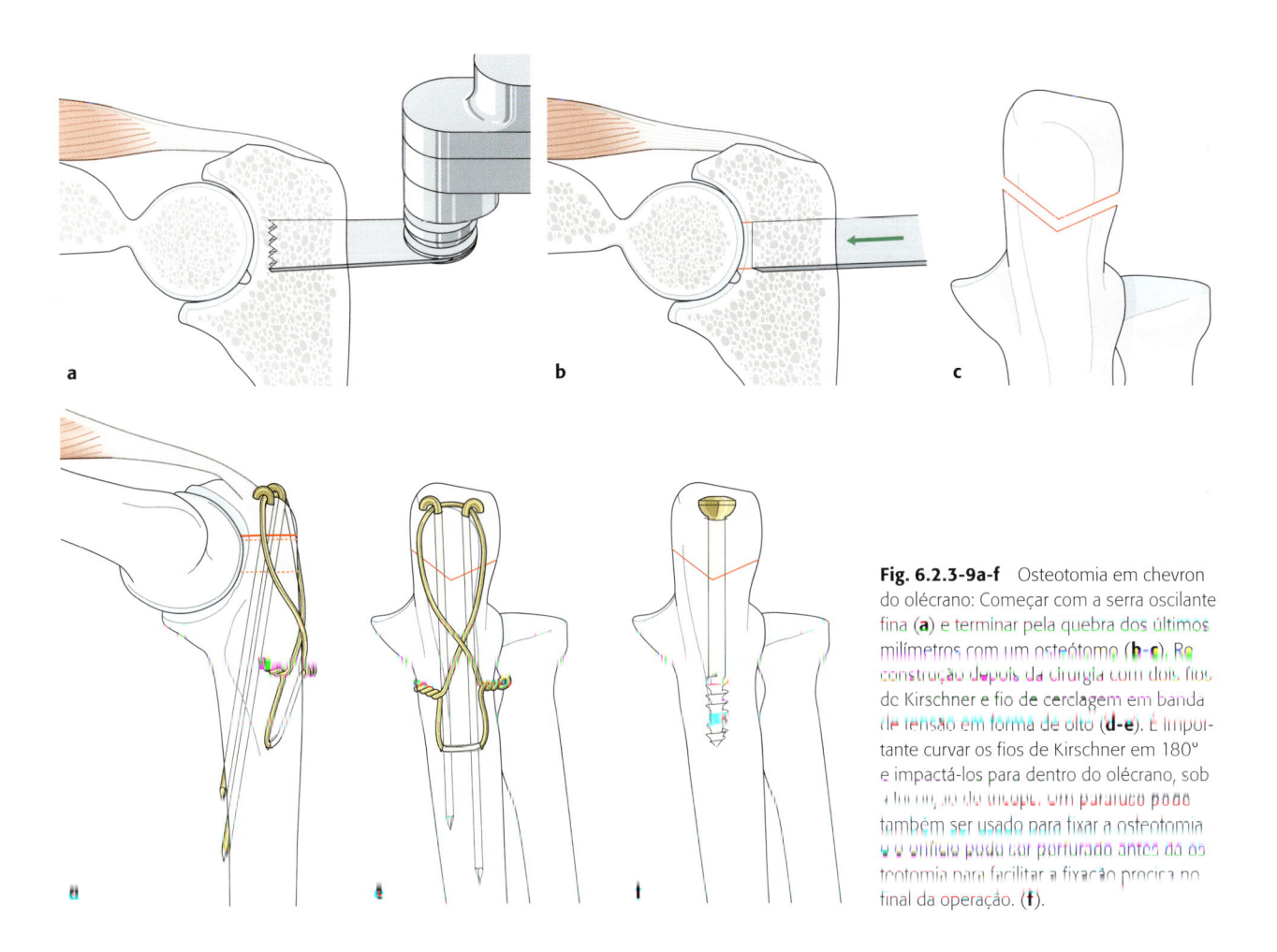

Fig. 6.2.3-9a-f Osteotomia em chevron do olécrano: Começar com a serra oscilante fina (**a**) e terminar pela quebra dos últimos milímetros com um osteótomo (**b-c**). Reconstrução depois da cirurgia com dois fios de Kirschner e fio de cerclagem em banda de tensão em forma de oito (**d-e**). É importante curvar os fios de Kirschner em 180° e impactá-los para dentro do olécrano, sob a borda do tríceps. Um parafuso pode também ser usado para fixar a osteotomia e o orifício pode ser perfurado antes da osteotomia para facilitar a fixação precisa no final da operação. (**f**).

629

Fraturas específicas
6.2.3 Úmero, distal

A osteotomia do olécrano é reconstruída de acordo com a técnica da banda de tensão descrita no Capítulo 3.2.3.

As alternativas para a osteotomia de olécrano incluem as exposições com elevação do tríceps, como a abordagem de Bryan-Morrey, uma opção útil quando a conversão para uma artroplastia total de cotovelo for uma opção (**Fig. 6.2.3-10**) [8]. As exposições com elevação do tríceps não fornecem uma visão tão boa da fratura articular, mas o olécrano intacto pode agir como um gabarito útil para a redução articular, e essa abordagem evita as complicações da osteotomia.

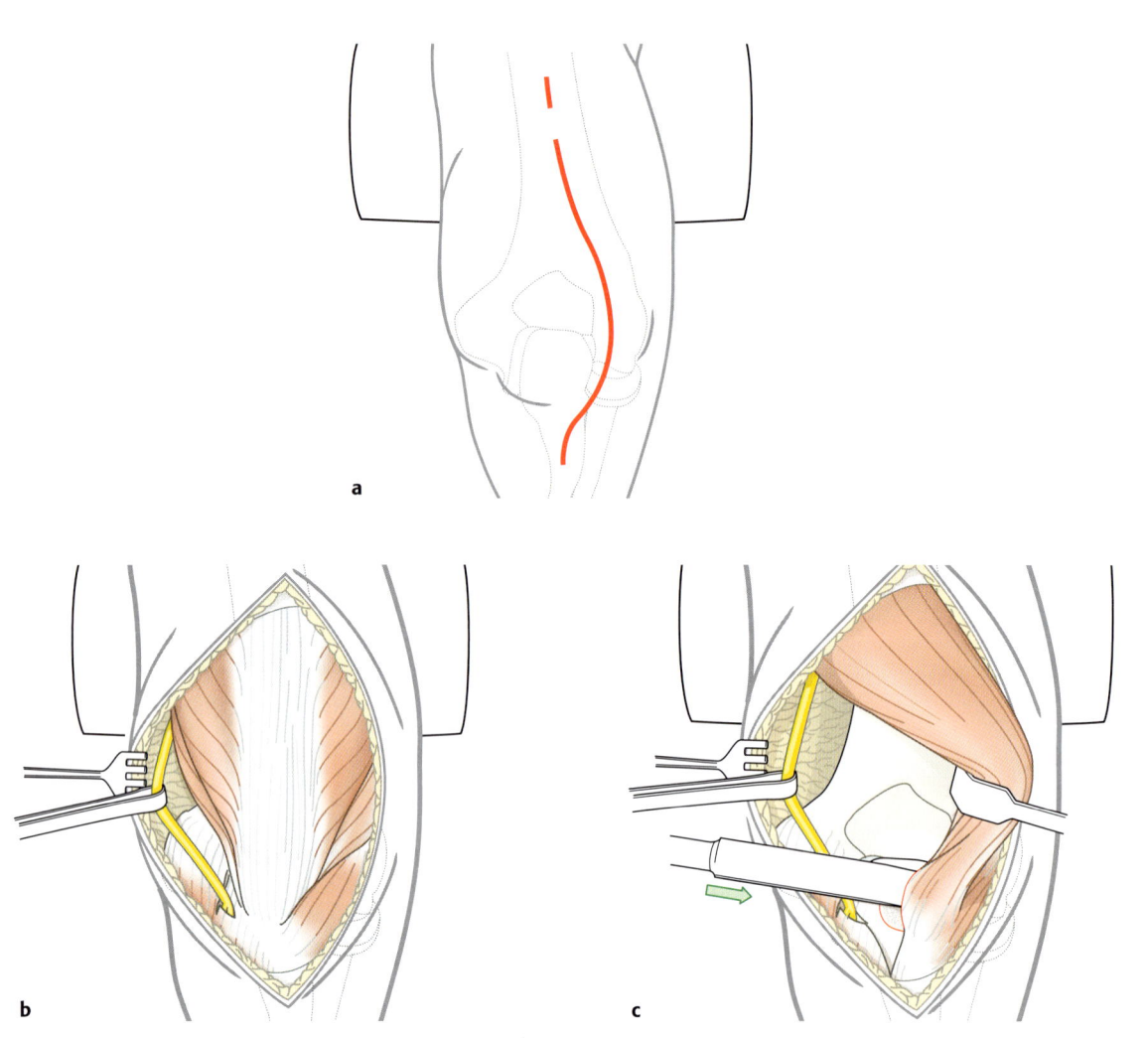

Fig. 6.2.3-10a-c Abordagem de Bryan-Morrey para extremidade distal do úmero.
a   Fazer uma incisão reta, que começa nivelada com a junção dos terços médio e distal, sendo centrada na diáfise do úmero. Alguns cirurgiões fazem uma incisão reta, enquanto outros preferem curvar a incisão em torno do olécrano no lado radial. A incisão termina sobre a diáfise da ulna. Um retalho subcutâneo baseado na ulna é desenvolvido.
b   O nervo ulnar é identificado proximalmente, ao longo da borda medial do tríceps. É então liberado do túnel cubital distalmente, através da aponeurose pronatoflexora até o nível de seu primeiro ramo motor anterior. Sempre que possível, deve haver cuidado para preservar os vasos perineurais. Um reparo é colocado ao redor do nervo ulnar, que é protegido ao longo de todo o procedimento.
c   Aparelho extensor. A fáscia é desinserida subperiostalmente a partir da ulna, em direção ao lado radial. No nível do olécrano, o aparelho extensor é desinserido junto com uma lasca de osso com um osteótomo fino.

7.2 Redução

Existem duas abordagens para a redução e fixação provisória de uma fratura distal do úmero. A abordagem tradicional consiste em reparar os fragmentos articulares primeiro, prendendo-os entre si com um parafuso de tração e então inserir a tróclea remontada à diáfise do úmero com placas (**Vídeo 6.2.3-2**). Isso pode ser comparado a tornar uma fratura do tipo C em uma fratura do tipo A. Uma alternativa é reduzir e fixar provisoriamente uma coluna, incluindo a superfície articular, tornando uma fratura do tipo C em uma fratura do tipo B. A redução deve começar com a coluna que tem o padrão de fratura mais simples. Essa técnica é considerada uma alternativa melhor para as fraturas em forma de λ, nas quais uma das colunas tem uma fratura alta, e a outra, uma baixa [10]. O fragmento maior é fixado à diáfise e então os fragmentos pequenos são remontados um a um.

A redução pode ser ajudada pelo posicionamento do braço, pela manipulação direta e pelo uso da pinça de redução. Os fios de Kirschner lisos usados para a fixação provisória são posicionados cuidadosamente, de forma que não interfiram com a aplicação do implante. As pequenas placas bloqueadas 2,0 ou 2,4 com LHS unicorticais podem ser usadas para fixação temporária. Os fragmentos articulares e metafisários pequenos que contribuam para o formato da articulação podem ser fixados com pequenos fios de Kirschner rosqueados ou fios reabsorvíveis, colocados através do osso subcondral dos fragmentos adjacentes, ou descartados conforme o entendimento do cirurgião.

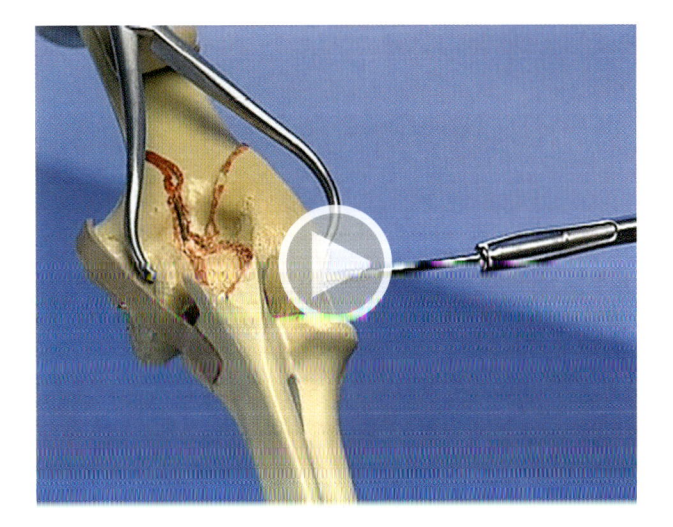

Tradicionalmente, as placas nessa região são aplicadas de forma ortogonal (em geral de forma direta, medial ou posterolateral). A colocação paralela das placas (uma placa medial direta e uma lateral direta) é uma opção com várias vantagens, particularmente para as fraturas baixas ou em fraturas com fragmentação articular extensa. A colocação ortogonal da placa é habitualmente citada como a forma mais forte de fixação [11, 12], mas existe evidência biomecânica que suporta o uso em paralelo das placas [13].

> Pelo fato de os cotovelos adultos serem conhecidos por se tornarem rígidos após a lesão, a meta do tratamento cirúrgico é uma fixação suficientemente estável para permitir exercícios ativos e o uso funcional do membro para tarefas leves. Quando a fixação for segura, os exercícios do cotovelo podem começar no dia depois da cirurgia. Se a fixação é deficiente devido à complexidade da fratura ou qualidade ruim do osso, é mais apropriado imobilizar o cotovelo para ajudar a fratura a consolidar em uma boa posição. A maioria dos pacientes não sofre rigidez e, aqueles que o fazem, geralmente respondem ao tratamento. A fixação deficiente da fratura é difícil de salvar.

A decisão para efetuar a artroplastia total de cotovelo é geralmente tomada no pré-operatório, mais com base nas características do paciente do que nas características da fratura. Entretanto, se o cirurgião está planejando uma fixação interna e usar a artroplastia total de cotovelo como um último recurso, a osteotomia de olécrano geralmente não deve ser usada para expor a fratura, embora alguns considerem relativamente fácil reparar uma osteotomia ao redor da prótese. Quando for tomada a decisão de prosseguir com a artroplastia total de cotovelo, a excisão dos fragmentos articulares provê um amplo espaço de trabalho e a inserção do músculo tríceps braquial no olécrano pode ser deixada intacta (basicamente uma exposição de Allonso-Llamas ou paratricipital).

> Sempre considerar o tratamento não operatório em pacientes enfermos ou inativos. Os resultados são relativamente bons nessa população de pacientes, e uma não união ocasional ou consolidação viciosa grave podem ser salvas com uma artroplastia total de cotovelo tardia.

Vídeo 6.2.3-2 Como um primeiro passo, o bloco articular é reconstruído e temporariamente fixado com uma pinça de redução sem ponta ou fios de Kirschner, seguido por parafusos de tração anteriores.

Fraturas específicas
6.2.3 Úmero, distal

Para obter o resultado ideal, um plano bem desenhado deve ser seguido ao longo da operação (**Fig. 6.2.3-11**). O objetivo, quando possível, é colocar dois ou três parafusos acima e abaixo da fratura em cada placa. A fossa do olécrano deve ficar livre de implantes metálicos.

7.3 Fixação

A placa posterolateral, que funcionará como uma banda de tensão durante a flexão do cotovelo, é, em geral, aplicada em primeiro lugar. Ela é moldada de acordo com o formato do osso para restaurar a inclinação anterior do capítelo. Pode alcançar mais distalmente a superfície articular do que a placa medial.

A fixação inicial em torno do triângulo distal do úmero deve ser apenas provisória. Uma leve má rotação dos fragmentos da tróclea frequentemente evita o término do canto final do triângulo, fazendo com que a fixação inicial seja ajustada. Uma vez que a placa do lado medial esteja no lugar, a placa lateral pode ser fixada em definitivo (**Fig. 6.2.3-12**, **Vídeo 6.2.3-3**).

Cada parafuso deve ter uma trajetória tão longa quanto possível através do osso. Cada parafuso deve fixar tantos fragmentos articulares quanto possível. Os fragmentos não devem ser jogados fora, já que até o menor pode dar algum indício para a remontagem correta. Os fragmentos pequenos podem ser seguramente deixados se o resto da fixação for estável. Os fragmentos articulares intermediários menores são fixados com parafusos adicionais sepultados de 1,5 ou 2,0 mm, parafusos sem cabeça ou fios de Kirschner rosqueados pequenos.

Uma placa, colocada diretamente na coluna lateral, deve ser moldada para o ângulo adiante no limite distal

Tática:
1. Anestesia geral
2. Sem garrote
3. Posição lateral cotovelo sobre coxim
4. Abordagem posterior
5. Osteotomia em chevron do olécrano
6. Expor local de fratura
    + identificar nervo ulnar
7. Reduzir os fragmentos articulares e mantê-los com fio de Kirschner
8. Passar o parafuso de tração cortical único (1)
9. Reduzir o fragmento distal na diáfise; mantê-lo com pinça de redução e, então, fios de Kirschner
10. Moldar placa 1/3 de tubo
11. Inserir parafuso 2 como parafuso de tração (cortical)
12. Inserir parafuso 3 (esponjoso)
13. Moldar LCP de reconstrução de 7 orifícios
14. Inserir parafuso 4 (parafuso cortical de posição)
15. Inserir parafuso 5 sob compressão
16. Inserir parafusos 6-9 (bloqueio)
17. Inserir parafusos 10-12
18. Reduzir o olécrano e fixá-lo com fios de banda de tensão
19. Fechar a ferida – Vicryl e grampos metálicos
20. Pós-operatório: algodão e crepe
        elevar braço
        mobilização imediata
        (ativa)
        Retirada de pontos em 10 dias

Equipamento:
1. Conjunto AO de pequenos fragmentos
2. Conjunto LCP de pequenos fragmentos
3. Furadeira de ar comprimido
4. Microserra
5. Conjunto de cerclagem
6. Osteótomos
7. Duas pinças de redução óssea pontiagudas grandes

Intensificador de imagem o tempo todo

Fig. 6.2.3-11 O planejamento e a tática cirúrgica completos, incluindo a lista de materiais e o tratamento pós-operatório proposto.

da placa. A placa reta se angulará para fora do osso, posteriormente, em seu limite proximal. As tentativas de permitir que esta placa fique diretamente sobre a coluna lateral proximalmente arriscarão a perda da translação anterior normal da porção distal do úmero.

A coluna medial é reta. Para as fraturas baixas, é útil moldar a placa medial em torno do epicôndilo medial para aumentar o número de parafusos nos fragmentos distais, ou usar uma placa pré-moldada para estender até mais baixo.

As placas de compressão bloqueada não precisam ser perfeitamente pré-moldadas à cortical subjacente. Uma vez que os implantes proeminentes interferem com os tecidos moles, os parafusos convencionais podem ser usados inicialmente para aproximar a placa ao osso. A potencial desvantagem da LCP é que a orientação dos parafusos é definida pelo implante. A posição distal da placa deve ser escolhida primeiro, para ter a certeza de que os parafusos não irão penetrar na articulação. A placa

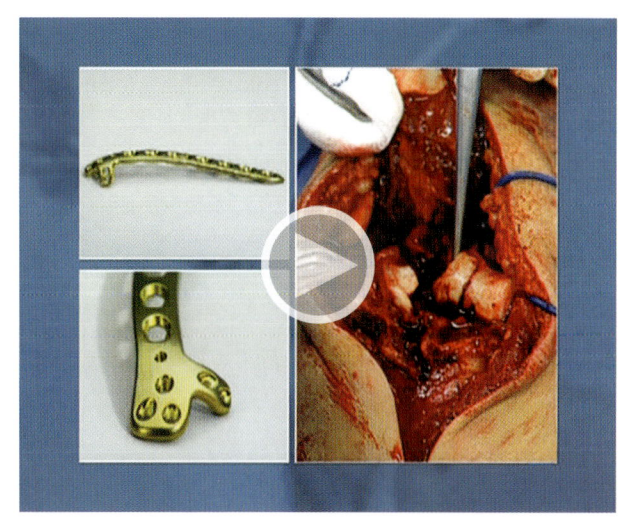

Vídeo 6.2.3-3 Redução aberta e fixação interna com a placa de compressão bloqueada e pré-moldada do distal do úmero.

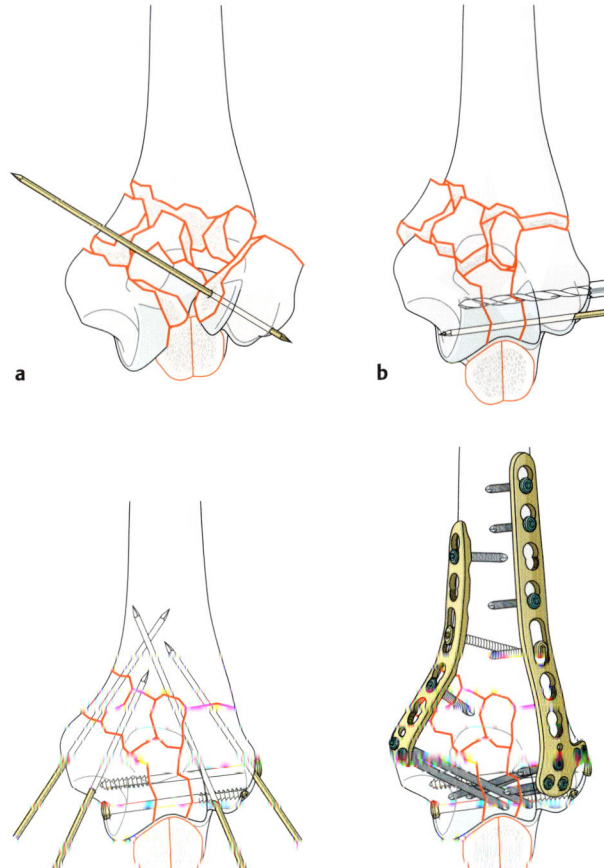

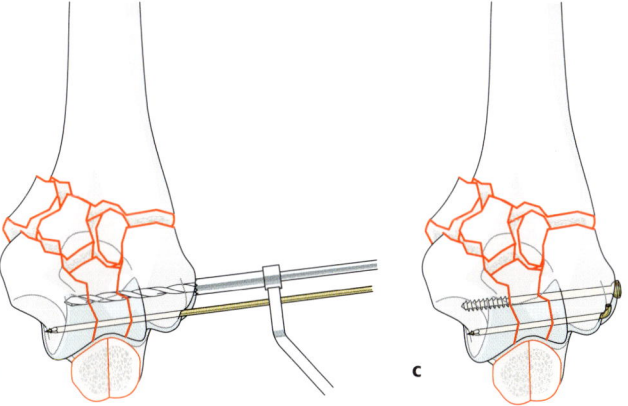

Fig. 6.2.3-12a-e Passos na reconstrução de uma fratura multifragmentada distal do úmero.
a Técnica de dentro para fora do fio de Kirschner (1,6 mm) para reconstruir a tróclea e o capítelo.
b-c Depois da redução dos três fragmentos articulares, o fio de Kirschner é perfurado na direção inversa. Pode ser usado como um guia para um parafuso canulado de 3,5 mm, ou um parafuso pode ser colocado paralelo a ele (**c**).
d Uma vez que os componentes articulares estejam firmemente fixados como um bloco, esse é fixado à diáfise umeral usando fios de Kirschner temporários.
e Para juntar o bloco articular ao úmero, a placa de compressão bloqueada (LCP) anatômica de 2,7 é colocada primeiro na superfície posterior. Pode ser curvada em torno do capítelo, que não tem nenhuma cartilagem posteriormente. No lado medial, a placa anatômica LCP é colocada na crista do osso (em ângulos retos à placa lateral), o que aumenta a estabilidade. Em úmeros com qualidade óssea ruim e em fraturas com cominução metafisária, as LCPs em uma configuração de 90° são preferidas, uma vez que fornecem estabilidade biomecânica mais alta. Deve haver cuidado para evitar a penetração articular com os parafusos de ângulo fixo.

é então fixada proximalmente. A LCP anatomicamente pré-moldada distal do úmero tende a reduzir esse problema (**Fig. 6.2-3-13**). As LCPs de ângulo variável são úteis em mudar o ângulo do parafuso bloqueado para evitar a penetração articular e maximizar o comprimento de trabalho do parafuso.

Se os fragmentos articulares anteriores (capitelo e tróclea) não parecerem estar corretamente ajustados, provavelmente haverá alguma impacção da coluna lateral que deva ser abordada. O realinhamento da coluna lateral impactada ou da tróclea posterior permitirá, em geral, a redução precisa dos fragmentos anteriores da fratura. A coluna lateral deve então ser fixada com uma placa.

A fixação da osteotomia do olécrano é executada. O cotovelo reconstruído é testado na amplitude de movimento completa, incluindo pronação e supinação. A palpação cuidadosa é exigida para excluir parafusos articulares ou fios causando algum impacto e para detectar qualquer movimento entre os fragmentos. O nervo ulnar pode ser deixado em seu leito original ou transposto anteriormente para o subcutâneo. A sua posição deve ser registrada, caso uma cirurgia adicional seja necessária.

7.4 Desafios

A maioria das fraturas expostas pode ser tratada com fixação interna imediata depois do debridamento e da irrigação do ferimento. Os pequenos ferimentos puntiformes são deixados cicatrizar. Para ferimentos maiores, o fechamento primário retardado em 48 horas é mais seguro. Os enxertos ósseos para defeitos articulares são raramente necessários, exceto se todo o segmento central entre a tróclea e o capitelo estiver em falta ou multifragmentado. Se for o caso, um enxerto ósseo estrutural deve ser usado para assegurar que a largura intercondilar correta seja preservada. Essa fratura é ocasionalmente acompanhada por outro trauma na extremidade superior, e o cirurgião deve tentar obter a melhor redução possível e uma fixação estável de todas as lesões para poder começar o movimento precoce.

Os resultados iniciais da artroplastia total do cotovelo são tentadoramente bons: é um procedimento muito direto para se executar [14], a restauração funcional rápida é a regra, e em média a amplitude de movimento é melhor que a obtida com fixação interna [15]. O entusiasmo para a artroplastia total do cotovelo é, contudo, limitado por conta de:

- Restrições rigorosas de atividades ao longo da vida (5 kg de limite para levantamento)
- Falha inevitável da prótese
- Complicações potencialmente devastadoras, como infecção profunda ou osteólise terminal (perda óssea grave depois de revisões múltiplas), para as quais não existe nenhuma opção de tratamento adequado

8 Cuidados pós-operatórios

Independentemente da posição de imobilização, é preferível iniciar exercícios ativo-assistidos do cotovelo e o uso funcional leve do membro dentro de alguns dias após a cirurgia.

Quando a fixação obtida for algo insuficiente – como resultado da complexidade da fratura, da qualidade óssea ruim ou de ambas – pode ser preferível imobilizar e proteger o cotovelo por mais ou menos 4 semanas e lidar com a rigidez desenvolvida em lugar de perder a fixação e ter que salvar o cotovelo com uma artroplastia total.

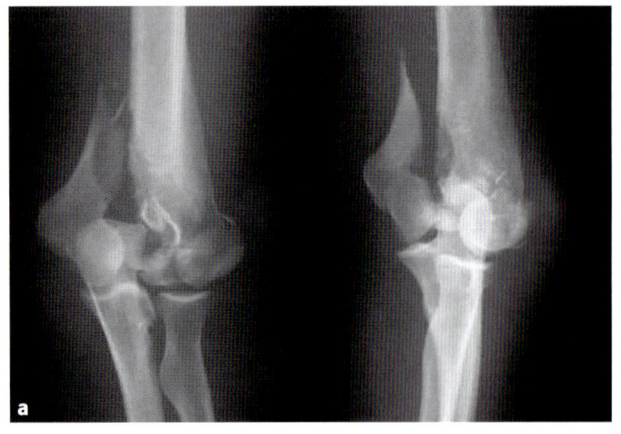

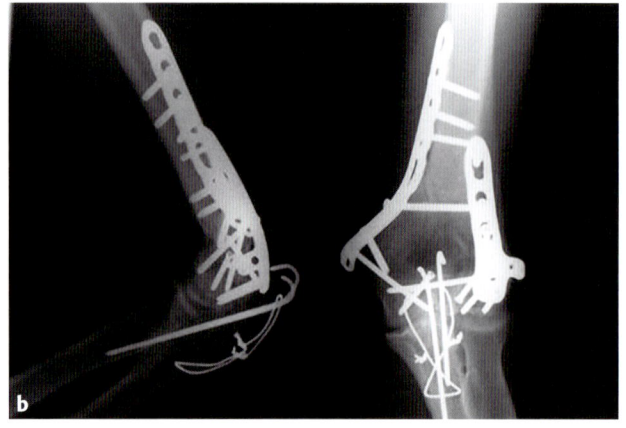

Fig. 6.2.3-13a-b
a Fratura multifragmentada distal do úmero (13C3) com um fragmento baixo da coluna lateral.
b Radiografia 6 semanas depois da fixação com duas placas de compressão anatômicas bloqueadas (placas distais do úmero), que permitem a fixação do capitelo com múltiplos parafusos de cabeça bloqueada.

São recomendados os exercícios ativos, autoassistidos de alongamento; a manipulação passiva deve ser evitada.

Os bons resultados depois da fixação dependem de os pacientes realizarem os exercícios de alongamento de forma confiável e adequada. Os problemas podem surgir em pacientes com traumas cranianos graves, demência, alcoolismo ou dependência de drogas.

Os exercícios contra resistência não são iniciados até que a consolidação da fratura esteja avançando claramente, em geral com um mínimo de 6 semanas depois da cirurgia. As talas dinâmicas ou estáticas progressivas do cotovelo podem ser úteis para ajudar a recuperar o movimento do cotovelo. A melhoria no movimento do cotovelo pode ocorrer em pelo menos 1 ano.

9   Complicações

- A ossificação heterotópica pode seguir o trauma craniano e pode ser mais provável depois da fixação retardada e do alongamento passivo forçado do cotovelo.
- Em indivíduos com osteoporose a osteossíntese, protegida por um período curto de imobilização, apesar de alguma rigidez inevitável, pode ser preferível à fixação interna que falhou.
- Mais de 1 em 5 pacientes terão alguma disfunção iatrogênica do nervo ulnar. A disfunção do nervo ulnar é habitualmente transitória. O formigamento na distribuição do nervo ulnar e leve fraqueza dos músculos intrínsecos da mão inervados pelo nervo ulnar é comum, mas raramente persiste. Uma paralisia mais grave, com fraqueza, pode ser prolongada e, às vezes, permanente. A cirurgia não é útil, a menos que um problema claro seja identificado [16]. O nervo radial também está em risco com placas longas de coluna lateral, particularmente aquelas colocadas diretamente no lado lateral.
- A rigidez pode ser relacionada à contratura capsular, artrofibrose, implantes proeminentes, deformidade intra-articular ou deformidade extra-articular. A rigidez devido à contratura capsular isolada pode melhorar até depois de 1 ano e depende dos exercícios de alongamento ativos e autoassistidos.
- A não união geralmente ocorre no nível supracondilar. Os fatores de risco incluem fixação inadequada, uso excessivo do membro no período pós-operatório precoce, cominução metafisária e perda óssea. O tratamento cirúrgico, que consiste da artrólise do cotovelo, neurólise do nervo ulnar, fixação interna estável com compressão e enxertia óssea esponjosa autógena, leva à consolidação em 80% ou mais, mesmo no pseudartroses antigas [17].
- A infecção é relativamente rara, apesar da linha cobertura de partes moles. A infecção profunda é tratada com debridamento seriado e antibióticos intravenosos específicos aos microrganismos. Os implantes podem ser deixados, desde que não estejam frouxos, embora a remoção tardia do implante (depois da consolidação da fratura) possa ser necessária para erradicar completamente a infecção.
- A não união da osteotomia do olécrano é incomum. A perda de fixação pode ser tratada conservadoramente se o desvio for limitado ou pela repetição da fixação interna e enxertia óssea. A migração e a proeminência dos fios usados para fixação podem ser limitadas pela técnica cuidadosa [10].
- As exposições com elevação do tríceps são ocasionalmente complicadas pela sua avulsão. A gravidade ajuda a estender o cotovelo. A cirurgia de reconstrução é imprevisível.

10   Prognóstico e desfecho

As comparações entre as séries operatórias são prejudicadas pelo uso de diferentes critérios para desfecho. A maioria das séries que usou vários critérios de desfecho mostrou que 75-80% dos pacientes alcançaram uma avaliação pelo menos boa [18]. As fraturas distais do úmero são difíceis de tratar e ninguém relata menos que aproximadamente 15% de resultados regulares ou ruins. Um excelente ensaio controlado randomizado [15] mostrou que, nas fraturas tipo C3 do paciente idoso, a prótese total do cotovelo tinha um desfecho melhor que redução aberta e fixação interna (**Fig. 6.2.3-14**).

O reconhecimento do padrão de lesão e de todos os componentes da lesão, da reconstrução anatômica aberta e fixação interna estável, seguidas por exercícios ativos precoces, oferecem os melhores resultados funcionais depois da fratura distal do úmero. Com uma técnica adequada e pacientes cooperativos, resultados satisfatórios podem ser alcançados em aproximadamente 80% dos casos.

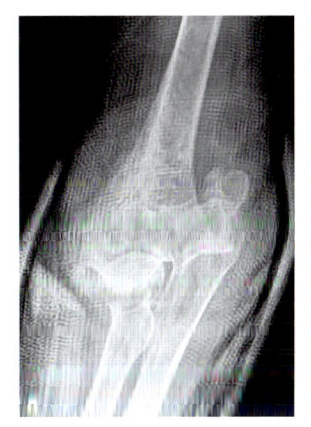

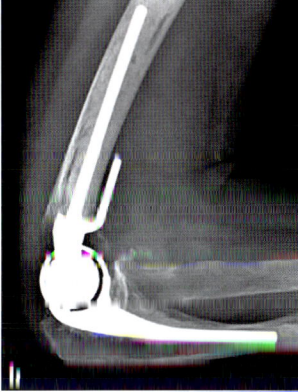

Fig. 6.2.3-14a-b
a   Uma mulher de 66 anos de idade com uma fratura distal do úmero e artrite reumatoide. A fratura penetra na superfície articular. Osteoporose intensa e graves alterações artríticas preexistentes.
b   A função foi restaurada com uma prótese total de cotovelo.

Fraturas específicas
6.2.3 Úmero, distal

Referências clássicas   **Referências de revisão**

11 Referências

1. **Robinson CM, Hill RM, Jacobs N, et al.** Adult distal humeral metaphyseal fractures: epidemiology and results of treatment. *J Orthop Trauma*. 2003 Jan;17(1):38–47.
2. **John H, Rosso R, Neff U, et al.** Operative treatment of distal humeral fractures in the elderly. *J Bone Joint Surg Br*. 1994 Sep;76(5):793–796.
3. **Githens M, Yao J, Sox A, et al.** Open reduction and internal fixation versus total elbow arthroplasty for the treatment of geriatric distal humerus fractures: a systematic review and meta-analysis. *J Orthop Trauma*. 2014 Aug;28(8):481–488.
4. **Korner J, Diederichs G, Arzdorf M, et al.** A biomechanical evaluation of methods of distal humerus fracture fixation using locking compression plates versus conventional reconstruction plates. *J Orthop Trauma*. 2004 May-Jun;18(5):286–293.
5. **McKee MD, Wilson TL, Winston L, et al.** Functional outcome following surgical treatment of intra-articular distal humeral fractures through a posterior approach. *J Bone Joint Surg Am*. 2000 Dec;82-A(12):1701–1707.
6. **McKee MD, Kim J, Kebaish K, et al.** Functional outcome after open supracondylar fractures of the humerus. The effect of the surgical approach. *J Bone Joint Surg Br*. 2000 Jul;82(5):646–651.
7. **Patterson SD, Bain GI, Mehta JA.** Surgical approaches to the elbow. *Clin Orthop Relat Res*. 2000 Jan;(370):19–33.
8. **Bryan RS, Morrey BF.** Extensive posterior exposure of the elbow. A triceps-sparing approach. *Clin Orthop Relat Res*. 1982 Jun;(166):188–192.
9. **Ring D, Gulotta L, Chin K, et al.** Olecranon osteotomy for exposure of fractures and nonunions of the distal humerus. *J Orthop Trauma*. 2004 Aug;18(7):446–449.
10. **Jupiter JB, Mehne DK.** Fractures of the distal humerus. *Orthopedics*. 1992 Jul;15(7):825–833.
11. **Schemitsch EH, Tencer AF, Henley MB.** Biomechanical evaluation of methods of internal fixation of the distal humerus. *J Orthop Trauma*. 1994 Dec;8(6):468–475.
12. **Korner J, Lill H, Müller LP, et al.** The LCP-concept in the operative treatment of distal humerus fractures—biological, biomechanical and surgical aspects. *Injury*. 2003;34(Suppl 2):S-B20–30.
13. **Zalavras CG, Vercillo MT, Jun BJ, et al.** Biomechanical evaluation of parallel versus orthogonal plate fixation of intra-articular distal humerus fractures. *J Shoulder Elbow Surg*. 2011 Jan;20(1):12–20.
14. **Kamineni S, Morrey BF.** Distal humeral fractures treated with noncustom total elbow replacement. Surgical technique. *J Bone Joint Surg Am*. 2005;87(Suppl 1):940–947.
15. **McKee M, Veillette C, Hall J, et al.** A multicenter, prospective, randomized, controlled trial of open reduction internal fixation versus total elbow arthroplasty for displaced intraarticular distal humeral fractures in elderly patients. *J Shoulder Elbow Surg*. 2009 Jan-Feb;18(1):3–12.
16. **McKee MD, Jupiter JB, Bosse G, et al.** Outcome of ulnar neurolysis during post-traumatic reconstruction of the elbow. *J Bone Joint Surg Br*. 1998 Jan;80(1):100–105.
17. **Helfet DL, Kloen P, Anand N, et al.** Open reduction and internal fixation of delayed unions and nonunions of fractures of the distal part of the humerus. *J Bone Joint Surg Am*. 2003 Jan;85-A(1):33–40.
18. **Korner J, Lill H, Müller LP, et al.** Distal humerus fractures in elderly patients: results after open reduction and internal fixation. *Osteoporos Int*. 2005;16(Suppl 2):S73–S79.

12 Agradecimentos

Agradecemos a Martin Hessmann por sua contribuição para a 2ª edição de *Princípios AO do tratamento de fraturas*.

6.3.1 Proximal do antebraço e lesões complexas do cotovelo

Stefaan Nijs

1 Introdução – epidemiologia

As fraturas proximais do antebraço podem levar à disfunção grave, por causa da instabilidade pós-traumática, impacto, contratura de partes moles, consolidação viciosa ou não união. Essas lesões podem envolver uma ou mais das três articulações diferentes que constituem o cotovelo: a articulação umeroulnar, a articulação radioumeral e a articulação radioulnar proximal (**Fig. 6.3.1-1**). As lesões de grande energia podem produzir lesões distais associadas, como fraturas do antebraço e distal do rádio, rupturas da membrana interóssea ou da articulação radioulnar distal.

> Para permitir o movimento precoce do cotovelo, é essencial alcançar uma reconstrução anatômica precisa e estável das diferentes estruturas do anel que compõem essa anatomia.

As fraturas proximais do rádio estão entre as lesões do cotovelo mais comuns, com uma incidência estimada de 28-39 por 100.000 pessoas por ano. Elas são causadas por um impacto indireto ao longo do rádio, mais frequentemente por uma queda com a mão estendida e com o cotovelo ligeiramente flexionado. A maioria das fraturas ocorre em mulheres acima dos 50 anos com osteoporose associada. Em pacientes mais jovens (predominantemente do sexo masculino), as fraturas da cabeça do rádio ocorrem com um trauma de alta energia.

As fraturas proximais da ulna constituem aproximadamente 10% de todas as lesões da extremidade superior e podem ser causadas por forças diretas ou indiretas. A posição subcutânea da ulna torna o osso vulnerável ao trauma direto e aumenta o risco de lesões expostas.

2 Avaliação e diagnóstico

2.1 História do caso e exame físico

O paciente geralmente tem dor e não é capaz de rodar o antebraço. Como o nervo ulnar está perto da ulna proximal, a sua função sensitiva e motora deve ser avaliada em todos os casos. Ocasionalmente, as luxações acompanham as fraturas proximais do antebraço e devem ser reduzidas e imobilizadas assim que possível.

2.2 Exames de imagem

Como a extensão é difícil e dolorosa, uma vista anteroposterior (AP) é obtida perpendicularmente ao antebraço, com vistas adicionais lateral e oblíqua do cotovelo (**Fig. 6.3.1-2**). Entretanto, as radiografias simples são frequentemente difíceis de interpretar, e uma avaliação precisa da configuração da fratura e lesões associadas somente pode ser possível na hora da cirurgia. As técnicas de imagens adicionais (tomografia computadorizada [TC],

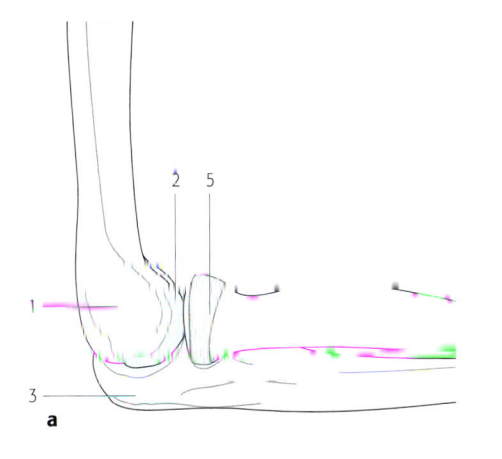

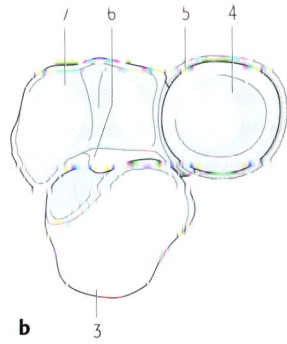

Fig. 6.3.1-1a-b Anatomia da articulação do cotovelo.
a Vista lateral mostrando a articulação radioumeral.
b A articulação radioulnar proximal – vista com o úmero removido.
1 Epicôndilo lateral
2 Capítelo
3 Ulécrano
4 Cabeça do rádio
5 Ligamento anular
6 Incisura troclear
7 Processo coronoide

Fraturas específicas
6.3.1 Proximal do antebraço e lesões complexas do cotovelo

ressonância magnética) podem ser úteis em casos complexos ou em casos de suspeita de instabilidade ligamentar. As fraturas podem estar associadas a instabilidade da articulação do cotovelo se elas envolverem o processo coronoide ou a extremidade da proximal ulna. A congruência das articulações radioumeral e ulnoumeral deve ser cuidadosamente avaliada – uma subluxação leve dessas articulações pode indicar instabilidade significativa. O punho deve ser examinado e, se houver qualquer sinal de lesão, também devem ser obtidas radiografias do punho para assegurar que a lesão seja isolada ao cotovelo e que não envolva a articulação radioulnar distal.

> As fraturas transversas simples ou oblíquas do olécrano não são necessariamente estáveis, já que podem estar associadas a luxações do cotovelo ou do antebraço.

3 Anatomia

3.1 Proximal rádio

A parte proximal do rádio é um cilindro redondo a elipsoide. Esse cilindro é circunferencialmente coberto por cartilagem, como a sua superfície cranial, que se articula com o capítelo. A circunferência da cabeça radial se articula com a incisura radial proximal da ulna, com exceção da porção posterolateral. Kuhn e colaboradores [1] descreveram o diâmetro médio da cabeça radial como de aproximadamente 22 mm, mas as cabeças do rádio variam de 19,8 até 33,6 mm.

A cabeça do rádio está deslocada em relação ao colo, e a cabeça é angulada em relação à diáfise. O ângulo médio colo-diáfise é de 140 graus [1].

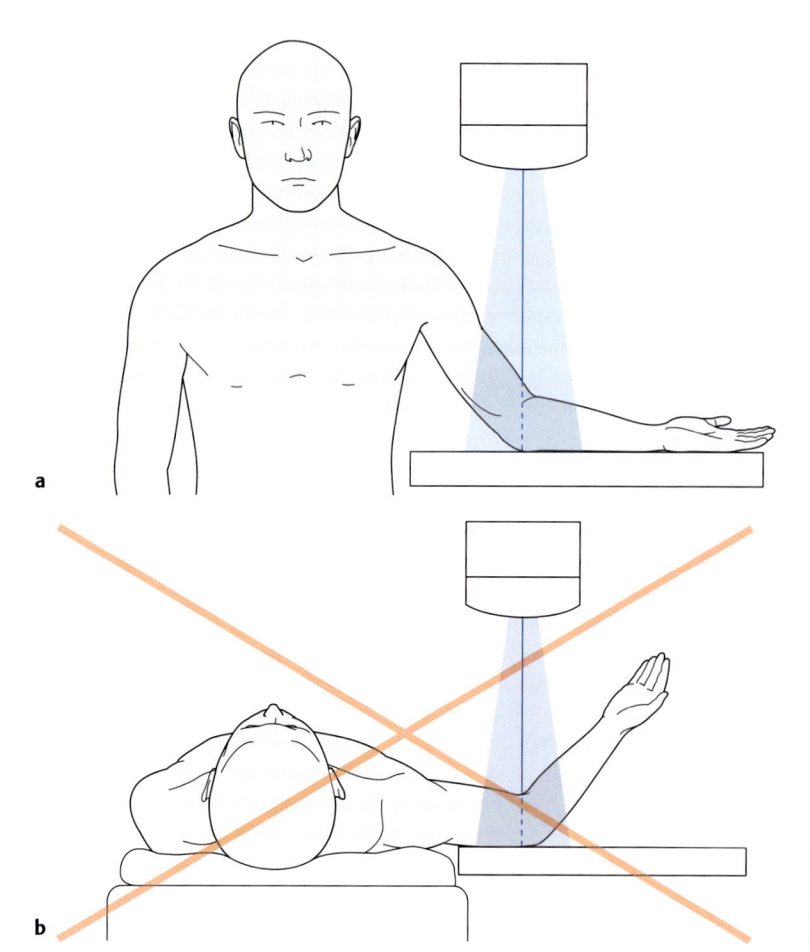

Fig. 6.3.1-2a-b Para uma radiografia AP da cabeça do rádio, a direção do feixe deve ser perpendicular à cabeça do rádio, já que o cotovelo raramente pode ser estendido de maneira completa.

3.2 Proximal da ulna

A ulna é equivocadamente considerada como um osso reto, ao redor do qual o rádio gira durante a rotação do antebraço. A anatomia da ulna é muito mais complexa. A ulna tem cobertura de cartilagem em três partes distintas, já que faz parte de três articulações diferentes. As duas articulações proximais são a incisura semilunar, uma grande depressão formada pelo olécrano e pelo processo coronoide, que se articula com a parte troclear distal do úmero e, lateralmente, no processo coronoide, existe uma depressão articular estreita e oblonga, chamada de incisura radial. Ela se articula com a superfície articular circunferencial da cabeça do rádio.

A parte proximal da ulna tem anatomia complexa que permite que ela se articule com a porção proximal do rádio com angulação anterior, angulação em varo e, mais distalmente, angulação em valgo [2].

Keener e colaboradores [3] analisaram a anatomia da inserção do tendão do tríceps, já que era reconhecido que as abordagens com divisão do tríceps podem resultar em insuficiência do mecanismo desse músculo. Eles descreveram uma expansão distinta do tendão lateral em continuidade com a fáscia do ancôneo. A largura, espessura e dimensão da inserção do tendão são correlacionadas com a largura do olécrano.

3.3 Anatomia capsuloligamentar

O cotovelo é estabilizado tanto por restrições ósseas quanto de partes moles. Os estabilizadores ósseos são a ponta do olécrano e o processo coronoide, que se encaixam na fossa olecraniana e na fossa coronoide em extensão máxima e flexão máxima respectivamente. Ambas estruturas também contribuem significativamente para a estabilidade AP ao longo de toda a amplitude de movimento. Entretanto, com ligamentos intactos, é possível ressecar toda a ponta do olécrano ou até 50% da ponta da coronoide sem influenciar significativamente a estabilidade do cotovelo.

No lado medial, o complexo do ligamento colateral medial é o estabilizador principal contra o estresse em valgo. É composto de um feixe anterior, um feixe posterior e um feixe transverso. O feixe anterior corre da parte anterior do epicôndilo medial do úmero até o tubérculo sublime da ulna e da margem medial do processo coronoide. O feixe posterior corre da parte inferior/posterior do epicôndilo medial até a margem medial do olécrano. O feixe transverso conecta o feixe anterior e o posterior. O feixe anterior é o principal estabilizador em valgo entre 20 graus e 120 graus de flexão. Se intacto, o cotovelo permanece estável em valgo mesmo na ausência da cabeça do rádio (estabilizador secundário) e do feixe posterior (**Fig. 6.3.1-3a**).

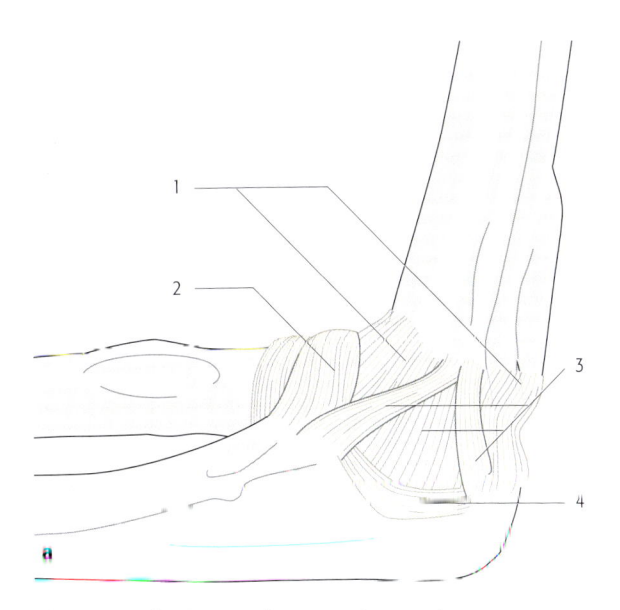

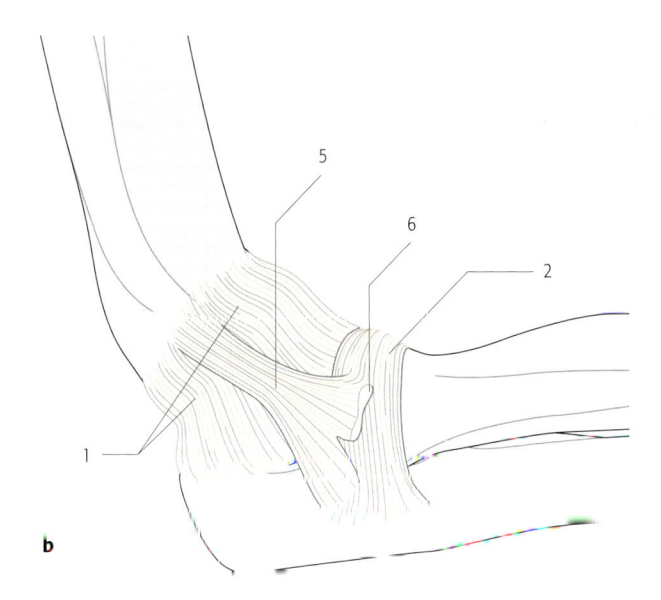

Fig. 6.3.1-3a-b Estrutura ligamentar do cotovelo.
1 Cápsula articular
2 Ligamento anular
3 Ligamento colateral ulnar
4 Banda transversal
5 Ligamento colateral radial
6 Origem do supinador

Fraturas específicas
6.3.1 Proximal do antebraço e lesões complexas do cotovelo

O complexo do ligamento colateral lateral é composto de três ligamentos distintos: o ligamento colateral ulnar lateral (LCUL), o ligamento colateral radial (LCR) e o ligamento anular. O LCUL e o LCR são espessamentos da cápsula. O LCUL se estende a partir do epicôndilo lateral, no centro de rotação do cotovelo, até a crista supinadora da ulna, percorrendo o aspecto posterolateral da cabeça do rádio. É considerado a principal restrição contra a migração posterolateral da cabeça do rádio. Proximalmente, o LCUL e o LCR são dificilmente identificáveis e se misturam com os tendões extensores sobrejacentes e a fáscia intermuscular. O ligamento anular envolve a cabeça do rádio e se afila distalmente conforme se estende por sobre a porção proximal do colo do rádio. O ligamento anular origina-se das margens anterior e posterior da incisura radial da ulna e atua na estabilização da cabeça do rádio contra a ulna ao longo da amplitude de pronação e supinação do antebraço (**Fig. 6.3.1-3b**).

A cápsula do cotovelo é uma estrutura relativamente fina e livre, incluindo a articulação umeroulnar e radiocapitelar. Anteriormente, ela se insere 6-10 mm distalmente à ponta da coronoide. É mais frouxa em uma posição de 80-90 graus de flexão, que é a posição de mínima pressão intra-articular. Por conseguinte, os pacientes com um derrame articular espontaneamente irão assumir essa posição, e a artrofibrose pós-traumática ocorrerá com mais frequência nessa posição.

4 Classificação

4.1 Classificação AO/OTA de Fraturas e Luxações

A Classificação AO/OTA de Fraturas e Luxações das fraturas proximais do antebraço descreve tanto as fraturas proximais do rádio quanto proximais da ulna (**Fig. 6.3.1-4**).

4.2 Outras classificações relevantes

A Classificação de Mason das Fraturas da Cabeça do Rádio é útil e comumente usada (**Fig. 6.3.1-5**) [4]. Nijs e Devriendt [5] desenvolveram um sistema de classificação patomecânica da porção proximal da ulna:

- As fraturas do tipo A são as fraturas extra-articulares proximais da ulna resultantes de uma força de encurvamento que atua sobre o cotovelo bloqueado.
- As fraturas do tipo B são as fraturas articulares parciais.
- As fraturas B1 e B2 são rupturas do mecanismo extensor.
- As fraturas B3 são as fraturas por cisalhamento do processo coronoide. Elas podem ser classificadas de acordo com Adams e Morrey [6]. Esses autores distinguem entre cinco padrões de fratura, com base na análise de TC:
  - Tipo 1: fraturas da ponta
  - Tipo 2: mediotransversal
  - Tipo 3: da base
  - Tipo 4 AM: oblíqua anteromedial
  - Tipo 5 AL: oblíqua anterolateral
- A maioria dessas fraturas está associada a fraturas da cabeça/colo do rádio.
- As fraturas tipo C são as fraturas articulares completas, resultantes da impacção distal do úmero sobre porção proximal da ulna.

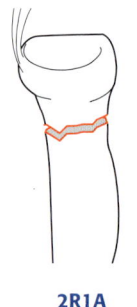

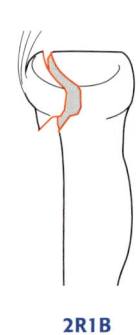

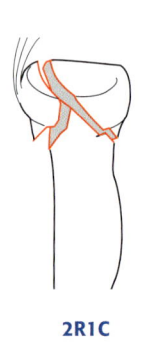

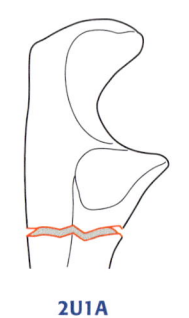

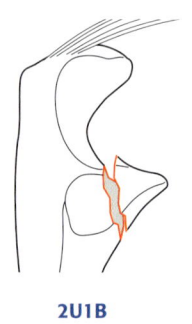

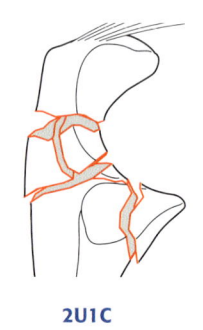

2R1A Rádio, segmento da extremidade proximal, **fratura extra-articular**
2R1B Rádio, segmento da extremidade proximal, **fratura articular parcial**
2R1C Rádio, segmento da extremidade proximal, **fratura articular completa**

2U1A Ulna, segmento da extremidade proximal, **fratura extra-articular**
2U1B Ulna, segmento da extremidade proximal, **fratura articular parcial**
2U1C Ulna, segmento da extremidade proximal, **fratura articular completa**

Fig. 6.3.1-4 Classificação AO/OTA de Fraturas e Luxações – proximal do rádio e da ulna.

5 Indicações cirúrgicas

- Fraturas intra-articulares desviadas (mais de 2 mm) proximal do rádio, da ulna ou de ambos
- Articulação luxada com fratura associada que esteja desviada
- Fraturas do cotovelo que estejam associadas a luxação (que pode ter se reduzido espontaneamente) e ruptura ligamentar
- Corpos livres intra-articulares depois de fraturas ou fraturas-luxações
- Falha em manter uma redução anatômica de uma fratura ou de uma fratura-luxação
- Politraumatismo, fraturas expostas, ou fraturas com comprometimento neurovascular

6 Planejamento pré-operatório

6.1 Tratamento não operatório

As fraturas estáveis e não desviadas ou minimamente desviadas da cabeça do rádio (menos que 2 mm de desvio de menos que 30% da superfície articular) são tratadas de forma conservadora. Uma tipoia oferece suporte ao braço para conforto, mas a imediata amplitude de movimento completa é encorajada. Alguns autores [7] preconizam a aspiração do hematoma da fratura e a infiltração intra-articular com anestésico local. Isso certamente oferece um bom alívio da dor e movimento em curto prazo, mas o benefício em longo prazo da aspiração permanece discutível.

O tratamento não operatório das fraturas proximais da ulna é limitado a:

- Fraturas extra-articulares não desviadas proximais da ulna
- Fraturas articulares parciais não desviadas proximais da ulna com o mecanismo extensor intacto (capaz de estender ativamente contra a gravidade)
- Fraturas desviadas do olécrano (2U1B1) em pacientes idosos de baixa demanda

Gallucci e colaboradores [8] descreveram uma série de 28 pacientes idosos tratados com 5 dias de imobilização com tala, seguida por uma tipoia e mobilização ativa conforme tolerado. Embora 22 pacientes tivessem desenvolvido não união, nenhum paciente necessitou de tratamento cirúrgico e a função foi considerada boa (140 graus de flexão e 15 graus de extensão).

6.2 Momento da cirurgia

As luxações ou fraturas-luxações precisam ser urgentemente reduzidas. As fraturas expostas requerem o tratamento precoce da ferida e isso é geralmente combinado com a fixação interna definitiva, a menos que haja contaminação grave. A lesão da artéria braquial com isquemia distal requer o tratamento imediato para restaurar a circulação e estabilizar a lesão. Nas lesões fechadas, o inchaço de partes moles nem sempre impede a cirurgia precoce nessa região.

6.3 Seleção do implante e posicionamento do paciente

A seleção do implante dependerá do tamanho do paciente e dos fragmentos de fratura. Parafusos e placas de minifragmentos (1,5, 2,0, 2,4 ou 2,7 mm) ou de pequenos fragmentos (3.5 mm) podem ser usados para fornecer uma fixação estável. As técnicas de banda de tensão podem ser necessárias, e placas bloqueadas anatômicas estão disponíveis para os vários locais da porção proximal do rádio e da ulna que são comumente fraturados. A extrema importância das estruturas ligamentares não deve ser esquecida. O objetivo deve sempre ser produzir uma fixação estável da fratura e da articulação do cotovelo, de forma a permitir o movimento ativo precoce; isso pode requerer o reparo ligamentar com âncoras e uma sutura forte e, ocasionalmente, a reconstrução ligamentar.

A cirurgia para as fraturas isoladas da cabeça do rádio é executada com o paciente em decúbito dorsal e o braço sobre uma mesa auxiliar. A extremidade é preparada desde a axila até os dedos para permitir a rotação do antebraço e a flexão e extensão do cotovelo durante a fixação cirúrgica.

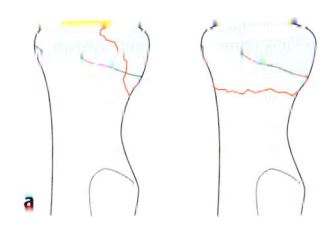

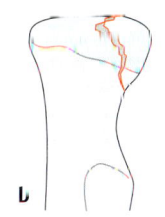

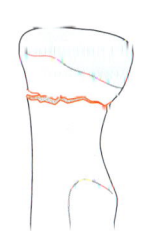

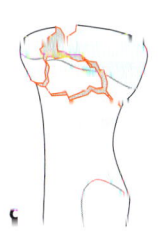

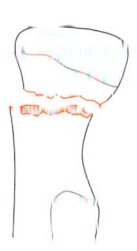

Fig. 6.3.1-5 Classificação de Mason.
a Tipo I – fratura minimamente desviada, nenhum bloqueio mecânico à rotação e desvio intra-articular menor que 2 mm.
b Tipo II – fratura desviada de menos que 2 mm ou angulada, possível bloqueio mecânico à rotação do antebraço.
c Tipo III – fratura cominutiva e desviada, bloqueio mecânico ao movimento.

Fraturas específicas

6.3.1 Proximal do antebraço e lesões complexas do cotovelo

Ao lidar com fraturas proximais isoladas da ulna ou fraturas-luxações complexas, a posição lateral com o cotovelo flexionado sobre um suporte lateral é favorável (**Fig. 6.3.1-6**). Depois da preparação da pele e colocação de campos, um torniquete estéril é colocado no braço, mas somente é inflado no caso de sangramento intenso.

6.4 Configuração da sala de cirurgia

6.4.1 Posição em decúbito ventral

Depois de preparar o braço, incluindo o torniquete, a mão é separadamente preparada para permitir a flexão do cotovelo durante a cirurgia e a obtenção de imagens. Campos descartáveis ou adesivos estéreis são usados para completar a preparação do paciente. O intensificador de imagem é preparado separadamente (**Fig. 6.3.1-7**).

A equipe da sala de cirurgia e o cirurgião ficam no lado da lesão. O assistente fica no lado oposto. Posicionar o intensificador de imagens no mesmo lado do cirurgião. Colocar a tela do intensificador de imagem para a completa visão da equipe cirúrgica e do técnico de radiologia (**Fig. 6.3.1-8**).

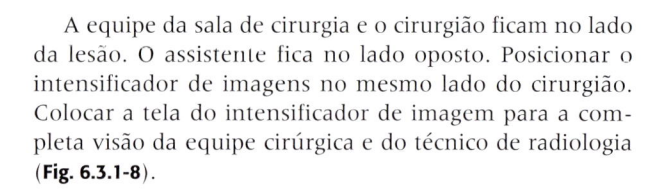

6.4.2 Posição em decúbito dorsal

O paciente é preparado e o braço preparado, incluindo o torniquete, permitindo movimentos da mão e do cotovelo depois da colocação dos campos (**Fig. 6.3.1-9**).

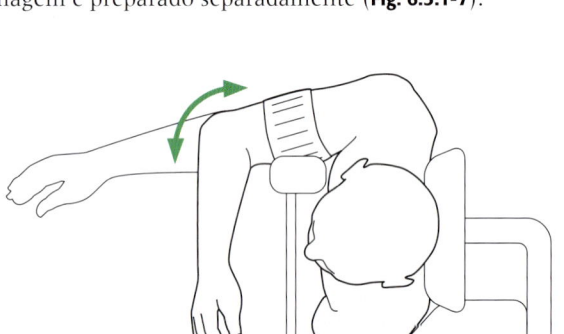

Fig. 6.3.1-6 Posição lateral. A fratura é facilmente abordada a partir do aspecto posterior.

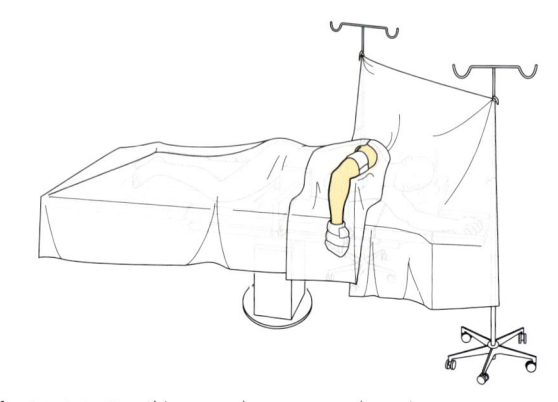

Fig. 6.3.1-7 Decúbito ventral: preparação do paciente.

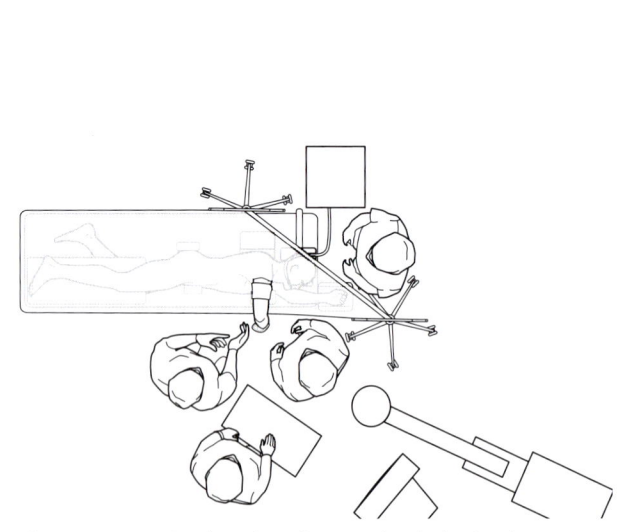

Fig. 6.3.1-8 Posição lateral: configuração da sala de cirurgia.

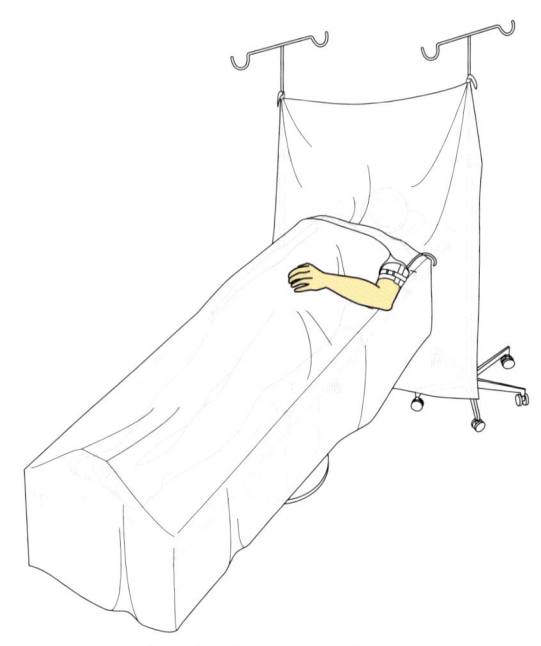

Fig. 6.3.1-9 Decúbito dorsal: preparação do paciente.

A equipe da sala de cirurgia fica no lado da lesão. Posicionar o intensificador de imagens no mesmo lado do cirurgião. Posicionar a tela do intensificador de imagem no lado oposto (**Fig. 6.3.1-10**).

7 Cirurgia

7.1 Abordagens cirúrgicas

7.1.1 Olécrano

A incisão de pele corre posteriormente desde a área supracondilar até um ponto 4 ou 5 cm distalmente à fratura. Pode ser suavemente curvada para o lado radial para proteger o nervo ulnar ou para evitar equimoses ou lacerações cutâneas. Os grandes retalhos de pele podem não cicatrizar adequadamente e devem ser evitados, sendo preferível o uso de retalhos de espessura completa. Para expor a articulação, a inserção do músculo ancôneo é desinserida perto da ulna, já que a separação das fibras pode denervar esse músculo.

7.1.2 Cabeça do rádio

As fraturas típicas da cabeça do rádio estão demonstradas na **Fig. 6.3.1-11**. A abordagem preferida foi descrita por Kocher e corre entre o ancôneo e o extensor ulnar do carpo. É uma abordagem internervosa verdadeira. A incisão começa sobre a crista supracondilar lateral, 5 cm proximalmente à articulação do cotovelo (**Fig. 6.3.1-12**). Passa distalmente à superfície lateral do antebraço proximal, posterior à cabeça do rádio. Ter cuidado com o nervo radial, que corre perto da cabeça e do colo do rádio. Ele se divide nos ramos superficial e profundo no nível da cabeça do rádio. A fáscia profunda é incisada em linha com a incisão cutânea. O desenvolvimento de um intervalo entre o músculo tríceps posteriormente e o braquiorradial e o extensor radial longo do carpo expõe anteriormente o epicôndilo lateral do úmero. A dissecção é continuada distalmente entre os músculos extensor ulnar do carpo e ancôneo. A cápsula articular é incisada longitudinalmente a partir da parte distal do epicôndilo lateral do úmero, acima do capítulo e, então, por sobre o aspecto posterolateral da cabeça

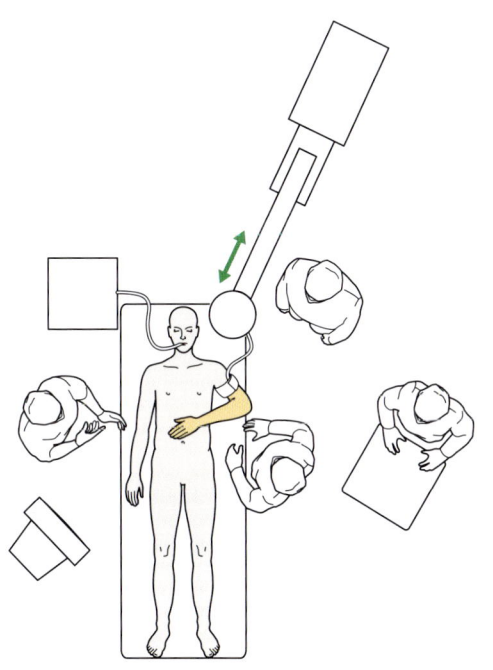

Fig. 6.3.1-10 Decúbito dorsal: configuração da sala de cirurgia.

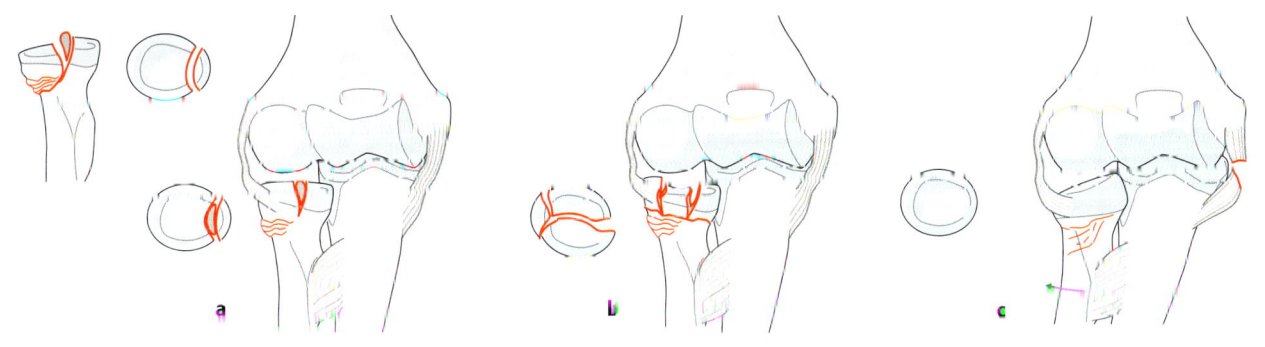

Fig. 6.3.1-11a-c Fraturas típicas da cabeça do rádio.
a Fraturas por cisalhamento desviadas, B1, com ou sem pequeno fragmento intermediário (2R1B1).
b Fratura fragmentada articular completa do rádio, C3, com impacção lateral (2R1C3).
c Inclinação extra-articular da cabeça do rádio, A2, frequentemente combinada com avulsão ligamentar e instabilidade do cotovelo (2R1A2).

Fraturas específicas
6.3.1 Proximal do antebraço e lesões complexas do cotovelo

do rádio. Alternativamente, a cápsula pode ser incisada como um retalho proximalmente baseado em forma de U. A reflexão subperiostal do braquiorradial e do extensor radial longo do carpo, anteriormente, e o tríceps, posteriormente, melhorará a exposição articular. Ter cuidado ao posicionar o afastador anterior, já que o nervo radial está em risco.

7.1.3 Coronoide

A abordagem *over-the-top* de Hotchkiss divide a massa flexopronadora e o braquial é refletido anteriormente a partir da cápsula para expor a ponta e a faceta anteromedial da coronoide (**Fig. 6.3.1-13**). Uma alternativa é a abordagem com divisão do flexor ulnar do carpo entre as duas

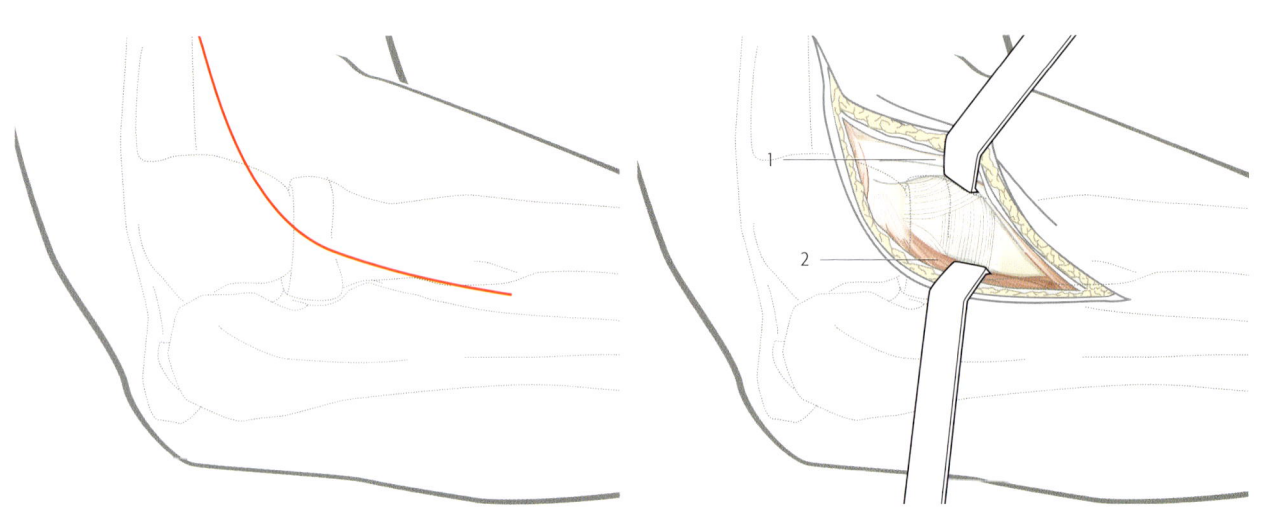

Fig. 6.3.1-12 A abordagem de Kocher.
1   Músculo extensor ulnar do carpo
2   Músculo ancôneo

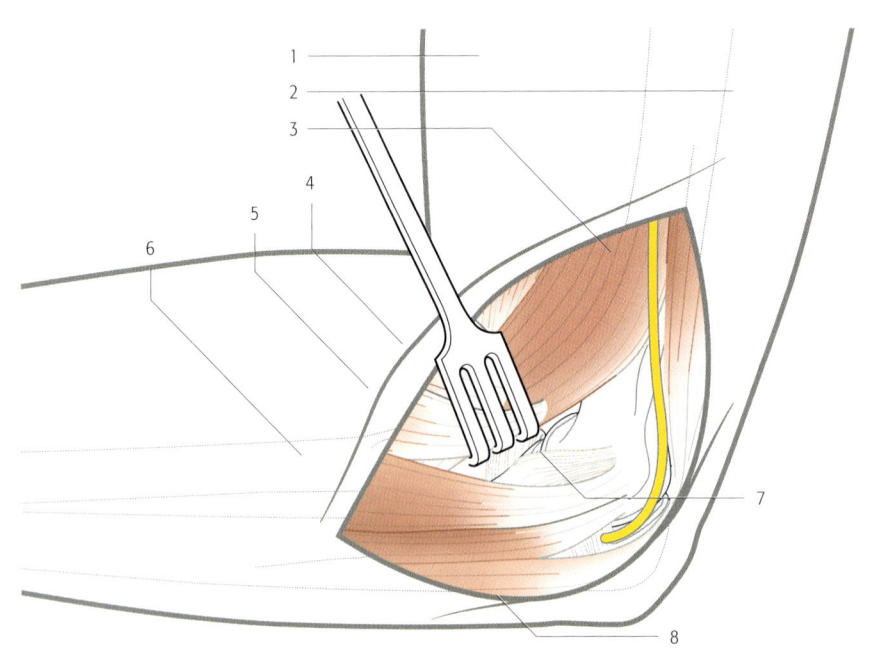

Fig. 6.3.1-13 A abordagem de Hotchkiss.
1   Músculo bíceps
2   Músculo tríceps
3   Braquial
4   Músculo pronador redondo
5   Músculo flexor radial do carpo
6   Músculo palmar longo
7   Coronoide
8   Músculo flexor ulnar do carpo

cabeças. A parte anterior do flexor ulnar do carpo e a massa muscular flexopronadora são cuidadosamente elevados para expor a faceta anteromedial e a base do coronoide. Os primeiros ramos do nervo ulnar são ramos articulares posteriores que podem ser sacrificados, mas o primeiro ramo motor é anterior e deve ser preservado (**Fig. 6.3.1-14**).

7.1.4 Ligamentos

A abordagem cirúrgica para o reparo ou reconstrução de ligamentos começa com a dissecção cuidadosa dos tecidos moles, com as abordagens medial e lateral anteriormente mencionadas. Ao preservar as inserções ligamentar e usar planos internervosos verdadeiros, as porções dos ligamentos colaterais e anular podem ser cuidadosamente identificadas e protegidas para reparo mais adiante.

7.2 Redução e fixação

7.2.1 Olécrano

Fios de Kirschner e fio com banda de tensão em figura de oito

Para as fraturas simples e proximais ao processo coronoide (B1 ou B2), a fixação com dois fios de Kirschner paralelos e uma banda de tensão em oito resultam em bom desfecho. Estudos biomecânicos recentes [9] demonstraram que não há nenhuma conversão de forças de tração em forças de compressão ao longo da amplitude completa do movimento. Entretanto, os resultados de consolidação e função desse método em pacientes com boa qualidade óssea são excelentes. A remoção do implante é frequentemente necessária, já que a taxa de migração do implante é alta no osso osteoporótico e em fraturas complexas.

A técnica de redução direta, usando ganchos, pinças de redução com ponta, ou fios de Kirschner, é o método de escolha para as fraturas articulares (**Fig. 6.3.1-15**).

Dois fios de Kirschner (1,8 ou 1,6 mm) como tutores internos e um ou dois fios de cerclagem de aço inoxidável de 1,0 mm em figura de oito são os implantes de escolha para as fraturas transversas (**Vídeo 6.3.1-1**).

A flexão do cotovelo e a separação de algumas fibras do músculo ancôneo do aspecto lateral expõem a fratura e a superfície articular. Depois da irrigação e limpeza da articulação, a fratura é reduzida, e qualquer fragmento articular impactado deve ser elevado em uma posição anatômica e sustentado com substituto ósseo.

A extensão do cotovelo e a redução simultânea dos fragmentos com uma pinça de ponta promovem a redução direta.

Os dois fios de Kirschner paralelos são inseridos adjacentes à superfície articular e ancorados na cortical oposta. O fio é passado como uma figura de oito através de um

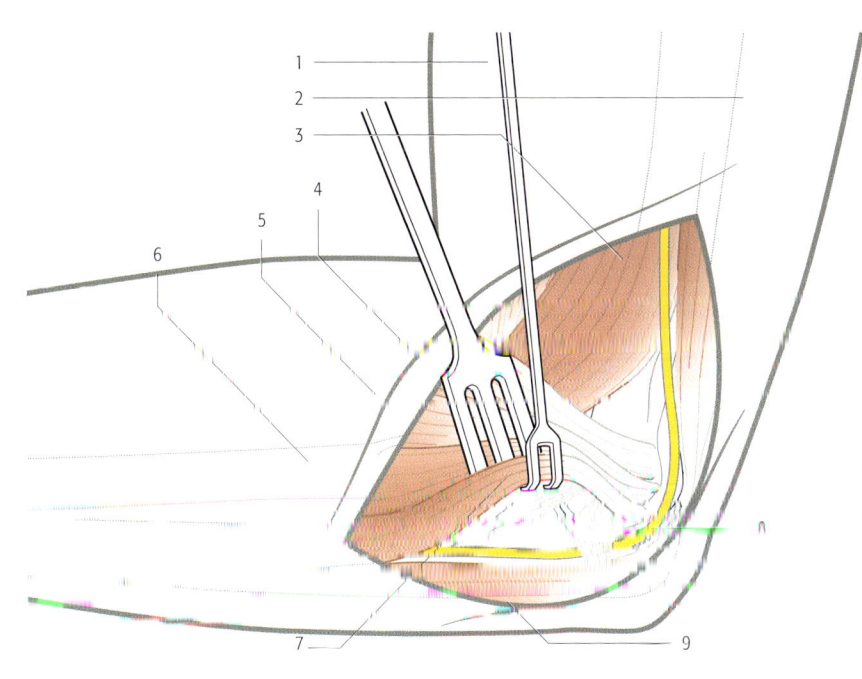

Fig. 6.3.1-14 A abordagem com divisão do flexor ulnar do carpo.
1   Músculo bíceps
2   Músculo tríceps
3   Músculo braquial
4   Músculo pronador redondo
5   Músculo flexor radial do carpo
6   Músculo palmar longo
7   Músculo flexor ulnar do carpo
8   Nervo ulnar
9   Músculo flexor ulnar do carpo

Fraturas específicas
6.3.1 Proximal do antebraço e lesões complexas do cotovelo

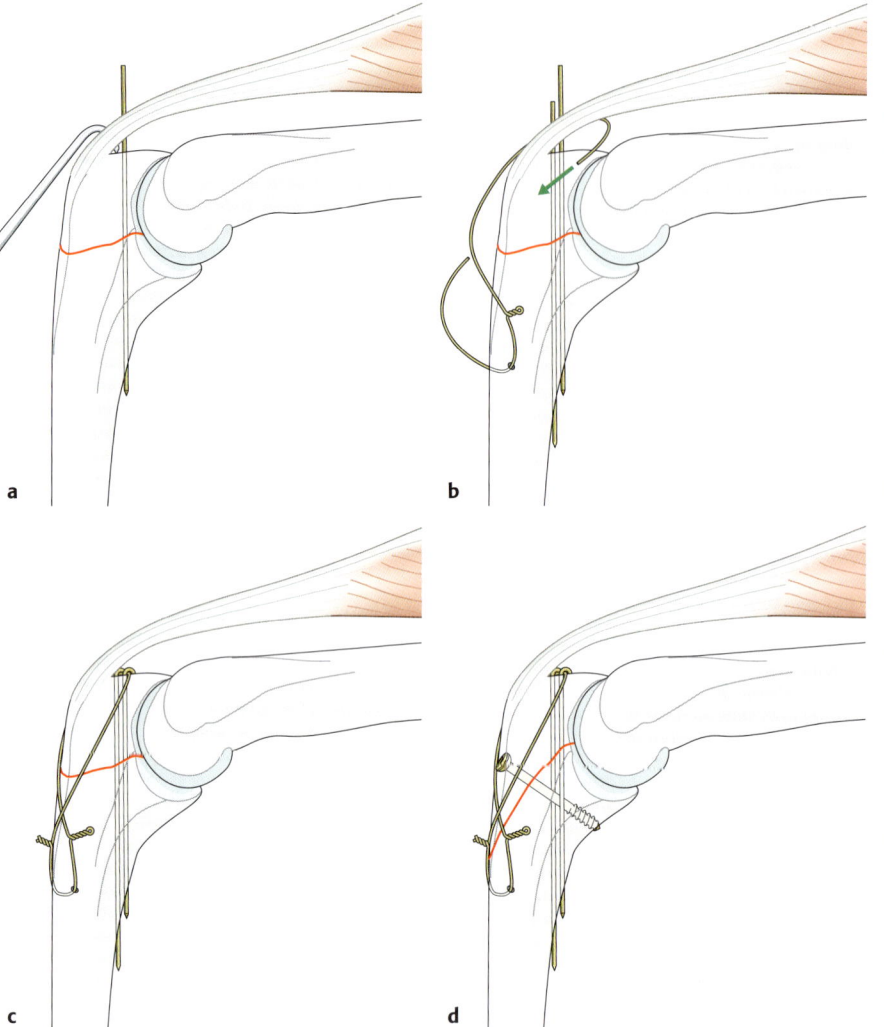

Fig. 6.3.1-15a-d

a As fraturas simples do olécrano são mais adequadamente reduzidas e seguras com um gancho, seguido por dois fios de Kirschner de 1,6 mm, que são introduzidos em paralelo entre si e que devem penetrar na cortical anterior distalmente. Alternativamente, os fios de Kirschner podem ser introduzidos pela técnica de dentro para fora, o que garante a sua posição ideal em relação à superfície articular.

b Um fio de aço inoxidável de 1,0 mm é passado através de um orifício de 2 mm na ulna e em uma figura de oito profundamente à inserção do músculo tríceps braquial no olécrano.

c A fixação final com o fio da banda de tensão posicionado. Note que os fios de Kirschner devem ser sepultados profundamente ao tendão do tríceps para prevenir o seu retrocesso quando o cotovelo for estendido.

d No caso de uma fratura oblíqua que tende a cisalhar quando o fio for apertado, um parafuso de tração de 4 mm pode ser usado com ou em vez dos fios de Kirschner. O uso de placa é um método de fixação alternativa para esse tipo de fratura.

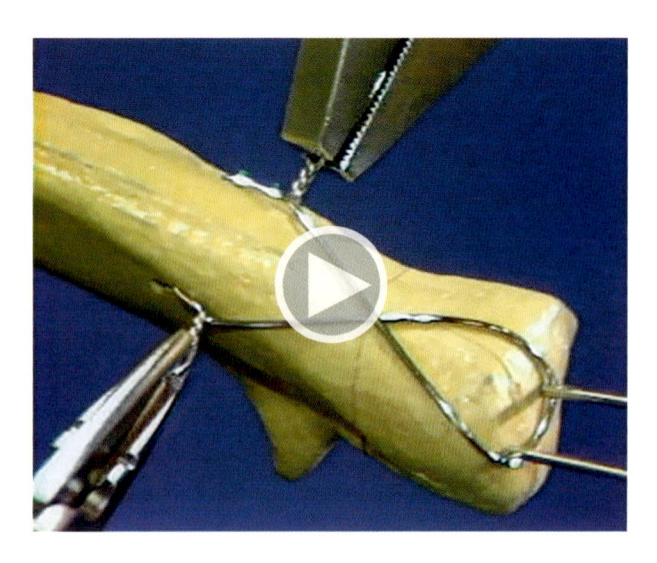

Vídeo 6.3.1-1 Banda de tensão para a fratura transversa simples do olécrano.

orifício perfurado mais distal na ulna e proximalmente profundo ao tendão do tríceps. Para obter a compressão ideal e simétrica, o fio é girado em ambos os lados da ulna. Os fios de Kirschner são curvados e impactados depois da divisão das fibras do tendão do tríceps, neste ponto, de forma que os fios estejam sepultados profundamente do tendão. Esse é um ponto técnico importante para prevenir que os fios retrocedam durante a extensão ativa do cotovelo.

Osteossíntese com placa e parafuso

As fraturas do tipo A são fraturas metadiafisárias. Elas podem ser tratadas com técnicas de estabilidade relativa com a restauração do comprimento, rotação e alinhamento. O uso de placa é o tratamento de escolha.

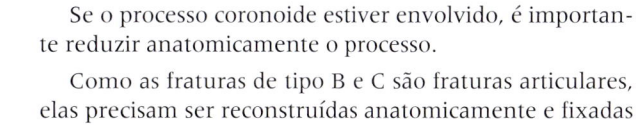

Se o processo coronoide estiver envolvido, é importante reduzir anatomicamente o processo.

Como as fraturas de tipo B e C são fraturas articulares, elas precisam ser reconstruídas anatomicamente e fixadas com estabilidade absoluta (**Fig. 6.3.1-16**).

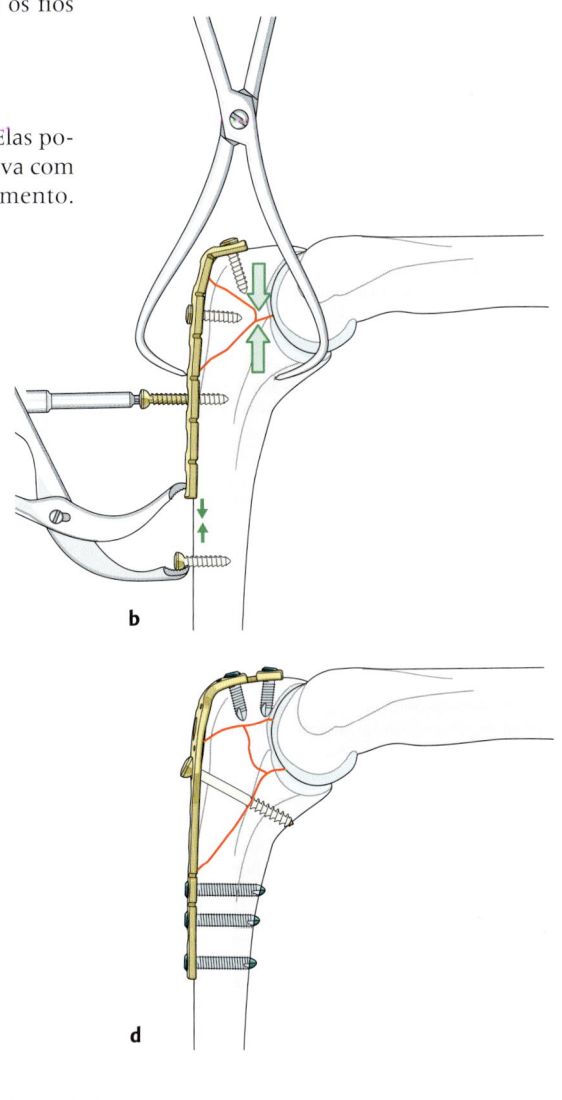

Fig. 6.3.1-16a-e

a   Em fraturas mais complexas do olécrano, o princípio da banda de tensão com fio e cerclagem pode não funcionar. Por conseguinte, uma placa pequena (placa terço de tubo, placa de compressão bloqueada (LCP) de 3,5, ou placa de reconstrução) é usada sob a forma de banda de tensão.
b   Estas placas requerem considerável moldagem para se curvar em torno da ponta do olécrano. A placa é primeiramente ancorada ao olécrano com dois parafusos e, se necessário, a pinça de Verbrugge é adicionada distalmente para comprimir a fratura.
c   Finaliza-se com um parafuso de tração adicional através da placa de reconstrução de 3,5.
d   Se a fratura for muito proximal, a LCP com parafusos de cabeça bloqueada pode ser usada para prover melhor fixação.
e   A LCP pré-moldada do olécrano.

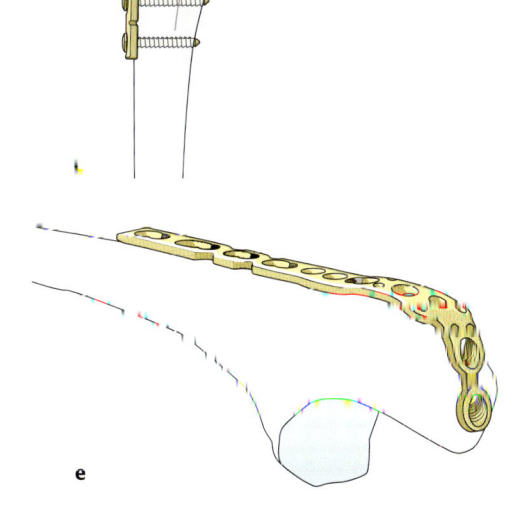

Fraturas específicas
6.3.1 Proximal do antebraço e lesões complexas do cotovelo

Em fraturas do tipo B1 ou B2, a força de desvio é a tração do tendão do tríceps. Para neutralizar essas forças, a placa com uma extensão proximal longa é deslizada através de uma divisão longitudinal no tendão de tríceps.

As fraturas B3 são as fraturas isoladas do processo coronoide. Eles requerem a redução precisa do processo coronoide [10]. Nas fraturas do tipo C, o foco está na reconstrução da superfície articular, com ênfase na reconstrução estável do fragmento que contenha o processo coronoide, já que é o fragmento fundamental. Os parafusos de tração, ou placas de 2,0 mm, podem ser usados para estabilizar fragmentos separados. Para estabilizar os fragmentos articulares reduzidos, podem ser benéficos os parafusos bloqueados de ângulo variável, especialmente em fraturas multifragmentadas e/ou pacientes osteoporóticos.

Hastes intramedulares

A posição subcutânea dos fios de Kirschner, fios de cerclagem, ou placas pode resultar em irritação de partes moles e demandar a remoção do implante. A fixação intramedular das fraturas proximais da ulna é uma alternativa interessante.

Nijs [11] descreveu o uso de uma haste de compressão nas fraturas tipo B e de uma haste intramedular bloqueada em fraturas tipo A, ambas com bom desfecho funcional. A irritação de partes moles, que demandasse a remoção do implante, não foi vista nessas séries.

7.2.2 Rádio
Osteossíntese com parafuso e placa

Como a cabeça do rádio se articula tanto ao capítelo do úmero como na incisura radioulnar, a maioria das fraturas é intra-articular e as fraturas significativamente desviadas precisam ser tratadas por redução anatômica e fixação estável absoluta [12, 13].

Quando a fratura for articular parcial, a fixação pode ser executada por parafusos de tração de 2 mm ou com parafusos de compressão sem cabeça. Se os parafusos comuns de 2 mm forem usados, eles são preferencialmente introduzidos a partir da zona segura e sepultados. Essa é a parte da cabeça do rádio que não se articula com a incisura (**Fig. 6.3.1-17**).

Nos casos de fratura articular completa da cabeça, ela precisa ser reconstruída anatomicamente e fixada à diáfise com uma placa. Preferencialmente, a placa é posicionada ao longo do colo e não na cabeça em si. A cabeça frequentemente precisa ser reconstruída com parafusos de tração independentes ou de compressão sem cabeça. Nos casos de fraturas proximais, a placa deve ser posicionada na zona segura para evitar interferência com a rotação do antebraço (**Fig. 6.3.1-17**).

A redução direta é obtida com um gancho dental e uma pinça de ponta fina. A rotação gentil do antebraço permite a inspeção da circunferência da cabeça e do colo radial.

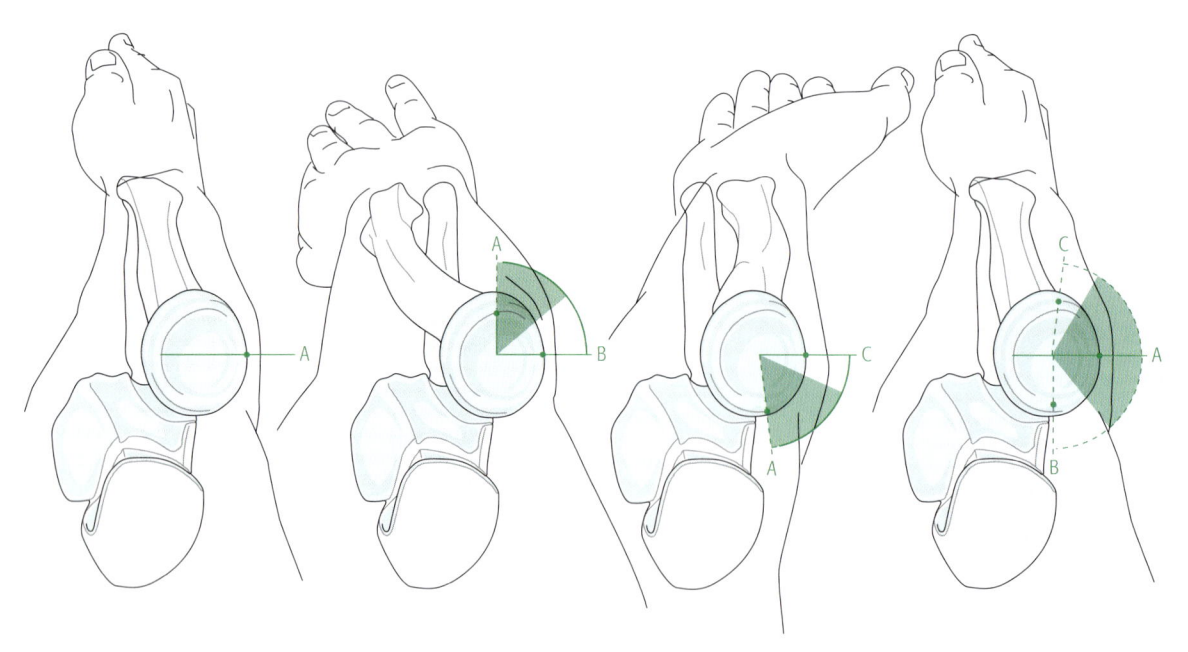

Fig. 6.3.1-17 Com o antebraço na posição neutra, a zona segura é definida por um arco de rotação que evita que o material de síntese sofra impacto na articulação radioulnar proximal.

A fixação provisória é feita com fios de Kirschner de 1 mm (**Fig. 6.3.1-18**).

Um ou mais parafusos de 1,5, 2,0, ou 2,4 mm podem fornecer fixação estável e compressão interfragmentar para fixar fragmentos marginais ou em cunha. Em fraturas impactadas, os mesmos parafusos podem ser usados como parafusos de posição (não como parafusos de tração), para evitar a compressão que estreitaria e distorceria a cabeça do rádio.

Como uma alternativa, parafusos de compressão sem cabeça podem ser usados. Eles têm a vantagem de serem posicionados completamente dentro do osso, de forma a não interferir com qualquer superfície articular.

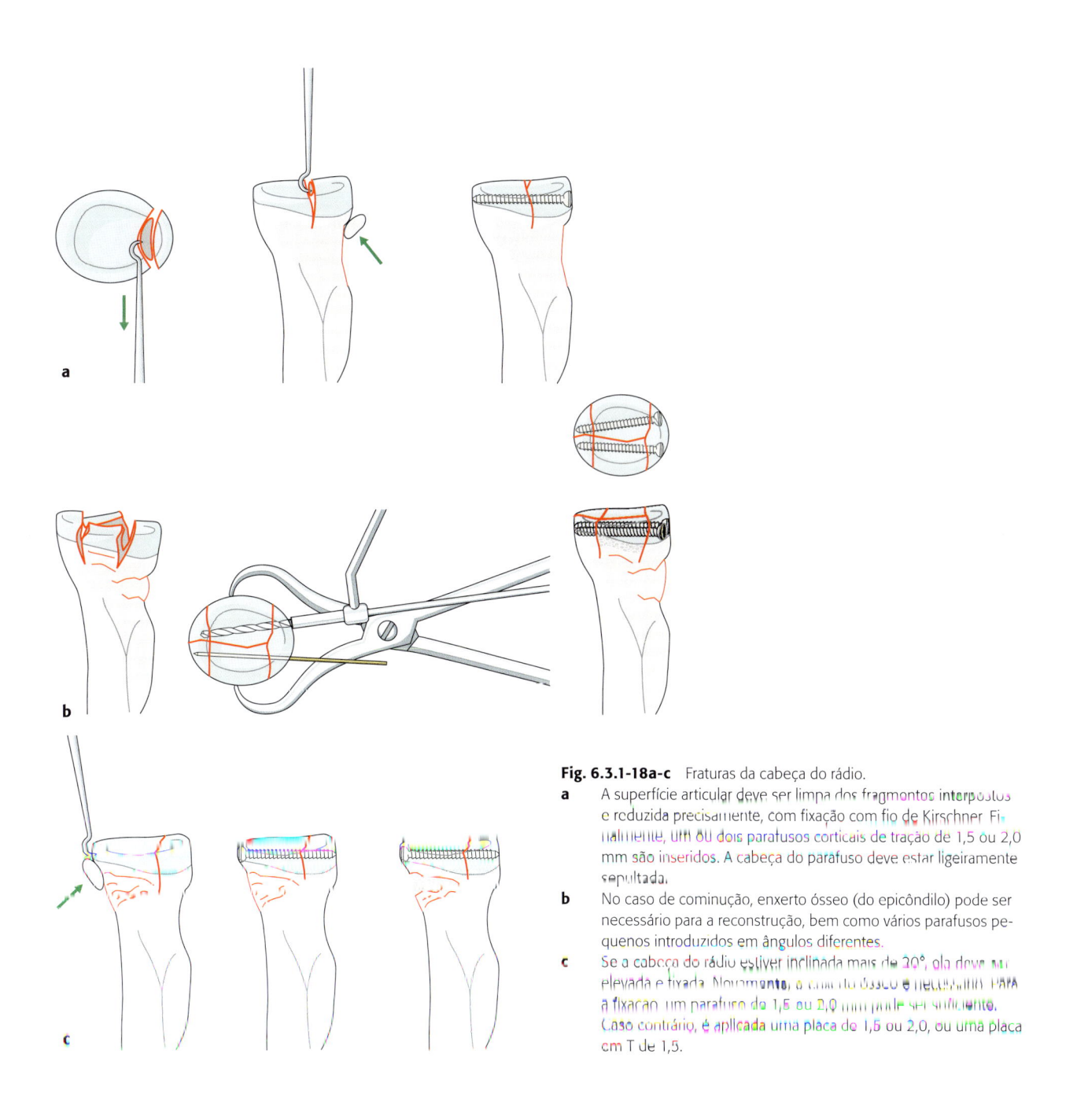

Fig. 6.3.1-18a-c Fraturas da cabeça do rádio.

a A superfície articular deve ser limpa dos fragmentos interpostos e reduzida precisamente, com fixação com fio de Kirschner. Finalmente, um ou dois parafusos corticais de tração de 1,5 ou 2,0 mm são inseridos. A cabeça do parafuso deve estar ligeiramente sepultada.

b No caso de cominução, enxerto ósseo (do epicôndilo) pode ser necessário para a reconstrução, bem como vários parafusos pequenos introduzidos em ângulos diferentes.

c Se a cabeça do rádio estiver inclinada mais de 30°, ela deve ser elevada e fixada. Novamente, a enxertia óssea é necessária. Para a fixação, um parafuso de 1,5 ou 2,0 mm pode ser suficiente. Caso contrário, é aplicada uma placa de 1,5 ou 2,0, ou uma placa em T de 1,5.

Fraturas específicas
6.3.1 Proximal do antebraço e lesões complexas do cotovelo

Em fraturas impactadas, cominutivas ou associadas a fratura do colo do rádio, uma miniplaca em T ou L pode ser usada para fixar. Placas anatomicamente pré-moldadas e especialmente projetadas estão disponíveis. Se usadas com parafusos bloqueados, elas são benéficas nos casos de cominução/impacção do colo, já que podem suportar a cabeça acima do defeito.

Alguns autores [14] verificaram que as fraturas com mais de três fragmentos podem ter um desfecho ruim e preconizam o uso de próteses de cabeça do rádio naquelas circunstâncias. Entretanto, outros [15] descrevem resultados funcionais favoráveis após a reconstrução estável em casos multifragmentares, mesmo na presença de necrose avascular ou não união. Sob a perspectiva de reconstrução operatória, quatro tipos de padrões de fratura são identificados: as fraturas em cunha, as impactadas, as multifragmentadas e as do colo do rádio (**Fig. 6.3.1-18**).

- Fraturas em cunha: A fratura é facilmente reduzida e fixada com um ou dois parafusos de tração pequenos. Pequenos pedaços da cartilagem capitelar são frequentemente encontrados aprisionados na fissura e devem ser removidos. As cabeças dos parafusos devem ser sepultadas para permitir a livre rotação do antebraço.
- Fraturas impactadas: Os fragmentos impactados podem ser encontrados como depressões da superfície articular periférica ou central da cabeça do rádio. Eles são gentilmente elevados usando um gancho dental ou um descolador pequeno. Se necessário, os defeitos restantes podem ser preenchidos com quantidades pequenas de osso esponjoso obtido a partir do epicôndilo lateral. A fixação provisória é obtida por meio de fios de Kirschner. Parafusos pequenos são usados como parafusos de posição ou uma miniplaca pode ser adicionada para apoiar a redução.
- Fraturas multifragmentadas: Os fragmentos são cuidadosamente reduzidos e provisoriamente fixados com fios de Kirschner. Dois ou três parafusos de 2 mm são usados para manter a superfície articular reduzida. Habitualmente, uma porção da cabeça do rádio permanece intacta e algumas conexões periosteais finas permanecem entre os fragmentos. Elas devem ser preservadas durante a redução dos fragmentos. Até em lesões complexas existem locais onde uma pequena placa em T ou em L podem ser moldadas e adaptadas para não impactar na articulação radioulnar proximal. A substituição protética da cabeça do rádio é uma opção razoável para fraturas multifragmentadas graves.
- Fraturas do colo do rádio: Essas fraturas são incomuns nos adultos. Uma vez que a cabeça seja realinhada, o defeito resultante é preenchido com enxerto ósseo, e parafusos de suporte ou uma miniplaca é colocada para evitar o desvio.

7.3 Ressecção e substituição da cabeça do rádio

7.3.1 Ressecção da cabeça do rádio

Em casos onde a reconstrução anatômica não for possível, a ressecção simples da cabeça do rádio é uma solução atraente. Entretanto, se houver instabilidade ligamentar ou longitudinal, a ressecção da cabeça do rádio pode resultar em complicações permanentes e difíceis de tratar. Como a instabilidade ligamentar ou longitudinal está presente na maioria dos pacientes com fraturas multifragmentadas da cabeça do rádio, quase nunca há lugar para a ressecção aguda da cabeça do rádio. Pode ser mais adequado tratar esses casos conservadoramente com ressecção retardada da cabeça do rádio, usada para restaurar a rotação do antebraço quando os tecidos moles tiverem cicatrizado e o cotovelo estiver estável [16, 17].

7.3.2 Substituição da cabeça do rádio (prótese)

Nos casos onde é impossível reconstruir a fratura da cabeça do rádio, a prótese de cabeça do rádio pode ajudar a restaurar a estabilidade longitudinal e/ou em valgo. A prótese atua como um espaçador para permitir a cicatrização capsuloligamentar [18].

O desfecho das próteses de cabeça do rádio permanece discutível. As alterações artríticas são descritas em até 50% dos pacientes, e dor em até 47% [19]. O alongamento excessivo (preenchimento em demasia) era a causa mais comum de falha cirúrgica.

Uma fixação estável da haste e a restauração exata do comprimento radial (cabeça do rádio se estendendo a um máximo de 1 mm acima da incisura) são fundamentais para um desfecho bem-sucedido [19, 20].

7.3.3 Ligamentos

Muitas fraturas isoladas da cabeça do rádio (todos os graus) têm lesões ligamentares associadas. Após a fixação ou a substituição da cabeça do rádio, o ligamento anular é reparado e a estabilidade do cotovelo é verificada por meio da amplitude de movimento completa. Nos casos com luxação do cotovelo associada, a desinserção do complexo ligamentar lateral do úmero é reparada com fios não reabsorvíveis colocados através de orifícios perfurados no osso ou com âncoras. No raro evento em que a instabilidade persistir, a redução e o comprimento radial devem ser cuidadosamente verificados, o complexo ligamentar medial deve ser explorado e reparado ou deve ser aplicado um fixador externo articulado. A reconstrução óssea e capsuloligamentar deve permitir o exercício da amplitude de movimento ativa.

8 Lesões complexas do cotovelo

8.1 Fratura-luxação anterior ou transolecraniana (tipo C3)

Essa lesão complexa ocorre quando um golpe direto de grande energia é aplicado ao aspecto posterior do antebraço com o cotovelo em 90 graus de flexão. Deve ser distinguida das lesões anteriores de Monteggia, porque tanto o rádio quanto a ulna se deslocam anteriormente, deixando a articulação radioulnar proximal intacta (**Fig. 6.3.1-19**). A porção proximal da ulna está frequentemente multifragmentada, com um grande fragmento do coronoide. As fraturas associadas da cabeça do rádio são incomuns. A instabilidade ocorre devido à ruptura da incisura troclear em vez da luxação da articulação umeroulnar. Os ligamentos colaterais podem ficar intactos, mas estarão estirados [21].

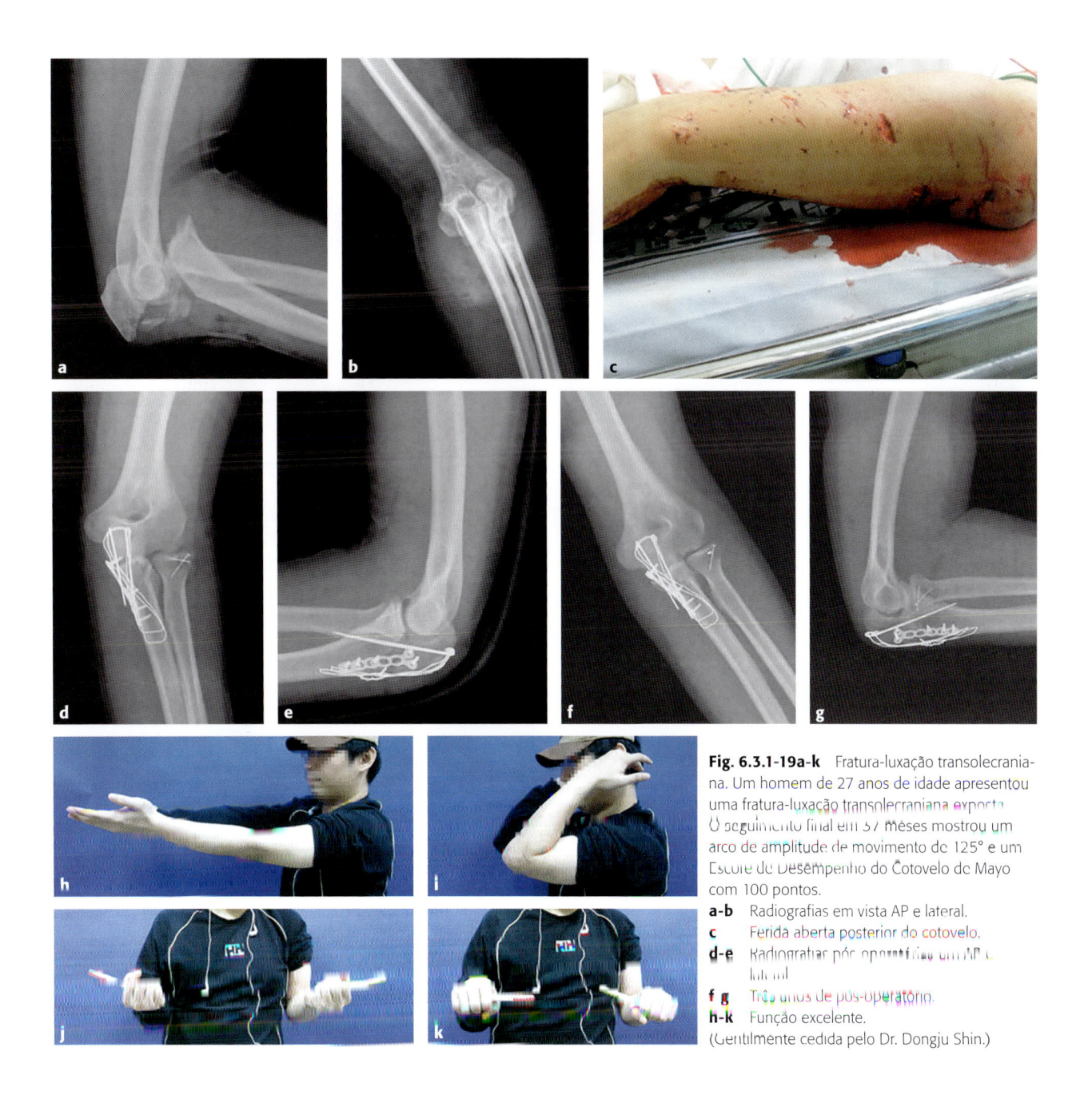

Fig. 6.3.1-19a-k Fratura-luxação transolecraniana. Um homem de 27 anos de idade apresentou uma fratura-luxação transolecraniana exposta. O seguimento final em 37 meses mostrou um arco de amplitude de movimento de 125° e um Escore de Desempenho do Cotovelo de Mayo com 100 pontos.
a-b Radiografias em vista AP e lateral.
c   Ferida aberta posterior do cotovelo.
d-e Radiografias pós-operatórias em AP e lateral.
f g Três anos de pós-operatório.
h-k Função excelente.
(Gentilmente cedida pelo Dr. Dongju Shin.)

Fraturas específicas
6.3.1 Proximal do antebraço e lesões complexas do cotovelo

Uma abordagem posterior é efetuada e a redução direta da ulna é realizada conforme descrito para as fraturas complexas do olécrano. A fixação do processo coronoide com um parafuso ou placa irá reforçar a estabilidade. Ocasionalmente, o processo coronoide fica intacto, mas a cápsula anterior é avulsionada e, se existir instabilidade, precisará ser reinserida com âncoras e sutura. A fixação deve produzir uma incisura troclear estável para permitir o movimento ativo precoce do cotovelo. Isso é mais bem alcançado pela fixação com placa pré-moldada ou placa de compressão bloqueada (LCP) de 3,5 aplicada posterior ou medialmente, para sustentar o fragmento articular intercalado ou atuando como ponte na fratura multifragmentada. Em geral, a figura de oito com fio e os fios de Kirschner não fornecem a estabilidade suficiente e não devem ser usados sem uma placa [21].

8.2 Fratura-luxação posterior de Monteggia

O mecanismo desta lesão é similar ao de uma luxação posterior do cotovelo. Entretanto, a falha ocorre através da porção proximal da ulna, resultando em uma fratura multifragmentada com um fragmento triangular ou quadrangular que pode envolver o processo coronoide ou estar localizado mais distalmente (**Fig. 6.3.1-20**). Geralmente, a cabeça do rádio é fraturada e desviada em direção posterolateral [22]. O ligamento colateral lateral pode ser avulsionado ou rompido, mas o ligamento medial permanece intacto [21].

A restauração perfeita do comprimento, alinhamento e rotação e fixação da porção proximal da ulna com uma placa posterior, como descrito anteriormente, reduzirá a luxação da articulação radioulnar proximal. A fixação

Fig. 6.3.1-20a-n Fratura-luxação posterior de Monteggia
Uma mulher de 66 anos de idade caiu e sofreu esta fratura. Edema intenso e flictenas cutâneas se seguiram. Dez dias depois do trauma, uma abordagem combinada medial e lateral foi usada. O seguimento final em 32 meses após a operação mostrou um arco de amplitude de movimento de 115 graus e um Escore de Desempenho do Cotovelo de Mayo com 100 pontos.
a-b Radiografia AP e lateral inicial.
c-d Imagem tomográfica computadorizada tridimensional demonstrando fratura cominutiva da coronoide e do colo do rádio com luxação posterolateral.
e-f Abordagem medial combinada para fixação da coronoide (**e**) e abordagem lateral para substituição protética da cabeça do rádio (**f**).
g-h Radiografia intraoperatória em vista AP e lateral.

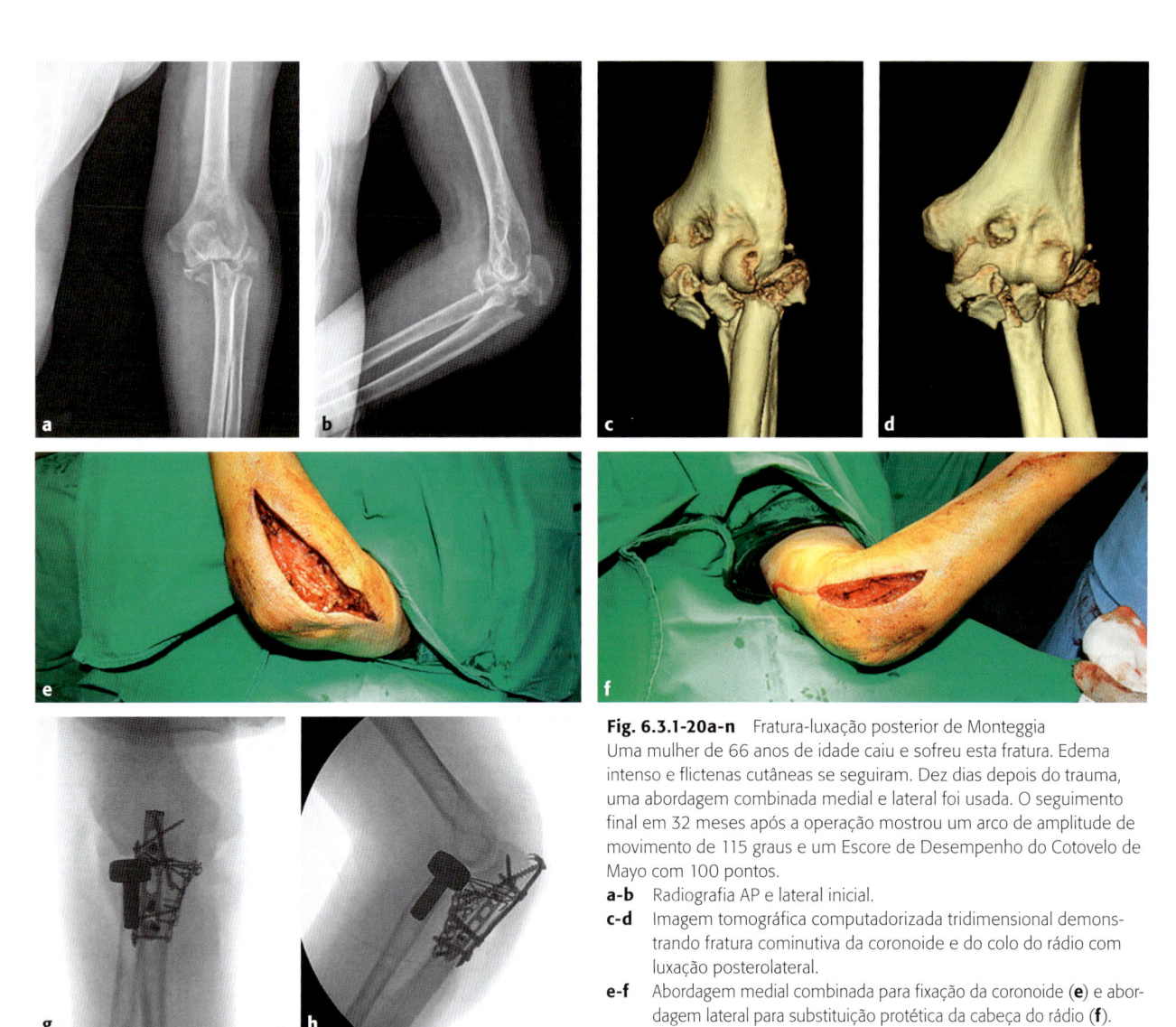

direta do processo coronoide com um parafuso de tração é habitualmente alcançada pela abordagem posterior. Ocasionalmente, conforme a tração é aplicada, o fragmento se reduzirá. A reconstituição da cortical ulnar anterior é essencial para permitir a atuação da placa como uma banda de tensão. A fixação da cabeça do rádio ou a substituição e a reinserção do complexo ligamentar lateral fornecerão estabilidade adequada para a coluna lateral.

8.3 Luxação do cotovelo com fraturas da cabeça do rádio e do coronoide

A "tríade terrível" do cotovelo envolve a luxação do cotovelo com fraturas associadas da cabeça do rádio e do coronoide (**Fig. 6.3.1-21**). Publicações recentes [23-25] têm enfatizado a necessidade para uma reconstrução cuidadosa e sequencial das estruturas ósseas e ligamentares danificadas. A escolha da abordagem dependerá do caso individual e das estruturas que precisam ser reparadas. Uma abordagem posterior estendida fornece acesso tanto a estruturas laterais quanto mediais. Primeiro, a cápsula e os ligamentos laterais são inspecionados: em mais de 50% dos casos a origem do extensor comum estará rompida. Se possível, a fratura do coronoide deve ser reduzida e fixada primeiro. Se isto não for possível através do lado lateral, então uma dissecção estendida deve ser feita medialmente, refletindo ou dividindo a massa flexopronadora. A fratura da cabeça do rádio é então fixada ou a cabeça é substituída, e o complexo ligamentar lateral é reinserido. Se a instabilidade persistir, a redução da fratura deve ser verificada e o reparo da cápsula anterior ou do ligamento colateral medial (com sutura direta ou âncoras e sutura) deve ser realizado. Se o cotovelo ainda permanecer instável, deve ser considerado o uso de um fixador externo articulado.

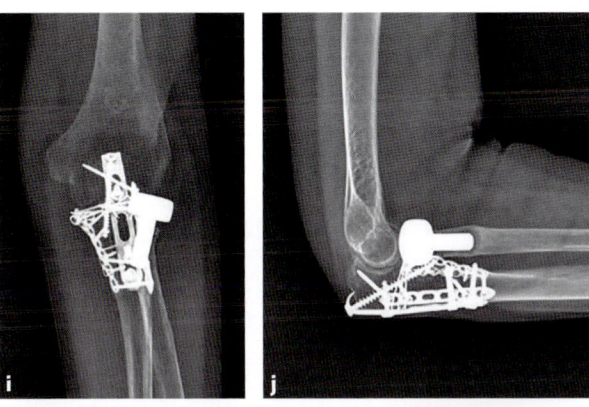

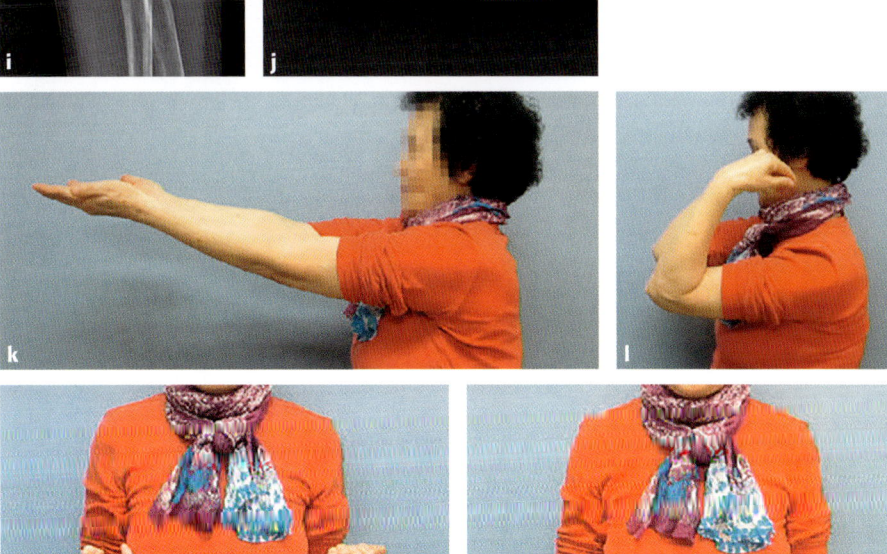

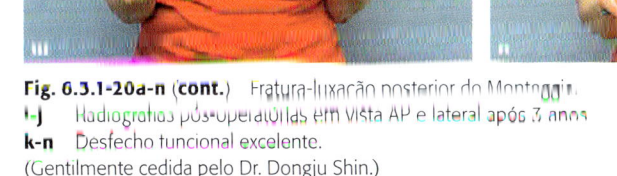

Fig. 6.3.1-20a-n (cont.) Fratura-luxação posterior do Monteggia.
i-j   Radiografias pós-operatórias em vista AP e lateral após 3 anos
k-n   Desfecho funcional excelente.
(Gentilmente cedida pelo Dr. Dongju Shin.)

Fraturas específicas
6.3.1 Proximal do antebraço e lesões complexas do cotovelo

8.4 Lesão de Essex-Lopresti

Essa lesão complexa envolve a fratura-luxação do cotovelo associada a uma fratura-luxação distal do rádio ou lesão da articulação radioulnar distal (**Fig. 6.3.1-22**). A diáfise do rádio segmentar ou "flutuante" está presente, e isso, associado à ruptura de ambas as articulações radioulnares proximal e distal e à membrana interóssea, pode levar a uma incapacidade grave. A reconstrução cuidadosa, geralmente com um implante de cabeça do rádio se a cabeça do rádio estiver esmagada, é obrigatória para manter as relações adequadas do rádio e da ulna.

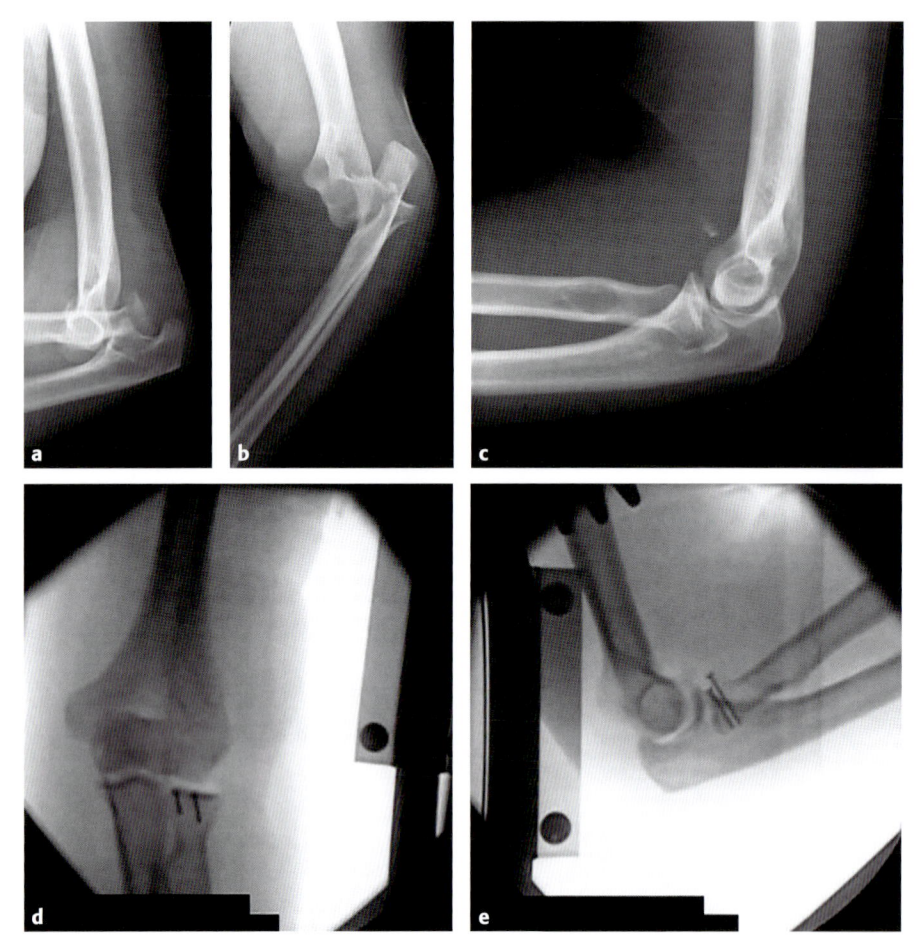

Fig. 6.3.1-21a-e A "tríade terrível": luxação do cotovelo com fraturas da cabeça do rádio e do coronoide.
- **a** Radiografia lateral antes da redução.
- **b** Radiografia AP antes da redução.
- **c** Radiografia lateral depois da redução.
- **d** Radiografia AP intraoperatória.
- **e** Radiografia lateral intraoperatória.

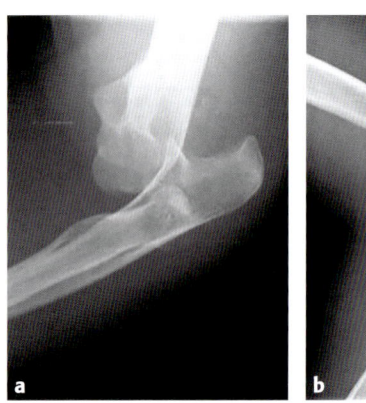

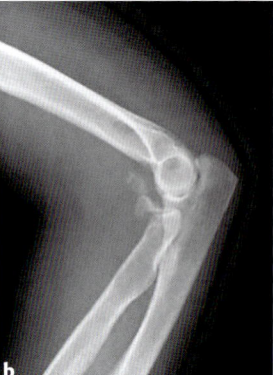

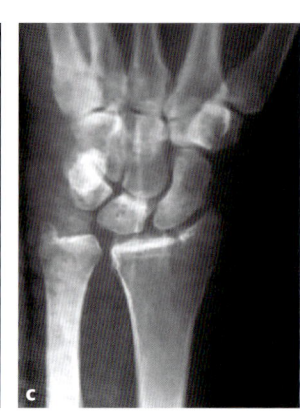

Fig. 6.3.1-22a-c Lesão de Essex-Lopresti.
- **a** Radiografia lateral antes da redução.
- **b** Radiografia lateral depois da redução.
- **c** Punho ulnar plus com encurtamento do rádio em relação à ulna.

9 Desafios

O trauma do cotovelo causa rigidez na maioria dos pacientes. O desafio é recuperar a amplitude de movimento funcional em flexão e extensão, como também em supinação e pronação. Mesmo as lesões simples da cabeça do rádio podem resultar em perda marcada de supinação e pronação.

10 Cuidados pós-operatórios

O objetivo da cirurgia é produzir uma articulação do cotovelo estável de forma que o movimento ativo com fisioterapia possa ser começado em um estágio precoce, idealmente quando a ferida estiver seca, em 48 horas e, certamente, dentro da primeira semana. Desse modo, a meticulosa manipulação e fechamento de partes moles é essencial para evitar complicações na ferida que retardem a reabilitação.

11 Complicações

11.1 Complicações precoces
- Falha da fixação
- Instabilidade do cotovelo
- Paralisia do nervo interósseo posterior
- Infecção
- Rigidez
- Reluxação

11.2 Complicações tardias
- Ossificação heterotópica
- Rigidez
- Proeminência do material de síntese que demande a sua remoção
- Falha do material de síntese
- Não união, especialmente das fraturas do colo do rádio
- Neuropatia do ulnar
- Alterações artríticas na articulação com dor subsequente
- Dor no punho com a lesão de Essex-Lopresti

12 Prognóstico e desfecho

Essa lesão, mais do que qualquer outra do corpo, causa rigidez na articulação lesionada. Alguns pacientes têm dificuldades com a reabilitação porque experimentam dor, e muitos não são bons no alongamento inicial [10]. Um programa claro de reabilitação e de tratamento da dor é essencial. A maioria dos pacientes com tempo, prática, e reassunção das atividades preferidas, recuperará uma amplitude de movimento funcional. A contratura capsular pode ser melhorada por um ano ou mais com exercícios de alongamento. Mais de 50% dos pacientes ficarão com uma ou mais das complicações listadas acima [26, 27]. Ocasionalmente, a manipulação precoce sob anestesia pode ser necessária para recuperar a amplitude de movimento. Adjuntos como fármacos anti-inflamatórios não esteroides, fisioterapia, imobilizadores dinâmicos de extensão e flexão podem ajudar a estabelecer uma amplitude de movimento razoável. A amplitude de movimento funcional é geralmente definida como de 30 graus até 120 graus no arco de flexão e mais de 120 graus da supinação e pronação total. Raramente, com a continuada rigidez articular do cotovelo, a artrólise completa do cotovelo será necessária.

Fraturas específicas
6.3.1 Proximal do antebraço e lesões complexas do cotovelo

Referências clássicas   **Referências de revisão**

13 Referências

1. **Kuhn S, Burkhart KJ, Schneider J, et al.** The anatomy of the proximal radius: implications on fracture implant design. *J Shoulder Elbow Surg.* 2012 Sep;21(9):1247–1254.
2. **Puchwein P, Schildhauer TA, Schoffmann S, et al.** Three-dimensional morphometry of the proximal ulna: a comparison to currently used anatomically preshaped ulna plates. *J Shoulder Elbow Surg.* 2012 Aug;21(8):1018–1023.
3. **Keener JD, Chafik D, Kim HM, et al.** Insertional anatomy of the triceps brachii tendon. *J Shoulder Elbow Surg.* 2010 Apr;19(3):399–405.
4. **Mason M.** Some observations on fractures of the head of the radius with a review of one hundred cases. *Br J Surg.* 1954;42:123–132.
5. **Nijs SH, Devriendt S.** Proximal ulna fractures: a novel pathomechanic classification system. *Obere Extremität.* 2014;9:192–196.
6. **Adams JE, Sanchez-Sotelo J, Kallina CF, et al.** Fractures of the coronoid: morphology based upon computer tomography scanning. *J Shoulder Elbow Surg.* 2012 Jun;21(6):782–788.
7. **Foocharoen T, Foocharoen C, Laopaiboon M, et al.** Aspiration of the elbow joint for treating radial head fractures. *Cochrane Database Syst Rev.* 2014 Nov 22;(11):CD009949.
8. **Gallucci GL, Piuzzi NS, Slullitel PA, et al.** Non-surgical functional treatment for displaced olecranon fractures in the elderly. *Bone Joint J.* 2014;96-B:530–542.
9. **Brink PR, Windolf M, de Boer P, et al.** Tension band wiring of the olecranon: is it really a dynamic principle of osteosynthesis? *Injury.* 2013 Apr;44(4):518–522.
10. **Ring D, Horst TA.** Coronoid fractures. *J Orthop Trauma.* 2015 Oct;29(10):437–440.
11. **Nijs S.** Olecranon and ulna. In: *Intramedullary Nailing.* Rommens PH eds.,2015;147–159. London: Springer-Verlag London.
12. **Lapner M, King GJ.** Radial head fractures. *Instr Course Lect.* 2014;63:3–13.
13. **Pike JM, Grewal R, Athwal GS, et al.** Open reduction and internal fixation of radial head fractures: do outcomes differ between simple and complex injuries? *Clin Orthop Relat Res.* 2014 Jul;472(1):2120–2127.
14. **Ring D.** Radial head fracture: open reduction-internal fixation or prosthetic replacement. *J Shoulder Elbow Surg.* 2011;20:S107–112.
15. **Businger A, Ruedi TP, Sommer C.** On-table reconstruction of comminuted fractures of the radial head. *Injury.* 2010 Jun ;41(6):583–588.
16. **Schiffern A, Bettwieser SP, Porucznik CA, et al.** Proximal radial drift following radial head resection. *J Shoulder Elbow Surg.* 2011Apr;20:426–433.
17. **Iftimie PP, Calmet Garcia J, de Loyola Garcia Forcada I, et al.** Resection arthroplasty for radial head fractures: long-term follow-up. *J Shoulder Elbow Surg.* 2011 Jan;20(1):45–50.
18. **Zwingmann J, Bode G, Hammer T, et al.** Radial head prosthesis after radial head and neck fractures—current literature and quality of evidence. *Acta Chir Orthop Traumatol Cech.* 2015;8(3)2:177– 185.
19. **van Riet RP, Sanchez-Sotelo J, Morrey BF.** Failure of metal radial head replacement. *TJ Bone Joint Surg Br.* 2010 May;92(5):661–667.
20. **Doornberg JN, Linzel DS, Zurakowski D, et al.** Reference points for radial head prosthesis size. *J Hand Surg Am.* 2006 Jan;31(1):53–57.
21. **Doornberg J, Ring D, Jupiter JB.** Effective treatment of fracturedislocations of the olecranon requires a stable trochlear notch. *Clin Orthop Relat Res.* 2004 Dec;(429):292–300.
22. **Fayaz HC, Jupiter JB.** Monteggia fractures in adults. *Acta Chir Orthop Traumatol Cech.* 2010;77(6):457–462.
23. **Giannicola G, Calella P, Piccioli A, et al.** Terrible triad of the elbow: is it still a troublesome injury? *Injury.* 2015 Dec;46 Suppl 8:S68–76.
24. **Pierrart J, Bégué T, Mansat P, et al.** Terrible triad of the elbow: treatment protocol and outcome in a series of eighteen cases. *Injury.* 2015 Jan;46 Suppl 1:S8–S12.
25. **Chen NC, Ring D.** Terrible triad injuries of the elbow. *J Hand Surg Am.* 2015 Nov;40(11):2297–2303.
26. **Zwingmann J, Wetzel M, Dovi-Akue D, et al.** Clinical results after different operative treatment methods of radial head and neck fractures: a systematic review and meta-analysis of clinical outcome. *Injury.* 2013 Nov;44(11):1540– 1550.
27. **Scolaro J, Beingessner D.** Treatment of Monteggia and transolecranon fracture-dislocations of the elbow. *JBJS Rev.* 2014 Jan 21;2(1).

14 Agradecimentos

Agradecemos a Jaime Quintero e Thomas Varecka por suas contribuições para este capítulo na 2ª edição de *Princípios AO do tratamento de fraturas*.

6.3.2 Antebraço, diáfise

John T. Capo

1 Introdução

As fraturas da diáfise do antebraço incluem as fraturas da diáfise do rádio, da ulna ou de ambos. Elas ocorrem por trauma de alta energia e podem ser mais comuns em homens.

1.1 Epidemiologia

Conforme documentação da AO (1980-1996), 10-14% de todas as fraturas registradas ocorreram no antebraço. De 1996 até 2006, houve um aumento de mais de 200% no volume das fraturas de antebraço cirurgicamente tratadas [1].

1.2 Características especiais

Essa lesão pode estar associada à luxação articular nos aspectos proximal ou distal do antebraço.

> A luxação da articulação radioulnar distal (ARUD), e a fratura da diáfise radial também é conhecida como fratura de Galeazzi. A luxação da cabeça radial e a fratura ulnar proximal são conhecidas como fratura de Monteggia.

As fraturas e as fraturas-luxações podem estar associadas a um risco aumentado de síndrome compartimental do antebraço. As fraturas do cassetete (fraturas isoladas da diáfise da ulna) são classicamente devido à defesa contra um trauma não penetrante. Essas fraturas estão associadas a uma alta taxa de consolidação retardada ou não união apesar de serem geralmente lesões fechadas com um padrão de fratura simples.

2 Avaliação e diagnóstico

2.1 História do caso e exame físico

Uma história cuidadosamente obtida fornece informações valiosas, como, por exemplo, se a lesão ocorreu em um ambiente sujo. Os mecanismos comuns de lesão incluem quedas de altura, colisões de veículos automotores, lesões desportivas e golpes diretos no antebraço.

Os sintomas geralmente incluem dor, edema, deformidade do antebraço e redução na mobilidade do antebraço e do cotovelo.

O exame físico frequentemente revela edema, equimose, deformidade e dor à palpação. Pode haver crepitação no local da fratura e deformidade palpável em uma luxação articular proximal ou distal.

Durante o exame físico, devem ser cuidadosamente avaliadas a flexão e extensão do cotovelo, a pronação e a supinação do antebraço, como também a flexão e extensão do punho e o desvio radial e ulnar. É fundamental a avaliação dos pulsos radial e ulnar, como também a função dos nervos mediano, ulnar e radial.

> Inspecionar a presença de fraturas expostas, estabilidade do punho e cotovelo, tensão nos compartimentos do antebraço e lesões neurovasculares.

2.2 Exames de imagem

As radiografias simples em dois planos do antebraço são geralmente suficientes. Eles devem incluir o cotovelo e o punho para excluir fraturas articulares ou fraturas-luxações associadas, e tipos de fraturas específicas, como as de Monteggia, Galeazzi, ou de Essex-Lopresti. Uma tomografia computadorizada ou uma ressonância magnética são raramente necessárias. Se a quantidade de deformidade não puder ser claramente quantificada, uma radiografia do antebraço contralateral para comparação pode ser útil.

3 Anatomia

O rádio e a ulna são as estruturas ósseas do antebraço. A ulna é um osso reto e posicionado posteromedialmente, que se articula proximalmente com a tróclea do úmero e distalmente com o rádio como a ARUD. O rádio é um osso lateralmente curvado que se articula com o capítelo e a ulna proximalmente e com as articulações radiocarpais e da ulna distalmente. A morfologia curvada do rádio permite a sua rotação em torno da ulna, que age como um eixo.

Fraturas específicas
6.3.2 Antebraço, diáfise

A membrana interóssea junta o rádio e a ulna e inclui a corda oblíqua proximal, a corda acessória oblíqua dorsal, a banda central, a banda acessória e o feixe oblíquo distal. A fibrocartilagem triangular une o rádio e a ulna distalmente, enquanto o ligamento anular e o ligamento colateral lateral conectam os dois ossos proximalmente. A ruptura dessas estruturas pode ocorrer em fraturas complexas do antebraço e podem resultar em instabilidade.

4 Classificação

4.1 Classificação AO/OTA de Fraturas e Luxações

A Classificação AO/OTA de Fraturas e Luxações das fraturas do antebraço é baseada na localização, na morfologia e na complexidade da fratura (**Fig. 6.3.2-1**).

4.2 Fratura-luxação

4.2.1 Fratura de Monteggia

Uma fratura de Monteggia é uma fratura da diáfise da ulna, com a luxação anterior ou lateral da cabeça radial na articulação radioulnar proximal (ARUP) (**Fig. 6.3.2-2**).

A redução e fixação aberta e precoce são necessárias, já que a redução fechada é difícil de obter e manter e a fixação retardada compromete o desfecho funcional. Se a ulna for corretamente reduzida e fixada, a cabeça do rádio se reduz espontaneamente na maioria dos casos. A pronação e a supinação são avaliadas clinicamente e com o intensificador de imagem. Se a cabeça do rádio permanecer subluxada ou desviada, a causa mais comum é a má redução da ulna. Ela deve ser cuidadosamente avaliada e corrigida. Se a ARUP permanecer instável, então a exploração

2R2A Rádio, segmento diafisário, **fratura simples**
2R2B Rádio, segmento diafisário, **fratura em cunha**
2R2C Rádio, segmento diafisário, **fratura multifragmentada**

2U2A Ulna, segmento diafisário, **fratura simples**
2U2B Ulna, segmento diafisário, **fratura em cunha**
2U2C Ulna, segmento diafisário, **fratura multifragmentada**

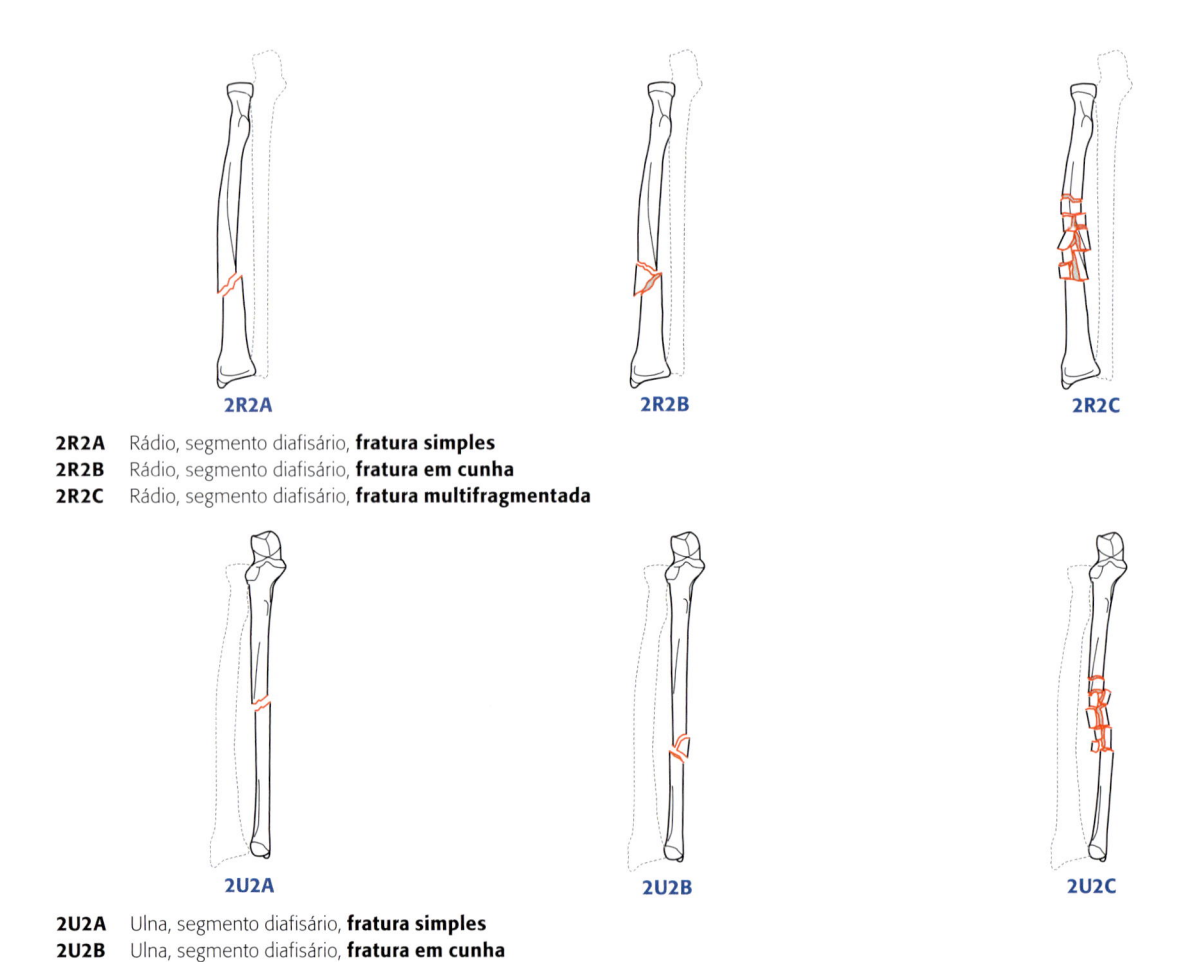

Fig. 6.3.2-1 Classificação AO/OTA de Fraturas e Luxações – rádio e ulna, segmento diafisário. Na revisão de 2018, o rádio e a ulna são codificados como ossos separados para permitir maior flexibilidade de codificação.

cirúrgica é indicada. Isso pode ser feito por uma incisão lateral separada para a cabeça do rádio ou pela extensão da abordagem cirúrgica original e desinserção dos músculos ancôneo e supinador das suas inserções ulnares. Os fragmentos articulares interpostos devem ser removidos e o ligamento anular pode precisar ser reparado.

O tratamento pós-operatório deve ser com movimento precoce completo ou com uma tala removível em supinação por 3 semanas para permitir a mobilização controlada do cotovelo [2].

4.2.2 Fratura de Galeazzi

Uma fratura de Galeazzi é uma fratura da diáfise do rádio com luxação da ARUD. Tem sido chamada de "fratura da necessidade", descrevendo a necessidade de redução aberta e fixação interna.

A redução e a fixação corretas da fratura radial são normalmente acompanhadas pela redução espontânea da ARUD (**Fig. 6.3.2-3**). Isso deve ser cuidadosamente avaliado de maneira clínica e por intensificação de imagem. Se a cabeça da ulna permanecer subluxada ou deslocada, a causa mais comum é uma sutil má redução da fratura do rádio. Ela deve ser diligentemente avaliada e corrigida, se necessário. Se a ARUD permanecer redutível, mas instável, a articulação pode ser fixada com fios cruzados de Kirschner de 1,6 mm (em crianças) ou de 2,0 mm (em adultos) com o antebraço em rotação neutra ou em leve supinação [3]. Nesses casos, é obrigatória a imobilização adicional do antebraço, incluindo o cotovelo e o punho, para prevenir a rotação e a quebra do fio. Entretanto, a flexão e a extensão gentis do cotovelo podem ser executadas sob a supervisão de um terapeuta treinado. A exploração do punho por uma abordagem dorsal somente é recomendada se a redução fechada não puder ser mantida. Isso geralmente ocorre por causa do tendão do extensor ulnar do carpo interposto.

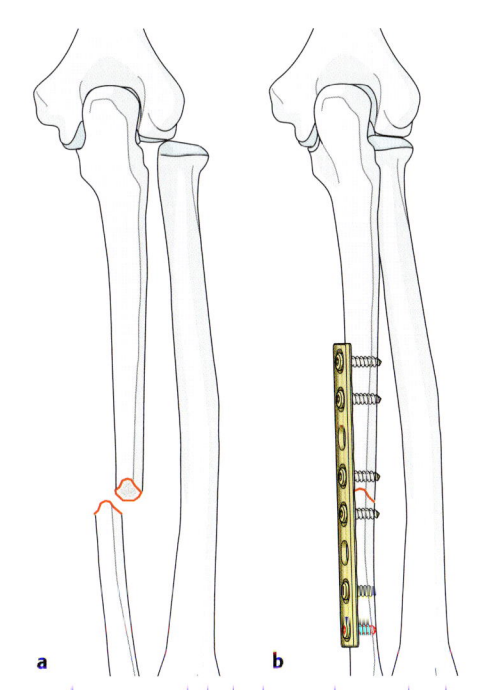

Fig. 6.3.2-2a-b Fratura isolada da ulna com luxação da cabeça radial 2R2A3(m): fratura de Monteggia. Quando a ulna é estabilizada em rotação e comprimento corretos, o desvio da cabeça do rádio é em geral reduzido automaticamente. Fixação da ulna com uma placa de compressão dinâmica de baixo contato de 3,5 com 8 orifícios e com compressão axial. O reparo do ligamento anular é opcional.

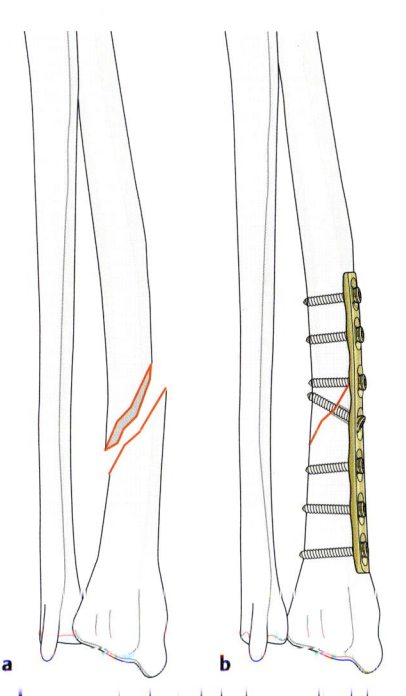

Fig. 6.3.2-3a-b Fratura simples isolada do terço distal do rádio com luxação da articulação radioulnar distal, 2R2A2(b,g) e 70A: fratura de Galeazzi. A estabilização anatômica do rádio usando uma placa de compressão dinâmica de baixo contato de 3,5 irá normalmente reduzir a luxação da articulação radioulnar distal que, em geral, não requer nenhum tratamento adicional.

Fraturas específicas
6.3.2 Antebraço, diáfise

4.2.3 Lesão de Essex-Lopresti

A lesão de Essex-Lopresti é uma fratura da diáfise proximal do rádio ou do colo/cabeça do rádio, combinada com instabilidade da ARUD [4]. A migração proximal do rádio rompe a membrana interóssea e causa instabilidade axial.

A redução anatômica da cabeça do rádio, do colo ou da diáfise é crucial para garantir a estabilidade do antebraço. Mesmo um desvio leve do rádio pode criar incongruência na ARUD. As radiografias do punho envolvido e do punho contralateral usando uma projeção em AP e rotação neutra permitirão comparar o comprimento da ulna. A redução pode ser alcançada com pequenos parafusos de tração, miniplacas em T, ou substituição da cabeça do rádio para as fraturas da cabeça ou colo do rádio ou placas de 3,5 para as fraturas da diáfise.

A falha em abordar a instabilidade radioulnar no início pode resultar na migração axial persistente do rádio com ruptura da ARUD, que é extremamente difícil de reparar em um estágio tardio (**Fig. 6.3.2-4**).

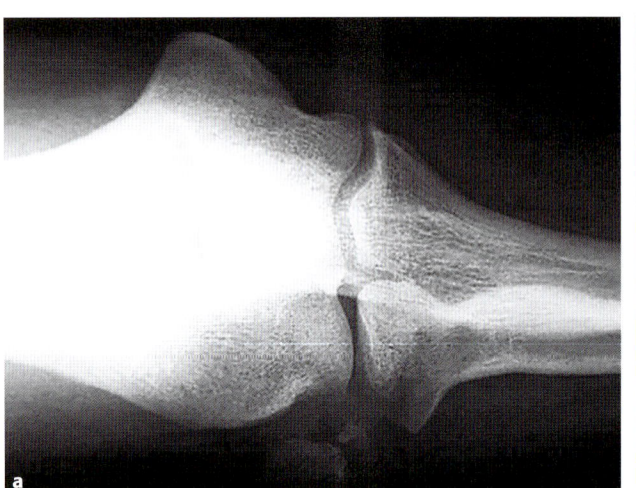

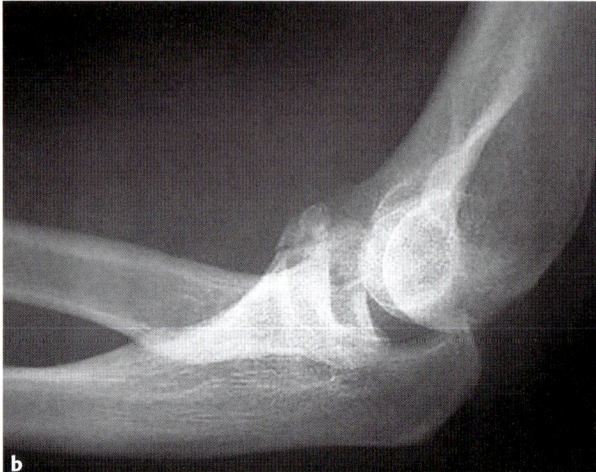

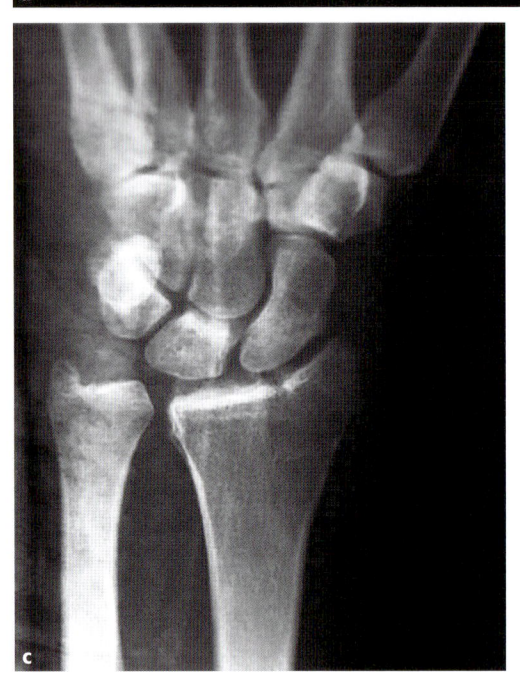

Fig. 6.3.2-4a-c Lesão de Essex-Lopresti.
a-b Radiografia AP e lateral do cotovelo mostrando a fratura do colo do rádio.
c Radiografia AP do punho mostrando encurtamento radial sutil e uma fratura da estiloide radial minimamente desviada (o paciente tinha dor no punho bem como no cotovelo).

5 Indicações cirúrgicas

A cirurgia está indicada nos seguintes casos:

- Fraturas desviadas de ambas as diáfises do rádio e da ulna em adultos
- Fratura isolada desviada, rodada (> 10 graus) ou angulada (> 10 graus) de um ou de outro osso
    - Fratura de diáfise simples e não desviada pode ser tratada por meios não operatórios (ou seja, com um imobilizador ou gessado) [5]
- Fraturas-luxações do tipo Monteggia, Galeazzi e Essex-Lopresti
- Fraturas expostas
- Politraumatismo, lesão flutuante do membro superior ou lesões bilaterais das extremidade superiores

6 Planejamento pré-operatório

6.1 Momento da cirurgia

Como na maioria das fraturas diafisárias, as fraturas fechadas do antebraço são mais adequadamente operadas dentro das primeiras 24 horas após a lesão. As fraturas expostas devem ser submetidas urgentemente a debridamento, irrigação e fixação. O retardo prolongado na fixação pode aumentar o risco de sinostose radioulnar [6].

6.2 Seleção do implante

Muitos anos de experiência clínica têm provado que a placa de 3,5 é o tamanho ideal para os ossos do antebraço. Em geral, nós recomendamos a placa de compressão dinâmica de baixo contato.

Deve haver seis corticais ou três parafusos bicorticais em cada fragmento principal. Em fraturas simples, isso geralmente significa uma placa de 7 furos ou de 8 furos; em fraturas mais complexas, até mesmo placas mais longas são aconselháveis.

Sempre que possível, deve ser usado um parafuso de tração interfragmentar, introduzido independentemente ou através de um orifício da placa. Em geral, parafusos corticais de 3,5 mm são usados como parafusos de tração, mas, em fragmentos ou ossos pequenos, parafusos de 2,7 ou até de 2,4 mm são recomendados. Para a maioria das fraturas do antebraço, os parafusos não bloqueados dão bons resultados e os parafusos de cabeça bloqueada geralmente não são necessários.

O papel das hastes intramedulares bloqueadas ainda deve ser definido, já que persistem dúvidas sobre a sua capacidade de controlar a rotação. As hastes elásticas dão excelentes resultados nas fraturas diafisárias do antebraço pediátrico, mas esse modo de fixação não dá estabilidade adequada para a amplitude de movimento precoce em adultos [7].

6.3 Configuração da sala de cirurgia

Os campos estéreis são colocados para assegurar um ambiente impermeável no local operatório. Uma vez que o campo em torno da mão pode ser volumoso, pode ser mais apropriado embrulhar a mão em uma malha estéril fixada com fita adesiva ou um campo plástico adesivo claro (**Fig. 6.3.2-5**). O intensificador de imagem deve ser preparado separadamente.

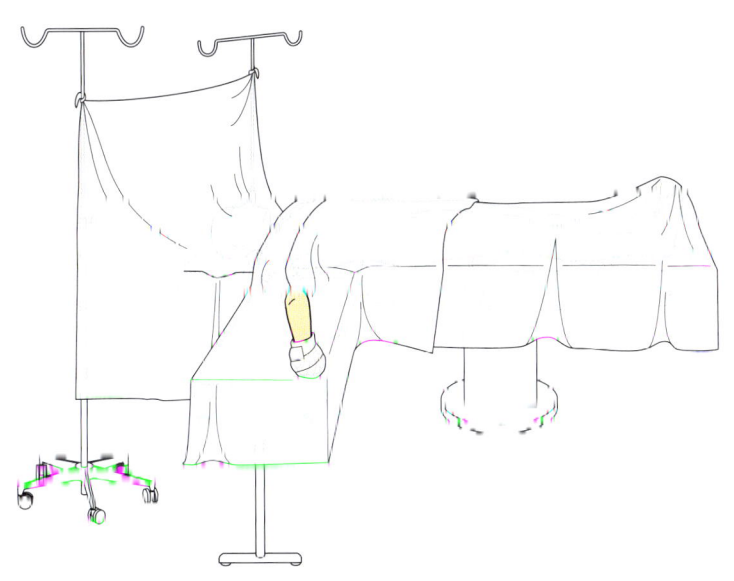

Fig. 6.3.2-5   Posicionamento, preparação e desinfecção do paciente.

Fraturas específicas
6.3.2 Antebraço, diáfise

O cirurgião se senta olhando para a cabeça do paciente, o assistente no lado oposto e a equipe da sala de cirurgia na extremidade da mesa auxiliar. Trazer o intensificador de imagem a partir do lado do assistente em relação à mesa auxiliar. O assistente terá que se mover quando as imagens forem obtidas. Colocar a tela do intensificador de imagem para a completa visão da equipe cirúrgica e do técnico de radiologia (**Fig. 6.3.2-6**).

7 Cirurgia

7.1 Vias de acesso cirúrgicas

O paciente é geralmente posicionado em decúbito dorsal, com o membro afetado apoiado em um suporte de braço ou uma mesa auxiliar. Se o torniquete for usado, ele deve ser tão proximal quanto possível no braço para fornecer espaço adicional se a incisão precisar ser proximalmente estendida. Alguns cirurgiões somente inflam o torniquete se ocorrer um sangramento grave durante a cirurgia.

Várias vias de acesso cirúrgicas podem ser usadas para fixar as fraturas da diáfise do antebraço:

- Ulna – toda a diáfise: Uma incisão reta é feita ao longo da borda subcutânea. A placa é colocada no aspecto posterolateral (extensor) ou anterior (flexor) do osso, mas não na borda subcutânea.
- Rádio – toda a diáfise: É usada a via anterior, de acordo com Henry. A placa é colocada no aspecto anterior (flexor) do rádio [8].
- Rádio – terço proximal e médio da diáfise: A via posterolateral pode ser usada com a placa no aspecto posterior (extensor) do rádio.

Como regra, uma incisão separada para cada osso deve ser usada, preservando uma ampla ponte de pele entre as duas incisões.

> A tentativa de fixar ambos os ossos por uma única via de acesso aumenta o risco de lesão nervosa e de sinostose radioulnar; não é recomendada [6].

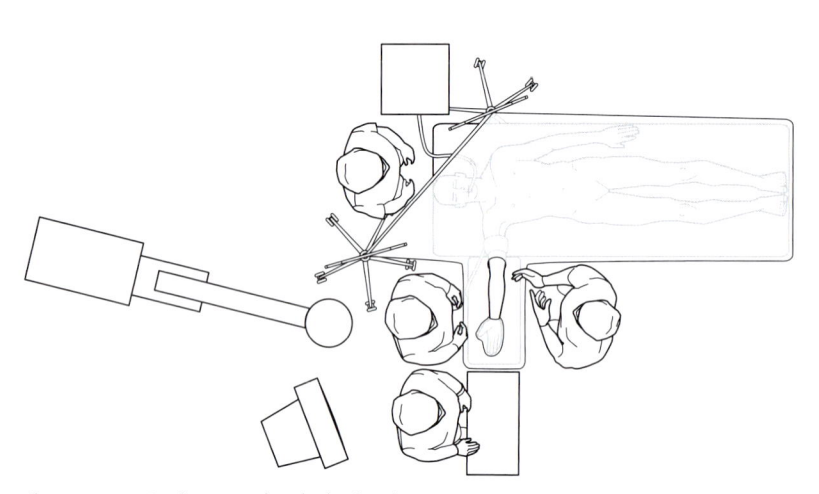

Fig. 6.3.2-6 Configuração da sala de cirurgia.

7.1.1 Abordagem da ulna

As referências incluem o olécrano e processo estiloide da ulna (**Fig. 6.3.2-7a**). A incisão de pele corre em paralelo à crista da ulna (**Fig. 6.3.2-7b**). O acesso à diáfise é obtido entre os músculos extensor ulnar do carpo e flexor ulnar do carpo. A placa pode ser aplicada na superfície posterior (extensora) ou anterior (flexora) da ulna, mas não diretamente sobre a borda subcutânea da ulna. Para o posicionamento posterior da placa, somente os músculos extensores são desinseridos do osso. Para a aplicação anterior da placa, somente o músculo flexor ulnar do carpo é elevado. O lado do desnudamento mais traumático das partes moles pela fratura é geralmente o escolhido para o local de colocação da placa. Ao usar qualquer abordagem, na parte mais distal da incisão, é necessário ter cuidado para não lesar o ramo cutâneo dorsal do nervo ulnar. Ele se ramifica a partir do nervo ulnar anterior em 5-8 cm da prega do punho e segue dorsalmente.

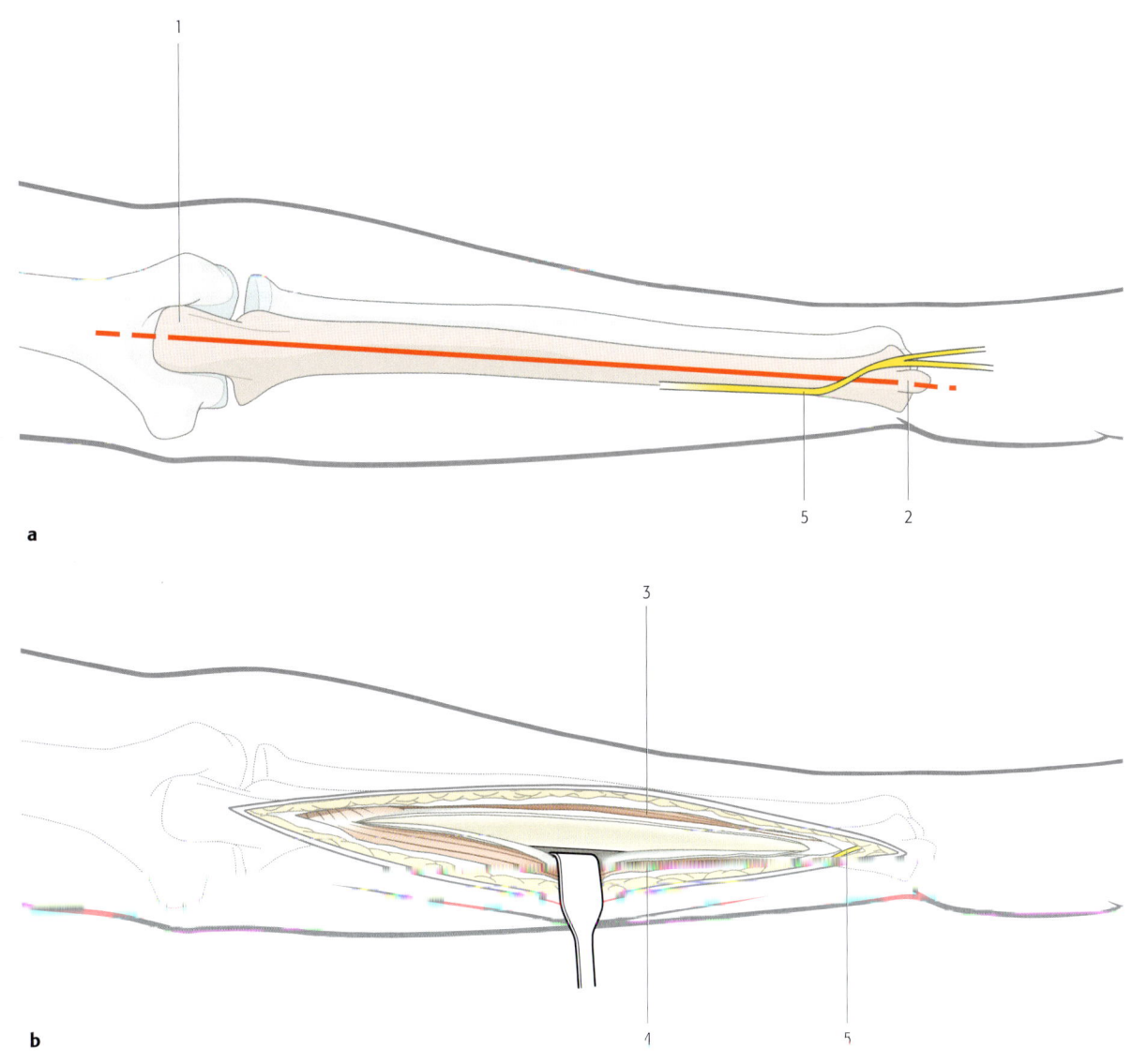

Fig. 6.3.2-7a-b Abordagem da ulna.
a Incisão ao longo da crista da ulna. Referências: olécrano (1), processo estiloide da ulna (2). Incisão reta.
b Exposição profunda por elevação dos grupos de músculos flexores (4) ou extensores (3), dependendo do padrão de fratura e da posição planejada da placa. Na parte distal do ferimento, o ramo cutâneo dorsal do nervo ulnar (5) deve ser protegido.

Fraturas específicas
6.3.2 Antebraço, diáfise

7.1.2 Abordagem anterior do rádio (de Henry)

O braço é colocado em um suporte ou mesa auxiliar com o cotovelo completamente estendido e em supinação completa. A referência proximal é o sulco entre o músculo braquiorradial e o tendão distal do bíceps (sobrejacente à cabeça radial). A referência distal é o processo estiloide do rádio (**Fig. 6.3.2-8a**). Uma incisão cutânea reta é feita sobre o aspecto anterior do antebraço, com uma curva medial sobre a articulação do cotovelo, se uma extensão proximal for necessária. Isso é seguido por uma incisão da fáscia entre os músculos braquiorradial e flexor radial do carpo, distalmente, e os músculos braquiorradial e pronador redondo, proximalmente. O nervo cutâneo lateral do antebraço corre sobre o músculo braquiorradial, enquanto o nervo radial superficial corre profundamente ao músculo braquiorradial. O plano fundamental fica entre o nervo radial superficial, que é refletido radialmente, e a artéria radial, que é afastada para o lado ulnar. Para a dissecção proximal profunda (**Fig. 6.3.2-8b**), os ramos arteriais recorrentes da artéria radial, que suprem o músculo braquiorradial, são cuidadosamente ligados. Esse músculo é afastado para o lado radial; a artéria radial e suas veias acompanhantes, assim como o músculo flexor radial do carpo, são afastadas para o lado ulnar. A dissecção profunda envolve a reflexão de cinco músculos do rádio, dependendo de qual parte do osso é exposta. De distal para proximal: músculo pronador quadrado, músculo flexor longo do polegar, músculo pronador redondo, músculos flexores superficiais dos dedos e supinador. Se a exposição proximal do colo do rádio for necessária, o músculo supinador deve ser afastado de ulnar para radial, com o antebraço em supinação completa. Grande cuidado deve ser tomado para proteger o nervo interósseo posterior. Em qualquer ponto durante essa abordagem, a visão pode ser melhorada ao se variar a rotação do antebraço (**Fig. 6.3.2-8c**). A pronação oferece a melhor exposição da porção proximal do rádio, mas é preciso lembrar que a supinação fornece a melhor proteção ao nervo interósseo posterior (**Vídeo 6.3.2-1**).

Vídeo 6.3.2-1 Abordagem anterior de Henry para todo o rádio, com a vantagem de pronar e supinar o antebraço durante a cirurgia.

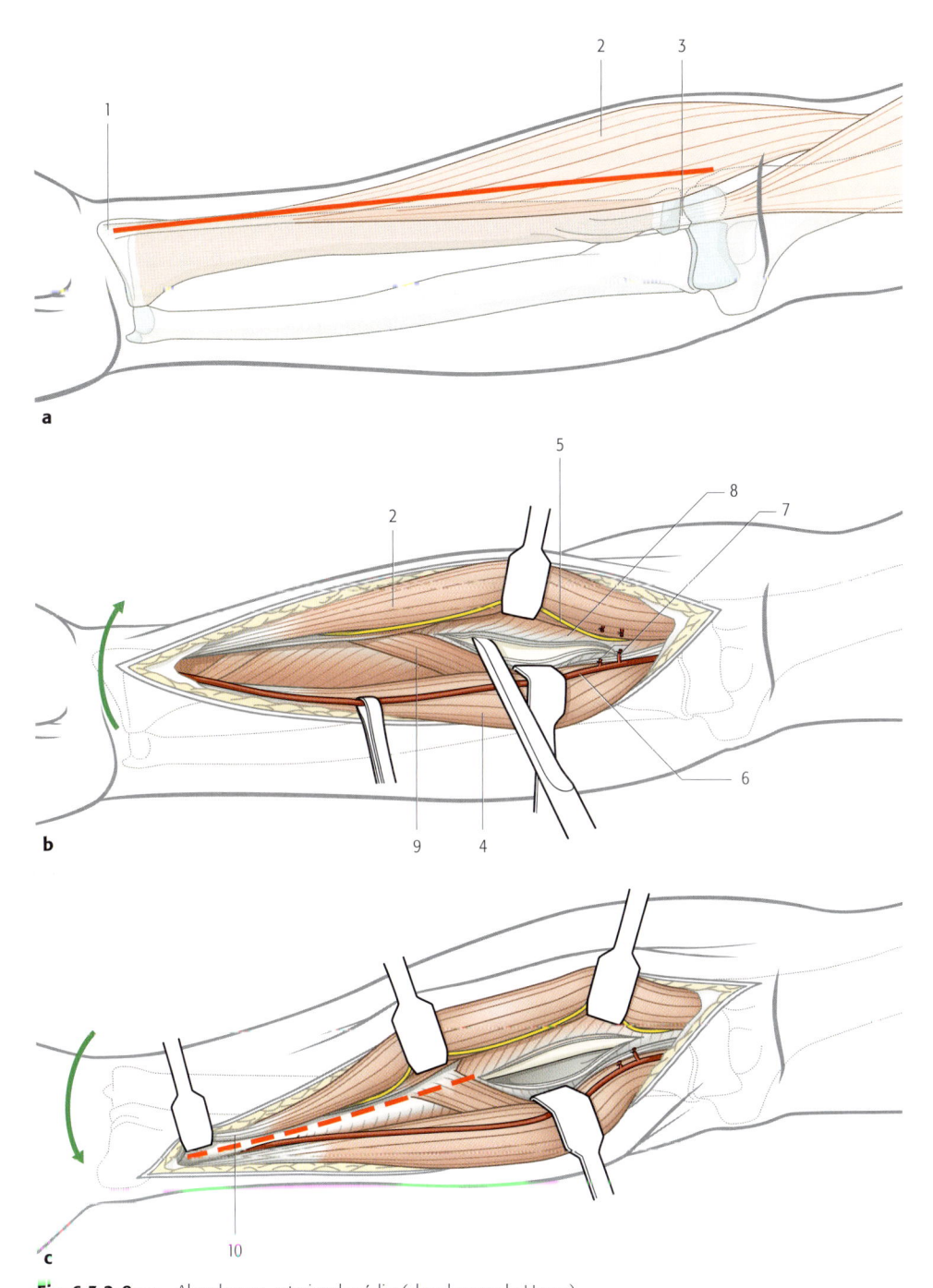

Fig. 6.3.2-8a-c   Abordagem anterior do rádio (abordagem de Henry).
a   Referenciais: processo estiloide do rádio (1), sulco entre o músculo braquiorradial (2) e a inserção do tendão do bíceps (3). Incisão: reta, com uma curva em forma de S sobre o cotovelo, se necessário.
b   Dissecção profunda. Divisão do intervalo entre os músculos braquiorradial e flexor radial do carpo (4) – cuidado com o ramo superficial (sensitivo) (5) do nervo radial, bem como o nervo cutâneo lateral do antebraço. O nervo radial superficial é afastado para o lado radial, a artéria radial (6) é afastada para o lado ulnar. Proximalmente, o arco arterial da artéria radial (7) deve ser ligado. Na inserção do músculo supinador (8), cuidado com o ramo profundo do nervo interósseo posterior – o músculo pode ser separado para expor o osso nesse nível, como também a inserção do músculo pronador redondo (9), mais distalmente.
c   Para ganhar uma melhor exposição do rádio, é útil pronar o antebraço. Tendão do braquiorradial destacado (10), rádio completamente exposto.

Fraturas específicas
6.3.2 Antebraço, diáfise

7.1.3 Abordagem posterolateral do rádio (Thompson)

Os referenciais incluem o epicôndilo lateral do úmero e o processo de estiloide do rádio (**Fig. 6.3.2-9a**). A pele é incisada entre os dois marcos referenciais. O acesso à diáfise do rádio é obtido através do intervalo entre os músculos extensor curto radial do carpo e extensor dos dedos. Esses dois grupos de músculos estão separados ao longo do septo, começando logo proximalmente ao ventre muscular do abdutor longo do polegar, que é facilmente reconhecido na parte distal da incisão. Pode ser necessário mobilizar esse músculo para deslizar a placa debaixo dele nas fraturas diafisárias mais distais do rádio (**Fig. 6.3.2-9b**).

O ramo superficial do nervo radial, que aparece na parte distal da incisão ao longo do músculo braquiorradial e cruza o músculo abdutor longo do polegar, é vulnerável nesse local. Durante a exposição proximal da diáfise do rádio, é necessária a atenção com o nervo interósseo posterior, já que ele corre através do músculo supinador em ângulos retos às suas fibras. O nervo pode ser palpado como uma protuberância dentro do músculo, mais ou menos três polpas digitais distais à cabeça radial. Depois da identificação do nervo (possivelmente pela divisão das fibras musculares), o músculo supinador com o nervo protegido pode ser cuidadosamente elevado a partir do rádio em uma direção de ulnar para radial, provendo boa exposição da porção proximal do rádio até o colo. O acesso aos instrumentos cirúrgicos para fixar a fratura proximal do rádio é frequentemente mais fácil com essa abordagem do que com a de Henry, mas problemas potenciais são a necessidade de identificar o nervo interósseo posterior e uma cicatriz larga e pronunciada.

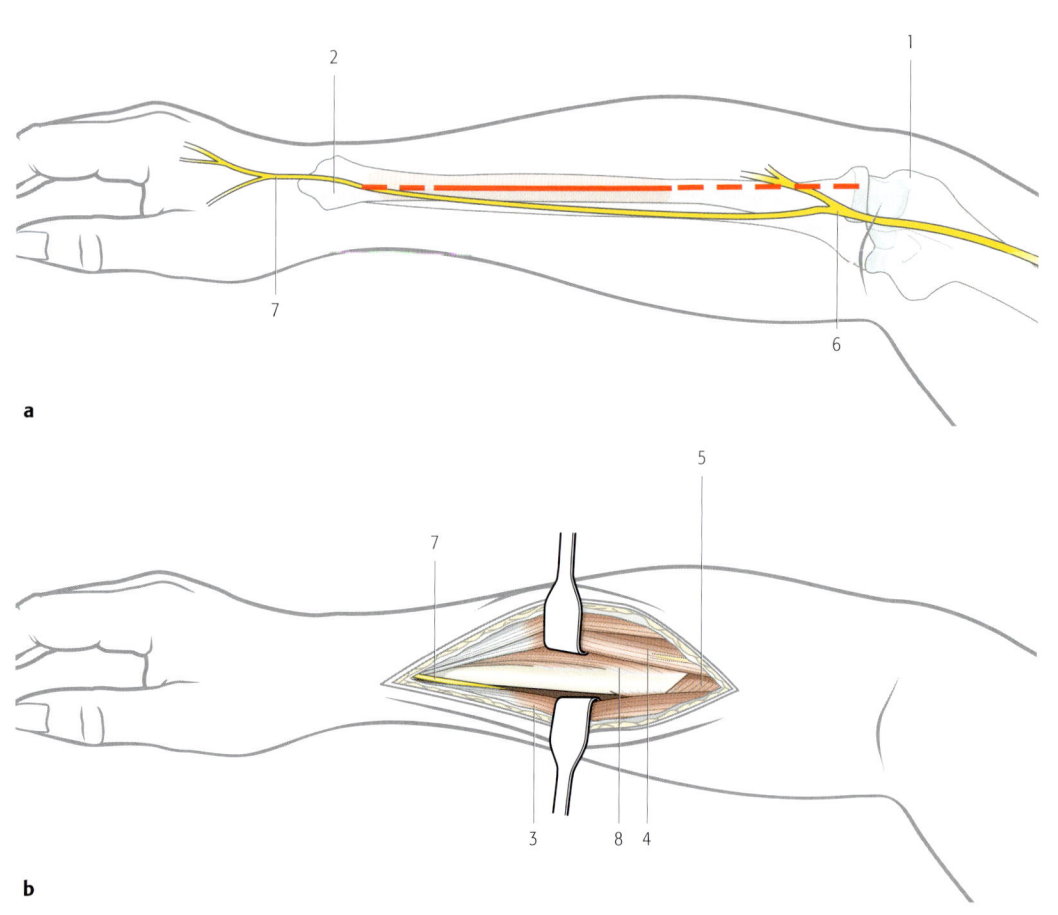

Fig. 6.3.2-9a-b Abordagem posterolateral à diáfise do rádio (abordagem de Thompson).
a Referenciais: côndilo lateral do úmero (1), processo estiloide do rádio (2). Incisão: reta.
b Dissecção profunda: acesso através do septo intermuscular entre os músculos extensor curto radial do carpo (3) e extensor comum dos dedos (4). O músculo extensor curto radial do carpo é mobilizado junto com os músculos extensor longo radial do carpo e braquiorradial (o "chumaço móvel triplo de Henry"). Em seu terço proximal, o rádio é coberto pelo músculo supinador (5), que cobre o nervo interósseo posterior (6). Sua posição deve ser identificada para prevenir alguma lesão. Ramo superficial do nervo radial (7), músculo pronador redondo (8).

7.2 Redução

As fraturas simples (tipo A) e as fraturas em cunha (tipo B) são mais adequadamente fixadas com técnicas de estabilidade absoluta, com redução anatômica e um parafuso de tração. Em adultos menores, um parafuso de tração de 2,7 mm é frequentemente mais fácil de usar do que um parafuso de 3,5 mm. As fraturas multifragmentadas podem exigir estabilidade relativa, com uma placa em ponte, mas permanece essencial obter o exato comprimento, alinhamento e rotação para alcançar a redução anatômica das articulações radioulnares proximal e distal e manter a função do antebraço. A redução aberta é obrigatória para se obter uma redução precisa. O desnudamento periosteal deve ser limitado a um mínimo (ao redor de 1 mm nas bordas fraturadas de cada fragmento principal); e o desnudamento circunferencial deve ser evitado. Os fragmentos soltos maiores, desnudados de seu periósteo, podem ser fixados a um fragmento principal por um pequeno parafuso de tração, introduzido através de uma placa ou separadamente (**Fig. 6.3.2-10**).

Depois da redução e fixação dos fragmentos principais, os fragmentos menores podem ser deixados sem fixação, desde que eles tenham inserções de partes moles. Se desvitalizados, eles podem ser substituídos por um enxerto ósseo esponjoso [9, 10].

A fratura transversal simples pode ser realinhada pela tração de cada fragmento principal com a ajuda de duas pinças de redução pequenas. Deve-se tomar cuidado para não desnudar os tecidos moles dos fragmentos ao executar as manobras de redução. Isso pode ser auxiliado pelo uso de uma pinça de redução com ponta e ao evitar a manipulação excessiva com as mãos. Os dois fragmentos devem se interdigitar corretamente para fornecer uma redução rotacional perfeita e restaurar a rotação completa. Se uma fratura transversal simples ou oblíqua curta não puder ser mantida reduzida com a pinça de redução – o que ocorre com frequência –, a placa pode ser fixada primeiro a um fragmento maior (geralmente o proximal). A redução é, então, executada, trazendo o outro fragmento maior para a placa.

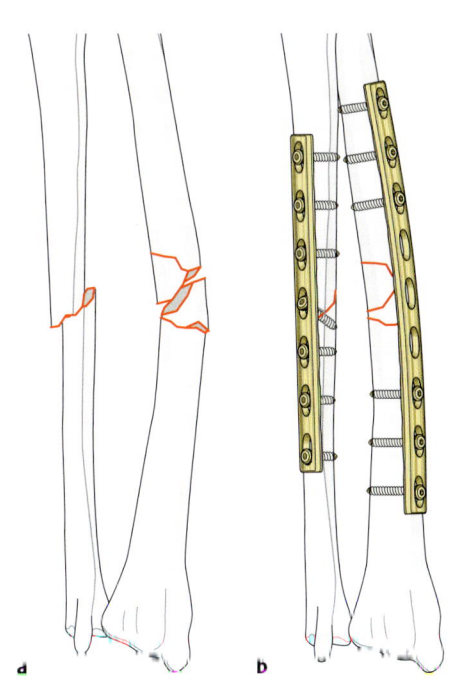

Fig. 6.3.2-10a–b Fratura de ambos os ossos do antebraço. A fratura simples da ulna, 2U2A2(b), é fixada com uma placa de compressão dinâmica de baixo contato (LC-DCP) de 3,5, usada como uma placa de compressão, com um parafuso de tração então inserido através da placa, fornecendo estabilidade absoluta. A fratura multifragmentada do rádio, 2R2C7(b), é fixada com uma LC-DCP de 3,5, usada como uma placa em ponte para fornecer estabilidade relativa. O perfeito comprimento, alinhamento e rotação irão restaurar a função do antebraço.

Fraturas específicas
6.3.2 Antebraço, diáfise

7.3 Fixação

É obrigatório fixar uma fratura simples com compressão interfragmentar para fornecer a estabilidade absoluta.

Se o padrão de fratura for passível, um parafuso de tração pode ser colocado primeiro para segurar juntos os fragmentos da diáfise. Se a fixação estável for alcançada, as pinças de redução podem ser removidas e uma placa de proteção é aplicada a seguir. A redução também pode ser feita com a técnica de puxa-empurra. A placa é fixada a um fragmento maior, enquanto um parafuso livre é introduzido a uma distância curta da extremidade oposta da placa. Um *spreader* é colocado entre a placa e o parafuso. A abertura do *spreader* distrai a fratura, o que permite a manipulação gentil dos fragmentos (**Vídeo 6.3.2-2**). A técnica de puxa-empurra é muito útil nos padrões multifragmentares (tipo C) de fraturas. Nessas fraturas, a tração preliminar da fratura por meio de um fixador externo unilateral também pode ser útil.

Se ambos os ossos forem fraturados (**Fig. 6.3.2-11a-b**), a redução é primeiro executada no osso com a fratura mais simples. A fratura simples é mais fácil de reduzir e fornece um guia para o comprimento e rotação corretos do outro osso. A placa é provisoriamente fixada ao primeiro osso com um ou dois parafusos em cada lado da fratura. O outro osso é, então, abordado e reduzido. Se a redução se provar difícil, a placa no primeiro osso é removida ou afrouxada para facilitar a redução do segundo osso. Depois de fixar ambas as fraturas, a rotação do antebraço deve ser verificada, devendo estar completa e simétrica (**Fig. 6.3.2-11c**).

É importante pré-tensionar ligeiramente a placa em uma fratura simples do antebraço; caso contrário, a fratura pode se abrir no lado oposto ao da placa. A compressão axial é alcançada pela perfuração excêntrica no orifício da placa em um ou ambos os fragmentos principais. Para as fraturas oblíquas, a compressão axial com a placa deve ser aplicada antes de introduzir o parafuso de tração através da placa.

A redução e a posição do implante são verificadas com intensificação de imagem. É necessário obter uma imagem de todo o antebraço nos planos AP e lateral para assegurar o alinhamento preciso e corrigir a redução das articulações radiulnares proximal e distal. As imagens fornecidas por mini-intensificadores de imagem são inadequadas para esse propósito.

Para o fechamento da ferida, a fáscia não é suturada. É raramente necessário deixar a pele aberta, mas, se o edema prejudicar o fechamento da ferida sem tensão, o fechamento auxiliado por vácuo pode ser aplicado com fechamento secundário ou enxertia de pele depois de 48-72 horas.

No passado, a necessidade para enxertia óssea no antebraço pode ter sido superestimada. Com o desnudamento limitado de partes moles no local da fratura e grande cuidado para evitar desvitalizar fragmentos, a enxertia óssea tem se tornado muito menos importante. Os fragmentos menores são frequentemente incorporados na fratura em consolidação pela formação do calo. Se o enxerto ósseo for necessário como, por exemplo, nas fraturas complexas tipo C, ele deve ser posicionado longe da membrana interóssea.

Vídeo 6.3.2-2 Redução indireta de fratura complexa usando a técnica puxa-empurra.

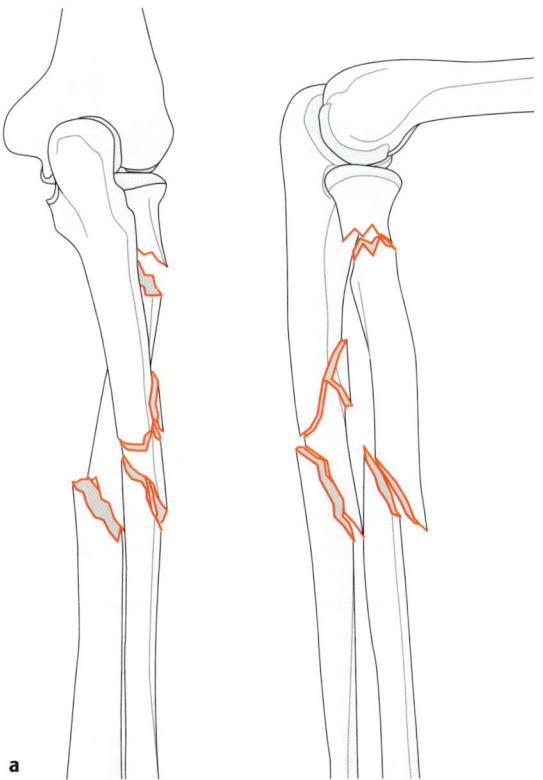

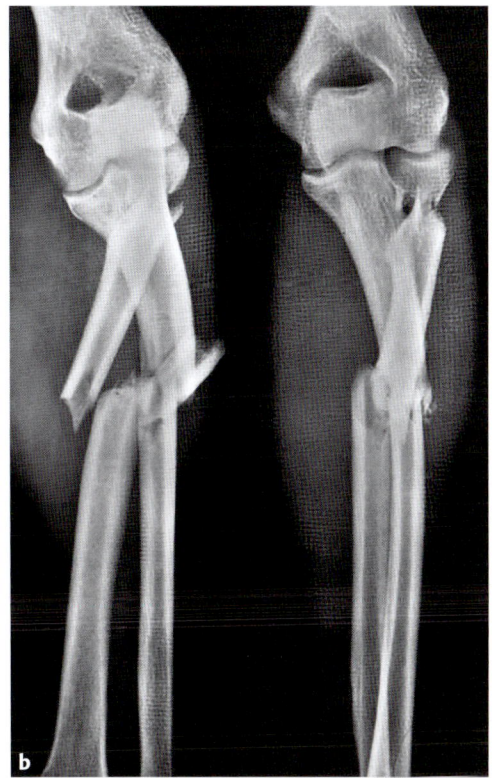

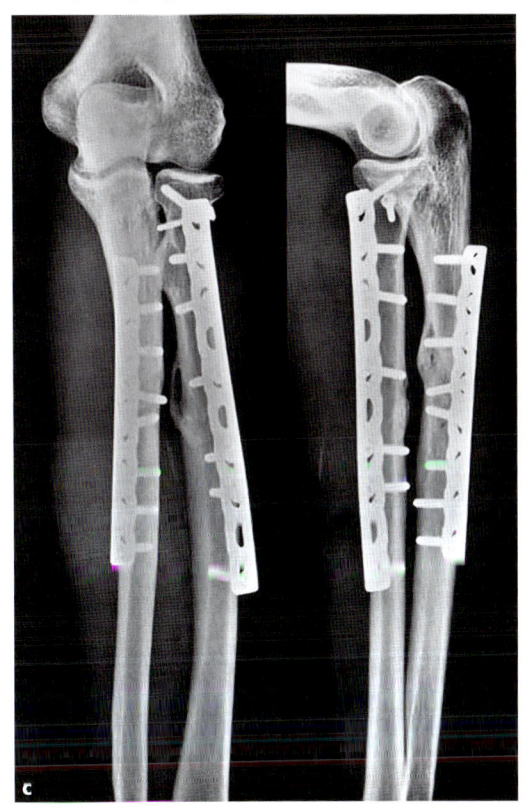

Princípios AO do tratamento de fraturas
Volume 2

Fig. 6.3.2-11a-c
a-b Fraturas complexas de ambos os ossos, 2R2C2, 2U2B3(b).
c Estabilização com duas longas placas de compressão dinâmica de baixo contato de 3,5, com um parafuso de tração de 2,0 mm separado para a cabeça do rádio. Seguimento em 1 ano.

7.4 Desafios

As fraturas expostas do antebraço podem ser tratadas por fixação interna imediata com resultados comparáveis aos das fraturas fechadas [11].

Outras técnicas, diferentes do uso de placa, somente devem ser consideradas quando a placa não puder ser coberta devido à perda de partes moles. A fixação externa temporária, possivelmente em combinação com a fixação interna imediata do outro osso do antebraço, também é uma opção. Para a inserção do Schanz, a ulna é abordada usando uma técnica percutânea na superfície subcutânea. Para o rádio, a inserção aberta do Schanz é recomendada para evitar lesão nervosa e vascular. Os Schanz são conectados por uma um único tubo ou haste de fibra de carbono, ou com três tubos usando pinças entre os tubos para formar uma armação unilateral modular. A consolidação da fratura em geral não pode ser alcançada com o fixador externo isolado, e a taxa de não união e consolidação viciosa (especialmente a má rotação) é alta [12]. Consequentemente, são recomendados os procedimentos sequenciais com uma mudança precoce para fixação com placa. Se a ferida estiver limpa e sem sinais de infecção, algumas vezes isso é combinado com a enxertia óssea esponjosa. Os defeitos ósseos podem ser tratados com sucesso por uma placa em ponte e espaçador temporário de cimento ósseo, seguido por autoenxerto de osso em 6-8 semanas (técnica de Masquelet), e defeitos grandes podem ser tratados por uma fíbula livre vascularizada ou até conversão para um único osso do antebraço se houver dano grave de partes moles (como nas lesões de explosão). Em grandes defeitos de partes moles, os retalhos microvasculares de músculo ou de fáscia são úteis.

8 Cuidados pós-operatórios

Depois da fixação estável, o tratamento pós-operatório deve ser funcional, com movimento ativo precoce dos dedos, punho, cotovelo e ombro para reduzir o risco de rigidez ou de síndrome da dor regional complexa (SDRC). Uma tala volar ou em pinça de confeiteiro pode ser usada na primeira semana para reduzir a dor, ou mais tempo em pacientes não confiáveis. A imobilização em um gesso circular deve ser evitada. As imagens radiográficas são obtidas em 6 e 12 semanas de pós-operatório. A carga é geralmente permitida em 6-8 semanas depois da cirurgia.

> A remoção dos implantes não é indicada em um paciente assintomático por causa do risco de complicações, incluindo lesão neurovascular e refratura [13].

9 Complicações

9.1 Complicações precoces

9.1.1 Paralisia de nervo

Pode ocorrer a lesão do nervo interósseo posterior por uma fratura proximal do rádio ou lesão iatrogênica durante a cirurgia. A lesão do nervo interósseo anterior é ocasionalmente vista, e tanto o nervo radial superficial como o ramo dorsal do nervo ulnar podem ser lesionados durante a abordagem cirúrgica.

9.1.2 Síndrome compartimental

A síndrome compartimental é mais comum depois das lesões de alta energia, mas também pode ocorrer após a fixação de fraturas relativamente simples. Todos os pacientes devem ser observados em relação à síndrome compartimental, incluindo dor excessiva e dor à extensão tendínea, no período inicial depois da lesão e da cirurgia de fratura (ver Cap. 1.5). Um diagnóstico de síndrome compartimental obriga a uma descompressão imediata dos dois compartimentos anteriores e do compartimento fascial posterior.

9.2 Complicações tardias

9.2.1 Síndrome da dor regional complexa

A SDRC parece ser mais comum depois das fraturas do antebraço e do punho do que nas fraturas de membro superior mais proximais. O melhor tratamento é a prevenção, por meio de bom controle da dor e movimentação precoce. Se o paciente desenvolver sinais precoces de SDRC (ver Cap. 4.7), então a terapia com exercícios intensivos em combinação com um regime de analgesia apropriada é em geral efetiva; o encaminhamento precoce para um especialista em tratamento da dor deve sempre ser considerado.

9.2.2 Sinostose

A sinostose (consolidação cruzada) radioulnar pós-traumática é uma condição incomum, mas problemática. A sua incidência varia de 2,6-6,6% [6].

Os possíveis fatores de risco incluem:

- Fraturas do rádio e da ulna no mesmo nível [6]
- Lesão da membrana interóssea [14]
- Lesão grave de partes moles e fratura multifragmentada [14]
- Fixação retardada da fratura [6]
- Um abordagem única combinada para a fixação de ambos os ossos [13]
- Enxertia com osso esponjoso [6]
- Imobilização gessada pós-operatória [6]
- Trauma craniano concomitante, que leva a aumento na propensão à formação de osso heterotópico [14]

Vários métodos de tratamento da sinostose foram propostos. Eles incluem a excisão da ossificação heterotópica e do tecido mole capsular contraído e amplitude precoce de mobilidade. O momento da excisão é crítico. O tecido mole deve ser flexível, a fratura já deve estar completamente consolidada, e a ossificação heterotópica deve estar madura, com trabeculação vista nas radiografias simples. Isto habitualmente ocorre em 6-9 meses após a fixação original. Outras opções incluem a ressecção da parte distal da ulna (procedimento de Darrach) ou a excisão e interposição de material estranho (por exemplo, silicone) ou autógeno [14]. Depois da excisão, os tratamentos adjuvantes como, por exemplo, indometacina ou irradiação em dose baixa [15] são iniciados para prevenir a recidiva de osso heterotópico.

9.2.3 Não união

A taxa de não união relatada na literatura [5] varia de 3,7-10,3%. Mais frequentemente, os erros técnicos são os responsáveis pela não união [16]. Geralmente a causa é a redução inadequada, o desnudamento excessivo de partes moles e uma falta de compressão interfragmentar ou estabilidade adequada.

> Nunca é demais enfatizar a importância da boa técnica cirúrgica, com redução anatômica e estabilidade absoluta para os padrões de fratura simples no antebraço.

A placa em ponte não deve ser usada para os padrões simples de fratura. Se uma placa em ponte for necessária para fraturas multifragmentadas, a fixação deve fornecer estabilidade suficiente (relativa) para permitir a mobilização precoce.

9.2.4 Refratura depois da remoção do implante

> A remoção da placa do antebraço tem um risco significativo de refratura e não é mais recomendada.

A incidência de refratura varia de 3,5-25% [17], embora haja evidência de que o uso de uma placa de 3,5 tenha reduzido consideravelmente essa taxa [11]. As fraturas complexas, as fraturas expostas, os defeitos ósseos e a falha técnica (desnudamento excessivo, compressão inadequada) são os fatores que provavelmente predispõem à refratura. Um fator contributivo adicional é o grau de desvio inicial. A remoção precoce da placa, dentro de 12 meses da fixação interna, também aumenta o risco de refratura [17]. A menos que seja absolutamente solicitado pelo paciente, os implantes não devem ser removidos do antebraço. As placas de titânio, com a sua melhor biocompatibilidade, permitem o crescimento ósseo e podem ser mais difíceis de remover e, assim, podem ter até mais risco de refratura.

10 Prognóstico e desfecho

A meta do tratamento é a consolidação óssea completa e a restauração da rotação estável do antebraço, com amplitude de movimento completa do cotovelo e do punho. O desfecho funcional depende muito da reconstrução da curvatura radial e da restauração anatômica perfeita das articulações radioulnar proximal e distal. Essas metas geralmente são alcançadas se os princípios AO forem seguidos.

Fraturas específicas
6.3.2 Antebraço, diáfise

Referências clássicas **Referências de revisão**

11 Referências

1. **Patel AA, Buller LT, Fleming ME, et al.** National trends in ambulatory surgery for upper extremity fractures: a 10-year analysis of the US National Survey of Ambulatory Surgery. *Hand (NY)*. 2015 Jun;10(2):254–259.
2. **Korner J, Hoffmann A, Rudig L.** [Monteggia injuries in adults: critical analysis of injury pattern, management, and results.] *Unfallchirurg*. 2004 Nov;107(11):1026–1040. German.
3. **Maculé Beneyto F, Arandes Renu JM, Ferreres Claramunt A, et al.** Treatment of Galeazzi fracture-dislocations. *J Trauma*. 1994 Mar;36(3):352–355.
4. **Essex-Lopresti P.** Fractures of the radial head with distal radio-ulnar dislocation. *J Bone Joint Surg Br*. 1951 May;33B(2):244–247.
5. **Sarmiento A, Latta LL, Zych G, et al.** Isolated ulnar shaft fractures treated with functional braces. *J Orthop Trauma*. 1998 Aug;12(6):420–423; discussion 423–424.
6. **Bauer G, Arand M, Mutschler W.** Post-traumatic radioulnar synostosis after forearm fracture osteosynthesis. *Arch Orthop Trauma Surg*. 1991;110(3):142–145.
7. **Van der Reis WL, Otsuka NY, Moros P, et al.** Intramedullary nailing versus plate fixation for unstable forearm fractures in children. *J Pediatr Orthop*. 1998 Jan-Feb;18(1):9–13.
8. **Henry AK.** *Exposures of Long Bones and Other Surgical Methods*. Bristol: John Wright; 1927.
9. **Mast J, Jakob R, Ganz R.** *Planning and Reduction Technique in Fracture Surgery*. Berlin Heidelberg New York: Springer-Verlag; 1989.
10. **Catalano LW 3rd, Zlotolow DA, Hitchcock PB, et al.** Surgical exposures of the radius and ulna. *J Am Acad Orthop Surg*. 2011 Jul;19(7):430–438.
11. **Chapman MW, Gordon JE, Zissimos AG.** Compression-plate fixation of acute fractures of the diaphyses of the radius and ulna. *J Bone Joint Surg Am*. 1989 Feb;71(2):159–169.
12. **Helber MU, Ulrich C.** External fixation in forearm shaft fractures. *Injury*. 2000;31(Suppl 1):45–47.
13. **Bednar DA, Grandwilewski W.** Complications of forearm-plate removal. *Can J Surg*. 1992 Aug;35(4):428–431.
14. **Failla JM, Amadio PC, Morrey BF.** Post-traumatic proximal radio-ulnar synostosis. Results of surgical treatment. *J Bone Joint Surg Am*. 1989 Sep;71(8):1208–1213.
15. **Cullen JP, Pellegrini VD Jr, Miller RJ, et al.** Treatment of traumatic radioulnar synostosis by excision and postoperative low-dose irradiation. *J Hand Surg Am*. 1994 May;19(3):394–401.
16. **Heim U, Zehnder R.** [Analysis of failures following osteosynthesis of forearm shaft fractures.] *Hefte Unfallheilkunde*. 1989;201:243–258. German.
17. **Rosson JW, Shearer JR.** Refracture after the removal of plates from the forearm. An avoidable complication. *J Bone Joint Surg Br*. 1991;73(3):415–417.

6.3.3 Distal do rádio e do punho
Matej Kastelec

1 Introdução

A fratura da extremidade distal do rádio foi uma das primeiras fraturas descritas na literatura (Abraham Colles, em 1814). Colles questionou (sem radiografias) aqueles que descreviam todas as lesões de punho como luxações. Ele também descreveu o desfecho do paciente com a afirmação famosa de que "apesar da deformidade, todos eles evoluem bem".

A descoberta dos raios X no final do século XIX permitiu um diagnóstico preciso. Lambotte, em 1908, controlava os fragmentos com fios percutâneos através do estiloide do rádio. Os patriarcas do tratamento moderno da fratura, no início dos anos 1960, desenvolveram a fundação do tratamento da fratura distal do rádio (FDR) que nós conhecemos hoje.

1.1 Epidemiologia

As FDRs são as mais comuns da extremidade superior e respondem por mais de um sexto de todas as fraturas tratadas no departamento de emergência. A ocorrência mais alta fica na população pediátrica (25% de todas as fraturas) e idosa (18% de todas as fraturas), mas as FDRs também têm um impacto significativo na saúde dos adultos jovens.

1.2 Características especiais

A FDR representa um desafio terapêutico grande devido à variedade de padrões anatômicos, complexidade da lesão intra-articular e lesões de partes moles e ósseas associadas.

Embora a maioria das FDRs, especialmente as fraturas extra-articulares dorsalmente desviadas e dorsalmente anguladas no idoso, possa ser adequadamente tratada conservadoramente [1], aproximadamente 30% são mais complexas e requerem tratamento cirúrgico.

2 Avaliação e diagnóstico

2.1 História do caso e exame físico

A maioria das FDRs é produzida por forças de hiperextensão. Com uma queda de baixa energia, as forças de encurvamento levam a fraturas extra ou intra-articulares dorsalmente desviadas. As forças de cisalhamento levam a um desvio parcial da superfície articular palmar e produzem lesões instáveis. As forças de compressão são lesões de carga axial, predominantemente de grande energia, e levam à impacção dos fragmentos articulares. A avulsão é outro mecanismo de alta energia nas fraturas-luxações, e os fragmentos avulsionados frequentemente representam as inserções ósseas de um ligamento [2].

Todas as fraturas do punho devem ser avaliadas para a presença de ferimentos abertos (geralmente no lado palmar/ulnar) e lesão do nervo mediano ou do nervo ulnar. A síndrome compartimental pode se desenvolver nas lesões de grande energia.

2.2 Exames de imagem

2.2.1 Radiografias simples

As radiografias simples anteroposterior (AP) e lateral devem ser obtidas para todas as FDRs. As incidências oblíquas e comparativas do outro punho podem ser úteis. As radiografias no trauma de alta energia devem incluir todo o antebraço e o punho.

Parâmetros radiográficos normais devem ser usados para avaliar a anatomia radiográfica.

Fraturas específicas
6.3.3 Distal do rádio e do punho

Incidência AP (Fig. 6.3.3-1)
- Altura radial (comprimento) é a distância entre duas linhas paralelas traçadas perpendicularmente ao eixo longo da diáfise radial: uma a partir da ponta da estiloide radial e a outra a partir do canto ulnar da fossa semilunar. Média = 12 mm.
- Inclinação radial é o ângulo entre duas linhas – uma traçada perpendicularmente ao eixo longo do rádio no canto ulnar da fossa semilunar e a outra entre aquele ponto na fossa semilunar e a ponta da estiloide radial. Média = 23°.
- Variância ulnar é definida como a diferença no comprimento axial entre o canto ulnar da incisura sigmoide do rádio e a extensão mais distal da cabeça ulnar na incidência AP. Sessenta por cento da população é ulnar neutra.

Incidência lateral (Fig. 6.3.3-2)
- Inclinação palmar é o ângulo subtendido pela linha perpendicular ao eixo longo do rádio e uma segunda linha traçada a partir do lábio dorsal até o lábio palmar da distal do rádio. Média = 12°.
- Ângulo em lágrima é o ângulo entre a linha ao longo do eixo central da lágrima (estrutura em forma de U que se projeta 3 mm palmar a partir da diáfise radial) e uma linha do eixo radial longitudinal. O raio X é inclinado em 10°. Média = 70°.

Os parâmetros radiográficos variam dependendo da rotação do antebraço.

As radiografias devem ser avaliadas para os critérios de instabilidade [3]:
- Fragmentação metafisária significativa
- Deformidade angular > 10 graus
- Encurtamento > 5 mm
- Desvio articular > 2 mm
- Mau alinhamento carpal

A maior parte da informação necessária para planejar o tratamento pode ser obtida a partir das radiografias simples. Entretanto, a tomografia computadorizada (TC) é útil nos casos complexos.

2.2.2 Tomografia computadorizada

A TC deve ser executada quando as radiografias simples não explicarem a congruência e o desvio da superfície articular na incisura sigmoide, na faceta semilunar e na fossa do escafoide (**Fig. 6.3.3-3**). A incisura sigmoide é especialmente bem visualizada na TC.

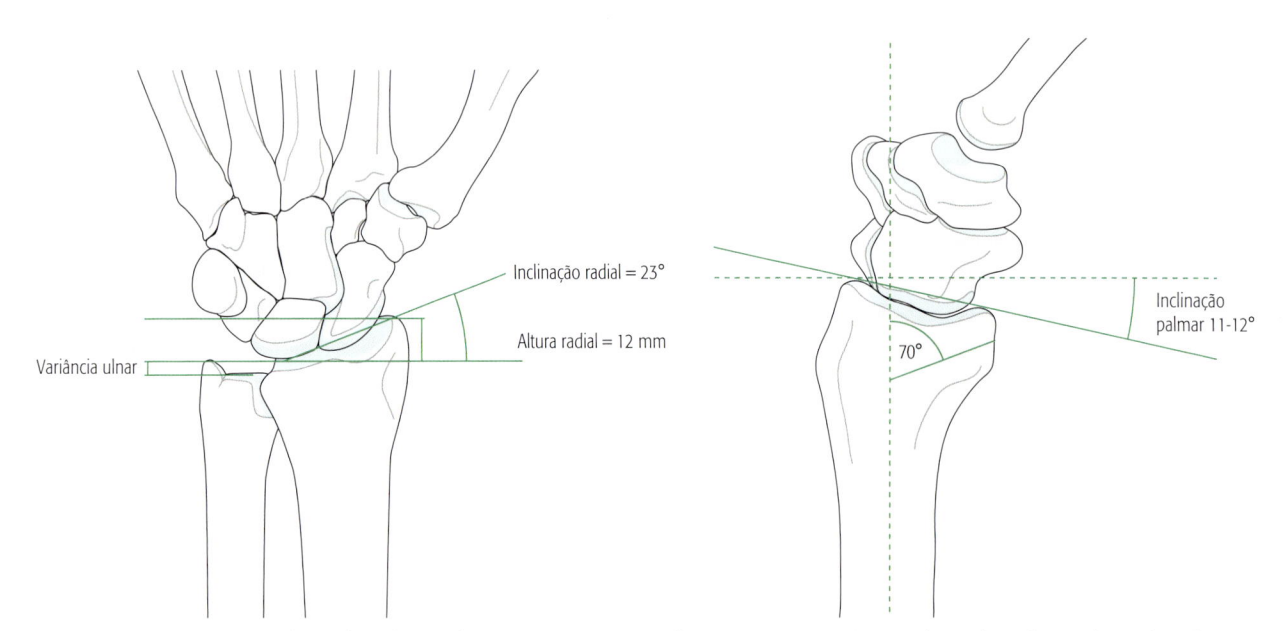

Fig. 6.3.3-1 Anatomia normal na radiografia (incidência anteroposterior [AP]). Medida da altura radial e inclinação mais variância ulnar.

Fig. 6.3.3-2 Anatomia normal na radiografia (incidência lateral). Medida da inclinação palmar e ângulo da lágrima.

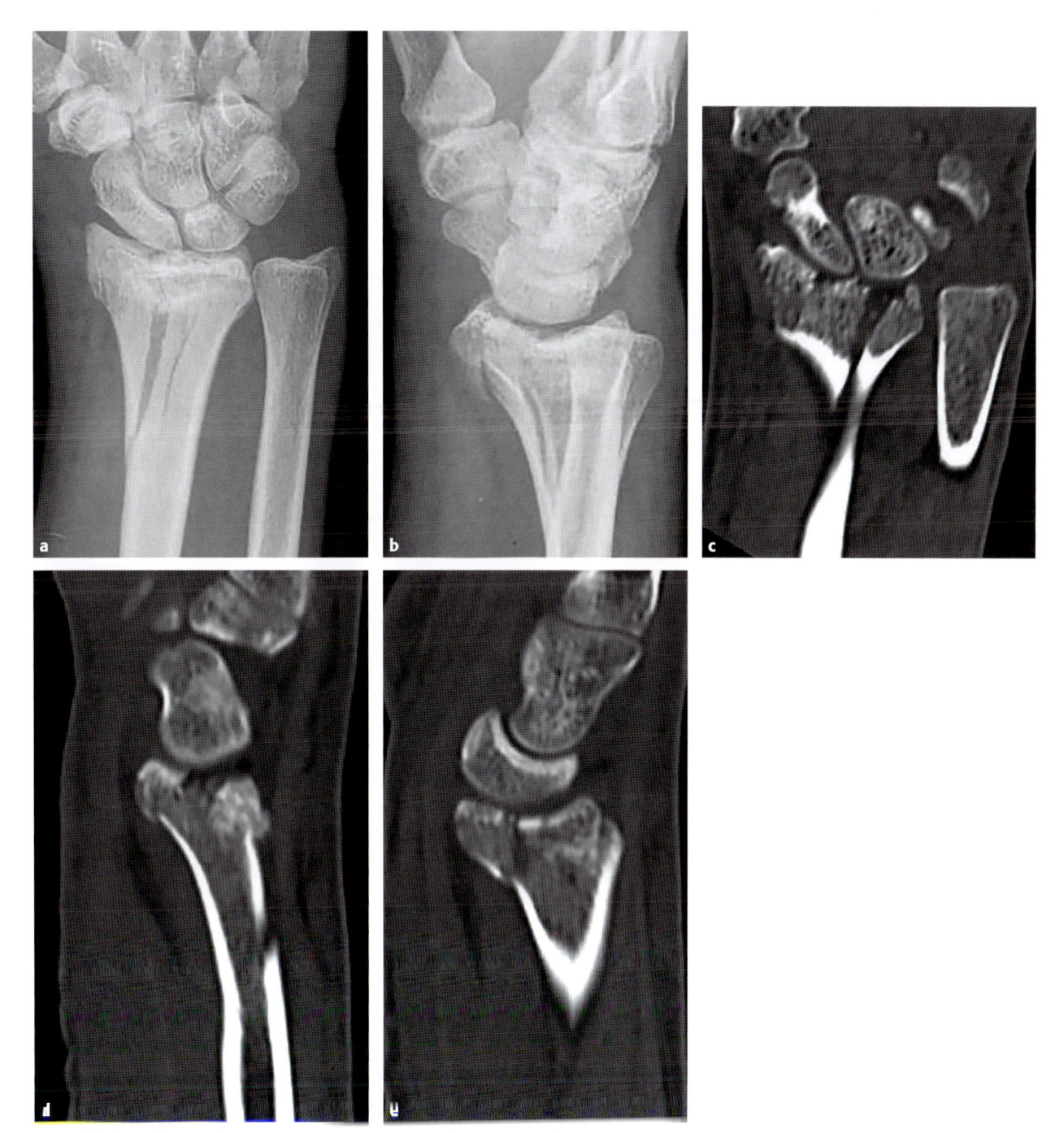

Princípios AO do tratamento de fraturas
Volume 2

Fig. 6.3.3-3a-e Tomografia computadorizada bidimensional (**c-e**) mostrando os fragmentos desviados e comprimidos do semilunar e fossa do escafoide, que não são evidentes nas radiografias simples (**a-b**).

Fraturas específicas
6.3.3 Distal do rádio e do punho

As reformatações sagital e coronal e a reconstrução tridimensional na TC fornecem informações precisas sobre a posição dos fragmentos da fratura, seu tamanho e a extensão no osso metafisário (**Fig. 6.3.3-4**).

2.2.3 Imagens de lesões associadas

Aproximadamente 30-40% das FDRs estão associadas a lesões adicionais de partes moles que podem ou não ser clinicamente significativas.

A maioria das FDRs desviadas está associada a lesões do complexo fibrocartilaginoso triangular (CFCT). As lesões intrínsecas de ligamentos do carpo, particularmente o escafossemilunar, podem ser vistas em fraturas extra-articulares, mas são mais comuns nas fraturas intra-articulares, particularmente aquelas que separam o escafoide e a fossa semilunar. As radiografias devem ser cuidadosamente revisadas na busca por alargamento do intervalo escafossemilunar (**Fig. 6.3.3-5**) e evidência de instabilidade carpal com a flexão do escafoide e extensão do semilunar.

As FDRs de alta energia podem também ter fraturas associadas do istmo do escafoide.

3 Anatomia

O conceito de três colunas [4] é um modelo biomecânico útil para entender a patomecânica das fraturas do punho. A coluna radial inclui a estiloide do rádio e a fossa do escafoide, a coluna intermediária consiste na fossa do semilunar e a incisura sigmoide do rádio, e a coluna ulnar inclui a porção distal da ulna com o CFCT (**Fig. 6.3.3-6**).

O estiloide radial é um estabilizador importante do punho, fornecendo uma sustentação e inserção óssea para os ligamentos extrínsecos do carpo. Sob condições fisiológicas normais, somente uma quantidade menor de carga é transmitida ao longo da coluna radial. Uma proporção grande de carga é transmitida pela fossa semilunar para a coluna intermediária e, assim, a fossa semilunar é a chave para a superfície da articulação radiocarpal. A ulna é o companheiro estável na rotação do antebraço. O rádio roda em torno da ulna e os dois ossos são firmemente unidos por ligamentos, no nível das articulações radioulnar proximal e distal e pela membrana interóssea. A coluna ulnar representa a extremidade distal deste pivô estável. O CFCT permite a independente flexão/extensão, desvio radial/ulnar e pronação/supinação do punho, sendo, por conseguinte, importante na estabilidade do carpo e do antebraço. Forças significativas são transmitidas pela coluna ulnar, especialmente ao efetuar uma empunhadura.

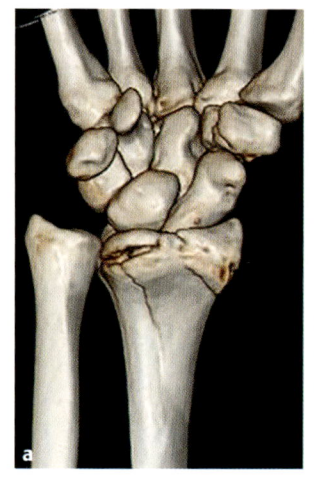

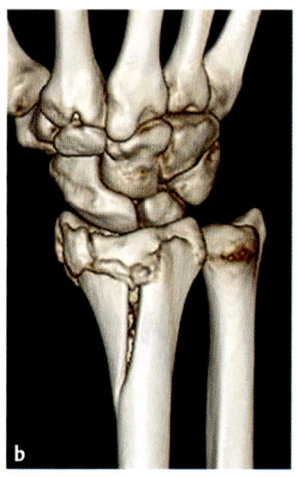

Fig. 6.3.3-4a-b Uma reconstrução tridimensional da tomografia computadorizada da mesma fratura que aparece na **Fig. 6.3.3-3** demonstra a posição dos fragmentos articulares no lado palmar e dorsal.

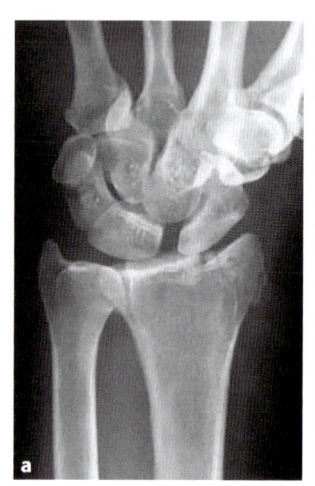

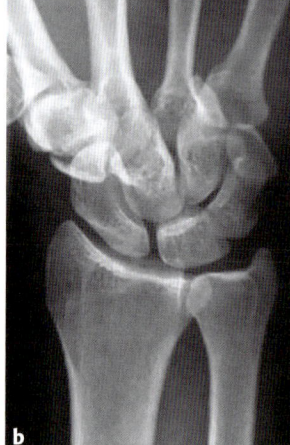

Fig. 6.3.3-5a-b As radiografias de AP feitos com o punho cerrado mostram o alargamento do intervalo escafossemilunar devido à ruptura do ligamento escafossemilunar e fratura da estiloide (**a**) associada, em comparação ao local ileso (**b**).

4 Classificação

4.1 Classificação AO/OTA de Fraturas e Luxações

A Classificação AO/OTA de Fraturas e Luxações é a classificação mais detalhada para a distal do rádio. Os três tipos básicos de fratura: extra-articular, articular parcial e articular completa são organizados em ordem de gravidade crescente, de acordo com a complexidade da fratura, os desafios de tratamento e o desfecho final do paciente (**Fig. 6.3.3-7**).

4.2 Classificação de Fernandez

Fernandez [2] ensinava que uma compreensão melhor do mecanismo de lesão pode fornecer uma avaliação global da lesão mais adequada, potencial dano de partes moles e um algoritmo melhor para as modalidades de tratamento. Poderia fornecer uma melhor informação prognóstica, porque a complexidade das lesões do osso e de partes moles aumenta consistentemente nas fraturas do tipo I ao tipo V (**Tab. 6.3.3-1**). Infelizmente, todos os sistemas de classificação contemporâneos carecem de confiabilidade intra-avaliador e interavaliador.

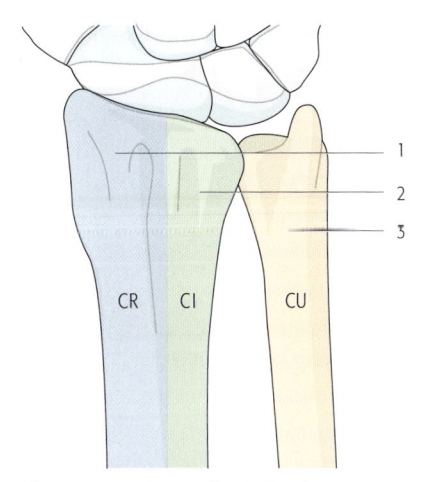

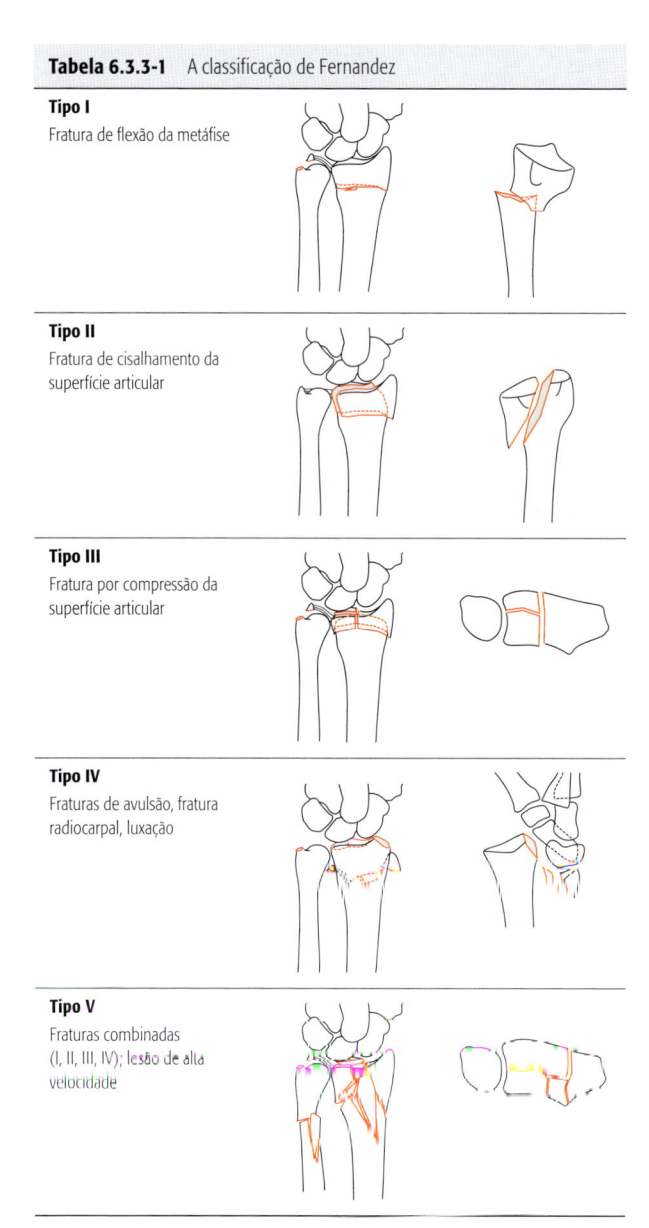

Fig. 6.3.3-6 O conceito de 3 colunas.
1 Coluna radial (CR)
2 Coluna intermediária (CI)
3 Coluna ulnar (CU)

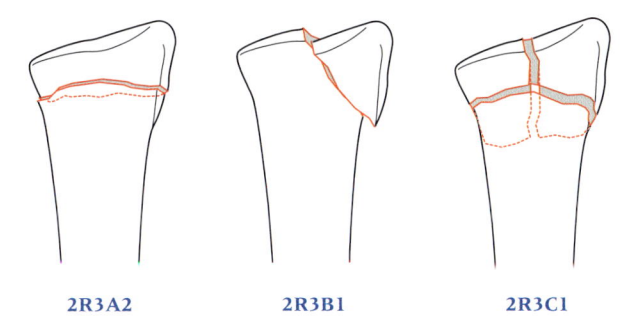

2R3A2 Rádio, segmento da extremidade distal, extra-articular, **fratura simples**
2R3B1 Rádio, segmento da extremidade distal, fratura articular parcial, **fratura sagital**
2R3C1 Rádio, segmento da extremidade distal, fratura completa, articular simples e metafisária simples

Fig. 6.3.3-7 Classificação AO/OTA de Fraturas e Luxações – distal do rádio e da ulna, grupos.

Tabela 6.3.3-1 A classificação de Fernandez

Tipo I Fratura de flexão da metáfise	
Tipo II Fratura de cisalhamento da superfície articular	
Tipo III Fratura por compressão da superfície articular	
Tipo IV Fraturas de avulsão, fratura radiocarpal, luxação	
Tipo V Fraturas combinadas (I, II, III, IV); lesão de alta velocidade	

Fraturas específicas
6.3.3 Distal do rádio e do punho

5 Indicações cirúrgicas

- Fraturas expostas
- Fraturas com síndrome compartimental associada
- Lesão associada neurovascular e/ou de tendão
- Fraturas bilaterais
- Fraturas-luxações radiocarpais
- Fraturas de compressão da superfície articular
- Fraturas de cisalhamento palmar e dorsal
- Fraturas de flexão palmar
- Fraturas de flexão dorsal em pacientes de alta demanda com desvio pós-redução:
  - \> 3 mm de encurtamento radial
  - \> 10 graus de inclinação dorsal
  - \> 2 mm de desvio articular

Não há consenso em relação a intervenções cirúrgicas para as FDRs fechadas. As recomendações e a evidência disponíveis não demonstram qualquer diferença no desfecho em longo prazo entre a redução fechada e o tratamento com gesso e a fixação cirúrgica para as fraturas do tipo flexão dorsal em pacientes acima dos 65 anos de idade [1, 5, 6].

6 Planejamento pré-operatório

6.1 Momento da cirurgia

O momento da cirurgia depende das lesões associadas de partes moles e do tipo de fixação definitiva e recursos cirúrgicos.

As FDRs complexas têm lesão significativa de partes moles, mesmo que sem exposição. As FDRs de alta energia devem ser observadas para síndrome compartimental e, se presente, a fasciotomia imediata deve ser executada. As fraturas expostas graus 2 e 3 de Gustilo e as fraturas com lesão neurovascular requerem tratamento cirúrgico imediato. Na maioria dos problemas graves de partes moles, o fixador externo transarticular é adequado para o primeiro estágio de estabilização óssea depois do debridamento.

Na maioria das FDRs onde a cirurgia é indicada, a redução fechada e imobilização com tala gessada são recomendadas até que o paciente seja submetido à cirurgia. A evidência é inconclusiva em relação à descompressão do nervo mediano quando a disfunção desse nervo persistir após a redução da fratura [5].

6.2 Seleção do implante

Existem muitas abordagens cirúrgicas diferentes para o tratamento da FDR. Os implantes incluem fios de Kirschner e/ou fixadores externos, placas palmares e/ou dorsais, hastes intramedulares e placas em ponte.

6.3 Configuração da sala de cirurgia

O torniquete é colocado e um campo grande é espalhado sobre o corpo do paciente, com a borda livre embrulhada em torno do membro lesado para isolar o braço. O intensificador de imagem é preparado, com exceção da extremidade (tubo de radiografia) que irá debaixo da mesa auxiliar e que não precisará ser coberta (**Fig. 6.3.3-8**).

O cirurgião se senta próximo à cabeça do paciente e o assistente no lado oposto da mesa auxiliar. A equipe da sala de cirurgia fica posicionado próximo ao assistente. Tenha certeza de que o assistente e o instrumentador não impeçam o acesso do intensificador de imagem. A tela do intensificador de imagem é colocada para a completa visão da equipe cirúrgica e do técnico em radiologia (**Fig. 6.3.3-9**).

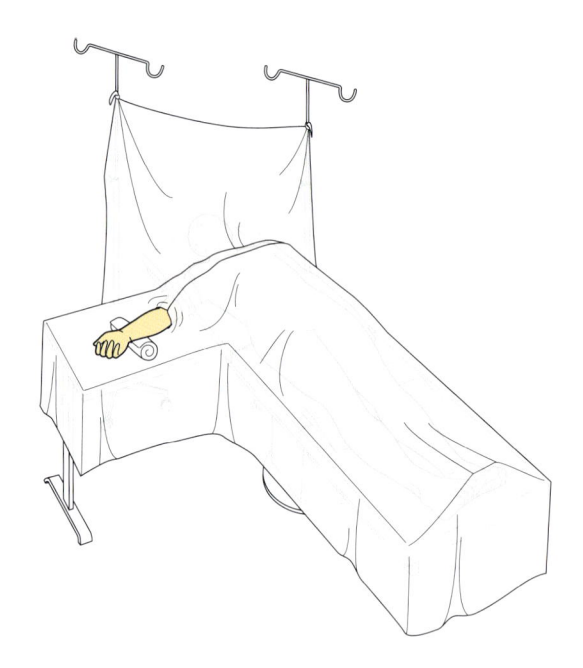

Fig. 6.3.3-8 Preparação e desinfecção do paciente.

7 Cirurgia

A anatomia das FDRs produz alguns desafios cirúrgicos ímpares. Os implantes dorsalmente posicionados têm pouca cobertura de partes moles e podem irritar os tendões extensores sobrejacentes. Os implantes palmares ficam bem cobertos pelo músculo pronador quadrado. A cortical fina em torno da metáfise distal do rádio significa que a passada da rosca dos parafusos convencionais confere pega insuficiente para a fixação com estabilidade absoluta, um problema que é ainda maior no osso osteoporótico. Por conta dessas limitações, por muitos anos a fixação com placa somente era recomendada para sustentar fraturas articulares de cisalhamento palmar. A fixação externa era o tratamento de escolha, usando a ligamentotaxia e tração para reduzir a fratura. Entretanto, as complicações relacionadas à fixação externa levaram a tentativas adicionais para desenvolver implantes que permitissem a fixação interna no dorso do punho.

O desenvolvimento de placas bloqueadas, no final dos anos 1990, mais a compreensão adicional da biomecânica do punho, levaram à introdução de vários sistemas de placa bloqueada que facilitam a fixação do osso metafisário. Eles suportam colunas específicas, com arranjos para as colunas radial e intermediária. O uso de placas bloqueadas e cabeças de parafuso de baixo perfil no lado dorsal do punho tem reduzido a irritação de partes moles nesse local.

7.1 Uso de placa palmar
7.1.1 Via de acesso cirúrgica

A pele é incisada longitudinalmente ao longo do curso do tendão flexor radial do carpo (FRC) (**Fig. 6.3.3-10a**). A bainha do FRC é aberta e o tendão afastado para o lado ulnar. Grande cuidado deve ser tomado para evitar pressão sobre o nervo mediano (**Fig. 6.3.3-10b**).

Debaixo da bainha do FRC fica o tendão do flexor longo do polegar. Ele deve ser liberado e afastado para o lado ulnar, revelando o músculo pronador quadrado. O músculo pronador quadrado é elevado a partir de sua origem radial proximalmente e a incisão é virada distalmente em um formato em L. O membro horizontal é posicionado na zona de transição fibrosa entre o pronador quadrado e a linha demarcatória (*watershed line*). Essa zona fibrosa fica alguns milímetros proximalmente à linha demarcatória e é elevada do osso para expor as linhas de fratura e os fragmentos palmares. A posição da linha articular pode ser determinada com uma agulha hipodérmica colocada dentro da articulação (**Fig. 6.3.3-10c**). A linha demarcatória representa a margem entre as estruturas que são elevadas proximalmente e os ligamentos extrínsecos palmares do punho. Eles não devem ser desinseridos do rádio (para expor a superfície articular), já que isso pode instabilizar o punho.

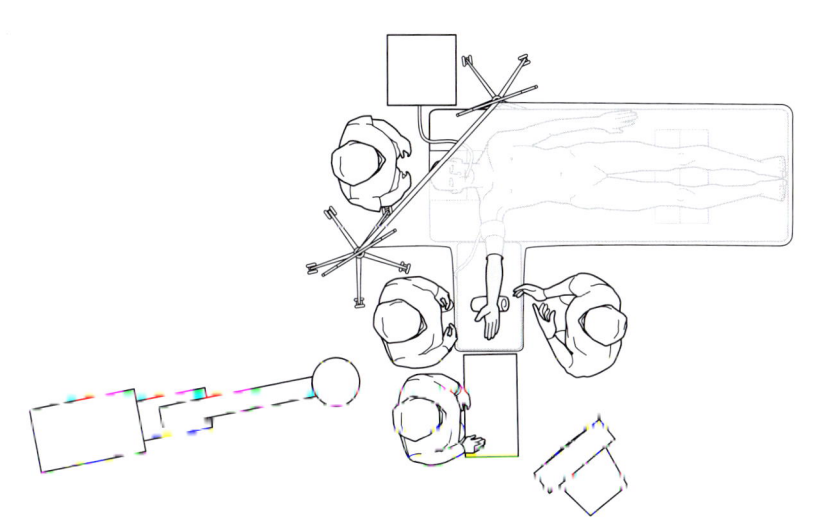

Fig. 6.3.3-9 Configuração da sala de cirurgia.

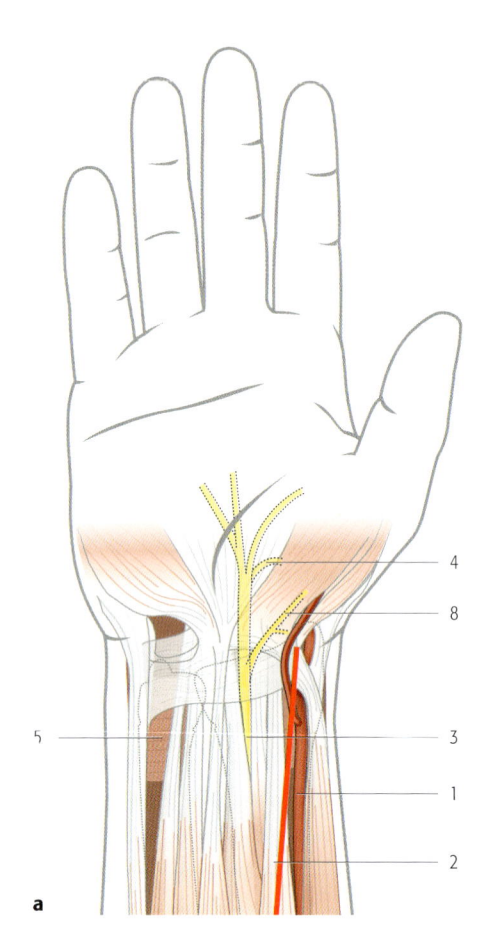

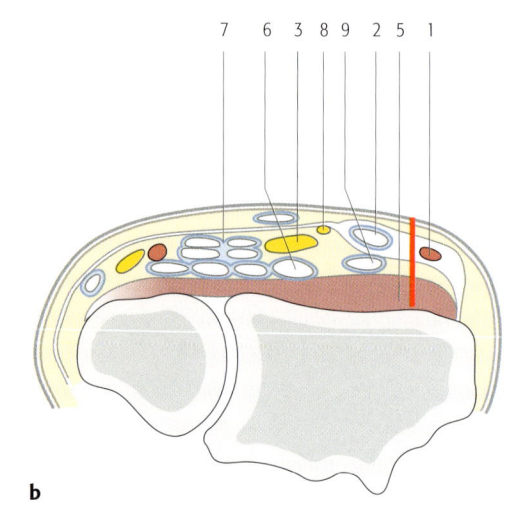

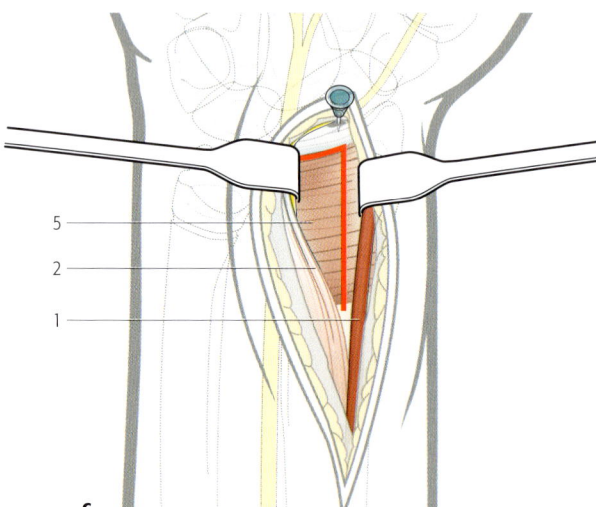

Fraturas específicas
6.3.3 Distal do rádio e do punho

Fig. 6.3.3-10a–c Via de acesso palmar para o rádio.
- **a** Via de acesso através do leito do tendão flexor radial do carpo (FRC).
- **b** A via de acesso é feita entre o tendão do FRC e a artéria radial.
- **c** Distal do rádio exposta pela elevação do músculo pronador quadrado com uma incisão em forma de L invertido, com a parte distal sobre a zona fibrosa transicional (*watershed line*).

1. Artéria radial
2. Tendão do FCR
3. Nervo mediano
4. Ramo motor do nervo mediano
5. Músculo pronador quadrado
6. Tendões do flexor profundo dos dedos
7. Tendões do flexor superficial dos dedos
8. Ramo cutâneo palmar do nervo mediano
9. Tendão do abdutor longo do polegar

Se a fratura for distal, não é necessário elevar de forma completa o músculo pronador quadrado proximalmente. Os fragmentos palmares são identificados, desimpactados e reduzidos.

A superfície palmar distal do rádio é plana. A aplicação de um implante achatado nessa superfície corrigirá automaticamente qualquer má posição dos fragmentos da fratura.

Depois da fixação da fratura, todas as tentativas devem ser feitas considerando a reinserção do membro horizontal da incisão em forma de L invertido na área de transição fibrosa (*watershed line*) para prevenir irritação de partes moles sobre os implantes.

7.1.2 Redução

No tratamento das fraturas de flexão dorsal desviadas, as placas bloqueadas podem ser aplicadas sobre a superfície palmar distal do rádio e a placa é usada como uma ferramenta de redução. Os parafusos de cabeça bloqueada são colocados no osso subcondral sob orientação radiográfica. O ângulo de deslizamento desses parafusos, que é formado na placa, resulta em uma inclinação palmar normal quando a parte longitudinal da placa for aplicada à diáfise radial (**Fig. 6.3.3-11**).

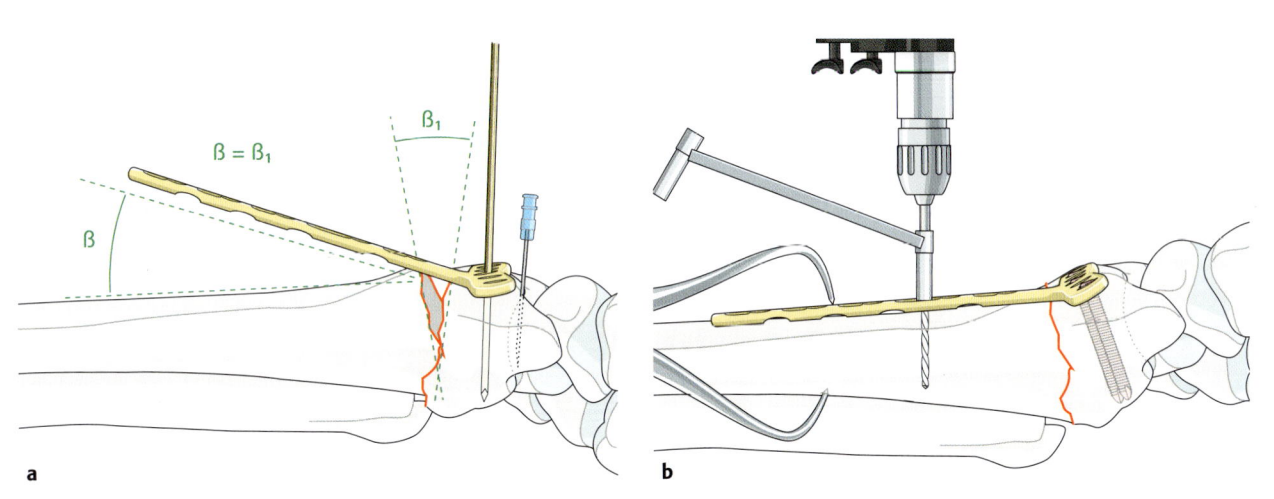

Fig. 6.3.3-11a-b
a A placa bloqueada palmar é aplicada ao fragmento distal. O ângulo da placa em relação à diáfise deve ser igual ao ângulo de desvio do fragmento distal.
b Redução da fratura alcançada com a placa trazida sobre a diáfise.

Fraturas específicas
6.3.3 Distal do rádio e do punho

As fraturas de cisalhamento palmar devem ser tratadas com fixação com placa palmar. Esses tipos de lesões são instáveis, com subluxação palmar do carpo. A fixação com placa de suporte palmar está indicada para estabilizar a fratura (**Fig. 6.3.3-12a-b**). A fratura também deve ser cuidadosamente avaliada para cominução dorsal. A placa deve ser aplicada tão ulnarmente quanto possível para sustentar o crucial fragmento palmar-ulnar do rádio (**Fig. 6.3.3-12c-d**). Se não, pode ocorrer o redeslocamento do carpo.

7.1.3 Fixação

A fixação com a placa deve começar no lado ulnar do rádio. A posição do parafuso no canto ulnar do rádio deve ser verificada sob intensificação de imagem para prevenir penetração radiocarpal, na articulação radioulnar distal (ARUD) ou na cortical dorsal.

Atenção especial deve ser dada para as fraturas articulares com um fragmento dorsoulnar (**Fig. 6.3.3-13**). Esse fragmento é parte da articulação radiocarpal e da ARUD e deve ser anatomicamente reduzido. Em fraturas recentes, ele pode ser reduzido com tração e então manualmente comprimido até os fragmentos palmares e a placa (**Fig. 6.3.3-14**). Se o fragmento não reduzir depois da tentativa de redução fechada, a manipulação percutânea com um fio de Kirschner ou a redução aberta por via de acesso dorsal e fixação interna é necessária.

Nas fraturas com extensão para a diáfise, a redução aberta com uma placa longa em T de suporte é preferida uma vez que as fraturas diafisárias levam mais tempo que as metafisárias para consolidar.

Fig. 6.3.3-12a-d
- **a** Redução da fratura por hiperextensão do punho sobre um coxim e manipulação direta do fragmento distal.
- **b** A pressão de suporte sobre o(s) fragmento(s) da borda palmar pelo aperto da placa reduz a fratura.
- **c-d** A placa deve suportar o fragmento mais palmar-ulnar do rádio para prevenir o redeslocamento carpal.

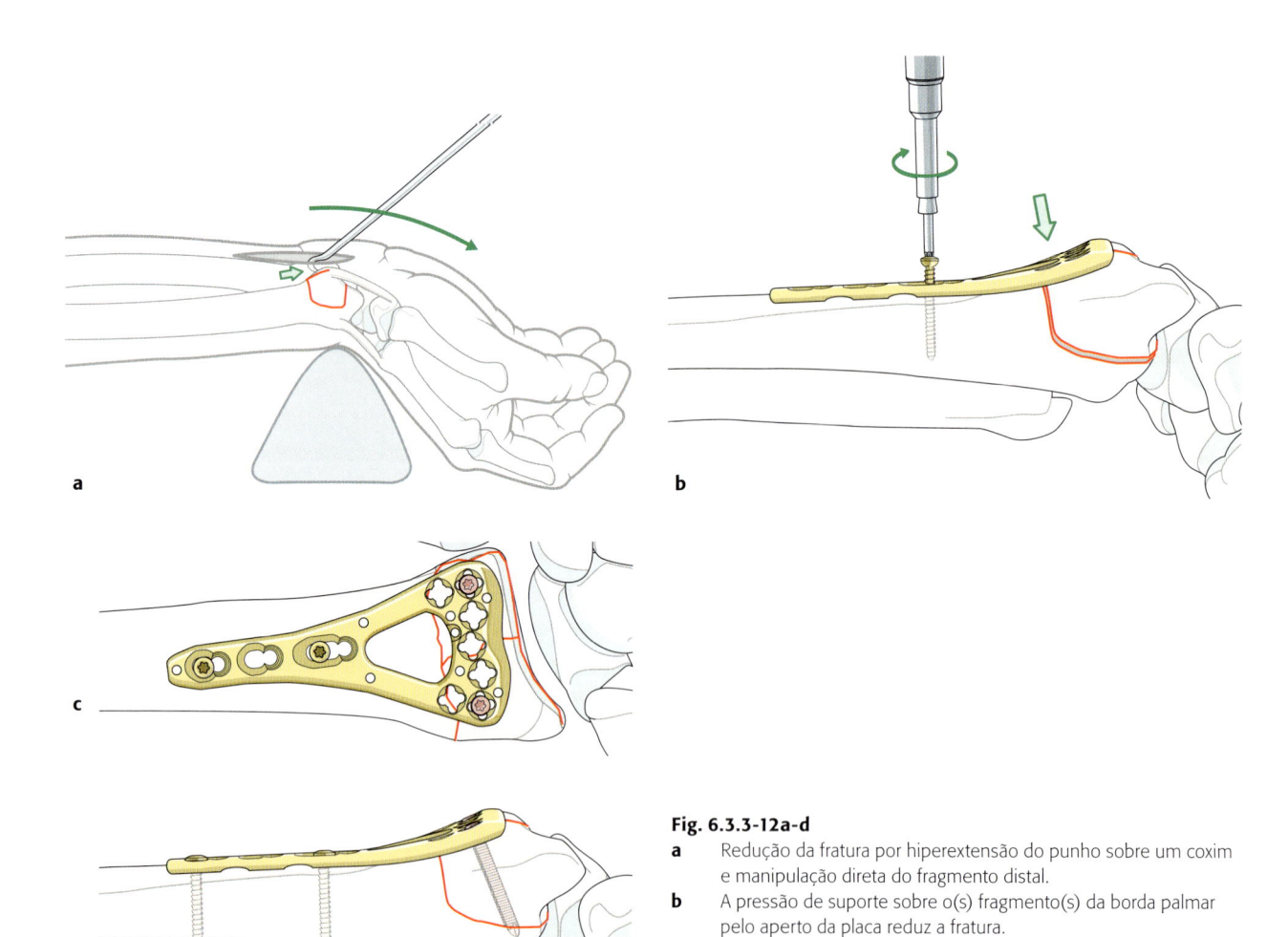

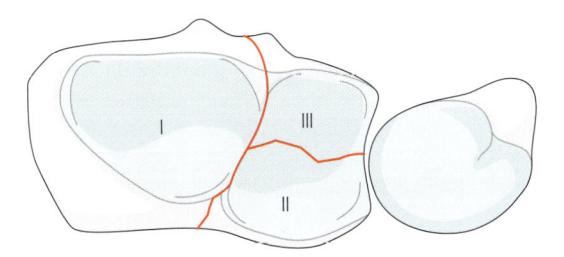

Princípios AO do tratamento de fraturas
Volume 2

Fig. 6.3.3-13 Fragmentos articulares comuns do rádio.
I Estiloide radial
II Palmar-ulnar
III Dorsal-ulnar

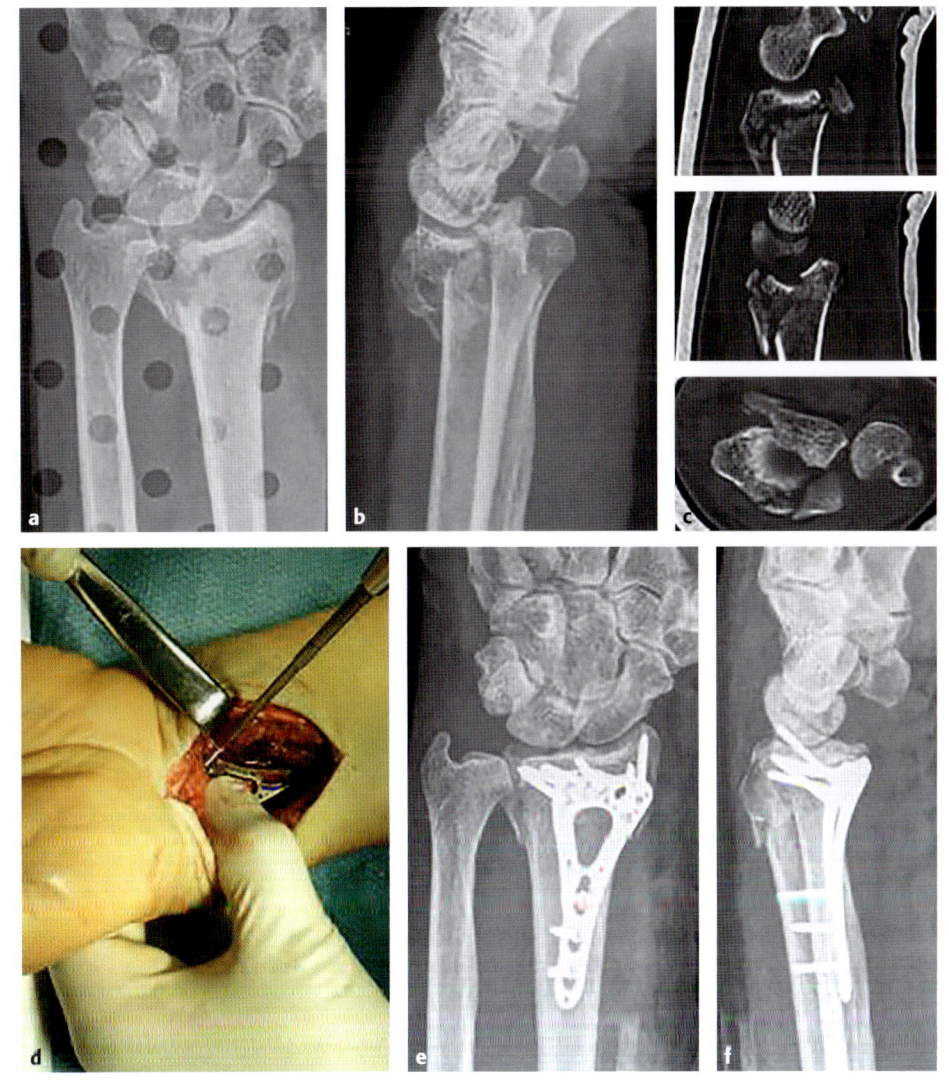

Fig. 6.3.3-14a-f
a-b Fratura com compressão articular 2R3C3.2.
c O exame de tomografia computadorizada mostra os três fragmentos articulares comuns do rádio: estiloide radial, palmar-ulnar e dorsal-ulnar.
d Fragmento dorsal-ulnar reduzido por ligamentotaxia, comprimido e fixado aos fragmentos palmares e à placa.
e-f Incidências ligeiramente oblíquas para mostrar os fragmentos da faceta semilunar reduzidos e a estiloide reduzida.

Fraturas específicas
6.3.3 Distal do rádio e do punho

A colocação da placa bloqueada na superfície palmar reduz os problemas relacionados à placa nas partes moles e a estabilidade desses dispositivos torna desnecessária a enxertia óssea do defeito dorsal. O uso de placa palmar com um implante bloqueado permite a restauração anatômica do comprimento e da rotação, e a perda secundária da redução é menos comum. Além disso, a mobilização precoce é possível, com um retorno rápido à função e menor risco de síndrome de dor regional complexa.

7.2 Uso de placa dorsal

7.2.1 Via de acesso cirúrgica

As indicações para a via de acesso dorsal são:
- Fraturas com cisalhamento dorsal e luxações radiocarpais tipo 2R3B2.1-3
- Ruptura ligamentar intrínseca completa do carpo associada ou fraturas desviadas do carpo
- Fragmento da faceta semilunar dorsal desviado que não possa ser reduzido percutaneamente
- Fragmentos centralmente comprimidos (impactados)

Uma incisão reta na pele é feita sobre o tubérculo de Lister. Distalmente, se estende acima da linha articular radiocarpal até mais ou menos 1 cm proximalmente à base da segunda articulação carpometacarpal. Proximalmente, a incisão é continuada por 3-4 cm ao longo da diáfise radial. O nervo radial superficial fica no retalho cutâneo e deve ser protegido.

A coluna intermediária é acessada por meio do assoalho do terceiro compartimento extensor (**Fig. 6.3.3-15a**). O retináculo extensor é dividido ao longo da linha do tendão do extensor longo do polegar (ELP), que é liberado e protegido. A extremidade distal da incisão retinacular pode ser preservada, de forma que a parte distal do tendão mantém seu curso.

O rádio é habitualmente exposto entre os compartimentos dos tendões extensores III e IV e então entre II e III ou I e II, dependendo do padrão de fratura (**Fig. 6.3.3-15b**).

A coluna intermediária é visualizada por dissecção subperiostal (**Fig. 6.3.3-15c**). O segundo compartimento pode ser elevado subperiostalmente para expor o aspecto dorsal da fossa escafoide. Essa exposição é útil para a colocação dorsal padrão (paralela) da placa.

Se, contudo, a técnica de uso de placa dupla ortogonal for escolhida, a exposição da coluna radial é mais adequadamente alcançada pela passagem superficial ao segundo compartimento e abertura do primeiro compartimento. O segundo compartimento não é aberto.

Para fechamento, o tendão do ELP é transposto sobre o retináculo, que é reparado por baixo.

A via de acesso entre os compartimentos dos tendões extensores depende do padrão de fratura e deve ser cuidadosamente planejada depois de avaliar as radiografias e a TC (**Fig. 6.3.3-15d**).

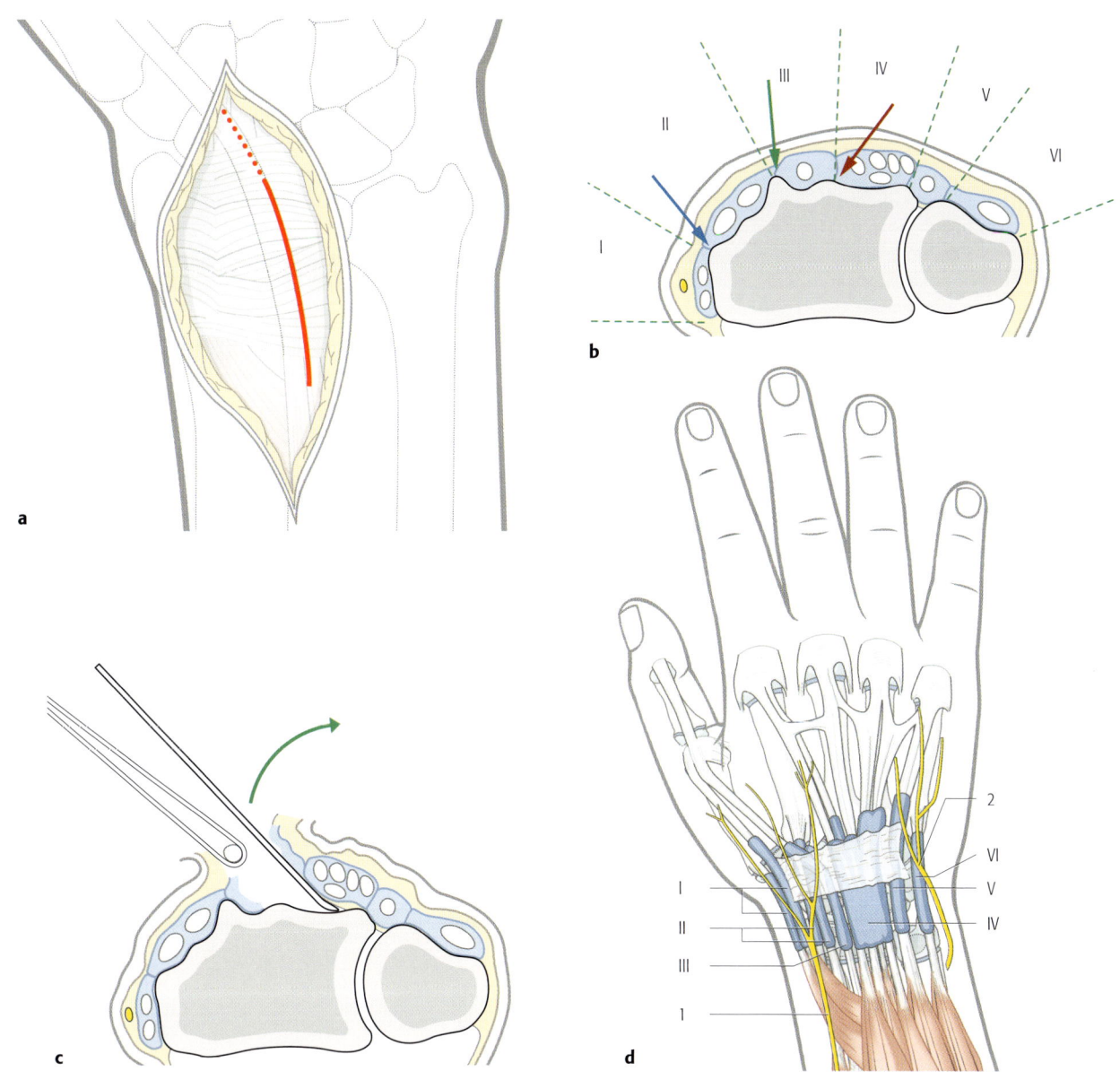

Princípios AO do tratamento de fraturas
Volume 2

Fig. 6.3.3-15a–d Via de acesso dorsal para o punho.
a A incisão é centrada sobre o tubérculo de Lister. Abertura do compartimento III, afastamento do tendão do extensor longo do polegar.
b Depois da abertura do compartimento III, o rádio é habitualmente exposto entre os compartimentos extensores III/IV (seta vermelha), e então II/III (seta verde) ou I/II (seta azul).
c O tendão extensor longo do polegar é afastado e o quarto compartimento (III/IV) é elevado subperiostalmente, deixando o compartimento em si intacto.
d A via de acesso entre os compartimentos dos tendoes extensores depende do padrão de fratura e deve ser cuidadosamente planejada depois de avaliar as radiografias e a tomografia computadorizada.

I   Abdutor longo do polegar, extensor curto do polegar
II Extensor longo e curto radial do carpo
III Extensor longo do polegar
IV Extensor longo dos dedos, extensor do indicador
V   Extensor próprio do mínimo
VI Extensor ulnar do carpo
1   Nervo radial superficial
2   Nervo ulnar superficial

685

7.2.2 Redução

A faceta escafoide desviada e os fragmentos dorsais da faceta semilunar são identificados. A artrotomia dorsal é feita em paralelo à borda radial dorsal ou entre os fragmentos articulares maiores para inspecionar a superfície articular e procurar qualquer lesão carpal associada. Se os fragmentos dorsais forem suficientemente grandes, a fixação provisória com fios de Kirschner é obtida (**Fig. 6.3.3-16a-b**). Com o contorno da parte distal da placa, a redução precisa do fragmento pode ser alcançada.

7.2.3 Fixação

A fixação final é alcançada com placas (bloqueadas) dorsais que sustentam e seguram os fragmentos da coluna radial e intermediária.

Depois da reconstrução da superfície articular, a coluna intermediária é estabilizada com uma placa dorsal que pode ser moldada ou, se a cortical palmar estiver intacta, aplicada em modo de suporte.

A posição da placa pode ser ortogonal ou paralela, dependendo do desvio articular da faceta do escafoide. A posição dos parafusos distais deve ficar sob o osso subcondral para prevenir o desvio secundário (**Fig. 6.3.3-16c-d**).

Pequenos fragmentos dorsais podem ser seguros com âncoras ou suturas transóssea, mas, dessa forma, a fixação externa adicional é obrigatória.

7.3 Fixação externa

A fixação externa é alcançada com fios de Kirschner, fixador externo ou uma combinação de ambos. O fixador externo é habitualmente aplicado como um fixador transarticular, mas, quando os fragmentos distais forem suficientemente grandes, pode ser aplicado sem precisar fazer uma ponte sobre a articulação do punho.

Indicações para o fixador externo:
- Fraturas expostas graves e contaminadas
- Fixação temporária em trauma de alta energia
- Politraumatismo
- Tração intraoperatória
- Dispositivo de neutralização adicional quando a fixação estável não puder ser alcançada com o uso de placa ou fios

Quando a cominução nas fraturas de flexão dorsal for grande, a instabilidade e o redeslocamento são prováveis depois da manipulação simples. Os fios de Kirschner são insuficientes para manter a redução e devem ser suplementados com um fixador externo.

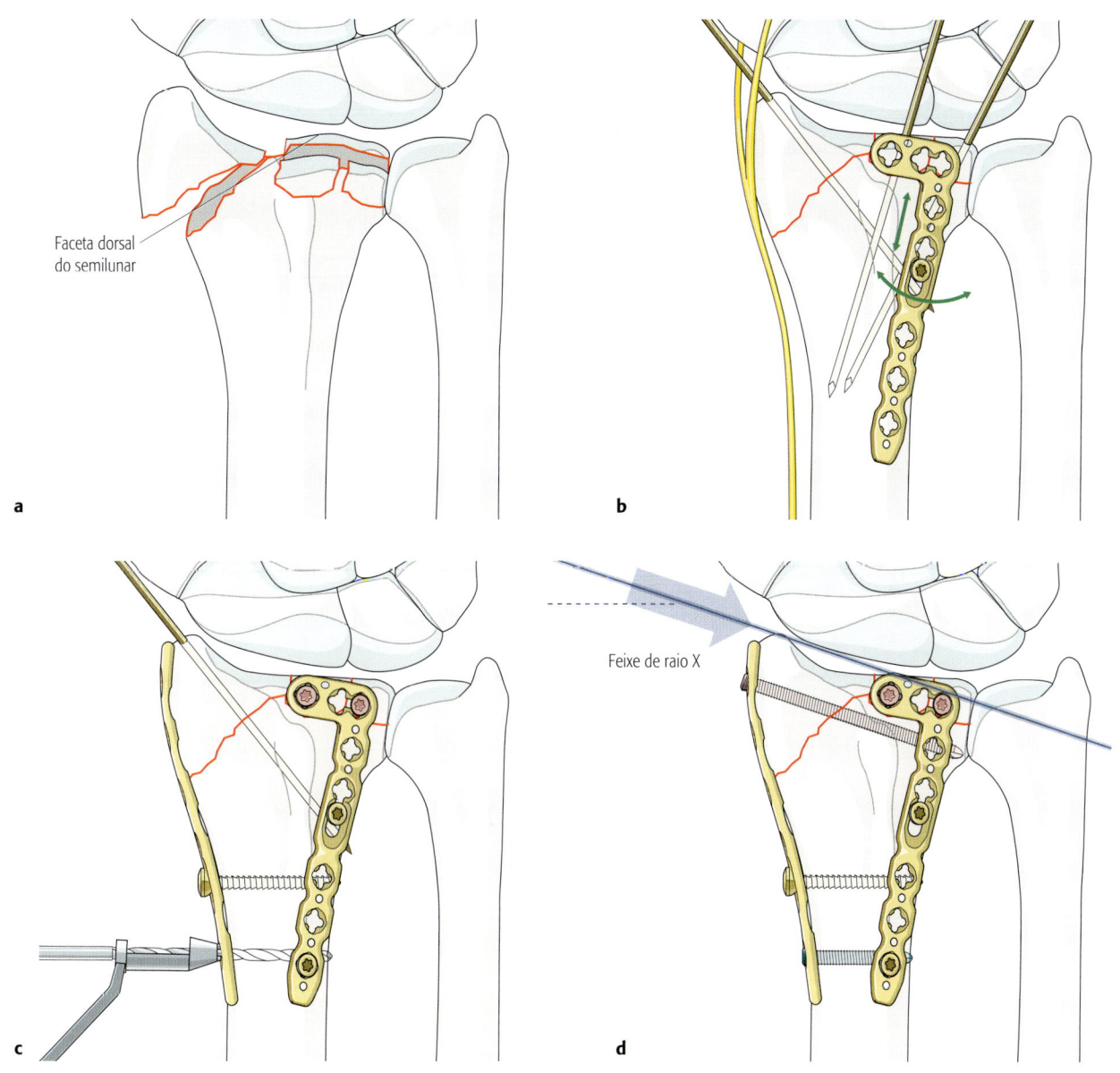

Princípios AO do tratamento de fraturas
Volume 2

Fig. 6.3.3-16a–d
a   Fratura da borda dorsal (2R3B2.2).
b   Após os fios de Kirschner para fixação temporária (evitando o nervo radial superficial), a placa bloqueada dorsal é ajustada para apoiar os fragmentos da faceta semilunar.
c   Uma segunda placa é aplicada para sustentar o fragmento do estiloide radial.
d   Montagem ortogonal que estabiliza as colunas radial e intermediária, verificada por um feixe de raio X inclinado em 20° para confirmar que os parafusos distais não penetram na superfície articular.

Fraturas específicas
6.3.3 Distal do rádio e do punho

7.3.1 Via de acesso cirúrgica

Os dois parafusos de Schanz proximais são inseridos na diáfise radial 3-4 cm proximais ao punho, entre o músculo extensor comum dos dedos e os extensores longo e curto radiais do carpo, sem penetrá-los. Distalmente, os parafusos são inseridos no segundo metacarpal. No plano frontal, os parafusos devem ser inseridos em um ângulo de 30-40° para evitar transfixação dos músculos extensores ou do tendão do extensor do dedo indicador (**Fig. 6.3.3-17a-c**). As incisões maiores são recomendadas para proteger o ramo cutâneo do nervo radial e os tendões extensores.

7.3.2 Redução

A tração longitudinal é aplicada no polegar e no dedo indicador ou nos dois parafusos distais de Schanz para reduzir a fratura (**Fig. 6.3.3-17d**). Manobras adicionais podem ser necessárias na dependência do padrão específico de fratura.

A intensificação de imagem intraoperatória deve estar disponível para verificar a redução, a posição do parafuso de Schanz e a estabilidade da montagem. A tração excessiva deve ser evitada. Na radiografia, é reconhecível como um espaço aumentado entre a superfície articular distal do rádio e a fileira carpal proximal. Tampouco é aconselhável o posicionamento do punho em posição extrema na direção radioulnar ou palmar, com o objetivo de alcançar a redução dos fragmentos. As consequências dessas posições e da tração em excesso incluem a rigidez do punho e dos dedos e o aumento do risco de síndrome da dor regional complexa (SDRC).

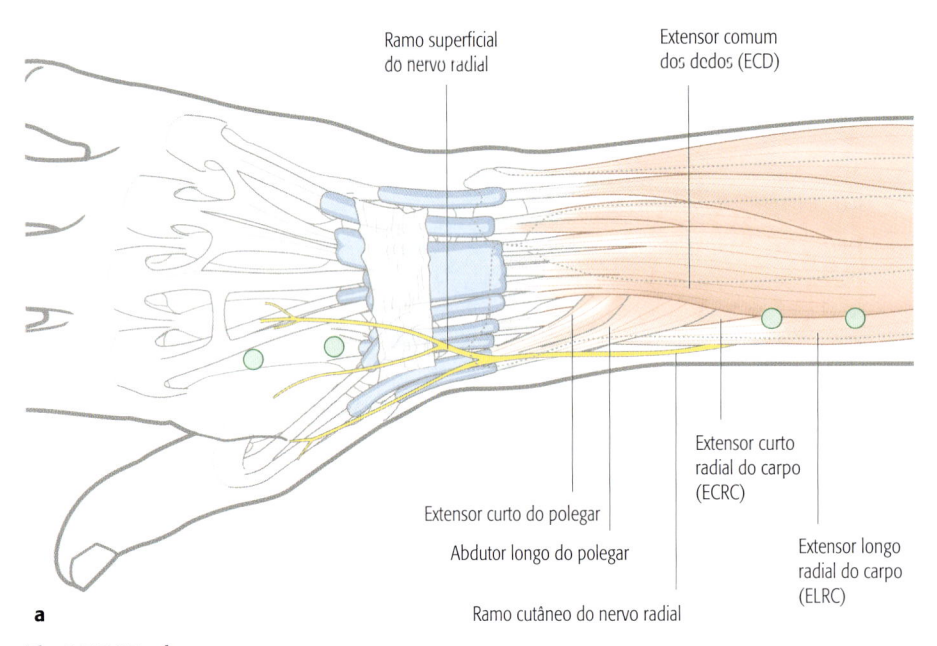

Fig. 6.3.3-17a-d
a   Referências anatômicas para inserção do parafuso de Schanz.

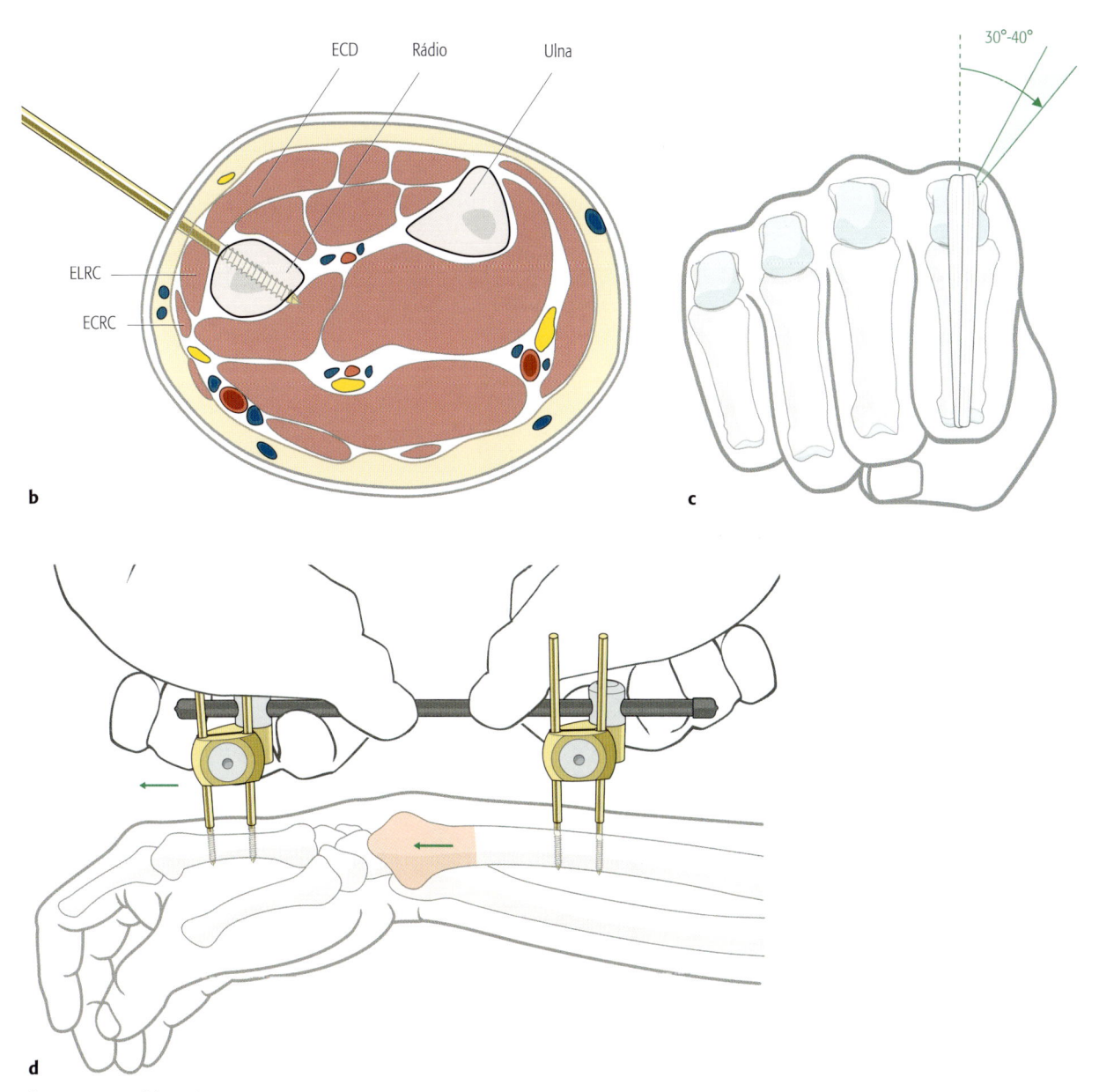

Fig. 6.3.3-17a-d (cont.)
b-c No plano frontal, os parafusos devem ser inseridos em um ângulo de 30-40° para evitar a transfixação do tendão e músculos extensores.
d A haste de fibra de carbono é fixada dentro da pinça proximal e tração longitudinal é aplicada nos dois parafusos de Schanz distais para reduzir a fratura.

Fraturas específicas
6.3.3 Distal do rádio e do punho

7.3.3 Fixação

O fixador externo é frequentemente usado como um dispositivo de neutralização para as fraturas-luxações radiocarpais. O fragmento da estiloide pode ser considerado como um desvio ósseo dos fortes ligamentos palmares radioescafocapitato e radiossemilunar. Dorsalmente existe a ruptura do ligamento radiopiramidal. As rupturas adicionais ou as avulsões ósseas dos ligamentos palmares radiocarpal e ulnocarpal são frequentes e devem ser abordadas. O fixador externo protege o reparo ligamentar e ósseo (**Fig. 6.3.3-18**).

Quando o fixador externo é usado para o tratamento definitivo, é deixado em posição até que a consolidação da fratura seja suficientemente firme que o redeslocamento se torne improvável. Isto depende do tipo de fratura, mas é habitualmente em 6 semanas depois da aplicação.

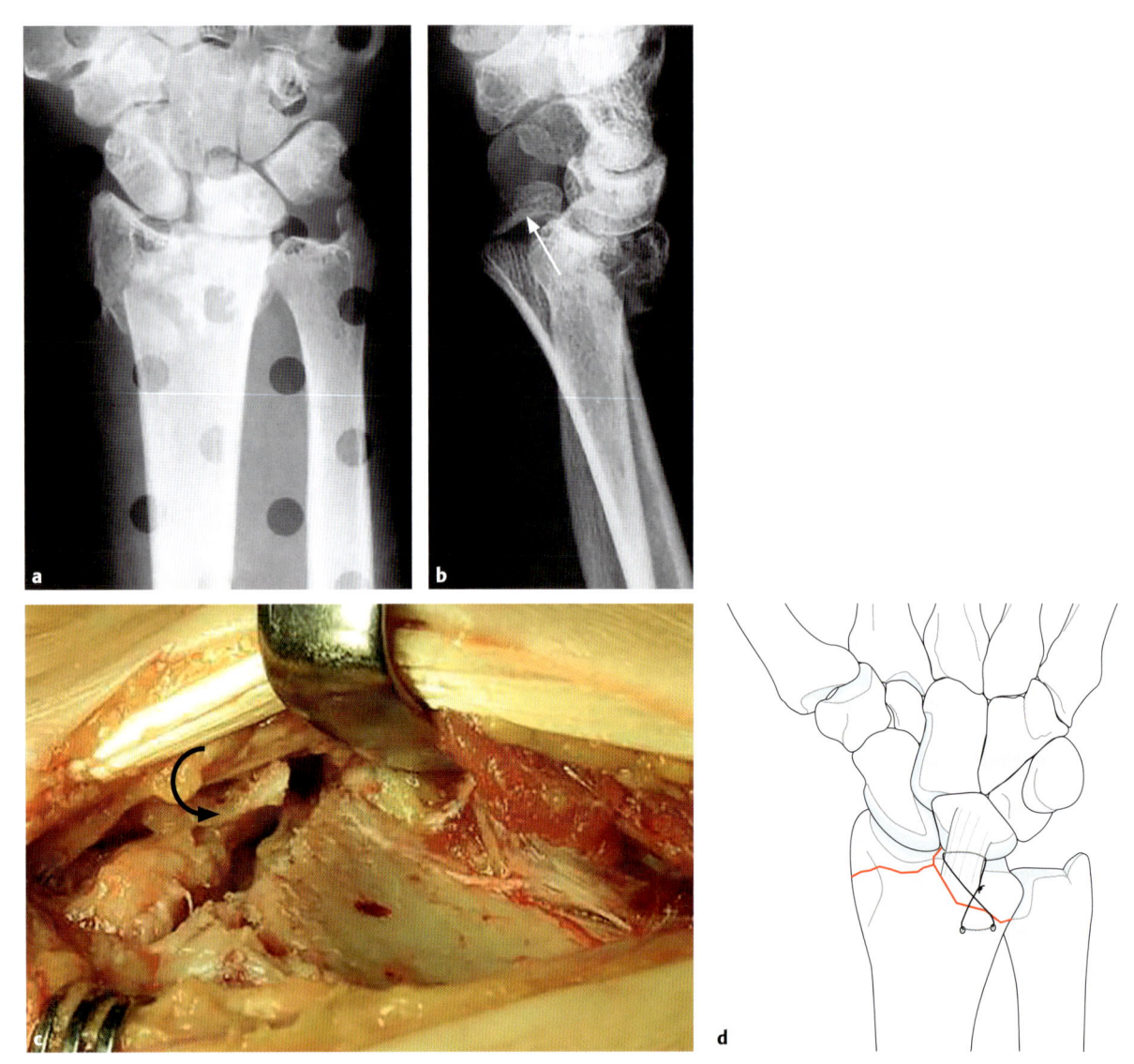

Fig. 6.3.3-18a-l Uma mulher de 59 anos de idade teve uma queda de altura; foi tratada para uma luxação radiocarpal "reduzida".
a-b Conservadoramente tratada por 3 semanas; a faceta rodada em 180° do semilunar não foi reconhecida (seta).
c-d Vista intraoperatória do fragmento da faceta semilunar rodado em 180° (seta), fixado com uma sutura em oito através dos ligamentos palmares.

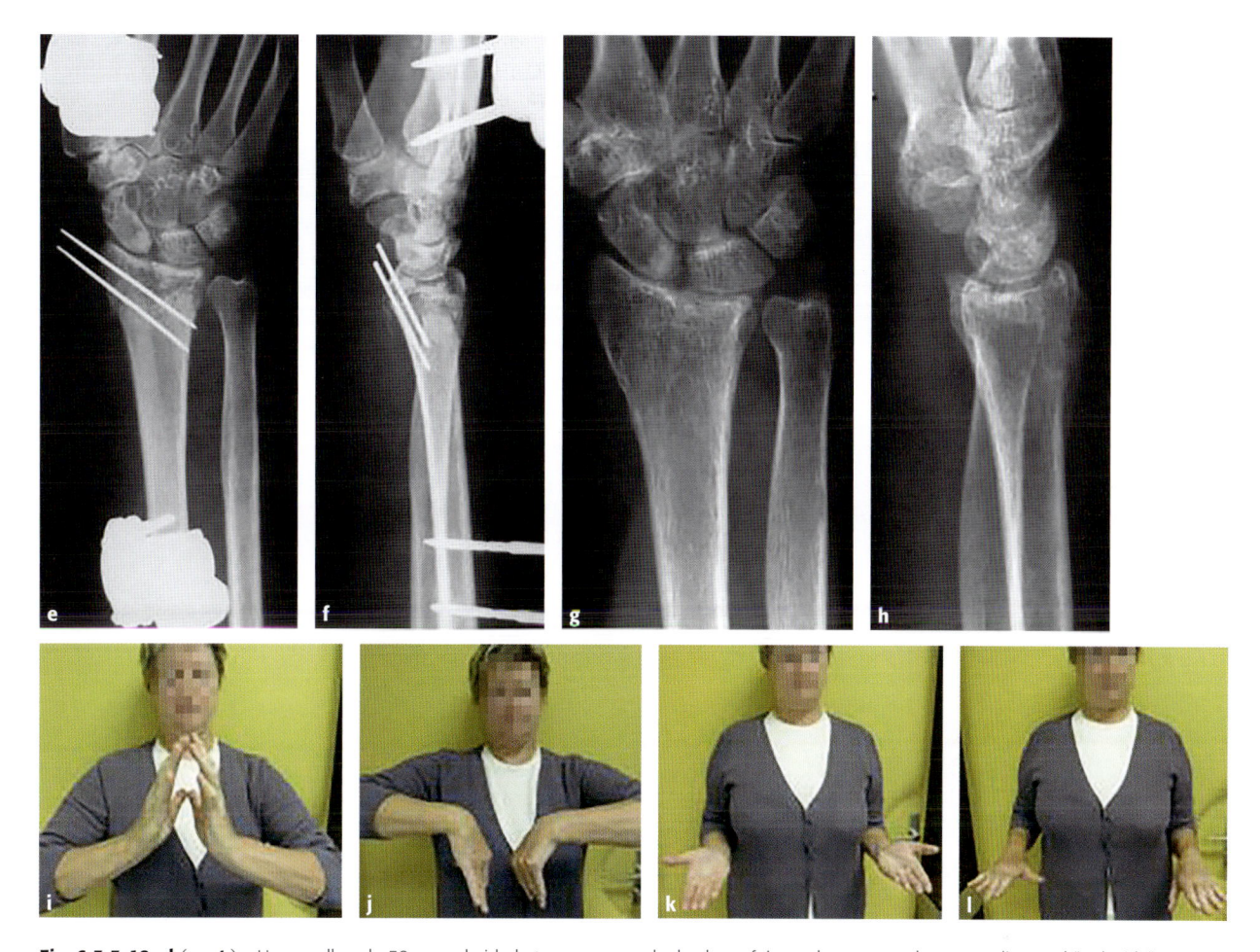

Fig. 6.3.3-18a-l (cont.) Uma mulher de 59 anos de idade teve uma queda de altura; foi tratada para uma luxação radiocarpal "reduzida".
e-f O fixador externo protege o reparo ligamentar e a fixação da estiloide radial por 5 semanas.
g-h Radiografia depois de 8 meses mostra articulação radiocarpal congruente e bem alinhada.
i-l Movimento do punho e antebraço aos 8 meses.

Fraturas específicas
6.3.3 Distal do rádio e do punho

7.4 Desafios

7.4.1 Fraturas complexas

As fraturas complexas 2R3C3.2 e C3.3 são resultado de trauma de alta energia em pacientes jovens. A combinação de cisalhamento e forças de compressão levam ao desvio marcado, depressão e cominução dos fragmentos articulares. Lesões graves de partes moles podem estar presentes.

O problema com essas FDRs complexas é a cominução articular. Os fragmentos articulares são muito pequenos para serem fixados com placas e parafusos comuns ou até de minifragmentos. As placas bloqueadas não oferecem nenhuma vantagem adicional nessa situação. Existem significativos hiatos subcondrais e metafisários e alguma perda da superfície articular.

Mesmo com a cominução articular significativa, geralmente há alguns fragmentos cruciais da faceta semilunar e da incisura sigmoide que são suficientemente grandes para serem realinhados e reduzidos. A meta é primariamente focar na restauração da faceta semilunar e da incisura sigmoide. Esses fragmentos devem ser identificados antes e durante a cirurgia.

A redução começa com o fragmento palmar da faceta semilunar, que é o pilar da montagem. A artrotomia dorsal e a inspeção da articulação radiocarpal é obrigatória para reduzir e realinhar quaisquer fragmentos desviados e impactados. A fixação dos fragmentos articulares pequenos pode ser feita por fios de Kirschner colocados temporariamente na região subcondral para segurar os fragmentos. Defeitos ósseos subcondrais são preenchidos com enxerto ósseo esponjoso, que sustenta a redução articular e promove a consolidação óssea metafisária. A estabilidade metafisária adicional pode ser alcançada por pequenas placas dorsais ou palmares, dependendo da configuração da fratura. O fixador externo é usado como um dispositivo de proteção e é deixado por 6 semanas (**Fig. 6.3.3-19**).

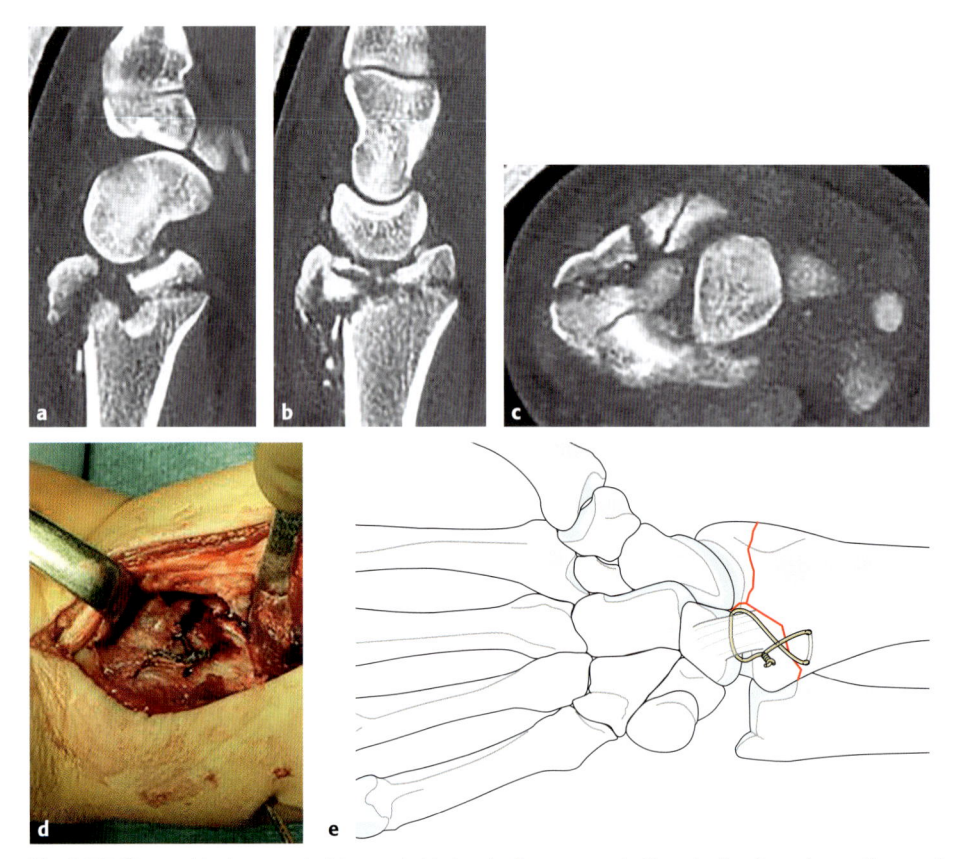

Fig. 6.3.3-19a-p Um homem de 34 anos de idade caiu de uma escada (4 m de altura) e sofreu politraumatismo.
a-c Tomografia computadorizada pós-redução em uma tala: escafoide com cominução grave e faceta semilunar com fragmentos articulares curtos palmares, centrais e dorsais, e hiato subcondral-metafisário.
d-e Fragmentos palmares curtos da faceta semilunar fixados com uma sutura em oito em torno dos ligamentos radiossemilunares.

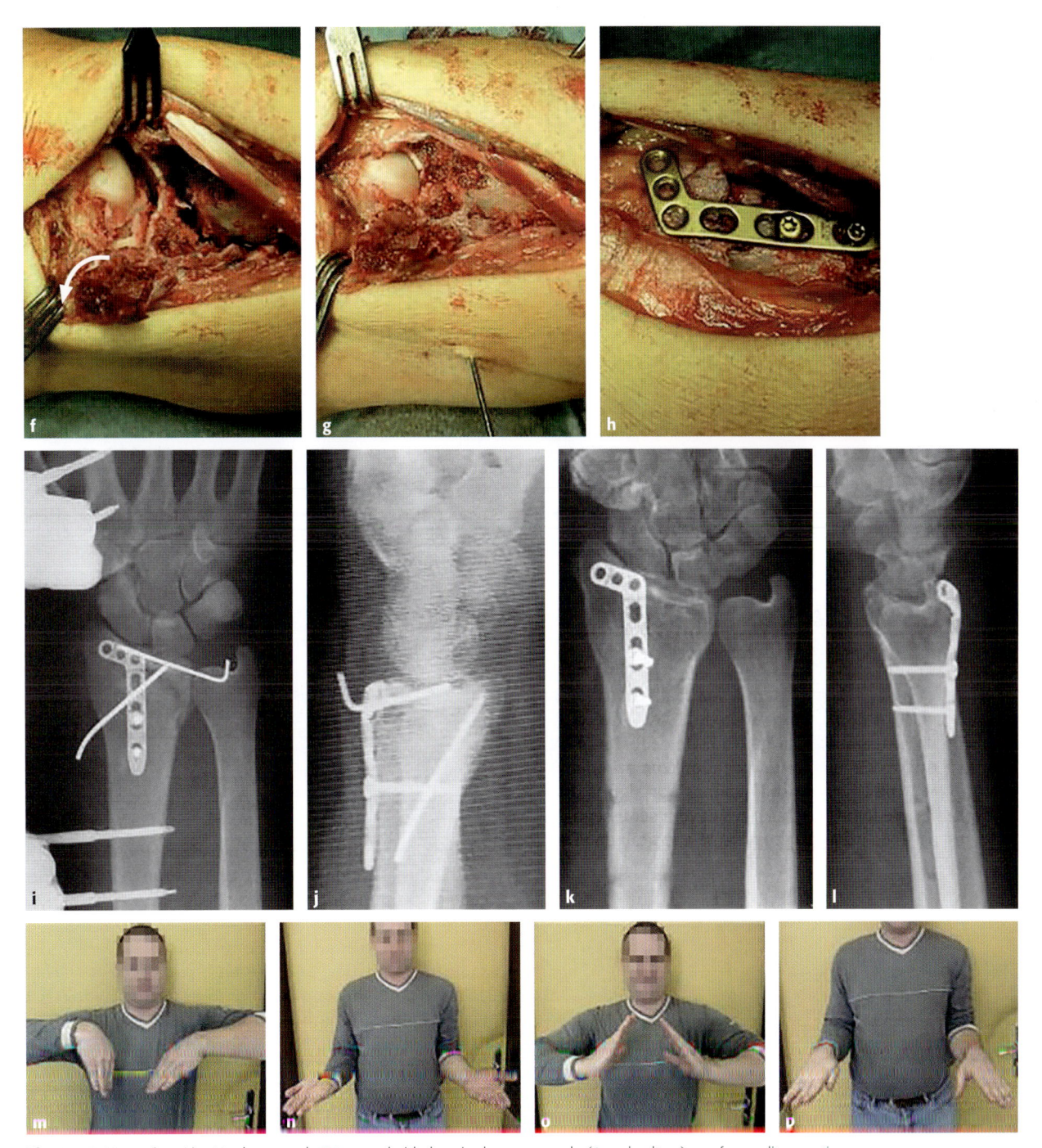

Fig. 6.3.3-19a-p (**cont.**)   Um homem de 34 anos de idade caiu de uma escada (4 m de altura) e sofreu politraumatismo.
f   Via de acesso dorsal. O extensor longo do polegar afastado, osso cortical dorsal aberto como uma janela (seta), vista dentro da articulação radiocarpal, defeito da cartilagem semilunar, fragmentos articulares finos e defeito metafisário.
g   Fio de Kirschner em posição subcondral, enxerto ósseo esponjoso dentro do hiato para apoiar os fragmentos articulares reduzidos.
h   Fixação da cortical dorsal com placa de suporte de 2,4.
i-j   Fixador externo como um dispositivo de neutralização para restaurar a anatomia articular e extra-articular.
k-l Quatro meses depois da lesão, as radiografias mostram a restauração da anatomia radial distal e o alinhamento carpal.
m-p Amplitude de movimento ativa aos 4 meses.

6.3.3 Distal do rádio e do punho

7.4.2 Placa em ponte da articulação do punho

Em casos de extrema cominução, quando não for possível reconstruir a articulação, uma placa em ponte temporária pela superfície articular radiocarpal pode ser considerada. A fileira carpal proximal pode ser usada como um gabarito contra o qual os fragmentos são reduzidos. A placa reta de fusão do punho ou uma placa de reconstrução de 3,5 ou placa de compressão bloqueada é ligeiramente curvada para ajustar o lado dorsal distal do rádio, carpo e segundo metacarpal, mantendo o punho em leve extensão. Pode ser introduzida com uma técnica de osteossíntese com placa minimamente invasiva, com incisões dorsais sobre a diáfise distal do rádio e diáfise do segundo e terceiro metacarpais, com deslizamento da placa profundamente aos tendões e retináculo extensor, sem perturbar a fratura. O objetivo é manter os fragmentos múltiplos em um alinhamento e relação aceitáveis com o carpo e ulna até que a consolidação seja alcançada. A placa é removida quando a consolidação da fratura for confirmada radiograficamente, em geral entre 3 e 4 meses (**Fig. 6.3.3-20**). Alguma rigidez decorrente de tal lesão é uma certeza, mas resultados funcionais surpreendentemente bons podem ser alcançados.

8 Cuidados pós-operatórios

É essencial que os pacientes usem a sua mão e toda a extremidade superior depois da cirurgia de FDR. O exercício da rotação do antebraço é obrigatório. Os dedos, punho, cotovelo e ombro devem ser exercitados com atividades diárias leves. Uma tipoia é usada apenas por alguns dias para controlar o edema. Os pacientes devem ser assegurados de que o uso da mão não prejudicará a fixação da FDR.

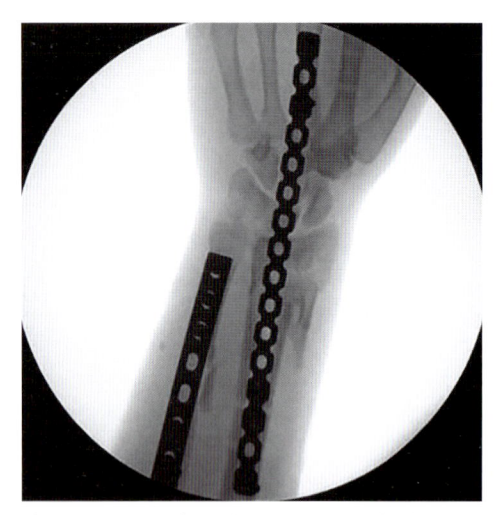

Fig. 6.3.3-20 Radiografia intraoperatória de placa em ponte por sobre uma fratura gravemente cominutiva da distal do rádio. Será deixada por 3-4 meses antes da remoção.

9 Complicações

- Síndrome compartimental em trauma de alta energia que demande fasciotomia imediata.
- A síndrome de túnel do carpo aguda pode começar logo depois da lesão. Ou de forma subaguda, depois de posicionamento impróprio no gesso, ou má posição do fragmento. O exame cuidadoso antes e depois da redução fechada ou aberta é obrigatório.
- A síndrome de dor regional complexa é caracterizada por disfunção nervosa autonômica, alterações tróficas e déficit funcional. É habitualmente causada pelo edema em gesso muito apertado ou com o posicionamento do punho em extremos: uma "tala de aleijado" (**Fig. 6.3.3-21**).
- Penetração articular de parafuso nos casos de posicionamento distal do implante, via de acesso e visualização inadequadas do fragmento, ou falta de imagens adequadas (incidência lateral inclinada). Geralmente há má redução da fratura e o risco pode aumentar com os parafusos bloqueados.
- Lesão dos ramos nervosos cutâneos. Os nervos cutâneos mediano, radial e ulnar podem ser lesionados durante as vias de acesso cirúrgicas percutâneas ou abertas.
- Infecção do trajeto do fio depois de tensionamento da pele por fios de Kirschner percutâneos ou fixadores externos.
- Tenossinovite e ruptura de tendão dos extensores devido à penetração de parafuso dorsal; de flexores devido ao posicionamento da placa palmar muito distalmente e não coberta com o músculo pronador quadrado; ruptura do extensor longo do polegar (ELP) depois do tratamento com gesso; atrito mecânico ou agressão vascular [7].
- Rigidez do punho. Algum grau de rigidez é comum com todas as modalidades de tratamento. A tração forçada com um fixador externo resulta em rigidez grave.
- Consolidação viciosa articular e extra-articular depois do tratamento inadequado ou impróprio para FDRs multifragmentadas, instáveis ou com colapso da fratura com o passar do tempo. É comum, mas bem tolerada em pacientes com fraturas osteoporóticas [8, 9].

10 Prognóstico e desfecho

O tratamento cirúrgico para as FDRs aumentou em seis vezes nos últimos 15 anos. A imobilização prolongada e o redeslocamento da fratura podem levar a desfechos ruins, então a placa bloqueada tem sido cada vez mais usada na última década.

Os ensaios randomizados prospectivos [1] que compararam o tratamento não cirúrgico e a fixação com placas bloqueadas palmares para fraturas dorsalmente desviadas em pacientes acima dos 65 anos não mostraram nenhuma diferença nos desfechos depois de 12 meses. O alcance da reconstrução anatômica não melhorou a amplitude ativa de movimento ou a habilidade de executar as atividades da vida diária. A taxa de complicações no paciente idoso foi significativamente mais alta no grupo do tratamento cirúrgico quando comparada a outras modalidades de tratamento [1, 8, 10].

Os ensaios randomizados prospectivos [11] em que os pacientes mais jovens foram incluídos para comparar a fixação com fio de Kirschner percutâneo e a fixação com placa bloqueada palmar mostram que ambos os métodos são efetivos para o tratamento das fraturas instáveis dorsalmente desviadas. A fixação com placa bloqueada palmar leva a melhora da amplitude de movimento ativa, da força de empunhadura e do desfecho funcional se comparada com a fixação por fio de Kirschner nos primeiros 3 e 6 meses de pós-cirúrgico. As diferenças de desfecho são insignificantes depois de 12 meses. Deste modo, a fixação com placa bloqueada permite uma reabilitação e retorno da função de forma mais rápida. O impacto sobre o desfecho em longo prazo e o risco de artrite permanecem desconhecidos.

Os ensaios que compararam placas bloqueadas palmares aos fixadores externos mostraram resultados similares [12].

O tratamento das fraturas palmares desviadas ou de cisalhamento e das luxações radiocarpais deve ser cirúrgico.

11 Lesões distal da ulna e articulação radioulnar distal

Muitas das estruturas de partes moles de suporte da ARUD são rompidas quando a FDR está desviada. Isto pode acontecer com ou sem a fratura da ponta do estiloide ulnar, que está presente em 50% das FDRs. Alternativamente, pode haver uma fratura da base do estiloide que envolve a inserção dos ligamentos radioulnares. Geralmente se acreditava que a fratura da base da estiloide ulnar ou a ruptura completa do CFCT representava uma lesão instável que demandaria tratamento cirúrgico.

Entretanto, a maioria das lesões associadas da ARUD não precisam de tratamento cirúrgico adicional se for alcançada uma fixação anatômica e estável distal do rádio. Isto particularmente tem a ver com a redução dos fragmentos da incisura sigmoide e a correção da translação ulnar da diáfise radial. Ambas são críticas, já que restauram o efeito estabilizante da membrana interóssea distal (MIOD) sobre a ARUD. A estabilidade fornece pressão de contato da cabeça da ulna em uma incisura sigmoide estável. A MIOD é um estabilizador secundário da ARUD. Origina-se do sexto distal da diáfise ulnar e corre distalmente até a borda inferior da incisura sigmoide [13].

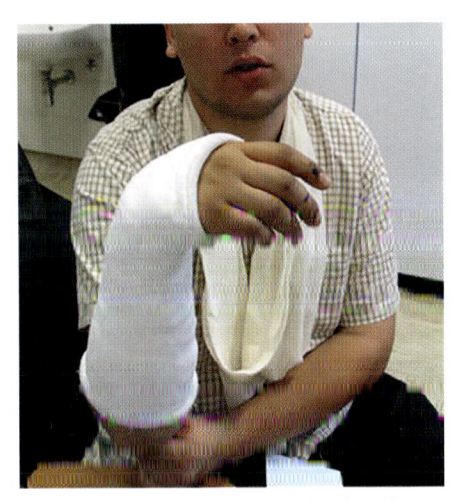

Fig. 6.3.3-21 Posição do gesso descrita pelo famoso cirurgião austríaco Lorenz Böhler como "*krüppel gips*" ("gesso aleijado"). Este tipo de imobilização é proibido.

Fraturas específicas
6.3.3 Distal do rádio e do punho

Para avaliar a instabilidade dinâmica da MIOD, comprimir a ulna contra o rádio e rodar o punho. Se um "ressalto" for palpável, este sugere uma ruptura da MIOD (**Fig. 6.3.3-22**) e então deve ocorrer o reparo de partes moles e/ou ósseo.

A maioria das fraturas da cabeça e do colo da ulna se alinha e permanece reduzida depois da fixação estável e anatômica da FDR. É importante reconhecer aquelas lesões com mau alinhamento grave onde a redução aberta e a fixação interna devem ser consideradas para reduzir o risco de consolidação viciosa e/ou não união. A fratura distal do rádio está ocasionalmente associada a uma fratura desviada da diáfise distal da ulna e isso pode requerer redução aberta e fixação interna, frequentemente com uma placa de compressão bloqueada de 2,7.

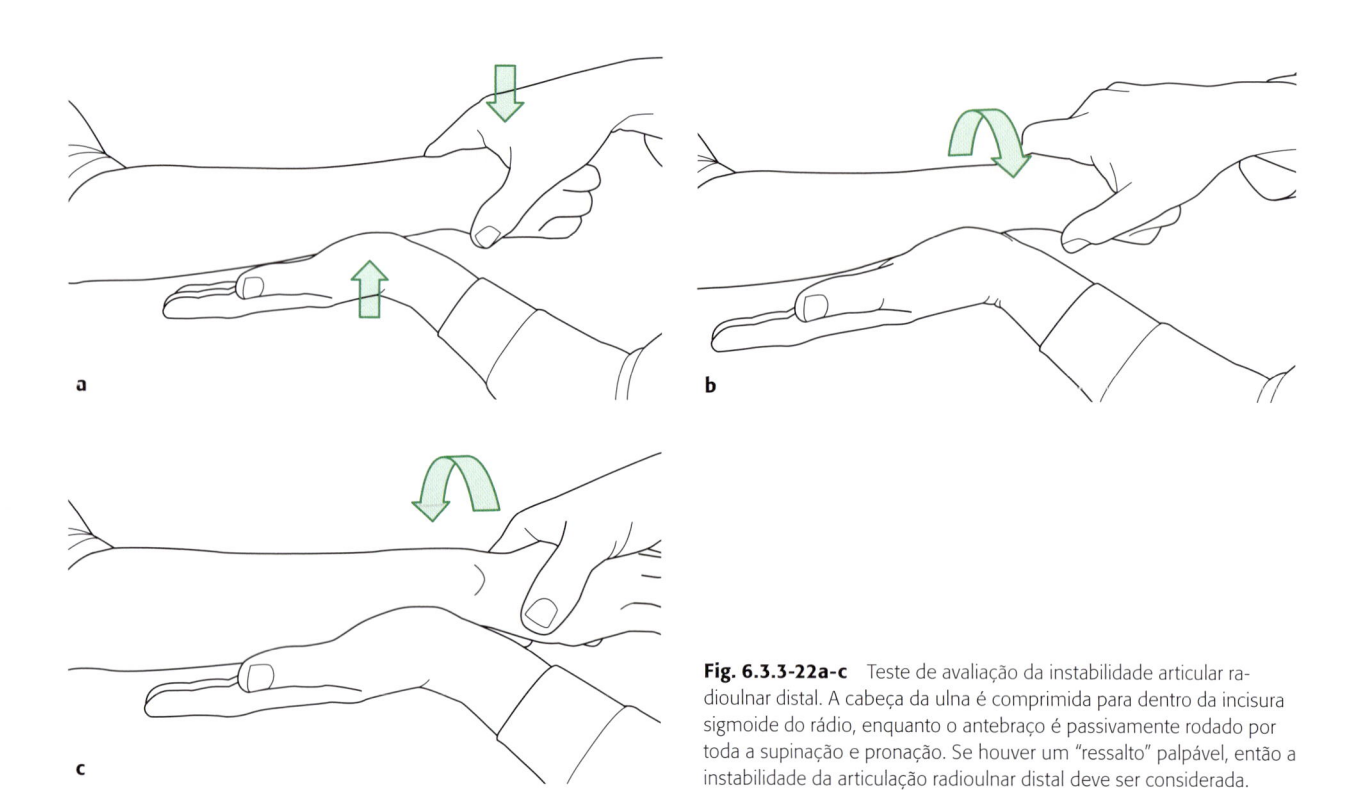

Fig. 6.3.3-22a-c Teste de avaliação da instabilidade articular radioulnar distal. A cabeça da ulna é comprimida para dentro da incisura sigmoide do rádio, enquanto o antebraço é passivamente rodado por toda a supinação e pronação. Se houver um "ressalto" palpável, então a instabilidade da articulação radioulnar distal deve ser considerada.

12 Referências

1. **Arora R, Lutz M, Deml C, et al.** A prospective randomized trial comparing nonoperative treatment with volar locking plate fixation for displaced and unstable distal radius fractures in patients sixty-five years of age and older. *J Bone Joint Surg Am.* 2011 Dec 7;93(23):2146–2153.
2. **Fernandez DL, Jupiter JB.** *Fractures of the Distal Radius.* New York: Springer-Verlag; 1995.
3. **Ng CY, McQueen MM.** What are the radiological predictors of functional outcome following fractures of the distal radius? *J Bone Joint Surg Br.* 2011 Feb;93(2):145–150.
4. **Rikli DA, Regazzoni P.** Fractures of the distal end of the radius treated by internal fixation and early function. A preliminary report of 20 cases *J Bone Joint Surg Br.* 1996 Jul;78(4):588–592.
5. **Lichtman MJ, Bindra RR, Boyer MI, et al.** Treatment of distal radius fractures. *J Am Acad Orthop Surg.* 2010 Mar;18(3):180–189.
6. **Koval K, Haidukewych GJ, Service B, et al.** Controversies in the management of distal radius fractures. *J Am Acad Orthop Surg.* 2014 Sep;22(9):566–575.
7. **Meyer C, Chang J, Abzug JM, et al.** Complications of distal radial and scaphoid fracture treatment. *J Bone Joint Surg Am.* 2014;59A(16):1517–1525.
8. **Diaz-Garcia RJ, Oda T, Shauver MJ, et al.** A systematic review of outcomes and complications of treating unstable distal radius fractures in the elderly. *J Hand Surg Am.* 2011 May;36(5):824–835.
9. **Lozano-Calderon SA, Souer S, Mudgal C, et al.** Wrist mobilization following volar plate fixation of fractures of the distal part of the radius. *J Bone Joint Surg Am.* 2008 Jun;90(6):1297–1304.
10. **Patel S, Rozental T.** Management of osteoporotic patients with distal radial fractures. *JBJS Rev.* 2014 May 6;2(5).
11. **Rozental TD, Blazar PE, Franko OI, et al.** Functional outcomes for unstable distal radial fractures treated with open reduction and internal fixation or closed reduction and percutaneous fixation. A prospective randomized trial. *J Bone Joint Surg Am.* 2009 Aug;91(8):1837–1846.
12. **Karantana A, Downing ND, Forward DP, et al.** Surgical treatment of distal radial fractures with a volar locking plate versus conventional percutaneous methods: a randomized controlled trial. *J Bone Joint Surg Am.* 2013 Oct 2;95(19):1737–1744.
13. **Moritomo H.** The distal interosseous membrane: urrent concepts in wrist anatomy and biomechanics. *J Hand Surg Am.* 2012 Jul;37(7):1501–1507.

13 Agradecimentos

Agradecemos a Daniel A. Rikle e Douglas A. Campbell por sua contribuição para este capítulo na 2ª edição de *Princípios AO do tratamento de fraturas*.

Fraturas específicas
6.3.3 Distal do rádio e do punho

6.3.4 Mão

Douglas A. Campbell

1 Introdução

Em nenhuma parte do corpo a função segue a forma tão de perto quanto na mão. A estabilidade de suas pequenas articulações, o equilíbrio entre seus motores e estabilizadores extrínsecos e intrínsecos, junto com a complexidade dos sistemas tendíneos, requer um esqueleto de suporte estável e bem alinhado. O desfecho das lesões esqueléticas na mão pode ser julgado mais no retorno da função do que pela consolidação óssea.

Seguindo-se à lesão, a condição tendínea, motora, sensitiva e vascular deve ser cuidadosamente avaliada e documentada.

> As metas no tratamento das fraturas dos metacarpos e das falanges permanecem as mesmas, independentemente do método empregado. Elas incluem [1-3]:
> - Restauração da anatomia articular
> - Correção da deformidade angular ou rotacional
> - Estabilização das fraturas
> - Via de acesso cirúrgica que não comprometa a função da mão
> - Mobilização rápida

Muitas fraturas da mão podem ser tratadas de maneira eficaz com o uso de meios não cirúrgicos. A fixação esquelética estável, contudo, deve ser considerada nos seguintes grupos [4-7]:

Fraturas que sejam:
- Multifragmentadas
- Gravemente desviadas
- De múltiplos metacarpais
- Metacarpal oblíqua curta ou helicoidal
- Acompanhadas por alguma lesão de partes moles

Fraturas em locais particulares:
- Fraturas do colo, falange proximal
- Base palmar da falange média

Fraturas articulares desviadas:
- Fratura de Bennett
- Fratura de Rolando
- Unicondilar e bicondilar

Certos tipos de lesão:
- Amputações completas ou incompletas
- Algumas fraturas-luxações

A estabilidade da fratura depende da sua morfologia, localização, relação às inserções de tendões e ligamentos e quaisquer lesões associadas.

2 Anatomia

2.1 Ossos metacarpais

Os cinco metacarpais formam a palma da mão, com os metacarpais do dedo indicador e do dedo médio atuando como um rígido pilar central. O arco transverso distal da mão está localizado ao longo dos ligamentos metacarpais profundos, que conectam as cabeças metacarpais. Os metacarpais do polegar, dedo anular e dedo mínimo são as unidades móveis. Uma base estável é necessária para a função útil dos dedos, e isso é alcançado pela largura e estabilidade dos metacarpais dos quatro dedos, firmemente juntos por seus ligamentos basais e suportados por seus ligamentos intermetacarpais, mais móveis e distais. As fraturas instáveis dos metacarpais das bordas (indicador ou mínimo) estreitam essa base estável e resultam em uma empunhadura mais pobre e função alterada do dedo. A diáfise metacarpal tem convexidade dorsal; a cortical palmar côncava é mais densa, já que é o lado de compressão com tensão no dorso.

2.2 Articulações carpometacarpais

O capitato se articula com três metacarpais (indicador, médio e anular) e o segundo metacarpal se articula com três ossos do carpo (trapézio, trapezoide e capitato). As articulações carpometacarpais do indicador e do médio são praticamente imóveis. A conexão ao dedo anular e dedo mínimo é feita com articulações móveis, em forma de dobradiça, com fortes ligamentos palmares. A articulação carpometacarpal do polegar é uma articulação selar reciprocamente bicôncava. Isso permite uma amplitude de movimento grande, incluindo alguma rotação, mas fornece grande estabilidade na compressão (**Fig. 6.3.4-1**).

Fraturas específicas
6.3.4 Mão

2.3 Articulações metacarpofalângicas

Quando vista no plano sagital, a cabeça metacarpal tem forma de virabrequim e é semelhante ao joelho. Durante a flexão, o eixo de rotação se move em uma direção palmar. As superfícies articulares formam uma articulação condiloide: a cabeça metacarpal é dorsalmente estreita, com uma projeção palmar alargada dando progressivamente mais contato com a base da falange proximal, conforme aumenta a flexão. Esse formato anatômico, combinado com a origem excêntrica do ligamento colateral, significa que os ligamentos colaterais são tensos em flexão e frouxos em extensão (**Fig. 6.3.4-2**). Assim, os dedos não podem ser abertos (espalhados), a menos que essas articulações estejam estendidas.

> Devido ao arranjo anatômico dos ligamentos colaterais, as articulações metacarpofalângicas devem sempre ser imobilizadas em 90 graus de flexão para minimizar a rigidez.

2.4 Falanges

As falanges proximais e médias são divididas em base, diáfise, colo e cabeça (côndilos). Em contraste com os metacarpais, as falanges estão envoltas pelas superfícies deslizantes dos tendões intrínsecos e extrínsecos sobrejacentes. As fraturas ou vias de acesso cirúrgicas nessa área predispõem à formação de cicatriz e aderência do tendão extensor sobrejacente. Isso limita tanto o movimento ativo quanto o passivo (**Fig. 6.3.4-3**).

2.5 Articulações interfalângicas

Essas são articulações de dobradiça. As cabeças das falanges proximal e média têm dois côndilos articulares que se assemelham a uma tróclea sulcada (**Fig. 6.3.4-4**) e previnem a adução e a abdução. A estabilidade dinâmica resulta das forças compressivas, que aumentam durante a pinça e a empunhadura. A estabilidade passiva deriva da tensão no ligamento colateral e na aponeurose palmar, que é maior na extensão completa.

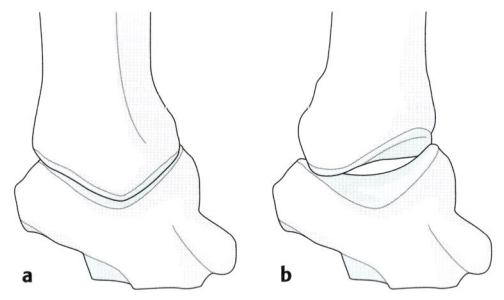

Fig. 6.3.4-1a-b A junção selar da articulação carpometacarpal do polegar.
a Posição neutra
b Durante a oposição

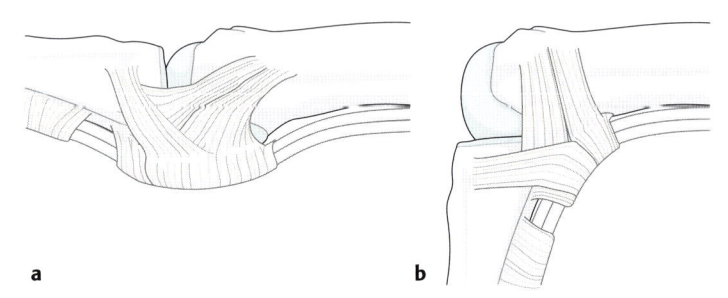

Fig. 6.3.4-2a-b A articulação metacarpofalângica. O ligamento colateral está frouxo em extensão (**a**) e tenso em 90° de flexão (**b**).

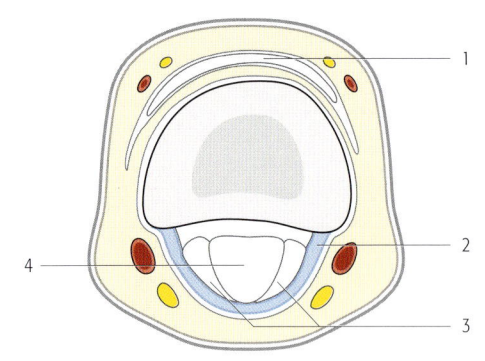

Fig. 6.3.4-3 A relação dos tendões deslizantes com a falange proximal. Seção transversal na falange média.
1 Tendão extensor comum dos dedos
2 Bainha do tendão flexor
3 Tendão dividido do flexor superficial dos dedos
4 Tendão do flexor profundo dos dedos

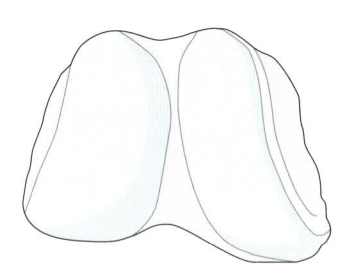

Fig. 6.3.4-4 Superfície articular distal da falange proximal.

As articulações interfalângicas proximal e distal devem ser imobilizadas em extensão para minimizar a rigidez articular (**Fig. 6.3.4-5**).

3 Planejamento pré-operatório

O planejamento pré-operatório é fundamental no tratamento das fraturas da mão. Várias vias de acesso cirúrgicas podem ser possíveis e a via de acesso correta deve ser selecionada para permitir a adequada exposição e fixação da fratura, ao mesmo tempo em que minimiza o potencial para aderências de partes moles e tendões, que causarão rigidez. Os ossos da mão são pequenos e o estoque ósseo é limitado; então, a seleção do implante é de importância crítica (**Fig. 6.3.4-6**).

3.1 Seleção do implante

Os implantes pequenos estão disponíveis no sistema modular da mão baseado em vários tamanhos diferentes de parafusos (**Tab. 6.3.4-1**). As placas simples têm orifícios de parafusos redondos, enquanto a placa de compressão dinâmica de baixo contato (LC-DCP) de 2,0 tem orifícios ovais para permitir a inserção do parafuso e a compressão excêntrica com a placa. Os implantes com estabilidade angular estão disponíveis em tamanhos de até 1,5 mm. Eles são úteis para a fixação de fraturas metafisárias e articulares dos metacarpais e falanges. Também estão disponíveis placas especializadas em formato de T, Y e H para diferentes padrões de fratura e as placas anatômicas – projetadas para padrões específicos de fratura – fornecem uma solução exata para certas lesões difíceis. A placa de compressão bloqueada (LCP) de 2,0 é geralmente indicada para as fraturas metacarpais e proximais da falange, enquanto a LCP de 2,4 é indicada para os metacarpais de maior tamanho e também para a distal do rádio. Existe um número de placas especiais que foram projetadas para a anatomia

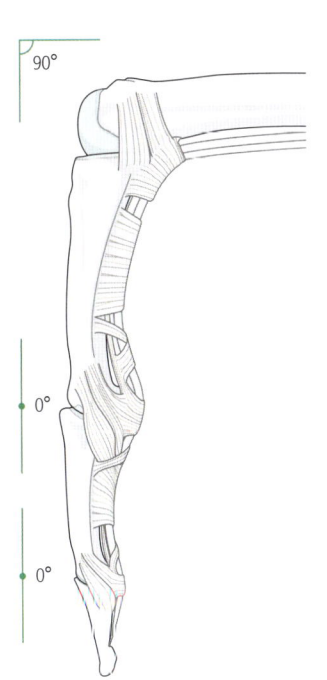

Fig. 6.3.4-5 A mão deve ser imobilizada na posição de segurança. A articulação metacarpofalângica está em 90° de flexão e as articulações interfalângicas estão em extensão completa. Nesta posição, os ligamentos colaterais ficam retesados.

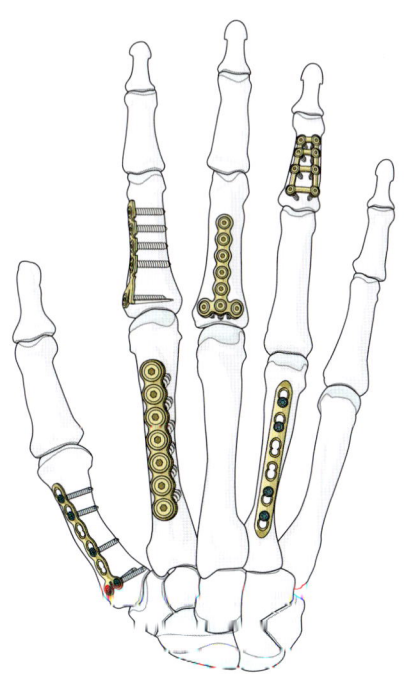

Fig. 6.3.4-6 O esqueleto da mão com os implantes disponíveis e úteis do conjunto modular para a mão.

Tabela 6.3.4-1	Tamanhos de parafusos e placas correspondentes no conjunto modular da mão e placa de compressão bloqueada	
Local anatômico	Tamanho do parafuso	Placas disponíveis
Metacarpal do polegar	2,4 mm	Orifício redondo; reta, placa em T, placa em H, placa de suporte condilar
		LC-DCP, LCP, LCP reta, placa LCP palmar, placa LCP em T, placa LCP em Y, placa LCP condilar
		Placa anatômica; metacarpal basal
Metacarpais	2,0 mm	Orifício redondo; reta, placa em T, placa em H, placa com lâmina condilar
		LC-DCP, LCP
		Placa anatômica para colo metacarpal
Falanges	1,5 mm	Orifício redondo; reta; placa em T; placa em H, placa de osteotomia
		LCP; placa em T; placa em formato de banana
		Placa anatômica, LCP de colo da falange
	1,3 mm	Orifício redondo; reta; placa em T; placa em H
Pequenos fragmentos ósseos	1,0 mm	Nenhuma

Fraturas específicas
6.3.4 Mão

específica da parte distal da falange proximal (**Fig. 6.3.4-7**); a base do metacarpal do polegar (**Fig. 6.4.3-8**); e a comumente encontrada fratura do colo metacarpal (**Fig. 6.3.4-9**). O formato peculiar – mas consistente – dessas áreas do osso tem sido difícil de estabilizar com implantes convencionais. As fraturas são comuns nessas áreas e a introdução de implantes anatômicos específicos tem tornado a sua estabilização menos difícil e mais confiável.

3.2 Configuração da sala de cirurgia

Depois de desinfetar toda a mão, punho e braço com os antissépticos apropriados até os limites do manguito do torniquete, que permite a exsanguinação completa, o membro superior inteiro é preparado, o que permite reposicioná-lo durante a cirurgia. Se for usado um antisséptico de base alcoólica, deve haver cuidado para que não escorra sob o torniquete, já que uma lesão de pele pode ocorrer pelo contato prolongado com material embebido durante a cirurgia. Um campo oclusivo de mão com abertura expansível para o braço é a recomendação (**Fig. 6.3.4-10**). O intensificador de imagem também preparado.

O cirurgião se senta ao lado da cabeça do paciente para ganhar uma boa visão e acesso ao dorso da mão. O assistente se senta em oposição ao cirurgião. A equipe da sala de cirurgia se senta junto ao final da mesa auxiliar. Bancos de altura ajustável e protetores de chumbo devem ser fornecidos para toda a equipe envolvida. A tela do intensificador de imagem é colocada para a completa visão da equipe cirúrgica e do técnico em radiologia (**Fig. 6.3.4-11**).

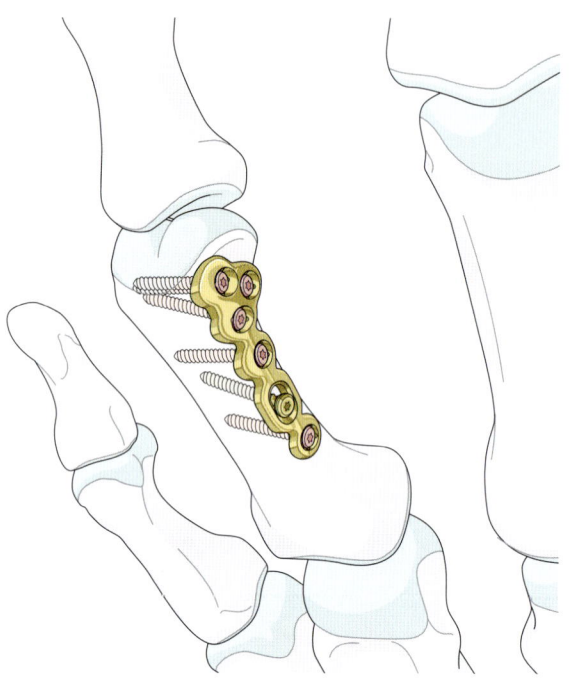

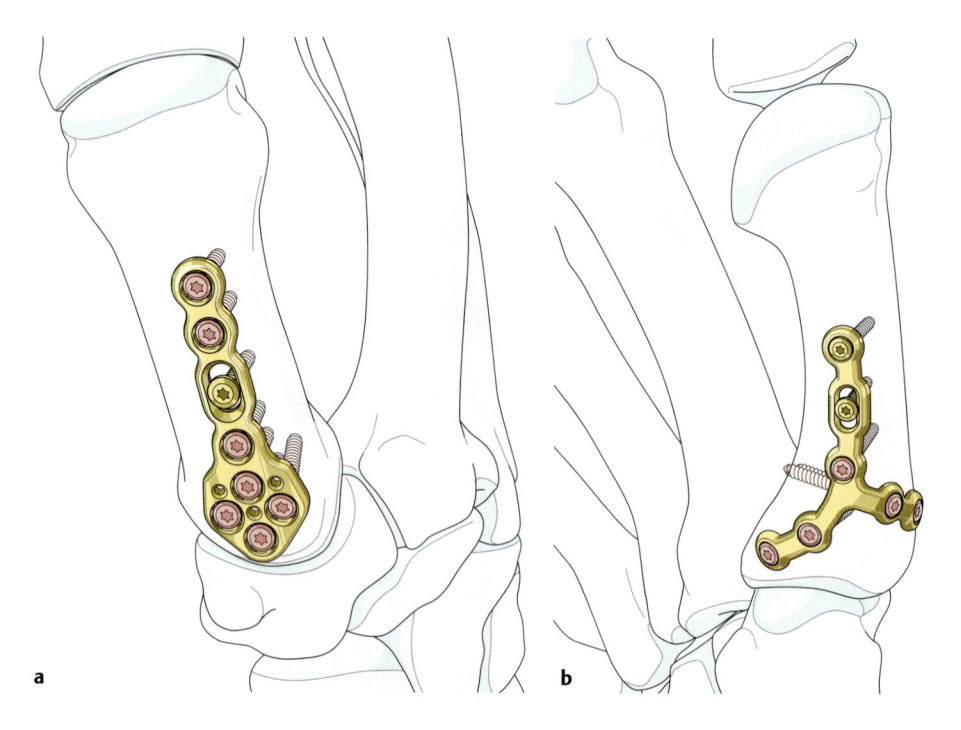

Fig. 6.3.4-7 Placa anatômica projetada para a fixação da fratura do colo da falange.

Fig. 6.3.4-8a-b
a   Placa anatômica projetada para fixação da fratura extra-articular do metacarpal do polegar.
b   Placa anatômica projetada para fixação da fratura articular do metacarpal do polegar.

4 Cirurgia

4.1 Princípios do tratamento cirúrgico

Vários princípios básicos devem ser seguidos ao operar as fraturas na mão:

- Um conhecimento minucioso da anatomia.
- Manipulação cuidadosa das partes moles a todo momento.
- As incisões dorsais nos dedos podem ser longitudinais.
- As incisões palmares nos dedos não devem ser longitudinais, a menos que fechadas com zetaplastia.
- A zetaplastia cutânea deve ter um ângulo de ápice maior que 60 graus para evitar necrose.
- As incisões medioaxiais dos dedos passam entre os nervos digitais dorsal e palmar.
- Evitar incisões na matriz germinativa do leito ungueal.
- Evitar incisões no lado ulnar do dedo mínimo e no lado radial do dedo indicador.
- As incisões devem ser planejadas com base no padrão de fratura, na técnica de estabilização a ser usada e no implante selecionado.
- A rotação do dedo deve ser regularmente verificada durante a cirurgia.
- Os tendões extensores e os ligamentos laterais podem ser divididos.
- Os tendões flexores nunca devem ser divididos ou cortados.
- A drenagem venosa dorsal deve ser respeitada.
- A mão deve ser imobilizada na posição de segurança:
    - Punho em extensão
    - Articulações metacarpofalângicas flexionadas em 90 graus
    - Articulações interfalângicas em extensão completa
- A fixação da fratura deve permitir mobilização ativa precoce e controlada.
- A mão deve ser elevada depois da cirurgia para reduzir o edema.
- O paciente deve estar ciente da importância da reabilitação correta.

4.2 Técnicas de redução

- Evitar desvascularização de fragmentos ósseos por dissecção agressiva.
- Os fios de Kirschner temporários são úteis para manter a redução, mas podem fraturar os fragmentos pequenos.
- A fixação externa pode ser útil para a redução temporária.
- A aplicação percutânea de pinça de redução com ponta fina na falange pode ajudar a fornecer tração e controlar a rotação.
- Em fraturas metacarpais múltiplas, a fixação do metacarpal médio em primeiro lugar ajuda a fornecer estabilidade e facilita a redução dos metacarpais do dedo anular e do dedo mínimo.
- Em fraturas cominutivas, a fixação de fragmentos maiores primeiro permitirá a redução e estabilização mais fácil dos fragmentos menores.

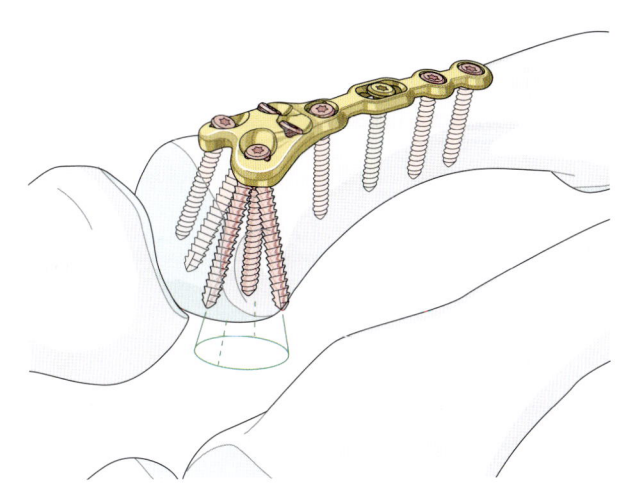

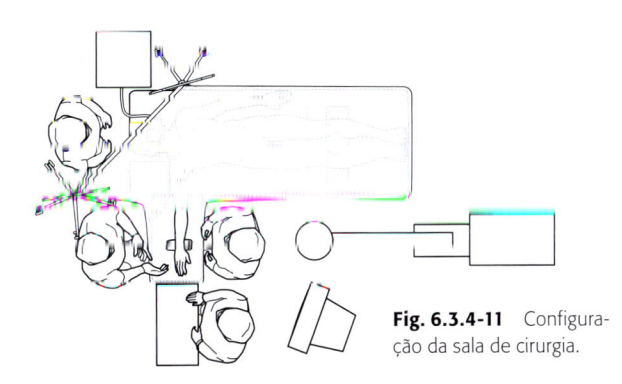

Fig. 6.3.4-9 Placa anatômica projetada para a fixação da fratura do colo metacarpal.

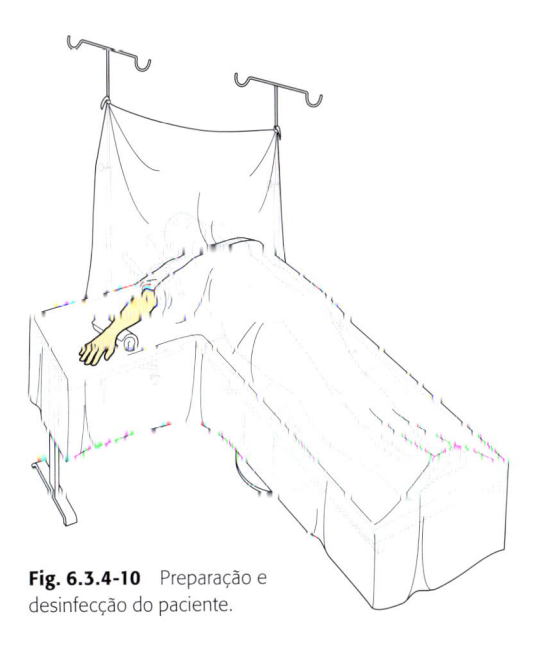

Fig. 6.3.4-10 Preparação e desinfecção do paciente.

Fig. 6.3.4-11 Configuração da sala de cirurgia.

4.3 Parafuso de tração

- As fraturas a serem fixadas por parafusos de tração isolados devem ter uma linha de fratura igual ou maior em comprimento que duas vezes o diâmetro do osso.
- A fratura deve ser aberta e inspecionada para buscar linhas de fratura ou combinações ocultas; a posição ideal do parafuso é determinada antes da redução da fratura.
- A redução anatômica da fratura para interdigitar as linhas de fratura auxiliará na prevenção do desvio por cisalhamento quando os parafusos de tração forem apertados.
- A repetida perfuração ou macheamento dos orifícios do parafuso deve ser evitada.
- Esteja atento para não perfurar ambas as corticais com a broca do orifício de deslizamento.
- Os parafusos devem ser idealmente posicionados perpendicular à linha de fratura em vez de um ângulo ditado pela exposição cirúrgica.
- A fixação com parafuso de um fragmento único somente deve ser considerada se a sua largura for pelo menos três vezes o diâmetro da rosca do parafuso.
- Os parafusos de tração para as fraturas condilares não devem ser muito longos, já que podem lesionar ou irritar o ligamento colateral oposto.

4.4 Fixação com placa

- O tamanho da placa precisa ser cuidadosamente selecionado; caso contrário, pode ser muito grande para a fixação no osso.
- As placas não anatômicas devem ser moldadas com precisão antes de fixá-las ao osso.
- O volume da placa pode interferir com o deslizamento dos tendões em torno das falanges, exigindo uma segunda operação.
- O uso de placa dorsal nas fraturas transversas requer a manutenção cuidadosa da redução enquanto os parafusos são colocados; caso contrário, pode ocorrer uma má rotação não reconhecida.
- Ao usar placas em T, uma deformidade rotacional pode ocorrer se a placa não for aplicada ao longo da linha média da superfície dorsal.
- As placas anatômicas exigem posicionamento específico. O primeiro parafuso ditará a posição da placa, de forma que grande cuidado deve ser tomado para assegurar o posicionamento inicial correto.

5 Fraturas específicas

5.1 Articulação carpometacarpal do polegar

As fraturas da base do polegar estão intimamente relacionadas à articulação carpometacarpal. Existem três tipos principais:

- Extra-articular
- Articular parcial (fratura de Bennett)
- Articular completa (fratura de Rolando)

5.1.1 Fraturas extra-articulares

Essas fraturas se desviam devido às ações sem oposição dos músculos abdutor longo e flexor curto do polegar mais o músculo adutor do polegar no fragmento distal, causando uma deformidade em flexão com encurtamento. O abdutor longo do polegar, inserido na base do metacarpal, causa aumento adicional da deformidade. A angulação de até 30 graus é geralmente aceitável, já que esse grau de consolidação viciosa não resulta em um déficit funcional. Para as fraturas mais desviadas, a redução fechada e a fixação percutânea com fio de Kirschner são possíveis, mas podem não prevenir o redeslocamento e o encurtamento. Para prevenir isso, a fixação externa, ou a redução aberta e a fixação interna por uma LCP de 2,0 ou uma placa anatômica específica podem ser necessárias.

5.1.2 Fraturas articulares parciais (fratura de Bennett)

As forças deformantes são similares às de uma fratura extra-articular. O fragmento articular permanece não desviado por causa da inserção do ligamento oblíquo anterior que se origina do trapézio. A base metacarpal restante sofre subluxação radial, dorsal e proximalmente (**Fig. 6.3.4-12**). Essa subluxação da fratura sempre requer tratamento cirúrgico para reduzir e estabilizar a articulação carpometacarpal. A redução indireta é feita por

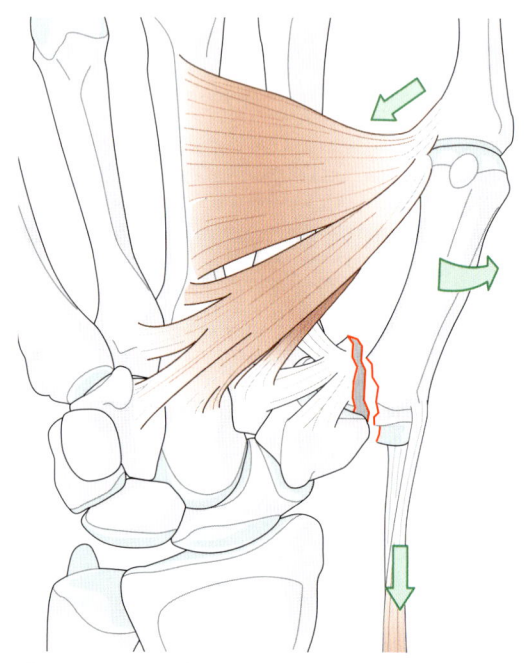

Fig. 6.3.4-12 A subluxação típica de uma fratura de Bennett.

tração no polegar com pronação do metacarpal e pressão direta sobre a fratura na base do metacarpal. A fixação com fio de Kirschner percutâneo transarticular é frequentemente possível, mas a redução aberta e a fixação interna são necessárias se a redução anatômica da articulação não puder ser alcançada ou se a fratura envolver mais de 25% da superfície articular (**Fig. 6.3.4-13**). O método de exposição em "livro aberto" envolve uma via de acesso radiopalmar, o fragmento maior é supinado e um orifício de deslizamento "de dentro para fora" é feito no centro da superfície da fratura (**Fig. 6.3.4-14a**). Isso permite a redução precisa e a finalização subsequente do orifício de rosca e inserção do parafuso de tração (**Fig. 6.3.4-14b**). Essa técnica assegura que o fragmento pequeno seja capturado com firmeza pelo parafuso de tração de 2,0 ou 2,4 (**Vídeo 6.3.4-1**).

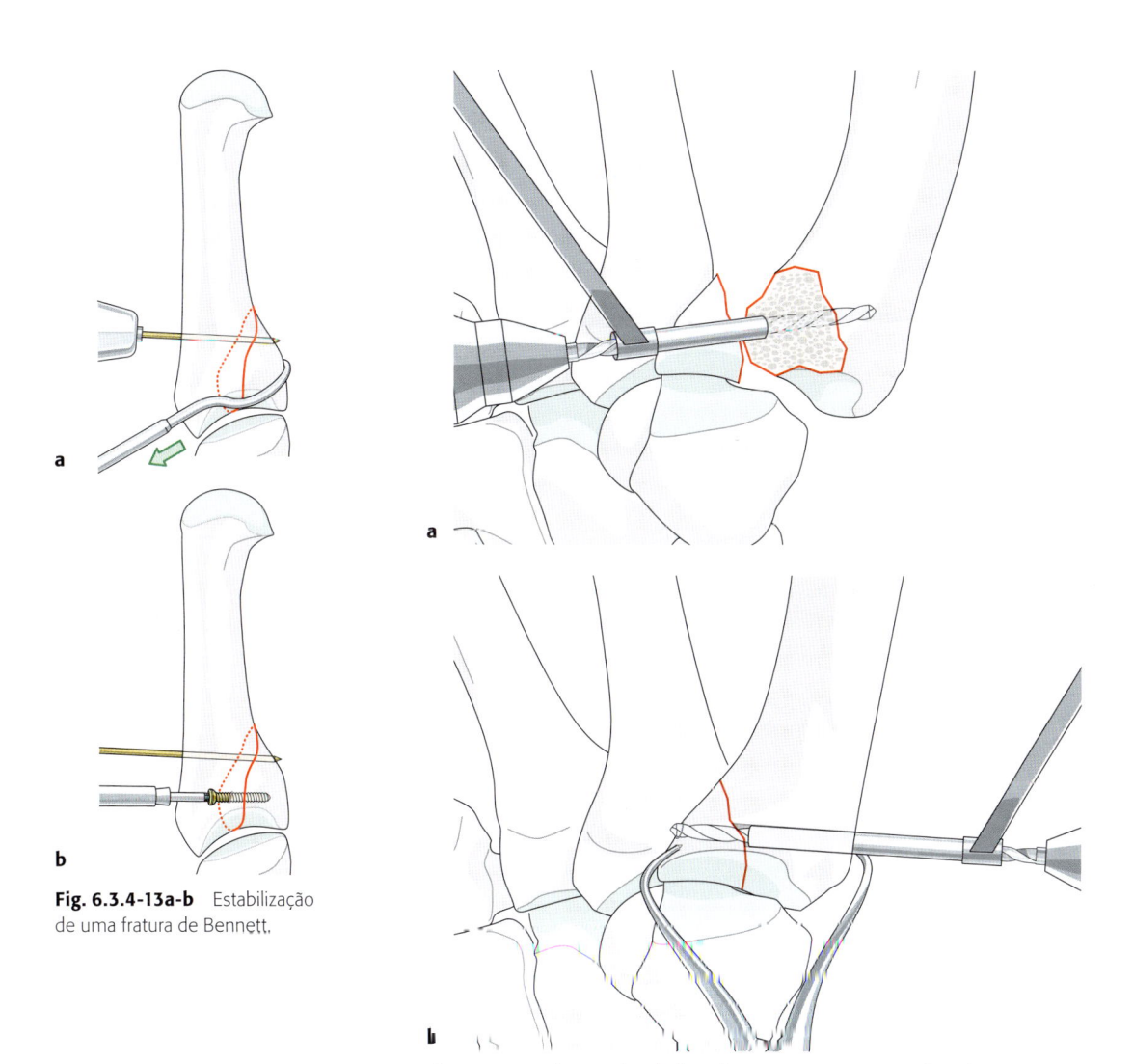

Fig. 6.3.4-13a-b Estabilização de uma fratura de Bennett.

Fig 6.3.4-14a-b Técnica do livro aberto para segurar o parafuso de tração no centro do fragmento ósseo menor.

Fraturas específicas
6.3.4 Mão

5.1.3 Fraturas articulares completas (fratura de Rolando)

A principal indicação para a cirurgia é reduzir os fragmentos articulares desviados e estabilizar a diáfise metacarpal. O tratamento dessas fraturas é difícil e os desfechos podem ser ruins. Se houver uma fratura articular simples, a redução e fixação com fios de Kirschner ou uma placa em T de 2,0 pode oferecer excelentes resultados (**Fig. 6.3.4-15**). O lado palmar do metacarpal é o lado de compressão nesse padrão de fratura, então a cominução é comum nessa localização. O uso de uma LCP de 2,0 ou de 2,4 colocada na superfície dorsal do metacarpal prevenirá o colapso tardio da fratura. As fraturas articulares complexas podem ser mais adequadamente tratadas pela redução fechada ou aberta das fraturas articulares, fixação com fios de Kirschner ou parafusos de tração de 1,0 mm e aplicação de um minifixador externo transarticular do trapézio até o metacarpal para manter comprimento, alinhamento e rotação.

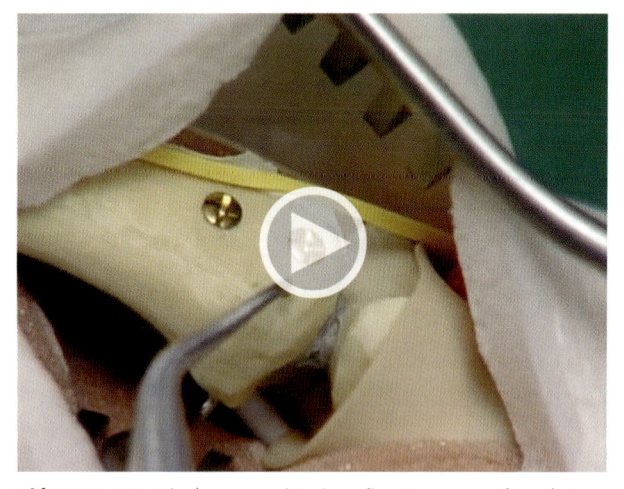

Vídeo 6.3.4-1 Via de acesso cirúrgica e fixação com parafuso de tração da base do metacarpal do polegar.

5.1.4 Via de acesso cirúrgica

Via de acesso radiopalmar para a base do polegar. A incisão cutânea se estende ao longo da borda lateral palpável do metacarpal polegar e se curva, em sua base, em uma direção palmar até o tendão do flexor radial do carpo (**Fig. 6.3.4-16a**). Os ramos do nervo radial superficial devem ser protegidos, porque uma lesão pode causar dor crônica. Os músculos tenares são elevados a partir do periósteo do metacarpal. A cápsula articular é aberta no lado palmar do tendão do abdutor longo do polegar (**Fig. 6.3.4-16b**). A exposição da fratura pode ser melhorada pela supinação do metacarpal para permitir a redução direta.

5.2 Articulações carpometacarpais dos dedos

A maioria das lesões das articulações carpometacarpais dos dedos são luxações simples, frequentemente acompanhadas por pequenos fragmentos de avulsão dorsal. Setenta por cento dessas luxações envolvem a articulação entre o metacarpal do dedo mínimo e o hamato, que, dessas articulações, é a que tem maior mobilidade. As lesões das articulações carpometacarpais podem ser difíceis de identificar e requerem um exame cuidadoso do paciente e das radiografias. Uma radiografia lateral semipronada fornecerá a melhor visualização da congruência da pequena articulação carpometacarpal. As fraturas-luxações resultam da compressão axial. O lado radial do metacarpal do dedo mínimo frequentemente permanece preso ao hamato e ao metacarpal do dedo anular, enquanto o lado ulnar da base e a diáfise se deslocam e luxam – uma situação análoga ao contrário da fratura de Bennett do polegar. A redução fechada é geralmente direta, mas não é fácil de manter. Os fios de Kirschner percutâneos podem ser passados através da articulação carpometacarpal ou entre as bases dos metacarpais para segurar a redução. A redução aberta e fixação interna com parafusos de tração e uma placa de 2,0 ou 1,5 deve ser considerada se houver fragmentos múltiplos que sejam suficientemente grandes para a fixação com parafuso.

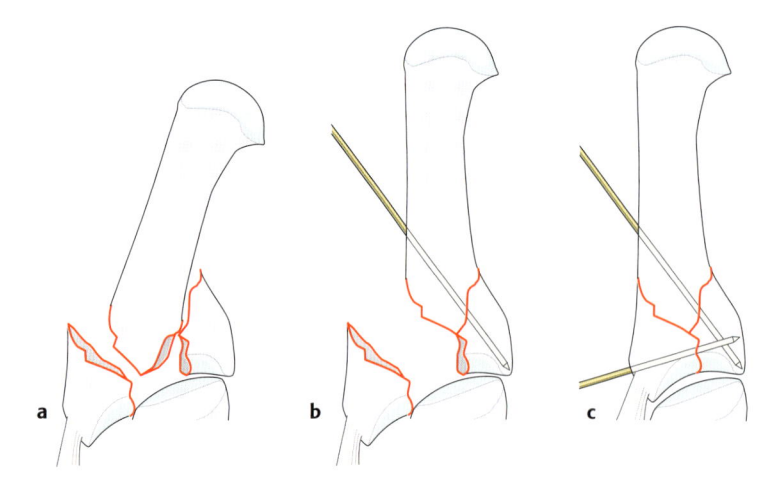

Fig. 6.3.4-15a-c Estabilização de uma fratura de Rolando.
a Fratura articular completa em Y no plano sagital.
b Redução de um fragmento articular com um fio de Kirschner de 1,25 mm.
c Redução anatômica e fixação com dois fios de Kirschner de 1,25 mm.

5.3 Metacarpais

O local mais comum de fratura é o colo metacarpal e a maior parte dessas fraturas é extra-articular. A deformidade angular raramente causa perda funcional, mas a rotação deve ser sempre corrigida, seja por redução fechada ou por fixação interna. Se a redução aberta for necessária, a fratura pode ser estabilizada com uma placa anatômica de colo metacarpal de 2,0 aplicada na superfície medial (ulnar).

5.3.1 Fraturas da diáfise

As fraturas da diáfise são com frequência tratadas conservadoramente. As indicações para o tratamento cirúrgico incluem:

- Falha de uma tentativa para manter a redução fechada, particularmente em relação à rotação
- Fraturas metacarpais múltiplas
- Lesões expostas e de partes moles graves
- Reimplante

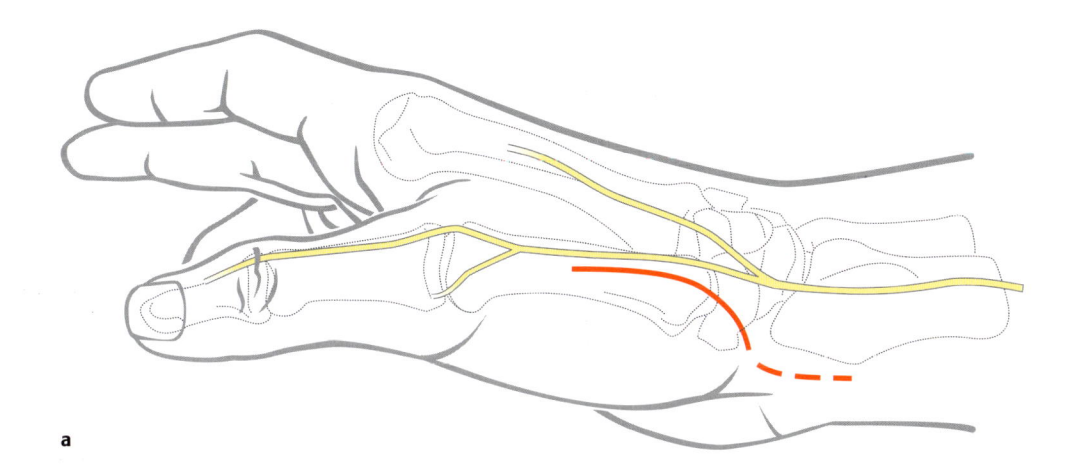

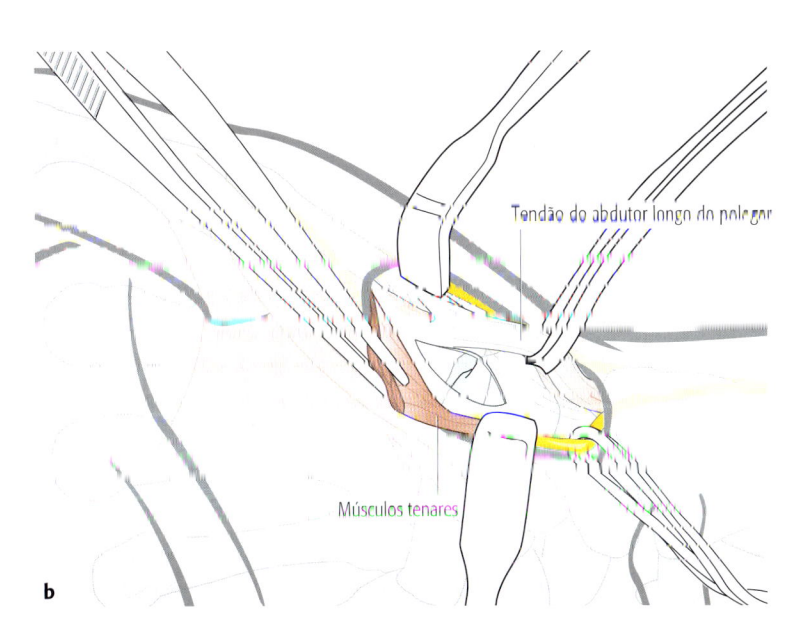

Fig. 8.5.4 Tou b   Via de acesso radiopalmar da base do polegar.
a   Incisão cutânea junto à borda palpável subcutânea do metacarpal.
b   Exposição da cápsula por retração do tendão do abdutor longo do polegar.

Fraturas específicas
6.3.4 Mão

5.3.2 Fraturas simples

As configurações de fraturas simples podem ser tratadas com pinagem percutânea, ou fios pré-dobrados podem ser usados para fornecer fixação intramedular pelo uso de uma técnica semelhante ao encavilhamento intramedular estável elástico em crianças. A redução aberta e fixação interna com parafusos de tração de 2,0 mm ou de 2,4 mm só pode ser usada para as fraturas helicoidais da diáfise, desde que o comprimento da fratura seja maior que três vezes o diâmetro do osso (**Vídeo 6.3.4-2**). Parafusos menores (p. ex., de 1,0 mm ou 1,3 mm) são úteis no ápice das linhas de fratura. A fixação interna das fraturas transversas ou oblíquas é alcançada pela compressão com uma LC-DCP de 2,0.

5.3.3 Fraturas intra-articulares

As fraturas intra-articulares da cabeça do metacarpo requerem redução anatômica da articulação e fixação com parafusos de tração isolados (para fraturas articulares parciais), ou com parafusos de tração e uma placa em T, placa de suporte condilar ou placa anatômica para colo metacarpal (para fraturas articulares completas).

5.3.4 Via de acesso cirúrgica

Uma via de acesso dorsal permite a exposição de todo o metacarpal, com mínima elevação dos músculos interósseos (**Fig. 6.3.4-17**). O capuz extensor é dividido para permitir o acesso à articulação metacarpofalângica, se for preciso. A via de acesso ao lado ulnar do metacarpal do dedo mínimo deve evitar a lesão do ramo sensitivo dorsal do nervo ulnar.

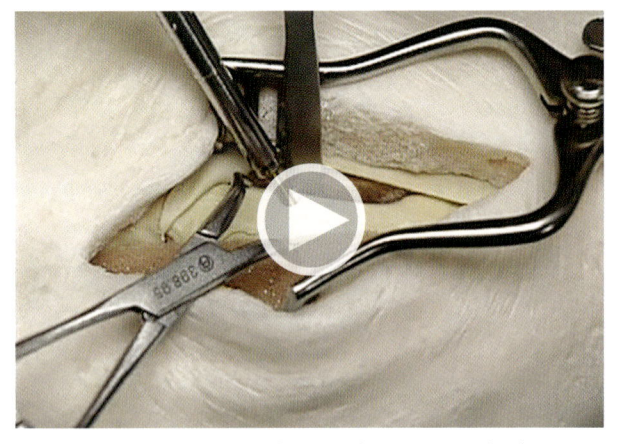

Vídeo 6.3.4-2 Os parafusos de tração devem ser introduzidos perpendicularmente a uma fratura helicoidal.

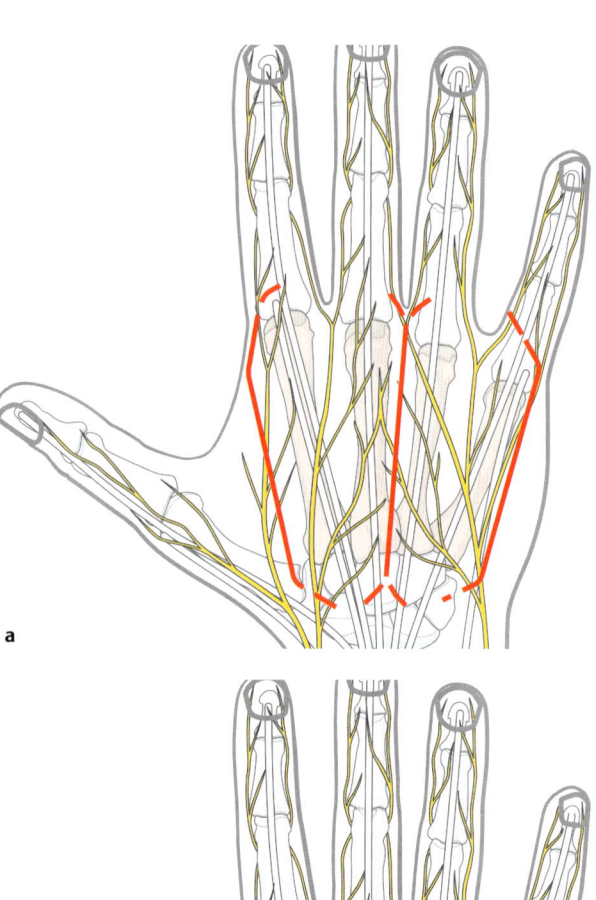

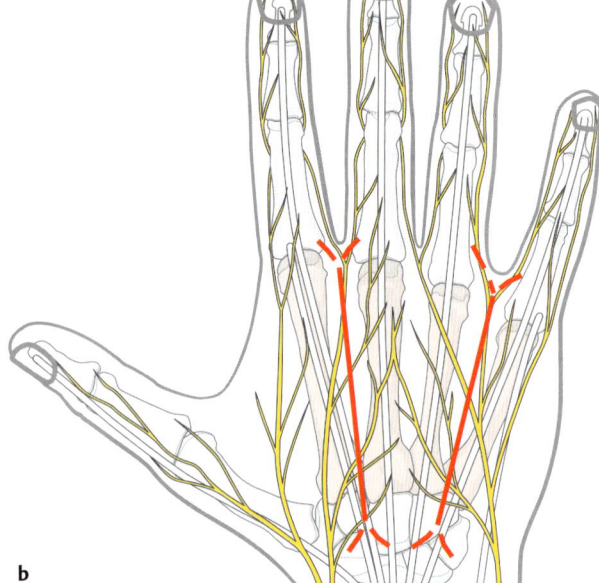

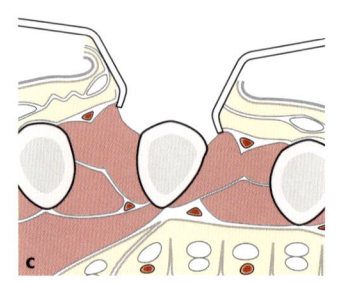

Fig. 6.3.4-17a-c Vias de acesso dorsais dos metacarpais.
a Incisões para a exposição individual dos metacarpais.
b Incisões para a exposição de todos os quatro metacarpais.
c Exposição do metacarpal com elevação mínima dos músculos interósseos.

5.4 Falange proximal e média

A maioria das fraturas das falanges não está desviada e/ou é estável e não requer tratamento cirúrgico. As indicações para a intervenção cirúrgica incluem:

- Falha de uma tentativa para manter a redução fechada, particularmente em relação à rotação
- Fraturas intra-articulares
- Lesões graves de partes moles

5.4.1 Fraturas diafisárias

Elas podem ser simples (helicoidais, oblíquas ou transversas) ou multifragmentadas. As fraturas instáveis podem requerer a fixação com fio de Kirschner percutâneo, que pode ser usado como um dispositivo intramedular ou transfixante. As fraturas helicoidais longas ou oblíquas podem ser fixadas com parafusos de tração de 1,5 ou 2,0 mm (**Fig. 6.3.4-18**). A fixação interna das fraturas transversas demandará o uso de placas (geralmente de 1,5), posicionadas na superfície dorsal ou lateral. As fraturas multifragmentadas exigirão uma técnica de placa em ponte. Uma LCP de 1,5 é útil nessas circunstâncias.

5.4.2 Via de acesso cirúrgica

Podem ser usadas incisões dorsais, dorsolaterais ou medioaxiais, dependendo da lesão de partes moles e da configuração da fratura.

O dorso é acessado através de uma incisão reta na linha média, ou uma incisão curvada (**Vídeo 6.3.4-3**) e o tendão

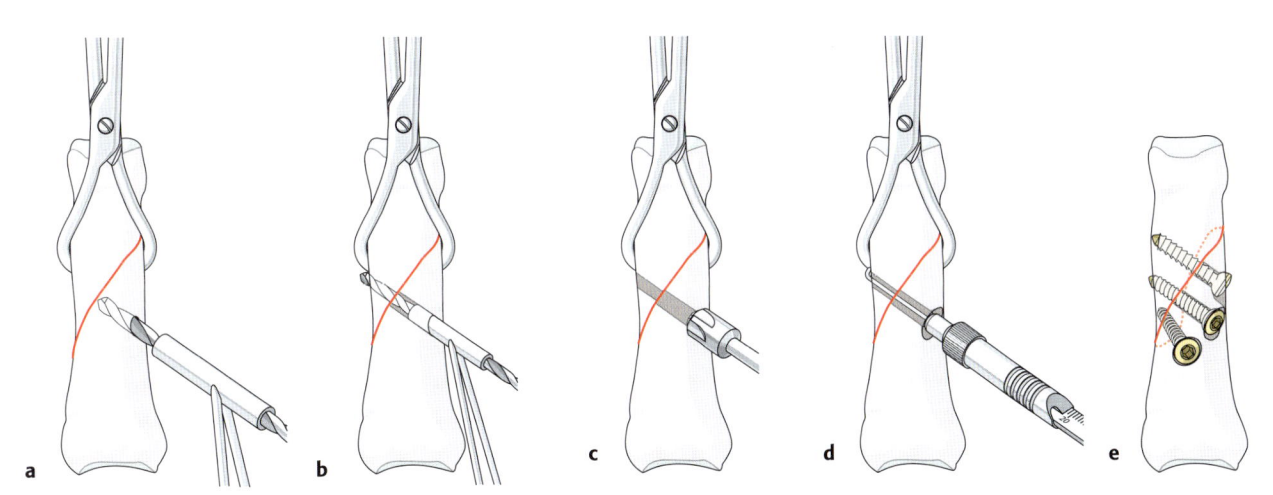

Fig. 6.3.4-18a-e Fratura helicoidal da falange proximal – fixação com parafuso de tração.

- **a** Redução anatômica com pinça de redução com ponta. Atenção: a pressão excessiva pode causar cominução da fratura. O orifício de deslizamento é perfurado na cortical cis com uma broca de 1,5 mm.
- **b** O orifício interno é perfurado com uma broca de 1,1 mm.
- **c** O escareamento reduz a pressão de contato e previne que a cabeça do parafuso fique muito proeminente.
- **d** Mensuração da profundidade com a ponta do medidor direcionada para longe da mão do cirurgião.
- **e** Três parafusos de tração autoperfurantes de 1,5 mm são colocados perpendicularmente à linha de fratura. No ápice, um parafuso menor pode ser necessário.

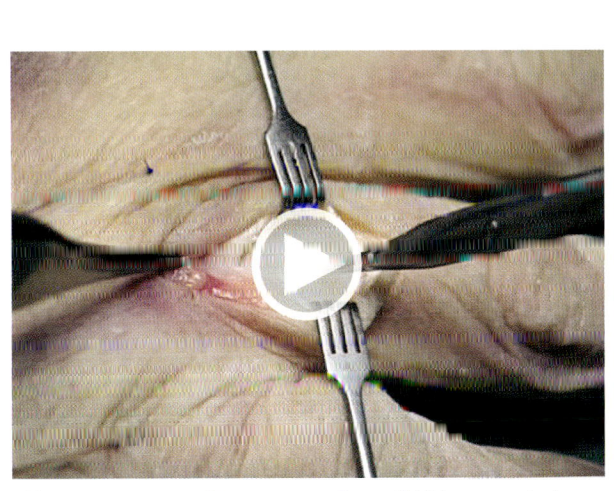

Vídeo 6.3.4-3 O tendão extensor pode ser dividido para a via de acesso da falange.

Fraturas específicas
6.3.4 Mão

extensor é dividido (**Fig. 6.3.4-19a-c**). Uma alternativa é a incisão dorsolateral para expor a falange entre a banda lateral e o tendão extensor (**Fig. 6.3.4-19d**). Se necessário, a banda lateral pode ser transeccionada. O periósteo é elevado como um retalho que deve ser reparado (**Fig. 6.3.4-19e**).

A via de acesso medioaxial requer planejamento cuidadoso. As articulações interfalângicas são flexionadas e um marcador de pele é usado para identificar a ponta da prega flexora em cada articulação (**Fig. 6.3.4-20**).

A incisão se estende entre as marcas e acessa a falange entre os nervos digitais dorsal e palmar. A banda lateral é dividida e os ligamentos colaterais devem ser protegidos.

5.4.3 Fraturas intra-articulares

As fraturas da base ou da cabeça da falange podem ser difíceis de tratar, já que os fragmentos da fratura geralmente são pequenos, impactados e resultam em uma considerável instabilidade na articulação. A técnica de fixação será ditada pela configuração da fratura e pelo tamanho dos fragmentos. As técnicas de banda de tensão podem ser usadas para as avulsões, mas a maioria das fraturas articulares é tratada com redução aberta e parafusos de tração (**Fig. 6.3.4-21**). As fraturas articulares deprimidas da base da falange média podem ser tratadas por armações de tração ou por redução aberta e fixação interna com parafusos de

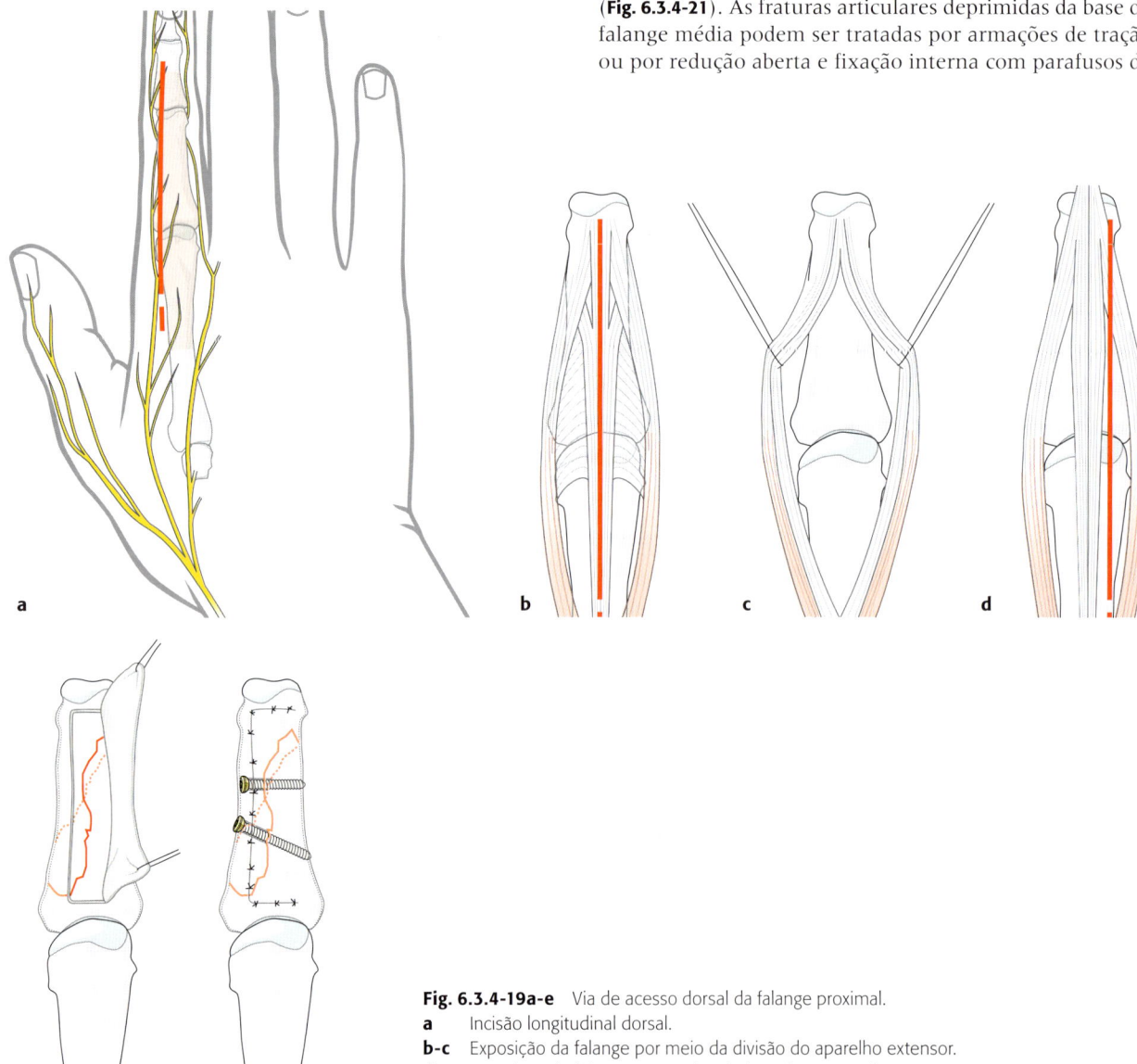

Fig. 6.3.4-19a-e Via de acesso dorsal da falange proximal.
a   Incisão longitudinal dorsal.
b-c Exposição da falange por meio da divisão do aparelho extensor.
d   Exposição da falange entre a banda lateral e o aparelho extensor.
e   Elevação do periósteo em um retalho largo, que é suturado de volta.

Princípios AO do tratamento de fraturas
Volume 2

Fig. 6.3.4-20a-d Via de acesso medioaxial da falange proximal.
a-c A incisão deve ser cuidadosamente planejada usando as pregas flexoras como um guia.
d Feixes neurovasculares do dedo médio.

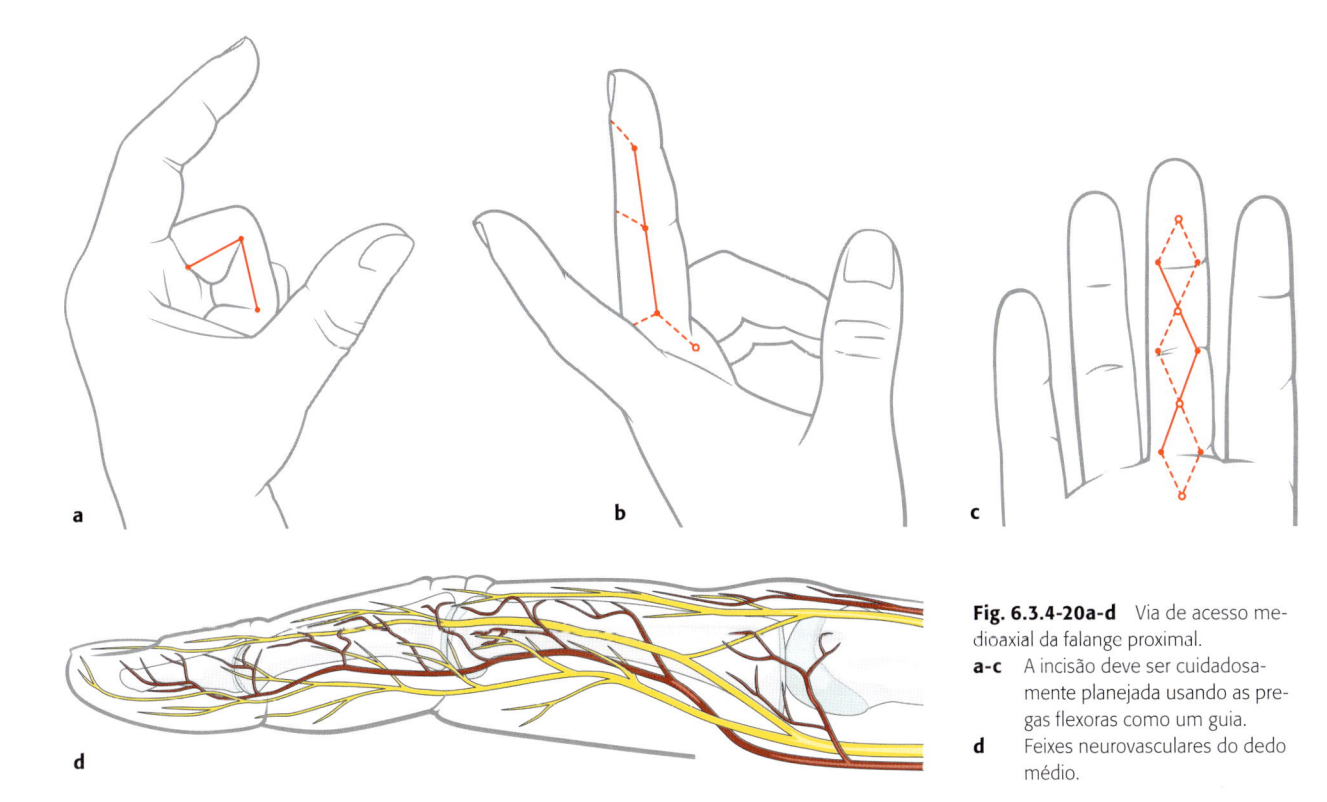

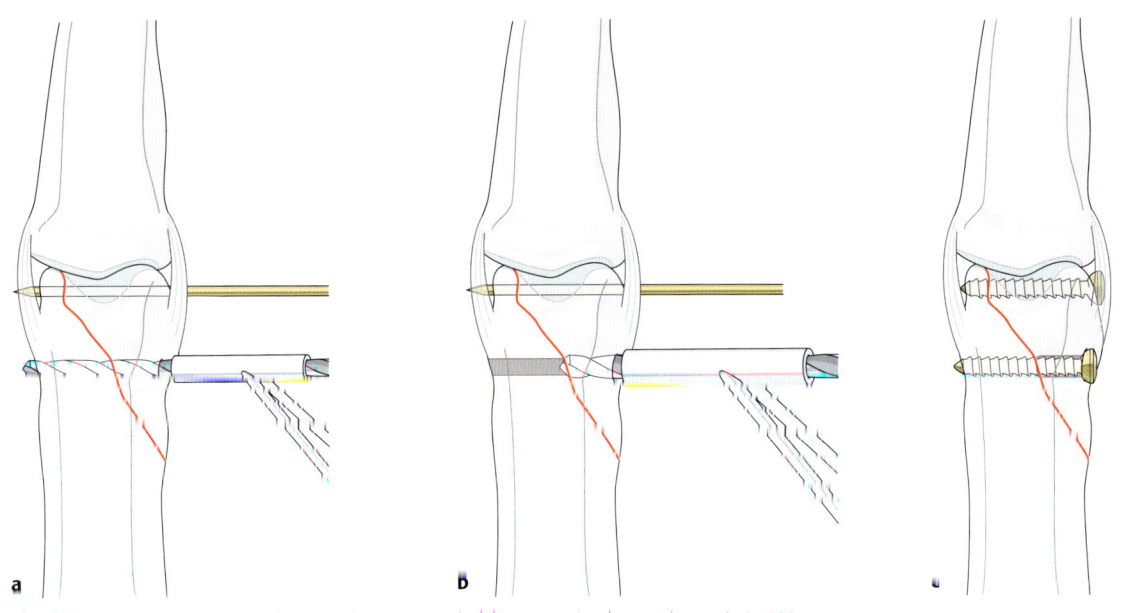

Fig. 6.3.4-21a-c Fratura articular parcial da cabeça da falange proximal – parafusos de tração.
a Redução anatômica e fio de Kirschner temporário. Perfuração do orifício piloto.
b Perfuração do orifício de deslizamento.
c A fratura é fixada primeiro pelo parafuso de tração proximal com o fio de Kirschner posicionado. O fio de Kirschner é substituído pelo parafuso de tração distal; são usados parafusos de 1,3 ou 1,5 mm. Dois parafusos são necessários para controlar a rotação.

Fraturas específicas
6.3.4 Mão

tração e uma pequena placa suporte através de uma via de acesso palmar (**Fig. 6.3.4-22**). Raramente tais fraturas não podem ser reconstruídas. A fusão articular pode ser uma opção ou ser usada como um procedimento de salvação.

5.4.4 Via de acesso cirúrgica
Articulação interfalângica proximal, dorsal

Pode ser usada uma incisão em S aberto ou reta (**Fig. 6.3.4-23a-c**). A articulação é exposta entre a faixa central do tendão extensor e o ligamento lateral. Uma alternativa é elevar um retalho distalmente baseado, em forma de V, da faixa central (**Fig. 6.3.4-23d-e**). O reparo cuidadoso é essencial.

Articulação interfalângica proximal, palmar

A incisão de Brunner é usada para expor a bainha flexora. A polia A3 é excisada, os tendões flexores afastados e a placa volar é dividida distalmente. A articulação é exposta por hiperextensão (a via de acesso em "espingarda") (**Fig. 6.3.4-23f-h**).

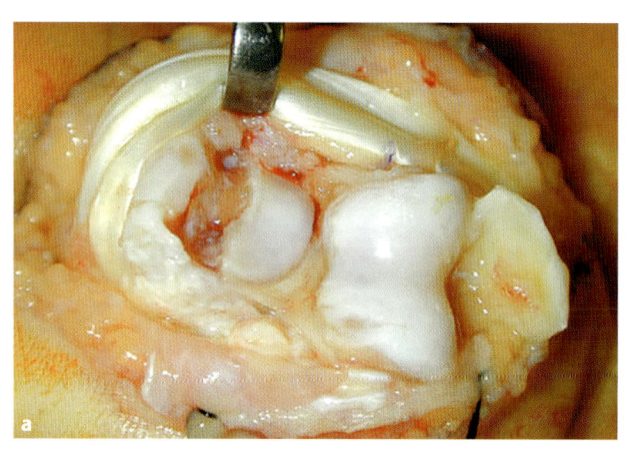

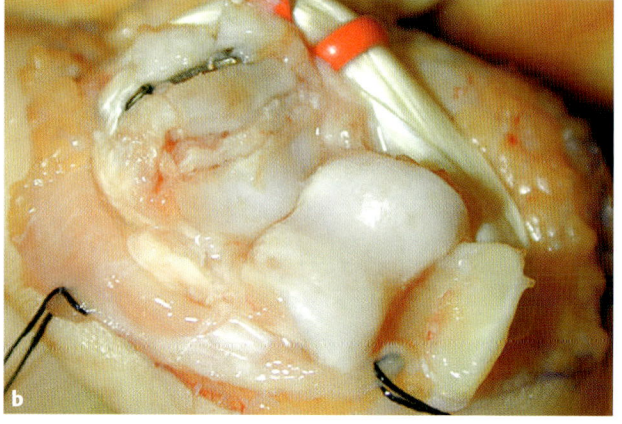

Fig. 6.3.4-22a-b Fratura articular impactada da base da falange média – parafusos de tração e placa de suporte.
a Fratura deprimida e impactada da borda volar da base da falange média.
b Redução dos fragmentos articulares e estabilização com parafusos de tração por meio da placa de suporte.

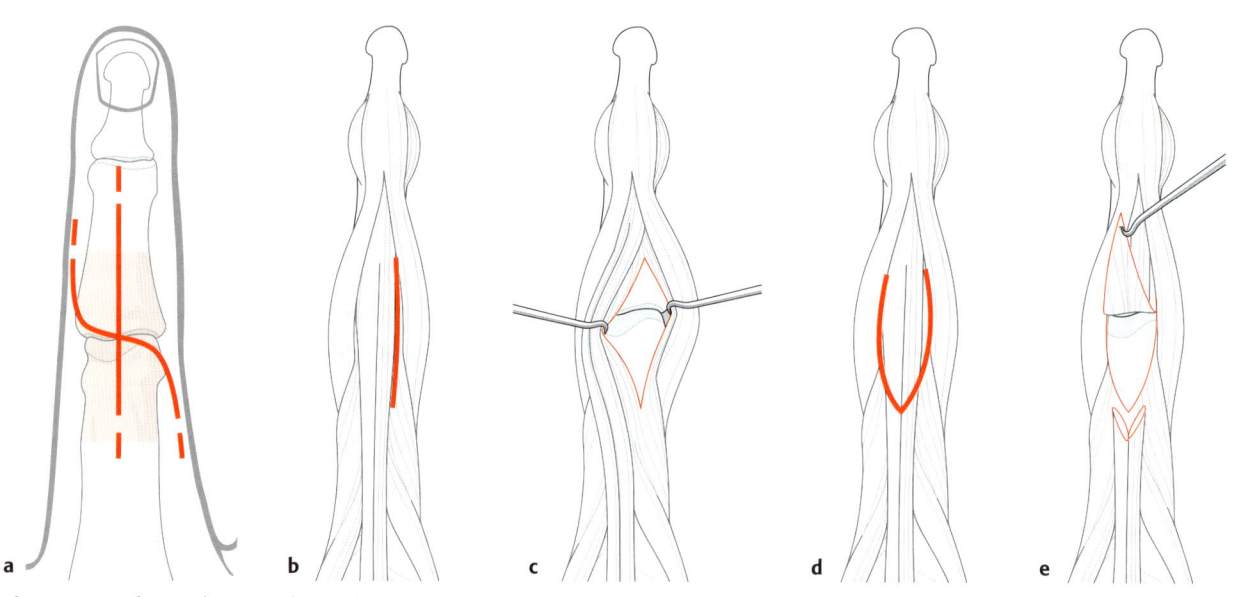

Fig. 6.3.4-23a-h Via de acesso da articulação interfalângica proximal.
a Uma incisão cutânea longitudinal é preferível.
b-c Exposição da articulação entre o ligamento lateral e a banda extensora central.
d-e Exposição da articulação através de um retalho distalmente baseado da faixa central.

Fig. 6.3.4-23a-h (cont.) Via de acesso da articulação interfalângica proximal.
f-h Exposição da articulação através de uma via de acesso volar tipo "espingarda".

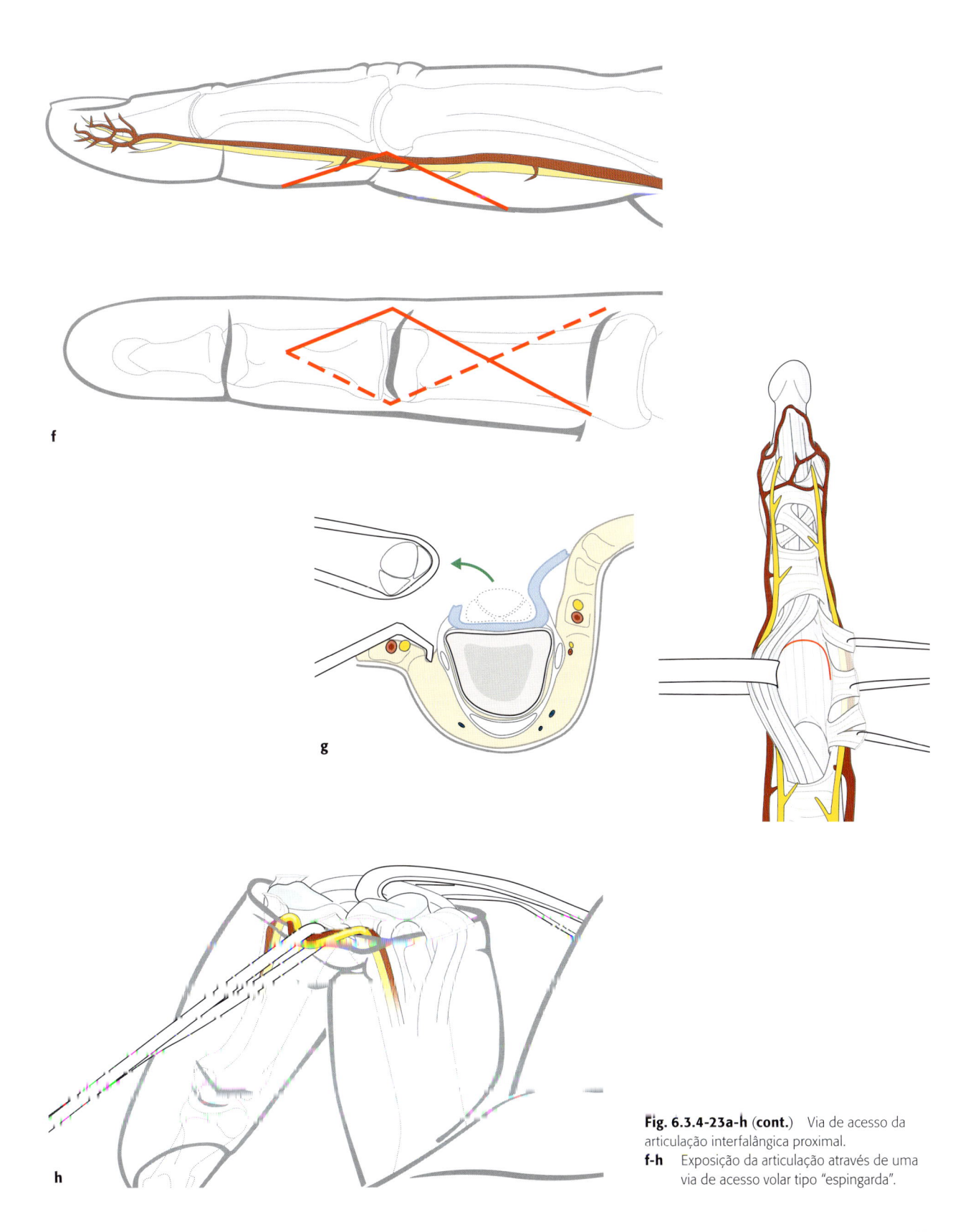

Fraturas específicas
6.3.4 Mão

6 Tratamento pós-cirúrgico

A mão deve ser imobilizada na posição de segurança (**Fig. 6.3.4-24**) e elevada após a cirurgia para prevenir o edema. A mobilização precoce, ativa e controlada deve ser iniciada dentro de 2-3 dias após a cirurgia, desde que a fixação seja estável. Isso encoraja o controle do edema e reduz a tendência para aderências. A analgesia adequada encorajará o movimento precoce. A área da superfície do capuz extensor é significativa e pode facilmente resultar em aderências na superfície dorsal da falange proximal, com rigidez permanente se a mobilidade precoce não for encorajada. As talas dinâmicas e estáticas são úteis para prevenir contraturas articulares e a imobilização simples com o dedo móvel adjacente permanece útil. A importância da mobilização deve ser enfatizada para o paciente e a reabilitação deve ser supervisionada por um fisioterapeuta.

7 Prognóstico e desfecho

O desenvolvimento de técnicas mais adequadas para alcançar a fixação interna estável nas fraturas da mão tem levado a resultados substancialmente melhores, especialmente nas lesões esqueléticas combinadas com partes moles, tendão ou envolvimento articular. Muito trabalho tem sido feito para refinar o acabamento da superfície dos implantes usados na mão. A topografia da superfície e a microasperaza têm sido manipuladas para reduzir as aderências aos tecidos sobrejacentes de deslizamento. A bibliografia identifica vários estudos [4, 7-9] que demonstram melhores desfechos devido, em grande parte, ao tratamento esquelético estável: isso permite um cuidado funcional pós-cirúrgico precoce e mais minucioso.

As fraturas da articulação interfalângica proximal podem criar significativo déficit funcional e são reconhecidamente difíceis de tratar. Foram relatadas técnicas avançadas para o tratamento das fraturas articulares deprimidas da base da falange média [10-12], incluindo como reconstruir melhor a lesão articular previamente não passível de reconstrução [13, 14]. Deve-se estar ciente, contudo, de que a placa e a fixação com parafuso do esqueleto na mão é tecnicamente trabalhosa. Alguns estudos [6] relataram problemas se um segundo procedimento for necessário para remover a placa e efetuar tenólise e/ou liberação articular.

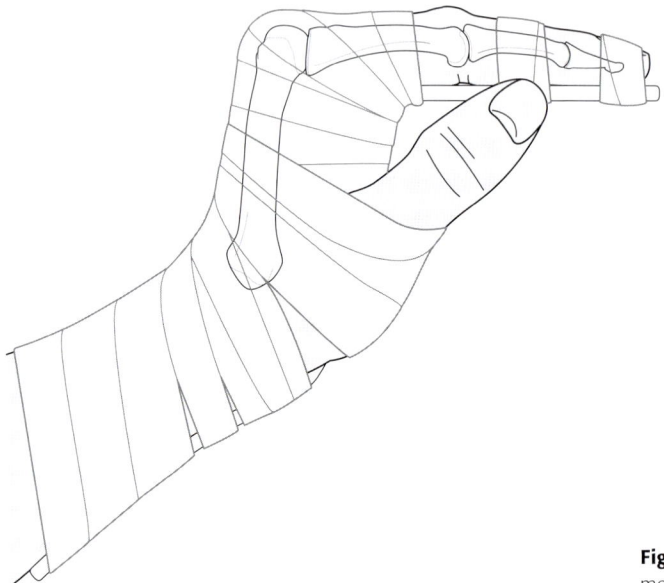

Fig. 6.3.4-24 A posição de segurança para imobilizar a mão imediatamente após a cirurgia. A mão deve ser sempre elevada.

8 Referências

Referências clássicas   Referências de revisão

14. **Weiss AP, Hastings H.** Distal unicondylar fractures of the proximal phalanx. *J Hand Surg Am.* 1993 Jul;18(4):594–599.
15. **Brüske J, Bednarski M, Niedzwiedz Z, et al.** The results of operative treatment of fractures of the thumb metacarpal base. *Acta Orthop Belg.* 2001 Oct;67(4):368–373.
16. **Jupiter JB, Ring DC.** *AO Manual of Fracture Management—Hand and Wrist. 1st ed.* Stuttgart New York: Georg Thieme Verlag; 2005.
17. **Bryan BK, Kohnke EN.** Therapy after skeletal fixation in the hand and wrist. *Hand Clin.* 1997 Nov;13(4):761–766.
18. **Drenth DJ, Klasen HJ.** External fixation for phalangeal and metacarpal fractures. *J Bone Joint Surg Br.* 1998 Mar;80(2):227–230.
19. **Faraj AA, Davis TR.** Percutaneous intramedullary fixation of metacarpal shaft fractures. *J Hand Surg Br.* 1999 Feb;24(1):76–79.
20. **Lee SG, Jupiter JB.** Phalangeal and metacarpal fractures of the hand. *Hand Clin.* 2000 Aug;16(3):323–332.
21. **Safoury Y.** Treatment of phalangeal fractures by tension band wiring. *J Hand Surg Br.* 2001 Feb;26(1):50–52.
22. **Gehrmann SV, Kaufmann RA, Grassmann JP, et al.** Fracture-dislocations of the carpometacarpal joints of the ring and little finger. *J Hand Surg Eur Vol.* 2015 Jan;40(1):84–87.
23. **Grant I, Berger AC, Tham SKY.** Internal fixation of unstable fracture dislocations of the proximal interphalangeal joint. *J Hand Surg Br.* 2005 Oct;30(5):492–498.
24. **Lee JYL, Teoh LC.** Dorsal fracture dislocations of the proximal interphalangeal joint treated by open reduction and interfragmentary screw fixation: indications, approaches and results. *J Hand Surg Br.* 2005;31(2):138–146.
25. **Liodaki E, Xing SG, Maillaender P, et al.** Management of difficult intra-articular fractures or fracture dislocations of the proximal interphalangeal joint. *J Hand Surg Eur Vol.* 2015 Jan;40(1):16–23.
26. **Frueh FS, Calcagni M, Lindenblatt N.** The hemi-hamate autograft arthroplasty in proximal interphalangeal joint reconstruction: a systematic review. *J Hand Surg Eur Vol.* 2015 Jan;40(1):24–32.
27. **Jones NF, Jupiter JB, Lalonde DH.** Common fractures and dislocations of the hand. *Plast Reconstr Surg.* 2012 Nov;130(5):722e–736e.

9 Agradecimentos

Agradecemos a Jesse Jupiter, MD, por suas contribuições para este capítulo na 2ª edição de *Princípios AO do tratamento de fraturas*.

Fraturas específicas
6.3.4 Mão

6.4 Anel pélvico
Daren Forward

1 Introdução – epidemiologia

As lesões do anel pélvico devem sempre ser esperadas naqueles que tenham sofrido um trauma de alta energia. Em lesões relacionadas ao tráfego, as fraturas pélvicas ocorrem em até 42% dos indivíduos e os pacientes que se apresentam com uma fratura pélvica e instabilidade hemodinâmica têm uma mortalidade intra-hospitalar de até 34%. Desse modo, uma lesão pélvica é um indicador de trauma de grande magnitude e as lesões associadas devem ser ativamente excluídas.

A proximidade das estruturas osteoligamentares aos órgãos pélvicos e estruturas neurovasculares, vísceras ocas e urogenitais pode levar a uma grande variedade de complicações graves e sequelas tardias se não diagnosticadas e tratadas precocemente.

As lesões uretrais são vistas em uma taxa de 1 por 1 milhão de pessoas e requerem tratamento especializado em centros especializados. O impacto psicossexual das lesões pélvicas é mal abordado.

As lesões pélvicas formam aproximadamente 3% de todas as fraturas, com 19-37 lesões por 100.000 pessoas por ano. Elas têm uma distribuição bimodal, com picos que ocorrem nas pessoas entre 15-30 anos e entre 50-70 anos. Na população mais jovem, a maioria das fraturas pélvicas ocorre em homens com trauma de alta energia, enquanto as mulheres sofrem mais lesões pélvicas com o aumento da idade, mesmo com quedas simples.

O mecanismo de lesão reflete os grupos populacionais diversos, com a população mais jovem com maior probabilidade de apresentar lesões instáveis e de alta energia a partir de acidentes com veículos automotores e quedas de altura. Os pacientes com osteoporose geralmente apresentam fraturas estáveis de energia baixa por quedas da própria altura. Contudo, experiência no Reino Unido destaca um grupo crescente de pacientes idosos ativos que apresentam lesões graves e de alta energia. A morte por hemorragia pode ocorrer a partir do que aparenta ser uma fratura simples de ramo púbico.

As fraturas pélvicas são frequentemente complexas e a avaliação precoce com tomografia computadorizada (TC) das lesões deve ser a meta. A avaliação e a reanimação iniciais de tais pacientes devem seguir as diretrizes do suporte avançado de vida no trauma (ATLS), o que inclui uma busca por quaisquer fontes de sangramento e estabilização hemodinâmica. O ideal é que tais pacientes sejam triados para um centro de referência ao trauma pelo socorrista. Caso seja em um centro de trauma de nível II ou III, o paciente deve ser estabilizado no departamento de emergência (DE) e devem ser feitos planos para uma transferência segura, mas com rapidez, para um centro de trauma de referência – de preferência de DE para DE.

A pelve deve ser protegida, da mesma forma que a coluna cervical é protegida com um colar. Um suporte pélvico deve ser aplicado para imobilizar a pelve, reduzindo o movimento e a dor. Se possível, realizar essa aplicação no contexto pré-hospitalar e garantir a colocação correta, sobre os grandes trocanteres, com rotação interna de ambos os joelhos. O exame clínico da pelve com compressão bimanual das asas ilíacas tem sensibilidade ruim e pode romper o coágulo inicial formado no local da fratura e reativar a hemorragia. Esse exame não é mais recomendado.

A maioria dos sinais de lesões pélvicas pode ser identificada pela inspeção do paciente. Um dos membros inferiores pode estar mantido em uma posição anormal. A presença de equimose em torno dos flancos pode ser um sinal de um hematoma retroperitoneal, e a equimose também pode ser vista em torno do escroto ou da coxa (sinal de Destot), períneo ou pregas glúteas. O sangue visto no meato uretral ou hematúria podem ser indicativos de uma fratura pélvica com lesão uretral combinada, que é uma lesão grave que requer tratamento especializado. Na palpação do abdome, dolorimento na região suprapúbica pode indicar ruptura da sínfise púbica ou dos ramos púbicos. Outros achados no exame, sugestivos de uma fratura pélvica, incluem dor no quadril e dolorimento sobre o sacro. As lesões associadas de partes moles no reto e na vagina também devem ser identificadas.

As decisões de emergência podem ser baseadas em uma radiografia anteroposterior (AP) da pelve enquanto a classificação detalhada é atribuída depois das projeções oblíquas adicionais (incidências de *inlet* e *outlet* em 45 graus, Fig. 6.4-1) e um exame de TC. Em todas as situações que sejam obscuras ou onde uma lesão dentro do anel pélvico posterior for suspeitada ou diagnosticada, o exame com TC é o padrão-ouro diagnóstico. As técnicas diagnósticas adicionais como ultrassonografia ou uretrocistografia devem ser incluídas se houver suspeita de uma lesão específica.

Fraturas específicas
6.4 Anel pélvico

2 Anatomia

2.1 Estrutura osteoligamentar

A pelve tem uma rígida estrutura osteoligamentar em anel com as articulações pélvicas (articulações sacroilíacas e sínfise púbica) que permitem somente um movimento muito limitado sob carga. É uma verdadeira estrutura em anel; consequentemente, se o anel for quebrado e desviado em uma área, deve haver alguma lesão em outra parte do anel. Sem dúvida, a maior proporção de carga corre pelas estruturas do anel posterior, recaindo nestas o papel fundamental quando a estabilidade pélvica for avaliada. Os ossos pélvicos não têm nenhuma estabilidade intrínseca e, por conseguinte, a integridade das estruturas ligamentares é crucial para a preservação ou perda de estabilidade (**Fig. 6.4-2**).

2.2 Partes moles e estruturas neurovasculares

O grande número e a alta densidade de órgãos e estruturas de partes moles peripélvicas são importantes em relação ao prognóstico agudo (p. ex., hemorragia) e tardio (p. ex., lesões neurológicas e urológicas). A compreensão clara das estruturas em risco é necessária para o tratamento das fraturas pélvicas.

A combinação das lesões osteoligamentares e de partes moles peripélvicas concomitantes (vísceras ocas, urogenitais e neurovasculares) resulta em uma mortalidade significativamente aumentada e é, por conseguinte, definida como uma lesão pélvica complexa. A mortalidade é ainda maior nos casos onde a hemorragia maciça resultar em instabilidade hemodinâmica. Dessa forma, os pacientes hospitalizados com uma perda sanguínea de mais de 2.000 mL requerem atenção especial.

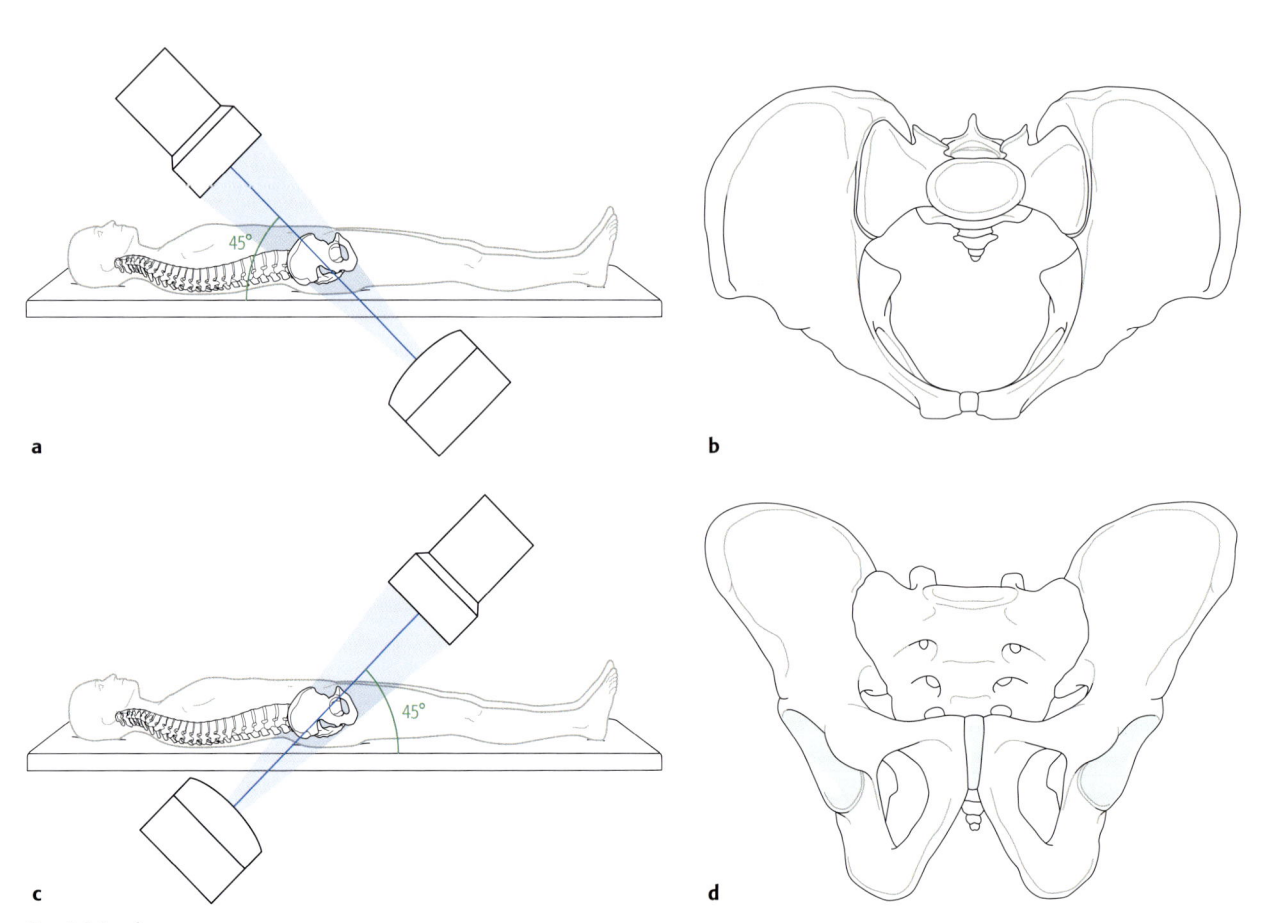

Fig. 6.4-1a-d
a-b Incidência *inlet*: anel pélvico.
c-d Incidência *outlet*: o sacro, ramos púbicos e forame obturador.

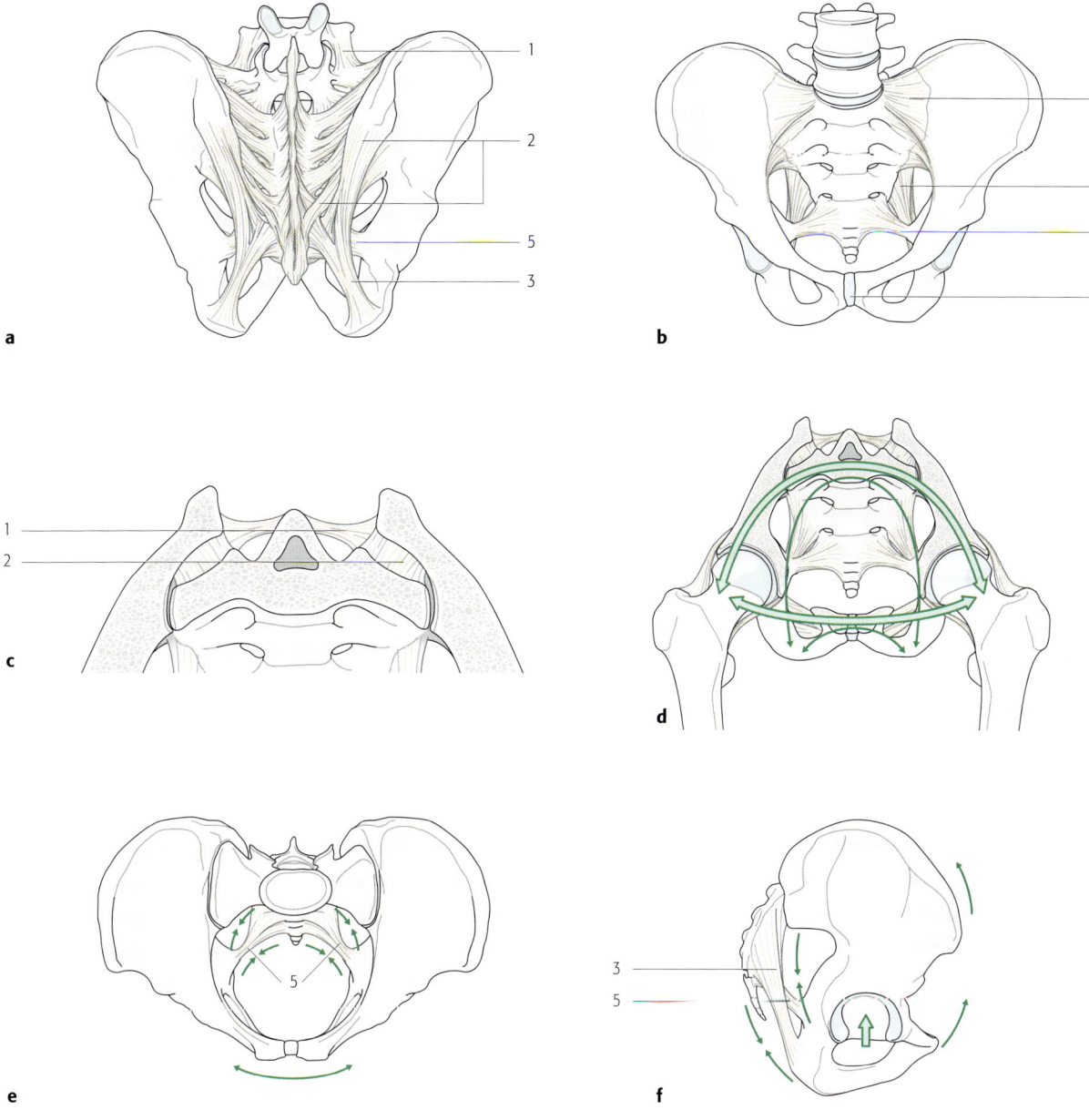

Princípios AO do tratamento de fraturas
Volume 2

Fig. 6.4-2a-f Anatomia osteoligamentar do anel pélvico.
a-b Estruturas ligamentares importantes para a estabilidade pélvica.
c-d Os ligamentos sacroilíacos posteriores desempenham um papel fundamental na estabilidade posterior.
e-f As forças que atuam nas estruturas pélvicas e a direção do desvio sob carga.

1 Ligamento iliolombar
2 Ligamentos sacroilíacos posteriores
3 Ligamento sacrotuberal
4 Ligamentos sacroilíacos anteriores
5 Ligamento sacroespinal
6 Sínfise púbica

719

Fraturas específicas
6.4 Anel pélvico

3 Classificação

Os dois sistemas de classificação mais comuns usados para as fraturas do anel pélvico são (1) a Classificação de Tile e AO/OTA de Fraturas e Luxações e (2) a classificação de Young-Burgess [1-5].

A base do sistema Young-Burgess é a compreensão da direção da força que causa a lesão resultante. Os três vetores causais principais são a compressão lateral (CL), a compressão anteroposterior (CAP) e o cisalhamento vertical (CV) (**Tab. 6.4-1**). Uma vez que a direção do vetor de força causal for entendida, a ruptura da anatomia relevante de osso e partes moles pode ser prevista, como provavelmente também as lesões associadas a outros sistemas do corpo e fontes de sangramento.

A chave para compreensão da classificação de Young-Burgess é que a categoria de CL representa áreas anatomicamente distintas. Conforme se trabalha com a classificação: 1 = sacro, 2 = asa e 3 = lesões posteriores bilaterais. Cada categoria tem um espectro amplo de lesão, desde benigna até devastadora. A categoria AP é a mesma lesão, mas consecutivamente pior em gravidade dentro dos três tipos.

A classificação de Young-Burgess é vantajosa sobre a classificação de Tile, porque é útil no DE. Em geral, um paciente que pareça estar sangrando com uma lesão AP tem maior probabilidade de ter sangramento da pelve, o que causa a instabilidade hemodinâmica. Um paciente com uma lesão por CL que esteja instável tem maior probabilidade de ter sangramento associado na cabeça, no tórax ou lesões abdominais, mas não tanto de uma lesão por CL. Esta compreensão permite o foco adequado precocemente.

Um paciente que sofre um impacto pela lateral pode ter a previsão de uma lesão por compressão lateral, em que a força comprime o sacro e os ramos púbicos, resultando em uma fratura sacral compressiva e fraturas dos ramos púbicos (CL1). Com uma força mais alta, o sacro atua como um pivô ao redor do qual a hemipelve se roda para dentro, resultando em uma fratura da asa ilíaca (CL2). Com uma força muito maior, a força compressiva se torna uma força de tração na hemipelve contralateral, rodando externamente aquele lado e resultando em uma abertura da articulação sacroilíaca (SI) contralateral e ruptura da sínfise púbica (CL3).

Uma CAP da pelve resulta em aplicação de forças rotatórias externas, rompendo a sínfise púbica. Uma força baixa produz diastase da sínfise, mas deixa os ligamentos sacroilíacos intactos (CAP1). Uma força continuada abrirá a pelve a tal extensão que ocorre a ruptura dos ligamentos sacroilíacos anteriores (CAP2), seguida pela ruptura completa dos ligamentos sacroilíacos posteriores (CAP3). As lesões CAP3 são geralmente consideradas tanto verticalmente quanto rotacionalmente instáveis.

Uma força significativa verticalmente dirigida resultará em ruptura de todas as estruturas ligamentares do complexo sacroilíaco, do assoalho pélvico e da sínfise púbica, resultando em uma lesão por cisalhamento vertical. A hemipelve será desviada verticalmente, com luxação da articulação sacroilíaca ou haverá uma fratura sacral vertical, combinada com rupturas da sínfise ou fraturas dos ramos púbicos. Uma categoria final, com mecanismo combinado de lesão, representa os pacientes que receberam mais de um vetor – um pedestre atingido por um carro – e que então recebeu uma segunda força durante a queda, por exemplo. A categoria não é planejada para as lesões do anel que sejam inicialmente difíceis de classificar.

A classificação de Tile das lesões pélvicas é baseada na Classificação AO/OTA de Fraturas e Luxações (**Fig. 6.4-3, Tab. 6.4-2**) e deriva da avaliação do mecanismo de lesão e a resultante estabilidade ou instabilidade do anel pélvico. Ao estender os três tipos básicos de fraturas – A, B e C – por grupos, subgrupos e modificadores específicos, toda lesão e combinação de lesões pode ser classificada (ver Cap. 1.4).

Tabela 6.4-1 Classificação de Young-Burgess

Tipo de lesão	Grau 1	Grau 2	Grau 3
Compressão lateral (CL)	Fratura dos ramos púbicos anteriores mais Fratura de compressão sacral ipsilateral	Lesão de grau 1 anterior mais Fratura da asa do ilíaco	Lesão ipsilateral grau 1 ou 2 mais lesão contralateral por compressão anteroposterior: "pelve em ventania" (ruptura da articulação sacroilíaca e da sínfise púbica)
Compressão anteroposterior (CAP)	< 2,5 cm de alargamento da sínfise púbica – ligamentos sacroilíacos anteriores e posteriores intactos	> 2,5 cm de alargamento da sínfise púbica – ligamentos sacroilíacos anteriores rompidos, ligamentos sacroilíacos posteriores intactos. "Lesão em livro aberto"	Separação completa de sínfise púbica e articulação sacroilíaca – todos os ligamentos rompidos
Cisalhamento vertical (CV)	Desvio vertical da hemipelve em direção anterior e posterior através da articulação sacroilíaca ou por fratura do sacro		
Mecanismo combinado	Combinação dos padrões de lesão: compressão lateral e cisalhamento vertical ou compressão lateral e compressão anteroposterior		

A classificação representa as três categorias de gravidade crescente. Classifica as lesões pela habilidade do anel pélvico em resistir forças fisiológicas verticais ou rotacionais como resultado da fratura: a sua "estabilidade". Nessa classificação, a pelve posterior está localizada posteriormente ao acetábulo e o arco anterior na sua frente. As fraturas do tipo A, em que não existe um equivalente na classificação de Young-Burgess, são estáveis; consequentemente, o anel pélvico não pode ser desviado por uma força fisiológica. As fraturas tipo B são rotacionalmente instáveis, mas verticalmente estáveis, enquanto as fraturas tipo C são vertical e rotacionalmente instáveis.

Ambos os sistemas de classificação demonstraram prever a gravidade das lesões associadas (como lesões da cabeça, do tórax ou abdominais) e a mortalidade em pacientes com fraturas pélvicas, mas somente se são divididas em lesões estáveis (tipos A e LC1) e instáveis (todas as outras). No que se relaciona às necessidades de transfusão sanguínea, as fraturas CL3, CAP2 e CAP3 têm maiores necessidades de transfusão do que as fraturas CL1, CAP1 e CV.

4 Avaliação primária e tomada de decisão

As metas primárias na avaliação das lesões pélvicas são:

- Realizar colocação precisa da cinta pélvica
- Estabelecer se a pelve é a fonte primária de hemorragia em um paciente hemodinamicamente instável
- Diagnosticar ferimentos abertos associados, lesões urogenitais ou de órgãos

O paciente com uma fratura pélvica será tratado de preferência em um centro de trauma por uma equipe liderada por um cirurgião de trauma experiente [6]. As evidências recentes indicam um claro benefício de sobrevida no tratamento em um centro de trauma. O tratamento primário é o mesmo para qualquer paciente politraumatizado, conforme descrito no Capítulo 4.1, e incluirá hipotensão permissiva, a administração de ácido tranexâmico e produtos sanguíneos como parte de um protocolo de transfusão maciça (possivelmente guiado por testes de coagulação no ponto de cuidados) e avaliação da resposta, incluindo acidose e lactato sanguíneo.

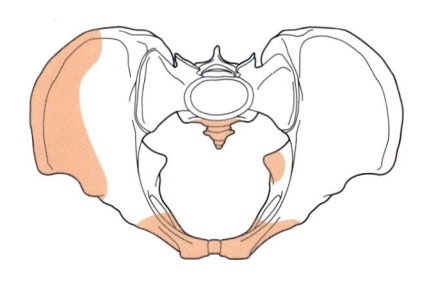

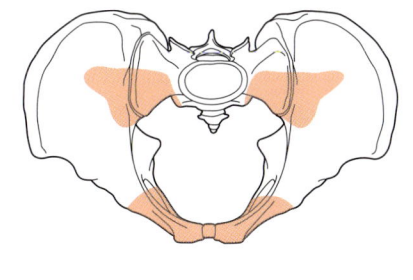

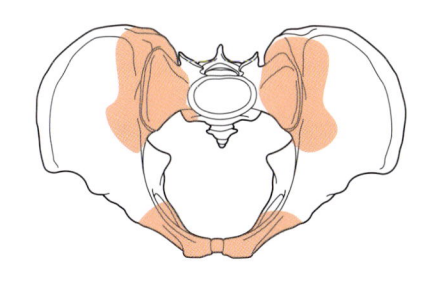

61A Anel pélvico, **arco posterior intacto**
61B Anel pélvico, **ruptura incompleta do arco posterior**
61C Anel pélvico, **ruptura completa do arco posterior**

6.4-3 Classificação AO/OTA de Fraturas e Luxações – anel pélvico.

Tabela 6.4-2 Classificação de Tile

Tipo de lesão	Grau 1	Grau 2	Grau 3
Tipo A: estável	Fratura de avulsão no osso inominado (p. ex., espinha ilíaca ou tuberosidade isquiática)	Fratura da asa do ilíaco ou fratura isolada e estável de um ramo púbico (raro)	Fratura transversa do sacro/cóccix
Tipo B: verticalmente estável, rotacionalmente instável	Lesão em livro aberto (ruptura da sínfise púbica com ligamentos sacroilíacos posteriores intactos)	Lesão por compressão lateral (fraturas ipsilaterais do arco anterior e posterior)	Lesões bilaterais, por exemplo, B1 em um lado e B2 no outro
Tipo C: verticalmente e rotacionalmente instável	Unilateral: ruptura dos ligamentos sacroilíacos anteriores e posteriores e assoalho pélvico em um lado	Bilateral: um lado tipo B, um lado tipo C1	Bilateral: ambos os lados tipo C

Fraturas específicas
6.4 Anel pélvico

As fraturas pélvicas estão associadas à mortalidade significativa, sendo a hemorragia a causa principal da morte por fraturas pélvicas instáveis. No estágio agudo, são benéficas as medidas simples de emergência, como rodar internamente os quadris e enfaixar juntos os tornozelos. Cada vez mais as cintas pélvicas são aplicadas no contexto pré-hospitalar.

4.1 Colocação da cinta pélvica

A cinta pélvica é um tipo não invasivo de material que é aplicado circunferencialmente ao redor dos trocanteres maiores do paciente, sendo manualmente apertados (**Fig. 6.4-4a**). As cintas pélvicas funcionam como um imobilizador do anel pélvico, diminuindo o volume pélvico global e reduzindo o sangramento das fraturas. Além disso, a imobilização do anel pélvico tampona o osso sangrante e protege o coágulo inicial de ser rompido. O coágulo inicial é o coágulo mais efetivo. Para a estabilização mais efetiva, as cintas devem ser colocadas ao nível dos trocânteres maiores com rotação interna do membro inferior e tensionadas de acordo com a orientação do fabricante (que difere conforme a marca) para comprimir e imobilizar a pelve. Um lençol simples é efetivo inicialmente, mas é mais provável de ficar frouxo (**Fig. 6.4-4b**). As cintas e os lençóis são rápidos e simples de aplicar e, com bons cuidados de enfermagem, podem permanecer por 24 horas sem o desenvolvimento de efeitos de pressão sobre a pele.

Os estudos cadavéricos e *in vivo* mostraram a redução bem-sucedida das fraturas pélvicas por CAP com o uso de cintas. Foi demonstrado que as cintas pélvicas reduzem as necessidades de transfusão em comparação à fixação externa, melhoram a hemodinâmica em pacientes de trauma e não comprometem a estabilidade mecânica. O uso da cinta pélvica para uma fratura de CL é questionável, com pequena evidência sobre os potenciais benefícios ou riscos. A cinta pode estabilizar a pelve, mas causa o risco de desviar a lesão por CL. Uma boa prática seria aplicar uma cinta em qualquer fratura pélvica suspeitada e soltá-la uma vez que uma fratura CL1 ou CL2 tenha sido diagnosticada, deixando-a ao redor do paciente como uma lembrança da presença de uma fratura enquanto aguarda a cirurgia.

A fixação externa não é tão usada agora, mas pode fechar eficazmente a pelve em livro aberto, desde que o complexo posterior esteja intacto, e forneça uma boa estabilidade anterior. Os Schanz anteriores podem ser colocados ao longo da crista ilíaca superior, acima da espinha ilíaca anterossuperior (EIAS) ou entre a EIAS e a espinha ilíaca anteroinferior.

Em teoria, os fixadores externos têm a vantagem de fornecer estabilização temporária ou definitiva das fraturas pélvicas e permitem a cirurgia abdominal quando necessário. Entretanto, a cinta pélvica na posição correta sobre os trocanteres não impede a laparotomia.

O uso de cintas pélvicas tem removido eficazmente a necessidade de fixadores externos no período de emergência. Se a aplicação da cinta corretamente tensionada e posicionada falhar na melhora da condição hemodinâmica do paciente, é improvável que o fixador externo seja diferente. Não deve ser esquecido que pode haver um componente vertical na lesão pélvica, e a tração vertical pela aplicação de tração cutânea ou um fio esquelético pode ser necessária para alcançar uma lesão pélvica reduzida junto com o uso da cinta. Nesse momento, intervenções adicionais são necessárias para controlar a hemorragia.

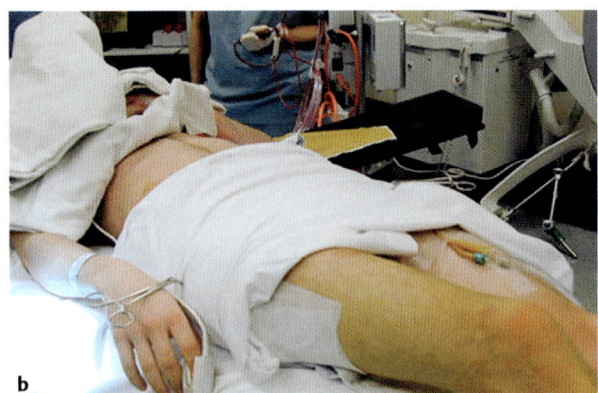

Fig. 6.4-4a-b
a Cinta pélvica. O paciente também teve hemorragia externa exsanguinante a partir da perna esquerda e um torniquete militar foi aplicado no atendimento pré-hospitalar e o momento de aplicação escrito na perna.
b Lençol pélvico.

É essencial que as imagens pélvicas precoces sejam obtidas para "liberar a pelve". Uma única imagem em AP tem alta sensibilidade e especificidade para evidenciar uma fratura pélvica clinicamente significativa. Ao reanimar um paciente com lesões múltiplas, a radiografia pélvica deve ser obtida ao mesmo tempo ou logo depois daquela do tórax, se um exame de TC não estiver imediatamente disponível. O exame clínico da pelve deve se concentrar na busca de equimoses e ferimentos, especialmente no períneo. O testes clínicos de estabilidade mecânica não devem ser executados na emergência. É um teste que tem baixa sensibilidade, pode ser doloroso para o paciente e pode romper coágulos sanguíneos estáveis que já tenham se formado. O exame da pelve, desse modo, deve ser restringido ao exame sob anestésico na sala de cirurgia como parte da avaliação adicional da lesão por um especialista [7, 8].

Se a radiografia AP normal da pelve ou as imagens de TC tiverem sido obtidos com uma cinta e houver qualquer suspeita clínica de lesão pélvica, a radiografia subsequente em AP deve ser obtida com a cinta liberada para afastar uma lesão de compressão AP que tenha ficado perfeitamente reduzida pela cinta.

A "rolagem" do paciente não deve ser feita antes que as imagens da pelve tenham sido revisadas. A rolagem de um paciente com uma fratura pélvica instável resultará em um movimento considerável da fratura e risco de sangramento adicional. Esta hemorragia secundária pode ser difícil de controlar, já que o paciente pode ter desenvolvido a coagulopatia até esse momento.

As lesões por explosão podem resultar em fraturas pélvicas combinadas com ferimentos penetrantes por estilhaços no dorso.

4.2 Fraturas pélvicas e hipotensão

O tratamento das fraturas pélvicas graves com hipotensão persistente é difícil e complexo [6]. É essencial que cirurgiões experientes, ortopedistas e gerais, sejam envolvidos no processo de tomada de decisão. Tais pacientes têm alto risco de desenvolver coagulopatia e um protocolo de transfusão maciça deve ser usado.

A instabilidade hemodinâmica persistente, apesar da reanimação apropriada com fluidos, alertará o profissional para uma hemorragia contínua. As fraturas pélvicas resultam em hemorragia de estruturas ósseas e vasculares. O plexo venoso pélvico é responsável por aproximadamente 80% do sangramento nas fraturas pélvicas instáveis. Por conta da ruptura óssea e ligamentar, o tamponamento fisiológico não ocorre, ocasionando o potencial para exsanguinação no espaço retroperitoneal [7].

É mais importante estabelecer se o sangramento seria da pelve ou do abdome. O exame clínico abdominal não é confiável nessa situação e um exame normal não pode excluir uma hemorragia intraperitoneal significativa. A avaliação focada com ultrassom no trauma (FAST, de *focused abdominal sonography for trauma*) pode ajudar, mas pode dar um resultado falso-negativo — uma FAST negativa não ajuda na tomada de decisão. Uma TC fornecerá informação muito útil e a decisão de levar um paciente hipotenso para o dispositivo de TC é feita pela equipe de tratamento do paciente e depende da experiência e instalações locais. Se o exame de TC estiver disponível na sala de reanimação, o limiar para o exame será diferente se a TC for longe do departamento de emergência. Em geral, se o paciente estiver gravemente hipotenso (p. ex., pressão arterial sistólica < 70 mmHg) e não responder à reanimação, ele deve ser levado para a sala de cirurgia.

O controle de hemorragia pode ser alcançado pela radiologia intervencionista pelo uso de angiografia com embolização, ou por laparotomia e tamponamento pélvico extraperitoneal. A decisão de usar tamponamento pélvico ou angiografia depende da experiência e das instalações locais disponíveis, mas as instituições que tratam esses pacientes devem ter diretrizes ou protocolos locais apropriados [1]. Uma recomendação de uma técnica sobre a outra não pode ser feita, porque não existe nenhum estudo prospectivo randomizado nessa área.

A situação de sangramento combinado pélvico e intra-abdominal representa a mais difícil tomada de decisão e deve ser feita junto com os cirurgiões gerais. Se o paciente estiver sangrando pela pelve, mas com uma pressão arterial adequada, a embolização pode ser idealmente efetuada na sala de cirurgia. Em muitos hospitais, a sala de angiografia é longe da sala de cirurgia e da unidade de terapia intensiva e não é um lugar seguro para tratar um paciente ventilado com hipotensão grave. Nessa situação, o sangramento pélvico pode ser controlado por tamponamento extraperitoneal. Em algumas mãos experientes, o uso da pinça em C tem sido utilizado, mas com indicações limitadas, como, por exemplo, nas fraturas tipo C de Tile com hemorragia incontrolável [9]. Isso é discutido com mais detalhes em outro lugar deste capítulo e no Capítulo 1.5.

A embolização arterial pode ser usada para cessar o sangramento. Idealmente, ela deve ser a embolização seletiva do vaso sangrante em si. A embolização não seletiva da artéria ilíaca interna pode ser usada e fornecer controle da hemorragia em 85-100% dos casos. Entretanto, as complicações como a necrose de músculo glúteo e da bexiga podem ser devastadoras e a embolização não seletiva somente deve ser usada como um último recurso.

Fraturas específicas
6.4 Anel pélvico

4.3 Fratura pélvica, lesão uretral e cateterização

Todos os pacientes que sofrem um trauma de alta energia devem ser submetidos a um exame do períneo e da genitália, mais um exame retal, e os achados anotados nos registros médicos. O trauma urológico é raro e a incidência do trauma uretral grave é de 1 por 1 milhão de pessoas por ano. A maioria dos casos é devida a trauma não penetrante de alta energia com lesões multissistêmicas associadas e 80% desses casos estão associados a fraturas pélvicas. As lesões urológicas são potencialmente fatais e podem resultar em incapacitação grave em longo prazo.

Uma tentativa única e gentil de cateterização por um médico experiente é permitida, mesmo que os achados clínicos ou na TC sugiram lesão uretral. Em adultos, um cateter macio 16F de silicone deve ser usado. O procedimento e a presença de urina clara ou tingida de sangue devem ser anotados nos registros médicos. Se houver qualquer elemento de coloração sanguínea do fluido que drena do cateter, então um estudo contrastado (cistografia retrógrada via cateter) é obrigatório.

Se o cateter não passar, ou passar e drenar somente sangue, o balão não deve ser inflado. Em vez disso, a urografia retrógrada deve ser feita, retirando o cateter no meato e inflando suave e levemente o balão para ocluir a uretra. Se houver uma lesão uretral ou de bexiga, o serviço de urologia deve ser imediatamente informado.

Se o cateter uretral não puder ser passado, um cateter suprapúbico é necessário. Ele pode ser inserido durante a laparotomia de emergência, mas, caso contrário, um cateter percutâneo suprapúbico deve ser colocado pela técnica de Seldinger sob controle ecográfico, por um médico experiente nessa técnica. O ponto de inserção cutâneo deve ser na linha média e deve ser de 3-4 dedos acima da sínfise. Um cateter 16F de silicone deve ser usado. A colocação de um cateter suprapúbico pode alterar o momento de cirurgia da fratura pélvica e, assim, o serviço especializado em fraturas da pelve deve ser envolvido em um estágio precoce.

Se houver vazamento de urina da bexiga ou da uretra, a fratura pélvica deve ser tratada como uma fratura exposta de ossos longos com antibióticos e fixação precoce da fratura se a fisiologia do paciente permitir. A ruptura intraperitoneal da bexiga requer laparotomia de emergência e reparo direto. A ruptura extraperitoneal da bexiga pode ser tratada apenas com drenagem por cateter. Entretanto, na presença de uma fratura pélvica instável, é recomendado que a redução da fratura e a fixação aconteçam junto com o reparo primário da bexiga. A ruptura extraperitoneal do colo de bexiga continua a vazar mesmo na presença de um cateter e requer reparo primário.

As lesões da bexiga identificadas durante a cirurgia de fratura pélvica devem ser reparadas ao mesmo tempo e a drenagem da bexiga (via cateter uretral ou suprapúbico, conforme apropriado) garantida. A lesão da bexiga em crianças é rara, mas frequentemente mais complexa que em adultos. Um urologista pediátrico deve ser sempre envolvido de forma precoce nos cuidados dessas lesões. As lesões uretrais também ocorrem raramente em mulheres e devem ser discutidas em um estágio precoce com o especialista suprarregional apropriado em urologia.

As indicações para reparo uretral primário (dentro de 48 horas) incluem a lesão anorretal associada, desenluvamento perineal, lesão do colo da bexiga, desvio maciço da bexiga e trauma penetrante na uretra anterior. O tratamento recomendado definitivo para a ruptura uretral em homens adultos é o reparo retardado aos 3 meses depois da lesão. Deve haver uma via clara de encaminhamento para um centro reconhecido de cirurgia uretral reconstrutiva.

O realinhamento primário da uretra durante a cirurgia de fratura não é recomendado já que, nas mãos de um cirurgião (uretral) sem experiência, o risco de dano adicional provavelmente excede os benefícios. A redução precisa do anel pélvico ósseo realinha indiretamente a uretra e facilita o reparo retardado.

Os pacientes homens e mulheres que sofrem fraturas pélvicas anteriores desviadas ou lesão uretral têm uma incidência alta de disfunção urinária e sexual e, de preferência, um serviço clínico deve ser oferecido a tais pacientes.

4.4 Pelve aberta

As lesões associadas de partes moles requerem tratamento especializado e podem ser diferenciadas em duas categorias importantes:

- Feridas cutâneas que se comunicam com o hematoma da fratura pélvica
- Lesões perineais que envolvam ou sejam perto do reto

A primeira categoria, embora significativa, é de uma ordem de magnitude menos grave que a segunda. Qualquer ferida cutânea que se comunica com a fratura pélvica representa uma fratura exposta, mas será adequadamente tratada com técnicas simples. A lavagem da ferida e o fechamento primário são frequentemente suficientes, com um curso curto de antibióticos de acordo com diretrizes locais. Com frequência, a fratura óssea subjacente não requer nenhuma estabilização. Um exemplo seria uma ferida sobre a crista ilíaca.

As fraturas pélvicas expostas com envolvimento perineal são lesões diferentes. A pelve óssea é em geral altamente instável, irá demandar fixação, e a ferida pode se comunicar com o reto diretamente, ou estar tão perto que a contaminação seja provável. Um cirurgião especialista em procedimentos pélvicos deve estar presente na sala de cirurgia para avaliar a ferida junto com os cirurgiões gerais [2]. A pelve óssea demandará estabilização com mínima dissecção interna e uso de um fixador externo (**Fig. 6.4-5**). Quando houver especialista, o fixador anterior pode ser modificado de forma que a conexão e as barras sejam subcutaneamente tunelizadas, evitando quaisquer locais externos dos Schanz, o denominado *Infix* (**Fig. 6.4-6**) [10].

O fluxo fecal provavelmente precisará de desvio. Isto é necessário dentro de 48 horas e nem sempre precisa ser executado na emergência. O fluxo pode também ser desviado usando um tubo retal e é provável que a sutura primária da ferida perineal reduzirá a contaminação secundária. Na verdade, pode ser preferível fechar e repetidamente reabrir e fechar a ferida para alcançar a limpeza adequada da contaminação sem sujeira adicional. Os dispositivos de fechamento auxiliado por vácuo também podem ajudar na liberação da ferida.

O cirurgião especializado em pelve deve estar preparado para executar repetidas limpezas até que a ferida esteja adequadamente tratada e isso pode requerer mais de dez procedimentos para permitir o fechamento seguro do envelope de partes moles.

5 Instabilidade do anel pélvico combinada com instabilidade hemodinâmica

5.1 Protocolo de tratamento

Um protocolo padronizado para tratamento clínico primário é usado para todos os pacientes com politraumatismo. O tratamento imediato deve incluir:
- Proteção do coágulo sanguíneo primário por imobilização pélvica precoce e prevenção do movimento excessivo
- Transfusão sanguínea precoce
- Uso precoce de plasma congelado fresco, plaquetas e crioprecipitado
- Prevenção de hipotermia e acidose

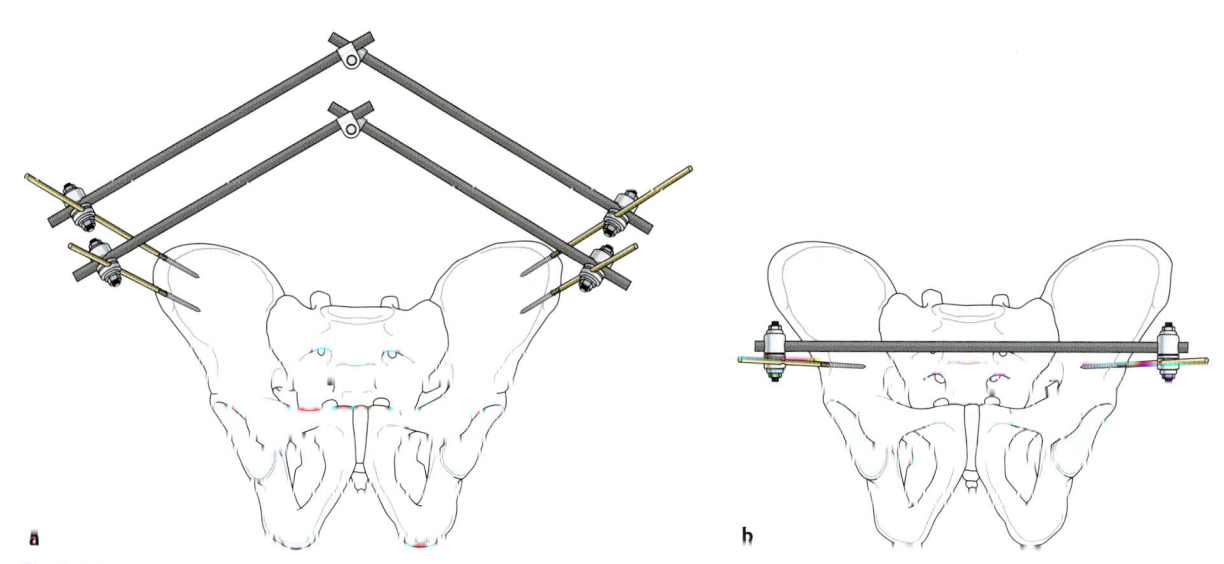

Fig. 6.4-5a-b Fixação externa da pelve.
a Uma armação pélvica com fixação na crista ilíaca ("via alta"). Apesar da vantagem de identificar, na simples de acesso direto, o mau posicionamento dos parafusos de Schanz é frequente.
b Um fixador externo simples com um parafuso de Schanz na região supra-acetabular ("via baixa") fornece força de pega ideal na espinha ilíaca anteroinferior – cuidar a penetração na articulação do quadril.

Fraturas específicas
6.4 Anel pélvico

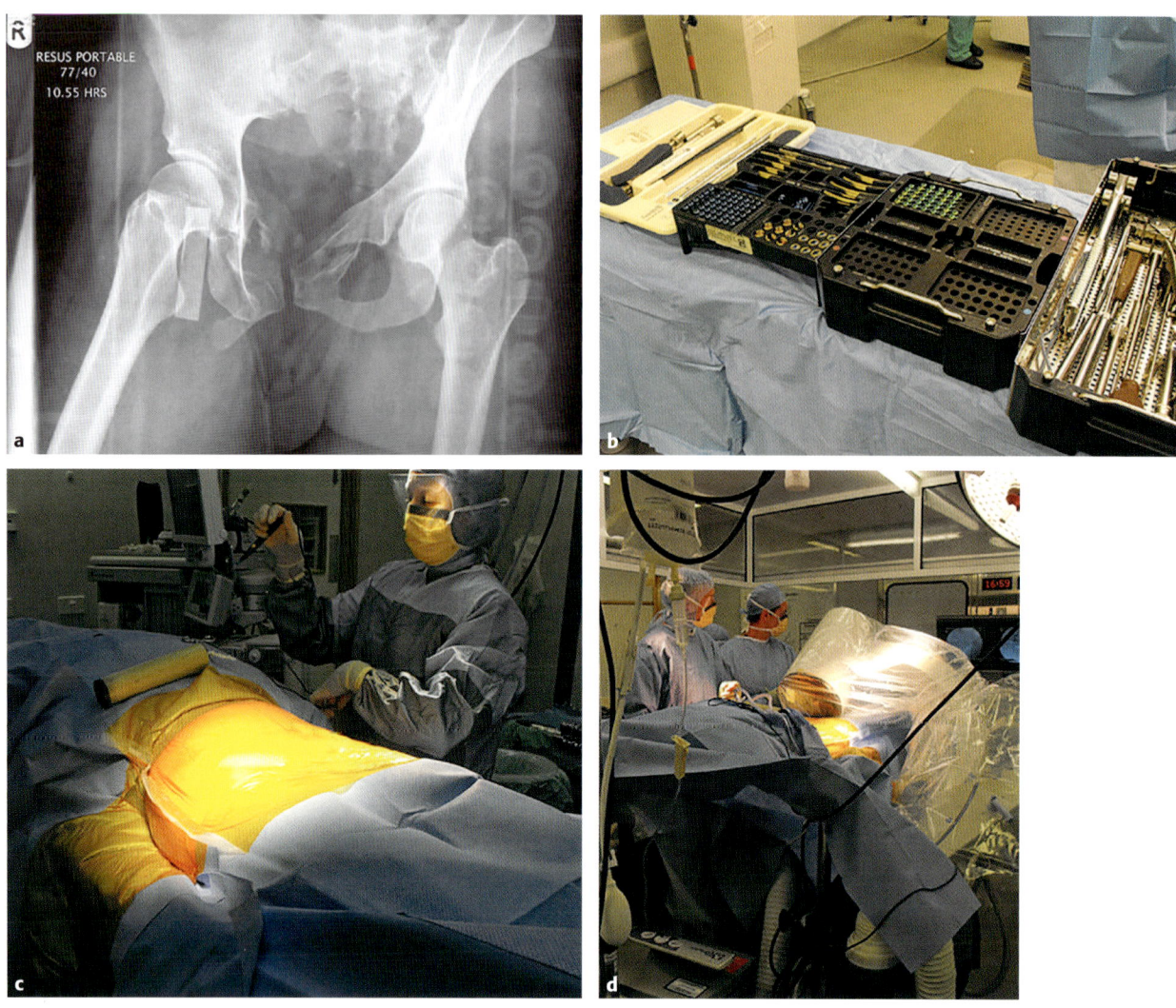

Fig. 6.4-6a-s "Infix pélvico"– o fixador interno.
a   A indicação ideal é uma lesão do tipo compressão lateral com fraturas nos ramos nos quatro quadrantes e uma sínfise intacta.
b-d   O paciente é posicionado supino em uma mesa radiotransparente. Tração na perna pode ser necessária para reduzir o sacro. O sacro deve ser estabilizado primeiro para fornecer um fulcro à fixação anterior subsequente.

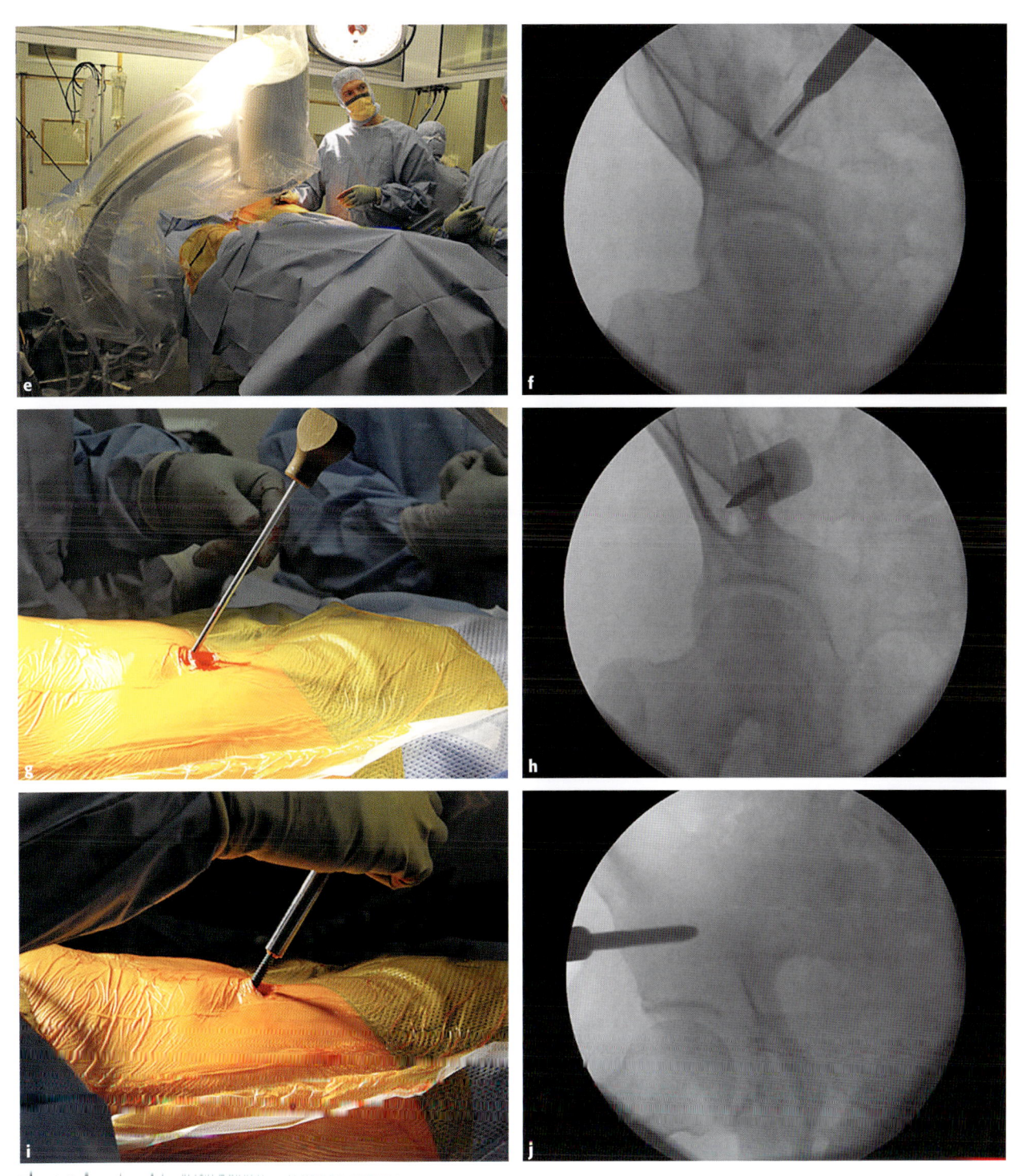

Fig. 6.4 6a-s (cont.) "Infix pélvico" – o fixador interno.
e-f O ponto de início é obtido em uma vista obturadora oblíqua sobre uma incisão na prega da virilha. A dissecção romba evita dano ao nervo cutâneo femoral lateral.
g-h Os parafusos são colocados na espinha ilíaca anteroinferior direcionados ao longo do corredor ósseo em direção à espinha ilíaca posterossuperior, evitando a penetração do acetábulo. A sequência apropriada de iniciador, probe e parafuso é seguida de acordo com o sistema usado.
i-j A vista oblíqua ilíaca é usada para confirmar a trajetória do parafuso.

Fraturas específicas
6.4 Anel pélvico

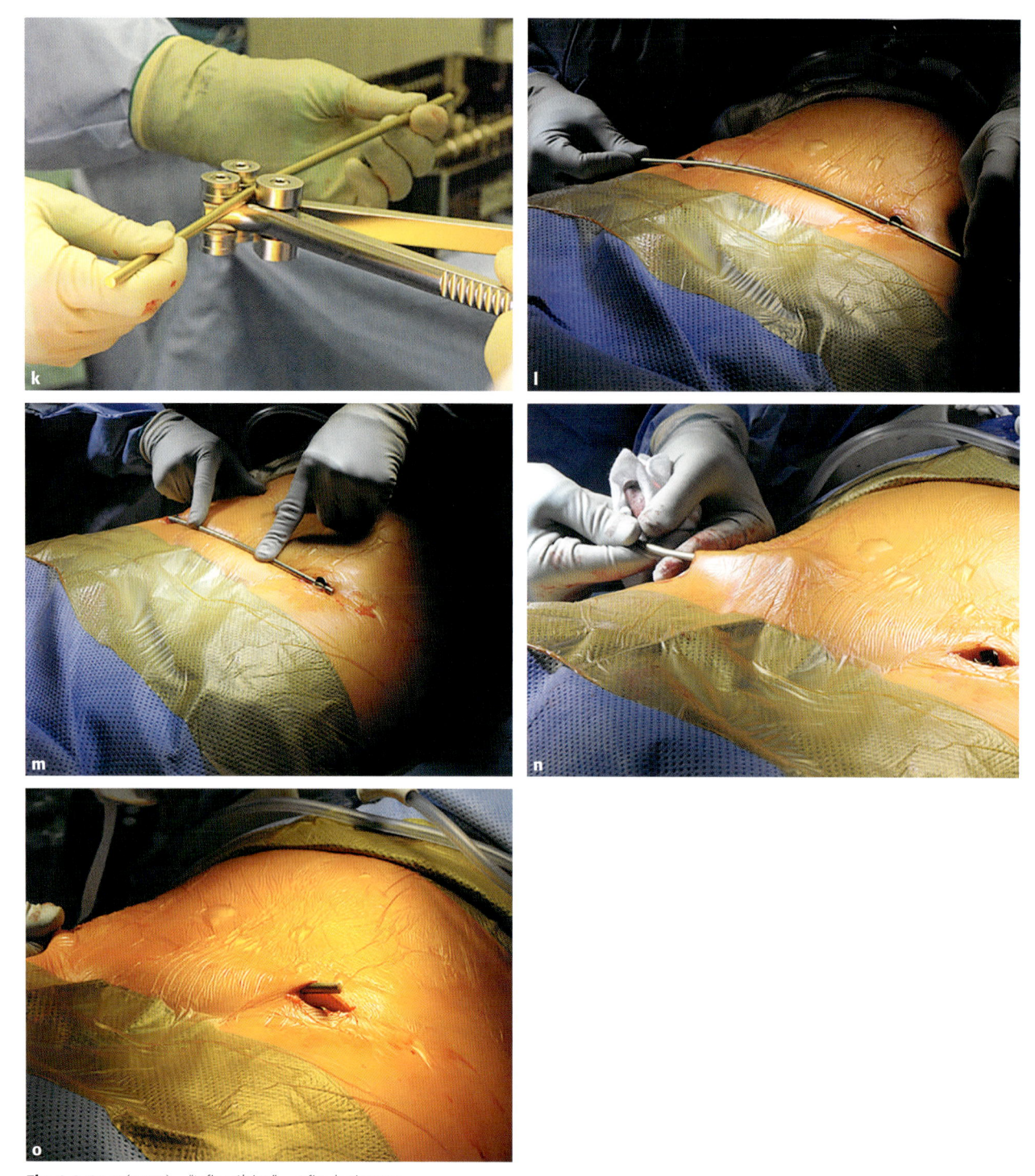

Fig. 6.4-6a–s (cont.) "Infix pélvico" – o fixador interno.
k–l A haste do Infix é moldada e cortada no comprimento acima da pele antes de ser tunelizada na gordura subcutânea superficial até o reto do abdome.
m–o Inserção subcutânea da haste do Infix.

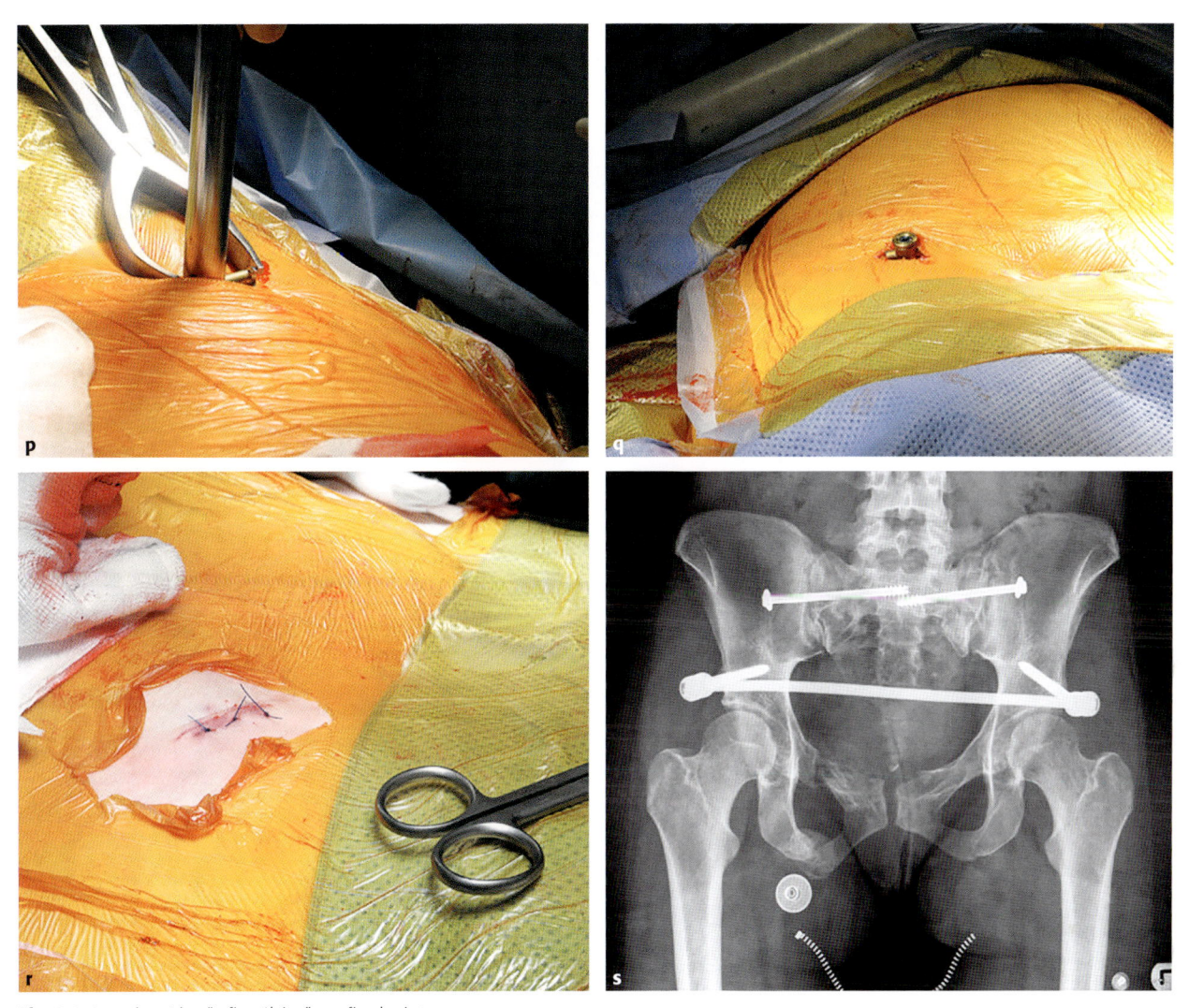

Fig. 6.4-6a-s (cont.) "Infix pélvico" – o fixador interno.
p-r A tração pode ser alcançada com 2 3 cm de comprimento adicionais da haste para esticar os ramos em sua posição anatômica. Os parafusos do fixador são encurtados e a pele é fechada.
s Radiografia pós-operatória aos 3 meses.

Fraturas específicas
6.4 Anel pélvico

Se a fratura pélvica causar instabilidade hemodinâmica, esse protocolo é expandido por um "módulo de fratura pélvica complexa". Este é baseado em três decisões simples para serem tomadas dentro de 30 minutos depois da admissão (**Fig. 6.4-7**):

- Existe uma fratura pélvica com instabilidade mecânica?
- Existe instabilidade hemodinâmica?
- Existe sangramento intra-abdominal?

Como descrito acima, uma cinta ou lençol pélvicos devem ser aplicados e a sua posição confirmada. A estabilização mecânica reduzirá a quantidade de perda sanguínea pélvica e a angiografia e embolização serão consideradas nesse estágio.

5.2 Técnica de tamponamento pélvico em um paciente hemodinamicamente instável

O paciente é posicionado supino com todo o abdome e a pelve preparados. A incisão é centrada na região pélvica e uma incisão de 8 cm na linha média inferior é usada. Com hemorragia intraperitoneal adicional, uma laparotomia formal é efetuada e a incisão é estendida até a região da sínfise púbica. O acesso à pelve é feito através da linha alba e reto do abdome.

Na maioria dos casos, todos os planos fasciais parapélvicos já estão rompidos e o acesso manual direto através do espaço paravesical direito ou esquerdo até a região pré-sacral é obtido sem dissecção adicional. A orientação

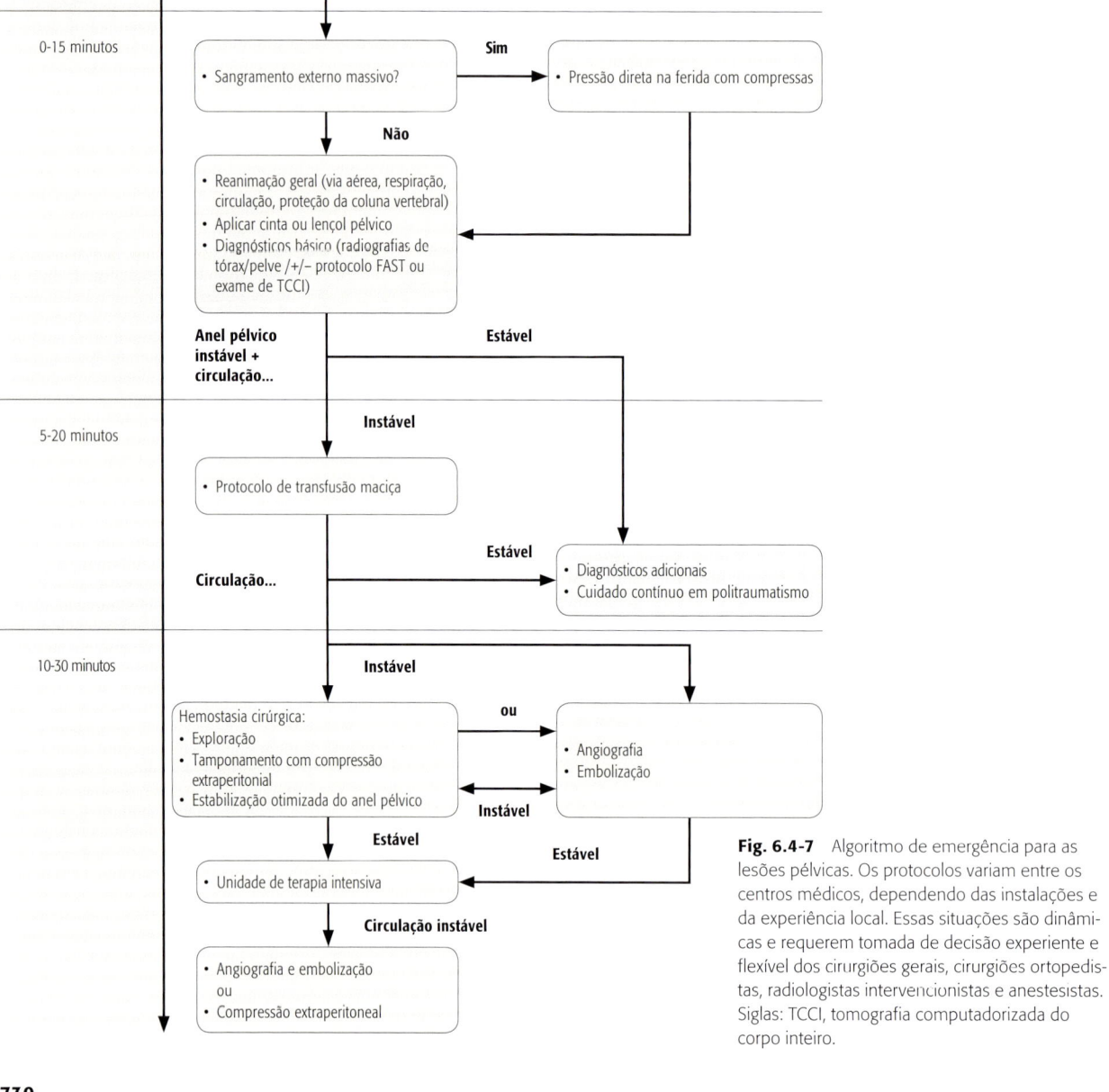

Fig. 6.4-7 Algoritmo de emergência para as lesões pélvicas. Os protocolos variam entre os centros médicos, dependendo das instalações e da experiência local. Essas situações são dinâmicas e requerem tomada de decisão experiente e flexível dos cirurgiões gerais, cirurgiões ortopedistas, radiologistas intervencionistas e anestesistas. Siglas: TCCI, tomografia computadorizada do corpo inteiro.

primária inclui a busca por sangramento arterial, que é tratado por compressão rápida, seguida por pinçamento, ligadura ou reparo vascular. No sangramento maciço, o pinçamento temporário da aorta infrarrenal pode ser útil (laparotomia é necessária). Na maioria dos casos, o sangramento difuso se origina do plexo venoso sacral e perivesical e das superfícies de fratura, onde uma fonte específica não pode ser identificada. Na maioria das lesões, a origem do sangramento é mais frequentemente localizada na região pré-sacral. A hemorragia é controlada pelo tamponamento firme pré-sacral e paravesical. A bexiga é afastada para cada lado e três compressas de laparotomia são colocadas em cada lado da bexiga, profundamente à borda pélvica, para um total de seis dentro da pelve verdadeira. O tamponamento somente pode ser efetivo se o anel pélvico posterior for suficientemente estável (para comprimir contra), mas isso pode ser alcançado com uma cinta pélvica em uma situação de emergência.

No final do procedimento, o anel pélvico anterior é estabilizado por uma cinta ou, dependendo do padrão de fratura e experiência, uma placa de sínfise ou fixador externo. As lesões adicionais de órgãos intra-abdominais são reparadas de acordo com as regras cirúrgicas gerais. Deve-se tomar cuidado para que a cirurgia adicional seja adequada à condição geral do paciente. Em muitos casos, somente os procedimentos de emergência para controle de danos são aconselháveis no estágio inicial. As compressas de tamponamento são deixadas por 24-48 horas e são removidas ou substituídas em operações planejadas de revisão cirúrgica. A angiografia e a embolização são recomendadas se após o tamponamento efetivo a perda sanguínea pélvica significativa ainda persistir.

6 Anel pélvico instável em um paciente hemodinamicamente estável

Esta é a situação mais frequentemente encontrada. No paciente hemodinamicamente estável, a avaliação detalhada da natureza da lesão no anel pélvico é necessária antes de decidir sobre as indicações e na seleção das técnicas apropriadas de estabilização. Toda a investigação diagnóstica deve ser completada antes que as decisões definitivas sejam feitas (Caps. 2.1 e 4.1).

6.1 Indicações e tomada de decisão

O anel pélvico é extremamente forte. Para que ocorra a instabilidade mecânica, a estrutura do anel deve ser quebrada em mais de um lugar e isso pode ser uma fratura óssea ou a ruptura de uma estrutura osteoligamentar, como a sínfise ou a articulação sacroilíaca [7].

Existe evidência clara de que o exame sob anestesia (ESA) da pelve com intensificador de imagem fornece informação valiosa e frequentemente altera a classificação, em geral para pior. Uma fratura considerada estável não pode estar no ESA como, por exemplo, um AP1 que seja, de fato, um AP2 no ESA.

A avaliação da estabilidade mecânica da pelve é, por conseguinte, importante na tomada de decisão, e a decisão de operar ou não pode ser baseada no tipo de fratura:

- AP1 e CL1 leve: a estabilização cirúrgica é raramente indicada.
- AP2: a estabilização apenas do anel pélvico anterior é habitualmente suficiente.
- AP2, AP3; CL2, CL3; CV: a redução e estabilização do anel anterior e posterior são necessárias.

6.1.1 Tratamento definitivo e complicações

O objetivo da fixação definitiva é restaurar a estabilidade e assegurar a cicatrização do anel. Se houver dúvida acerca da estabilidade das fraturas pélvicas, um ESA é recomendado. A via de acesso à fixação do anel é dada na **Tabela 6.4-3**.

As lesões do anel anterior serão fraturas dos ramos púbicos, geralmente por um mecanismo de compressão lateral, ou uma ruptura da sínfise, mais comumente por uma CAP, mas também presente em muitas lesões CL3. A sínfise é fixada através de uma incisão de Pfannenstiel transversa, com placa e parafusos. O mecanismo AP é adequadamente estabilizado com uma placa de 4 orifícios que age como uma banda de tensão. Devido à natureza de cisalhamento de uma ruptura sinfisária CL3, uma placa de 6 orifícios com ou sem uma segunda placa é necessária para resistir à grande força de cisalhamento.

Se a ruptura do anel anterior incluir fraturas complexas de ramos e for rotacional ou verticalmente instável, a fixação pélvica anterior subcutânea (Infix) pode ser usada em combinação com a fixação do anel posterior conforme

Tabela 6.4-3 Estratégia de fixação das lesões do anel pélvico em associação com a categoria de Young-Burgess

Posição	Região	Implante	Classificação
Anterior	Óssea	Infix	CL1, 2, 3
	Sínfise	AP – Placa de 3,5 de 4 furos	AP2
		CL – 6 furos c/ segunda placa de 3,5	CL3
Posterior	Articulação sacroilíaca	Parafuso curto de 7,3 mm	AP2, 3
	Fratura sacral	Parafuso transacral de 7,3 mm	CL1
Lado	Asa	Placa de 3,5/Parafuso de 7,3 mm CL2	CL2

Fraturas específicas
6.4 Anel pélvico

for necessário (**Fig. 6.4-6**). Isso envolve dois parafusos supra-acetabulares conectados por uma haste subcutânea, tunelizado sobre o púbis. O uso do Infix permite a cirurgia minimamente invasiva, reduzindo a morbidade. Entretanto, ele requer a remoção em 8-10 semanas de pós-cirúrgico.

As fraturas e luxações do anel posterior podem ser tratadas pela fixação com parafuso percutâneo. Parafusos canulados de 7,3 ou 8,0 mm com arruelas podem ser inseridos percutaneamente através da articulação sacroilíaca sob controle com intensificador de imagem. O parafuso deve ser colocado na asa do sacro e para dentro da área do corpo de S1. Para as rupturas AP2 e AP3 da articulação, um parafuso curto é suficiente, mas as fraturas sacrais por lesões CL são mais adequadamente tratadas com parafusos transacrais.

As fraturas da asa do ilíaco como parte de um padrão de fratura CL2 podem ser tratadas com uma combinação de placas ou um parafuso na coluna CL2.

6.2 Preparação e escolha da fixação
6.2.1 Instrumentos, implantes e momento

A cirurgia pélvica inclui operações complexas e por causa da anatomia há um risco alto de dano adicional (lesões vasculares, lesões neurológicas, órgãos vizinhos, tecidos moles, etc.). A análise detalhada de qualquer caso, com tomada de decisão e planejamento individual, é essencial. É exigido o conhecimento completo das relações anatômicas e das técnicas de redução e estabilização para evitar complicações. A cirurgia pélvica é uma "cirurgia de especialista" e a transferência de um paciente estável deve ser considerada se apenas uma experiência pessoal limitada estiver disponível.

> As precauções e preparações seguintes são obrigatórias para a cirurgia mais extensa:
> - Disponibilidade da unidade de terapia intensiva (UTI) pós-cirúrgica
> - Disponibilidade de reposição sanguínea suficiente
> - Estratégias para minimizar a perda sanguínea (técnica cirúrgica, poupador de células)
> - Equipe cirúrgica experiente, com assistência adequada
> - Instrumentação normal e pélvica (p. ex., uma bandeja de pelve com instrumentos de redução e implantes)
> - Mesa operatória radiolucente e intensificador de imagem com boa qualidade

O momento da cirurgia depende da condição geral do paciente. A aplicação de uma cinta pélvica e o controle da hemorragia geralmente conferem estabilidade adequada para permitir 12-36 horas de reanimação na UTI e normalização da fisiologia. As fraturas pélvicas expostas com ferimentos perineais ou as fraturas onde a hemorragia não puder ser controlada sem a compressão pélvica são as únicas situações onde a cirurgia imediata é necessária. A maioria das lesões fornece tempo para permitir o planejamento e discussão para garantir uma fixação ideal na primeira vez.

Uma alta porcentagem desses pacientes está politraumatizada e a estabilização precoce definitiva do anel pélvico facilitará o tratamento e terá um efeito benéfico sobre o prognóstico geral. Em pacientes com hemodinâmica estável, a cirurgia definitiva deve ser completada dentro de até 2-5 dias, mas certamente dentro de 14 dias depois da lesão. Embora seja apropriado considerar outras lesões, a estabilização do anel pélvico instável ajudará no tratamento de todas as outras lesões, incluindo aquelas no tórax e na cabeça e, assim, a cirurgia da fratura pélvica é um componente fundamental do cuidado precoce apropriado.

Depois de 14 dias, a dificuldade de redução anatômica aumenta significativamente, levando a um número alto de reduções inadequadas. Para prevenir a incapacidade por consolidação viciosa ou não união, que são problemas complexos para a correção cirúrgica tardia, devem ser tomadas decisões adiantadas para redução anatômica e estabilização. A alternativa é considerar a transferência precoce para uma unidade apropriada.

6.2.2 Configuração da sala de cirurgia

A tricotomia púbica é feita imediatamente antes da cirurgia e a área exposta dos joelhos até a metade do tórax, incluindo todo o abdome, é desinfetada com o antisséptico apropriado. A preparação deve permitir a possibilidade de uma laparotomia ou procedimento de tamponamento pélvico subsequente (**Fig. 6.4-8**). O intensificador de imagem também é preparado.

O cirurgião fica em um lado do paciente e o assistente fica no lado oposto ao cirurgião. A equipe da sala de cirurgia (ESC) se instala em área adjacente ao cirurgião. O intensificador de imagem entra pelo lado oposto ao cirurgião. A tela do intensificador de imagem é colocada para a completa visão da equipe cirúrgica e do técnico em radiologia (**Fig. 6.4-9**).

O paciente é colocado supino em uma mesa operatória radiolucente (**Fig. 6.4-10**). Algumas vezes, a rotação da mesa operatória para abaixar o lado lesionado melhorará a vista ilíaca oblíqua. Antes do preparo da pele, imagens-piloto são feitas para verificar que podem ser obtidas imagens satisfatórias nas incidências AP, *inlet*, *outlet* e oblíquas da pelve.

Antibióticos profiláticos são administrados.

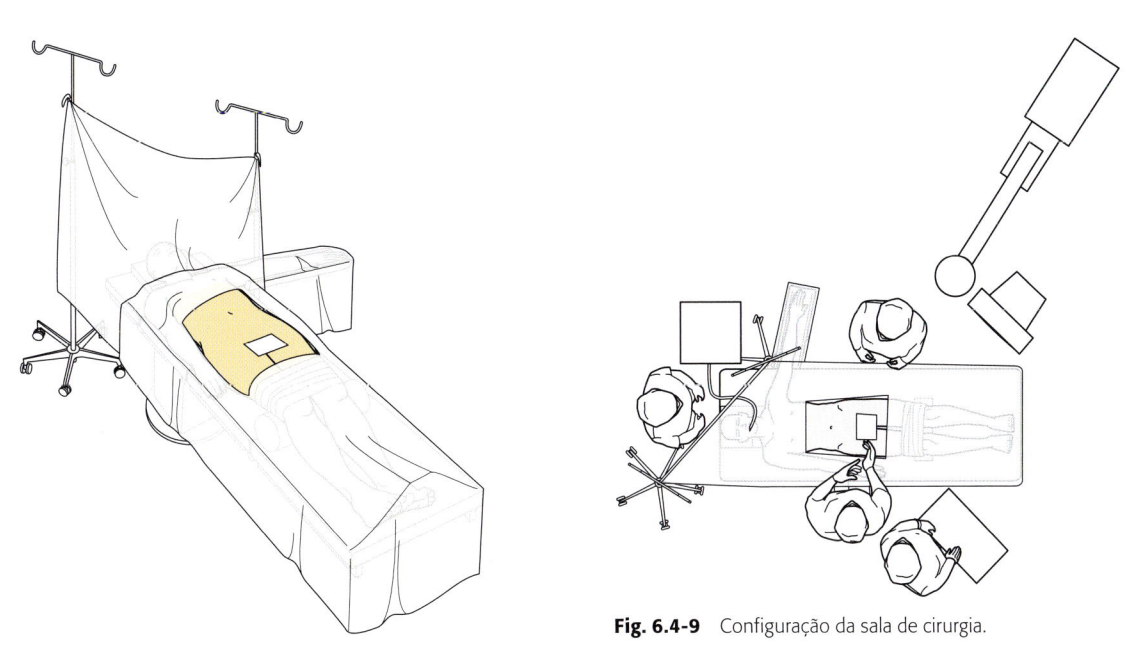

Princípios AO do tratamento de fraturas
Volume 2

Fig. 6.4-8 Preparação do paciente.

Fig. 6.4-9 Configuração da sala de cirurgia.

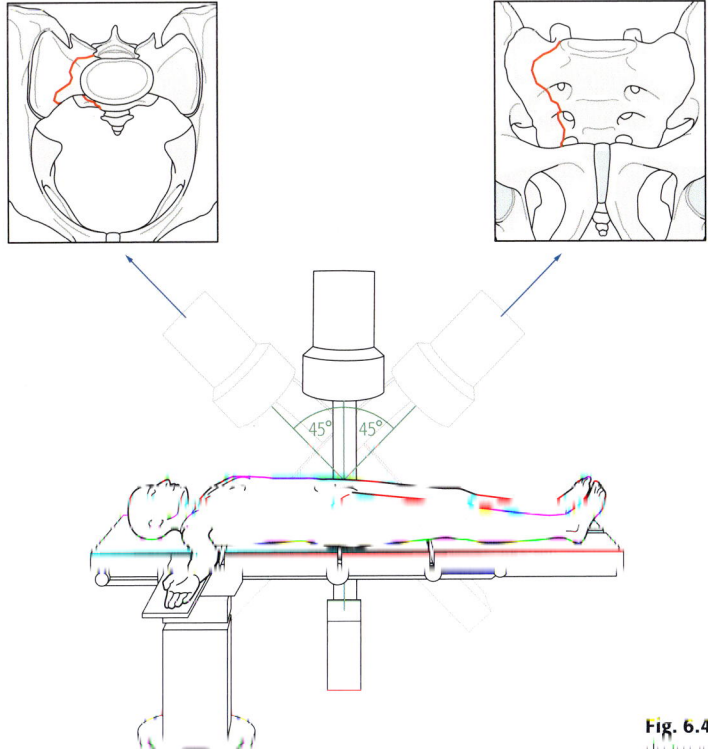

Fig. 6.4-10 Posicionamento do paciente e do intensificador de imagem (incidências *inlet*, *outlet*).

733

Fraturas específicas
6.4 Anel pélvico

6.3 Métodos preferidos de fixação

As técnicas para estabilização interna das fraturas pélvicas são muitas e variadas. Os métodos descritos têm oferecido resultados confiáveis em todos os casos onde as indicações e as técnicas foram corretas. Uma estratégia global é apresentada na **Tabela 6.4-3**.

6.3.1 Lesões anteriores: ruptura da sínfise púbica

O método padrão de estabilização é a redução aberta e fixação interna (RAFI) com uma placa de 4 orifícios (**Fig. 6.4-11**). Isso é geralmente feito com uma placa e frequentemente da série 3,5. Os métodos indiretos de estabilização como o Infix não alcançam estabilidade suficiente para a cicatrização ligamentar.

Para alcançar a estabilidade ideal, é preciso ter cuidado ao posicionar os parafusos em uma direção craniocaudal, dispondo-os de forma a ter o mais longo contato ósseo possível dentro do osso púbico, geralmente mais de 50 mm (**Fig. 6.4-12**).

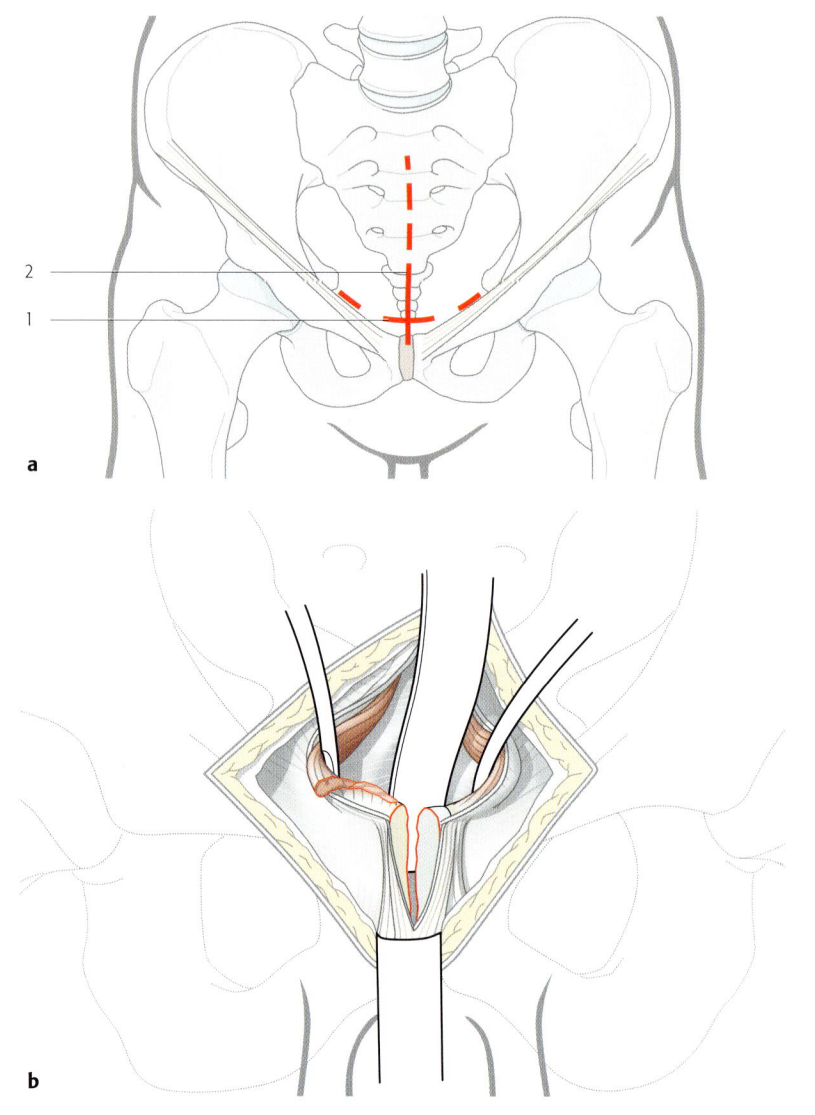

Fig. 6.4-11a-b Via de acesso à sínfise púbica.
a Uma incisão horizontal do tipo Pfannenstiel (1) (7-12 cm de extensão), mais ou menos dois dedos acima da sínfise, expõe a parede abdominal com a fáscia forte do músculo reto do abdome. A incisão na linha média inferior (2) tem a vantagem de ser extensível no caso de lesões intra-abdominais adicionais.
b A divisão da fáscia geralmente expõe a lesão com apenas um pouco mais de dissecção a ser feita. Frequentemente a inserção do músculo reto do abdome está avulsionada em apenas um dos lados. Não há necessidade de desinserir o outro lado para colocar uma placa.

1 Incisão horizontal do tipo Pfannenstiel
2 Incisão mais baixa na linha média

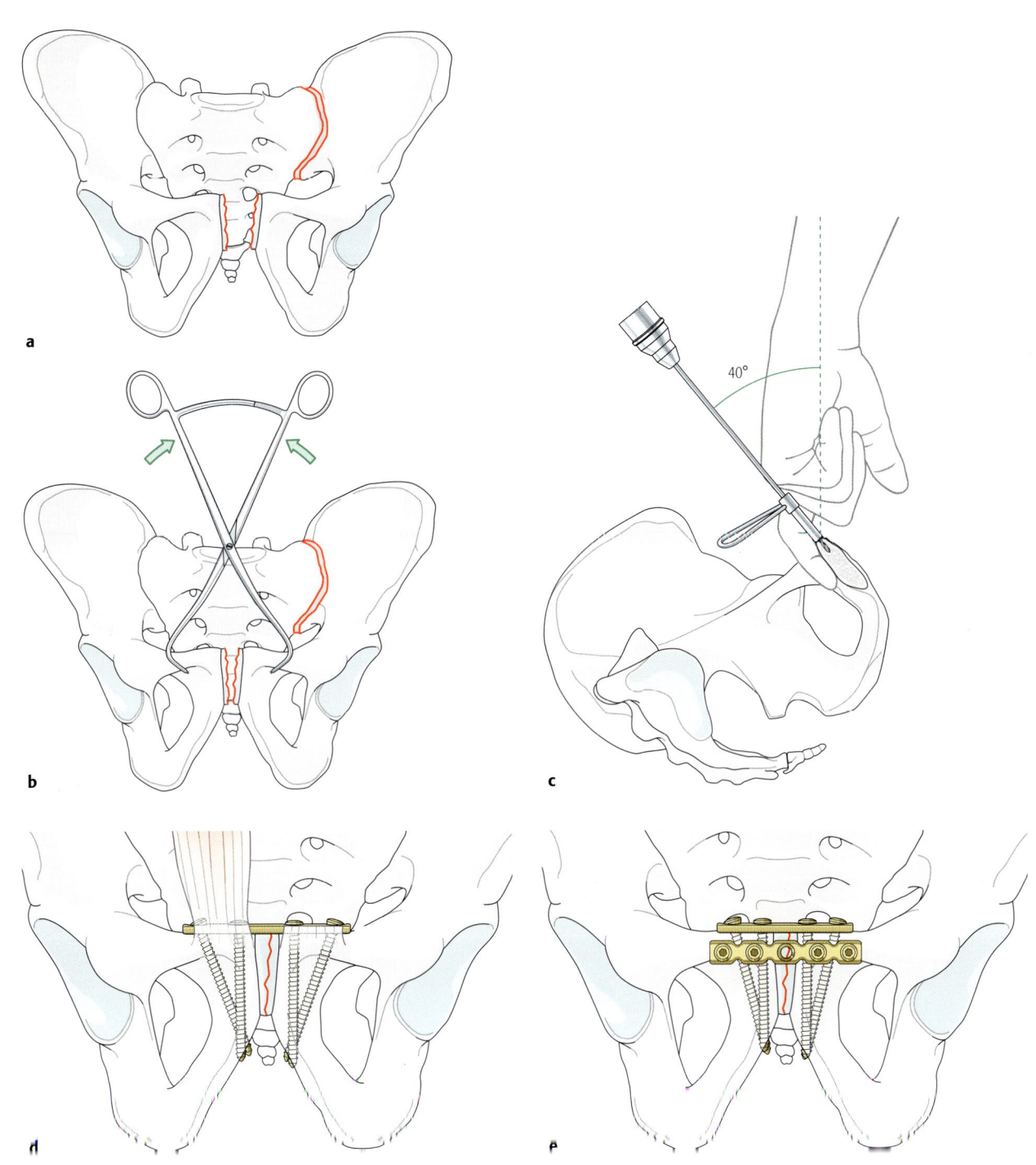

Princípios AO do tratamento de fraturas
Volume 2

Fig. 6.4-12a–e Redução e estabilização da sínfise púbica rompida.
a   Sínfise púbica rompida.
b   Redução da sínfise rompida com pinça pélvica grande com pontas. A dissecção da inserção do músculo reto do abdome deve ser evitada para prevenir hérnias secundárias.
c   Inserção dos parafusos sob a orientação do dedo indicador ao longo do aspecto interno dos ramos púbicos.
d   Posição da placa de compressão dinâmica (DCP) de 4,5 ou 3,5, ou placa de compressão dinâmica de baixo contato (LC-DCP) de 4,5 ou 3,5 "em cima" da sínfise.
e   Se duas placas forem usados para aumentar a estabilidade, uma placa de 4 orifícios de 3,5 é colocada "em cima" e uma placa de reconstrução de 3,5 anteriormente.

735

Fraturas específicas
6.4 Anel pélvico

É preciso ter cuidado para entender o modo de falha da sínfise. Quando parte de uma lesão CAP, a placa convencional descrita acima, atua como uma banda de tensão, com fixação posterior apropriada (onde necessária), isso fornece uma fixação adequada. Se a sínfise falhar pelo cisalhamento como parte de um mecanismo de compressão lateral, habitualmente CL3, então a fixação anterior adicional é necessária – seja uma placa de 6 furos, ou placas duplas ou ambos – para proteger contra a força de cisalhamento. Uma placa de 4 furos é inadequada nessa situação.

6.3.2 Lesões anteriores: fixação dos ramos púbicos

As fraturas isoladas dos ramos púbicos são com frequência fraturas benignas; a extensa cobertura muscular promove consolidação rápida, com estabilidade suficiente em aproximadamente 3 semanas depois da lesão. O periósteo forte, os ligamentos e o envelope muscular fornecerão estabilidade adequada na maioria dos casos. Elas podem sangrar pesadamente, em particular nos pacientes mais velhos que estejam em uso de anticoagulantes.

As fraturas dos ramos podem formar parte de um padrão mais complexo e são comuns nas lesões CL1 e CL2, quando o anel pode estar instável. Um exame sob anestesia pode ajudar a definir a estabilidade. As fraturas instáveis dos ramos púbicos podem ser estabilizadas pelo uso de um parafuso extralongo (parafuso cortical de 3,5 ou 4,5 mm ou parafuso canulado de 7,3 mm) colocado no ramo púbico (**Fig. 6.4-13**). É necessário ter cuidado para evitar que os parafusos penetrem na articulação do quadril. O uso intraoperatório de um intensificador de imagem é obrigatório (**Vídeo 6.4-1**).

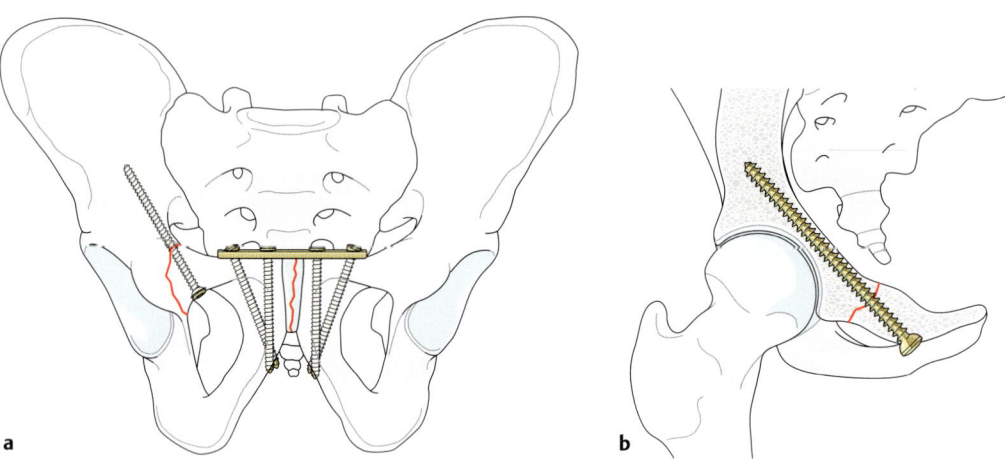

Fig. 6.4-13a-b
a Fixação com parafuso de uma fratura do ramo púbico. A estabilização do ramo púbico pode ser feita com a mesma via de acesso sem dissecção adicional com um parafuso cortical longo de 3,5 mm colocado dentro do ramo púbico. Para o direcionamento correto, um intensificador de imagem é necessário.
b Seção transversal que mostra a posição correta do parafuso na coluna anterior.

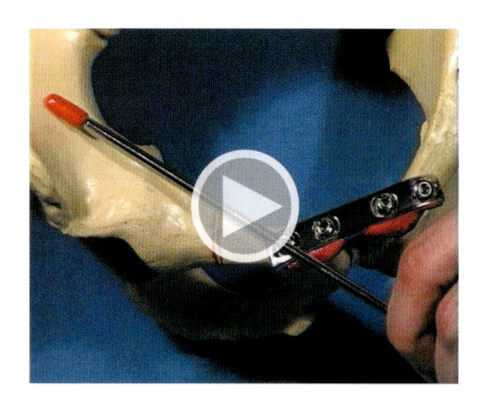

Vídeo 6.4-1 Parafuso na coluna anterior ao longo do ramo púbico superior. A penetração articular deve ser evitada.

As fraturas múltiplas de ramos púbicos podem representar um golpe direto e serem estáveis, mas frequentemente são partes de um complexo instável de fratura por compressão lateral. Habitualmente estão presentes as fraturas dos ramos nos quatro quadrantes – fraturas bilaterais superiores e inferiores dos ramos. Essas são mais adequadamente estabilizadas com uso de um fixador interno anterior ou dispositivo Infix. Isso permite a rotação interna do anel anterior para ser reduzido de volta a uma largura anatômica e tem a vantagem de não expor nenhum metal para facilitar os cuidados de enfermagem.

6.3.3 Lesões laterais: instabilidade da asa do ilíaco

São frequentemente fraturas CL2, e muitas são fraturas laterais simples combinadas com uma lesão anterior que permitiu a rotação da asa para dentro. As fraturas transilíacas têm uma ampla variedade de configurações, de forma que o planejamento individual da fixação interna é necessário para cada caso. Na região da crista ilíaca, o uso de parafusos de tração de 3,5 mm é sugerido. Na região da borda pélvica, uma placa de compressão dinâmica de baixo contato (LC-DCP) de 3,5 ou placas de reconstrução são usadas (**Fig. 6.4-14**). Uma fratura CL2 é com frequência mais adequadamente estabilizada com um parafuso canulado de 7,3 mm, inserido percutaneamente a partir da espinha ilíaca anteroinferior, acima do acetábulo e para trás em direção à espinha ilíaca posterossuperior. Ele é denominado de parafuso CL2.

Se a linha de fratura CL2 ocorrer mais posteriormente, pode penetrar na articulação SI, formando uma "fratura em crescente" de tamanho variável. Quanto menor o crescente, maior a possibilidade de a fratura receber um parafuso SI, e isto pode ser julgado nas seções da TC através da articulação SI [7, 8].

6.3.4 Lesões posteriores: ruptura sacroilíaca

Estas lesões são mais comumente uma abertura anterior da articulação SI como parte de uma lesão CAP2. Elas são mais adequadamente tratadas com um parafuso canulado percutâneo de 7,3 mm que passa dentro do corpo do sacro na posição de decúbito dorsal ou ventral. O uso de um intensificador de imagem, como descrito por Matta [11], é recomendado para minimizar o risco de lesões iatrogênicas do plexo sacral (**Fig. 6.4-15**). Essa técnica pode ser feita percutaneamente quando for possível uma redução fechada adequada (**Fig. 6.4-16**).

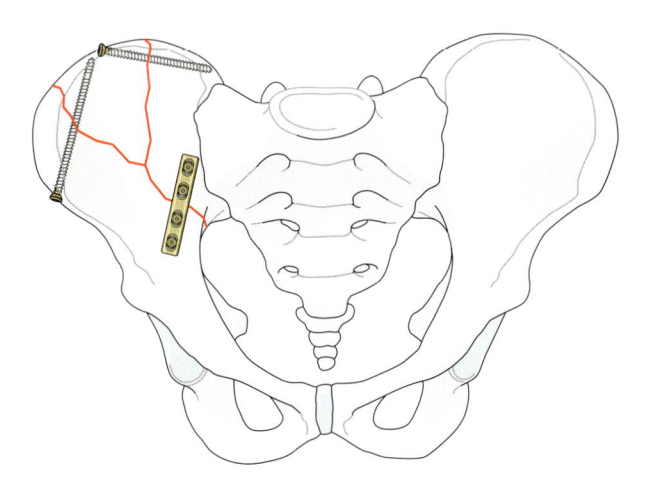

Fig. 6.4-14 Estabilização da asa do ilíaco. Como existe uma ampla variação nos padrões de fratura das lesões da asa do ilíaco, o tipo de fixação precisa ser individualmente planejado. A crista ilíaca é geralmente estabilizada por parafusos corticais de tração de 3,5 mm (excepcionalmente, parafusos de 6,5 mm).

Fraturas específicas
6.4 Anel pélvico

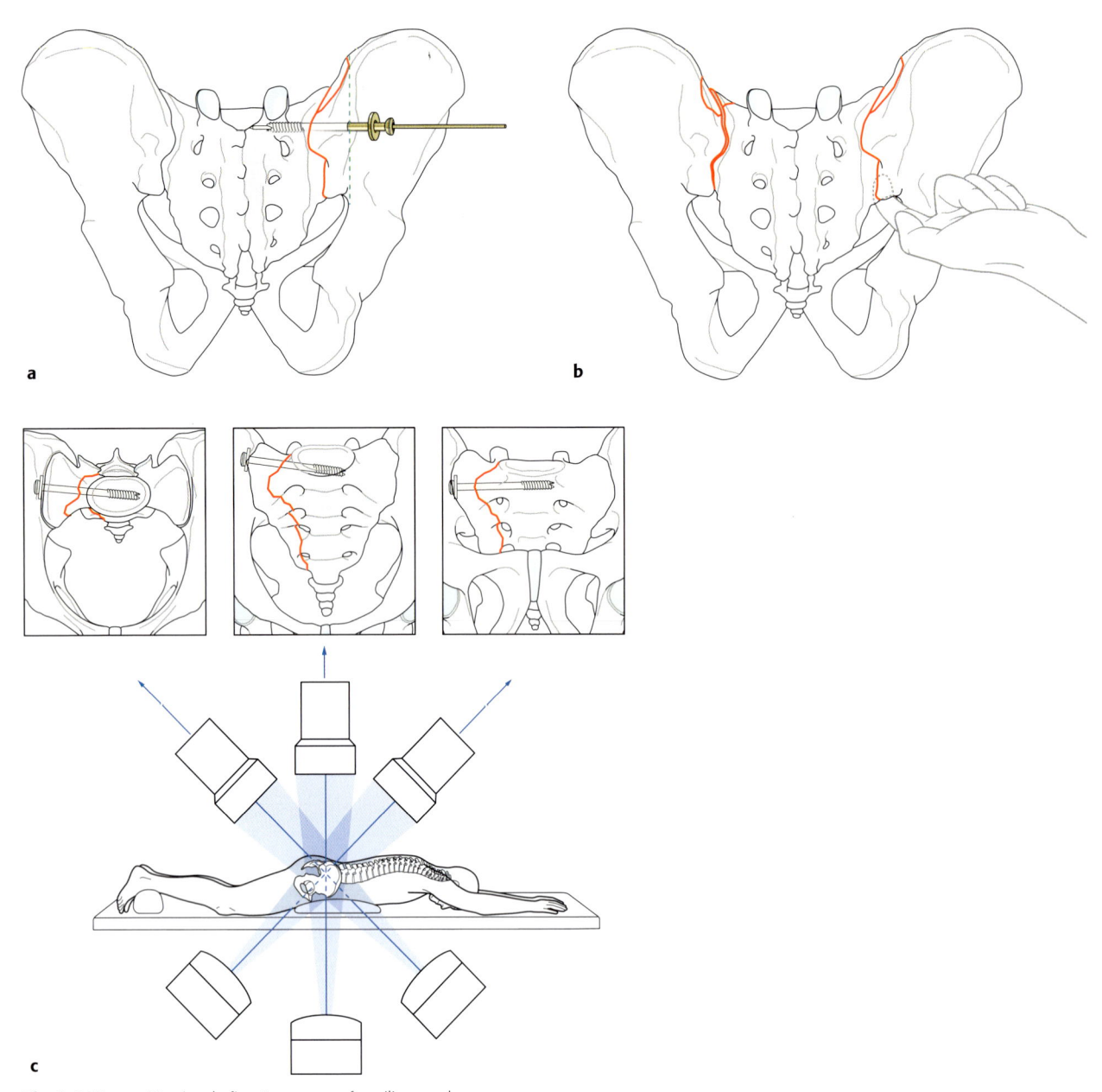

Fig. 6.4-15a-e Técnica de fixação com parafuso iliossacral.
- **a** Orientação e pontos de partida para a inserção do parafuso transiliossacral (terço médio em uma linha 15 mm anterior à crista glútea).
- **b** Para as luxações sacroilíacas puras, os parafusos podem ser inseridos sob controle manual pela palpação da asa através da incisura ciática maior [1].
- **c** A técnica Matta utiliza o intensificador de imagem (incidências *inlet* e *outlet*), que permite o melhor controle da inserção do parafuso no corpo de S1. Essa técnica também permite a estabilização das fraturas sacrais.

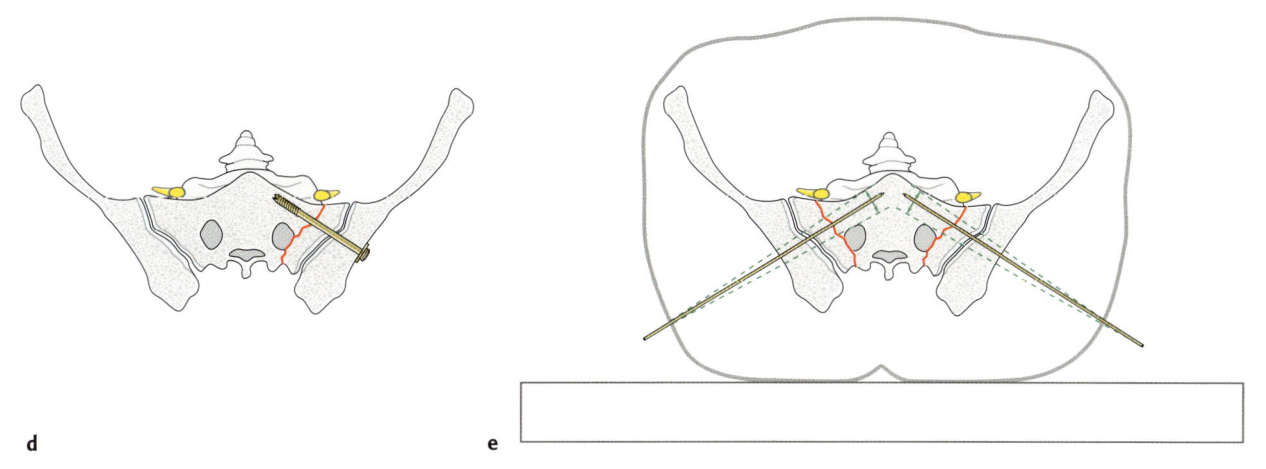

Princípios AO do tratamento de fraturas
Volume 2

Fig. 6.4-15a-e (cont.) Técnica de fixação com parafuso iliossacral.
d   Posição correta de um parafuso ósseo canulado de 7,3 mm no corpo de S1, que é a localização recomendada no tratamento das rupturas sacroilíacas. O corpo de S2 somente deve ser usado se houver certeza que o diâmetro do pedículo é adequado.
e   A técnica tem um risco relativamente alto de lesões neurológicas e vasculares, com sequelas graves. A cirurgia assistida por computador facilita a técnica e a torna mais segura.

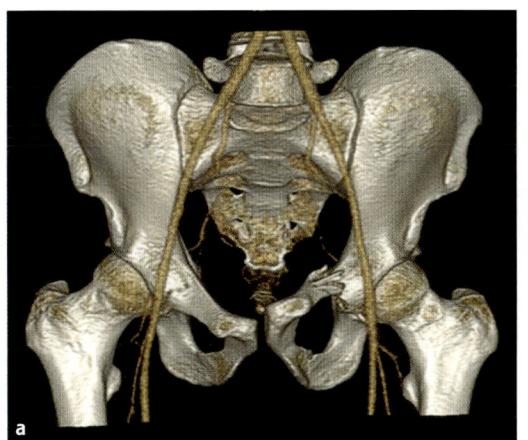

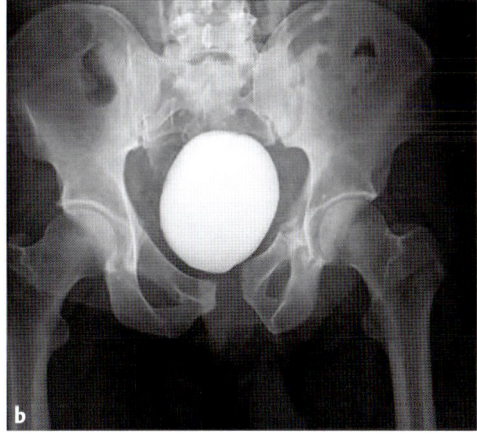

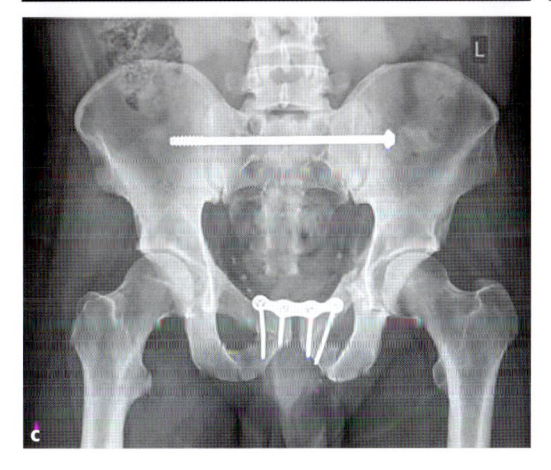

Fig. 6.4-16a-c
a   Tomografia computadorizada tridimensional com cinta pélvica no lugar que reduziu a articulação sacroilíaca esquerda. A lesão segmentar do anel anterior envolve os ramos púbicos superior e inferior e a sínfise do púbis.
b   Radiografia AP com a cinta afrouxada. A articulação sacroilíaca esquerda e a sínfise se deslocaram.
c   A fixação forneceu estabilidade para permitir a mobilização precoce do paciente. A placa da sínfise funciona como uma banda de tensão.

739

Fraturas específicas
6.4 Anel pélvico

Em padrões mais complexos, como AP3, onde existe uma ruptura completa, uma via de acesso anterior (**Fig. 6.4-17**) é escolhida. A via de acesso anterolateral para a fossa ilíaca oferece excelente exposição da articulação SI. Na maioria de casos, a redução é facilitada porque a lesão anterior (por exemplo, a ruptura da sínfise) pode ser exposta simultaneamente. A posição de decúbito dorsal tem vantagens adicionais no politraumatismo. Essa posição fornece uma excelente orientação para a inspeção da articulação SI, enquanto os furos dos parafusos podem ser perfurados no sacro sob visão direta. Duas LC-DCP convencionais de 3,5 ou 4,5 (de 3 furos ou de 4 furos) são os implantes preferidos. Um ângulo de 60-90 graus entre as placas facilita a fixação ilíaca no osso denso da borda pélvica e na crista ilíaca dorsal. Uma dissecção cuidadosa é necessária para evitar a lesão ao tronco lombossacro: a raiz nervosa de L5 está apenas a 1,5 cm da articulação SI.

Se existir uma fratura-luxação SI, a estabilização interna depende da configuração da fratura. As combinações de fixação com parafusos e placas, usando a via de acesso anterolateral, são as preferidas. Dependendo da preferência do cirurgião, uma via de acesso posterior (**Fig. 6.4-18**) também pode ser usada. A pinça pélvica em C funciona como um dispositivo de redução na sala de cirurgia para as fraturas do tipo AP3 para facilitar a fixação percutânea [9].

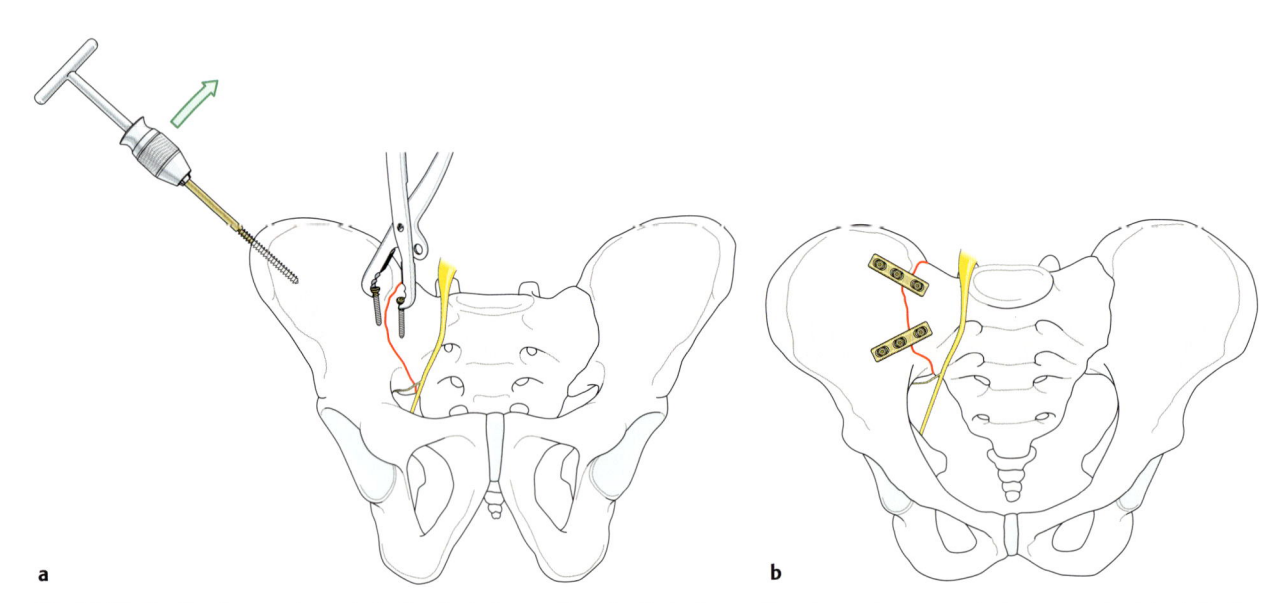

Fig. 6.4-17a-b Fixação com placa anterior da articulação sacroilíaca. A articulação sacroilíaca é exposta por uma via de acesso anterolateral até a fossa ilíaca (ver Cap. 6.5). Deve haver cuidado para evitar a lesão da raiz nervosa lombossacra de L5, que corre próxima (10-15 mm) pela asa do sacro.
a Habitualmente a redução pode ser executada pela compressão lateral manual ou pela inserção de um parafuso de Schanz na asa do ilíaco. Em casos retardados de difícil redução, uma pinça de redução pélvica (pequena ou média) pode ser aplicada.
b DCPs estreitas de 4,5 ou 3,5 com 3 furos são os implantes preferidos. Um ângulo de 60-90° entre as duas placas permite a fixação em áreas de osso denso e previne o cisalhamento. Os orifícios para os parafusos sacrais são perfurados sob visão direta e em paralelo à articulação.

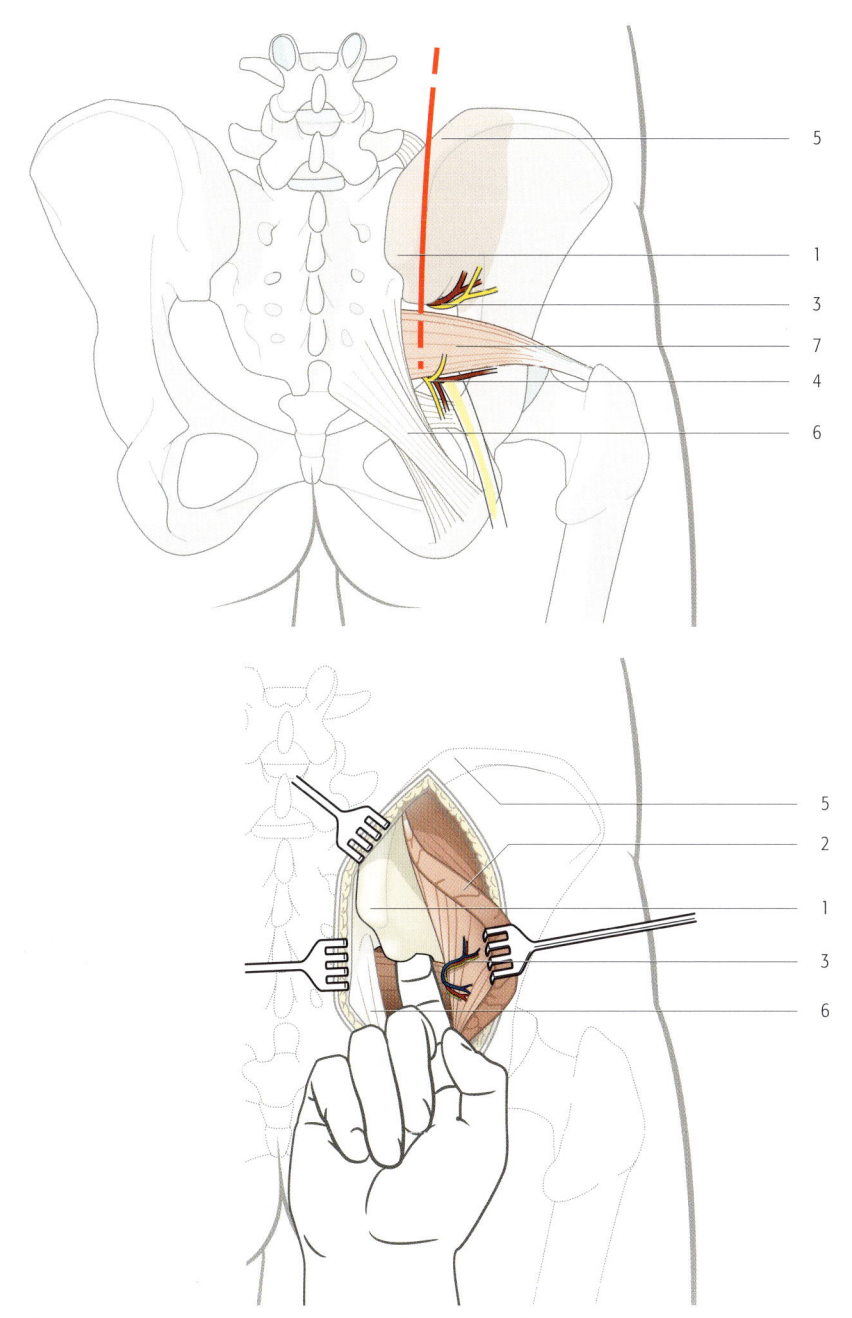

Princípios AO do tratamento de fraturas
Volume 2

Fig. 6.4-10a-b Via de acesso posterior à articulação sacroilíaca.
a   A incisão cutânea começa 1-2 dedos distal e lateralmente à espinha ilíaca posterossuperior (1) e corre em uma linha direta proximalmente (aproximadamente 10-15 cm).
b   A origem do músculo glúteo máximo (2) é desinserida da crista ilíaca posterior. Isso expõe a asa do ilíaco e o músculo glúteo médio. Este pode ser afastado. É preciso ter cuidado para não ferir os vasos e nervos glúteos (3, 4) que emergem da incisura ciática maior.

1   Espinha ilíaca posterossuperior
2   Músculo glúteo máximo
3   Artéria e nervo glúteo superior
4   Artéria e nervo glúteo inferior
5   Crista ilíaca
6   Ligamento sacrotuberal
7   Músculo piriforme

6.3.5 Lesões posteriores: fraturas sacrais

Elas são quase sempre parte de um complexo CL1, mas podem estar presentes em lesões raras como o cisalhamento vertical, ou em fraturas sacrais complexas como as fraturas de tipo U ou H vistas comumente nas quedas de altura.

O complexo CL1 é uma ampla categoria de gravidade. A fratura pode ser benigna, com um esmagamento anterossuperior do sacro e fraturas minimamente desviadas dos ramos anteriores. É uma lesão estável que pode permitir a mobilização imediata, e é o padrão típico visto nos pacientes adultos mais velhos.

As fraturas CL1 mais graves têm fraturas sacrais completas, frequentemente nas zonas II ou III de Denis e com frequência estão desviadas posteriormente. Devido à inclinação anterior da pelve na posição anatômica obtida em uma radiografia em AP, esse desvio posterior parece ser uma migração superior: uma CL1 grave pode ser confundida com um padrão de cisalhamento vertical. O mecanismo de lesão e a incidência de *outlet* irão esclarecer isso, já que as alturas das asas do ilíaco estarão niveladas em uma incidência de *outlet* nas fraturas CL1. Também deve ser notado que podem ocorrer fraturas CL1 bilaterais graves.

A taxa de complicação neurológica dessa lesão é alta e o tratamento deve ser focado no reconhecimento precoce dos potenciais fatores de risco para dano neurológico (fraturas desviadas, déficits neurológicos nos exames clínicos, interferência do fragmento com as raízes nervosas na TC), enquanto é alcançada uma estabilização adequada da lesão.

A aplicação precoce de tração na perna lesionada é fundamental para manter a redução e, em geral, a redução fechada através da tração pode ser alcançada na posição supina para permitir que os parafusos transacrais percutâneos posteriores (**Fig. 6.4-15**) sejam inseridos para dar compressão e atuar como um fulcro para a lesão anterior. O segundo estágio é controlar a lesão anterior, geralmente com um Infix.

Em nossa experiência, depois da redução precisa, ajudada pela tração precoce, a compressão pode ser aplicada com segurança para evitar uma não união sacral. A lesão de raiz nervosa não é vista, apesar do risco teórico. Alternativamente, pode ser usada uma via de acesso posterior (**Fig. 6.4-18**) que permite a visão direta da linha de fratura, como também a descompressão do plexo sacral. Para estabilização, as zonas seguras no sacro são usadas para a fixação direta da placa dentro do osso sacral. As técnicas alternativas para estabilização incluem o uso de fixações com placa ilioilíaca (**Fig. 6.4-19**).

6.3.6 Lesões posteriores: fraturas verticalmente instáveis

São lesões raras e resultam de uma queda de altura. As fraturas CL1 graves são frequentemente diagnosticadas equivocadamente como lesões de cisalhamento vertical [12]. Os padrões de cisalhamento vertical verdadeiro requerem uma instrumentação muito mais posterior e, em nossa experiência, requerem fixação espinopélvica junto com um cirurgião especialista em coluna vertebral.

6.3.7 Fixação externa

O uso da fixação externa no tratamento de emergência tem se tornado menos comum, já que as cintas pélvicas têm se mostrado efetivas. Pode haver algum papel em situações complexas eventuais, mas, mesmo assim, limitado. Algumas técnicas de colocação de Schanz e construção da armação estão ilustradas na **Fig. 6.4-5** e no **Vídeo 6.4-2**.

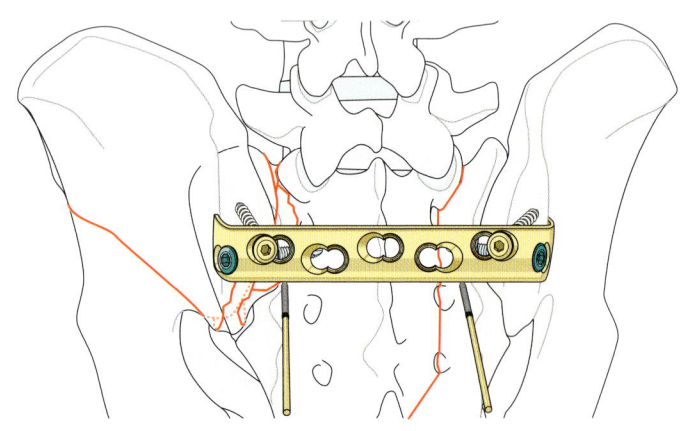

Fig. 6.4-19 Nos casos onde as fraturas bilaterais ou multifragmentadas do sacro estiverem presentes, uma fixação com placa ilioilíaca pode ser apropriada. O uso de uma placa de compressão bloqueada (LCP) larga de 5,0 mm permite a fixação bilateral estável. Parafusos de tração dentro da crista ilíaca são usados para facilitar o posicionamento junto ao osso. O implante deve ser posicionado tão distalmente quanto possível para facilitar o nivelamento entre a lâmina sacral posterior e a cortical ilíaca externa.

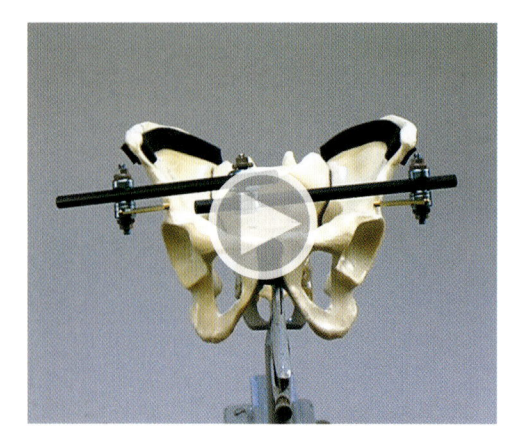

Vídeo 6.4-2 Aplicação de um fixador externo anteriormente na pelve: "via baixa" com posicionamento do Schanz na região supra-acetabular e "via alta" com os parafusos de Schanz na crista ilíaca.

7 Tratamento pós-cirúrgico

A meta da estabilização pélvica é a mobilização precoce do paciente. Os métodos descritos de fixação fornecem estabilidade suficiente para a mobilização sob condições de carga parcial ou completa, presumindo que a técnica cirúrgica tenha resultado na redução anatômica e fixação interna estável.

Devem ser obtidas radiografias depois da mobilização dos pacientes tratados por via cirúrgica e conservadoramente para verificar o desvio tardio devido a erros na classificação ou na técnica. A duração da carga com apoio limitado não deve ser mais do que 8 semanas.

A remoção do material de síntese é raramente necessária no tratamento de fraturas pélvicas, exceto quando houver a aplicação de um "Infix". Ele deve ser removido entre 8 e 10 semanas, pois deixar o fixador anterior por mais tempo está associado à formação progressiva de osso heterotópico. Alguns cirurgiões estão cada vez mais removendo os parafusos sacroilíacos, particularmente com o uso mais recente dos parafusos transacrais em adultos jovens. Isso é facilmente alcançado com baixa morbidade e pode reduzir os sintomas lombares.

A remoção das placas da sínfise é considerada nas mulheres em idade fértil para facilitar o parto. O procedimento tem um risco significativo de lesão da bexiga e, embora o reparo seja fácil, a paciente deve ser advertida de tal complicação. Se o material de síntese permanecer *in situ*, a cesárea pode ser necessária.

8 Problemas e complicações

As lesões pélvicas são acompanhadas por uma alta taxa de complicações tromboembólicas e a profilaxia deve ser aplicada continuamente na hospitalização. A trombose venosa profunda e a embolia pulmonar ocorrem em 35-61% e 2-10% respectivamente. As estratégias ambulatoriais variam amplamente, mas foi encontrado que um curso de 4 semanas de heparina de baixo peso molecular reduziu significativamente as taxas de trombose venosa profunda sem complicações.

Recomenda-se a técnica cirúrgica precisa e a administração de antibióticos transoperatórios para minimizar o risco de infecções. Os hematomas pós-cirúrgicos devem ser evacuados imediatamente depois da detecção. As lesões neurológicas e vasculares iatrogênicas devem ser prevenidas pelo planejamento exato e pelo conhecimento da anatomia e das vias de acesso (estudos em cadáveres, especialização), bem como pelo uso correto da intensificação de imagem.

Na maioria dos casos, os problemas resultam de imagens e planejamento inadequados, classificação equivocada e padrões difíceis de fratura. Isso pode levar à escolha e à aplicação inapropriada da via de acesso cirúrgica e dos métodos de estabilização. A análise pré-cirúrgica exata e a compreensão completa da personalidade da lesão são fundamentais para o tratamento cirúrgico bem-sucedido; essas lesões devem ser tratadas por grupos de especialistas.

Nunca é demais enfatizar a necessidade de ter uma compreensão minuciosa da natureza da lesão posterior. A instabilidade sacroespinhal passa com frequência despercebida. Essas lesões podem ser diagnosticadas como padrões CL1 simples, quando na verdade representam um espectro da lesão sacral com padrões em H e J. Com frequência requerem a instrumentação espinopélvica posterior para adequadamente reduzir, comprimir e manter a fratura e devem ser tratadas junto com um cirurgião especialista em coluna vertebral.

Para estabilizar os padrões complexos de fratura, os princípios incluem:
- Informação valiosa pode ser obtida a partir do exame sob anestesia, que frequentemente aumenta o grau percebido da lesão.
- A redução cirúrgica e a estabilização precoce evitam a correção tardia, arriscada e tecnicamente trabalhosa.
- A redução e a estabilização adequadas do anel posterior são essenciais.
- Implantes adicionais no anel pélvico anterior não compensarão a fixação inadequada de uma lesão posterior.
- Os exames radiográficos precoces podem mostrar o desvio secundário e permitirão a correção cirúrgica precoce (menos que 14 dias) e mais facilitada.

9 Resultados e avaliação em longo prazo

As fraturas pélvicas, especialmente os tipos instáveis, têm uma taxa alta de problemas tardios. Um estudo multicêntrico demonstrou que ao usar indicações padronizadas e as técnicas aqui descritas, uma taxa de mais de 80% de reconstruções anatômicas pode ser alcançada, mesmo em lesões instáveis [12]. Existe evidência de redução na mortalidade dos pacientes tratados em centros especializados.

Entretanto, resultados bons e excelentes ainda são encontrados em menos de 60% dos casos. Déficits neurológicos e urológicos de longo prazo são os responsáveis pelas queixas dos pacientes. A dor inespecífica no anel pélvico posterior e na região lombar também é comumente relatada, tal como a disfunção sexual, tanto em homens quanto mulheres.

Fraturas específicas
6.4 Anel pélvico

Por conseguinte, os pacientes depois do trauma pélvico devem ser vistos em um programa específico de acompanhamento, que seja de preferência organizado dentro de uma estrutura interdisciplinar.

Uma revisão recente de 2.247 pacientes vítimas de fraturas pélvicas mostrou uma mortalidade de 10%. No cenário do politraumatismo, as razões de chance para a mortalidade associada com uma fratura pélvica são de aproximadamente 2. Em adição ao risco de mortalidade, aqueles pacientes que sobrevivem a fraturas pélvicas instáveis podem sofrer déficits funcionais depois da lesão como dor, distúrbios da marcha e discrepância no comprimento das pernas. A disfunção sexual está presente em 61% dos homens depois de uma fratura pélvica, com 19% apresentando impotência persistente, enquanto as mulheres podem sofrer de dispareunia. Os problemas psicossexuais, mesmo na ausência de lesão urogenital reconhecida, são comuns e pobremente tratados. Os problemas em longo prazo resultantes de lesões do plexo lombossacro e lesões urogenitais, como na uretra, têm um desfecho ruim. Contudo, as fraturas pélvicas estáveis que requerem um tratamento descomplicado podem levar a uma boa recuperação.

Referências clássicas   **Referências de revisão**

10 Referências

1. **Letournel E, Judet R.** Fractures of the Acetabulum. 2nd ed. Berlin Heidelberg New York: Springer-Verlag; 1993.
2. **Tile M, Helfet DL, Kellam JF.** Fractures of the Pelvis and Acetabulum. 3rd ed. Baltimore: Williams & Wilkins; 2003.
3. **Tscherne H, Pohlemann T.** Becken und Acetabulum. 1st ed. Berlin Heidelberg New York: Springer-Verlag; 1998.
4. **Tile M, Pennal GF.** Pelvic disruption: principles of management. Clin Orthop Relat Res. 1980;(151):56–64.
5. **Pennal GF, Tile M, Waddell JP, et al.** Pelvic disruption: assessment and classification. Clin Orthop Relat Res. 1980 Sep;(151):12–21.
6. **Hak DJ, Smith WR, Suzuki T.** Management of hemorrhage in ife-threatening pelvic fracture. J Am Acad Orthop Surg. 2009 Jul;17(7):447–457.
7. **Bishop JA, Routt ML Jr.** Osseous fixation pathways in pelvic and acetabular fracture surgery: osteology, radiology, and clinical applications. J Trauma Acute Care Surg. 2012 Jun;72(6):1502–1509.
8. **Papathanasopolous A, Tzioupis C, Giannoudis V, et al.** Biomechanical aspects of pelvic ring reconstruction techniques: evidence today. Injury. 2010 Dec;41(12):1220–1227.
9. **Ganz R, Krushell RJ, Jakob RP, et al.** The antishock pelvic clamp. Clin Orthop Relat Res. 1991 Jun;(267): 71–78.
10. **Vaidya R, Colen R, Vigdorchik J, et al.** Treatment of unstable pelvic ring injuries with an internal anterior fixator and posterior fixation: initial clinical series. J Orthop Trauma. 2012 Jan;26(1):1–8.
11. **Matta JM.** Fractures of the acetabulum: accuracy of reduction and clinical results in patients managed operatively within three weeks after the injury. J Bone Joint Surg Am. 1996 Nov;78(11): 1632–1645.
12. **Pohlemann T, Gänsslen A, Hartung S.** Beckenverletzungen/Pelvic Injuries: Results of the German Multicenter Study Group. Berlin Heidelberg New York: Springer-Verlag; 1998. German.

11 Agradecimentos

Agradecemos a Tim Pohlemann e Ulf Culemann por suas contribuições para este capítulo na 2ª edição de Princípios AO do tratamento de fraturas.

6.5 Acetábulo

Jorge Barla

1 Introdução – epidemiologia

As fraturas do acetábulo geralmente ocorrem em indivíduos jovens e ativos que sofrem trauma de grande energia, embora o número de pacientes idosos com fraturas do acetábulo tenha aumentado durante as últimas décadas. As fraturas do acetábulo resultam de um trauma indireto, transmitido via fêmur. Elas ocorrem depois de um golpe no trocanter maior, no joelho flexionado ou no pé com o joelho estendido [1].

O tratamento das fraturas do acetábulo evoluiu rapidamente nas últimas três décadas, levando à menor morbidade e melhores desfechos. Em grande parte, isso pode ser atribuído às técnicas revolucionárias introduzidas por Judet e Letournel [2-4]. O diagnóstico preciso e as vias de acesso cirúrgicas, técnica e instrumentos apropriados são essenciais para oferecer ao paciente a melhor chance de um bom desfecho.

2 Anatomia e classificação

A hemipelve tem um formato tridimensional complexo. Os três ossos primários que se fundem na cartilagem trirradiada e formam o acetábulo são o ilíaco, o ísquio e o púbis. A partir de seu aspecto lateral, o acetábulo é seguro pelos braços de um Y invertido (**Fig. 6.5-1**).

A coluna posterior começa no osso denso da incisura ciática maior e se estende distalmente através do centro do acetábulo até incluir a parede posterior do acetábulo, a espinha isquiática e a tuberosidade isquiática. A coluna anterior se estende a partir da crista ilíaca até a sínfise do púbis e inclui a parede anterior do acetábulo.

A superfície articular superior é frequentemente chamada de domo, telhado ou teto. Esse domo se estende a partir do osso forte logo posterior à espinha ilíaca anteroinferior até a coluna posterior. Esta área fornece a superfície de carga para o apoio. As duas colunas sustentam o acetábulo e se encontram medialmente para formar a superfície medial, a lâmina quadrilátera. Ela é mais considerada como uma estrutura acessória que evita o desvio medial do quadril.

Fig. 6.5-1 Vista lateral do acetábulo e da hemipelve.
A espinha ilíaca anterossuperior (11) e a eminência iliopectínea (15) são dois referenciais importantes do acetábulo.

1	Glúteo médio	10	Quadrado femoral
2	Glúteo mínimo	11	Espinha ilíaca anterossuperior
3	Músculo glúteo máximo	12	Espinha ilíaca anteroinferior
4	Espinha ilíaca posterossuperior	13	Músculo reto femoral
5	Espinha ilíaca posteroinferior	14	Tendão reflexo do reto femoral
6	Incisura isquiática maior	15	Eminência iliopectínea
7	Gêmeo superior	16	Piriforme
8	Incisura isquiática menor	17	Obturador externo
9	Gêmeo inferior	18	Obturador interno

Fraturas específicas
6.5 Acetábulo

Judet e Letournel [2] propuseram um sistema de classificação para fraturas do acetábulo com base no conceito anatômico de que o acetábulo é composto de dois pilares ou colunas e duas paredes, cada uma chamada de anterior e posterior (**Fig. 6.5-2**). Esse sistema de classificação (**Fig./Animações 6.5-3-4**) tem cinco tipos de fratura elementares e cinco tipos de fratura associadas. Para definir cada padrão de fratura, seis referências radiográficas elementares devem ser identificadas: a parede posterior do acetábulo, a parede anterior, o teto (domo ou telhado), a lágrima, a linha ilioisquiática (coluna posterior) e a linha iliopectínea (coluna anterior). A integridade dessas linhas deve ser avaliada não apenas na incidência anteroposterior (AP), mas também nas projeções oblíquas de 45 graus como descrito abaixo (**Fig. 6.5-5**).

Esse sistema também tem sido incorporado na mais detalhada Classificação AO/OTA de Fraturas e Luxações que definem as fraturas do acetábulo como 62 e as separa então em tipos A, B e C (**Fig. 6.5-6**) [5].

Ambas as classificações de Letournel e AO/OTA têm subgrupos adicionais, que podem ser estudados com mais detalhes na literatura sobre fraturas do acetábulo.

3 Avaliação e diagnóstico

3.1 Exame

As lesões potencialmente fatais são prioridade no tratamento de um paciente com uma fratura do acetábulo. Uma pesquisa secundária é obrigatória, já que essas fraturas de grande energia estão frequentemente associadas a fraturas do anel pélvico e de ossos longos, trauma vertebral e craniano e lesões das vísceras abdominopélvicas, todas as quais são potencialmente fatais [4]. As contusões e abrasões na área do trocanter maior ou na crista ilíaca podem anunciar a presença de uma lesão de Morel-Lavallée. Essa lesão é uma área de pele desenluvada com flutuação devido a um hematoma subjacente e grande necrose gordurosa. Embora tecnicamente uma lesão fechada, a contaminação bacteriana secundária é comum e o debridamento cirúrgico e drenagem são necessários antes do tratamento definitivo da fratura.

Os exames retal e vaginal são obrigatórios para eliminar a presença de uma fratura exposta. A hematúria deve ser cuidadosamente avaliada. As lesões da artéria glútea superior podem ocorrer em associação com as fraturas que penetram na incisura ciática e esse vaso pode também ser lesionado durante a cirurgia [4]. Isso pode resultar em uma hemorragia potencialmente fatal e os pacientes com instabilidade hemodinâmica inexplicável ou um baixo nível de hemoglobina devem ser submetidos a um exame de tomografia computadorizada (TC) com contraste intravenoso ou angiografia pélvica. A hemorragia pode requerer controle urgente por cirurgia ou embolização.

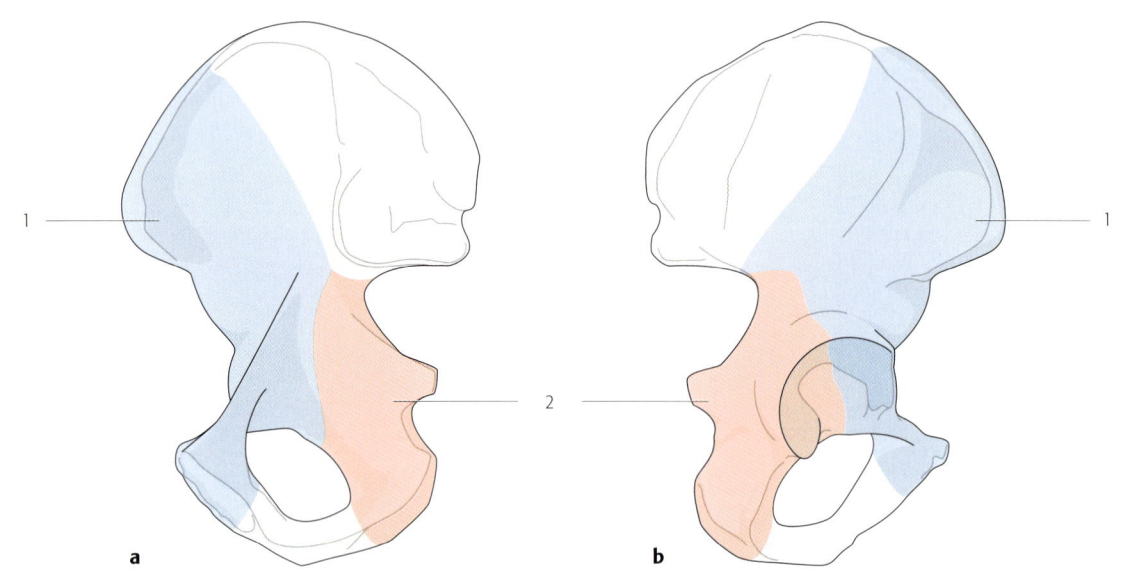

Fig. 6.5-2a-b As duas colunas de osso que formam o acetábulo. A coluna anterior é mostrada em azul e a coluna posterior em vermelho.
a   Vista interna
b   Vista externa

1   Coluna anterior
2   Coluna posterior

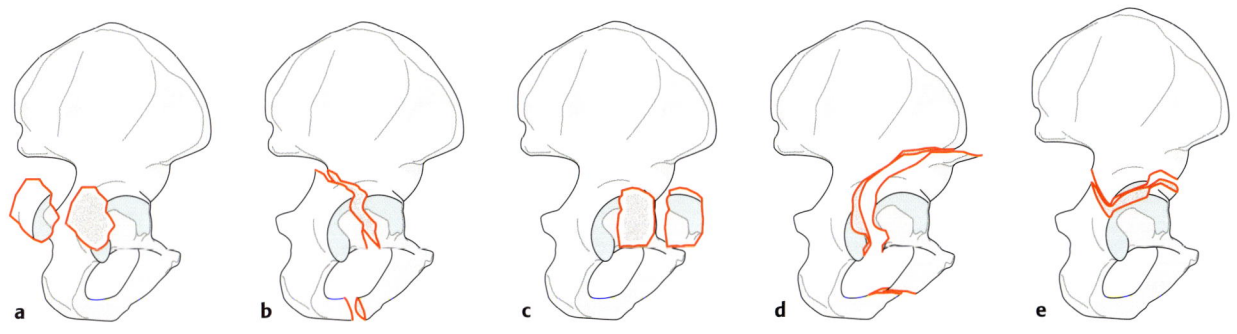

Fig./Animações 6.5-3a-e   Classificação de Letournel: os cinco tipos elementares de fratura.
a   Parede posterior
b   Coluna posterior
c   Parede anterior
d   Coluna anterior
e   Transversa

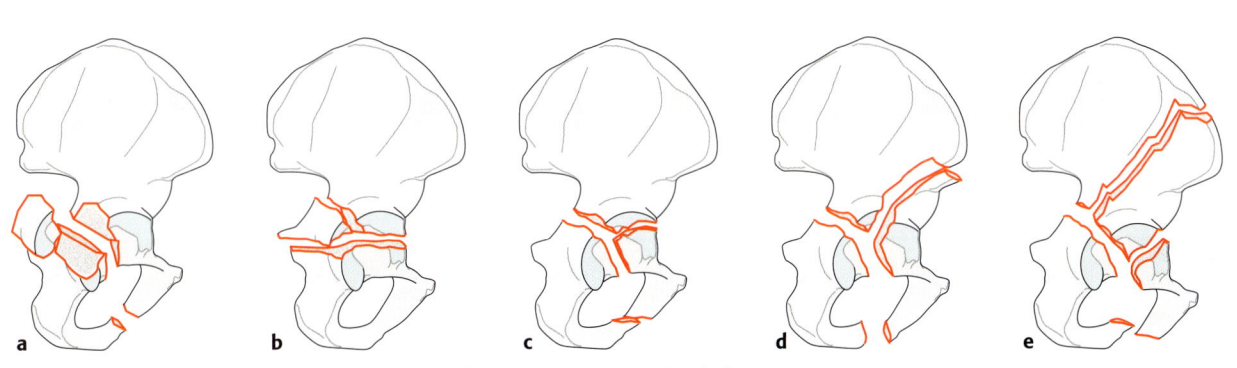

Fig./Animações 6.5-4a-e   Classificação de Letournel: os cinco tipos associados de fratura.
a   Coluna e parede posteriores
b   Transversa e parede posterior
c   Tipo em T
d   Coluna anterior e hemitransversa posterior
e   Ambas as colunas

Fraturas específicas
6.5   Acetábulo

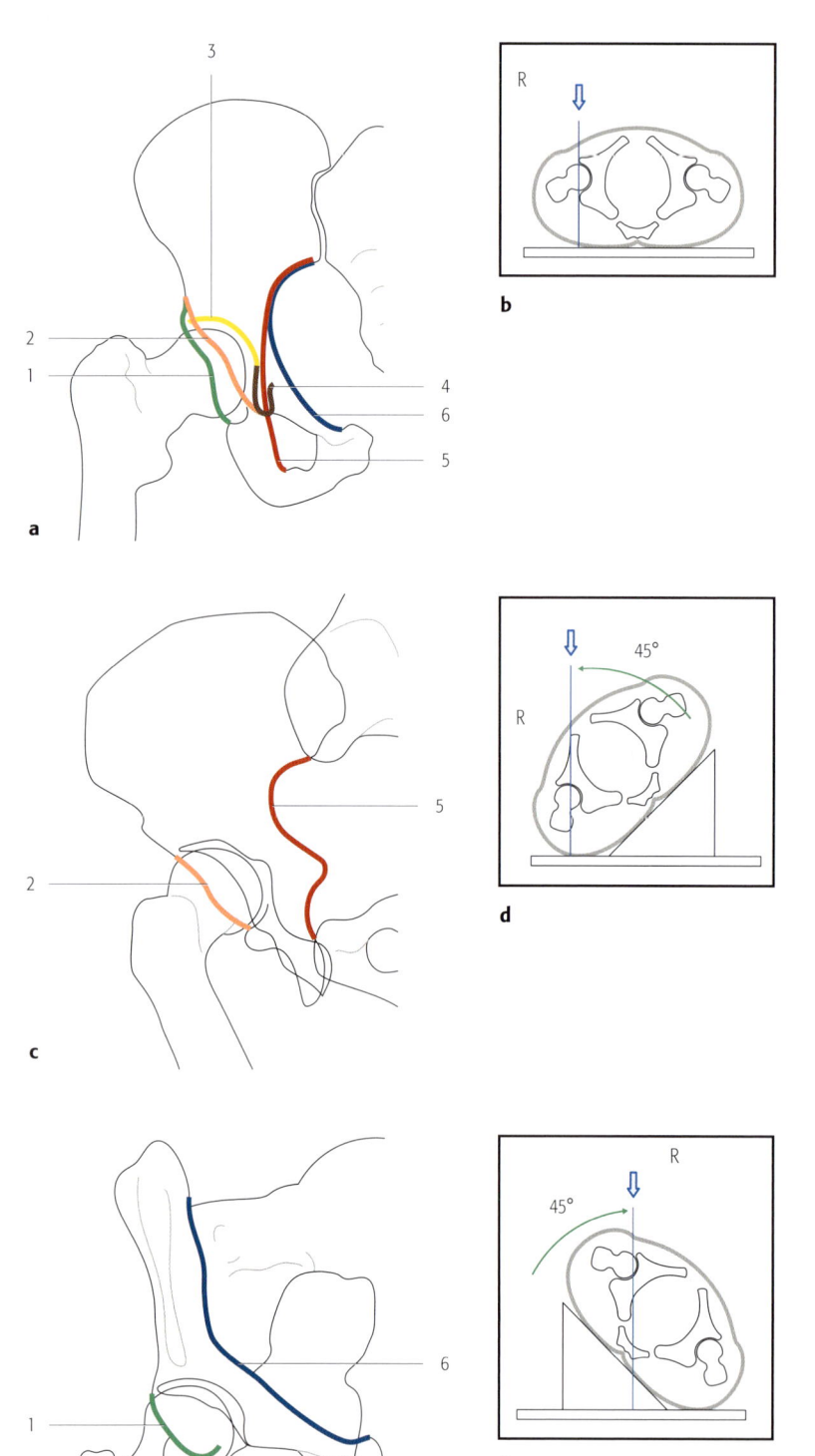

Fig. 6.5-5a-f   As seis referências radiográficas fundamentais de Letournel: parede posterior do acetábulo (1), parede anterior do acetábulo (2), teto (domo) (3), lágrima (4), linha ilioisquiática (coluna posterior) (5), e linha iliopectínea (coluna anterior) (6).
a-b   Radiografia anteroposterior (AP) do quadril
c-d   Incidência oblíqua alar (Judet)
e-f   Incidência oblíqua obturadora (Judet)

1   Parede posterior
2   Parede anterior
3   Domo ou teto
4   Lágrima
5   Coluna posterior
6   Coluna anterior

Um exame neurológico acurado é obrigatório.

Após a fratura do acetábulo, a incidência de comprometimento do nervo ciático detectada no pré-cirúrgico varia de 12-38% [6]. Pelo fato de a divisão fibular ter o maior risco, a dorsiflexão e a eversão do pé devem ser testadas e anotadas nos registros médicos, tanto antes quanto depois da cirurgia.

A luxação associada do quadril deve ser considerada uma emergência ortopédica e requer a redução urgente, seguida pela avaliação de estabilidade.

Se houver qualquer instabilidade da articulação, a tração está indicada. O peso da tração não deve exceder a um sexto do peso corporal do paciente e deve ser aplicado via esquelética se houver algum retardo antes da cirurgia definitiva. As luxações posteriores do quadril são mais comuns; o quadril deve ser mantido estendido e externamente rodado para ajudar a manter redução.

3.2 Radiologia

Uma vista AP da pelve é necessária para todos os pacientes que tiveram algum trauma significativo. Se a fratura do acetábulo for suspeitada, três incidências adicionais são necessárias:

1. **Incidência AP** do quadril envolvido (**Fig. 6.5-5a-b**).
2. **Incidência oblíqua alar** é usada para avaliar a coluna posterior e a parede anterior. O paciente é rodado a 45 graus em direção ao lado lesionado. Isso fornece uma visão da asa do ilíaco e um perfil do anel obturador (**Fig. 6.5-5c-d**).
3. **Incidência oblíqua obturadora** é usada para avaliar a coluna anterior e a parede posterior. A pelve é rodada a 45 graus em direção ao lado ileso, provendo uma visão do anel obturador e um perfil da asa do ilíaco (**Fig. 6.5-5e-f**).

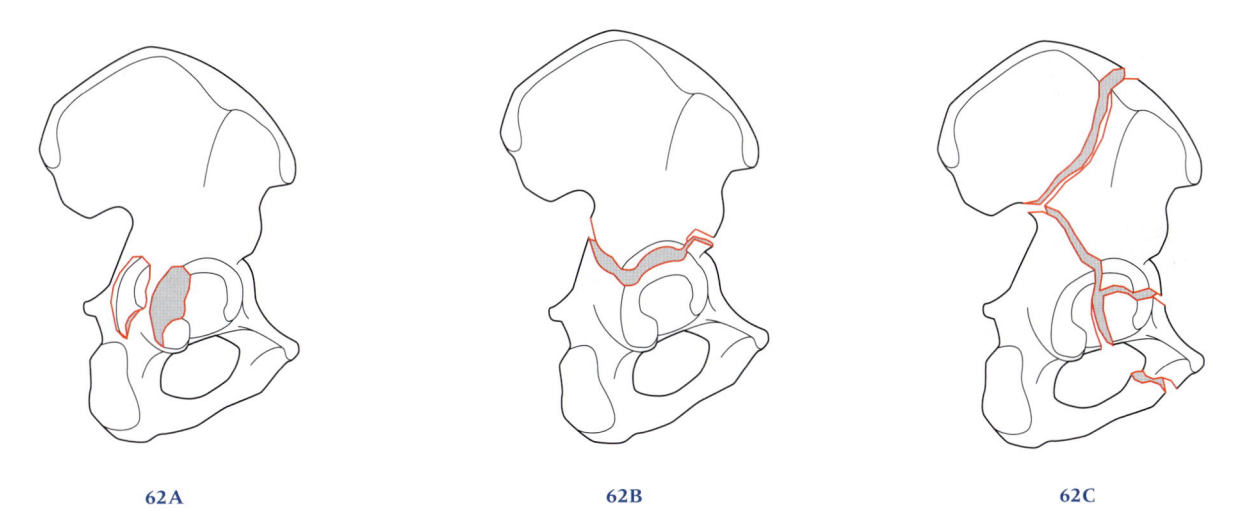

62A

62B

62C

62A Fratura da pelve, acetábulo, **articular parcial, coluna e/ou parede isolada**
62B Fratura da pelve, acetábulo, **articular parcial, tipo transversa**
62C Fratura da pelve, acetábulo, **articular completa, associada a ambas as colunas**

Fig. 6.5-6 Classificação AO/OTA de Fraturas e Luxações – acetábulo.

Fraturas específicas
6.5 Acetábulo

A TC axial (**Fig. 6.5-7**) e tridimensional melhoram a compreensão da lesão [7]. Elas são especialmente úteis para medir a cominução e o degrau articular, o tamanho e o número de fragmentos da parede posterior, a impacção marginal, a rotação e o desvio das colunas, e a presença de fragmentos intra-articulares ou fraturas da cabeça femoral. Uma TC também pode identificar lesões no aspecto posterior da pelve, como uma ruptura da articulação sacroilíaca ou a fratura do sacro.

Uma melhor compreensão da orientação da linha de fratura facilitará o planejamento pré-operatório, a via de acesso cirúrgica, as manobras de redução e a colocação adequada dos implantes durante a cirurgia.

4 Indicações cirúrgicas e tomada de decisão

A decisão para prosseguir com o tratamento não cirúrgico contra a estabilização cirúrgica depende da personalidade da lesão [8]. Os fatores do paciente incluem a idade, as comorbidades, a mobilidade e o tratamento de lesões viscerais e esqueléticas associadas. Os tecidos moles devem ser cuidadosamente examinados e o padrão de fratura avaliado após completar todos os exames de imagens necessários para o planejamento pré-operatório. As instalações cirúrgicas e a experiência da equipe cirúrgica também são fatores importantes. A cirurgia pode ser retardada por alguns dias para obter toda a informação necessária e permitir a transferência para a instituição apropriada.

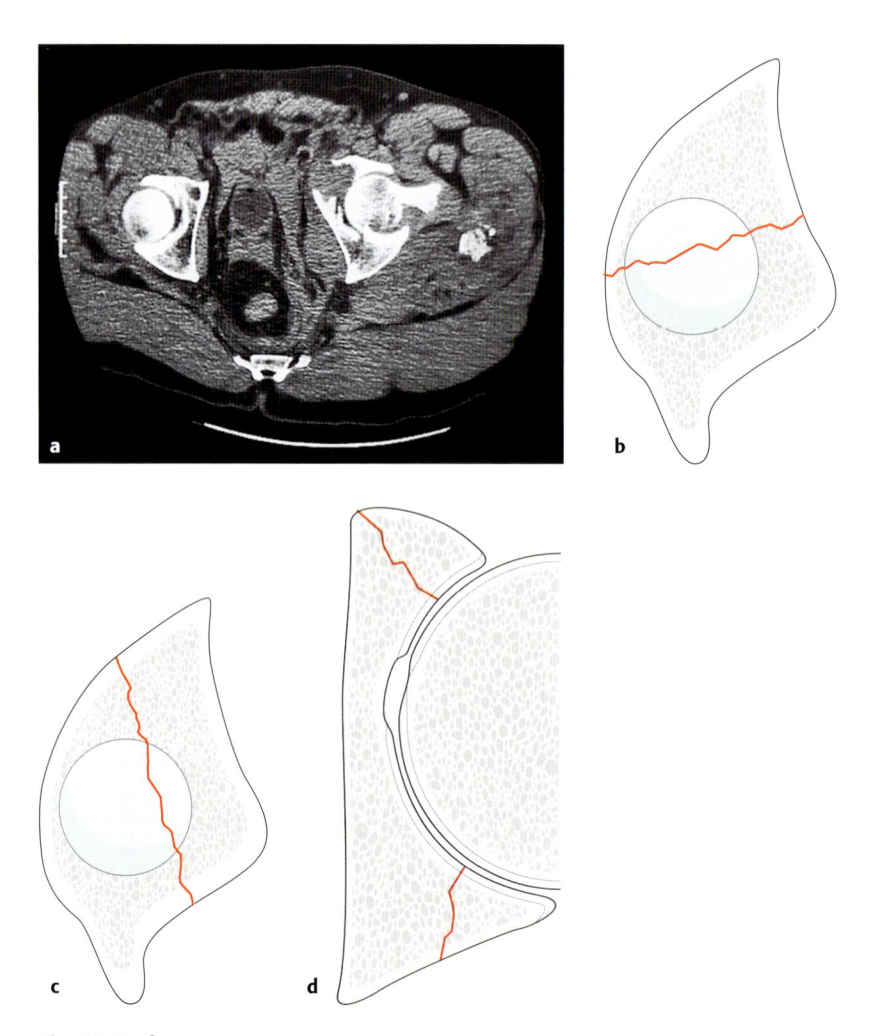

Fig. 6.5-7a-d
a   A tomografia computadorizada (TC) axial pode ser usada para mostrar mais adequadamente o padrão da fratura.
b   Linha de fratura vertical (coronal) através do domo.
c   Linha de fratura transversal (sagital).
d   Linhas de fratura que atravessam as paredes anterior e posterior, conforme mostrado na TC.

As indicações para a intervenção cirúrgica incluem o desvio da superfície articular, a incongruência articular e medidas inaceitáveis do arco do teto [8]. Essas indicações são baseadas no princípio de que executar uma redução precisa da superfície articular e obter uma articulação do quadril congruente irá restaurar a mecânica articular normal e reduzirá o risco de artrite pós-traumática; os desfechos clínicos em longo prazo se correlacionam intimamente com a qualidade da redução cirúrgica [4, 8-10]. A má redução ou a subluxação da articulação do quadril levarão a um carregamento anormal da cartilagem articular e artrite subsequente. É geralmente aceito que o desvio ou incongruência maior que 1-2 mm são insatisfatórios [9-11].

Pelo fato de que a maioria das fraturas não desviadas terá uma articulação do quadril estável e concêntrica, a cirurgia não é necessária. O tratamento não cirúrgico também está indicado para algumas fraturas desviadas. Elas incluem:

- Fraturas que não se estendem para o domo de apoio
- Fraturas baixas da coluna anterior
- Fraturas pequenas (estáveis) da parede posterior não associadas a uma luxação ou que não envolvam a porção posterossuperior do acetábulo
- Fraturas transversas baixas com ângulos do arco do teto com mais de 45° em todas as três incidências radiográficas
- Fraturas de ambas colunas com congruência secundária em pacientes com baixa demanda funcional

5 Planejamento pré-operatório

5.1 Momento da cirurgia

A redução aberta e a fixação interna no contexto agudo raramente estão indicadas. As exceções incluem as luxações que não possam ser reduzidas por meios fechados, um fragmento intra-articular encarcerado após a redução fechada e as luxações posteriores instáveis que não possam ser mantidas na posição reduzida por causa de marcada deficiência da parede posterior. A paralisia progressiva do nervo ciático que se desenvolve depois da redução da luxação também deve ser considerada uma emergência cirúrgica.

Em todas as outras circunstâncias, o momento da cirurgia é mais dependente da estabilização das lesões associadas, da consumação de todos os exames de imagens e da disponibilidade de um cirurgião experiente. Um procedimento difícil então pode ser executado em uma base eletiva, com uma ou mais equipes cirúrgicas experientes. Os retardos acima de uma semana devem ser evitados se possível, já que a redução anatômica se torna progressivamente mais difícil de obter.

5.2 Preparação pré-operatória

As imagens completas da fratura são obrigatórias para o planejamento cirúrgico. A profilaxia para a trombose venosa profunda [12] é efetiva, mas até o momento não há nenhuma base de evidência que também seja efetiva para reduzir o risco de embolia pulmonar fatal. É apropriado considerar o rastreamento das veias pélvicas com ultrassom dúplex, venografia de ressonância magnética ou TC contrastada em pacientes de alto risco. Quando os achados forem positivos, a colocação de um filtro de veia cava é indicada.

O paciente é colocado em uma mesa operatória radiolucente que permite a tração intraoperatória e a intensificação de imagem. Um cateter urinário é sempre usado. Um poupador de células intraoperatório permite a reciclagem de cerca de 20-30% da perda efetiva de sangue e minimiza a transfusão sanguínea.

O monitoramento do nervo com potenciais somatossensoriais evocados e eletromiografia pode fornecer um grau de vigilância protetora contra uma lesão intraoperatória do nervo ciático. Embora não tenha sido demonstrado que o uso do monitoramento do nervo produza melhores resultados que a cirurgia apropriadamente executada [6], o monitoramento intraoperatório pode se provar mais benéfico para cirurgiões menos experientes.

5.3 Seleção de implantes e instrumentos

A complexa anatomia e padrões de fratura do anel pélvico e acetábulo tem demandado o desenvolvimento de ferramentas e técnicas de redução específicas. Em geral, são usados nessa área as placas de reconstrução de 3,5 e parafusos corticais correspondentes (especialmente mais longos que 70 mm), mas implantes de maior tamanho, como parafusos de 4,5 ou 6,5 mm, são às vezes necessários.

Fraturas específicas
6.5 Acetábulo

5.4 Configuração da sala de cirurgia

5.4.1 Via de acesso de Kocher-Langenbeck (decúbito ventral)

O paciente fica em decúbito ventral na mesa operatória radiolucente, com o joelho flexionado para reduzir a tensão no nervo ciático. A área exposta desde a crista ilíaca do lado lesionado até o pé e a perna são preparados (**Fig. 6.5-8**).

O cirurgião fica no lado lesionado do paciente e o assistente fica no lado oposto ao cirurgião. A equipe da sala de cirurgia fica adjacente ao cirurgião. O intensificador de imagem entra pelo lado oposto ao cirurgião. A tela do intensificador de imagem é colocada para a completa visão da equipe cirúrgica e do técnico em radiologia (**Fig. 6.5-9**).

5.4.2 Via de acesso ilioinguinal (decúbito dorsal)

O paciente está em decúbito dorsal na mesa operatória radiolucente, a área exposta a partir da porção média do tórax, incluindo todo o abdome e o membro inferior do lado lesionado, é preparada com o antisséptico apropriado (**Fig. 6.5-10**).

O cirurgião fica no lado lesionado do paciente e o assistente fica no lado oposto ao cirurgião. A equipe da sala de cirurgia fica adjacente ao cirurgião. O intensificador de imagem entra pelo lado oposto ao cirurgião. A tela do intensificador de imagem é colocada para a completa visão da equipe cirúrgica e do técnico em radiologia (**Fig. 6.5-11**).

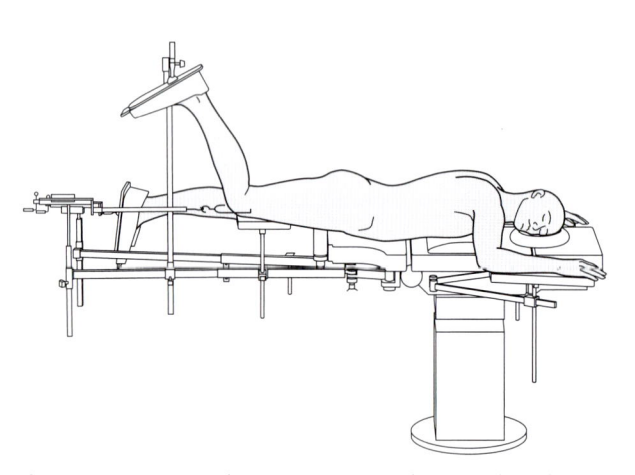

Fig. 6.5-8 Preparação do paciente para a via de acesso de Kocher-Langenbeck (decúbito ventral).

Fig. 6.5-9 Configuração da sala de cirurgia para a via de acesso de Kocher-Langenbeck.

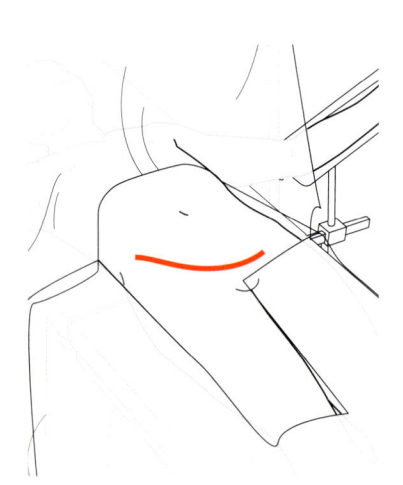

Fig. 6.5-10 Preparação do paciente para a via de acesso ilioinguinal (decúbito dorsal).

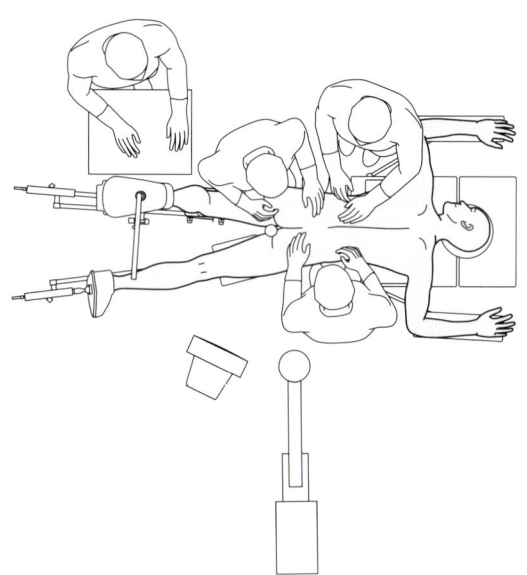

Fig. 6.5-11 Configuração da sala de cirurgia para a via de acesso ilioinguinal.

6 Cirurgia

6.1 Vias de acesso cirúrgicas

A avaliação pré-operatória minuciosa da fratura permitirá que a maioria das fraturas do acetábulo seja tratada através de uma via de acesso cirúrgica única pela frente ou por trás do acetábulo [13].

Para padrões mais complexos de fratura que envolvam ambas as colunas do acetábulo, a via de acesso iliofemoral estendida ou uma combinação anterior e posterior podem ser necessárias para a exposição e redução [3, 4, 14], embora o requisito para isso pareça diminuir com a experiência cirúrgica. Em comparação às vias de acesso únicas anteriores ou posteriores, as exposições extensíveis envolvem maior morbidade ao paciente, incluindo aumento do tempo cirúrgico e da perda sanguínea, risco aumentado de infecção, de lesão nervosa, de fraqueza dos abdutores, de rigidez articular e de ossificação heterotópica [4, 14, 15]. A via de acesso extensível pode ser preferida na presença de cateteres e colostomias suprapúbicas próximas, onde as taxas de infecção com a via de acesso ilioinguinal são altas e quando o tratamento cirúrgico da fratura do acetábulo for retardado para além de 2-3 semanas [4].

A via de acesso utilizada é frequentemente ditada pela experiência do cirurgião, mas deve fornecer a maior chance de redução anatômica e estabilização da superfície articular.

6.1.1 Posterior: Kocher-Langenbeck

O paciente pode ser posicionado na posição de decúbito lateral para fraturas da parede posterior ou coluna, mas o peso da perna frequentemente dificulta a redução de fraturas em T, de forma que o posicionamento em decúbito ventral pode ser preferido nesse caso (**Figs. 6.5-8-9**).

A manutenção da flexão do joelho (em 90°) e a extensão do quadril ao longo do procedimento reduzem a tensão no nervo ciático.

A incisão é centrada sobre a metade posterior do trocanter maior, estendendo-se distalmente ao longo da diáfise do fêmur por aproximadamente 8 cm e se curva proximalmente em direção à espinha ilíaca posterossuperior por outros 8 cm (**Fig. 6.5-12**). A fáscia lata e a fáscia sobre o músculo glúteo máximo são incisadas e o músculo é gentilmente dividido por dissccção romba. O nervo ciático pode ser consistentemente identificado ao longo do aspecto medial da fáscia do quadrado femoral. Uma porção da inserção do glúteo máximo no fêmur pode requerer a liberação para diminuir a tensão.

Os rotadores externos curtos, os músculos piriforme, obturador interno e gêmeos são identificados por rotação interna do quadril, reparados e rebatidos de suas inserções femoral. Para proteger a artéria circunflexa femoral medial, que fornece o suprimento sanguíneo para a cabeça femoral, eles devem ser liberados 1,5 cm proximalmente a sua inserção no fêmur e o músculo quadrado femoral não deve ser violado. A retração do tendão do obturador interno fornece acesso à incisura ciática menor e protege o nervo ciático, que passa superficialmente ao tendão. A retração do tendão do piriforme fornece acesso à incisura ciática maior, não protege o nervo ciático, que emerge sob o tendão. Afastadores rombos são cuidadosamente colocados nessas duas localizações para fornecer uma visão de toda a superfície retroacetabular. É preciso ter cuidado para identificar e proteger o pedículo neurovascular glúteo superior, que emerge da incisura ciática maior. Para fraturas, como a transversa transtectal alta ou em T, a osteotomia do trocanter maior é ocasionalmente necessária para ganhar acesso à superfície de carga superior do acetábulo. Entretanto, tal abordagem tem a desvantagem potencial de não união e um risco aumentado de ossificação heterotópica.

Fraturas específicas
6.5 Acetábulo

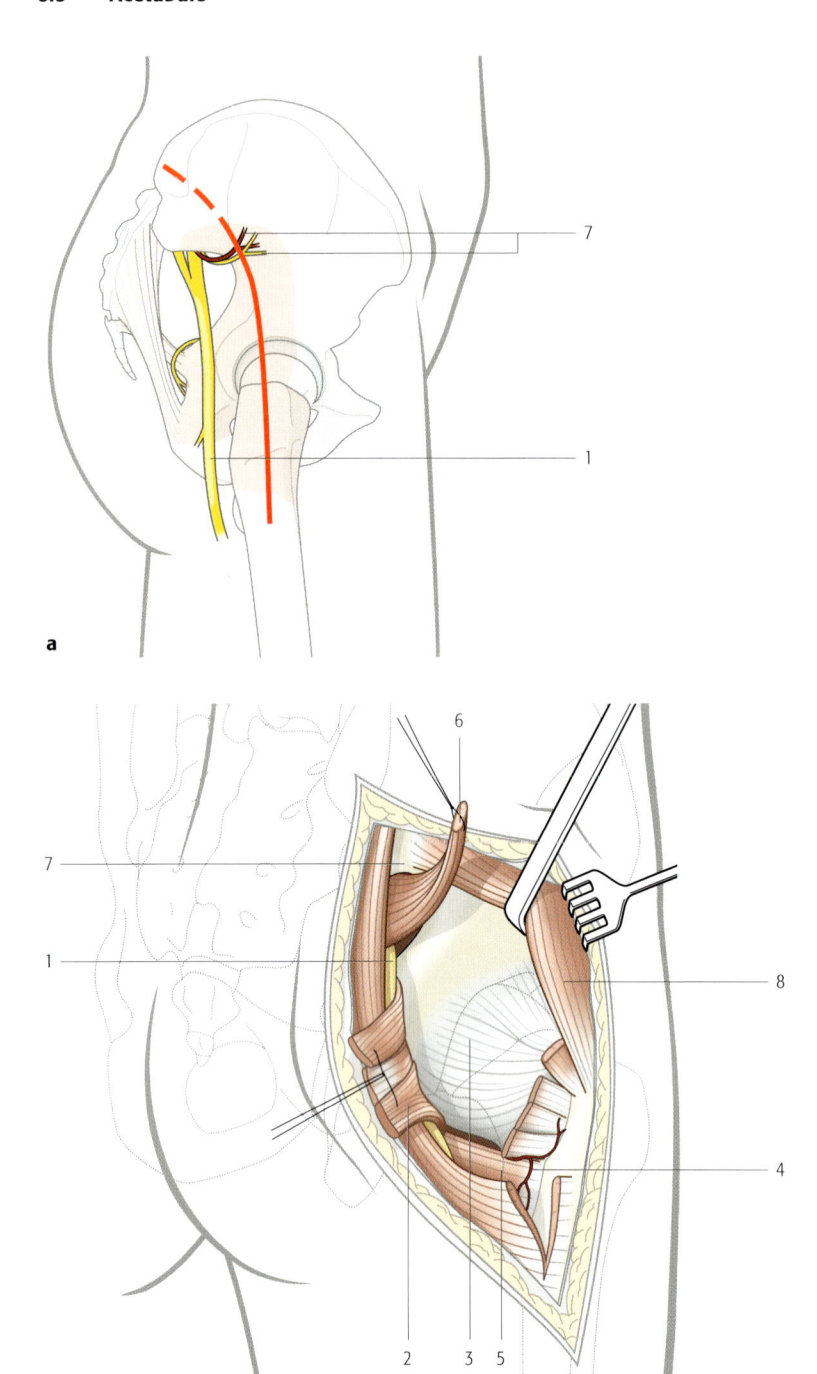

Fig. 6.5-12a-b Via de acesso de Kocher-Langenbeck.
a Incisão da pele.
b Exposição profunda. O nervo ciático (1) sempre deve ser protegido. A divisão dos músculos rotadores externos curtos (2) expõe a cápsula posterior do quadril (3). Os vasos circunflexos femorais mediais (4) suprem a cabeça femoral e estão muito próximos ao músculo quadrado femoral (5). Eles devem ser protegidos, evitando qualquer dissecção deste músculo. O músculo piriforme (6) é cortado e o feixe neurovascular glúteo superior (7) deve ser protegido. O músculo glúteo médio (8) é afastado.

No fechamento, os rotadores externos são suturados ao manguito de tecido no aspecto posterior do trocanter maior ou são reinseridos através de orifícios perfurados. Se a liberação da inserção do glúteo máximo tiver sido necessária, ela também é reparada. Os drenos profundos são colocados conforme necessário. A fáscia lata e a fáscia acima do glúteo máximo são reparadas, sendo seguido pelo fechamento superficial.

6.1.2 Anterior: ilioinguinal

O paciente é colocado em decúbito dorsal sobre uma mesa operatória radiolucente. Toda a região abdominal inferior e pélvica, como também todo o glúteo e a perna do lado afetado são preparados e deixados livres (**Figs. 6.5-10-11**). A incisão começa no ponto médio da crista ilíaca, curva-se em direção da espinha ilíaca anterossuperior, continua em paralelo ao ligamento inguinal e termina 2 cm acima da sínfise púbica. A junção entre a aponeurose do oblíquo externo e o periósteo na crista ilíaca é identificada e dividida de forma cortante, a musculatura abdominal e ilíaca é elevada em continuidade de forma subperiostal e a fossa ilíaca interna é comprimida com uma compressa (**Fig. 6.5-13**).

Anteriormente, a incisão é feita até o nível da aponeurose do oblíquo externo e o conteúdo do canal inguinal é identificado e mobilizado. A aponeurose do oblíquo externo é incisada em 5 mm de sua inserção no ligamento inguinal, a partir da espinha ilíaca anterossuperior até o anel inguinal externo. Lateralmente, o tendão conjunto é incisado do ligamento inguinal com um manguito de 2 mm, enquanto é cuidadosamente preservado o nervo cutâneo femoral lateral subjacente. Conforme a incisão prossegue medialmente, a reflexão da fáscia iliopectínea será encontrada. É preciso ter extremo cuidado, já que o feixe vascular femoral fica logo medial a essa estrutura. Ao deixar o tendão conjunto intacto onde ele cobre a artéria, veia e linfáticos femorais, uma dissecção desnecessária é evitada e essas estruturas ficam protegidas. Medialmente aos vasos, o tendão conjunto pode ser incisado, se for preciso, e o músculo reto do abdome ipsilateral liberado do tubérculo púbico até a sínfise púbica, permitindo acesso ao espaço de Retzius. A manutenção da bexiga descomprimida com um cateter de Foley diminui o risco de lesão. As lesões associadas do anel pélvico anterior podem requerer a fixação através da sínfise púbica, necessitando uma liberação parcial do músculo reto do abdome contralateral.

Lateralmente, o músculo iliopsoas e o nervo femoral, e medialmente vasos e linfáticos femorais, são delicadamente separados da fáscia iliopectínea. A flexão do quadril é essencial para relaxar o músculo iliopsoas, facilitando a mobilização do iliopsoas, do nervo femoral e dos vasos femorais. Uma vez que a fáscia iliopectínea tenha sido isolada, é excisada ao longo da borda pélvica da eminência pectínea até logo anterior à articulação sacroilíaca. Cuidadosamente os vasos femorais são mobilizados do ramo subjacente, mas não antes de inspecionar essa área para evitar ferir a *corona mortis*, que é uma variável, mas perigosa, comunicação retropúbica entre as artérias ilíaca externa e obturadora ou epigástrica profunda.

A via de acesso ilioinguinal completada permite acesso à coluna anterior por quatro janelas anatômicas:

- Lateral: lateral ao músculo iliopsoas
- Média: entre o músculo iliopsoas e nervo femoral e os vasos ilíacos externos
- Medial: entre os vasos ilíacos externos e o cordão espermático
- Mediana: medial ao cordão espermático

Uma modificação útil da via de acesso ilioinguinal é usar a via de acesso modificada de Stoppa medialmente [8] (ver seção 6.1.3 neste capítulo). Ela tem duas vantagens. Primeiramente, a liberação dos músculos retos dos tubérculos púbicos é evitada. Em segundo lugar, suficientes elementos da fratura podem ser reduzidos e estabilizados através da janela medial da via de acesso ilioinguinal de forma que a necessidade para desenvolver uma janela média entre o nervo femoral e os vasos é evitada.

Durante o fechamento, drenos podem ser inseridos no espaço de Retzius, sobre a superfície quadrilátera e ao longo da fossa ilíaca interna. Se liberado ou rompido, o músculo reto do abdome é reinserido ao manguito de tecido que permanece no aspecto anterior do púbis. O assoalho do canal inguinal é reparado pela sutura do tendão conjunto ao ligamento inguinal com fios não reabsorvíveis. O teto do canal inguinal é restaurado ao reparar a aponeurose do oblíquo externo e o anel inguinal externo.

Fraturas específicas
6.5　Acetábulo

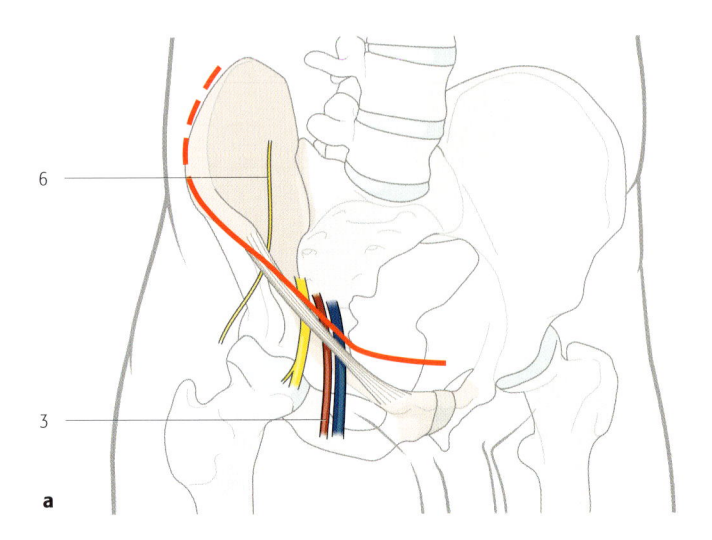

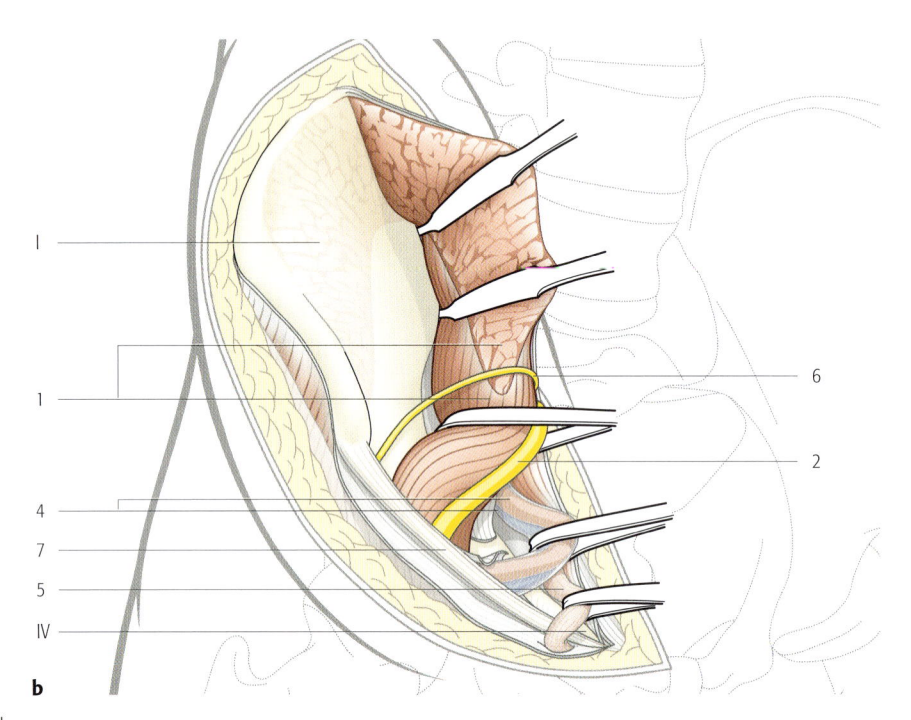

Fig. 6.5-13a-d　Via de acesso ilioinguinal.
a　Incisão da pele.
b-c　Exposição profunda. A via de acesso ilioinguinal cria quatro janelas anatômicas (I-IV) para permitir acesso à coluna anterior do acetábulo.

I	Lateral: lateral ao músculo iliopsoas
II	Média: entre o músculo iliopsoas e nervo femoral e os vasos ilíacos externos
III	Medial: entre os vasos ilíacos externos e o cordão espermático
IV	Mediana: medial ao cordão espermático

1　Músculo iliopsoas (desinserido)
2　Nervo femoral
3　Veia e artéria femoral
4　Veia e artéria ilíaca externa
5　Cordão espermático
6　Nervo cutâneo femoral lateral
7　Ligamento inguinal

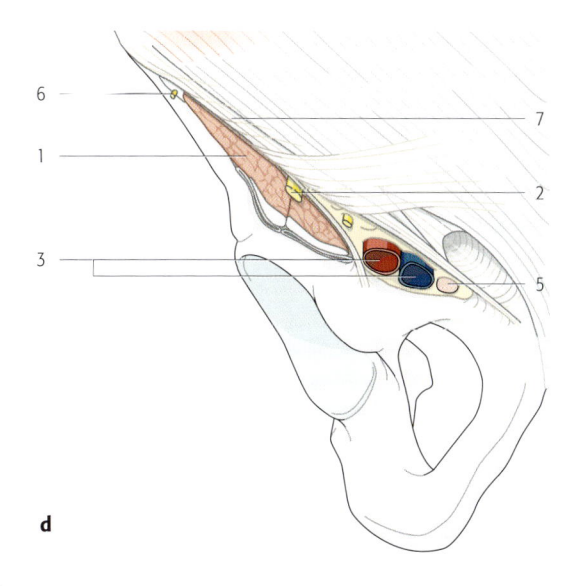

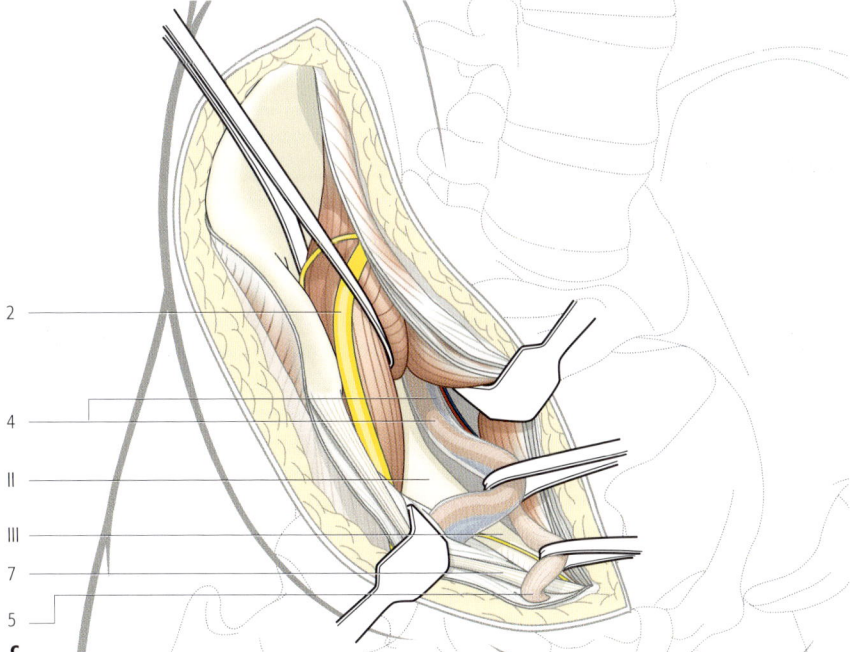

Princípios AO do tratamento de fraturas
Volume 2

Fig. 6.5-13a-d (**cont.**) Via de acesso ilioinguinal.
c   Exposição profunda (ver página anterior).
d   ilíaca coronal da hemipelve. O nervo cutâneo femoral lateral e nervo genitofemoral também são protegidos.

757

Fraturas específicas
6.5 Acetábulo

6.1.3 Via de acesso intrapélvica anterior (Stoppa modificada)

O paciente é colocado em decúbito dorsal sobre uma mesa operatória radiolucente. Toda a região abdominal inferior e pélvica, bem como o glúteo do lado afetado, é preparada e deixada completamente livre. O cirurgião fica no lado oposto ao acetábulo fraturado (**Fig. 6.5-14**).

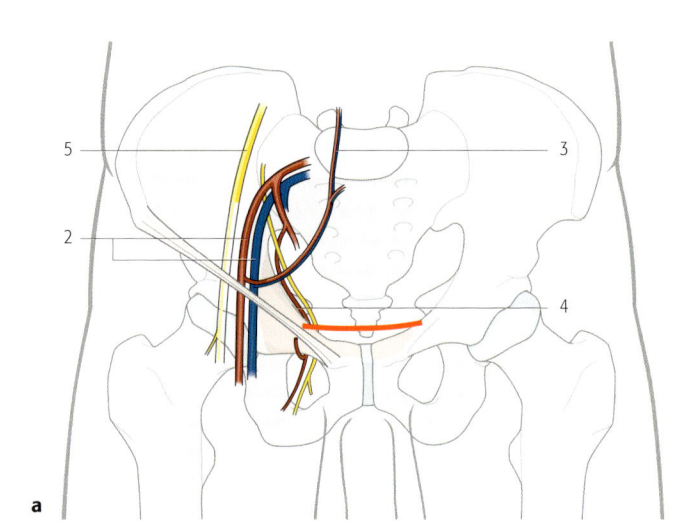

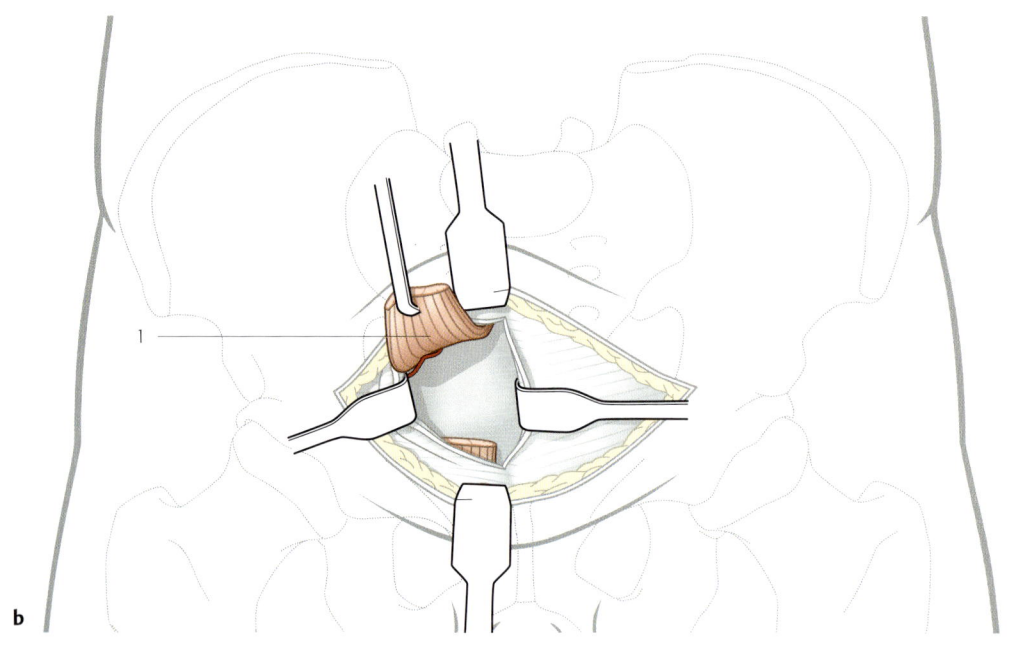

Fig. 6.5-14a-c Via de acesso de Stoppa modificada [2].
a   Incisão transversa na pele.
b   O músculo reto do abdome (1) é dividido.

1   Músculo reto do abdome
2   Vasos ilíacos externos
3   Vasos epigástricos inferiores
4   Artéria obturadora
5   Nervo femoral

Durante a via de acesso de Stoppa, o cirurgião deve sempre proteger o feixe neurovascular obturador e o tronco nervoso lombossacro.

A incisão transversal [8] é 2 cm superior à sínfise púbica, e se estende a partir do anel inguinal externo ipsilateral até o anel externo contralateral. A linha alba é dividida na linha média, correndo verticalmente de inferior para superior. É preciso ter cuidado para permanecer em posição extraperitonial na porção proximal. Com a proteção da bexiga, o músculo reto do abdome ipsilateral é elevado com dissecção cortante a partir da sínfise púbica e do ramo superior do púbis. A seguir, o músculo reto do abdome e os vasos epigástricos inferiores são afastados lateral e anteriormente para protegê-los, e o restante do procedimento cirúrgico é executado debaixo dos vasos ilíacos, do nervo femoral e do músculo psoas.

Uma pletora de anastomoses vasculares é frequentemente encontrada, incluindo a *corona mortis*, que são ligadas conforme a necessidade. O ramo do vaso nutriente da artéria iliolombar está frequentemente cortado pela fratura ou rompido durante a elevação do músculo ilíaco. Antes da elevação do músculo ilíaco posterior, esse vaso deve ser pinçado para evitar hemorragia excessiva. Linfonodos grandes podem também precisar ser afastados ou excisados.

A exposição adicional é desenvolvida de anterior para posterior ao longo da borda pélvica, com a divisão cortante e elevação da fáscia iliopectínea superiormente e a fáscia obturadora inferiormente. O acesso completo à articulação sacroilíaca pode ser obtido seguindo em direção posterior. A elevação do músculo psoas expõe a escora ciática e o aspecto posterior da borda pélvica. A exposição da asa sacral é obtida com a retração gentil do psoas e dos vasos ilíacos. A exposição adicional do ilíaco pode ser feita com uma via de acesso separada a partir da janela lateral da via de acesso ilioinguinal.

Durante o fechamento, drenos podem ser necessários no espaço de Retzius, sobre a superfície quadrilátera e ao longo da fossa ilíaca interna. Por fim, a linha alba é reparada com fios não reabsorvíveis, seguido pelo fechamento da pele.

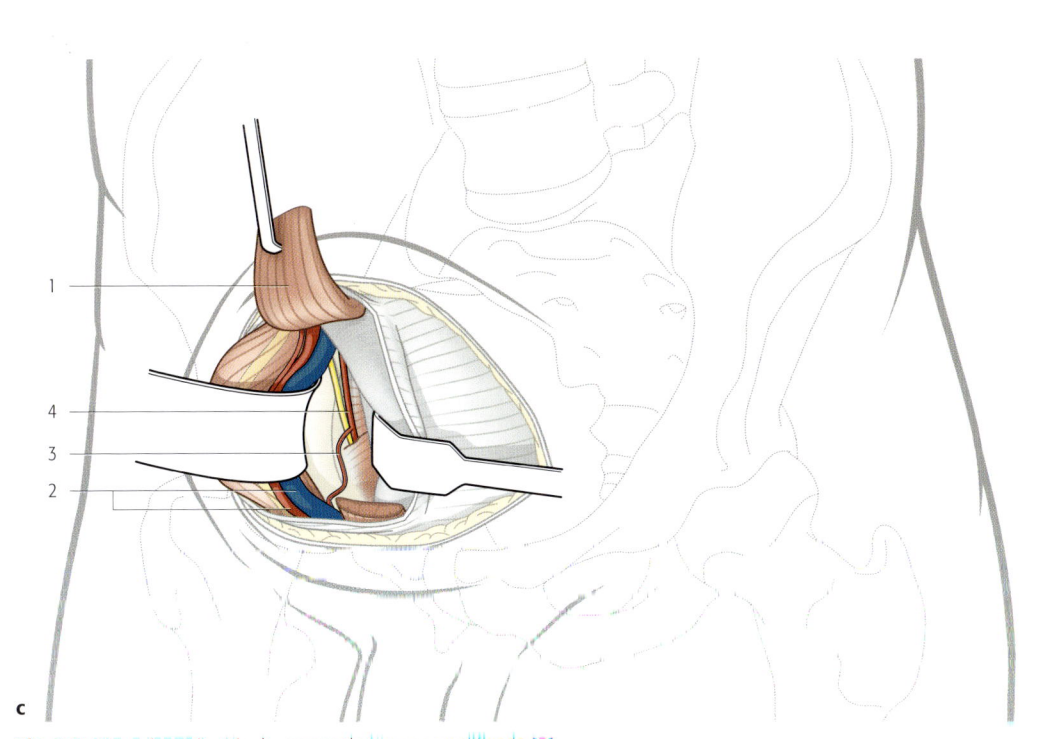

Fig. 6.5-14a-c (cont.) Via de acesso de Stoppa modificada [2].

c Afastamento do músculo reto do abdome (1) e dos vasos ilíacos externos (2). Demonstração do ramo anastomótico da artéria epigástrica inferior (3) e artéria obturadora (4).

Fraturas específicas
6.5 Acetábulo

6.1.4 Luxação cirúrgica anterior do quadril

Uma via de acesso de Kocher-Langenbeck com posição em decúbito lateral é usada. A mobilização do músculo glúteo médio e a exposição do tendão do piriforme são desnecessárias. O eletrocautério é usado para marcar o músculo glúteo médio na borda posterior do trocanter maior. A borda posterior do músculo glúteo médio é então traçada distalmente à crista posterior do músculo vasto lateral (**Fig. 6.5-15**).

A osteotomia trocantérica de 1,5 cm de espessura é então executada com uma serra oscilante, seguindo a linha traçada pelo eletrocautério. A pré-perfuração de dois parafusos corticais de 3,5 mm é preferível para fixar a osteotomia. Na sua extremidade distal, a osteotomia deve sair ao nível da crista do vasto. O músculo vasto lateral é liberado ao longo da sua borda posterior até o nível do tendão do glúteo máximo e o trocanter maior é rebatido anteriormente. A liberação das fibras posteriores restantes do músculo glúteo médio permite a mobilização livre do segmento trocantérico. A exposição adicional pode ser obtida pela elevação dos músculos vasto lateral e intermédio, a partir dos aspectos lateral e anterior do fêmur, respectivamente. O músculo glúteo médio, o fragmento trocantérico e o músculo vasto lateral são refletidos anteriormente como um único segmento. O músculo glúteo mínimo é elevado a partir da cápsula do quadril. A flexão e a rotação externa do quadril permitem a visualização da cápsula anterior, superior e posterossuperior do quadril.

A incisão da cápsula começa na sua superfície anterolateral, em paralelo ao eixo longo do colo. Distalmente, na base do colo, a incisão curva anterior e inferiormente ao longo da reflexão da cápsula anterior.

> A incisão capsular deve permanecer anterior ao trocanter menor para evitar lesão da artéria circunflexa femoral medial.

Proximalmente, na borda do acetábulo, a incisão curva posteriormente, permanecendo em paralelo ao lábio, criando uma capsulotomia em forma de Z.

Nesse momento é possível deslocar o quadril anteriormente com a flexão e rotação externa do quadril. A perna é colocada em uma bolsa estéril em frente à mesa. Isso permite a visualização da cabeça femoral, do lábio e de toda a superfície articular do acetábulo. O debridamento da articulação e a fixação dos fragmentos da cabeça femoral podem agora ser executados.

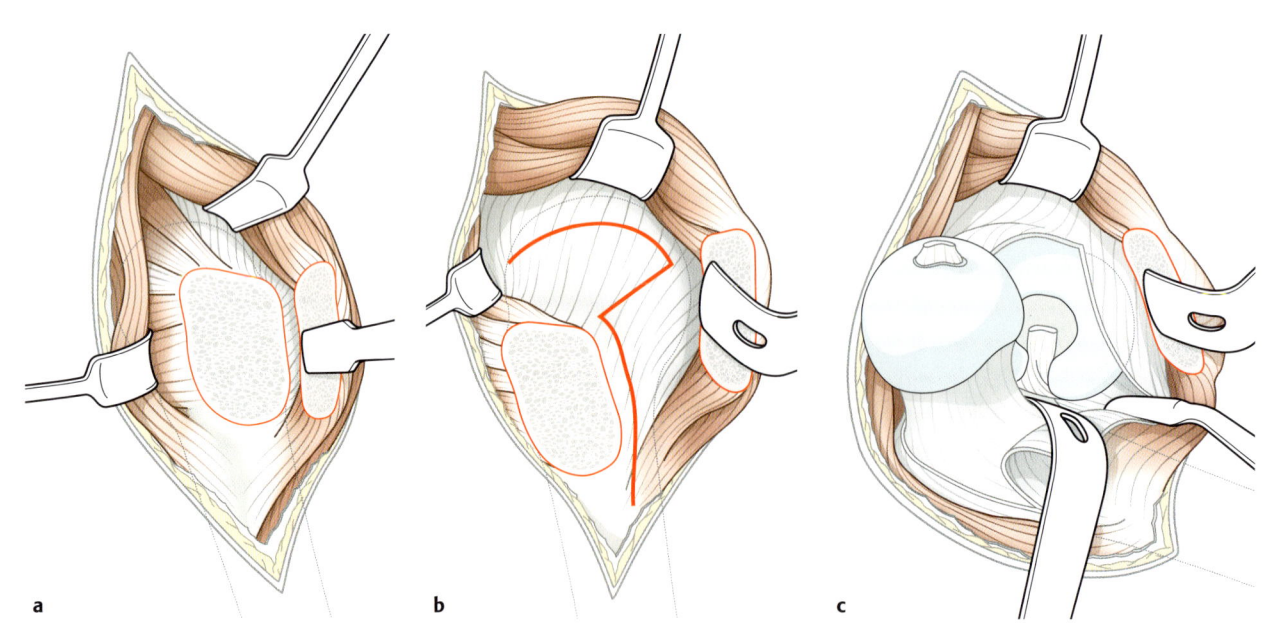

Fig. 6.5-15a-c Luxação cirúrgica de quadril (via de acesso de "Berna") [4]. A exposição inicial é pela via de acesso de Kocher-Langenbeck.
a Osteotomia trocantérica deslizante. Rebatimento do trocanter e dos músculos glúteo médio e glúteo mínimo inseridos, com exposição da cápsula articular.
b Delineamento da incisão capsular em formato de Z.
c Luxação do quadril com exposição da superfície articular do acetábulo.

Durante o fechamento, os drenos podem ser colocados profundamente ao tensor da fáscia lata. A capsulotomia é reparada. O trocanter maior é fixado usando dois parafusos corticais de 3,5 mm posicionados em direção ao trocanter menor.

6.1.5 Extensível: iliofemoral estendida

O paciente é colocado na posição de decúbito lateral. A incisão tem o formato de um "J" invertido, começando na espinha ilíaca posterossuperior e se estendendo ao longo da crista ilíaca em direção à espinha ilíaca anterossuperior, onde ela continua distalmente ao longo do aspecto anterolateral da coxa [4, 11]. A musculatura ao longo da superfície externa da asa do ilíaco é liberada até a borda superior da incisura ciática maior e o aspecto anterossuperior da cápsula articular do quadril (**Fig. 6.5-16**).

A parte distal da incisão é efetuada através da bainha fascial do músculo tensor da fáscia lata, com a sua reflexão a partir da fáscia posterior. Afastando-o lateralmente [4], a fáscia do reto femoral é exposta e dividida. As cabeças reflexa e direta do músculo são afastadas medialmente para expor a aponeurose sobre o músculo vasto lateral [4]. A seguir, a fina bainha do músculo iliopsoas é exposta e longitudinalmente incisada. O músculo é descolado dos aspectos anterior e inferior da cápsula do quadril.

Os tendões do glúteo mínimo e médio são reparados e cortados, deixando pequenos manguitos.

Os abdutores são liberados na sua origem e inserção, tendo grande cuidado para evitar tração excessiva no pedículo glúteo superior, que passa pela incisura ciática.

Os rotadores externos do quadril são expostos. O acesso adicional à fossa ilíaca interna e ao acetábulo pode ser obtido por dissecção subperiostal dos músculos sartório e da cabeça direta do reto femoral, ou pela osteotomia das espinhas ilíacas. A superfície articular do acetábulo é exposta com uma capsulotomia marginal.

Várias outras exposições têm sido propostas [14, 16]. Dessas, a mais útil é a via de acesso trirradiada extensível de Mears [16].

6.2 Técnicas de redução e fixação interna

A tração intraoperatória permite a redução indireta dos fragmentos que tenham retido as inserções capsulares ou de partes moles.

Ela traciona a cabeça do fêmur para permitir a inspeção da articulação. Isso pode ser alcançado com uma mesa ortopédica de Judet [4] ou pelo posicionamento do paciente em uma mesa radiolucente com a perna preparada livre. A tração pode ser diretamente aplicada na coxa ou via um parafuso de Schanz colocado lateralmente no colo e na cabeça do fêmur. O distrator universal grande pode então ser aplicado.

Fraturas específicas
6.5 Acetábulo

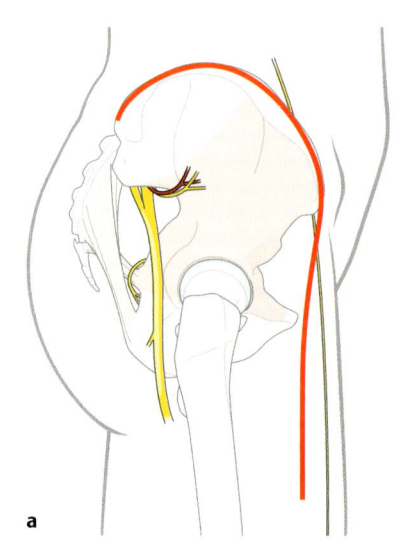

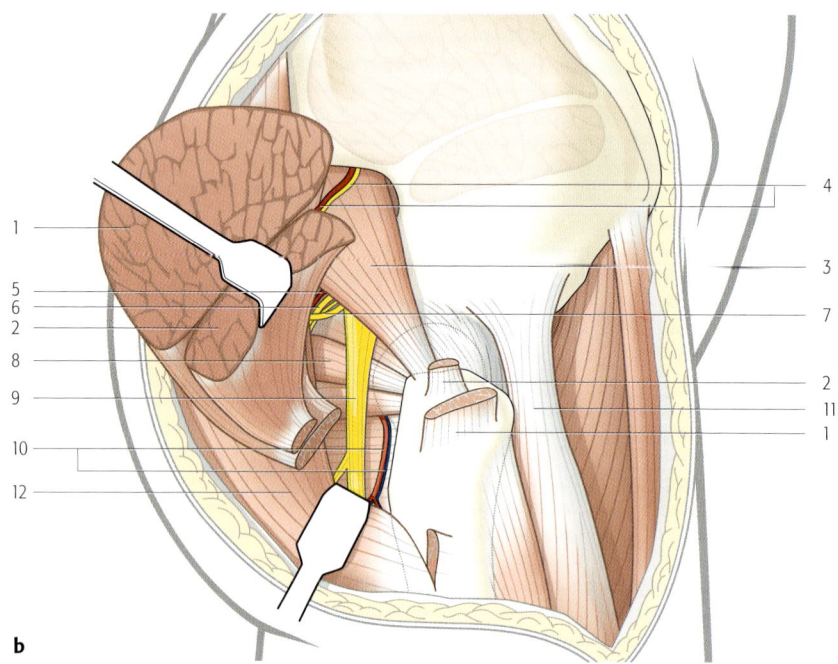

Fig. 6.5-16a-b Via de acesso iliofemoral estendida.
a Incisão da pele.
b Exposição profunda. Os músculos glúteo médio e mínimo são liberados na sua origem (asa do ilíaco) e inserção (fossa piriforme). Eles são mobilizados no pedículo vascular glúteo superior, conforme emerge pelo forame ciático superior. Esse pedículo, o nervo ciático e os vasos circunflexos femorais mediais devem ser sempre protegidos.

1 Músculo glúteo médio
2 Músculo glúteo mínimo
3 Músculo piriforme
4 Nervo e artéria glúteos superiores
5 Artéria glútea inferior
6 Nervo pudendo
7 Nervo glúteo inferior
8 Músculo obturador interno
9 Nervo ciático
10 Vasos circunflexos femorais mediais
11 Músculo reto femoral
12 Músculo glúteo máximo

Há uma grande variedade de instrumental especializado para redução. Vários desses podem ser necessários para corrigir cada um dos vetores de deslocamento. As pinças "King Tong" e "Queen Tong" são projetadas para a aplicação a partir da espinha ilíaca anteroinferior nas superfícies pélvicas externa ou interna, ou na incisura ciática maior. A pinça de Farabeuf (pinça de redução pélvica grande) é ancorada com parafusos temporários em cada lado da linha de fratura maior, fornecendo significativa alavancagem e controle rotacional dos fragmentos (**Vídeo 6.5-1**) (ver Cap. 3.1.1).

Várias colunas de ossos fornecem pega excelente para parafusos, incluindo a crista ilíaca, a crista glútea, a escora ciática, a coluna anterior e a coluna posterior.

A articulação sacroilíaca deslocada ou uma fratura sacral desviada é habitualmente reduzida e fixada antes da redução da fratura do acetábulo.

6.2.1 Redução aberta e fixação interna através da via de acesso posterior

A diastase da articulação do quadril é mais adequadamente alcançada com um distrator grande universal, com um parafuso de Schanz de 5 mm na escora ciática proximalmente e um segundo Schanz no fêmur ao nível do trocanter menor. Isso permite a exposição da articulação, a remoção dos fragmentos livres e a redução de quaisquer fraturas de impacção marginal. Depois da tração ter sido liberada, a cabeça femoral fornece um gabarito para a redução articular. Enxerto ósseo esponjoso autógeno, obtido através de uma janela pequena no trocanter maior, é usado para sustentar os fragmentos marginais reduzidos (**Fig. 6.5-17**).

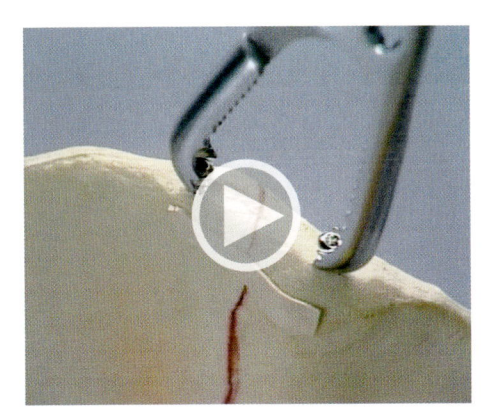

Vídeo 6.5-1 A pinça de Farabeuf é presa ao osso com parafusos corticais e ajuda na redução da asa do ilíaco.

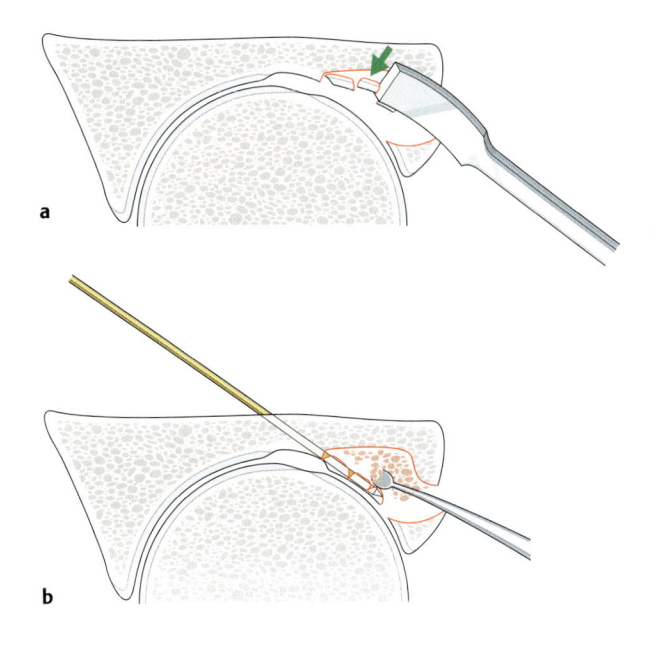

Fig. 6.5-17a-c Fratura da parede posterior.
a Impacção marginal central e rotada da superfície articular. Esta área deve ser cuidadosamente elevada e moldada contra a cabeça femoral.
b O defeito resultante é preenchido com autoenxerto esponjoso ou um substituto ósseo.
c A fratura da parede é reduzida e fixada com fios reabsorvíveis, fios de Kirschner ou um parafuso de 3,5 mm.

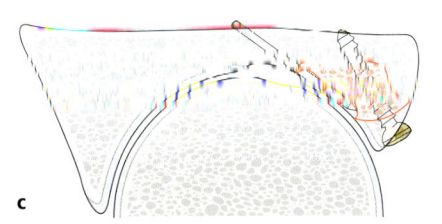

Fraturas específicas
6.5 Acetábulo

Fraturas da parede posterior: tipo 62A1

O aspecto medial de cada fragmento da parede posterior deve ser suficientemente liberado dos tecidos moles para permitir a redução precisa e reter tanta inserção capsular quanto possível para preservar o suprimento sanguíneo. Estes fragmentos são reduzidos e seguros no lugar pelo impactor reto com ponta esférica, seguido pela fixação provisória com fios de Kirschner. Uma placa de reconstrução de 3,5 é aplicada em modo de suporte sobre a parede posterior reduzida e ancorada ao ilíaco proximalmente e ao ísquio distalmente. A submoldagem (hipomoldada) dessa placa, em relação à parede posterior, ajudará na redução e comprimirá a fratura (**Fig. 6.5-18, Vídeo 6.5-2**). Para prevenir o desvio da fratura, um ou mais parafusos de tração devem ser colocados através da placa e da parede posterior para dentro da coluna posterior. Se uma fragmentação significativa prevenir a fixação de cada um dos fragmentos articulares com um parafuso de tração, então são usadas placas molas com gancho (**Fig. 6.5-19**). Quando subdobradas, fazem o suporte e a redução dos fragmentos pequenos à cabeça femoral. Ter cuidado para garantir que os ganchos da placa tensionada não empalem o lábio e fiquem suficientemente longe da borda da articulação para não arranhar a cabeça do fêmur.

Fraturas da coluna posterior: tipo 62A2

A coluna posterior está geralmente desviada no sentido posteromedial e com rotação interna.

> A compreensão do elemento rotacional do desvio é essencial para ajudar na redução precisa.

Isso é habitualmente realizado com uma pinça aplicada a parafusos bicorticais de 4,5 mm inseridos em cada um dos principais fragmentos da coluna (uma versão de 3,5 mm está disponível em alguns kits pélvicos). A derrotação adicional da porção inferior da coluna posterior pode ser alcançada com um parafuso de Schanz de 5 mm inserido no ísquio ou com uma pinça de redução pélvica com ponta arredondada que é colocada na incisura ciática. O pedículo neurovascular glúteo pode ser danificado durante essa manobra e deve ser protegido. Depois da redução e fixação provisória com um fio de Kirschner, uma placa de reconstrução de 3,5 (**Fig. 6.5-20**) é aplicada desde o ísquio até o ilíaco. Um parafuso de tração através da fratura, na coluna anterior, fornecerá estabilidade absoluta. As fraturas da coluna posterior (tipo A2) raramente ocorrem de forma isolada e são frequentemente associadas a uma fratura da parede posterior. Nesses casos, o fragmento da parede deve ser tratado a seguir, com uma placa de suporte separada.

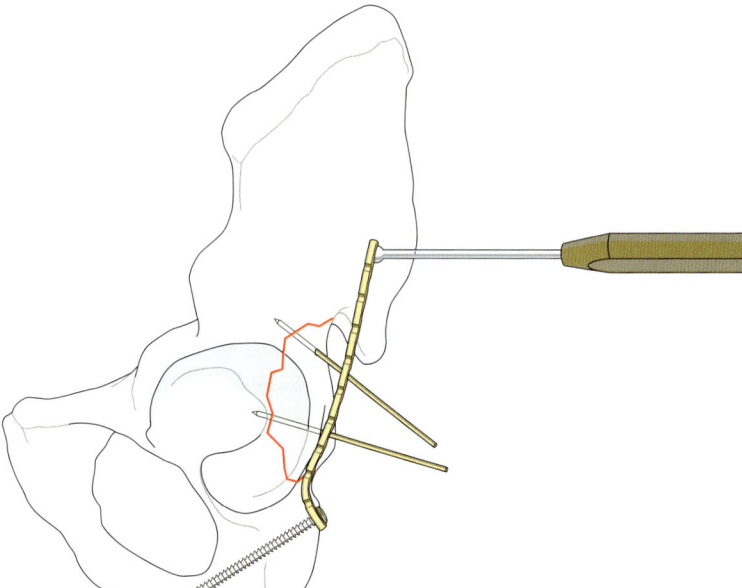

Fig. 6.5-18 Colocação posterior de uma placa submoldada (hipomoldada) durante a redução de uma fratura da parede posterior. A placa funciona como uma escora, fornecendo fixação estável.

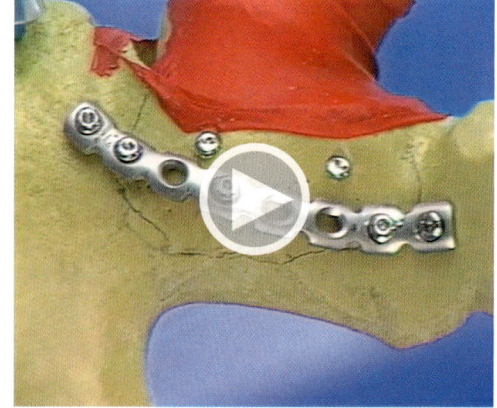

Vídeo 6.5-2 Parafusos de tração e uma placa de reconstrução de 3,5, que é hipomoldada para funcionar como uma placa de suporte, usada para fixar uma fratura da parede posterior.

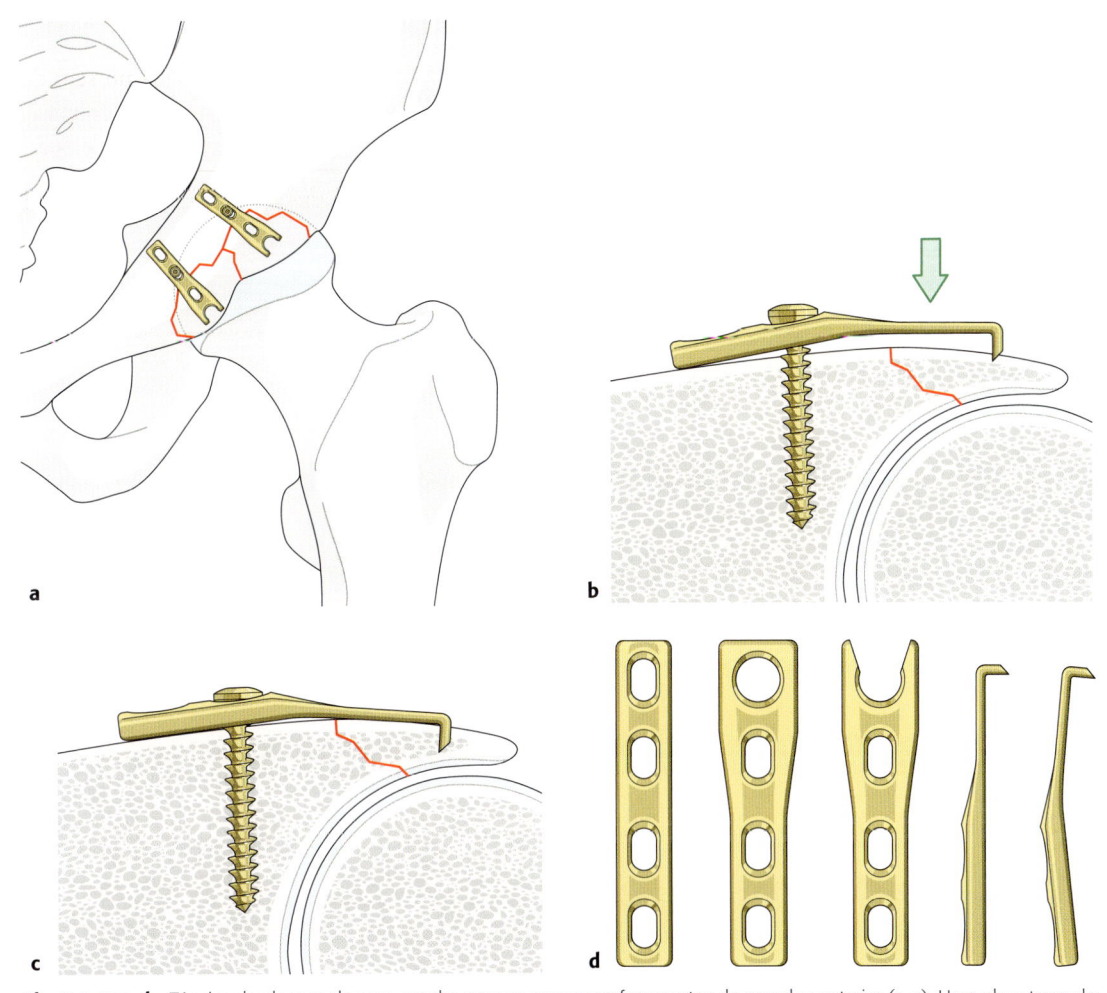

Princípios AO do tratamento de fraturas
Volume 2

Fig. 6.5-19a-d Técnica da placa mola com gancho para os pequenos fragmentos de parede posterior (**a-c**). Uma placa terço de tubo é adaptada pelo cirurgião e atua como suporte (**d**).

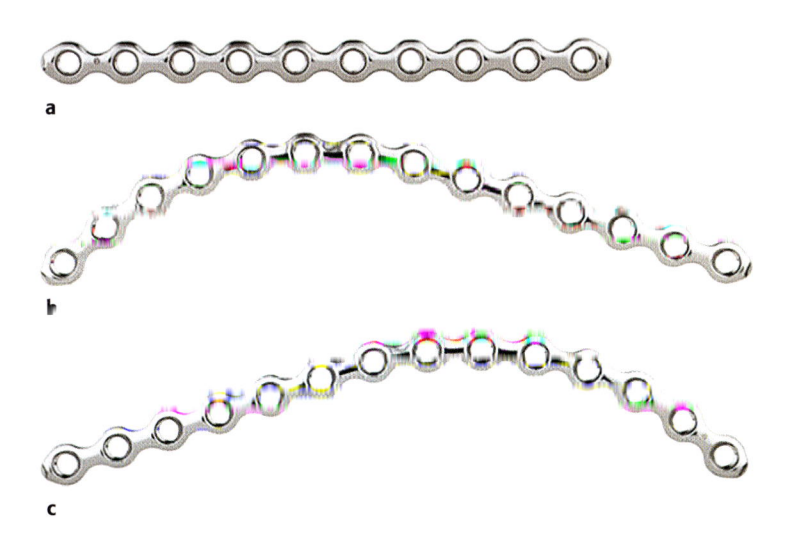

Fig. 6.5-20a-c O sistema pélvico de perfil baixo oferece placas de reconstrução de 3,5 com grande ângulo e placas bloqueadas de 3,5 de reconstrução com baixo perfil em formatos diferentes.

765

Fraturas específicas
6.5 Acetábulo

Fraturas transversas: tipo 62B1

Elas requerem técnicas similares àquelas usadas para as fraturas do tipo A2, exceto se a redução for mais difícil devido ao envolvimento adicional da coluna anterior. Uma manobra elegante é em primeiro lugar fixar uma placa em um dos fragmentos da fratura, e então usar a placa como uma ferramenta de redução. Depois da fixação provisória e inspeção, a estabilização é obtida com uma placa de reconstrução de 3,5 aplicada à superfície retroacetabular e parafuso(s) de tração. Essa placa deve ser usada para comprimir os segmentos da coluna anterior e é apertada até a coluna posterior (**Fig. 6.5-21**). A dobra da ponta, como a feita para as fraturas da parede posterior (tipo A1), realmente levará à diastase da coluna anterior nas fraturas transversas puras (tipo B1). Um parafuso de tração de posterior para anterior evitará o desvio da coluna anterior. O parafuso geralmente pode ser colocado através da placa de compressão posterior e deve ficar orientado em paralelo à superfície quadrilátera para evitar a penetração articular (**Fig. 6.5-22**). No caso de uma impacção circunscrita da superfície articular, esta área deve ser reduzida anatomicamente e o defeito ósseo resultante é preenchido com autoenxerto esponjoso (ou substituto ósseo). A redução temporária pode ser obtida com um fio reabsorvível, um fio de Kirschner ou um parafuso.

Fraturas da coluna/parede anterior: tipo 62A3

A redução é facilitada pela flexão do quadril para relaxar as estruturas que cruzam anteriormente à articulação do quadril. A tração manual com um parafuso de Schanz inserido através do aspecto lateral do fêmur até a cabeça femoral irá efetuar a redução da fratura por ligamentotaxia. Um segundo parafuso de Schanz é inserido na crista ilíaca para ajudar a reduzir a rotação externa da fratura desviada.

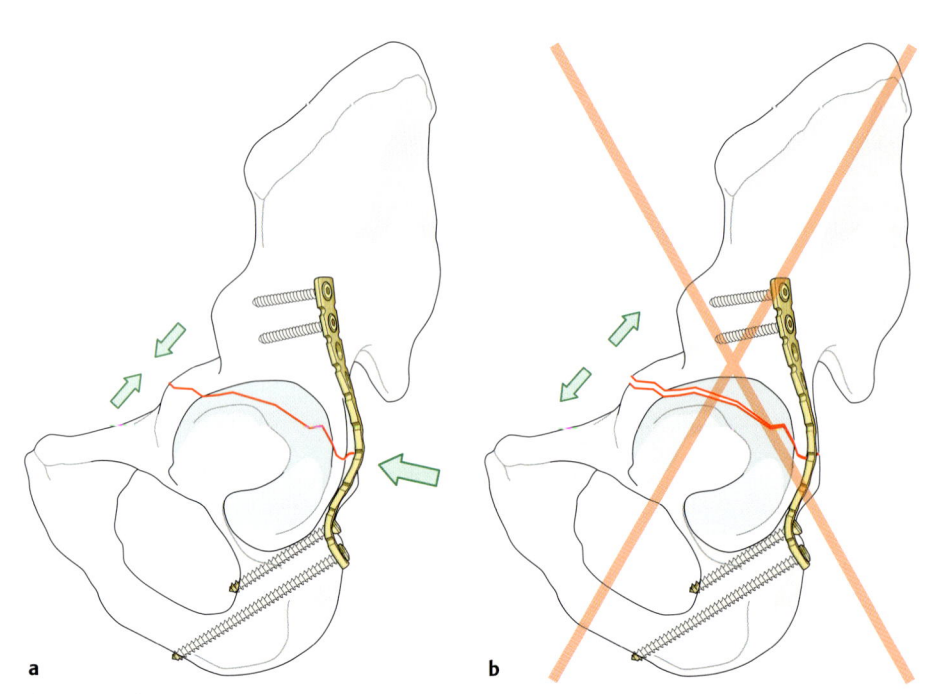

Fig. 6.5-21a-b
a   Colocação posterior de uma placa hipermoldada durante a fixação de uma fratura transversa resultará em forças compressivas sobre a porção anterior da fratura e uma redução ideal.
b   Em contraste, a colocação de uma placa hipomoldada durante a redução de uma fratura transversa levará à distração anterior da fratura. Isto não deve ser feito.

A coluna anterior é reduzida à asa do ilíaco intacta e temporariamente estabilizada com um fio de Kirschner ou um parafuso de tração de 3,5 mm na escora ciática. Por fim, quaisquer fraturas da parede anterior ou de ramo púbico superior são reduzidas e provisoriamente fixadas (**Fig. 6.5-23**).

Cada passo é crítico para o desfecho do procedimento, o que inclui uma redução precisa de todos os fragmentos da fratura, uma vez que a superfície articular não é visualizada diretamente por essa via de acesso.

6.3 Padrões complexos de fratura

6.3.1 Fraturas em forma de T: tipo 62B2

Essas estão entre as mais difíceis de todos os tipos de fratura para tratar, já que o segmento inferior está separado em fragmentos anterior e posterior por um componente vertical que quebra o anel obturador.

A fixação bem-sucedida dessa fratura, por meio de uma via de acesso posterior, é dependente da habilidade do cirurgião em palpar a coluna anterior através da incisura ciática maior. É impossível controlar o fragmento separado da coluna anterior pela manipulação dos fragmentos da coluna posterior. Assim, o cirurgião deve estar familiarizado com o posicionamento dos instrumentos na incisura ciática e com o seu uso para manipular o fragmento da coluna anterior depois da estabilização provisória da coluna posterior. Os implantes da coluna posterior que cruzam a coluna anterior tornarão tal redução difícil, se não impossível. A fixação definitiva é realizada com uma placa de compressão posterior e parafusos de tração, como nas fraturas transversas puras (tipo B1).

Uma estratégia alternativa, preferida por alguns cirurgiões, é uma via de acesso anterior com redução direta da coluna anterior que é estabilizada com uma placa e redução indireta da coluna posterior, que é estabilizada com um parafuso através da coluna.

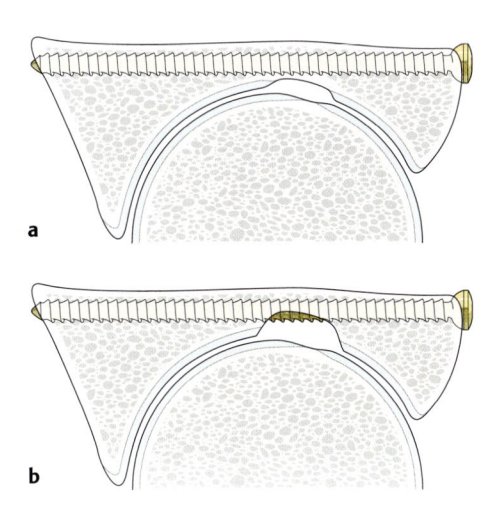

Fig. 6.5-23a–b
a Posição ideal para um parafuso de tração em paralelo à lâmina quadrilátera.
b Um parafuso, que cruza profundamente dentro da fossa cotiloide, pode ser retido até a consolidação da fratura.

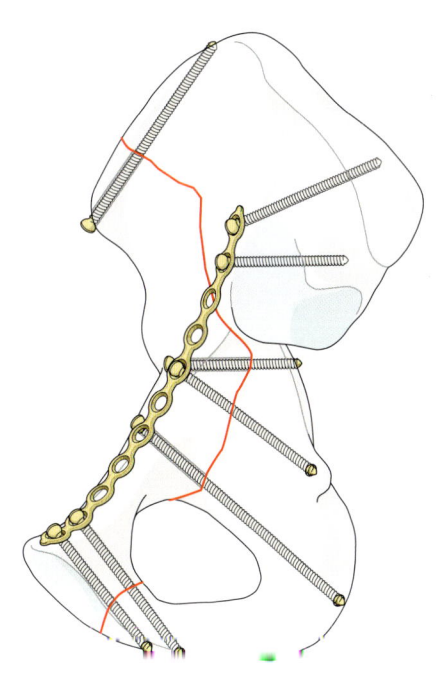

Fig. 6.5-23 Placa de proteção da borda pélvica. Ela protege a fixação com parafuso de tração da fratura reduzida com uma placa de reconstrução pélvica de pequenos fragmentos pré-moldada é aplicada para se ajustar à fratura reduzida. A placa transpõe o segmento reduzido da borda pélvica da coluna anterior. Ela se estende superiormente até a parte interna da fossa ilíaca, na frente da articulação sacroilíaca, e inferiormente até a parte inferior do ramo púbico superior e o corpo do púbis. Um número suficiente de parafusos é colocado através dos orifícios da placa. Parafusos de tração interfragmentadas podem, por vezes, ser aplicados através da placa. Todo parafuso deve ser colocado de forma extra-articular.

Fraturas específicas
6.5 Acetábulo

6.3.2 Coluna anterior, hemitransversa posterior: tipo 62B3

A reconstrução desta lesão começa com a redução dos fragmentos periféricos da fratura até a pelve intacta. Trabalhando da periferia em direção à superfície articular, os fragmentos são consecutivamente reduzidos e estabilizados. A coluna anterior é reduzida à asa do ilíaco intacta e temporariamente estabilizada com um fio de Kirschner ou um parafuso de tração de 3,5 mm na escora ciática.

Após a redução anatômica e estabilização da coluna anterior, a coluna posterior rodada e medialmente desviada é reduzida até a coluna anterior restaurada. Isto com frequência requer a tração lateral e anterior do quadril com um parafuso de Schanz na cabeça femoral e pinça de redução pélvica especialmente projetada. Um dente da pinça é colocado na superfície externa do ilíaco, através de uma pequena exposição limitada, e o outro dente é colocado sobre a lâmina quadrilátera e/ou na coluna posterior. Com um pequeno gancho ósseo suplementar ou pinça colinear deslizada abaixo da lâmina quadrilátera até a espinha isquiática, a coluna posterior pode ser tracionada até a coluna anterior. Com a redução da coluna posterior, parafusos de tração de 3,5 mm são inseridos através da borda pélvica superior até o acetábulo, para dentro da coluna posterior. Eles devem ser paralelos à superfície quadrilátera, apontando para a espinha isquiática (**Figs. 6.5-24-25**). Para outras manobras e truques valiosos, ver Capítulo 3.1.1.

A fixação definitiva da maioria dos tipos de fratura envolve uma placa de reconstrução de 3,5 moldada ao longo da fossa ilíaca, através da eminência iliopectínea até o tubérculo púbico e a coluna púbica (**Fig. 6.5-24**). Essas placas não devem cruzar a sínfise púbica, a menos que haja fraturas de ramos ou envolvimento associado da sínfise do púbis com uma lesão associada do anel pélvico. A placa deve estar perfeitamente moldada. Caso contrário, a sua fixação à pelve pode desviar a fratura acetabular.

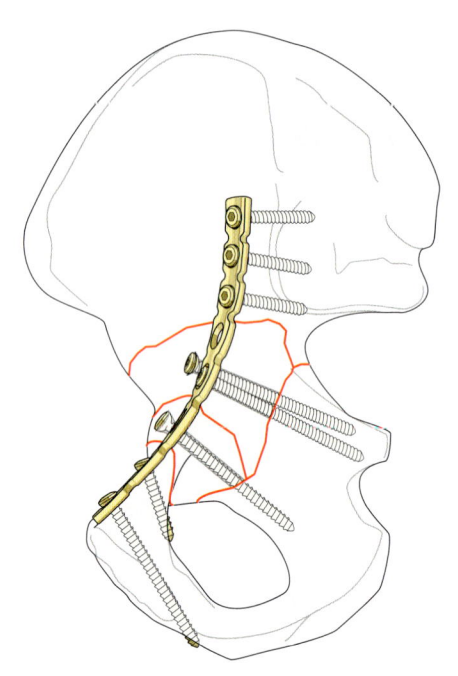

Fig. 6.5-24 Em geral, a fixação anterior inclui pelo menos dois parafusos dentro do púbis, dois na asa do ilíaco intacta e qualquer número de parafusos bicorticais ou de tração através de uma placa de reconstrução de 3,5 moldada ao longo da borda pélvica. Neste exemplo, três parafusos – uma através da placa e dois por fora da placa – foram usados para tracionar a coluna posterior.

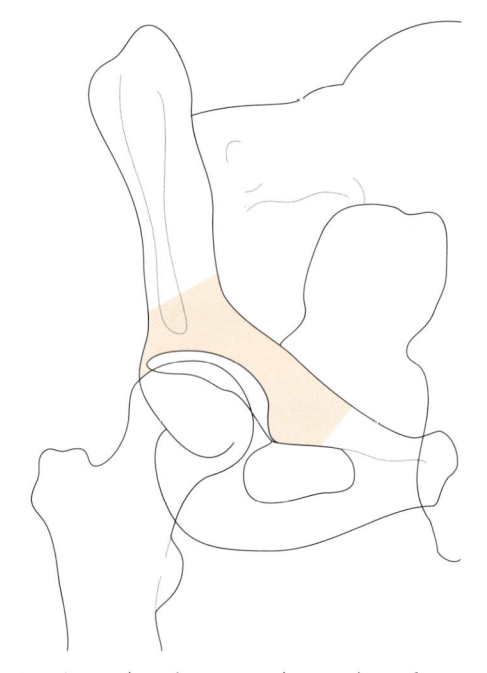

Fig. 6.5-25 A zona de perigo para a colocação de parafusos através da via de acesso ilioinguinal. Isto é mostrado em uma vista oblíqua obturadora que deve ser obtida durante a cirurgia. A zona de perigo estende-se a partir da borda anterior da eminência iliopectínea até a borda anterior da espinha ilíaca anteroinferior. Os parafusos posicionados nessa região podem facilmente penetrar a articulação. Se forem necessários, os parafusos devem ser colocados perfeitamente em paralelo à lâmina quadrilátera ou serem monocorticais.

6.3.3 Fraturas de ambas colunas: tipo 62C

O tratamento das lesões tipo C é similar àquele descrito para o tratamento de fraturas do tipo B3. A redução é habitualmente executada por meio de uma via de acesso anterior.

Cada linha de fratura deve ser cuidadosamente irrigada e debridada para remover o hematoma e pequenos fragmentos. A reconstrução da coluna anterior deve ser perfeitamente executada, desde a crista ilíaca até a sínfise púbica, para fornecer um gabarito anatômico para a redução subsequente da coluna posterior até a coluna anterior. O segmento da coluna anterior está habitualmente encurtado e externamente rodado. Para reduzir esse segmento até a asa do ilíaco intacta, uma quantidade significativa de tração longitudinal é frequentemente necessária.

Após a redução anterior e fixação, o componente da coluna posterior é abordado. As técnicas de redução e fixação são similares àquelas descritas para as lesões do tipo B3. (**Figs. 6.5-24-25**).

Algumas fraturas de ambas as colunas (tipo C), nas quais a extensão vertical envolve a articulação sacroilíaca, podem precisar de uma via de acesso iliofemoral estendida.

7 Avaliação da redução e fixação

Depois da redução e fixação inicial, o acetábulo reconstruído deve ser avaliado com intensificador de imagem e radiografias intraoperatórias (vistas pélvicas em AP, obturadora e alar oblíqua) para confirmar que a redução satisfatória foi alcançada e também antes do fechamento para garantir que não haja nenhum material de síntese em posição intra-articular inadvertida [17].

Dependendo da exposição usada, a adequação da redução da coluna posterior à coluna anterior é determinada pela palpação digital ao longo da superfície quadrilátera, ou por meio das incisuras ciáticas maior e menor. A movimentação do quadril enquanto a superfície quadrilátera é tocada com um dedo pode detectar a presença de qualquer crepitação na articulação, um indicativo de fragmentos ósseos residuais ou parafusos intra-articulares.

8 Fraturas do acetábulo e osteoporose

Desfechos cirúrgicos bons e excelentes podem ser obtidos depois da estabilização cirúrgica das fraturas do acetábulo em alguns pacientes idosos [15]. Entretanto, a osteoporose grave pode limitar a capacidade de alcançar uma fixação estável. Em certas situações, a probabilidade de uma redução imperfeita aumenta com o avançar da idade [18].

Por conseguinte, a artroplastia total primária do quadril deve ser considerada no idoso se houver:

- Osteoartrite significativa
- Fragmentos articulares múltiplos
- Impacção ou dano na cabeça femoral
- Impacção de > 40% da superfície articular do acetábulo
- Outros fatores associados a uma redução imperfeita [13, 15]

Em mãos experientes, a redução aberta limitada e fixação interna podem ser executadas por meio de uma via de acesso anterior ou posterior, restaurando a anatomia, para então executar uma substituição articular aguda.

Em pacientes com condições clínicas preexistentes graves, o tratamento não cirúrgico ou a fixação minimamente invasiva e percutânea deve ser considerada [19].

9 Tratamento pós-operatório e reabilitação

Os antibióticos profiláticos são dados a todos os pacientes e a profilaxia tromboembólica também é recomendada. São recomendadas as radiografias pós-operatórios (vistas em AP da pelve, obturadora e alar oblíqua). A TC é usada se as radiografias simples não confirmarem uma redução adequada ou não demonstrarem com clareza que os parafusos não penetraram na articulação. Também é útil para a avaliação da congruência articular.

A formação de osso heterotópico é comum depois do desnudamento dos músculos da superfície externa da asa do ilíaco. Isso ocorre durante as vias de acesso iliofemoral e de Kocher-Langenbeck e se a via de acesso ilioinguinal for estendida até essa área. Uma pequena quantidade de osso heterotópico em geral não causa nenhum sintoma, mas quantidades maiores podem causar rigidez ou até anquilose. A indometacina (75 mg de liberação prolongada) via oral uma vez um dia por 6 semanas fornece profilaxia contra a formação de osso heterotópico [15]. Uma dose baixa única de radiação (800 cGy) tem se mostrado efetiva também [15].

A mobilização precoce deve ser enfatizada e os pacientes são encorajados a ficarem sentados dentro das primeiras 24-48 horas após a cirurgia.

Os pacientes são, então, liberados a fazer o apoio parcial com muletas. Os exercícios de fortalecimento e treinamento da marcha são iniciados pelo fisioterapeuta. Entretanto, a carga de apoio não é aumentada por 6-8 semanas. Depois de uma via de acesso estendida iliofemoral ou uma osteotomia trocantérica, a abdução ativa é evitada por 6-8 semanas. Durante o terceiro mês, o paciente tem permissão para progredir até a carga de apoio completa, dependendo de evidência radiográfica de consolidação.

10 Complicações

10.1 Complicações precoces

As complicações intraoperatórias incluem [4, 6, 9, 14]:

- Lesão neurovascular
- Redução inadequada
- Penetração articular por parafusos
- Embolia pulmonar (EP)

As complicações pós-operatórias precoces incluem [4, 8, 9, 14]:

- Trombose venosa profunda (TVP)
- Necrose de pele
- Infecção
- Perda de redução
- Tromboembolismo e embolia pulmonar fatal

A incidência de infecção é de 4-5% [4] e é mais alta nas vias de acesso extensíveis. Uma lesão iatrogênica do nervo ciático ou o agravamento de um déficit preexistente podem causar problemas significativos. Quando correlacionadas com a experiência da equipe cirúrgica [15, 20], mesmo os cirurgiões mais experientes relatam taxas de complicação de 2-3% [10]. A incidência de TVP detectada por rastreamento de veia proximal é de aproximadamente 30%. Um estudo recente [12] verificou que a taxa global de embolia pulmonar era de 1,7%, e a taxa global de embolia pulmonar fatal era de 0,3%.

10.2 Complicações tardias

As complicações tardias incluem [4, 9, 14, 21]:

- Ossificação heterotópica
- Condrólise
- Necrose avascular
- Artrose pós-traumática

A metanálise confirmou que a osteoartrite ocorre em aproximadamente 20% dos pacientes [9] e é a complicação mais comum em longo prazo.

> A artrose pós-traumática está diretamente relacionada à qualidade da redução – quanto melhor a redução, maior a chance de um resultado bom ou excelente.

Outras complicações tardias ocorrem em menos de 10% dos casos. A ossificação heterotópica (tanto clinicamente significativa quanto irrelevante) é o achado mais comum após a fixação cirúrgica das fraturas do acetábulo, com uma incidência variando de 18-90% [4, 10]. A incidência de necrose avascular da cabeça femoral após o tratamento cirúrgico das fraturas do acetábulo varia de 3-9%.

11 Prognóstico e desfechos

Os fatores que influenciam o desfecho funcional do paciente incluem [1, 8, 20]:

- Fatores do paciente: por exemplo, idade, comorbidades, lesões associadas
- Fatores da fratura: por exemplo, cominução e impacção, envolvimento do domo de apoio, luxação de quadril associada, lesão da cabeça femoral
- Fatores cirúrgicos: acurácia da redução (desfechos abaixo do ideal estão ligados a reduções imperfeitas de mais de 2-3 mm)
- Complicações: por exemplo, infecção, osso heterotópico, necrose avascular

Existe uma correlação forte entre a acurácia da redução da fratura e o desfecho clínico [1, 4, 8, 10, 18]. Entretanto, o grau radiográfico da artrite nem sempre se correlaciona com o desfecho clínico. Alguns pacientes têm achados radiográficos sem sintomas, enquanto outros têm sintomas artríticos sem achados radiográficos, possivelmente devido às limitações da radiografia simples. Embora 20% dos pacientes desenvolvam osteoartrite, uma metanálise [9] verificou que apenas 8% precisarão de uma operação adicional, em geral uma artroplastia de quadril. De fato, 75-80% alcançarão um resultado bom a excelente em uma média de 5 anos depois da lesão. Apesar da dissecção da musculatura do quadril durante a via de acesso cirúrgica, a maioria dos pacientes recupera a força muscular normal, com alterações apenas mínimas na postura corporal e na mobilidade do membro afetado.

A avaliação dos desfechos com o uso de escores de avaliação funcional musculoesquelética mostra que alguns pacientes com fraturas acetabulares têm função pior se comparados com a população normal. Isso indica que o retorno completo a um nível funcional pré-lesão é incomum, apesar dos escores clínicos bons a excelentes de Merle d'Aubigné [1].

12 Referências

4. **Tannast M, Najibi S, Matta JM.** Two to twenty-year survivorship of the hip in 810 patients with operatively treated acetabular fractures. *J Bone Joint Surg Am.* 2012 Sep 5; 94(17):1559–1567.
5. **Judet R, Judet J, Letournel E.** Fractures of the acetabulum: classification and surgical approaches for open reduction. Preliminary report. *J Bone Joint Surg Am.* 1964 Dec;46:1615–1646.
6. **Letournel E.** Acetabulum fractures: classification and management. *Clin Orthop Relat Res.* 1980 Sep;(151):81–106.
7. **Letournel E, Judet R.** *Fractures of the Acetabulum.* Berlin: Springer-Verlag; 1993.
8. **Tile M, Helfet DL, Kellam JF, et al.** *Comprehensive Classification of Fractures in the Pelvis and Acetabulum.* Berne, Switzerland: Maurice E Müller Foundation; 1995.
9. **Haidukewych GJ, Scaduto J, Herscovici D Jr, et al.** Iatrogenic nerve injury in acetabular fracture surgery: a comparison of monitored and unmonitored procedures. *J OrthopTrauma.* 2002 May;16(5):297–301.
10. **Gary JL, VanHal M, Gibbons SD, et al.** Functional outcomes in elderly patients with acetabular fractures treated with minimally invasive reduction and percutaneous fixation. *J Orthop Trauma.* 2012 May;26(5):278–283.
11. **Tornetta P 3rd.** Displaced acetabular fractures: indications for operative and nonoperative management. *J Am Acad Orthop Surg.* 2001 Jan-Feb;9(1):18–28.
12. **Giannoudis PV, Grotz MR, Papakostidis C, et al.** Operative treatment of displaced fractures of the acetabulum. A meta-analysis. *J Bone Joint Surg Br.* 2005;87(1):2–9.
13. **Matta JM.** Fractures of the acetabulum: accuracy of reduction and clinical results in patients managed operatively within three weeks after the injury. *J Bone Joint Surg Am.* 1996 Nov;78(11):1632–1645.
14. **Tornetta P 3rd.** Non-operative management of acetabular fractures: the use of dynamic stress views. *J Bone Joint Surg Br.* 1999 Jan;81(1):67–70.
15. **Geerts W.** Venous thromboembolism in pelvic trauma. In: Tile M, Helfet DL, Kellam JF, Vrahas M, eds. *Fractures of the Pelvis and Acetabulum: Principles and Methods of Management.* Stuttgart: Thieme; 2015:377–399.
16. **Mears DC, Velyvis JH.** Acute total hip arthroplasty for selected displaced acetabular fractures: two to twelve-year results. *J Bone Joint Surg Am.* 2002 Jan;84-A(1):1–9.
17. **Starr AJ, Watson JT, Reinert CM, et al.** Complications following the "T extensile" approach: a modified extensile approach for acetabular fracture surgery—report of forty-three patients. *J Orthop Trauma.* 2002 Sep;16(8):535–542.
18. **Burd TA, Lowry KJ, Anglen JO.** Indomethacin compared with localized irradiation for the prevention of heterotopic ossification following surgical treatment of acetabular fractures. *J Bone Joint Surg Am.* 2001 Dec;83-A(12):1783–1788.
19. **Mears DC, Rubash HE.** Extensile exposure of the pelvis. *Contemp Orthop.* 1983;6:21–31.
20. **Norris BL, Hahn DH, Bosse MJ, et al.** Intraoperative fluoroscopy to evaluate fracture reduction and hardware placement during acetabular surgery. *J Orthop Trauma.* 1999 Aug;13(6):414–417.
21. **Murphy D, Kaliszer M, Rice J, et al.** Outcome after acetabular fracture. Prognostic factors and their inter-relationships. *Injury.* 2003 Jul;34(7):512–517.
22. **Ganz R, Gill TJ, Gautier E, et al.** Surgical dislocation of the adult hip a technique with full access to the femoral head and acetabulum without the risk of avascular necrosis. *J Bone Joint Surg Br.* 2001 Nov;83(8):1119–1124.
23. **Butterwick D, Papp S, Gofton W, el al.** Acetabular fractures in the elderly: evaluation and management. *J Bone Joint Surg Am.* 2015 May;97(9):758–768.
24. **Collinge C, Archdeacon M, Sagi HC.** Quality of radiographic reduction and perioperative complications for transverse acetabular fractures treated by the Kocher-Langenbeck approach: prone versus lateral position. *J Orthop Trauma.* 2011 Sep;25(9):538–542.

13 Agradecimentos

Agradecemos a Craig S. Bartlett e David L. Helfet por suas contribuições para este capítulo na 1ª e na 2ª edições de *Princípios AO do tratamento de fraturas*.

Fraturas específicas
6.5 Acetábulo

6.6.1 Fêmur, proximal

Rogier K. J. Simmermacher

1 Introdução

As fraturas nessa área anatômica única são responsáveis pelo maior uso mundial de recursos no trauma ortopédico. Com a população envelhecendo, existe a necessidade de uma atenção cuidadosa tanto das técnicas cirúrgicas quanto das vias para fornecer cuidados clinicamente efetivos aos delicados pacientes idosos que geralmente sofrem de tais fraturas.

1.1 Epidemiologia

A maioria das fraturas do quadril no idoso é causada por quedas da própria altura. Em 2000, estimou-se ter havido mundialmente 424 mil fraturas de quadril em homens e 1.098.000 em mulheres. Com base na demografia variável e no aumento da expectativa de vida, espera-se que no ano 2025 as fraturas de quadril em homens subam 89%, resultando em 800 mil fraturas de quadril por ano, enquanto o número de fraturas de quadril em mulheres subirá 69% e alcançará 1,8 milhão [1]. Além disso, 5% dos pacientes com fratura de quadril terão uma fratura por fragilidade simultânea (geralmente no punho) e há uma chance de 8% de apresentar uma fratura do quadril contralateral nos próximos 8 anos [2].

A fratura de quadril no idoso está associada a uma mortalidade dentro do primeiro ano de quase 30%. Também existe uma diminuição considerável na mobilidade, e um terço dos pacientes tem uma diminuição em longo prazo nas atividades da vida diária que reduz a sua independência [3].

1.2 Características especiais

Esse grupo de pacientes foi cuidadosamente estudado, resultando em uma abordagem de equipe multidisciplinar mais efetiva. A equipe inclui clínicos, geriatras, anestesistas, fisioterapeutas, enfermeiros e ortopedistas, todos trabalhando juntos para fornecer cuidados adequados a esse grupo especial de pacientes.

2 Avaliação e diagnóstico

2.1 História do caso e exame físico

Uma avaliação completa geriátrica, clínica, anestésica e ortopédica do paciente é essencial, e a cirurgia deve ser feita sem demora, assim que o paciente seja considerado clinicamente apto para a cirurgia.

O paciente geralmente se apresenta com uma história de queda simples, seguida por dor e incapacidade em apoiar o seu peso. A dor prodrômica no quadril ocorre nos pacientes com fraturas patológicas e de estresse, bem como naqueles com artrite preexistente no quadril. É essencial uma história clínica completa para identificar comorbidades e outras potenciais causas de quedas recorrentes. Os fatores prognósticos fundamentais incluem a mobilidade, a condição residencial e o estado cognitivo, que devem ser registrados em todos os casos de pacientes idosos.

O exame clínico geralmente identificará o membro inferior encurtado e externamente rodado, com dor intensa à rotação do quadril. O exame médico completo é essencial, e o cirurgião ortopedista também deve avaliar a presença de fraturas por fragilidade associadas nos membros superiores, avaliar a condição neurovascular da perna à procura de doença vascular periférica e verificar a presença de úlceras de decúbito preexistentes. Mais detalhes sobre a investigação dos pacientes podem ser encontrados no capítulo sobre fraturas por fragilidade e cuidados orto-geriátricos (ver Cap. 4.8).

Em pacientes mais jovens, a fratura do quadril geralmente ocorre após um trauma de alta energia; assim, esses pacientes requerem uma avaliação completa para trauma de múltiplos sistemas.

2.2 Exames de imagem

A radiografia-padrão da pelve em vista anteroposterior (AP) e uma vista lateral da região proximal do fêmur ipsilateral são necessárias. Deve ser dada atenção especial à cortical lateral da região proximal do fêmur na busca de linhas de fratura não desviadas ou uma fratura de divisão coronal para antecipar problemas intraoperatórios. Isso poderia alterar uma suposta fratura simples para uma complexa. Se for considerada a osteossíntese intramedular (IM), as imagens da diáfise do fêmur devem ser incluídas para medir a largura da cavidade medular e avaliar a morfologia da diáfise. Com o encurvamento anterior excessivo do fêmur, pode ser impossível inserir uma haste, porque a ponta da haste IM poderia perfurar a cortical anterior da diáfise do fêmur ou causar uma fratura.

A fratura oculta do quadril é relativamente comum em pacientes idosos que se apresentam com dor nesse local e incapacidade de apoiar o peso, às vezes sem uma história de lesão. Embora não haja deformidade na perna, pode haver dolorimento no quadril e dor com carga ou rotação. Se as radiografias simples não mostrarem nenhuma fratura, a ressonância magnética (RM) é a investigação de escolha, já que tem uma acurácia diagnóstica mais alta que a tomografia computadorizada (TC) para detectar fraturas ocultas do quadril [3, 4].

3 Anatomia

O quadril é uma articulação de encaixe com a cabeça femoral completamente coberta de cartilagem articular, exceto na inserção do ligamento redondo. Seu suprimento sanguíneo, na infância, é proveniente dos vasos no ligamento redondo e também do fluxo sanguíneo retrógrado do colo femoral (**Fig. 6.6.1-1**). Esse suprimento sanguíneo depende dos vasos na inserção da cápsula articular, com duas artérias posteriores e uma artéria anterior. Durante a transição à vida adulta, a maioria dos indivíduos perde o suprimento sanguíneo do ligamento redondo e fica dependente do fluxo sanguíneo retrógrado da cápsula e das anastomoses dentro do colo femoral. Desse modo, as fraturas desviadas ou multifragmentadas do colo do fêmur que ocorrem dentro da cápsula (fraturas intracapsulares) podem interromper o suprimento sanguíneo para a cabeça do fêmur com um alto risco de necrose avascular ou não união da fratura. Nos pacientes mais jovens, os melhores desfechos estão associados à redução anatômica precoce e à fixação interna estável da fratura; isso é associado a uma taxa mais baixa de necrose avascular da cabeça do fêmur [5, 6]. Entretanto, em pacientes mais velhos, a substituição protética da cabeça do fêmur é necessária para evitar tais complicações.

Em contraste, os trocanteres têm inserções múltiplas musculares e ligamentares, com um suprimento sanguíneo rico. As fraturas nessa área podem resultar em perda sanguínea significativa. O suprimento sanguíneo excelente assegura que as taxas de consolidação das fraturas sejam altas. Entretanto, as inserções musculares podem resultar em significativas forças de deformação, e a consolidação viciosa é comum. A linha de fratura principal pode correr entre os trocanteres maior e menor (intertrocantérica) e ambos os trocanteres podem se tornar fragmentos separados. A linha de fratura principal pode também passar através do trocanter maior, mas não envolver o trocanter menor (pertrocantérica).

As fraturas podem se estender para a região subtrocantérica onde as forças de deformação são muito maiores e podem produzir um ambiente de grande tensão se o alinhamento anatômico não for restaurado. Desse modo, a não união é mais comum na região subtrocantérica, que também é um local comum para metástases e fratura patológica.

4 Classificação

4.1 Classificação AO/OTA de Fraturas e Luxações

De acordo com a Classificação AO/OTA de Fraturas e Luxações, as fraturas proximais do fêmur são divididas em três tipos (**Fig. 6.6.1-2**).

A Classificação AO/OTA de Fraturas e Luxações subdivide as fraturas trocantéricas em três grupos: as fraturas 31A1 são fraturas pertrocantéricas simples de 2 partes, com bom suporte ósseo na cortical medial e são consideradas como fraturas estáveis depois da redução anatômica; as fraturas 31A2 são fraturas pertrocantéricas multifragmentadas com uma parede lateral incompetente e são consideradas instáveis; as fraturas 31A3 são fraturas intertrocantéricas com uma linha horizontal ao nível do trocanter menor (oblíqua reversa). Se o centro da fratura for distal à extensão inferior do trocanter menor, a fratura é classificada como uma fratura diafisária do terço proximal (32A).

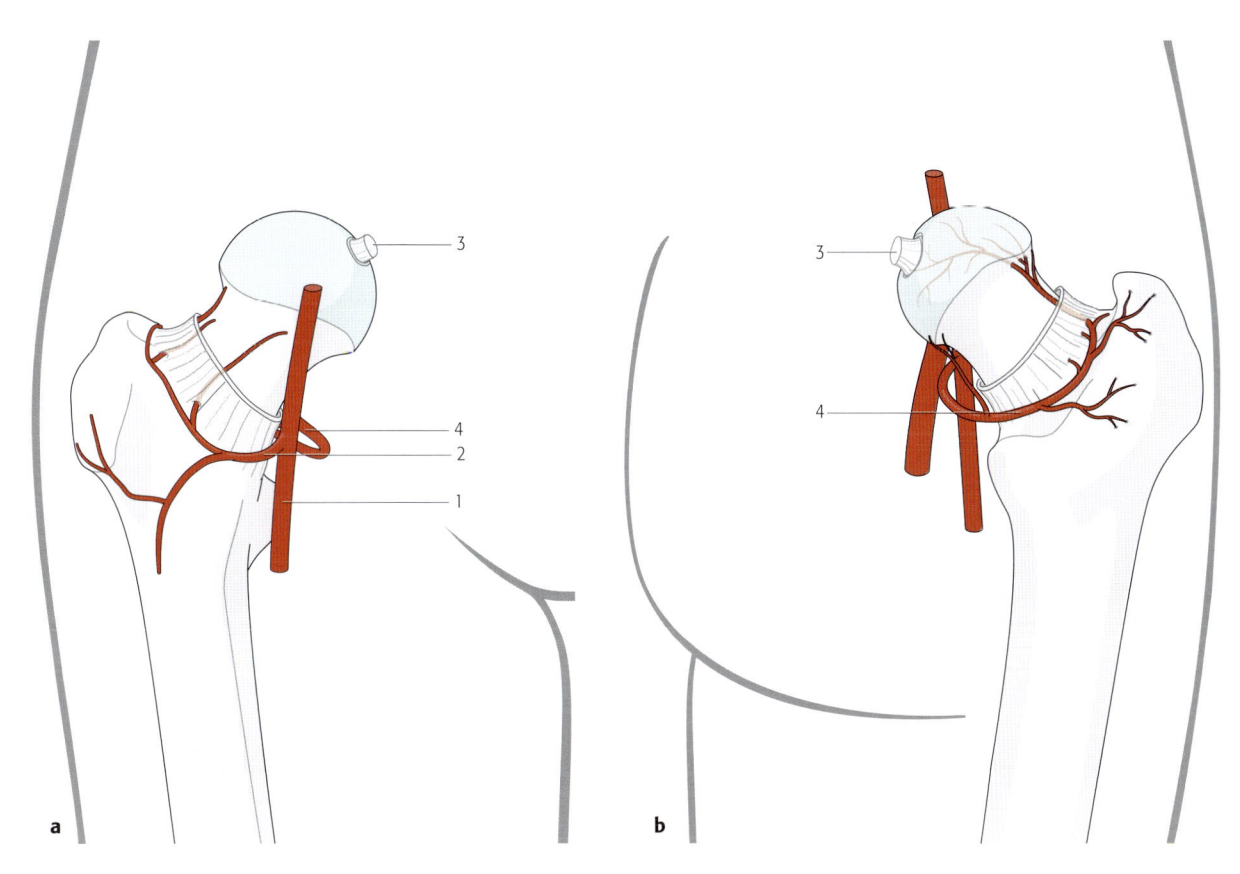

Princípios AO do tratamento de fraturas
Volume 2

Fig. 6.6.1-1a-b O suprimento sanguíneo da cabeça do fêmur; vistas anterior (**a**) e posterior (**b**). A anatomia vascular varia, mas em 60% dos pacientes as artérias femorais circunflexas medial e lateral se originam da artéria femoral profunda (1). A maior parte do suprimento sanguíneo da cabeça do fêmur vem da artéria circunflexa femoral lateral (2), que dá origem a três ou quatro ramos, os vasos retinaculares. Estes correm posterior e superiormente ao longo do colo do fêmur em uma reflexão sinovial até que alcançam a borda cartilaginosa da cabeça. A artéria obturadora dá origem aos vasos de dentro do ligamento redondo (3). Um ramo ascendente da artéria circunflexa femoral medial (4) supre o trocanter maior e faz anastomose com a artéria circunflexa femoral lateral.

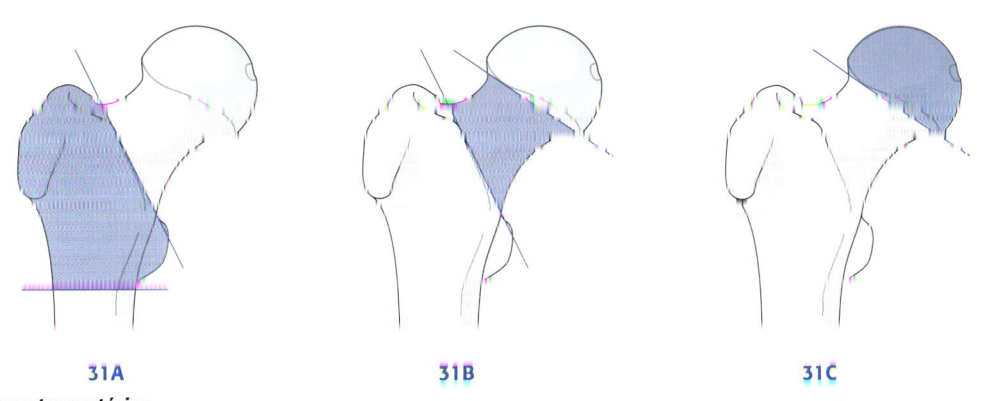

31A Fêmur, **fratura trocantérica**
31B Fêmur, **fratura do colo**
31C Fêmur, **fratura da cabeça**

Fig. 6.6.1-2 Classificação AO/OTA de Fraturas e Luxações – proximal do fêmur.

Fraturas específicas
6.6.1 Fêmur, proximal

4.2 Outras classificações relevantes

Outras classificações comumente usadas incluem a classificação de Evans das fraturas intertrocantéricas, a classificação de Garden das fraturas intracapsulares e a classificação de Pipkin das fraturas da cabeça do fêmur [7, 8].

5 Indicações cirúrgicas

- Qualquer fratura desviada que envolva a cabeça, o colo ou a região intertrocantérica
- Politraumatismo
- Fraturas não desviadas (para assegurar que não ocorra o desvio)

6 Planejamento pré-operatório

6.1 Momento da cirurgia

Em geral, quase todos os pacientes serão submetidos ao tratamento cirúrgico.

O tratamento não cirúrgico, que consiste na imobilização de longo período, principalmente com algum tipo de tala externa e dispositivo de redução (tração ou gesso pelvipodálico), é incômodo para o paciente, trabalhoso em termos de enfermagem, caro e acompanhado por desfechos ruins. Depois da avaliação pela equipe geriátrica, estima-se que 5-8% dos pacientes idosos com fratura na região proximal do fêmur não seriam candidatos ao tratamento cirúrgico por causa de uma enfermidade terminal. Esse grupo de pacientes deve ser tratado somente com cuidados paliativos.

Em pacientes jovens com fraturas na região proximal intracapsulares e desviadas, a fixação interna deve ser executada sem demora para preservar a cabeça do fêmur. A redução anatômica é essencial e geralmente requer uma via de acesso cirúrgica aberta e fixação interna estável.

Um quadril luxado, fraturado ou não, deve ser urgentemente reduzido e mantido na posição reduzida. Isso é alcançado de forma mais adequada com o paciente sob anestesia geral e relaxamento muscular. Depois da redução, a estabilidade articular deve ser examinada e outra incidência-padrão AP da pelve deve ser obtida. A largura e a congruência do espaço articular são comparadas com o lado oposto. No lado lesionado, fragmentos interpostos, um lábio rompido ou invertido, ou um ligamento redondo dobrado pode permitir que o espaço articular pareça mais alargado. A TC do quadril permitirá a avaliação de fragmentos ósseos livres dentro da articulação, impacção e fraturas da cabeça do fêmur.

Para a maioria dos pacientes idosos com uma fratura do quadril, o melhor é que sejam tratados o mais precocemente possível, já que as condições clínicas serão exacerbadas com o paciente confinado ao leito e requerendo analgesia (ver Cap. 4.8).

6.2 Considerações sobre implantes

O pilar de todas as opções de tratamento cirúrgico é a redução anatômica da fratura e a colocação correta do implante a ser usado.

Para as fraturas trocantéricas (31A1 e 31A2) a fixação IM pode estar associada a menor tempo cirúrgico, menos perda sanguínea e carga mais precoce, mas o método ainda não se comprovou ser superior à fixação extramedular com um parafuso deslizante de quadril nas fraturas extracapsulares [9]; além disso, a taxa de reoperação é significativamente mais alta com a fixação IM.

Em contraste, as fraturas oblíquas reversas (31A3) têm desfechos melhores com a fixação por haste IM, mas o uso de um parafuso deslizante de quadril com uma placa de estabilização trocantérica pode ser efetivo (**Fig. 6.6.1-3**).

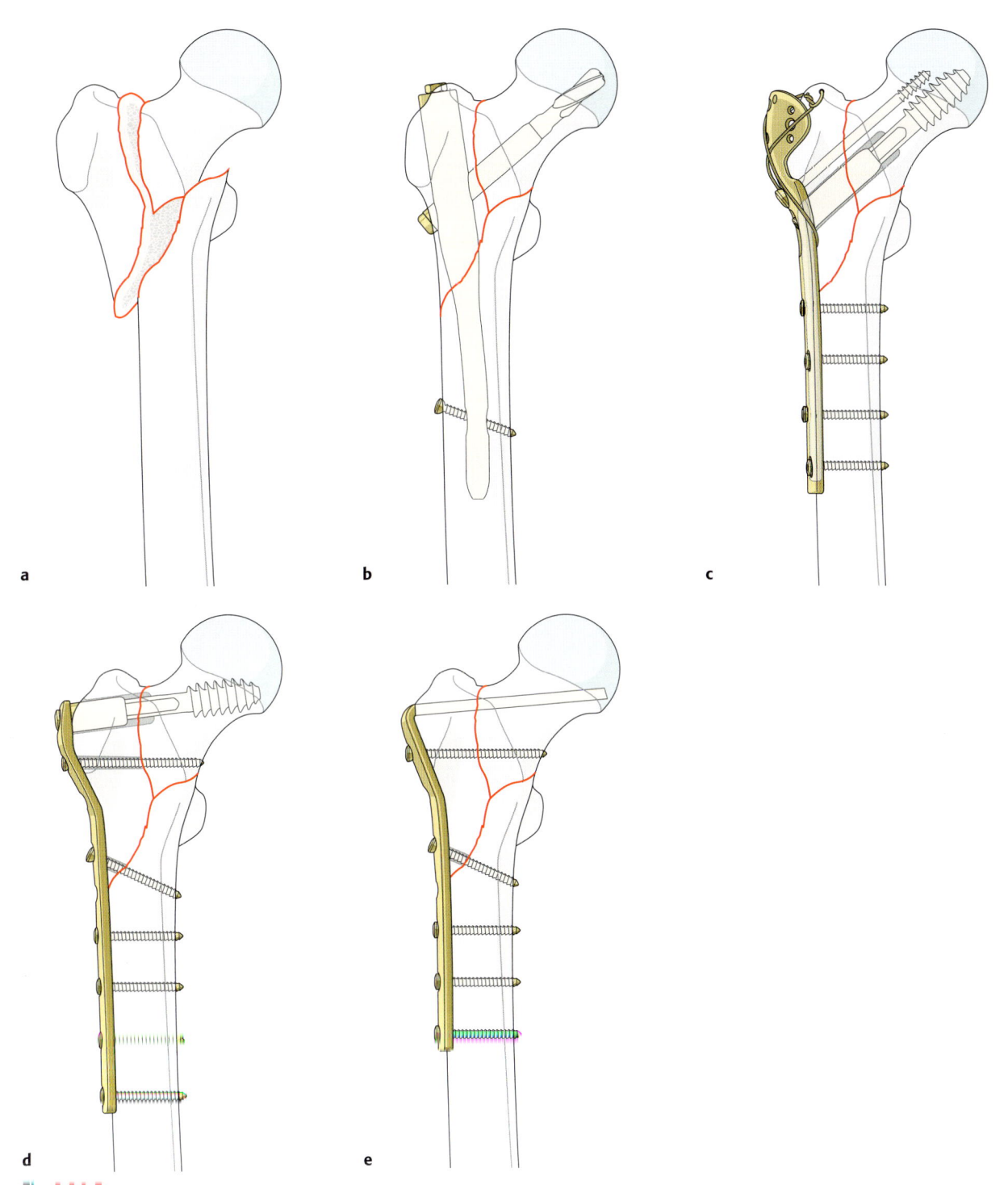

Princípios AO do tratamento de fraturas
Volume 2

Fig. 6.6.1-3a–e
a   Fratura pertrocantérica, 31A2.3.
b   Esta fratura é preferencialmente fixada com um dispositivo intramedular (haste proximal femoral antirrotação, haste femoral trocantérica, etc.).
c   Alternativamente, podem ser usados o parafuso dinâmico de quadril com uma placa trocantérica de estabilização adicional e cerclagem em banda de tensão ou parafusos.
d–e A fratura também pode ser fixada com o parafuso dinâmico condilar (DCS) ou uma placa-lâmina condilar. O parafuso condilar dinâmico ou a lâmina são colocados mais alto no fragmento proximal. As placas precisam ser postas sob tensão. Os pacientes não podem apoiar o peso completamente logo depois da cirurgia e essas técnicas não são recomendadas para pacientes idosos.

Fraturas específicas
6.6.1 Fêmur, proximal

Os sistemas de parafuso deslizante de quadril (p. ex., o parafuso dinâmico do quadril [DHS]) são o implante de escolha para as fraturas estáveis (31A1) [10]. Eles permitem a impacção secundária da fratura ao longo do eixo do tambor do parafuso deslizante de quadril (**Fig. 6.6.1-4**), se ele tiver sido posicionado corretamente no ápice da cabeça do fêmur [11]. O posicionamento no quadrante superior pode levar à falha por penetração, particularmente no osso osteoporótico. Para evitar isso, a colocação central do fio-guia é essencial e deve ser cuidadosamente verificada com as radiografias em dois planos (**Vídeo 6.6.1-1**) para alcançar uma distância ponta-ápice menor que 25 mm.

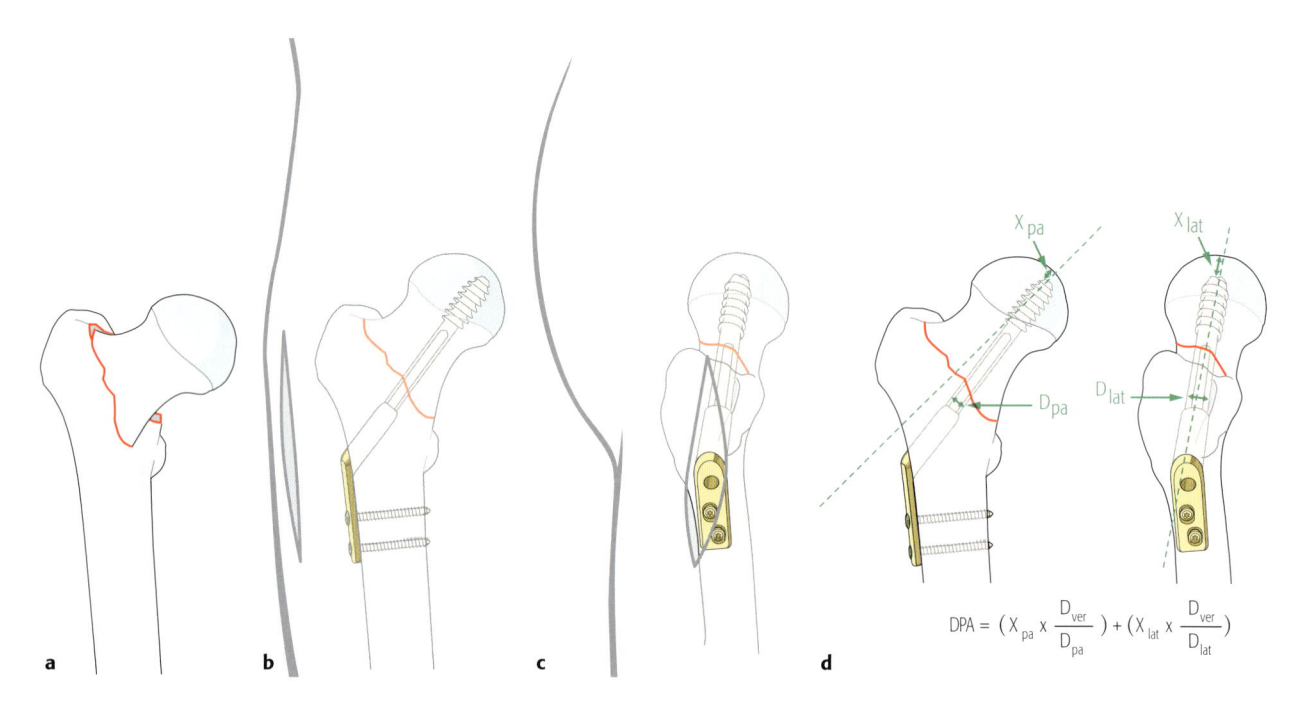

$$DPA = \left(X_{pa} \times \frac{D_{ver}}{D_{pa}} \right) + \left(X_{lat} \times \frac{D_{ver}}{D_{lat}} \right)$$

Fig. 6.6.1-4a-d
a Fratura trocantérica em duas partes.
b-c A fratura pode ser fixada com um parafuso dinâmico de quadril. A inserção adicional de um parafuso esponjoso fornece estabilidade rotacional aumentada.
d A distância ponta-ápice (DPA) deve ser menor que 25 mm para prevenir a penetração do parafuso dinâmico de quadril.

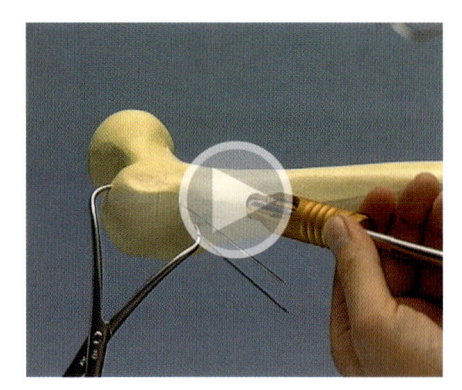

Vídeo 6.6.1-1 Técnica para a inserção do parafuso dinâmico de quadril. O fio-guia para o parafuso DHS deve estar centralmente posicionado na cabeça, tanto na radiografia AP quanto na lateral.

Os sistemas intramedulares como a haste femoral proximal antirrotação e a haste femoral trocantérica (TFN) têm algumas características biomecânicas que podem ser vantajosas nas fraturas trocantéricas instáveis (31A2, 31A3) (**Fig. 6.6.1-5**), embora essas vantagens ainda não tenham sido provadas em estudos clínicos prospectivos [10]. O bloqueio distal deve ser estático (**Vídeo 6.6.1-2**).

A fratura intertrocantérica instável inclui [12]:

- Cominução posteromedial (pode sofrer colapso em varo com instabilidade rotacional)
- Intertrocantérica com extensão subtrocantérica
- Colapso da parede lateral (nenhum suporte para o fragmento proximal do colo)
- Fratura oblíqua reversa (a diáfise do fêmur se desvia medialmente)
- Variante oblíqua reversa (a obliquidade maior está orientada de proximal-anterior para distal-posterior)

Ensaios controlados randomizados de grande porte, em andamento e comparando diferentes implantes com os critérios de desfecho clínicos, fornecerão dados importantes para apoiar a tomada de decisão no tratamento das fraturas do colo do fêmur.

Um algoritmo de tratamento deve abordar a idade, o nível de atividade, a densidade óssea, doenças adicionais (comorbidades), a probabilidade estimada de vida e a cooperação do paciente [13]. Para o tratamento de fraturas intracapsulares desviadas, as metanálises indicam que a fixação interna pode levar a taxas mais baixas de infecção, menor perda sanguínea, menor tempo de cirurgia e menor mortalidade pós-operatória, enquanto a artroplastia reduz significativamente a taxa de reoperação [14]. Consequentemente, parece haver concordância que os pacientes acima dos 80 anos, ou os pacientes com artrose ipsilateral, artrite reumatoide ou uma fratura em osso patológico devam ser tratados com artroplastia, ou hemiartroplastia ou prótese total do quadril. Os pacientes de qualquer idade com enfermidade crônica grave ou uma expectativa de vida limitada também devem ser tratados com prótese [3]. Não há nenhuma evidência de melhor desfecho ou efetividade de custo com os implantes bipolares [15]. A fixação interna é o tratamento de escolha para os pacientes com demandas funcionais altas e bom estoque ósseo. Os pacientes com idade abaixo dos 65 anos, que tenham um baixo escore da American Society of Anesthesiologists (ASA), que sejam saudáveis e ativos, devem ser submetidos a redução anatômica aberta urgente e fixação interna [16]; contudo os cirurgiões devem estar cientes de que algumas mulheres desenvolvem osteoporose em uma idade mais precoce.

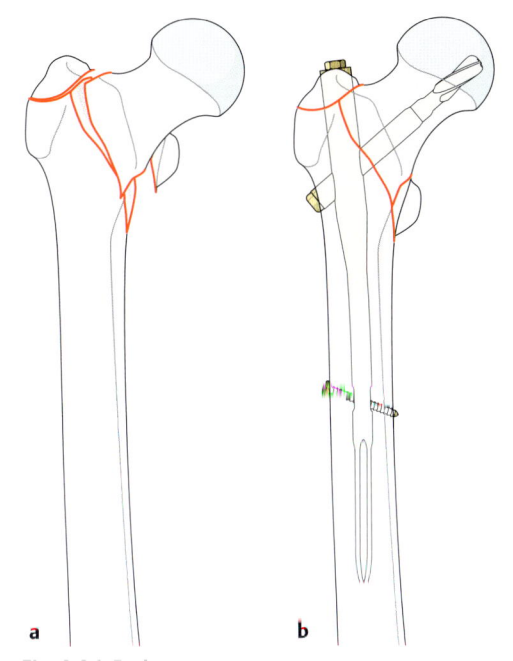

Fig. 6.6.1-5a-b
a   Fratura trocantérica multifragmentada (31A2.3).
b   Fratura instável tratada com a haste proximal femoral antirrotação. A diáfise da haste previne o desvio lateral dos fragmentos (ou o corolário – a medialização da diáfise do fêmur).

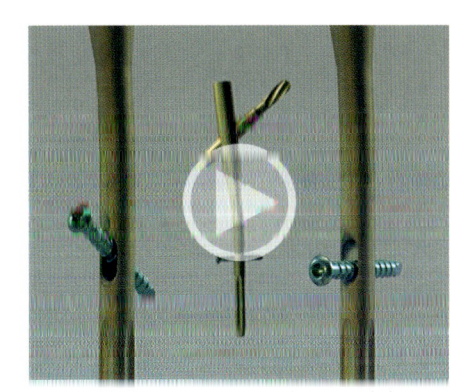

Vídeo 6.6.1-2   Técnica para a inserção da haste femoral proximal antirrotação (PFNA).

Fraturas específicas
6.6.1   Fêmur, proximal

6.3   Configuração da sala de cirurgia

Depois do posicionamento do paciente, a área exposta é desinfetada com o antisséptico apropriado (**Fig. 6.6.1-6**). Um campo de exclusão de uso único (cortina) pode ser usado. O intensificador de imagem permanece no lado não estéril da cortina. A esterilidade deve ser mantida particularmente quando são obtidas as radiografias laterais (axiais). Se forem usados campos tradicionais, o ambiente para o local cirúrgico precisa ser impermeável. O intensificador de imagem também é preparado.

A equipe da sala de cirurgia e os cirurgiões ficam no lado da lesão. O intensificador de imagem é colocado no lado oposto da lesão entre as pernas do paciente. A tela do intensificador de imagem é colocada para a completa visão da equipe cirúrgica e do técnico em radiologia (**Fig. 6.6.1-7**).

7   Cirurgia

7.1   Fraturas subcapitais não desviadas

As fraturas subcapitais não desviadas (31B1.2) ou impactadas em valgo (31B1.1), também conhecidas como fraturas de abdução, podem ser suficientemente estáveis para tratamento não cirúrgico, mas existe consenso de que a maior parte dessas fraturas deve ser tratada cirurgicamente na apresentação [17]. Caso contrário, então a estabilidade da fratura deve ser verificada sob intensificação de imagem e regularmente monitorada. Como o desvio secundário ocorre, especialmente na presença de até mesmo uma retroversão leve da cabeça femoral (que aumenta o risco de necrose avascular), a fixação interna é necessária [17]. A fixação com um implante deslizante de quadril ou com parafusos canulados previne o desvio secundário dessas fraturas.

7.2   Fraturas subcapitais desviadas (31B1.3)

Quando a substituição protética estiver indicada, deve ser feita dentro das primeiras 24 horas depois de otimizar a condição geral do paciente para reduzir a morbidade pós-operatória.

7.2.1   Vias de acesso cirúrgicas

Os mesmos princípios se aplicam nos pacientes com politraumatismo, onde a redução e a fixação de uma fratura desviada do colo do fêmur devem ter prioridade alta no protocolo de tratamento. A redução fechada pode ser obtida com tração gentil e rotação interna sob anestesia e controle radiográfico. A manobra de Leadbetter também pode ser usada: a perna é abduzida com tração lateral e rotação externa e então suavemente retornada à posição neutra e internamente rodada. A tração é então reduzida para permitir a impacção dos fragmentos. A redução deve ser conferida com radiografias obtidas em planos múltiplos, como, por exemplo, 0°, 30°, 60° e 90°. Nos casos que não se reduzem, as tentativas repetidas e vigorosas devem ser evitadas, e a redução aberta está indicada. Com o paciente na posição supina, uma via de acesso anterior ou anterolateral (de Watson-Jones) do quadril é escolhida e uma capsulotomia anterior é executada (**Fig. 6.6.1-8**). A cirurgia pode ser feita com a perna em tração ou preparada livre.

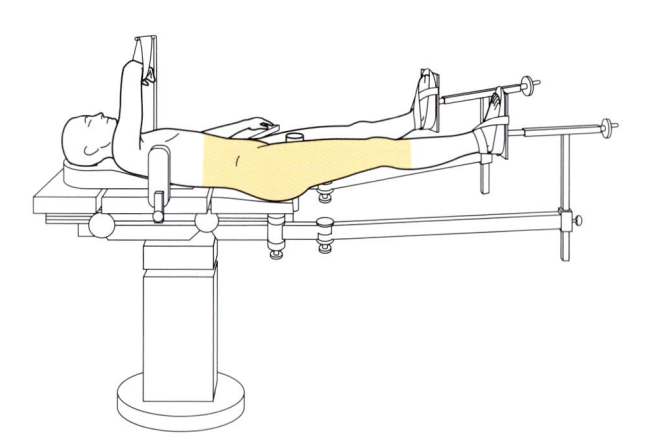

Fig. 6.6.1-6   Posicionamento do paciente e desinfecção da área exposta.

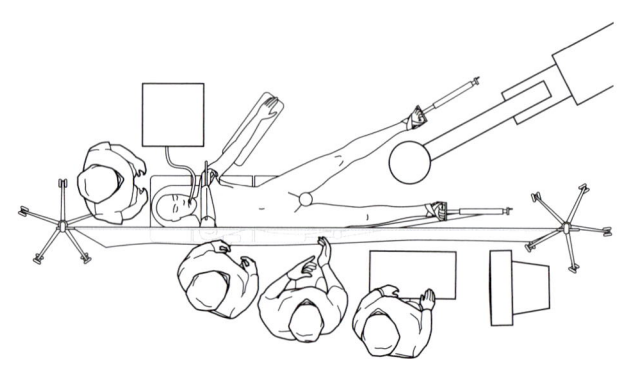

Fig. 6.6.1-7   Configuração da sala de cirurgia.

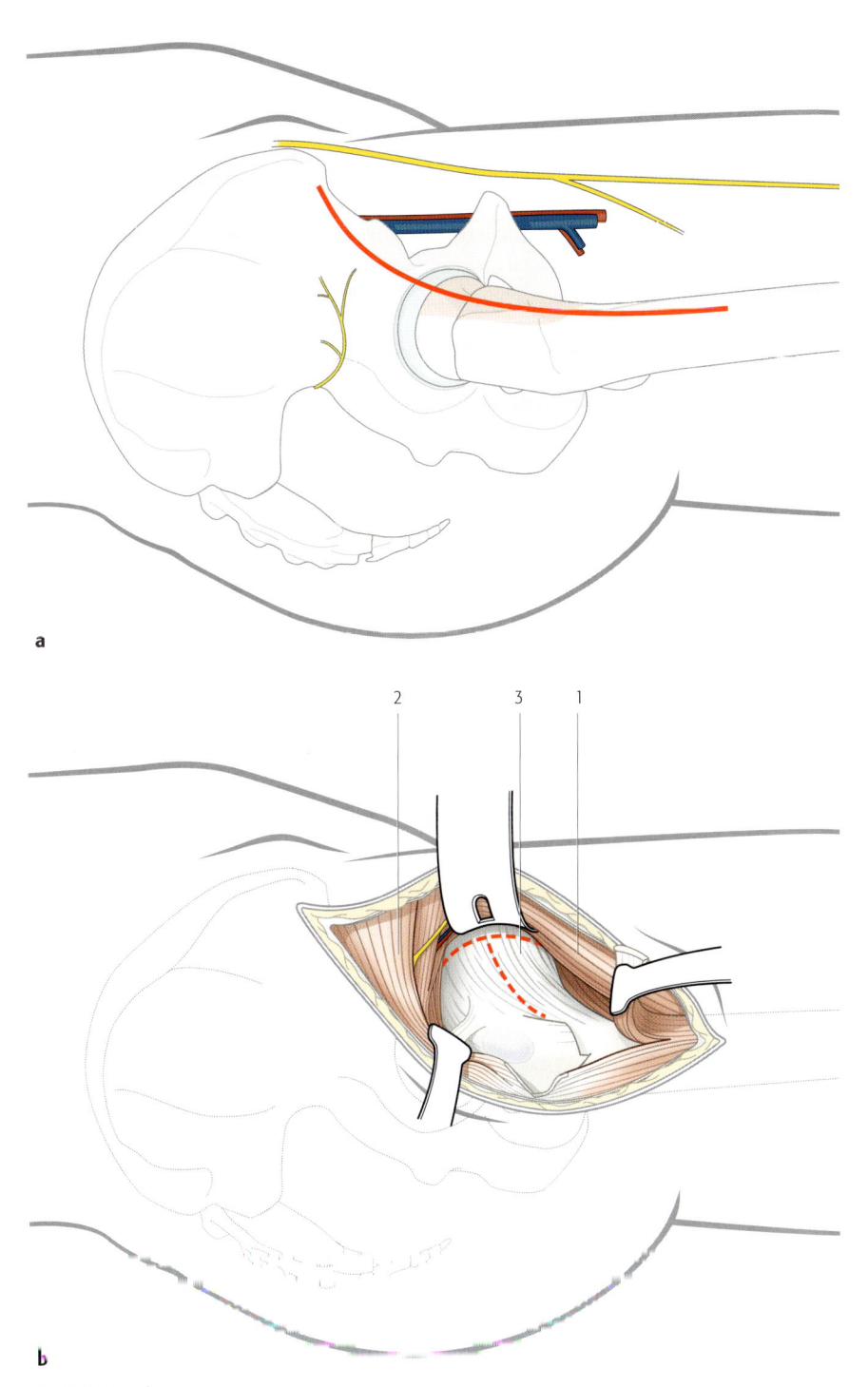

Fig. 6.6.1-8a-b
a   Via de acesso anterolateral para redução aberta de fraturas subcapitais desviadas em pacientes jovens (de acordo com Watson-Jones).
b   A dissecção romba entre os músculos tensor da fáscia lata (1) e glúteo médio (2) expõe a cápsula anterior da articulação do quadril (3). Um ramo da artéria circunflexa femoral lateral geralmente requer ligadura. Uma capsulotomia em forma de T com o membro transversal na borda acetabular preserva o suprimento sanguíneo.

Fraturas específicas
6.6.1 Fêmur, proximal

7.2.2 Redução

A cabeça do fêmur, que está geralmente desviada posterior e inferiormente, é cuidadosamente desimpactada pela abdução adicional da perna ou por tração lateral com um gancho ósseo. Pode ser útil colocar dois fios de Kirschner temporários de 2,0 mm dentro do fragmento da cabeça do fêmur. Eles agem como *joysticks* e ajudam na redução, já que a deformidade rotacional pode ser difícil de corrigir e controlar com um fio de Kirschner único (**Fig. 6.6.1-9**). A redução é então fixada com um ou dois fios de Kirschner de 2,0 mm. Em pacientes jovens, o cirurgião se direciona ao alinhamento anatômico dos fragmentos; nos pacientes mais velhos com osteoporose, entretanto, as fraturas podem ser impactadas em uma leve posição em valgo. A redução correta é verificada com o intensificador de imagem em planos múltiplos. Se a redução for instável depois dessa manobra, uma placa bloqueada pequena pode ser usada como fixação temporária ou definitiva.

7.2.3 Fixação

O elemento crucial para a escolha da fixação da fratura e do implante é a qualidade de osso. Qualquer método de fixação usado em fraturas osteoporóticas deve ser seguro e fácil de aplicar. No que se relaciona a complicações e desfecho, o DHS tem se provado melhor que a fixação por parafusos isolados ou placas com lâminas anguladas (**Fig. 6.6.1-10a-c**) [18]. Para alcançar estabilidade rotacional e boa sustentação no local de fratura, deve ser inserido um parafuso adicional cranial ao DHS, especialmente nos casos de marcada cominução posterior. Com boa qualidade óssea, dois ou de preferência três parafusos ósseos esponjosos canulados de 7,0 ou 7,3 mm podem ser usados para alcançar a compressão dos fragmentos (**Fig. 6.6.1-10d-e**) [3]. Esses parafusos devem ser inseridos paralelos entre si, com ajuda do dispositivo direcionador para permitir o deslizamento e impacção secundária da fratura. Os parafusos devem correr perifericamente no colo (**Fig. 6.6.1-10e**). Deve haver cuidado para que as roscas de todos os três parafusos sejam posicionadas bem dentro do fragmento da cabeça e não cruzem a linha de fratura: um comprimento de rosca de 16 mm é frequentemente necessário. Ele permite a compressão. Os parafusos devem ser apertados cuidadosa e repetidamente durante o procedimento (**Vídeo 6.6.1-3**). Se a mesa ortopédica for usada, a tração deve ser liberada. Radiografias em planos múltiplos devem ser obtidas com o intensificador de imagem para assegurar que os parafusos não penetrem na articulação do quadril. Se a fratura puder ser indiretamente reduzida, esse procedimento também pode ser executado percutaneamente por pequenas incisões.

Para a maioria dos pacientes idosos e frágeis, é recomendada a hemiartroplastia cimentada com uma prótese unipolar. Nos pacientes ativos ou naqueles com osteoartrite preexistente, a prótese total de quadril deve ser considerada [16].

7.2.4 Desafios

A fratura por cisalhamento vertical é incomum, mas deve ser reconhecida. A redução anatômica pode ser difícil e o dispositivo de fixação deve proteger contra as grandes forças de cisalhamento. Um ou dois parafusos de compressão podem ser necessários, perpendicular à fratura, ou uma placa de suporte pequena pode ser colocada no cálcar, mas isto é tecnicamente difícil.

A fixação é sempre um desafio no osso osteoporótico; consequentemente, parafusos canulados devem ser colocados em um colo femoral bem reduzido (nenhum varo) na periferia e a distância ponta-ápice deve ser menor que 25 mm quando o parafuso deslizante de quadril é utilizado [11].

7.3 Fraturas intertrocantéricas

As fraturas que envolvem os trocanteres são extracapsulares e ocorrem no osso metafisário, com um bom suprimento sanguíneo, e não ameaçam a vascularização da cabeça do fêmur. O objetivo do tratamento é a carga completa imediata e a reabilitação precoce, assim, o tratamento é cirúrgico.

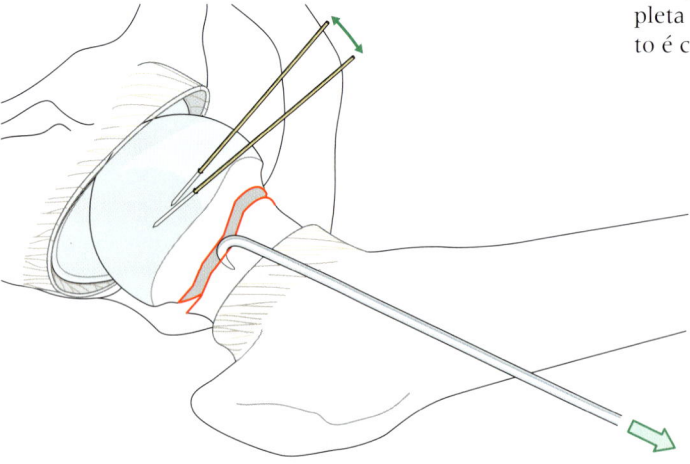

Fig. 6.6.1-9 Redução aberta de uma fratura subcapital desviada. A redução anatômica é essencial em pacientes jovens, mas pode ser difícil de alcançar. Um gancho ósseo é usado para desimpactar os fragmentos e dois fios de Kirschner na cabeça do fêmur servem como *joysticks* para controlar a rotação.

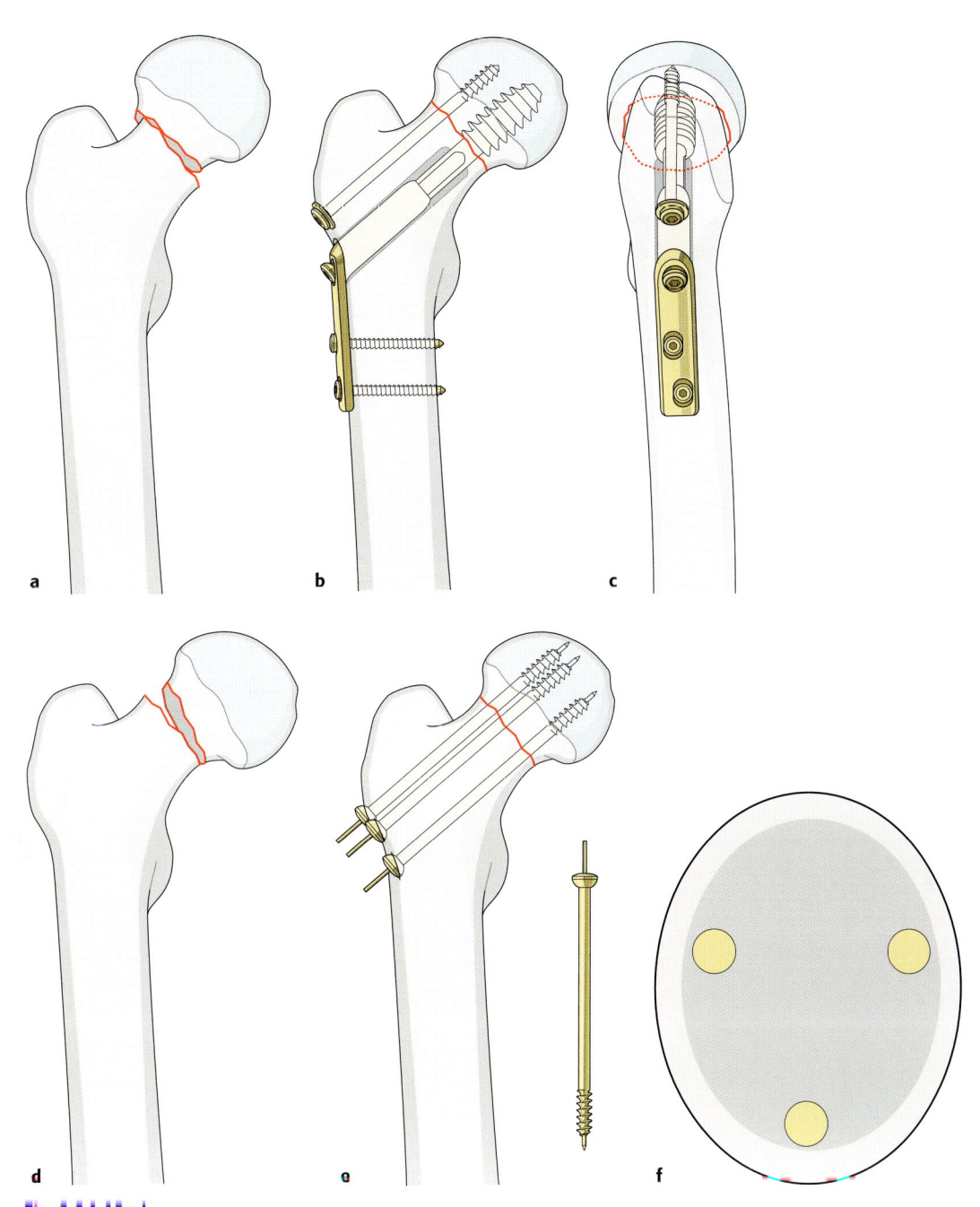

Princípios AO do tratamento de fraturas
Volume 2

Fig. 6.6.1-10a–f
a Fratura desviada do colo do fêmur (31B1.3).
b–c Os fragmentos foram reduzidos e impactados com leve supercorreção em valgo e sem retroversão. Fixação com o parafuso dinâmico de quadril de 135° e placa lateral de 2 furos. Alternativamente, uma placa de 4 furos poderia ter sido usada. Um parafuso de osso esponjoso adicional foi inserido em paralelo para prevenir a rotação do fragmento da cabeça. A rosca desse parafuso deve se firmar completamente no fragmento da cabeça. Como alguma impacção da fratura pode ocorrer durante a carga de apoio algum retrocesso dos parafusos é possível.
d–e Uma fratura similar àquela da **Fig. 6.6.1-10a**, tratada com três grandes parafusos de osso esponjoso de 7,0 ou 7,3 mm. Os parafusos devem correr em paralelo e perifericamente para dentro do colo e o parafuso inferior deve ser próximo à cortical inferior do colo do fêmur (cálcar). As roscas de todos os parafusos devem se firmar completamente no fragmento da cabeça. Os parafusos canulados facilitam a colocação correta e podem até ser inseridos percutaneamente se a redução fechada puder ser obtida.
f Corte transversal do colo do fêmur fixado mostrando parafusos nas regiões periféricas do colo do fêmur, prevenindo o desvio em qualquer direção.

Fraturas específicas
6.6.1 Fêmur, proximal

7.3.1 Vias de acesso cirúrgicas

A fratura deve ser reduzida e, então, a escolha cirúrgica fundamental fica entre um implante extramedular ou IM [9-10].

7.3.2 Redução

A redução é a chave para o sucesso. Se a redução for em varo, não será possível colocar o parafuso do quadril na posição correta e o risco de falha do implante (migração) aumenta. Com o paciente supino, a redução fechada da fratura é executada sob controle de imagem em uma mesa radiolucente ou ortopédica (**Fig. 6.6.1-11**). Isso é alcançado pela tração longitudinal e rotação interna, que geralmente corrigem a deformidade. A intensificação de imagem intraoperatória em dois planos perpendiculares é obrigatória. Os padrões estáveis ou parcialmente desviados de fratura com deformidade em varo geralmente podem ser reduzidos por meio de redução fechada. As fraturas grosseiramente desviadas ou as intertrocantéricas com o trocânter menor inserido no fragmento proximal são tecnicamente trabalhosas: elas requerem manipulação direta usando redução miniaberta ou aberta. É necessária a fixação temporária dessas fraturas com parafuso de Schanz, fio de Steinmann, pinça de Verbrugge, pinça de Weber ou fio de cerclagem durante a fresagem e inserção do implante.

7.3.3 Fixação

O parafuso dinâmico do quadril (DHS) permanece o implante extramedular de escolha. É projetado para permitir a impacção controlada do osso osteoporótico sem que o parafuso de quadril penetre na articulação. A chave para o sucesso é a boa redução para permitir a colocação precisa e central do parafuso DHS e uma distância correta ponta-ápice. Foram desenvolvidas placas anatômicas bloqueadas para a região proximal do fêmur e que podem ser úteis em casos específicos, mas que não se provaram melhores que o parafuso deslizante de quadril, já que há o risco de penetração articular pelos parafusos bloqueados se houver impacção adicional do osso no local de fratura.

Os dispositivos intramedulares projetados para a região proximal do fêmur também têm fixação com deslizamento da cabeça e colo do fêmur, e o posicionamento preciso desses dispositivos com uma distância correta ponta-ápice também é crucial. O bloqueio distal deve ser estático. Não há nenhuma evidência clínica clara para favorecer qualquer das alternativas [9], mas os cirurgiões devem estar cientes de que há um risco pequeno de fratura abaixo da haste se uma haste curta for inserida. Essa é uma complicação séria, mas parece ser menos frequente com os desenhos mais modernos das hastes femorais proximais (**Vídeos 6.6.1-1-2**).

7.3.4 Desafios

Os resultados com as placas anatômicas bloqueadas têm sido decepcionantes [19]. Elas podem ser indicadas em alguns casos tecnicamente exigentes, como as fraturas com cisalhamento vertical em pacientes jovens.

Apesar do desenvolvimento continuado de implantes apropriados para o tratamento das fraturas intertrocantéricas, as falhas ainda ocorrem no osso osteoporótico. O cirurgião deve conhecer as dez dicas de como melhorar os resultados da cirurgia [20]. O reforço com cimento do implante dentro da cabeça do fêmur está ainda sob desenvolvimento, mas parece promissor [21].

A osteoartrite sintomática preexistente do quadril é uma situação difícil. A artroplastia de substituição primária em tais circunstâncias é difícil e está associada a uma alta taxa de complicações [22]. Por conseguinte, a fixação interna inicial pode ser apropriada e, se o paciente permanecer sintomático depois de a fratura ter consolidado, a artroplastia pode ser executada mais facilmente do que em uma fratura recente.

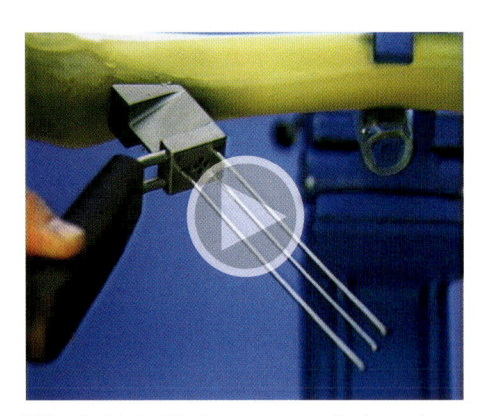

Vídeo 6.6.1-3 Técnica para a inserção de parafusos canulados de 7,3 mm para uma fratura subcapital. O guia é utilizado para assegurar que os parafusos sejam paralelos.

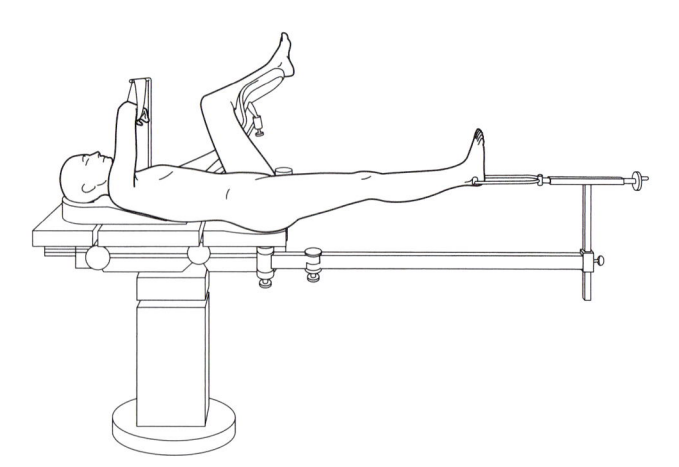

Fig. 6.6.1-11 Posicionamento em uma mesa ortopédica; alternativamente pode ser usada uma mesa radiolucente com posicionamento supino simples.

7.4 Fratura da cabeça do fêmur

7.4.1 Vias de acesso cirúrgicas

As fraturas da cabeça do fêmur são intra-articulares e geralmente requerem tratamento cirúrgico precoce. Elas são frequentes na luxação do quadril. Uma fratura isolada da cabeça com um pequeno fragmento distal ao ligamento redondo ("Pipkin I") pode não precisar de redução anatômica, a menos que interfira no movimento articular, e, nesse caso, os fragmentos pequenos podem ser removidos em vez de fixados. Ainda que os fragmentos se reduzam depois da redução fechada do quadril, eles com frequência permanecem instáveis: a revisão radiográfica frequente é justificada para verificar o desvio e a necessidade de remoção ou fixação dos fragmentos. A cirurgia está claramente indicada nos casos onde os fragmentos livres ou os tecidos moles estejam interpostos no espaço articular; caso contrário, a rápida destruição articular (condrólise) irá se seguir. O ligamento redondo pode avulsionar um pequeno fragmento de osso da cabeça do fêmur e não se desviar no espaço articular verdadeiro. Se não houver nenhuma outra indicação para cirurgia, pode ser deixado intacto. A posição desse fragmento na fossa pode ser facilmente identificada na TC.

Os fragmentos osteocondrais com uma linha de fratura que se estende cranialmente ao ligamento redondo são parte da superfície de carga da cabeça do fêmur ("Pipkin II", AO/OTA 31C1.3), o que torna obrigatória a redução anatômica e fixação. A presença de uma fratura do acetábulo ("Pipkin IV") requer tratamento adicional de acordo com os princípios estabelecidos para o tratamento de tais lesões (ver Cap. 6.5). Se a articulação permanecer instável depois da redução de emergência, ou se fragmentos livres estiverem retidos dentro do espaço articular, mas a cirurgia imediata não for possível, a perna poderá ser colocada em tração esquelética até que a cirurgia possa ser executada.

As fraturas isoladas com divisão da cabeça do fêmur podem ser abordadas por meio de uma incisão anterior ou posterior, dependendo do local de fratura. Se a fratura do colo do fêmur ou do acetábulo tiver que ser fixada ao mesmo tempo, essa lesão determina a via de acesso cirúrgica. Três vias de acesso para a cabeça do fêmur podem ser usadas. A via de acesso anterior de Smith-Petersen, a posterior de Kocher-Langenbeck e a osteotomia com levantamento trocantérico. Todas têm as suas próprias vantagens e complicações possíveis. Nenhuma se comprovou ser melhor do que as outras no desfecho final e o padrão de fratura é que determinará qual via de acesso é a ideal [23].

7.4.2 Redução e fixação

Tomando cuidado para preservar o suprimento vascular, o fragmento é diretamente reduzido e fixado com parafusos de pequenos fragmentos de 3,5 ou 2,7 mm, ou com o parafuso canulado de 3,0 mm com um sistema de arruela rosqueada ou com parafusos sem cabeça (**Fig. 6.6.1-12**) [24]. As cabeças dos parafusos devem ser sepultadas debaixo do nível da cartilagem. Os pinos de fratura biodegradáveis também podem ser usados para a fixação de pequenos fragmentos osteocondrais. Qualquer área impactada adicional da cabeça do fêmur deve ser elevada e o defeito preenchido com enxerto ósseo esponjoso autógeno. O mesmo procedimento pode ser considerado para as fraturas com impacção significativa (31C2.1-31C2.3).

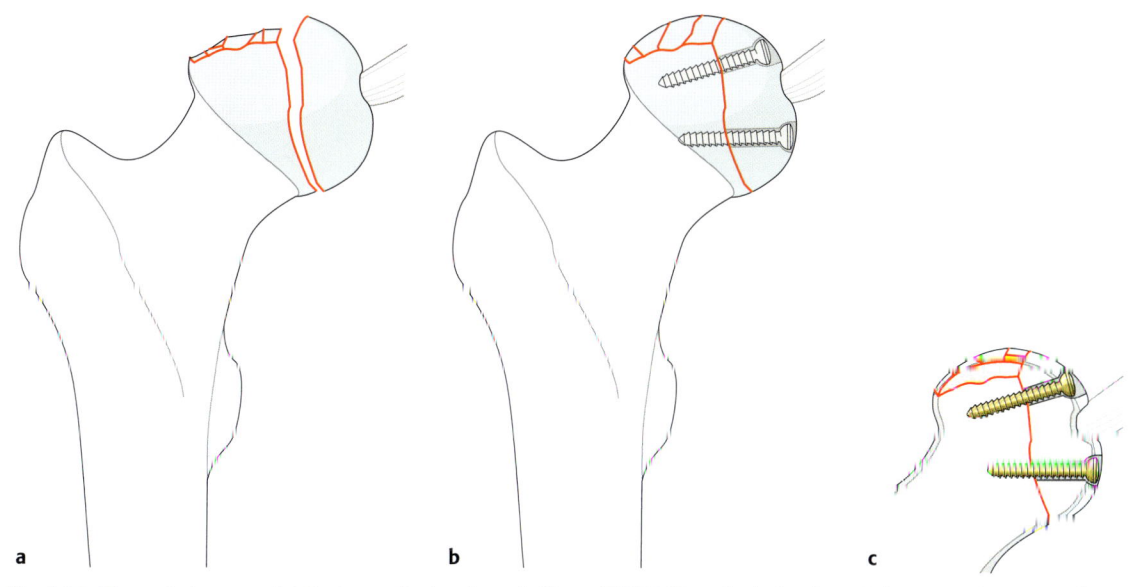

Fig. 6.6.1-12a-c Fratura com divisão-depressão da cabeça do fêmur, 31C2.3. Elevação da área impactada, enxerto ósseo esponjoso e fixação com parafuso transcondral do fragmento dividido. Para evitar qualquer dano condral adicional, os parafusos corticais de tração de 2,7 mm são sepultados.

7.4.3 Desafios

As fraturas de divisão combinadas com uma fratura do colo do fêmur ("Pipkin III") têm o pior prognóstico, porque o fragmento principal da cabeça do fêmur perde o seu suprimento vascular na maioria dos casos. Se houver esperança que o suprimento vascular ainda esteja intacto, a fratura do colo do fêmur deve ser fixada com parafusos de osso esponjoso de 7,0 ou 7,3 mm antes de a fratura da cabeça ser fixada. Em pacientes jovens, o viés deve ser para preservar a articulação, enquanto, nos pacientes acima dos 40 anos, a prótese total primária ou – em casos selecionados – a artrodese devem ser consideradas.

8 Cuidados pós-operatórios

O objetivo do tratamento é permitir a mobilização no primeiro dia pós-operatório e, em pacientes idosos, o tratamento deve permitir a carga irrestrita imediata.

A montagem da fixação deve permitir a carga completa, já que a maioria dos pacientes idosos não é capaz de se ajustar à carga parcial. A consolidação da fratura deve estar completa dentro de 3 meses. Se o implante tiver sido corretamente aplicado, ele fornecerá fixação adequada mesmo na presença de osteoporose intensa [11]. Os pacientes jovens devem ser capazes de administrar a carga com apoio parcial.

9 Complicações

Se a falha na fixação ou a perda da redução ocorrerem, a escolha de como prosseguir depende do tipo de falha, da qualidade óssea, da idade e das necessidades do paciente. Em pacientes mais jovens, a revisão da fixação interna é considerada se a cabeça parecer viável. Em uma não união ou deformidade em varo, a osteotomia valgizante pode ser indicada. Nos pacientes com qualidade óssea ruim e demandas funcionais limitadas, a artroplastia bipolar ou total do quadril é o procedimento de escolha.

Se a necrose da cabeça do fêmur se desenvolver em pacientes mais jovens e a área de colapso envolver menos que 50% da cabeça, a osteotomia intertrocantérica pode fornecer um alívio da dor e função relativamente boa. A fusão do quadril é uma alternativa, mas é tecnicamente difícil na presença de osso avascular; a prótese total de quadril pode ser a melhor opção.

A incidência de artrose pós-traumática é determinada pelo dano inicial à cartilagem e osso subcondral na hora do impacto e também da qualidade de redução nas fraturas da cabeça do fêmur. A necrose avascular da cabeça do fêmur ocorre após as fraturas subcapitais desviadas e pode levar de 2-3 anos para ficar aparente nas radiografias. Ela também resultará em artrite secundária. Na necrose avascular completa da cabeça, ou na artrose dolorosa, a prótese total ou a artrodese de quadril são opções de tratamento secundárias.

10 Prognóstico e desfecho

O desfecho após a fratura proximal do fêmur em pacientes mais velhos depende da sua idade e incapacidade clínica na apresentação [25]. Os bancos de dados nacionais mostram que as taxas de mortalidade variam, mas são altas. O Nottingham Hip Fracture Score [26] estima o risco de mortalidade em 30 dias para pacientes individuais: foi validado e está disponível como um aplicativo. As taxas de mortalidade não caem para as normas da população até 1 ano depois da fratura de quadril e um terço dos pacientes idosos terá um aumento permanente nas demandas sociais e de cuidados após a fratura do quadril. Os pacientes também estão em risco de fratura por fragilidade adicional e devem sempre ser considerados para medidas de prevenção secundária (ver Cap. 4.8).

O desfecho das lesões da cabeça do fêmur permanece impossível de ser previsto individualmente para o paciente, mesmo depois de restauração articular anatômica. A artrose é comum, especialmente quando a lesão for acompanhada por uma fratura do colo do fêmur e/ou do acetábulo [27].

11 Referências

1. **Eastell R, Lambert H.** Strategies for skeletal health in the elderly. *Proc Nutr Soc.* 2002 May;61(2):173–180.
2. **Lawrence TM, Wenn R, Boulton CT, et al.** Age-specific incidence of first and second fractures of the hip. *J Bone Joint Surg Br.* 2010 Feb;92(2):258–261.
3. **Haubro M, Stougaard C, Torfing T, et al.** Sensitivity and specificity of CT- and MRI-scanning in evaluation of occult fracture of the proximal femur. *Injury.* 2015 Aug;46(8):1557–1561.
4. **Zielinski SM, Meeuwis MA, Heetveld MJ, et al.** Adherence to a femoral neck fracture treatment guideline. *Int Orthop.* 2013 Jul;37(7):1327–1334.
5. **Pauwels F.** [Der Schenkelhalsbruch, ein mechanisches Problem: Grundlagen des Heilungsvorganges, Prognose und kausale Therapie.] *Z Orthop Chir.* 1935;6:(Suppl 3). German.
6. **Swiontkowski MF.** Intracapsular fractures of the hip. *J Bone Joint Surg Am.* 1994 Jan;76(1):129–138.
7. **Philpott M, Ashwood N, Ockendon M, et al.** Fractures of the femoral head. *Trauma.* 2014;16(1):9–17.
8. **Pipkin G.** Treatment of grade IV fracture dislocation of the hip. *J Bone Joint Surg Am.* 1957 Oct;39-a(5):1027–1042.
9. **Parker MJ, Handoll HH.** Gamma and other cephalocondylic intramedullary nails versus extramedullary implants for extracapsular hip fractures in adults. *Cochrane Database Syst Rev.* 2010 Sep 08(9):Cd000093.
10. **Mittal R, Banerjee S.** Proximal femoral fractures: principles of management and review of the literature. *J Clin Orthop Trauma.* 2012 Jun;3(1):15–23.
11. **Baumgärtner MR, Curtin SL, Lindskog DM, et al.** The value of the tip-apex distance in predicting failure of fixation of peritrochanteric fractures of the hip. *J Bone Joint Surg Am.* 1995 Jul;77(7):1058–1064.
12. **Tawari AA, Kempegowda H, Suk M, et al.** What makes an intertrochanteric fracture unstable in 2015? Does the lateral wall play a role in the decision matrix? *J Orthop Trauma.* 2015 Apr;29 Suppl 4:S4–9.
13. **NICE Guidelines.** Available at: http://guidance.nice.org.uk/CG124. Accessed 2015.
14. **Zhao Y, Fu D, Chen K, et al.** Outcome of hemiarthroplasty and total hip replacement for active elderly patients with displaced femoral neck fractures: a meta-analysis of 8 randomized clinical trials. *PLoS One.* 2014;9(5):e98071.
15. **Yang B, Lin X, Yin XM, et al.** Bipolar versus unipolar hemiarthroplasty for displaced femoral neck fractures in the elder patient: a systematic review and meta-analysis of randomized trials. *Eur J Orthop Surg Traumatol.* 2015 Apr;25(3):425–433.
16. **Florschutz AV, Langford JR, Haidukewych GJ, et al.** Femoral neck fractures: current management. *J Orthop Trauma.* 2015 Mar;29(3):121–129.
17. **Handoll HH, Parker MJ.** Conservative versus operative treatment for hip fractures in adults. *Cochrane Database Syst Rev.* 2008 Jul 16;(3):CD000337.
18. **Bonnaire F, Strasberger C, Kieb M, et al.** [Osteoporotic fractures of the proximal femur, What's new?]. *Chirurg.* 2012 Oct;83(10):882–891.
19. **Wirtz C, Abbassi F, Evangelopoulos DS, et al.** High failure rate of trochanteric fracture osteosynthesis with proximal femoral locking compression plate. *Injury.* 2013 Jun;44(6):751–756.
20. **Haidukewych GJ.** Intertrochanteric fractures: ten tips to improve results. *Instr Course Lect.* 2010;59:503–509.
21. **Gupta RK, Gupta V, Gupta N.** Outcome of osteoporotic trochanteric fractures treated with cement-augmented dynamic hip screws. *Indian J Orthop.* 2012 Nov;46(6):640–645.
22. **Adam P.** Treatment of recent trochanteric fractures in adults. *Orthop Traumatol Surg Res.* 2014 Feb;100(1 Suppl):S75–83.
23. **Massè A, Aprato A, Alluto C, et al.** Surgical hip dislocation is a reliable approach for treatment of femoral head fractures. *Clin Orthop Relat Res.* 2015 Dec;473(12):3744–3751.
24. **Mostafa MF, El-Adl W, El-Sayed MA.** Operative treatment of displaced Pipkin type I and II femoral head fractures. *Arch Orthop Trauma Surg.* 2014 May;134(5):637–644.
25. **Sathiyakumar V, Greenberg SE, Molina CS, et al.** Hip fractures are risky business: an analysis of the NSQIP data. *Injury.* 2015 Apr;46(4):703–708.
26. **Moppett IK, Parker M, Griffiths R, et al.** Nottingham Hip Fracture Score: longitudinal and multi-assessment. *Br J Anaesth.* 2012 Oct;109(4):546–550.
27. **Marecek GS, Scolaro JA, Routt ML, Jr.** Femoral head fractures. *JBJS Rev.* 2015 Nov 3;3(11).

12 Agradecimentos

Agradecemos a Reinhard Hoffmann e Norbert P. Haas por suas contribuições para a 2ª edição de *Princípios AO do tratamento de fraturas*.

Fraturas específicas
6.6.1 Fêmur, proximal

6.6.2 Fêmur, diáfise (incluindo fraturas subtrocantéricas)

Zsolt J. Balogh

1 Introdução

As fraturas da diáfise do fêmur são marcadores de transferência de grande energia ao corpo em indivíduos esqueleticamente maduros e com osso saudável. As lesões associadas são comuns, já que as fraturas do fêmur são frequentemente parte do politraumatismo e os pacientes podem desenvolver a síndrome da resposta inflamatória sistêmica. Ela pode ocorrer até mesmo em fraturas do fêmur isoladas. Embora o tratamento-padrão para a maioria das fraturas da diáfise do fêmur seja indiscutivelmente o uso de hastes intramedulares (IM) fresadas, bloqueadas e anterógradas, existem muitas questões em aberto relativas ao tratamento das fraturas do fêmur. Algumas dessas questões envolvem o posicionamento intraoperatório, as técnicas de redução direta e indireta, o tratamento de fraturas concomitantes do fêmur e o momento da cirurgia para evitar complicações sistêmicas.

1.1 Epidemiologia

Um estudo epidemiológico prospectivo recente de base populacional descreveu que a incidência de fraturas da diáfise do fêmur é de 10-37 fraturas por 100 mil pessoas por ano em uma região urbana/rural mista [1]. A distribuição das mortes pré-hospitalares, o mecanismo de alta energia e o mecanismo de baixa energia foi de 17, 48 e 35% respectivamente. A distribuição da idade é geralmente trimodal, com pico relativamente baixo entre as crianças, seguido por um pico alto em adultos jovens e um pico crescente entre os pacientes acima dos 65 anos. Esse último grupo é devido a osteoporose, complicações do tratamento da osteoporose (bifosfonados), fraturas periprotéticas e atividade aumentada de cidadãos mais velhos [2].

1.2 Características especiais

O fêmur é o maior osso longo do corpo e geralmente consolida em uma alta porcentagem, provavelmente por causa de um bom suprimento sanguíneo dos músculos circunferenciais. Existem várias lesões associadas, como fratura do colo do fêmur ipsilateral, as fraturas intra-articulares e ipsilaterais da região distal do fêmur, lesões ligamentares e meniscais do joelho, fraturas da diáfise da tíbia ipsilateral (joelho flutuante) e politraumatismo. As fraturas do fêmur estão associadas a complicações sistêmicas, e a consolidação viciosa é frequente. As fraturas do fêmur associadas aos bifosfonados são uma nova entidade e têm uma fisiopatologia ímpar [3]. A fratura patológica do fêmur por doença metastática também está aumentando à medida que a população envelhece.

2 Avaliação e diagnóstico

2.1 História do caso e exame físico

O paciente de trauma com uma potencial fratura do fêmur deve ser avaliado de forma sistemática, com uma avaliação primária e secundária seguindo os princípios do protocolo ATLS (suporte avançado de vida no trauma). Pode haver lesões associadas intracranianas, vertebrais, torácicas, abdominais e pélvicas com fontes de sangramento além da fratura do fêmur. As fraturas fechadas do fêmur, isoladamente, estão associadas a uma perda sanguínea de até 1,5 litro durante as primeiras 48 horas.

No caso de ser uma lesão isolada, a fratura da diáfise do fêmur não é geralmente a causa de choque hemorrágico em um paciente que pareça saudável e com um tempo pré-hospitalar curto. Desse modo, outras fontes de sangramento (tórax, abdome, pelve, feridas abertas e outras fraturas) devem ser consideradas em pacientes com instabilidade hemodinâmica.

As fraturas do fêmur expostas e as bilaterais podem causar choque e exsanguinação, em especial nos pacientes com coagulopatias. A tração precoce e a compressão local são essenciais para reduzir o sangramento. Os pacientes com fraturas bilaterais da diáfise do fêmur têm uma taxa de mortalidade mais alta e mais probabilidade de ter outras lesões sistêmicas (5,6 vs. 1,5%) [4].

Existem alguns testes de laboratório cruciais que indicam a resposta fisio(pato)lógica à lesão e à reanimação e o potencial para um desfecho desfavorável (estadia prolongada na unidade de terapia intensiva [UTI], falência de múltiplos órgãos, sepse ou morte). A acidose metabólica na gasometria arterial (déficit de base e lactato são os melhores substitutos) é um bom marcador do choque hemorrágico e da hipoperfusão tecidual; a medida sequencial ajuda a monitorar a resposta à reanimação. Esses parâmetros são mais confiáveis e específicos que a pressão arterial e a concentração da hemoglobina. Os pacientes de trauma que não eliminam a sua acidose metabólica dentro de 24 horas, aqueles que têm baixa contagem de plaquetas e creatinina elevada inicial têm mais probabilidade de desenvolver síndrome da resposta inflamatória sistêmica e falência grave de órgãos.

Fraturas específicas
6.6.2 Fêmur, diáfise (incluindo fraturas subtrocantéricas)

Dados recentes mostram que a causa mais frequente para a transfusão sanguínea durante as primeiras 24 horas depois da lesão nos centros de trauma de nível I que primariamente lidam com trauma não penetrante são as fraturas e as lesões musculoesqueléticas.

Lesões associadas do colo do fêmur e fraturas da diáfise e as lesões ligamentares do joelho devem ser cuidadosamente investigadas. Ao focar na fratura do fêmur em si, a lesão de partes moles (p. ex., desenluvamento fechado, ferida de fratura exposta, lacerações) e a condição neurovascular do membro devem ser cuidadosamente avaliadas.

2.2 Condição geral do paciente

Existem muitas classificações teóricas e arbitrárias disponíveis na literatura, embora poucas tenham sido validadas. Mais frequentemente os pacientes são classificados como "estáveis", "limítrofes", "instáveis" e "extremos". Essas categorias são baseadas em dúzias de variáveis, que não são independentes uma da outra. De um ponto de vista prático, a decisão fundamental é realizar o cuidado total imediato com fixação definitiva da fratura dentro de 24 horas ou o controle de danos com fixação temporária (externa) assim que possível. Assim, em termos práticos, existem somente duas categorias. A situação é dinâmica e a tomada de decisão é baseada na linha temporal dos eventos, lesões associadas e na condição fisiológica do paciente, nas comorbidades, na logística e nos recursos.

2.3 Exames de imagem

As imagens pré-operatórias de qualidade são essenciais para planejar a estabilização da fratura do fêmur e para a exclusão de fraturas proximais ou distais ao fêmur que demandem intervenção cirúrgica na hora da estabilização da diáfise do fêmur.

O exame radiográfico deve consistir de radiografias em dois planos ortogonais. As radiografias devem incluir a articulação acima e abaixo da fratura. As fraturas que mais passam despercebidas em associação com o fêmur, que requerem tratamento cirúrgico, incluem a fratura do colo do fêmur (31B) e a fratura articular parcial distal do fêmur (Hoffa, AO/OTA 33B3.2). Essas fraturas frequentemente podem não estar desviadas ou passarem despercebidas devido a lesões mais óbvias e potencialmente fatais. As imagens pré-operatórias podem ser melhoradas com uma incidência radiográfica de 15 graus de rotação interna do colo do fêmur, um vista lateral perfeita da articulação do joelho, uma avaliação cuidadosa do exame de tomografia computadorizada do trauma e pela busca de fraturas ocultas no intensificador de imagem durante a cirurgia.

3 Anatomia

3.1 Características anatômicas fundamentais

A diáfise do fêmur não é reta e tem um raio de curvatura de aproximadamente 1,5 metro. Existem saliências corticais laterais na metáfise proximal e na distal, e essas características devem ser consideradas quando forem usadas placas longas: a sua moldagem será necessária.

3.2 Suprimento sanguíneo da diáfise do fêmur

O suprimento sanguíneo da diáfise do fêmur é derivado de duas fontes principais. Os dois terços internos da cortical e da medula derivam seu suprimento sanguíneo a partir da artéria nutrícia que se origina da segunda artéria femoral perfurante e que entra no osso proximal e posteriormente ao longo da linha áspera. O terço externo da cortical é suprido pelas artérias periosteais que são derivadas dos músculos circundantes supridos pelas artérias perfurantes (**Fig. 6.6.2-1**). Seguindo-se as fraturas desviadas, o padrão circulatório da diáfise do fêmur é drasticamente alterado devido à ruptura do suprimento sanguíneo medular. Entretanto, raramente os vasos sanguíneos periosteais são

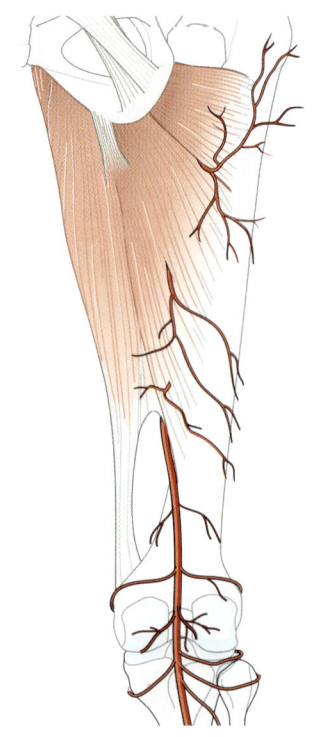

Fig. 6.6.2-1 Circulação periosteal ao longo da diáfise do fêmur. Vista posterior mostrando as artérias perfurantes principais.

extensivamente desnudados por causa da sua orientação perpendicular à superfície cortical. Até a recuperação da circulação endosteal, os vasos periosteais são a fonte principal de suprimento sanguíneo em torno da zona de fratura. Isso destaca a importância de preservar os vasos periosteais e as artérias perfurantes.

4 Classificação

4.1 Classificação AO/OTA de Fraturas e Luxações

A Classificação AO/OTA de Fraturas e Luxações classifica fraturas femorais diafisárias e as fraturas do segmento subtrocantérico na região 32 (Cap. 1.4). Essa classificação não é diferente de qualquer outra classificação de fraturas da diáfise. Dentro dos limites da diáfise, o padrão de fratura realmente não muda o método de fixação (p. ex., haste IM fresada e bloqueada). A classificação pode ajudar no planejamento pré-operatório para técnicas de redução diretas e indiretas, bem como prever dificuldades para alcançar a rotação anatômica e as complicações intraoperatórias. Pode indicar lesão associada de partes moles e perda sanguínea e pode prever o risco para retardo de consolidação (**Fig. 6.6.2-2**).

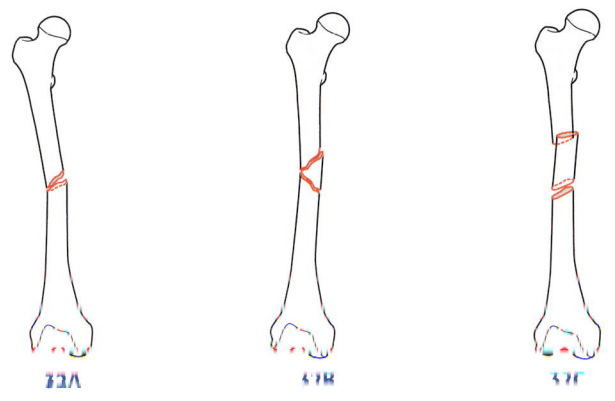

32A Fêmur, segmento diafisário, **fratura simples**
32B Fêmur, segmento diafisário, **fratura em cunha**
32C Fêmur, segmento diafisário, **fratura multifragmentada**

Fig. 6.6.2-2 Classificação AO/OTA de Fraturas e Luxações — segmento diafisário do fêmur.

5 Indicações cirúrgicas

O tratamento não cirúrgico da fratura da diáfise do fêmur por tração ou imobilização com gesso tem desfechos inaceitáveis e somente deve ser usado quando a cirurgia não for uma opção. A tração é usada para a estabilização temporária até que a fixação definitiva possa ser executada. A maioria das fraturas da diáfise do fêmur é tratada com haste IM. As placas podem ser usadas quando houver uma fratura metafisária ou articular associada e nas fraturas periprotéticas. A fixação externa temporária é usada para a cirurgia de controle de danos e, algumas vezes, no tratamento da não união infectada.

Não há nenhuma indicação absoluta para as hastes retrógradas, mas as indicações relativas incluem:

- Obesidade (dificuldade de encontrar o ponto de entrada anterógrado correto)
- Fraturas do colo e da diáfise do fêmur ipsilateral
- Fraturas da diáfise do fêmur e da tíbia ipsilateral (uma incisão para ambas as hastes IM) (**Fig. 6.6.2-3**)
- Lesões múltiplas (o cirurgião pode preparar outras extremidades, abdome e tórax com o paciente em decúbito dorsal na mesa radiolucente)
- Fraturas do fêmur bilaterais (um preparo em decúbito dorsal na mesa radiolucente)
- Lesões vertebrais instáveis
- Gravidez (minimização da exposição à radiação pelo feto)
- Uma artrotomia traumática não contaminada do joelho
- Fraturas pélvicas e/ou acetabulares ipsilaterais (a incisão da haste anterógrada poderia interferir com as incisões subsequentes)
- Lesões de partes moles ou queimaduras graves no local de inserção da haste anterógrada
- Material de síntese femoral proximal preexistente (**Fig. 6.6.2-4**)

Fraturas específicas
6.6.2 Fêmur, diáfise (incluindo fraturas subtrocantéricas)

As indicações relativas para o uso de placa no fêmur incluem:

- Fraturas dos tipos 32B e 32C, com extensão proximal para a área trocantérica ou extensão distal para a área condilar
- Crianças acima dos 8 anos com epífises abertas, ou quando não houver nenhuma possibilidade de usar hastes elásticas para fornecer estabilidade
- Fraturas com um canal IM estreito ou deformado
- Fraturas associadas a fraturas vertebrais ou pélvicas (dano adicional pode ser causado pelo uso de uma mesa ortopédica para o encavilhamento femoral)
- Fratura associada a lesão abdominal que requeira uma laparotomia (pode prosseguir para uso de placa em uma mesa operatória normal ao mesmo tempo)
- Fratura com lesão vascular associada que necessite de reparo
- Fraturas periprotéticas ou peri-implante
- Fraturas ipsilaterais do colo e da diáfise quando a fratura do colo for tratada com um implante separado
- Fraturas associadas à contusão pulmonar grave, onde o encavilhamento IM imediato pode representar um risco alto

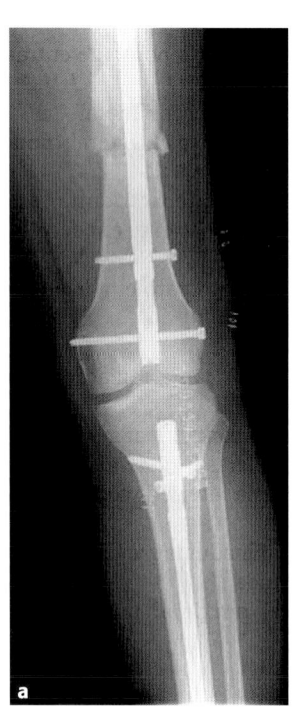

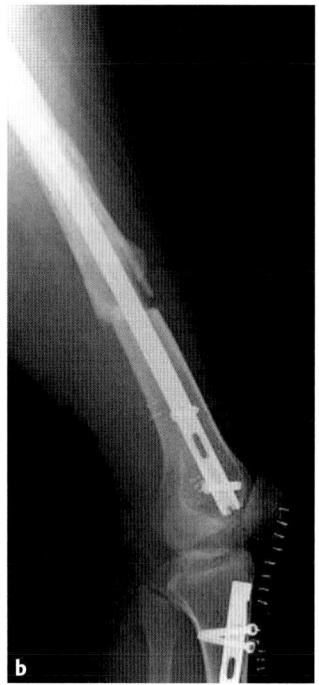

Fig. 6.6.2-3a-b Fraturas ipsilaterais do fêmur e da tíbia tratadas com uma haste femoral retrógrada bloqueada e uma haste tibial anterógrada por meio de uma única incisão no joelho.

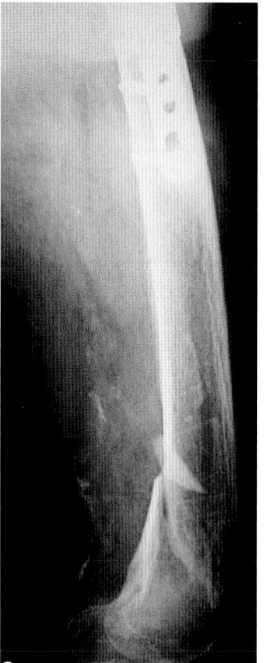

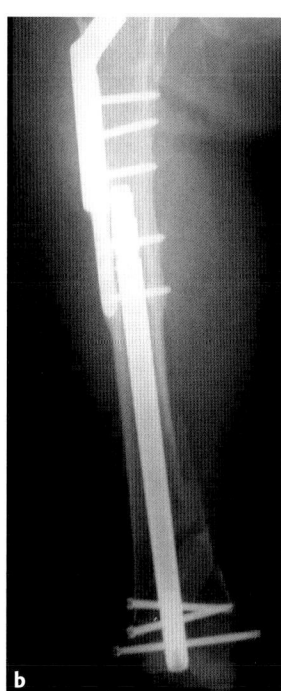

Fig. 6.6.2-4a-b Fratura distal a um antigo parafuso deslizante de quadril. Ela foi estabilizada com uma haste retrógrada bloqueada.

6 Planejamento pré-operatório

6.1 Momento da cirurgia

Antes da década de 1970, a estabilização das fraturas de ossos longos, incluindo o fêmur, era frequentemente executada depois de um retardo de alguns dias para permitir a "estabilização" do paciente. Tornou-se claro que a fixação precoce das fraturas de ossos longos reduz a morbidade e mortalidade do paciente, em especial naquele gravemente ferido [5] (ver Cap. 4.1). A fixação oportuna das fraturas do fêmur reduz as chances de lesão em órgãos remotos, melhora os desfechos da lesão encefálica grave e torna menos provável a ocorrência de complicações relacionadas à imobilização [6]. Essa estabilização pode ser com fixação externa temporária ou com hastes ou placas definitivas.

Não existe nenhuma regra absoluta para o período de tempo para fixação, mas deve ser executada no ponto de tempo seguro mais cedo possível após a reanimação (condição do paciente otimizada, recursos ideais e equipe disponível) e, geralmente, dentro das 24 horas da lesão. O paciente é considerado reanimado se não houver acidose metabólica clinicamente significativa (excesso de base menor que 4 mmol/L [tendência de baixa] e lactato menor que 2 mmol/L). As lesões craniana e torácica grave podem ser uma razão para o cuidado estadiado das fraturas do fêmur (controle de danos com fixação externa primária, seguido por haste IM secundária), mas também servem como um bom parâmetro para os cuidados definitivos precoces para otimizar o posicionamento do paciente e melhor manejo do ventilador e tratamento da pressão intracraniana [1]. Em geral, a decisão da fixação definitiva precoce ou pelo controle de danos depende da fisiologia do paciente e não da lesão anatômica.

Tem sido demonstrado que a fixação externa temporária leva a menores perda sanguínea e tempo cirúrgico se comparada com o encavilhamento IM ou com o uso de placa imediatos. Essa intervenção pode ser convertida com segurança para uma fixação com haste IM dentro de duas semanas depois da lesão [7, 8]. Foi demonstrado que o cuidado estadiado, com a fixação externa inicial e a haste IM depois, reduz os níveis de interleucina 6 em ambos os estágios, em comparação com a haste IM primária [9]. Sua relevância clínica em modelos de reanimação balanceada judiciosa é desconhecida. Foi comprovado que o uso excessivo desnecessário da abordagem de controle de danos (aplicação a pacientes não comprometidos ou limítrofes que podem ser reanimados) leva a maiores estadas na UTI, mais dias no ventilador e taxas mais altas de infecção e complicações em comparação com a assistência total imediata [10].

6.2 Seleção do implante

6.2.1 Encavilhamento intramedular

A colocação fechada de uma haste IM bloqueada e fresada é o padrão-ouro para as fraturas da diáfise do fêmur. Ela fornece a estabilidade relativa para a consolidação da fratura pela formação de calo. Com técnicas minimamente invasivas, pode resultar em menos lesão de partes moles, menor distúrbio do suprimento sanguíneo, menos perda sanguínea e uma taxa mais baixa de infecção. As hastes intramedulares são implantes de compartilhamento de carga e o apoio precoce é recomendado; a falha do implante é incomum. O cirurgião deve conhecer as características do desenho de cada haste e as técnicas cirúrgicas especiais como, por exemplo, os locais de entrada trocantérica, ou piriforme.

Encavilhamento retrógrado ou anterógrado

As hastes IM podem ser introduzidas de uma forma anterógrada ou retrógrada. O encavilhamento anterógrado é o padrão-ouro (ver Cap. 3.3.3), mas o encavilhamento retrógrado tem vantagens claras em certos cenários (ver seção 5 acima). Apesar das desvantagens potenciais do ponto de entrada intra-articular no joelho com o encavilhamento retrógrado, o encavilhamento anterógrado não apresenta nenhum desfecho clínico melhor que a técnica retrógrada [11, 12]. Com o encavilhamento anterógrado, os pacientes devem ser advertidos do risco de dor no quadril no local de entrada e, com o encavilhamento retrógrado, os pacientes devem ser avisados da existência de um risco de dor no ponto de entrada do joelho.

Procedimento fresado *versus* não fresado

As hastes femorais podem ser inseridas depois da fresagem do canal medular ou sem fresagem (hastes IM "fresadas" ou "não fresadas") (ver Cap. 3.3.1). A taxa de consolidação da técnica não fresada é inferior, e esses pacientes requerem procedimentos mais secundários do que com tratamento usando técnicas fresadas [13]. Originalmente, a fresagem era considerada responsável pela embolia pulmonar letal depois do encavilhamento IM em pacientes gravemente feridos. Estudos recentes [14] mostraram que a gravidade da lesão pulmonar e a qualidade da reanimação são provavelmente mais decisivas para o desenvolvimento de disfunção pulmonar do que o dispositivo de fixação ou a técnica de inserção (ver Cap. 4.1). As complicações potenciais da fresagem são ainda mais reduzidas com a utilização de cabeças de fresa afiadas e cônicas, com incrementos de 0,5 mm na fresa. O sistema de fresagem, irrigação e aspiração (RIA) foi desenvolvido para abordar a eliminação das partículas da medula e o carregamento de mediadores inflamatórios da circulação sistêmica, mas é quase exclusivamente usado em situações eletivas e semieletivas para colheita de enxerto ósseo e fresagem/irrigação de canais medulares infectados.

6.2.2 Uso de placas

O uso de placa na diáfise do fêmur como um tratamento primário tem indicações limitadas (ver seção 5 anteriormente). Em geral, a placa larga de 4,5 é recomendada,

Fraturas específicas
6.6.2 Fêmur, diáfise (incluindo fraturas subtrocantéricas)

sendo úteis as placas pré-curvadas para se combinar ao arqueamento do fêmur. Para as fraturas diafisárias que se estendem até a distal da metáfise e articulação, as opções bloqueadas que são dadas pela placa de compressão bloqueada distal do fêmur (LCP-DF de 4,5) podem ser úteis. Para as fraturas diafisárias complexas que se estendem proximalmente até a região intertrocantérica, uma placa-lâmina angulada de 95 graus permanece uma opção útil.

Estabilização femoral aberta

O uso de placa de compressão aberta da diáfise do fêmur é raramente indicado no contexto agudo. Em termos de seleção de implante e de técnica, as LCPs largas e longas de 4,5 são recomendadas, com pelo menos oito corticais de fixação em cada lado da fratura. Sempre que for possível, a inserção de parafuso de tração perpendicular à linha de fratura principal é aconselhável, de preferência através da placa. Nas fraturas transversas, uma placa pré-moldada, o dispositivo de tensionamento articulado e a compressão dinâmica através da placa são partes essenciais da técnica correta.

Osteossíntese com placa minimamente invasiva

Recentemente tem havido um entusiasmo com a fixação com placa das fraturas multifragmentadas que se estendem até a metáfise, com uma redução indireta e inserção de placa percutânea e submuscular, através de pequenas incisões proximais e distais até o local de fratura. Experimentalmente, isso leva a menos dano aos vasos perfurantes e ao suprimento sanguíneo periosteal [15]. A vantagem da técnica de placa em ponte percutânea é a melhor preservação do suprimento sanguíneo para os fragmentos da fratura, com formação precoce de calo devido à estabilidade relativa. A técnica também deixa a circulação endosteal sem perturbações, o que a responsabiliza por dois terços do suprimento sanguíneo diafisário. A desvantagem dessa técnica é um risco mais alto de consolidação viciosa com cirurgiões inexperientes [16]. A geração mais recente de placa que apresenta a LCP é bem adequada à osteossíntese minimamente invasiva (ver Cap. 3.1.3). O planejamento pré-operatório deve incluir seleção do comprimento e do tipo apropriados da placa, avaliação da pré-moldagem, o tipo, a localização e o número de parafusos a ser usado e a sua ordem de inserção (**Fig. 6.6.2-5**).

Fig. 6.6.2-5 Cálculo para a seleção do comprimento ideal de uma placa reta convencional para usar como uma placa em ponte e do número de orifícios na placa para cruzar a zona de fratura sem a inserção de parafusos. Em cada lado da fratura, deve ser usado um mínimo de 5-6 orifícios. Entretanto, não é necessário preencher todos os orifícios da placa com parafusos; geralmente, 3-4 parafusos são adequados. A densidade recomendada placa-parafuso é de 0,4-0,5.

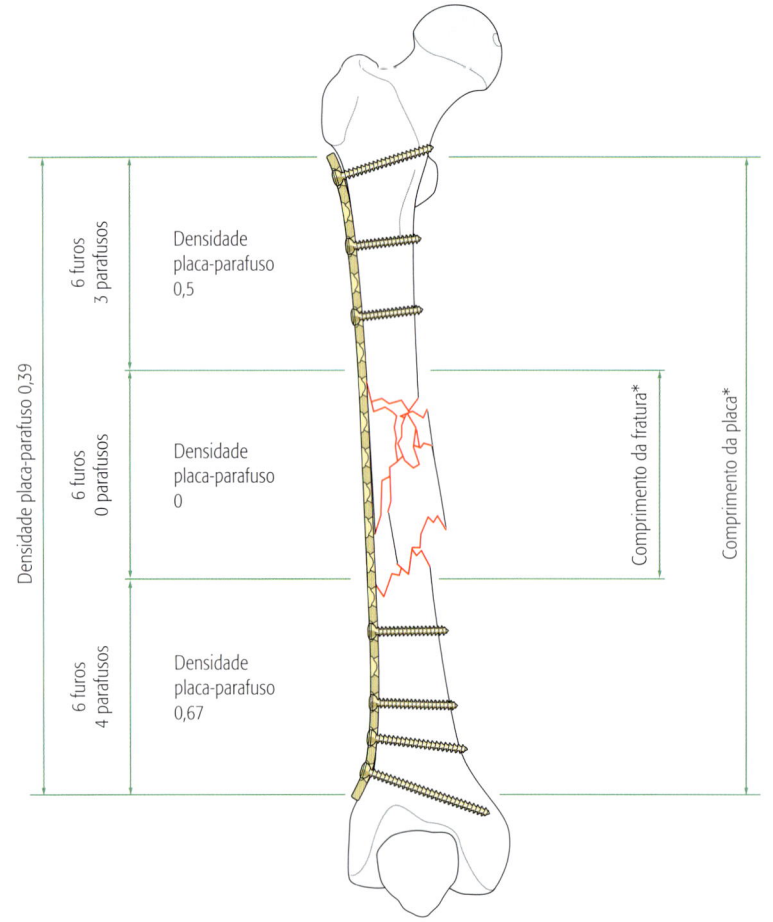

* Proporção da placa = comprimento da placa: comprimento da fratura

6.2.3 Fixação externa

Na diáfise do fêmur, a fixação externa é amplamente preconizada como parte do tratamento do controle de danos. As mudanças recentes nos cuidados, com a moderna ventilação pulmonar protetora e a reanimação hemostática, têm permitido o desenvolvimento do conceito de cuidado apropriado precoce e reduzido a necessidade de fixação externa do fêmur para o controle de danos [6, 8]. A fixação externa da diáfise do fêmur é usada temporariamente e aplicada a pacientes criticamente enfermos. O procedimento pode ser feito com ou sem intensificação de imagem e até na UTI com sedação. Dois Schanz abaixo e acima da fratura (frequentemente transpondo a articulação do joelho) e conectados com uma armação unilateral simples com dois níveis de hastes conectoras paralelas são satisfatórios para o uso temporário. A maioria dos componentes dos fixadores externos modernos são idealmente compatíveis com a ressonância magnética (RM). Os Schanz podem ser colocados através do músculo quadríceps, de anterior para posterior, ou de lateral para medial. Esses corredores têm alto risco para infecção e aderências no quadríceps (**Fig. 6.6.2-6**). Com base em uma avaliação retrospectiva, as complicações infecciosas aumentam se a fixação definitiva for executada depois de 14 dias da fixação externa [7]. Os fixadores em anel são úteis em situações especiais, como a correção de deformidade, transporte ósseo ou alongamento do fêmur, mas são difíceis de usar no fêmur.

6.2.4 Configuração da sala de cirurgia

A fixação externa, o uso de placa e o encavilhamento IM do fêmur podem ser feitos na mesa cirúrgica comum ou de tração.

Mesa cirúrgica padrão (radiolucente): O membro é preparado com um campo único em forma de U. A tração manual leve (o assistente pode precisar sentar em um banquinho) é mantida no membro durante a preparação para evitar deformidade excessiva no local de fratura. A área exposta é desinfetada a partir da crista ilíaca até a metade da tíbia com o antisséptico apropriado. Uma malha cobre a perna e é fixada com uma fita (**Fig. 6.6.2-7**). A perna é preparada para ser movida livremente. O joelho é flexionado sobre um dispositivo bem acolchoado e o intensificador de imagem é preparado.

O cirurgião e a equipe da sala de cirurgia ficam no lado do membro afetado. O assistente fica ao lado do cirurgião. O intensificador de imagem é colocado no lado oposto da lesão e a tela de exibição precisa ser colocada de forma que seja visível a toda a equipe cirúrgica e ao técnico em radiologia (**Fig. 6.6.2-8**).

Mesa de tração (de fraturas): A mesa operatória é posicionada (se possível) dentro da sala de cirurgia para permitir o máximo espaço no lado cirúrgico para o cirurgião, equipe e mesas auxiliares. A tração pode ser aplicada ao fêmur com um fio de tração esquelética (**Fig. 6.6.2-9**) ou por uma bota de tração aplicada no pé. O cirurgião, o assistente e o a equipe da sala de cirurgia ficam no lado da lesão com uma tela de plástico usada para isolar o campo cirúrgico do intensificador de imagem, que é colocado no lado oposto da mesa e entre as pernas do paciente. A tela do intensificador de imagem deve ser posicionada ao lado, de forma que tanto o técnico em radiologia quanto a equipe cirúrgica tenham uma visão completa (**Fig. 6.6.2-10**).

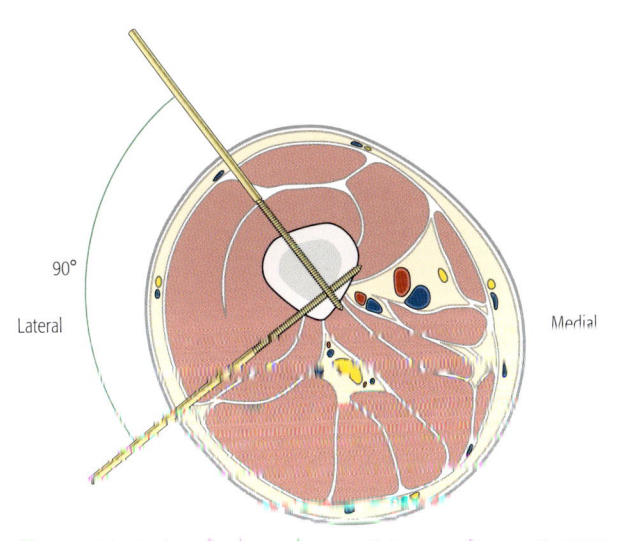

Fig. 6.6.2-6 Colocação de parafusos de Schanz em fraturas do fêmur fixadas com um fixador externo. Para a fixação temporária, haverá pequena interferência com uso de placa mais adiante. Para o tratamento definitivo com um fixador externo, como, por exemplo, em crianças, os parafusos de Schanz devem ser introduzidos na direção posterolateral ao longo do septo intermuscular, para não interferir no movimento muscular.

Fraturas específicas
6.6.2 Fêmur, diáfise (incluindo fraturas subtrocantéricas)

Fig. 6.6.2-7 Preparação do paciente quando a tração não é utilizada.

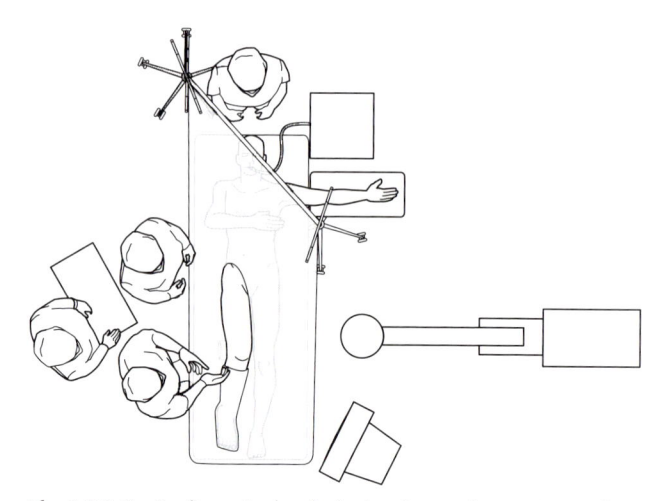

Fig. 6.6.2-8 Configuração da sala de cirurgia quando a tração não é usada.

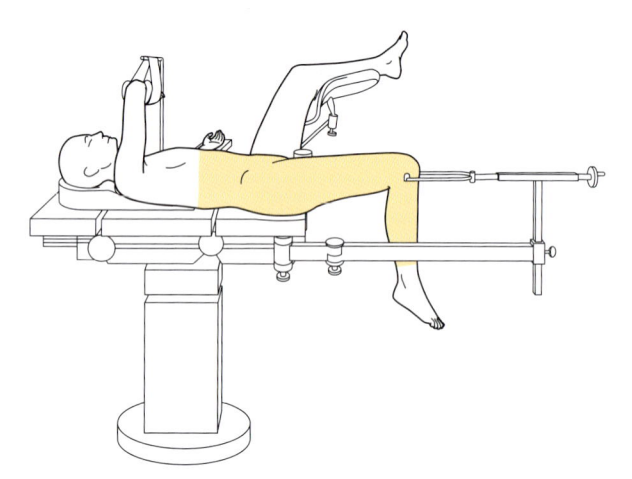

Fig. 6.6.2-9 Preparação do paciente quando a tração do fêmur é utilizada.

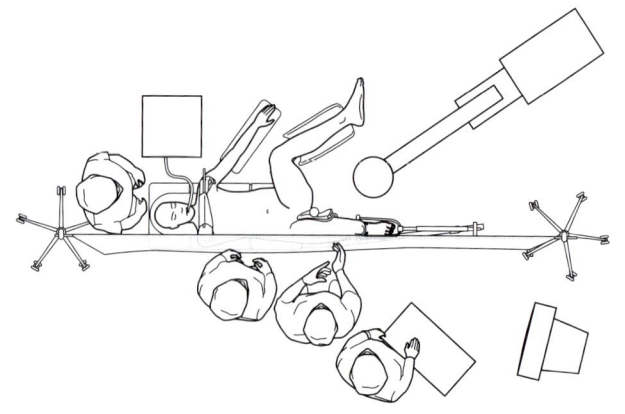

Fig. 6.6.2-10 Configuração da sala de cirurgia quando a tração do fêmur é usada.

7 Cirurgia

7.1 Vias de acesso cirúrgicas

7.1.1 Posicionamento

O posicionamento do paciente depende de experiência da equipe, dos recursos locais, das lesões associadas, da compleição física e do padrão de fratura. Cada posição (decúbito dorsal ou lateral; com ou sem mesa de tração) tem suas vantagens e desvantagens. Os cirurgiões de trauma ortopédico precisam estar familiarizados com pelo menos duas ou três configurações para cenários diferentes.

A posição de decúbito dorsal em uma mesa radiolucente é ideal no politraumatismo, permitindo acesso a todas as cavidades do corpo. Essa configuração permite o encavilhamento retrógrado, operações simultâneas bilaterais, tratamento do joelho flutuante, reparo vascular, fixação externa bilateral e estabilização aguda do anel pélvico. A preparação conjunta e livre da extremidade inferior ilesa permite o controle do comprimento e rotação ideais. As desvantagens incluem a necessidade de tração manual contínua por assistentes ou a aplicação do distrator femoral e um ponto de entrada mais difícil para o encavilhamento anterógrado, especialmente em pacientes obesos ou nas hastes com entrada na fossa piriforme. Também é difícil de conseguir uma imagem lateral verdadeira da região proximal do fêmur. Nessa posição, o acesso ao ponto de entrada trocantérica pode ser facilitado por um coxim colocado sob o quadril ipsilateral (**Fig. 6.6.2-11a**) [17].

A posição lateral em uma mesa radiolucente também é uma opção frequentemente usada. É mais fácil acessar o ponto de entrada na região proximal do fêmur e a entrada da fossa piriforme é muito mais fácil na posição lateral. As fraturas subtrocantéricas com um trocanter menor intacto são mais fáceis de reduzir ao flexionar o fragmento distal enquanto o paciente estiver sobre o seu lado. A deformidade rotacional significativa é menos provável de ocorrer na posição lateral. As desvantagens incluem a maior dificuldade para imagens laterais, acesso limitado a outras lesões e a necessidade de "liberar a coluna vertebral" nos pacientes de politraumatismo e a necessidade de tração manual ou um distrator femoral (**Fig. 6.6.2-11b**).

O método da mesa de tração com membros inferiores em posição de tesoura elimina a necessidade de tração manual e requer menos assistência, mas a mesa de tração é menos ideal para os pacientes politraumatizados. Ela pode causar compressão do nervo pudendo e pode ser problemática na presença de fraturas pélvicas e acetabulares ou lesões do membro inferior ipsilateral. Entretanto, a avaliação do comprimento e da rotação em comparação com o lado ileso é muito mais fácil (**Fig. 6.6.2-11c**).

A posição lateral em uma mesa de tração é usada para as fraturas subtrocantéricas, mas requer um tempo mais longo de preparação; ela combina o benefício da tração com um bom acesso à região proximal do fêmur. Os especialistas que defendem essa posição alegam que o menor tempo de redução e de cirurgia compensa o tempo mais longo de preparação (**Fig. 6.6.2-11d**).

Fraturas específicas
6.6.2 Fêmur, diáfise (incluindo fraturas subtrocantéricas)

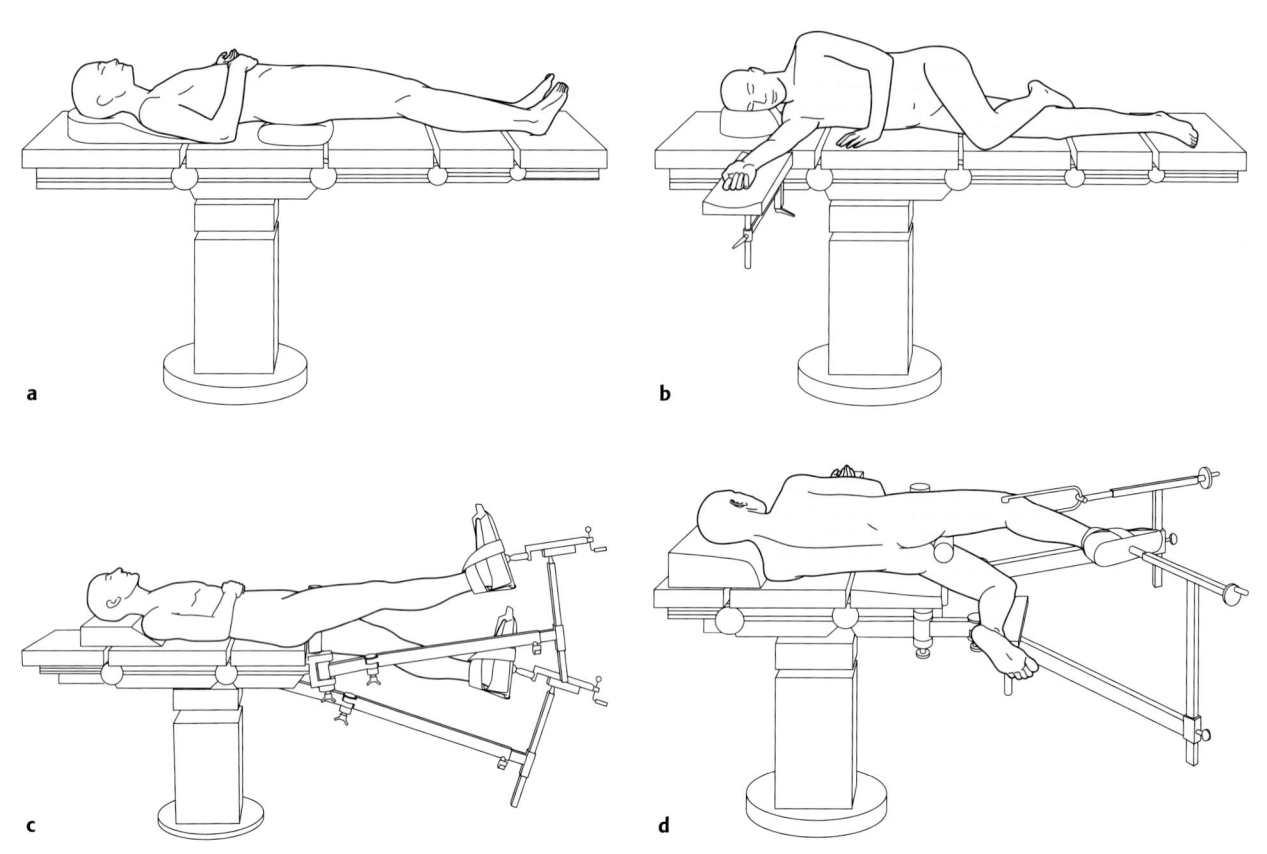

Fig. 6.6.2-11a-d Opções de posicionamento para a fixação das fraturas da diáfise do fêmur e subtrocantéricas. A visão do membro normal permite a comparação e ajuda a superar dificuldades com o comprimento, rotação e desvios axiais.
- **a** Posição normal em decúbito dorsal.
- **b** Posição em decúbito lateral na mesa operatória padrão para o encavilhamento intramedular.
- **c** Mesa de tração para o encavilhamento intramedular das fraturas da diáfise e proximais do fêmur na posição de decúbito dorsal. A posição de tesoura dos membros torna fácil o controle do comprimento, do alinhamento e da rotação. A perna não operada é baixada em 15° e a perna a ser operada é elevada em 10°. O intensificador de imagem entra pelo lado não cirúrgico e permite o bloqueio distal sem obstrução.
- **d** Posição na mesa de tração para encavilhamento na posição de decúbito lateral (mais tempo para montagem, mas redução mais fácil das fraturas subtrocantéricas).

7.1.2 Pontos de entrada para o encavilhamento intramedular

Dependendo do desenho da haste, o ponto de entrada anterógrado de uma haste IM irá variar. O ponto de entrada é na fossa piriforme, alinhado com o canal medular na incidência anteroposterior (AP) (**Fig. 6.6.2-12**) ou na ponta do trocanter maior. Muitas hastes modernas têm pontos de entrada trocantérica. O uso da haste femoral com um ponto de entrada errado resultará em redução inadequada e/ou uma fratura iatrogênica intraoperatória. O cirurgião deve estar ciente que o osso no ponto de entrada tende a ser mais mole lateralmente e mais duro medialmente. Isto pode criar problemas em pacientes mais jovens com fraturas femorais proximais complexas, já que o ponto de entrada tende a aumentar lateralmente por causa da resistência do osso medial mais duro.

O resultado é um ponto de entrada mais lateral que o planejado e isso causa uma má redução em varo conforme a haste é inserida. Ao lidar com esse tipo de fratura e para evitar tal problema, o cirurgião deve escolher um ponto de entrada que seja medial à ponta do trocanter maior, mesmo quando usar uma haste com entrada trocantérica (**Fig. 3.3.1-4a-c**).

É útil usar um marcador de pele para demonstrar as características anatômicas fundamentais. A incisão de pele é geralmente feita de 2-4 cm proximalmente ao trocanter maior (dependendo da compleição física). A fossa piriforme é uma estrutura posterior que se sobressai pela cortical anterior da região proximal do fêmur (**Fig. 6.6.2-13**). Por conseguinte, a ponta de um fio-guia piriforme inicial corretamente colocado parecerá estar dentro do osso antes que realmente penetre na cortical.

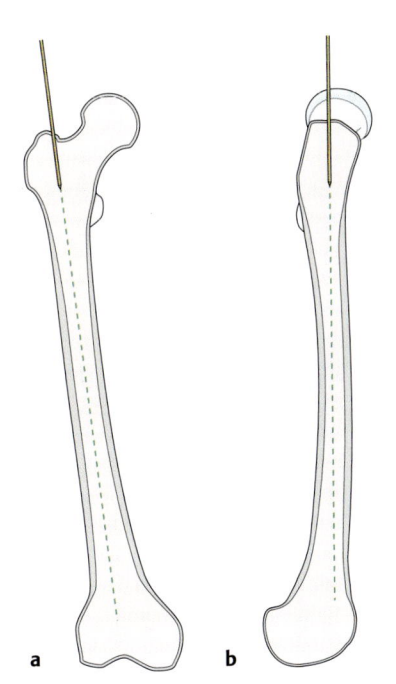

Fig. 6.6.2-12a-b Ponto de entrada da fossa piriforme.
a Incidência anteroposterior (AP): fio-guia alinhado com o canal intramedular.
b Incidência lateral: fio-guia alinhado com o terço posterior do fêmur. O fio-guia deve ser colinear com o canal em ambas as incidências.

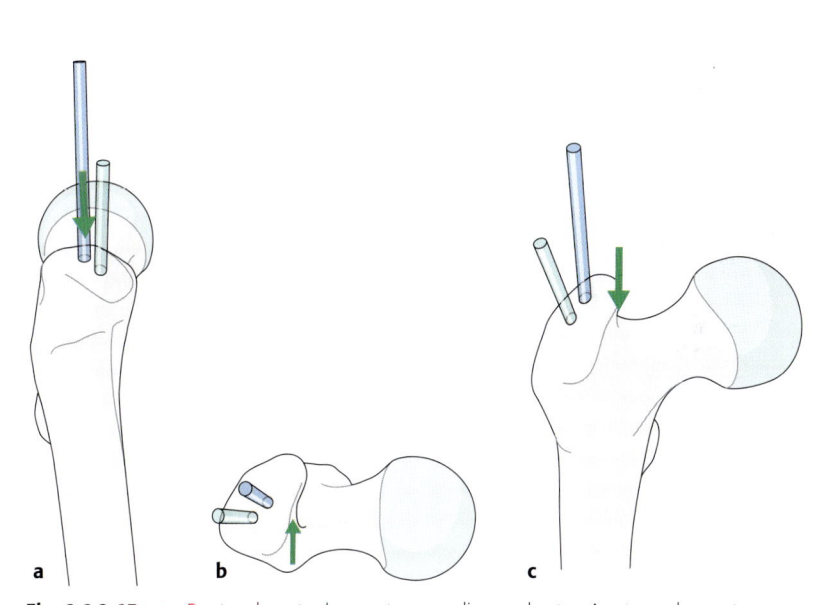

Fig. 6.6.2-13a-c Pontos de entrada corretos para diversas hastes. A seta verde mostra o ponto de entrada da fossa piriforme.
Azul = Haste femoral proximal antirrotação
Verde = Haste femoral retrógrada/anterógrada especial

Fraturas específicas
6.6.2 Fêmur, diáfise (incluindo fraturas subtrocantéricas)

O ponto de entrada para uma haste retrógrada está alinhado com o canal medular na incidência AP e anterior à linha de Blumensaat na radiografia lateral (**Fig. 6.6.2-14**). Uma artrotomia parapatelar medial é feita, ou o tendão patelar pode ser dividido. Com esse método percutâneo, é essencial executar o procedimento inteiro (entrada do canal, fresagem, etc.) através do guia de proteção do tecido, que deve se ajustar na incisura intercondilar.

7.1.3 Uso de placas

Se for utilizada uma placa por via aberta, a incisão é feita no aspecto lateral da coxa (**Fig. 6.6.2-15**). A fáscia lata é dividida e o músculo vasto lateral é elevado a partir do septo intramuscular para que fique dentro do plano intermuscular. Quaisquer vasos perfurantes que correrem pelo campo cirúrgico são ligados. São usados métodos de redução direta. A colocação de placa por via aberta pode ser associada com perda sanguínea grande, sendo contraindicado em estados agudos de coagulopatia e tem uma taxa de consolidação mais baixa e uma taxa de complicações mais alta que as hastes IM.

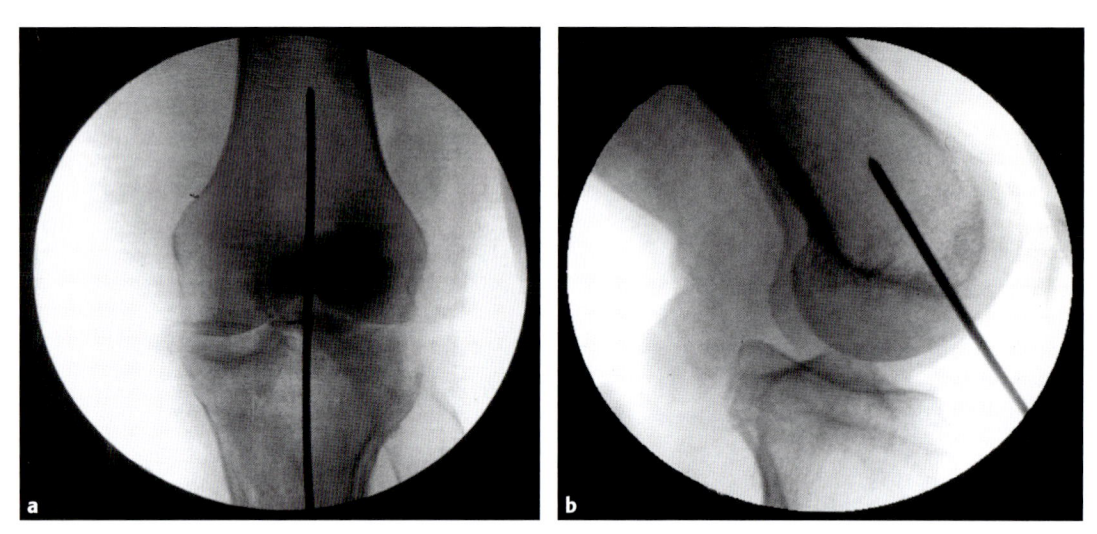

Fig. 6.6.2-14a-b Distal do fêmur, vistas anteroposterior (AP) e lateral. O ponto de entrada para as hastes femorais retrógradas está alinhado com o canal medular nas incidências AP e lateral.

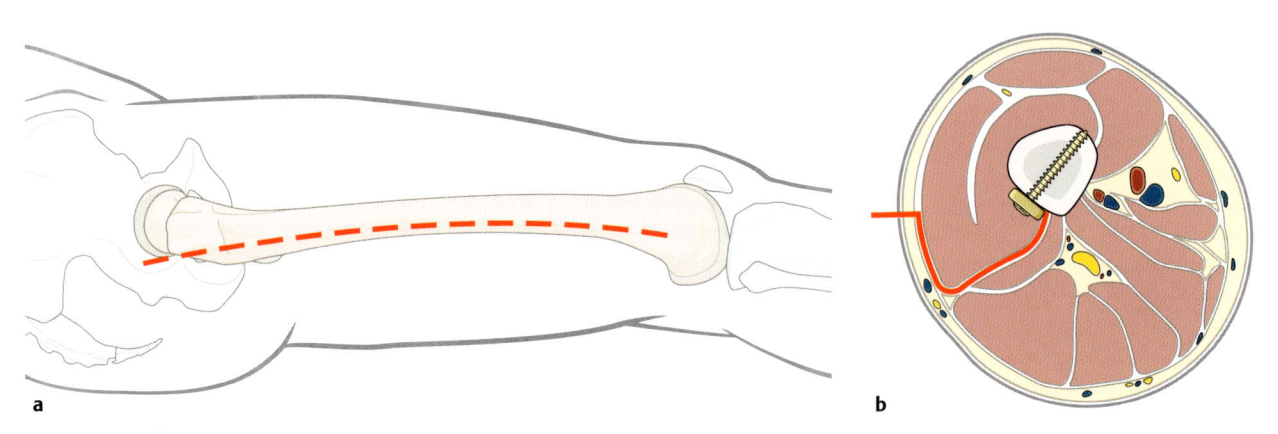

Fig. 6.6.2-15a-b
a   A via de acesso padrão da diáfise do fêmur é feita através de uma incisão reta no lado lateral da coxa.
b   A dissecção profunda segue o septo intermuscular até a linha áspera, mas permanece extraperiosteal. Expor tão pouco osso quanto possível para a colocação da placa a fim de preservar a vascularização dos fragmentos.

A placa submuscular é usada para fixação de fraturas do fêmur que se estendem para a área metafisária. Uma ou duas incisões são feitas proximal e/ou distalmente ao local de fratura e uma placa é tunelizada por meio de um método submuscular e extraperiosteal. São aplicadas técnicas de redução percutânea indireta e direta. É importante que os princípios de fixação da fratura sejam aplicados e esse método é mais adequado para as fraturas multifragmentadas quando a estabilidade relativa com uma placa em ponte é a meta de fixação. O suprimento sanguíneo periosteal ao nível da fratura é mais preservado, especialmente quando forem usadas placas com parafusos de cabeça bloqueada (p. ex., LCP) (**Fig. 6.6.2-16**) [15].

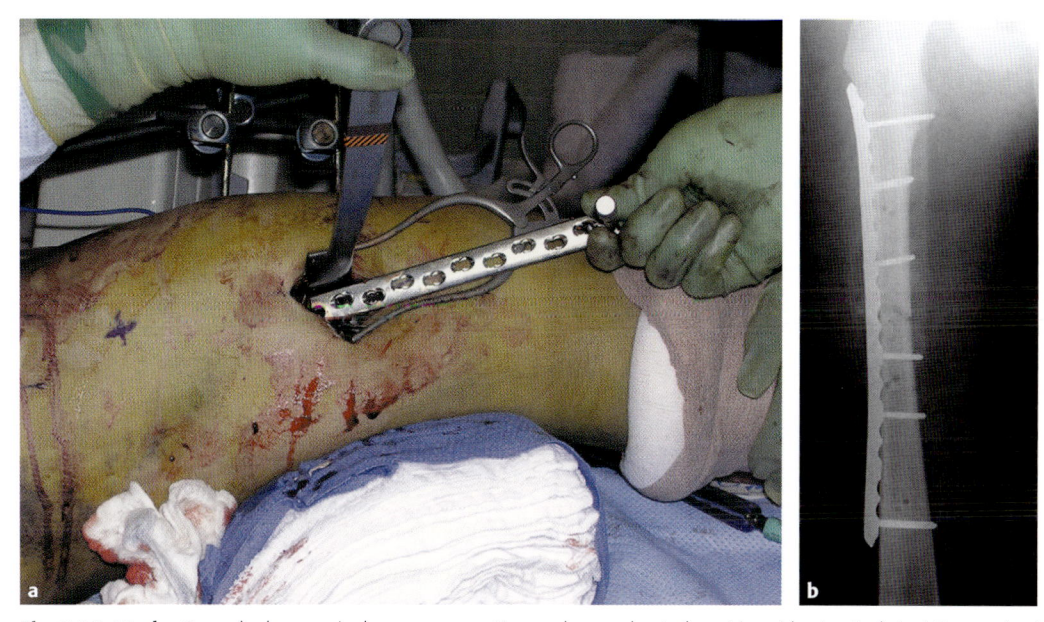

Fig. 6.6.2-16a-b Exemplo de uma via de acesso percutânea submuscular. A placa é inserida através de incisões proximais e distais ao local de fratura no plano extraperiosteal, com tunelização submuscular após o local da fratura.

Fraturas específicas
6.6.2 Fêmur, diáfise (incluindo fraturas subtrocantéricas)

7.2 Redução e fixação

As técnicas de redução fechada com redução indireta são preferíveis para a fixação da fratura do fêmur com um encavilhamento IM. A redução pode ser facilitada por coxins, um distrator femoral, uma ferramenta radiolucente, uma ferramenta de redução IM canulada (ou haste de menor diâmetro) e um suporte do lado não estéril do campo para apoiar a perna vergada na mesa de tração (**Figs. 6.6.2-17-19**). Métodos abertos limitados, extrafocais e percutâneos como um gancho ósseo, um impactor com ponta de esfera ou um parafuso de Schanz em um mandril com cabo em T podem auxiliar na execução de uma redução direta/indireta elegante e minimamente invasiva (**Fig. 6.6.2-20**). Em todos os casos, a paralisia muscular farmacológica adequada é aconselhável.

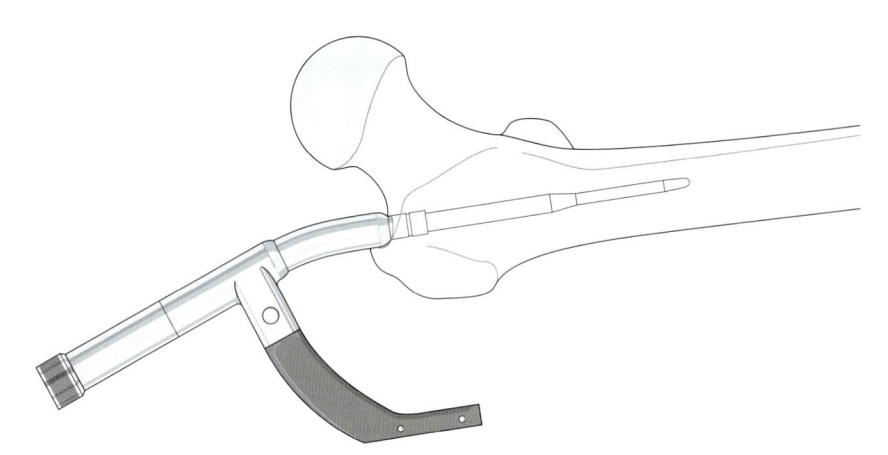

Fig. 6.6.2-17 "Haste falsa" com o guia proximal como *joystick* para manobras de redução ou montagem de um dispositivo direcionador para a inserção de um parafuso de Schanz.

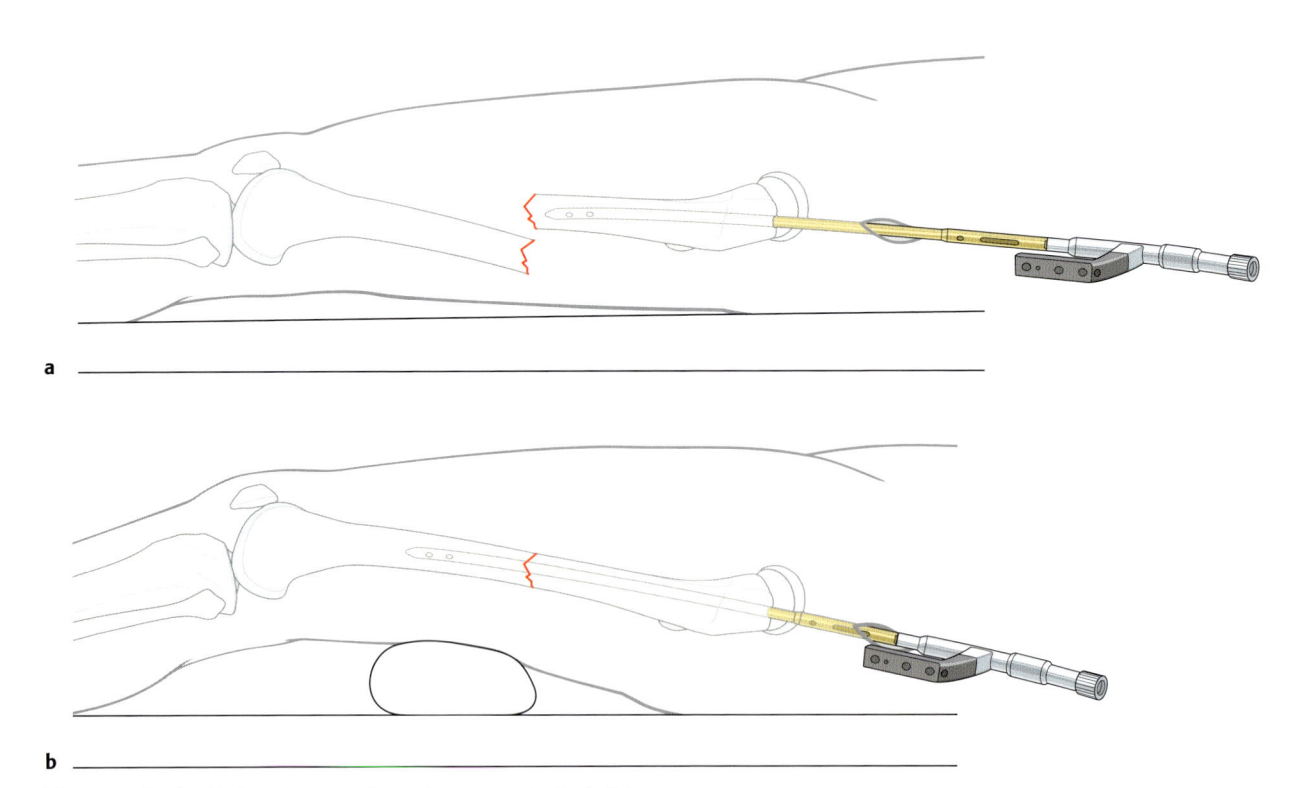

Fig. 6.6.2-18a-b Coxins sob a coxa são usados para a redução da fratura.

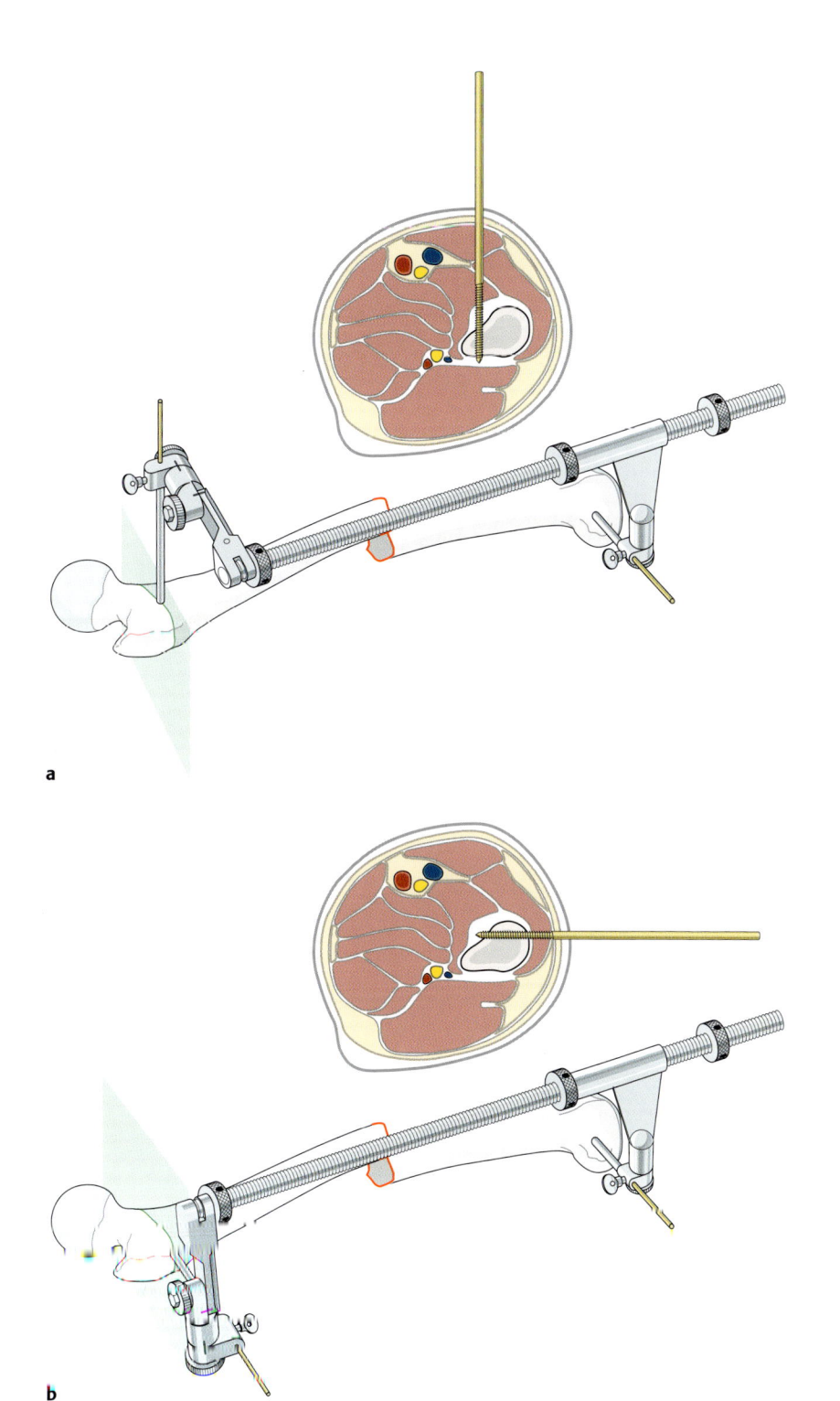

Fig. 6.6.2-19a-b Aplicação do distrator nas fraturas da diáfise do fêmur com parafusos de Schanz bem posicionados nas extremidades distal e proximal.

a O parafuso de Schanz anteroposterior (AP) proximal é inserido com a ajuda de um dispositivo direcionador especial, para não interferir com a haste intramedular. A seção transversal demonstra que essa técnica não viola as estruturas neurovasculares do fêmur.
b Os dois parafusos de Schanz para o distrator também podem ser colocados no plano coronal.

Fraturas específicas
6.6.2 Fêmur, diáfise (incluindo fraturas subtrocantéricas)

A fresagem é executada na maioria dos pacientes com fratura do fêmur, exceto se for contraindicada. Ela é realizada até que haja um rangido cortical, significando que a fresa está começando a pegar o osso cortical próximo ao istmo.

As fraturas distais frequentemente requerem parafusos de apoio transcortical ou *Poller* para otimizar o posicionamento da haste central em um canal medular grande. Isso previne a má redução, tanto com técnicas anterógradas quanto retrógradas (ver Cap. 3.3.1).

Para as fraturas multifragmentadas, quando não houver nenhuma área de contato entre os principais fragmentos proximal e distal, a avaliação radiográfica das referências corticais não pode ser usada para julgar os corretos comprimento e rotação. Os erros típicos ocorrem com a aplicação de força demasiada com uma mesa de tração (alongamento excessivo) ou força insuficiente com a tração manual (encurtamento). A má rotação depois do encavilhamento de uma fratura da diáfise do fêmur é relativamente frequente e pode causar desfechos funcionais insatisfatórios.

Vários métodos podem ser usados para determinar o comprimento e a rotação corretos (ver Cap. 3.3.1):

- Pré-cirurgicamente, uma escanometria formal pode ser obtida no departamento de radiologia com uma régua sobre o quadril e joelho.
- As hastes femorais na sua embalagem original podem ser colocadas sobre o fêmur oposto até que seja encontrada uma haste de comprimento correto.
- Uma régua pode ser mostrada sobre a perna oposta na sala de cirurgia.

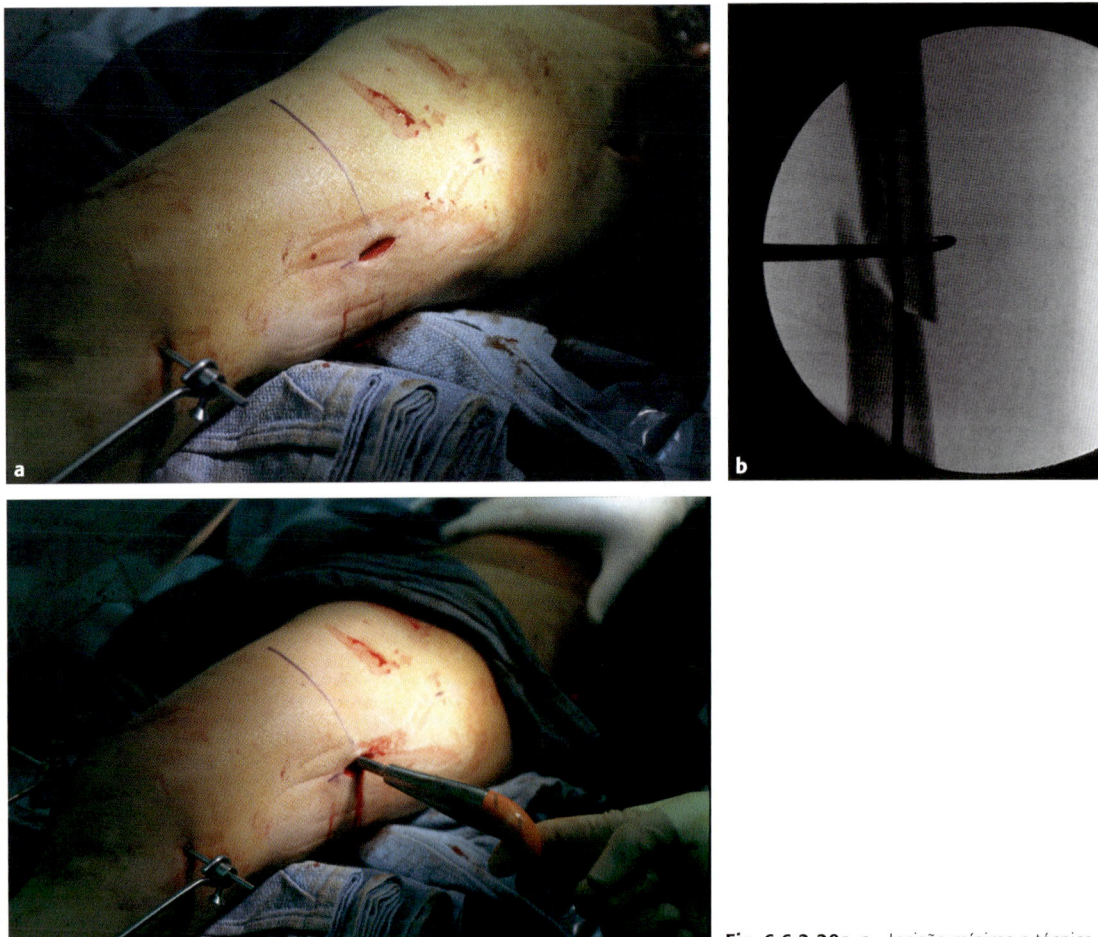

Fig. 6.6.2-20a-c Incisão mínima e técnica de redução direta com um gancho ósseo.

- Comparar o perfil do trocanter menor para alcançar uma posição lateral perfeita do fragmento metafisário distal.
- Preparar ambos os membros inferiores para comparar o comprimento e rotação.
- Usar navegação por computador.

As hastes anterógradas devem terminar no nível médio da patela. As hastes retrógradas devem terminar no nível logo acima do trocanter menor. O bloqueio sempre deve ser executado para o encavilhamento femoral agudo na posição estática. O único momento que as técnicas de encavilhamento dinâmico no fêmur poderiam ser usadas é nas situações de retardo de consolidação ou nos casos de não união crônica quando a estabilidade (comprimento e rotação) for garantida. Desse modo, a maioria das hastes femorais é bloqueada com dois parafusos em cima e embaixo.

7.3 Desafios

7.3.1 Fraturas do colo e da diáfise

As fraturas do colo do fêmur estão associadas a fraturas da diáfise do fêmur em aproximadamente 2,5-6% dos casos [1]. Essas fraturas do colo frequentemente não estão desviadas e são mais verticais que as isoladas (Fig. 6.6.2-21). São frequentemente lesões que passam despercebidas (Fig. 6.6.2-22).

A fratura intracapsular desviada do colo do fêmur é uma emergência relativa em pessoas jovens por causa do risco de necrose avascular da cabeça do fêmur. Geralmente, a prioridade é a redução anatômica e fixação do colo do fêmur quando as fraturas ipsilaterais de colo e diáfise ocorrem nos pacientes sem comprometimento hemodinâmico. Nos pacientes instáveis com politraumatismo, onde o cuidado total imediato não é possível, a estabilização temporária da fratura da diáfise pode ser uma prioridade, com imobilização ou tração da fratura proximal até que a condição do paciente permita a cirurgia definitiva. As fraturas extracapsulares do colo femoral não representam uma urgência clínica e idealmente devem ser fixadas em definitivo no momento da fixação das fraturas da diáfise [1].

A recomendação atual é abordar independentemente as fraturas da diáfise e do colo com dois implantes, já que representam duas fraturas separadas. Deve ser usado o melhor método possível de fixação para cada fratura. Às vezes isso pode ser executado com um implante, mas a maioria das situações requer dois implantes se o colo do fêmur estiver desviado e a fratura da diáfise for no terço médio ou no terço distal [1]. Em fraturas de grande energia, o componente da fratura do colo frequentemente requer técnicas de redução aberta e direta. Assim é alcançada uma posição anatômica ou em leve valgo nos padrões de fratura com grande energia e padrões verticais e altamente instáveis.

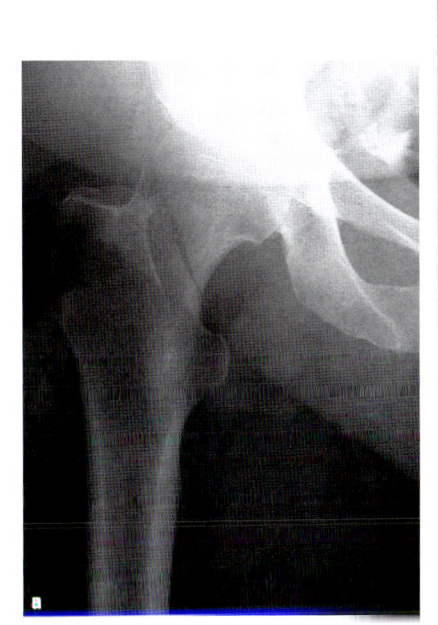

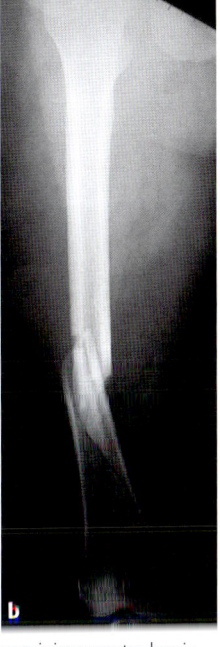

Fig. 6.6.2-21a-b Fratura vertical do colo do fêmur minimamente desviada, associada a uma fratura da diáfise do fêmur.

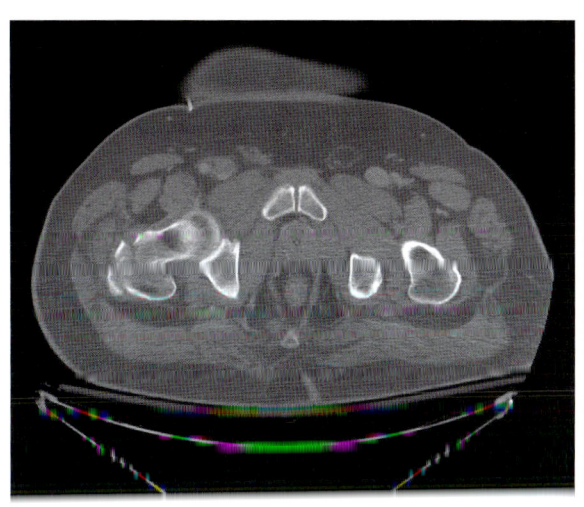

Fig. 6.6.2-22 Tomografia computadorizada da pelve que inclui o colo do fêmur e demonstra uma fratura proximal do fêmur.

Fraturas específicas
6.6.2 Fêmur, diáfise (incluindo fraturas subtrocantéricas)

As opções para o colo do fêmur incluem a fixação com parafuso de tração para as fraturas de colo não desviadas 31B2 (transcervicais) e a fixação com parafuso dinâmico de quadril com colocação de parafuso antirrotação para as fraturas da base do colo (**Fig. 6.6.2-23**). Pequenas placas anteriores/inferiores de redução também podem ser úteis para se obter e manter a redução do colo do fêmur quando for necessário abrir uma fratura do colo do fêmur. Os dispositivos para estabilização da fratura da diáfise do fêmur incluem as hastes IM femoral retrógradas ou as placas submusculares. Embora os dispositivos que estabilizam ambas as fraturas – como a haste IM que permite a fixação

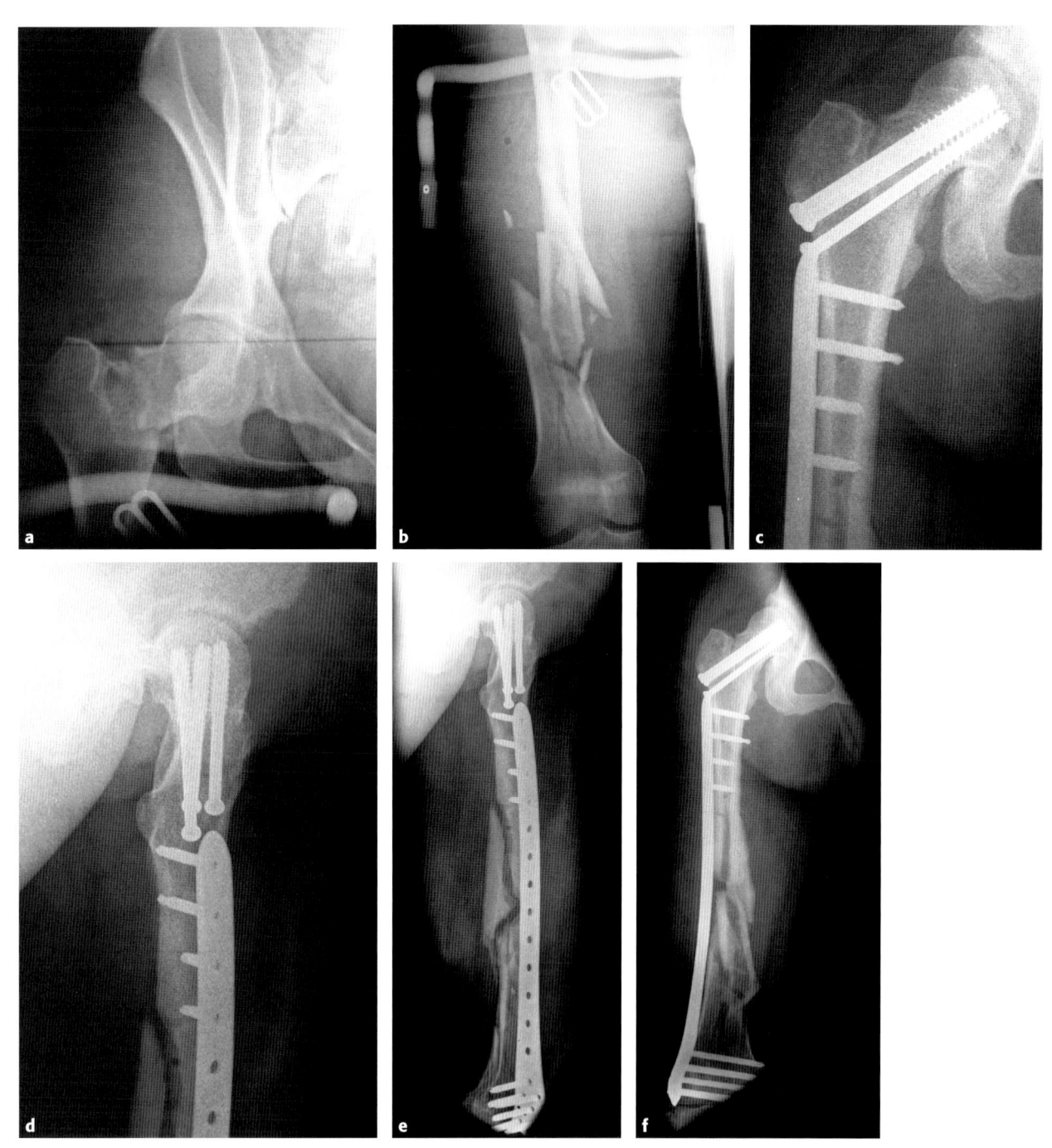

Fig. 6.6.2-23a-f Fratura desviada do colo do fêmur (31B1.3) com fratura complexa da diáfise que se estende para o joelho (32B3). Redução aberta e parafusos de tração no colo do fêmur, sistema de estabilização menos invasivo para a diáfise do fêmur com redução indireta e uso de placa submuscular.

na cabeça e no colo do fêmur – possam ser usados, pode ser difícil reduzir e estabilizar duas fraturas de uma só vez [1]. Se a fratura do colo femoral for detectada depois do encavilhamento IM, parafusos de tração adicionais para estabilizar a fratura do colo devem ser inseridos (técnica "sobre a haste") (**Fig. 6.6.2-24**).

7.3.2 Fraturas do fêmur ipsilaterais da diáfise e articular distal

As fraturas do fêmur articulares distais concomitantes com fraturas da diáfise do fêmur habitualmente requerem planejamento cuidadoso com uma tomografia computadorizada (TC) para estabelecer a via de acesso. A redução aberta direta da fratura articular e a fixação com estabilidade absoluta via uma artrotomia de joelho fornecem excelente exposição para introduzir uma haste femoral retrógrada. As fraturas coronais do côndilo femoral posterior (fratura de Hoffa) requerem redução anatômica e fixação com parafusos de tração. Se a configuração da fratura permitir, uma placa de suporte deve ser adicionada. Se a fratura da diáfise do fêmur for no terço distal, então uma técnica com placa pode ser usada para ambas as fraturas.

7.3.3 Fraturas subtrocantéricas

As fraturas subtrocantéricas ocorrem na região entre o trocanter menor e os 3 cm distais a ele. A cortical medial do fêmur nesta região está sujeita a grandes forças compressivas e a cortical lateral à grande força de tração. Essa região também é a transição do osso esponjoso da região intertrocantérica para o osso cortical da diáfise do fêmur.

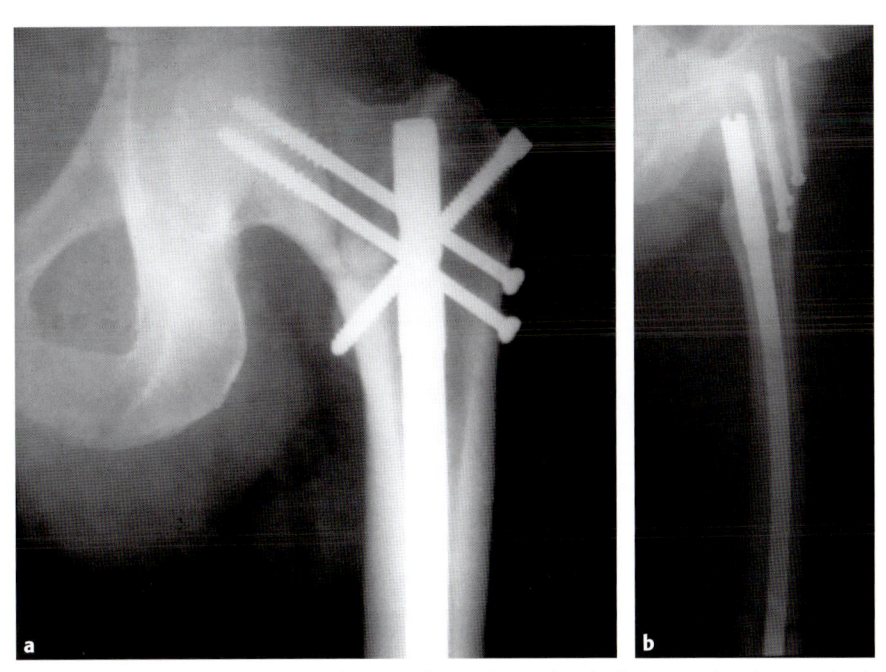

Fig. 6.6.2-24a-b Parafusos para estabilização de uma fratura do colo do fêmur colocados ao redor de uma haste intramedular. Os parafusos são colocados anteriormente à haste.

Fraturas específicas
6.6.2 Fêmur, diáfise (incluindo fraturas subtrocantéricas)

Existem várias técnicas disponíveis para estabilizar fraturas subtrocantéricas (Fig. 6.6.2-25) e os dispositivos de fixação para essa região precisam ser suficientemente fortes para resistir a grandes forças até que a fratura tenha consolidado.

A força muscular de deformação nessa área puxará o fragmento proximal em flexão, abdução e rotação externa. Os princípios mais importantes envolvem a obtenção de uma redução adequada e preservação do suprimento sanguíneo.

É essencial evitar a má redução em varo.

Se esses princípios forem seguidos, tanto o encavilhamento quanto o uso de placa será bem-sucedido. A vantagem óbvia do encavilhamento é que o implante é um dispositivo de compartilhamento de carga e tem menos probabilidade de falhar, especialmente em situações de retardo de consolidação.

O encavilhamento intramedular tem sido usado com sucesso para o tratamento de fraturas subtrocantéricas, com altas taxas de consolidação. Por causa do grande diâmetro do canal medular na região proximal do fêmur, a inserção de haste não reduzirá a fratura. Uma redução aceitável precisa ser obtida antes da inserção da haste. Se o trocanter menor ainda estiver preso ao fragmento proximal, uma haste-padrão pode ser usada (**Fig. 6.6.2-25**). Se o trocanter menor estiver fraturado, uma haste com fixação na cabeça e no colo deve ser usada. Se houver fraturas que se estendam para a fossa piriforme, desvio e/ou propagação podem ocorrer durante a redução, manipulação, fresagem ou inserção da haste IM. Como nas fraturas do colo do fêmur associadas a fraturas da diáfise do fêmur, uma TC da proximal do fêmur pode ser útil para delinear a exata morfologia da fratura na região subtrocantérica.

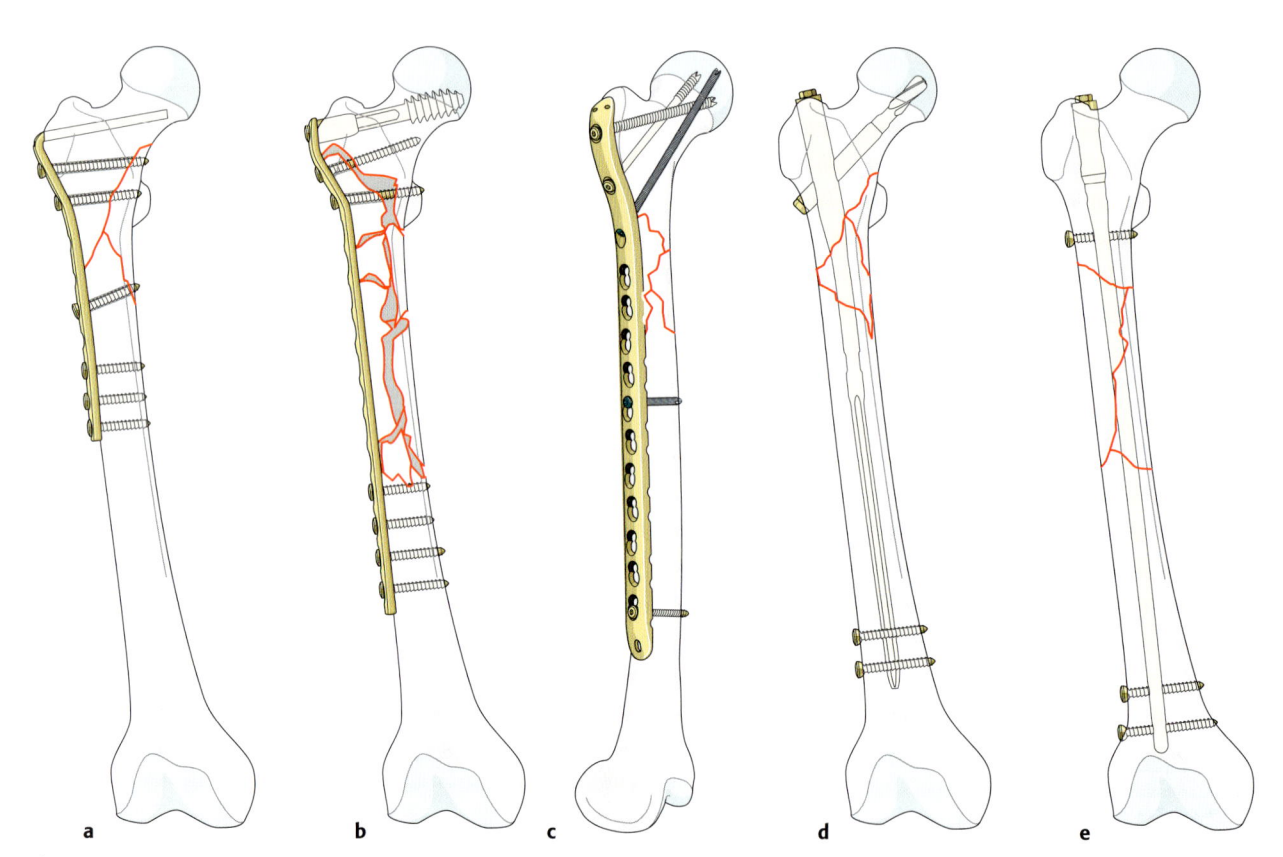

Fig. 6.6.2-25a-e Cinco opções para estabilizar as fraturas subtrocantéricas.
a   Placa-lâmina angulada de 95°, com reconstrução anatômica e estabilidade absoluta.
b   Parafuso dinâmico condilar (DCS) suportando a área da fratura complexa. A placa pode ser introduzida com uma técnica de tunelização.
c   Placa bloqueada de compressão femoral proximal.
d   Haste femoral proximal antirrotação (PFNA) introduzida a partir da ponta do trocanter. Para configurações 32B3 mais complexas, especialmente com segmentação mais distal, a PFNA longa oferece uma alternativa.
e   Haste femoral padrão quando a fratura tiver um trocanter menor intacto e for mais ístmica.

A fixação com placa é uma alternativa válida (**Fig. 6.6.2-26**). Historicamente, quando a redução aberta com exposição de todos os fragmentos da fratura e o desnudamento extenso eram executados, o retardo de consolidação, não uniões e falha do material de síntese eram comuns nessas fraturas. Com o uso das técnicas de redução indireta e exposição mínima, a incidência de não união e a necessidade para enxertia óssea tem sido notadamente reduzida [18, 19]. Essas técnicas são particularmente aplicáveis às fraturas multifragmentadas, onde as técnicas de placa em ponte podem ser usadas.

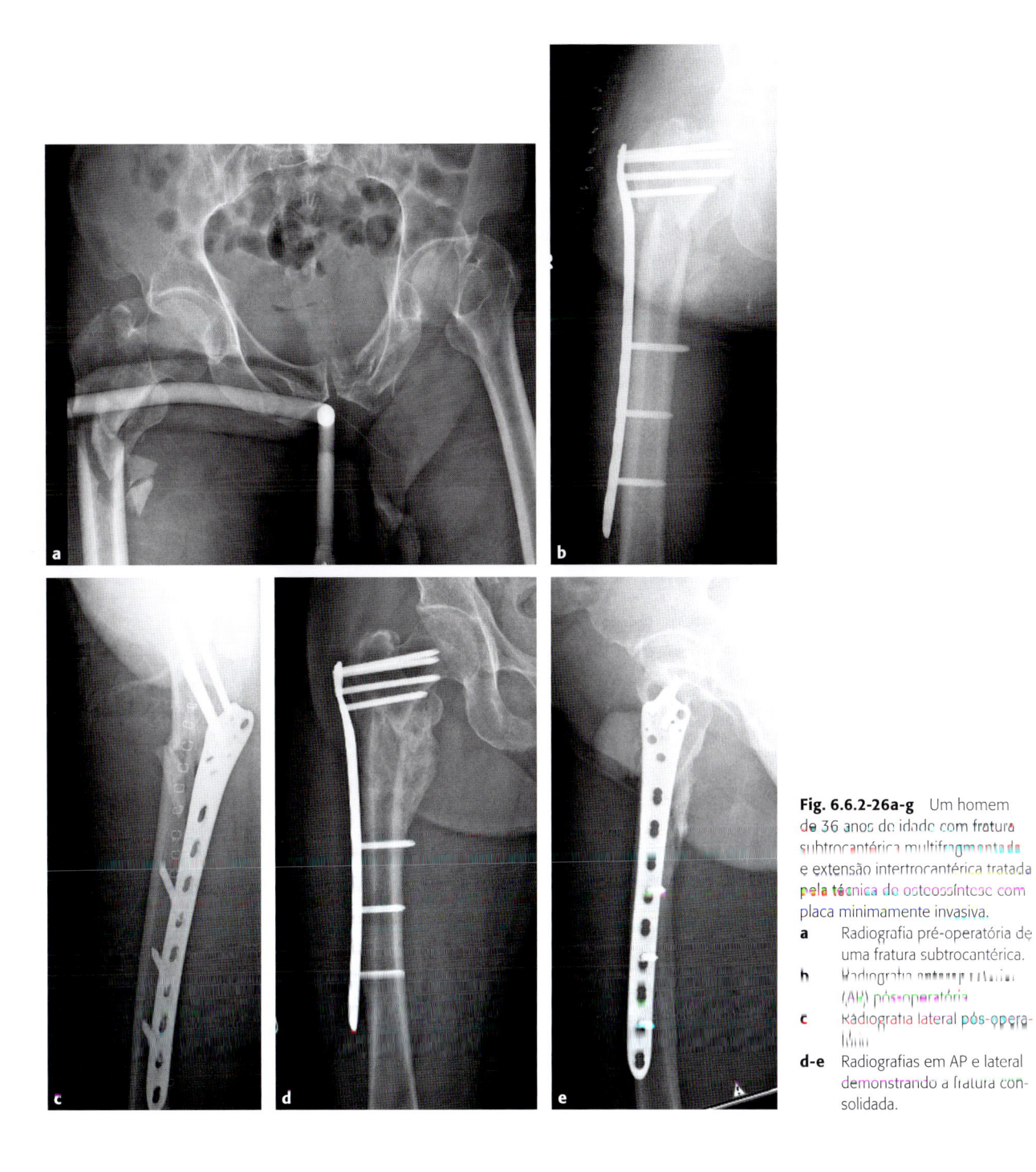

Fig. 6.6.2-26a-g Um homem de 36 anos de idade com fratura subtrocantérica multifragmentada e extensão intertrocantérica tratada pela técnica de osteossíntese com placa minimamente invasiva.
a Radiografia pré-operatória de uma fratura subtrocantérica.
b Radiografia anteroposterior (AP) pós-operatória.
c Radiografia lateral pós-operatória.
d-e Radiografias em AP e lateral demonstrando a fratura consolidada.

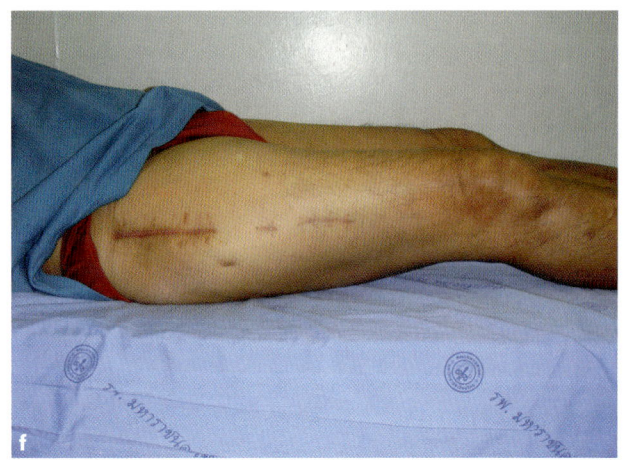

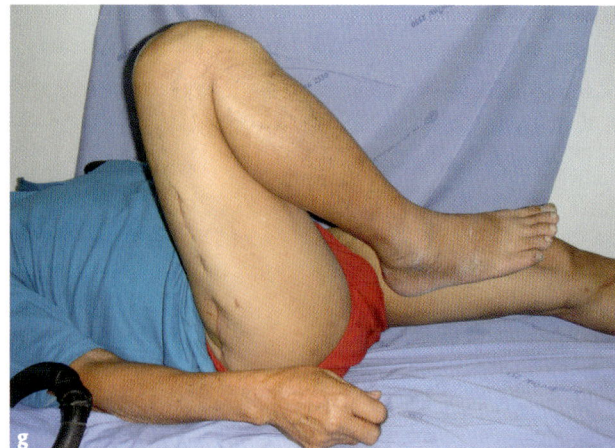

Fraturas específicas
6.6.2 Fêmur, diáfise (incluindo fraturas subtrocantéricas)

Fig. 6.6.2-26a-g (cont.)
f-g Amplitude de movimento clínica.

7.3.4 Fraturas atípicas do fêmur (fraturas do fêmur associadas a bifosfonados)

Os bifosfonados são amplamente usados como tratamento primário para a osteoporose. Esta classe de fármacos inibe a função osteoclástica e previne a reabsorção óssea. Isso mantém o estoque ósseo e o osso fica mais duro. Entretanto, pode também se tornar mais frágil. A dor na coxa e a evidência radiográfica de uma linha radiolucente nos pacientes que usam bifosfonados são fortes indicativos de uma fratura iminente (**Fig. 6.6.2-27**). A dor prodrômica na coxa, sem a linha de fratura, demanda a investigação com uma RM [20]. Essas lesões e as fraturas ocorrem tanto na região subtrocantérica quanto na diáfise do fêmur e podem ser bilaterais [21].

Hastes femorais fresadas e bloqueadas são usadas para tratar fraturas iminentes ou recentes, mas a consolidação é lenta e o uso de bifosfonados deve ser cessado ou ser dado um intervalo para o medicamento [3, 20].

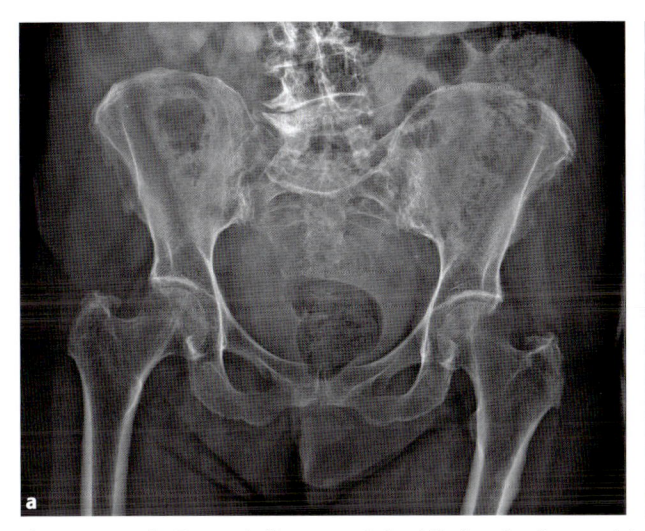

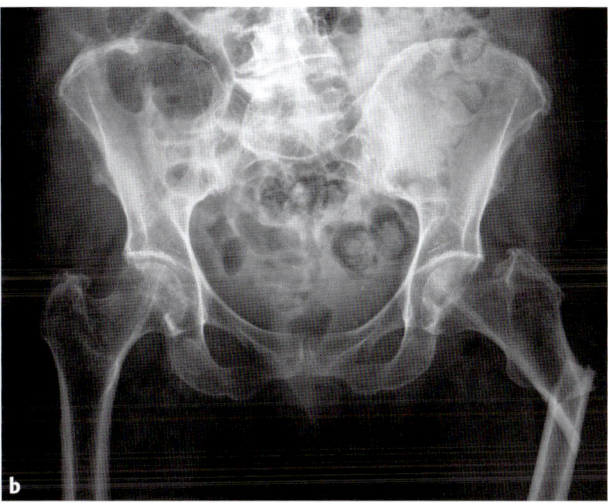

Fig. 6.6.2-27a-f Fratura do fêmur associada a bifosfonados (fratura atípica do fêmur).
a   Radiografia pélvica em anteroposterior (AP) de uma mulher de 82 anos de idade com uma história de 10 anos de uso de bifosfonados. Ela se apresentou com dor na coxa esquerda e na região proximal do fêmur esquerdo, onde havia evidência de neoformação óssea periosteal na cortical proximal do fêmur e lateral.
b   Radiografia em AP dessa paciente 1 semana depois e antes da execução do encavilhamento profilático. Uma fratura atípica do fêmur.

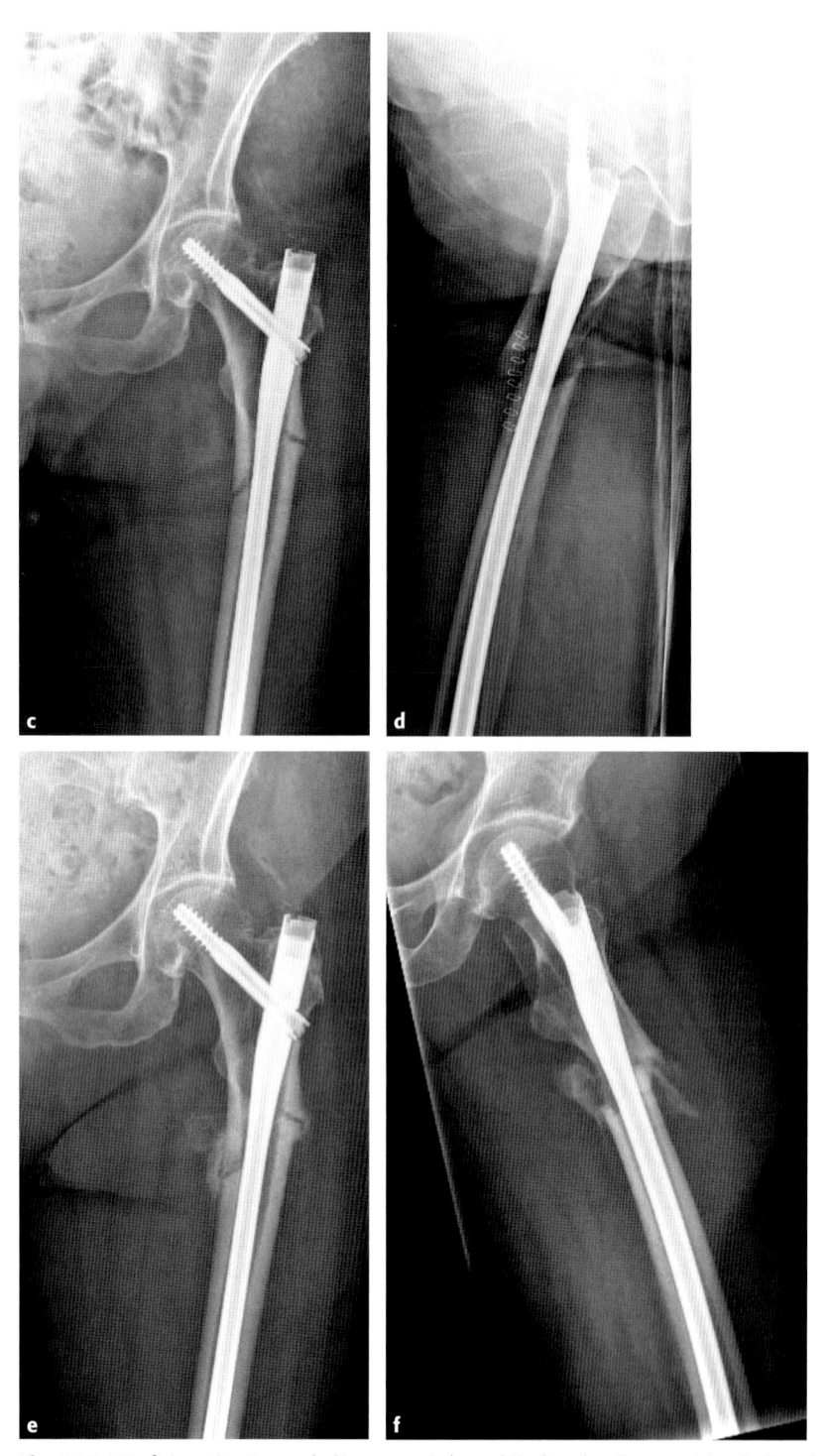

Fraturas específicas
6.6.2 Fêmur, diáfise (incluindo fraturas subtrocantéricas)

Fig. 6.6.2-27a-f (**cont.**) Fratura do fêmur associada aos bifosfonados (fratura atípica do fêmur).
c   Radiografia pós-operatória em AP demonstrando o aspecto radiográfico típico da fratura do fêmur associada aos bifosfonados.
d   Radiografia lateral pós-operatória.
e-f Radiografias AP e lateral em 6 semanas de pós-operatório.

8 Cuidados pós-operatórios

A mobilização pós-operatória e os exercícios de amplitude de movimento do joelho e do quadril são iniciados assim que possível. Os pacientes com fraturas da diáfise do fêmur que tiverem sido estabilizadas com haste e parafusos de bloqueio proximal e distal têm permissão para apoiar tanto peso quanto tolerado logo após a cirurgia, mesmo nas fraturas multifragmentadas [22]. A profilaxia para trombose venosa profunda deve ser considerada por causa da incidência significativa de trombose da veia pélvica [23]. Os pacientes com fraturas subtrocantéricas que tiverem sido estabilizadas com uma placa não devem apoiar o peso por completo nas primeiras 6-8 semanas.

9 Complicações

9.1 Não união

As fraturas da diáfise do fêmur tratadas com encavilhamento anterógrado fresado têm uma taxa de consolidação de 95% [24]. As hastes IM não fresadas e aquelas com um diâmetro relativamente menor têm demonstrado taxas de não união estatisticamente mais altas em comparação às hastes IM fresadas (7,5 vs. 1,6%) [13]. Quando uma não união ocorrer, o tratamento é baseado no tipo de não união, no tipo de material de síntese presente e na presença ou ausência de perda óssea (ver Cap. 5.2). A possibilidade de infecção deve sempre ser considerada. Quando houver um *gap* de fratura curta sem mau alinhamento, uma opção de tratamento é a troca do encavilhamento fresado [25]. Outra técnica envolve o uso de placa femoral de reforço, que pode ter uma taxa mais alta de resolução das complicações da não união femoral [26]. As não uniões femorais aos 12 meses têm um impacto profundo na qualidade de vida dos pacientes [27].

9.2 Infecção

As infecções superficiais podem ser tratadas com debridamento e antibióticos orais ou intravenosos. As infecções profundas devem ser tratadas pelos princípios delineados no Capítulo 5.3. O microrganismo infectante deve ser identificado, todo o tecido infectado é excisado, o espaço morto é fechado e a cobertura de partes moles estabelecida (isto é raramente um problema no fêmur por causa da boa cobertura muscular). Se o material de síntese estiver fornecendo estabilidade, pode ser deixado *in situ* até que ocorra a consolidação óssea. Os antibióticos devem ser administrados por pelo menos 6 semanas (ver Cap. 4.3). Uma vez que a fratura tenha consolidado, o material de síntese pode ser removido, o canal medular fresado e os antibióticos podem ser administrados conforme a necessidade, em uma tentativa de erradicar a infecção. A infecção profunda mais agressiva, com afrouxamento do material de síntese, demandará o debridamento, antibióticos, remoção do material de síntese e estabilização com um fixador externo até que a infecção esteja sob controle. Naquele momento, a reconstrução definitiva pode ser executada (ver Cap. 5.4). Para o debridamento de canal medular, o sistema de RIA é uma ferramenta ideal.

As complicações potenciais das hastes retrógradas resultam do ponto de entrada intra-articular e da sua grande proximidade com os ligamentos cruzados. Os estudos de desfecho não demonstraram um aumento na doença degenerativa de joelho ou limitação na amplitude de movimento depois do encavilhamento retrógrado, desde que a haste fique sepultada sob a superfície articular. Tem havido relatos de caso de joelhos sépticos depois do encavilhamento retrógrado de fraturas expostas da diáfise do fêmur. A dor no joelho é mais comum depois do encavilhamento retrógrado, enquanto a dor no quadril e a ossificação heterotópica perto do ponto de entrada proximal são mais comuns após o encavilhamento anterógrado [11].

Os estudos iniciais do encavilhamento retrógrado mostraram uma taxa de consolidação mais baixa em comparação ao encavilhamento anterógrado. Entretanto, as hastes usadas não eram adequadas ao tamanho do canal medular. Ensaios randomizados prospectivos [11, 12] revelaram que procedimentos mais secundários eram necessários para alcançar a consolidação no grupo retrógrado, mas que as taxas globais de consolidação eram as mesmas.

9.3 Consolidação viciosa

A consolidação viciosa ocorre mais comumente nos terços proximal ou distal do fêmur. Um estudo com TC para avaliar a rotação revelou que os mau alinhamentos rotacionais acima de 15° ocorrem em até 28% dos pacientes e podem afetar o alinhamento axial se a rotação for suficientemente intensa [28]. Os pacientes podem ter dificuldade com atividades vigorosas, como subir degraus, praticar esportes e correr. Se for detectado precocemente depois do encavilhamento, os parafusos de bloqueio podem ser removidos de uma extremidade da haste, o fêmur derrotado e a haste rebloqueada em orientação correta. Se a detecção ocorrer depois de a consolidação ter acontecido, uma osteotomia formal será necessária.

10 Prognóstico e desfecho

As fraturas da diáfise do fêmur são lesões graves e são geralmente associadas a um mecanismo de alto impacto; as lesões múltiplas são comuns [1, 2]. Em pacientes idosos, as fraturas da diáfise do fêmur podem ser associadas a próteses articulares ou relacionadas ao processo patológico, como um tumor metastático ou um medicamento bifosfonado. O prognóstico é bom com fraturas femorais isoladas e a maioria dos pacientes tem um bom desfecho, aproximadamente 30% requer remoção de material de síntese [29]. Mesmo no politraumatismo, os pacientes com fratura do fêmur têm um desfecho favorável e a incapacidade residual está habitualmente relacionada às suas outras lesões e não à sua fratura do fêmur consolidada [1, 2, 27].

Fraturas específicas
6.6.2 Fêmur, diáfise (incluindo fraturas subtrocantéricas)

Referências clássicas   Referências de revisão

11 Referências

1. **Neumann MV, Südkamp NP, Strohm PC.** Management of femoral shaft fractures. *Acta Chir Orthop Trauma Cech.* 2015;82(1):22–32.
2. **Enninghorst N, McDougall D, Evans JA, et al.** Population-based epidemiology of femur shaft fractures. *J Trauma Acute Care Surg.* 2013 Jun;74(6):1516–1520.
3. **Einhorn TA, Bogdan Y, Tornetta P 3rd.** Bisphosphonate-associated fractures of the femur: pathophysiology and treatment. *J Orthop Trauma.* 2014 Jul;28(7):433–438.
4. **Nork SE, Agel J, Russell GV, et al.** Mortality after reamed intramedullary nailing of bilateral femur fractures. *Clin Orthop Relat Res.* 2003 Oct;(415):272–278.
5. **Bone LB, Johnson KD, Weigelt, et al.** Early versus delayed stabilization of femoral fractures. A randomized prospective study. *J Bone Joint Surg Am.* 1989 Mar;71(3):336–340.
6. **Roberts CS, Pape HC, Jones AL, et al.** Damage control orthopaedics: evolving concepts in the treatment of patients who have sustained orthopaedic trauma. *Instr Course Lect.* 2005;54: 447–462.
7. **Nowotarski PJ, Turen CH, Brumback RJ, et al.** Conversion of external fixation to intramedullary nailing for fractures of the shaft of the femur in multiply injured patients. *J Bone Joint Surg Am.* 2000 Jun;82(6):781–788.
8. **Scalea TM, Boswell SA, Scott JD, et al.** External fixation as a bridge to intramedullary nailing for patients with multiple injuries and femur fractures: damage control orthopedics. *J Trauma.* 2000 Apr;48(4):613–621.
9. **Pape HC, Grimme K, Van Griesven M, et al.** Impact of intramedullary instrumentation versus damage control for femoral fractures on immunoinflammatory parameters: prospective randomized analysis by the EPOFF Study Group. *J Trauma.* 2003 Jul;55(1):7–13.
10. **Dunham CM, Bosse MJ, Clancy TV, et al.** Practice management guidelines for the optimal timing of long-bone fracture stabilization in polytrauma patients: the EAST Practice Management Guidelines Work Group. *J Trauma.* 2001 May;50(5):958–967.
11. **Ostrum RF, Agarwal A, Lakatos, R, et al.** Prospective comparison of retrograde and antegrade femoral intramedullary nailing. *J Orthop Trauma.* 2000 Sep-Oct;14(7):496–501.
12. **Tornetta P 3rd, Tiburzi D.** Antegrade or retrograde reamed femoral nailing. A prospective randomised trial. *J Bone Joint Surg Br.* 2000 Jul;82(5):652–654.
13. **Canadian Orthopaedic Trauma Society.** Nonunion following intramedullary nailing of the femur with and without reaming. Results of a multicenter randomized clinical trial. *J Bone Joint Surg Am.* 2003 Nov;85-A(1):2093–2096.
14. **Canadian Orthopaedic Trauma Society.** Reamed versus unreamed intramedullary nailing of the femur: comparison of the rate of ARDS in multiply injured patients. *J Orthop Trauma.* 2006 Jul;20(6):384–387.
15. **Farouk O, Krettek C, Miclau T, et al.** Minimally invasive plate osteosynthesis: does percutaneous plating disrupt femoral blood supply less than the traditional technique? *J Orthop Trauma.* 1999 Aug;13(6): 401–406.
16. **Agus H, Kalenderer O, Eryanilmaz G, et al.** Biological internal fixation of comminuted femur shaft fractures by bridge plating in children. *J Pediatr Orthop.* 2003 Mar-Apr;23(2):184–189.
17. **Stephen DJ, Kreder HJ, Schemitsch EH, et al.** Femoral intramedullary nailing: comparison of fracture-table and manual traction. A prospective, randomized study. *J Bone Joint Surg Am.* 2002 Sep;84-A(9):1514–1521.
18. **Oh CW, Kim JJ, Byun YS, et al.** Minimally invasive plate osteosynthesis of subtrochanteric femur fractures with a locking plate: a prospective series of 20 fractures. *Arch Orthop Trauma Surg.* 2009 Dec;129(12):1659–1665.
19. **Joglekar SB, Lindvall EM, Martirosian A.** Contemporary management of subtrochanteric fractures. *Orthop Clin North Am.* 2015 Jan;46(1):21–35.
20. **Blood T, Feller RJ, Cohen E et al.** Atypical fractures of the femur: evaluation and treatment. *JBJS Rev.* 2015 Mar;3(3).
21. **Thompson RN, Phillips JR, McCauley SH, et al.** Atypical femoral fractures and bisphosphonate treatment: experience in two large United Kingdom teaching hospitals. *J Bone Joint Surg Br.* 2012 Mar;94(3):385–390.
22. **Brumback RJ, Toal TR Jr, Murphy-Zane MS, et al.** Immediate weight-bearing after treatment of a comminuted fracture of the femoral shaft with a statically locked intramedullary nail. *J Bone Joint Surg Am.* 1999 Nov;81(11):1538–1544.
23. **Geerts WH, Pineo GF, Heit JA, et al.** Prevention of venous thromboembolism: the Seventh ACCP Conference on Antithrombotic and Thrombolytic Therapy. *Chest.* 2004 Sep;126(3 Suppl):338S–400S.
24. **Wolinsky PR, McCarty E, Shyr Y, et al.** Reamed intramedullary nailing of the femur: 551 cases. *J Trauma.* 1999 Mar;46(3):392–399.
25. **Hierholzer C, Glowalla C, Herrler M, et al.** Reamed intramedullary exchange nailing: treatment of choice of aseptic femoral shaft nonunion. J Orthop Surg Res. 2014 Oct 10;9:88.
26. **Park J, Kim SG, Yoon HK, et al.** The treatment of nonisthmal femoral shaft nonunions with IM nail exchange versus augmentation plating. J Orthop Trauma. 2010 Feb;24(2):89–94.
27. **Zeckey C, Mommsen P, Andruszkow H, et al.** The aseptic femoral and tibial shaft nonunion in healthy patients: an analysis of the Health Related Quality of Life and the Socioeconomic Outcome. Open Orthopedic J. 2011;5:193–197.
28. **Buckley R, Mohanty K, Malish D.** Lower limb malrotation following MIPO technique of distal femoral and proximal tibial fractures. Injury. 2011 Feb;42(2):194–199.
29. **Hui C, Jorgensen I, Buckley R, et al.** Incidence of intramedullary nail removal after femoral shaft fracture healing. Can J Surg. 2007 Feb;50(1):13–18.

12 Agradecimentos

Agradecemos a Philip Wolinsky e David Stephen por suas contribuições para este capítulo na 2ª edição de *Princípios AO do tratamento de fraturas*.

6.6.3 Fêmur, distal

Jong-Keon Oh

1 Introdução

As fraturas distais do fêmur representam aproximadamente 6% de todas as fraturas do fêmur.

As fraturas distais do fêmur geralmente ocorrem depois de um trauma de grande energia em pacientes mais jovens ou depois de um trauma de baixa energia no idoso com osso osteoporótico.

Um terço dos pacientes mais jovens tem trauma de múltiplos sistemas e somente um quinto dos casos ocorre como uma lesão isolada. Existe geralmente um considerável dano de partes moles e quase 50% das fraturas distais do fêmur intra-articulares de grande energia são lesões expostas. Com o número crescente de pacientes com prótese articular de joelho, a incidência das fraturas periprotéticas tem aumentado em anos recentes.

2 Avaliação e diagnóstico

Em pacientes idosos com osteoporose, uma lesão de baixa energia causa fraturas simples helicoidais ou oblíquas. Em contraste, os adultos jovens com trauma de alta energia podem ter graves lesões de partes moles e fraturas multifragmentadas; as fraturas expostas podem ter perda óssea associada. O exame cuidadoso da condição neurovascular é essencial. Pode ser necessário verificar com um ultrassom por Doppler ou mais acuradamente pela angiografia para verificar que a artéria femoral superficial não esteja lesada – ela corre risco, já que passa através do canal adutor para entrar na fossa poplítea. O exame da estabilidade ligamentar do joelho antes da osteossíntese é doloroso e não é útil; deve ser feito depois que a fratura tiver sido estabilizada. Se houver suspeita de lesões múltiplas da extremidade inferior, devem ser obtidas radiografias em vista anteroposterior (AP) e lateral do fêmur e da tíbia, incluindo as articulações adjacentes, como também incidências centradas na articulação do joelho. As radiografias com tração são úteis se houver encurtamento significativo ou se um fixador externo transarticular estiver sendo colocado. Os exames de tomografia computadorizada (TC) com reconstruções bi e tridimensionais são recomendados para as fraturas intra-articulares. Servem para avaliar as fraturas articulares e a sua depressão, especialmente nas fraturas coronais dos côndilos posteriores (fraturas de Hoffa) que podem passar despercebidas nas radiografias simples. Isso pode afetar significativamente o planejamento pré-operatório [1]. A ressonância magnética (RM) pode oferecer alguma informação adicional sobre tecidos moles, mas não é essencial para tratar as lesões agudas.

3 Anatomia

O formato da região distal do fêmur, quando vista a partir da extremidade, é um trapezoide com a parte posterior mais larga que a parte anterior, criando aproximadamente 25 graus de inclinação na superfície medial e aproximadamente 10 graus na superfície lateral (**Fig. 6.6.3-1**). A placa deve ficar plana nessa superfície lateral. Uma linha é traçada a partir do aspecto anterior do côndilo femoral lateral até o aspecto anterior do côndilo femoral medial (inclinação patelofemoral) inclina-se para posterior em aproximadamente 10°. Esses detalhes anatômicos são importantes ao inserir quaisquer implantes ou placas. O conhecimento do ângulo da linha articular radiográfica normal ajuda a avaliar o alinhamento durante uma operação. O eixo anatômico normal da diáfise do fêmur em relação ao joelho, ou o ângulo femoral distal lateral (AFDL) anatômico é de 80-84° (**Fig. 6.6.3-2**). O AFDL contralateral mensurado pode ser usado como uma referência para a avaliação do alinhamento coronal.

Fraturas específicas
6.6.3 Fêmur, distal

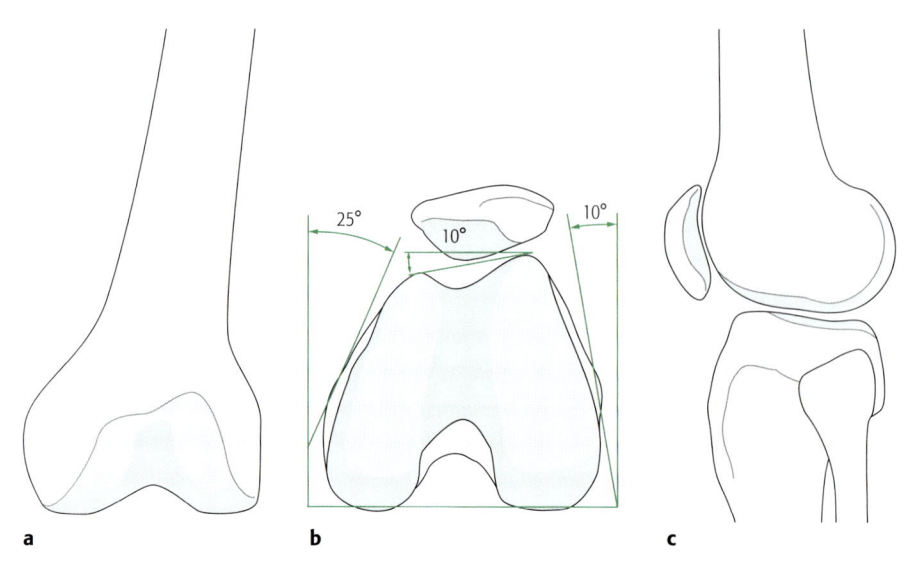

Fig. 6.6.3-1 Anatomia da região distal do fêmur esquerdo.
a Vista AP da região distal do fêmur.
b A vista articular com o joelho em uma posição flexionada mostra que a superfície lateral se inclina em aproximadamente 10° a partir da vertical, enquanto a superfície medial se inclina em aproximadamente 25°. Uma linha que se junta ao aspecto anterior do côndilo femoral lateral até o côndilo femoral medial inclina-se em aproximadamente 10°.
c Vista lateral da diáfise do fêmur em relação aos côndilos.

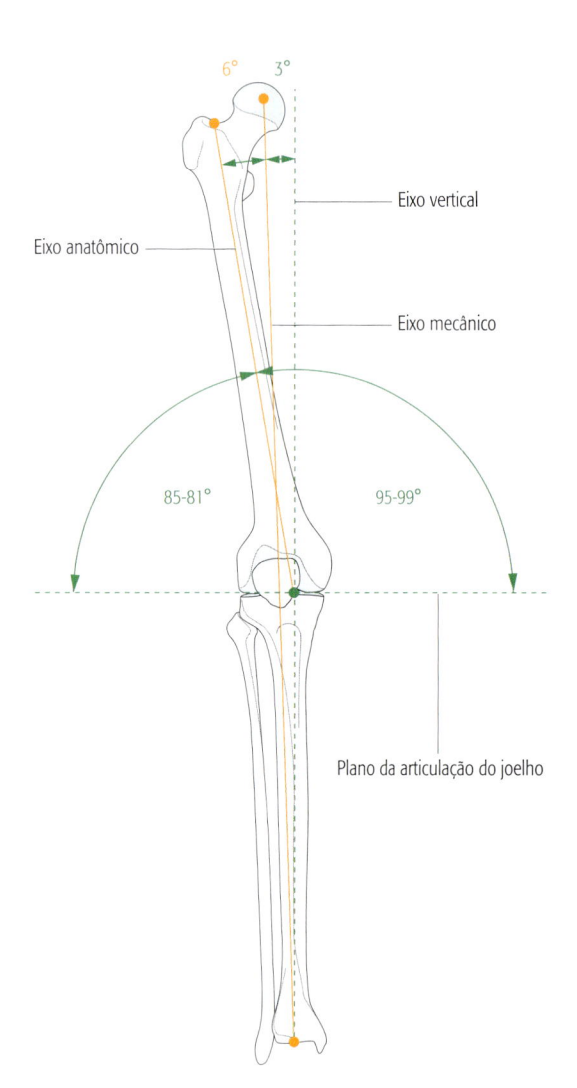

Fig. 6.6.3-2 Eixos vertical, mecânico e anatômico da articulação do joelho.

O encurvamento femoral varia em diferentes etnias mundiais e isso pode causar um descompasso anatômico com as placas distais do fêmur pré-moldadas, especialmente em asiáticos. Existe um padrão consistente de descompasso na parte proximal da placa de compressão bloqueada distal do fêmur (LCP-DF) de 11 orifícios que pode causar um desalinhamento em valgo [2].

O quadríceps, os isquiotibiais e os grupos musculares adutores causam significativo encurtamento e desvio em varo, especialmente quando existirem fragmentos múltiplos na metáfise (fraturas 33A3, 33C2 e 33C3). O músculo gastrocnêmio origina-se no aspecto posterior de ambos côndilos femorais e sua ação sem oposição causa uma deformidade em flexão do fragmento distal. A deformidade típica é de um encurtamento com o fragmento proximal deslocado anteriormente, perfurando o quadríceps (e, às vezes, a pele), enquanto o fragmento distal está flexionado, em varo e posteriormente rodado (**Fig. 6.6.3-3**).

A cápsula articular, os ligamentos cruzados e os fortes ligamentos colaterais se originam a partir dos côndilos femorais e contribuem para a função e estabilidade da articulação do joelho. Os ligamentos cruzados estão localizados na incisura intercondilar. A má posição de um parafuso pode violar a incisura intercondilar e danificar os ligamentos cruzados. Isso deve ser evitado, especialmente com o uso de placas bloqueadas de ângulos variáveis.

Por causa da proximidade das estruturas neurovasculares, as lesões vasculares são encontradas em aproximadamente 3% e as lesões nervosas em aproximadamente 1% das fraturas distais do fêmur. As lesões dos meniscos e as fraturas osteocondrais podem ser observadas em 8-12% dos casos, enquanto há fraturas associadas da patela em aproximadamente 15% dos casos. As lesões de grande energia podem levar a dano grave na cartilagem, tanto da distal do fêmur quanto da patela.

4 Classificação

As fraturas distais do fêmur seguem a mesma classificação que todas as fraturas periarticulares (**Fig. 6.6.3-4**).

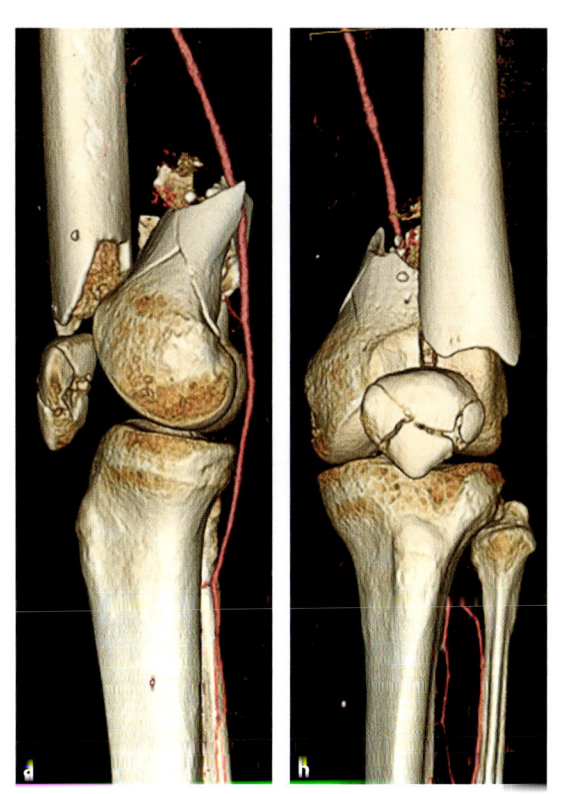

Fig. 6.6.3-3a-b Angiotomografia computadorizada tridimensional mostra a vulnerabilidade vascular em uma fratura distal do fêmur. A artéria femoral superficial corre risco no canal adutor, conforme passa para a fossa poplítea.

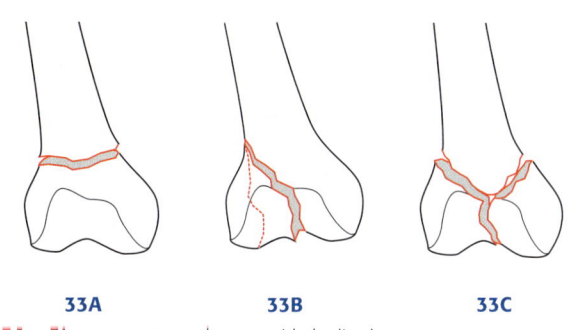

33A   Fêmur, segmento da extremidade distal, **fratura extra-articular**
33B   Fêmur, segmento da extremidade distal, **fratura articular parcial**
33C   Fêmur, segmento da extremidade distal, **fratura articular completa**

Fig. 6.6.3-4 Classificação AO/OTA de Fraturas e Luxações – distal do fêmur.

Fraturas específicas
6.6.3 Fêmur, distal

5 Indicações cirúrgicas

> O tratamento-padrão consiste na redução cirúrgica e fixação com reabilitação precoce.

O tratamento não cirúrgico somente está justificado em fraturas femorais distais impactadas, não desviadas e extra-articulares (tipo A) ou em pacientes que sejam considerados não deambuladores e inoperáveis. O tratamento com tala e um imobilizador de joelho é habitualmente satisfatório nesses casos. As indicações operatórias incluem:

- Qualquer fratura distal do fêmur desviada
- Desvio intra-articular da superfície articular distal do fêmur
- Mau alinhamento distal do fêmur

O conceito tradicional da redução aberta e fixação interna (RAFI) das fraturas do fêmur distais que preconizava uma via de acesso estendida para a zona de fratura multifragmentada na metáfise não é favorecido, por causa da alta taxa de não união e falhas. O conceito de uso de placa biológica usa vias de acesso menos traumáticas, com manipulação cuidadosa do envelope de partes moles e é agora o padrão-ouro.

> É ainda obrigatório executar uma reconstrução precisa da anatomia dos côndilos e da superfície articular e restaurar os corretos eixo e rotação do membro.

Isso habitualmente requer a exposição direta da articulação do joelho por meio de uma exposição cirúrgica apropriada.

6 Planejamento pré-operatório

6.1 Momento da cirurgia

Nos pacientes com politraumatismo, as fraturas expostas com dano grave de partes moles, lesões vasculares ou sob condições que prejudiquem uma operação definitiva precoce (p. ex., equipe inexperiente), a cirurgia de controle de danos é recomendada. Em tais casos, um fixador externo transarticular do joelho é um método rápido e efetivo de estabilização (**Fig. 6.6.3-5**) [3]. Dois parafusos de Schanz com uma haste são colocados ao longo do aspecto anteromedial da tíbia. A tração manual é aplicada para restaurar o comprimento e rotação. Deve ser notado que os parafusos de Schanz, colocados através do quadríceps antes da restauração do comprimento, dificultarão para o cirurgião a restauração do comprimento. Assim, os dois parafusos de Schanz e a haste são colocados no aspecto anterior do fêmur, bem longe do futuro local da cirurgia. Isso evitará a obstrução mais adiante, por perda óssea, ou por um parafuso de Schanz posicionado na região lateral do fêmur. Uma vez que o fixador externo transarticular do joelho seja colocado, ele irá restaurar o comprimento, a rotação e o alinhamento; isto facilitará muito a fixação definitiva.

A maior parte das feridas abertas é anterior e associada a um grau variável de lesão do quadríceps. A administração precoce de antibióticos apropriados, seguida pelo debridamento meticuloso e irrigação, é fundamental. A fixação definitiva subsequente e a amplitude de movimento precoce ajudarão a restaurar a função do joelho.

6.2 Seleção do implante

As fraturas extra-articulares podem ser tratadas com sucesso com hastes intramedulares retrógradas ou por montagens com placas. Em adultos jovens com boa qualidade óssea, os implantes não bloqueados fornecem desfechos clínicos favoráveis. Em pacientes idosos com osteoporose ou com fraturas periprotéticas distais do fêmur, os sistemas de placa bloqueada são valiosos na fixação sólida em situações onde haja estoque ósseo limitado no fragmento distal.

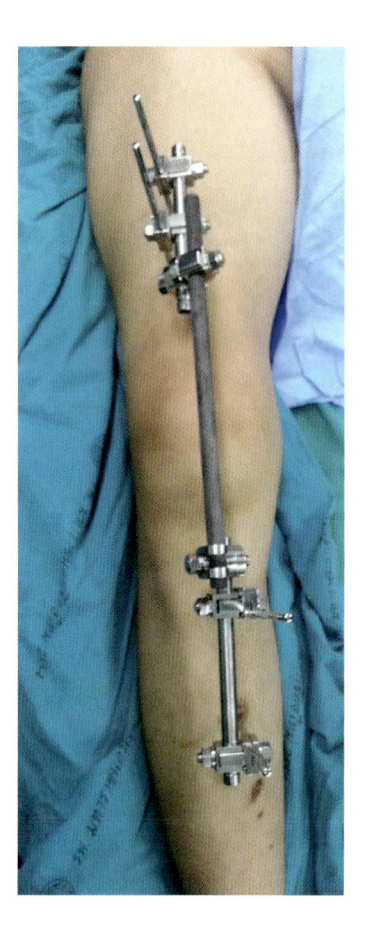

Fig. 6.6.3-5 Um fixador externo transarticular do joelho.

Princípios AO do tratamento de fraturas
Volume 2

O princípio básico para tratar as fraturas distais intra-articulares do fêmur é baseado na redução anatômica dos fragmentos articulares sob visão direta [4]. A fixação é alcançada pela compressão dos fragmentos com parafusos de tração. Os parafusos de posição podem ser necessários quando houver perda óssea. A fixação subsequente do bloco articular à diáfise do fêmur é feita com implantes adicionais, dependendo do tipo de fratura (**Fig. 6.6.3-6**). Para as fraturas tipo B com osteoporose ou linhas verticais de fratura, a estabilidade da fixação com parafuso de tração pode ser reforçada por uma placa com função de suporte (**Fig. 6.6.3-7**).

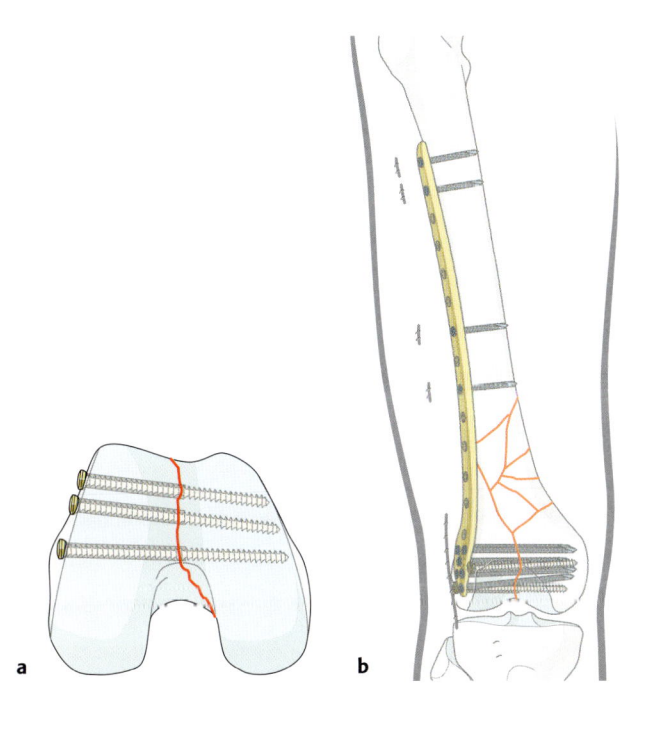

Fig. 6.6.3-6a-b
a   Fixação com parafuso de tração de uma fratura distal do fêmur 32C2 com parafusos corticais de 3,5 mm.
b   Técnica de osteossíntese com placa minimamente invasiva para fixação distal do fêmur com uma técnica em ponte usada para o segmento metafisário cominutivo.

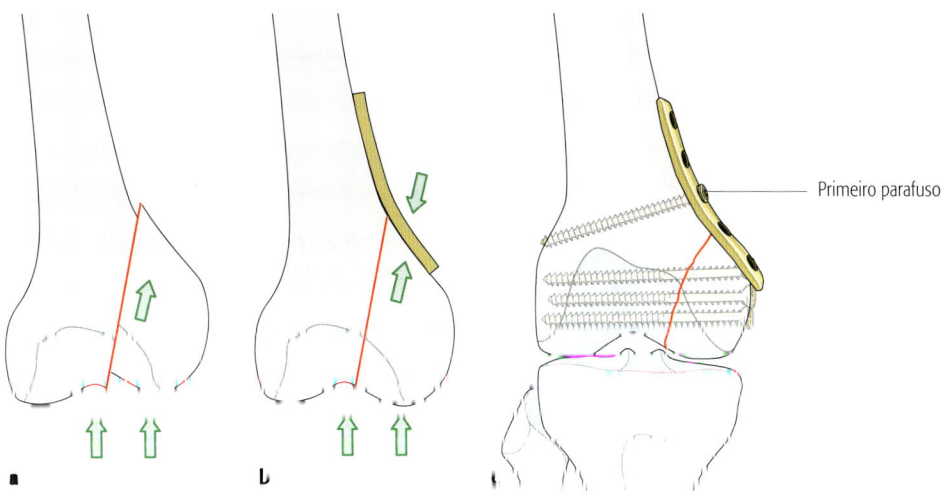

Primeiro parafuso

Fig. 6.6.3-7a-c Fixação de uma fratura articular parcial (33B).
a-b   Fratura B1 com fixação com placa de suporte. A fratura é primeiro suportada com uma placa para prevenir a translação vertical. Em lesões de alta energia, a fratura no plano frontal (complexo de Hoffa) e as lesões ligamentares graves são comuns.
c   O primeiro parafuso é colocado proximalmente junto à fratura. Os parafusos de tração podem então ser colocados para o componente intra-articular da fratura.

Fraturas específicas
6.6.3 Fêmur, distal

6.3 Configuração da sala de cirurgia

A tração manual leve é mantida no membro durante a preparação para evitar a deformidade excessiva no local de fratura. A perna inteira é desinfetada a partir do quadril, incluindo o pé, com o antisséptico apropriado. O membro é preparado com um campo único em forma de U ou de extremidade. Uma malha cobre o pé e a perna, e é fixada com uma fita. A perna é preparada para que possa ser livremente movimentada (**Fig. 6.6.3-8**). O joelho fica ligeiramente flexionado sobre um rolo de campos e o intensificador de imagem é preparado.

A equipe da sala de cirurgia e os cirurgiões ficam no lado do membro afetado. O intensificador de imagem é posicionado no lado oposto da mesa, medialmente à fratura, com a tela de exibição visível a toda a equipe cirúrgica e ao técnico em radiologia (**Fig. 6.6.3-9**).

Fig. 6.6.3-8 Preparação e desinfecção do paciente.

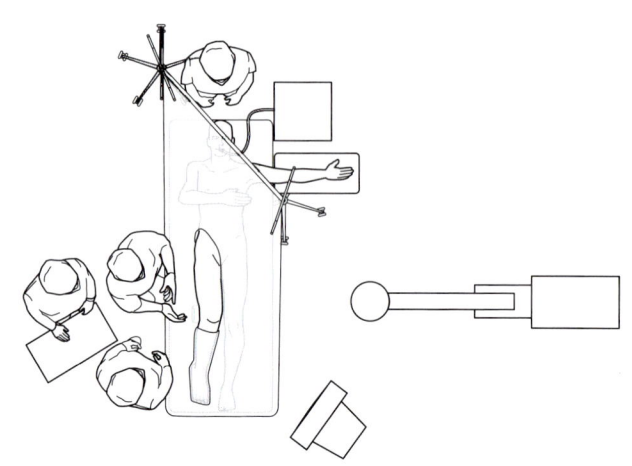

Fig. 6.6.3-9 Configuração da sala de cirurgia.

7 Cirurgia

7.1 Vias de acesso
7.1.1 Posicionamento do paciente

> Quando a articulação do joelho está completamente estendida, a tração do músculo gastrocnêmio e do músculo adutor magno leva a um recurvato e encurtamento.

O paciente é posicionado em decúbito dorsal com o joelho flexionado em 30-45 graus por sobre um suporte de joelho para relaxar o gastrocnêmio (**Fig. 6.6.3-10**). O encurtamento é corrigido por tração manual ou com um distrator. Nos casos de fragmentação extensa, é útil o planejamento pré-operatório cuidadoso com o lado contralateral como um gabarito.

No osso osteopênico e em fraturas complexas, a aceitação de algum encurtamento por impacção da fratura é às vezes preferível à instabilidade da fratura.

7.1.2 Vias de acesso cirúrgicas

A via de acesso cirúrgica usada depende se a fratura for extra-articular ou intra-articular. Para as fraturas extra-articulares, é usada a via de acesso lateral padrão ou via de acesso lateral padrão modificada com uma técnica de osteossíntese com placa minimamente invasiva (OPMI). Para as fraturas intra-articulares, é usada uma via de acesso lateral ou parapatelar medial ou subvasto medial. Uma ferida aberta pode ditar a via de acesso cirúrgica. O planejamento cuidadoso deve ser feito durante o debridamento da ferida, de forma a não interferir com o tratamento definitivo e a via de acesso necessária para esse procedimento. As fraturas expostas com frequência têm cobertura insuficiente de partes moles. Se um fechamento livre de tensão da pele não for possível, as opções incluem retalho muscular local e enxertia de pele imediata ou deixar a ferida aberta (com curativos apropriados) e o planejamento de um debridamento e reconstrução de partes moles adicional ao longo das próximas 48-72 horas (ver Cap. 4.3)

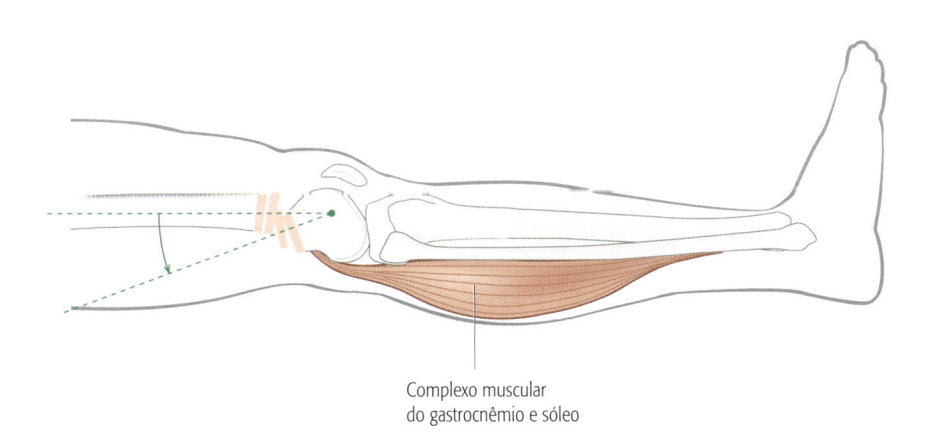

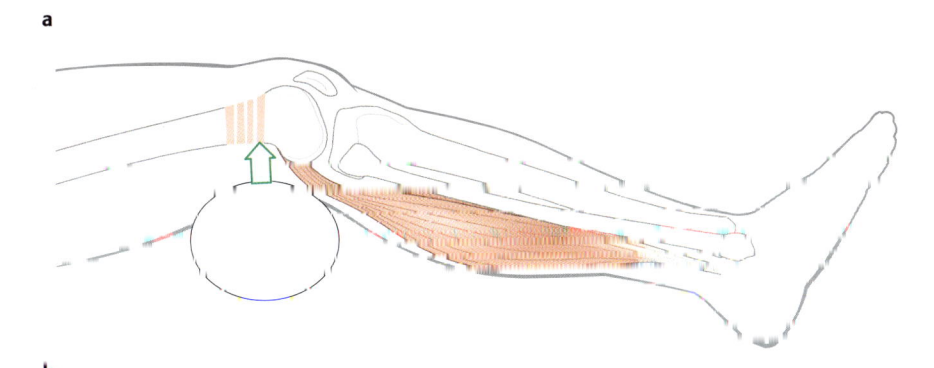

Fig. 6.6.3-10a-b
a A deformidade padrão de uma fratura distal do fêmur significa que o posicionamento do paciente é crucial para facilitar a cirurgia.
b Com uma simples elevação sob o local da fratura e o joelho flexionado em 30°, a fratura é geralmente reduzida. Isso pode ser suplementado pelo uso de um distrator femoral e *joysticks* colocados no fragmento distal.

Fraturas específicas
6.6.3 Fêmur, distal

Via de acesso lateral padrão

A via de acesso permite a redução anatômica da diáfise e da área metafisária, com as desvantagens da extensa dissecção de partes moles. Pode ser usada nas fraturas simples para obter redução anatômica e estabilidade absoluta. Ela não é recomendada para fraturas multifragmentadas, que precisam ter a preservação do envelope de partes moles em torno da zona de fratura (**Fig. 6.6.3-11**).

Via de acesso padrão modificada ou osteossíntese com placa lateral minimamente invasiva

A incisão de pele começa a partir do tubérculo de Gerdy e se estende proximalmente por mais ou menos 5-8 cm. Dividir o trato iliotibial ao longo das fibras para expor a cápsula articular lateral. A cápsula articular é aberta, o que permite a visualização direta da superfície lateral do côndilo lateral do fêmur. Um túnel submuscular sob o vasto lateral é preparado ao longo da superfície lateral da diáfise do fêmur para acomodar o comprimento escolhido da placa. Uma incisão proximal é então feita na ponta da placa, que é então centrada no osso e os parafusos são inseridos através dessa incisão ou por múltiplas pequenas incisões ao longo da diáfise do fêmur (**Fig. 6.6.3-12**).

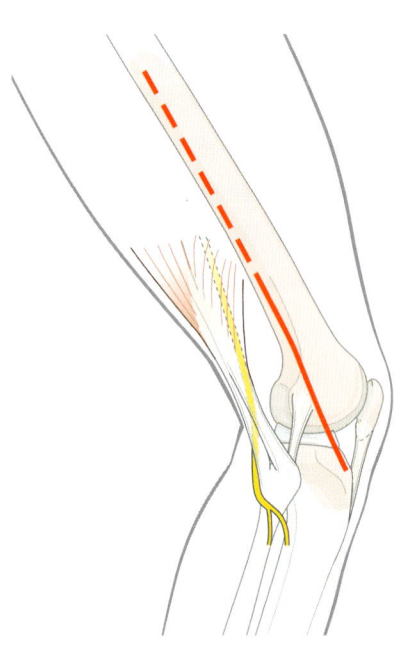

Fig. 6.6.3-11 Via de acesso lateral distal do fêmur. Deve haver desinserção mínima do músculo vasto lateral. O desnudamento do periósteo do osso deve ser evitado.

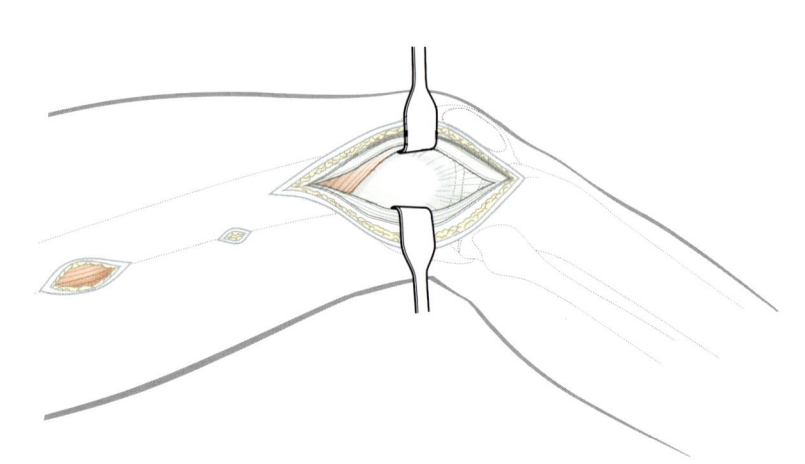

Fig. 6.6.3-12 Para as fraturas tipo 33A, a via de acesso lateral padrão modificada é adequada. A incisão é feita na parte distal do fêmur para expor somente a parte do côndilo e a articulação. Uma incisão proximal separada é feita sobre a extremidade proximal da placa.

Via de acesso parapatelar da articulação

A redução direta das fraturas articulares complexas é significativamente facilitada por uma artrotomia que exponha tanto os côndilos medial e lateral como também a articulação patelofemoral. Ambas as vias de acesso parapatelares lateral e medial podem ser usadas e a escolha depende da lesão de partes moles e do local das feridas abertas. Ambas as vias de acesso permitem uma boa exposição para everter e desviar a patela, permitindo o acesso a ambas eminências condilares extra-articulares medial e lateral para posicionamento de placas. A artrotomia deve deixar um volume adequado de partes moles, de aproximadamente 1 cm de largura, preso à patela para permitir o reparo. A eversão da patela é frequentemente mais fácil a partir de uma via de acesso parapatelar medial e pode ser facilitada por uma liberação subperiostal limitada da inserção do tendão patelar: a flexão do joelho em mais de 90 graus então expõe a superfície articular distal. Em pacientes com tendão patelar relativamente curto existe um risco de causar a sua avulsão. Nesta situação, uma osteotomia coronal longa do tubérculo tibial melhora a exposição e mantém a continuidade do aparelho extensor. Ela pode ser fixada durante o fechamento da ferida com um ou dois parafusos de tração. A exposição dos fragmentos articulares pode ser melhorada pelo encurtamento temporário no segmento metafisário e pela mudança do ângulo de flexão do joelho. A incisão proximal é uma divisão do vasto lateral feita no local da extremidade proximal da placa uma vez que tenha passado ao longo de um túnel submuscular (**Fig. 6.6.3-13**).

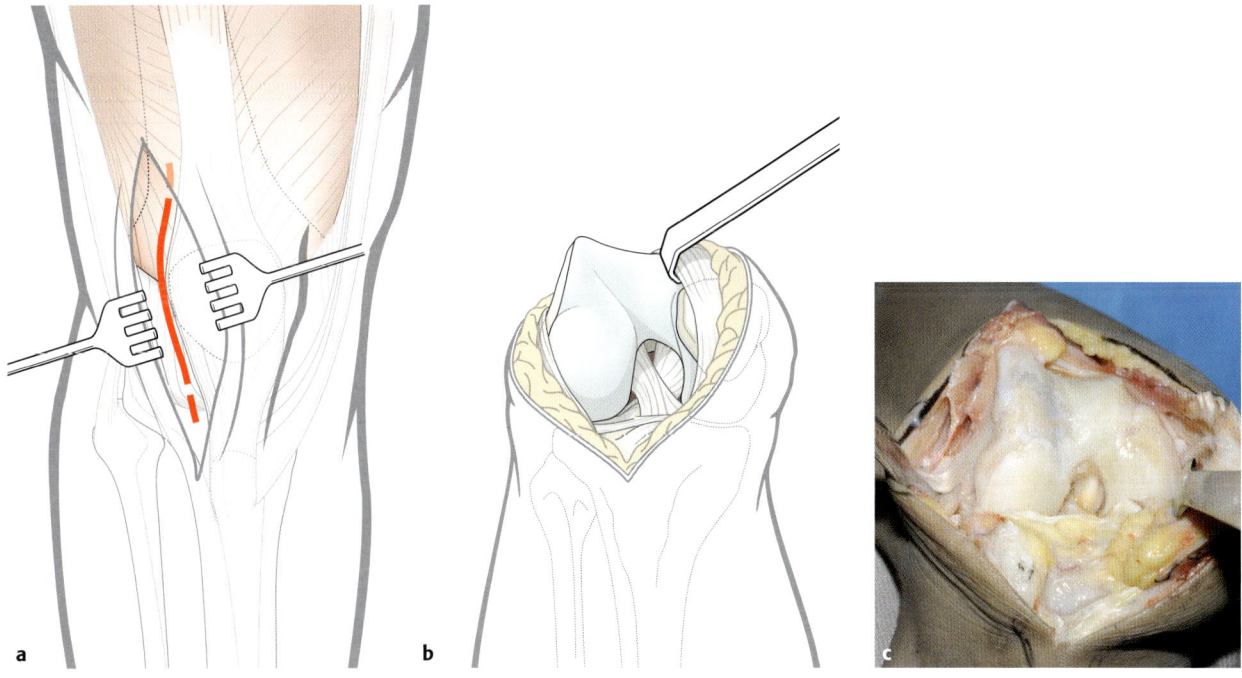

Fig. 6.6.3-13a-c
a   Incisão cutânea lateral e exposição parapatelar lateral nas fraturas tipo 33C.
b   A flexão do joelho fornece exposição completa da fratura articular.
c   Uso de dois afastadores de Hohmann e da flexão do joelho para expor a superfície articular.

Fraturas específicas
6.6.3 Fêmur, distal

Via de acesso medial subvasto

A via de acesso medial subvasto é usada para as fraturas intra-articulares do côndilo femoral medial, de Hoffa medial ou em adição à via de acesso parapatelar lateral nos casos de fragmentação articular bicondilar grave. Uma incisão de pele é começada no tubérculo adutor e se estende proximalmente, logo posterior ao vasto medial.

O intervalo entre o vasto medial e o sartório é identificado e a elevação do vasto medial é feita para expor o côndilo femoral medial. Uma artrotomia medial é usada para visualizar diretamente a superfície articular. O feixe vascular poplíteo fica atrás do adutor magno e do septo intermuscular e, se necessário, pode ser exposto por meio dessa via de acesso (**Fig. 6.6.3-14**).

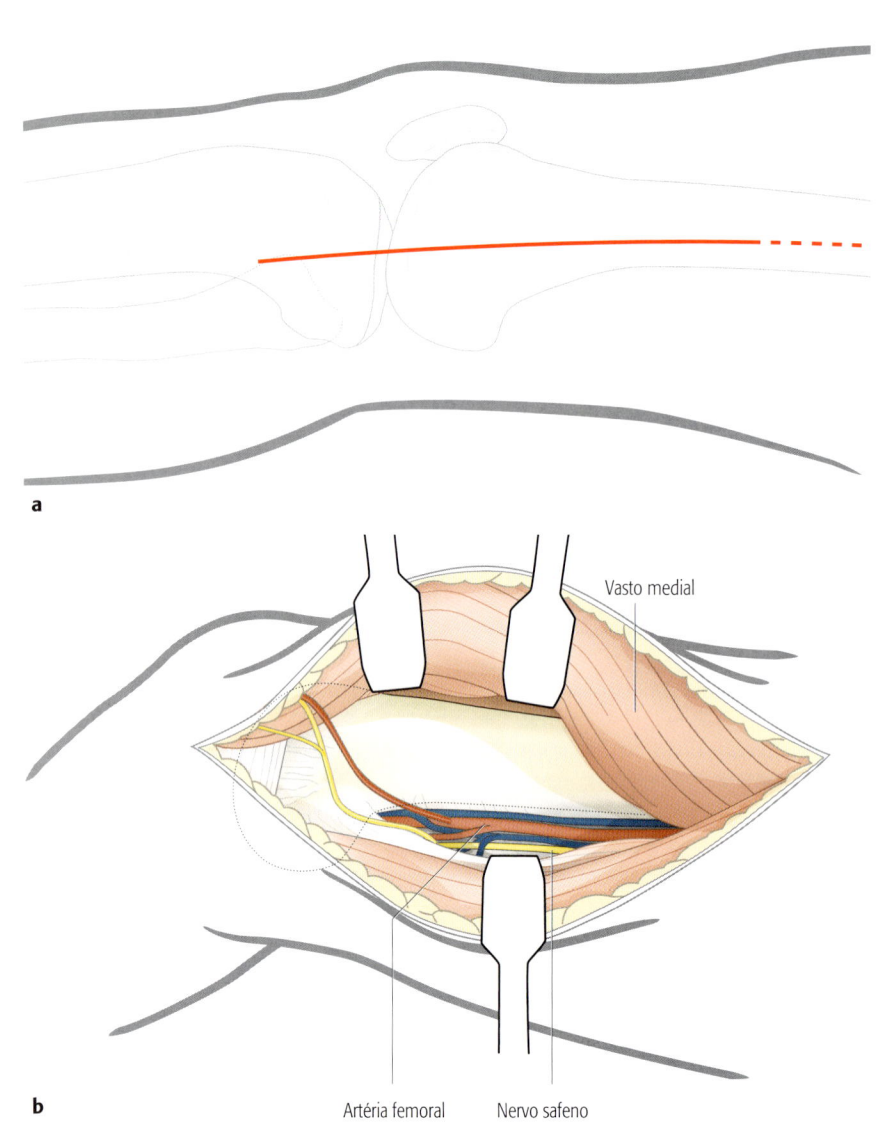

Fig. 6.6.3-14a-b Via de acesso medial subvasto.
a O intervalo fica entre o vasto medial e os isquiotibiais posteriores.
b Elevação de músculo vasto medial. Os vasos poplíteos ficam posteriores ao tendão do adutor magno (septo intermuscular).

Via de acesso no encavilhamento retrógrado

Uma incisão de 3 cm é feita logo medial ao tendão patelar. Os tecidos moles parapatelares mediais são afastados e o tendão patelar é retraído lateralmente para permitir a inserção do fio-guia anterior até a incisura intercondilar (**Fig. 6.6.3-15**). Uma alternativa é usar uma divisão no tendão patelar. É essencial utilizar proteção de partes moles durante a fresagem.

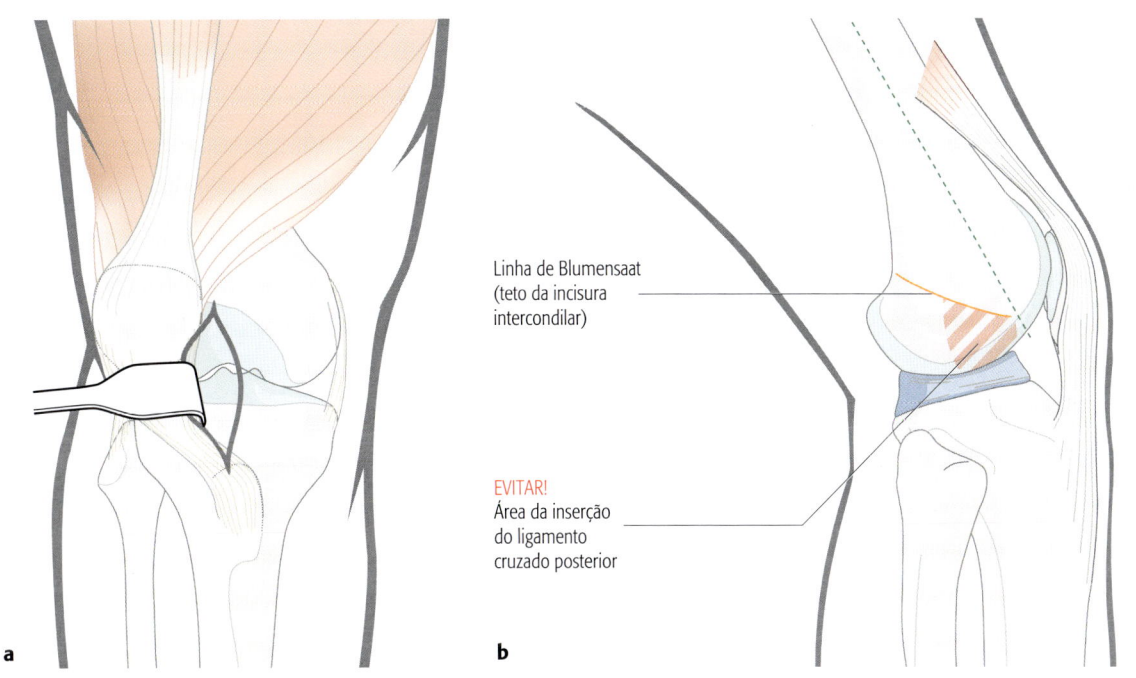

Fig. 6.6.3-15a-b Via de acesso no encavilhamento intramedular (IM) retrógrado.
a Via de acesso parapatelar medial.
b Referências importantes para entender a colocação do fio-guia ao iniciar uma haste IM retrógrada (linha pontilhada verde).

Fraturas específicas
6.6.3 Fêmur, distal

7.2 Redução e fixação

7.2.1 Fratura extra-articular

A fratura extra-articular simples (tipo A2) pode ser reduzida por redução aberta direta por meio da via de acesso lateral padrão. Com mais experiência, a redução fechada e a fixação interna com montagens de placa e parafuso, OPMI (**Fig. 6.6.3-16**) ou hastes intramedulares (IM) retrógradas (**Fig. 6.6.3-17**) podem fornecer desfechos mais favoráveis. Por causa da discrepância entre o diâmetro da haste e o tamanho do canal medular na porção distal do fêmur, o cirurgião deve ter experiência no uso de parafusos *Poller* para evitar uma redução inadequada. A redução fechada e fixação interna é recomendada para fraturas extra-articulares multifragmentadas (tipo A3) [4-6].

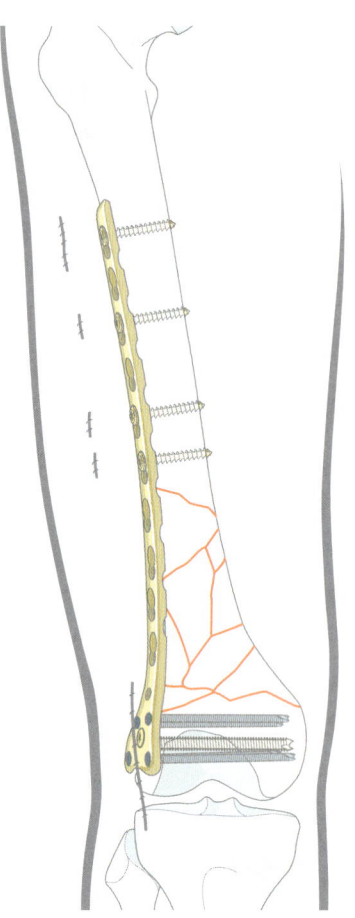

Fig. 6.6.3-16 Fixação de fratura distal do fêmur extra-articular e multifragmentada com osteossíntese com placa minimamente invasiva com o uso da via de acesso lateral.

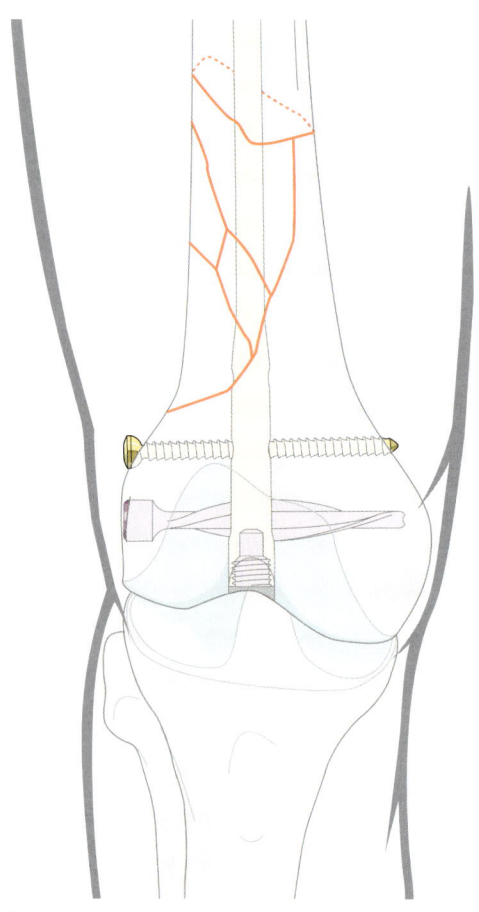

Fig. 6.6.3-17 Fixação de fratura extra-articular multifragmentada com uma haste femoral retrógrada. A haste retrógrada também será bloqueada acima para manter comprimento, alinhamento e rotação.

7.2.2 Fratura intra-articular
Redução de fratura intra-articular

A visualização direta para redução articular é geralmente executada por meio de uma artrotomia parapatelar lateral ou medial (**Fig. 6.6.3-18**).

Parafusos de Schanz percutâneos, colocados no fragmento condilar medial, facilitarão a redução e a pega nas fraturas articulares simples. Com essa tática, a exposição articular pode ser minimizada. Os fragmentos articulares reduzidos são provisoriamente mantidos com fios de Kirschner. Na maioria dos casos, parafusos corticais de tração de 3,5 mm ou parafusos de tração canulados de 3,5 mm são então usados. Nas fraturas articulares multifragmentadas, um parafuso de posição pode ser necessário, em vez de um parafuso de tração, para prevenir o estreitamento da superfície articular distal do fêmur. Os parafusos de tração ou de posição devem ser estrategicamente colocados para não dificultar o posicionamento definitivo da placa e a inserção do parafuso de bloqueio.

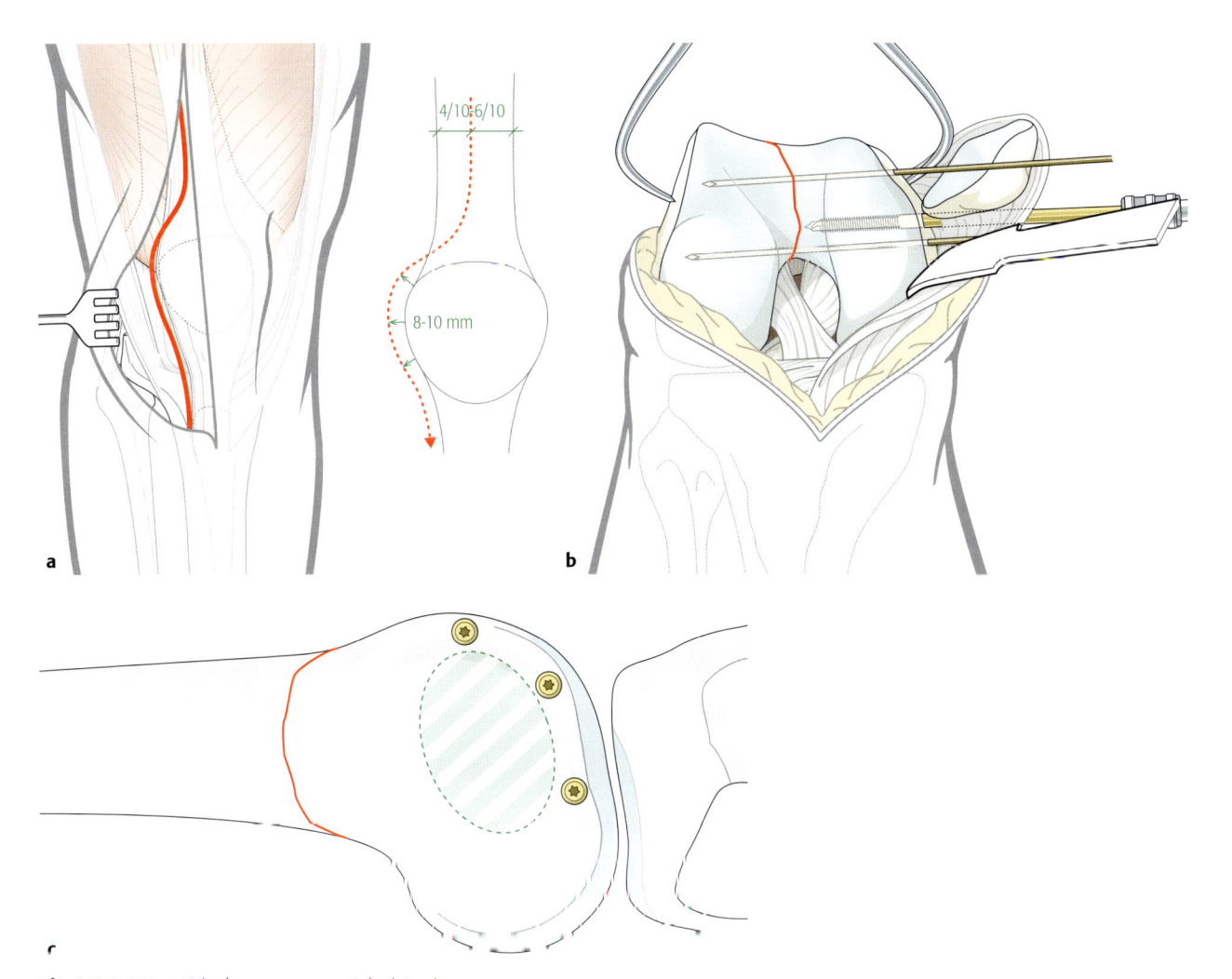

Fig. 6.6.3-18a-c Via de acesso parapatelar lateral.
a   A incisão parapatelar lateral deve expor adequadamente a superfície articular do côndilo distal do fêmur.
b   Fixação provisória. Antes da fixação definitiva ser elevada, mais de uma pinça é aplicada. Geralmente, um a dois fios de Kirschner adicionais são inseridos, de medial para lateral ou de lateral para medial. Se os fios de Kirschner são inseridos de medial para lateral, podem ser através de pequenas incisões na pele.
c   Fixação definitiva da superfície articular. Os parafusos podem ser colocados ao longo da periferia da superfície articular do côndilo femoral lateral, de lateral para medial, para comprimir a fratura intercondilar. Estes parafusos podem ser parafusos de tração completamente rosqueados de 3,5 mm, ou parafusos de tração canulados e parcialmente rosqueados de 3,5 mm. A inserção dos parafusos dessa forma deixa uma "zona livre" de osso, na qual um sistema de placa lateralmente baseado pode ser inserido (círculo tracejado).

Fraturas específicas
6.6.3 Fêmur, distal

Uma vez que o bloco articular tenha sido reconstruído, então o suporte definitivo entre o bloco articular e a diáfise pode ser executado, com uma placa bloqueada anatomicamente pré-moldada. Para algumas fraturas complexas, o cirurgião pode considerar uma tática diferente: primeiro reduzindo o côndilo com o padrão de fratura mais simples para a diáfise e, então, reduzindo o côndilo complexo sobre ele.

Redução do bloco articular à diáfise do fêmur

A placa-lâmina condilar/parafuso condilar dinâmico são dispositivos de ângulo fixo de 95 graus que fornecem estabilidade angular para manter o alinhamento e prevenir o colapso secundário em varo (**Fig. 6.6.3-19, Vídeos 6.6.3-1-2**). Entretanto, o uso desses dispositivos requer um cirurgião experiente e técnicas mais trabalhosas.

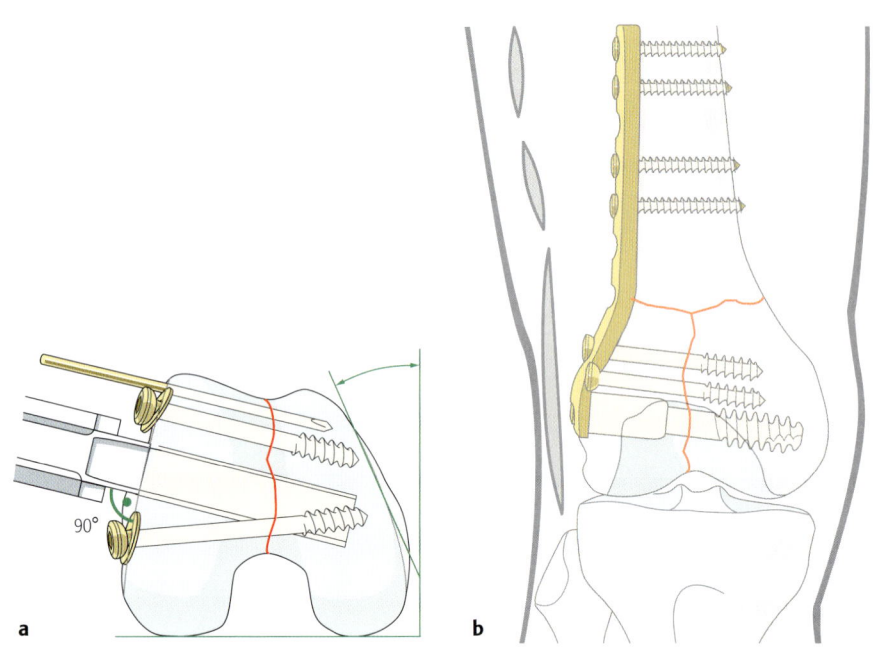

Fig. 6.6.3-19a-b
a Placa-lâmina angulada de 95°: inserção do cinzel de assento em paralelo à linha articular e ao fio de Kirschner corretamente orientado. A fratura intra-articular deve ser fixada antes por um ou dois parafusos de tração.
b Aplicação final do parafuso condilar dinâmico.

Vídeo 6.6.3-1 Técnica de inserção da placa-lâmina condilar de 95° para fratura distal do fêmur.

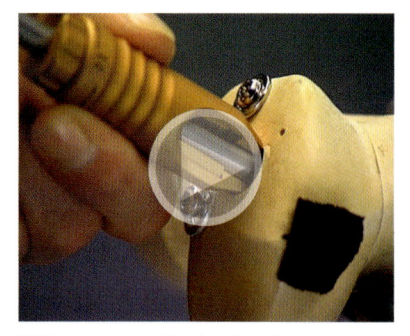

Vídeo 6.6.3-2 Técnica de aplicação do parafuso condilar dinâmico para as fraturas distais do fêmur.

Sistema de estabilização menos invasivo-distal do fêmur (LISS-DF), placa condilar bloqueada ou LCP distal do fêmur (LCP-DF)

O LISS foi projetado para uso apenas com parafusos bloqueados e ser inserido percutaneamente com o dispositivo direcionador (**Fig. 6.6.3-20**). Os parafusos monocorticais ou bicorticais de cabeça bloqueada estão disponíveis, mas a fixação não deve usar parafusos monocorticais isolados, já que a taxa de falha é alta [5-7].

A placa condilar bloqueada e a LCP-DF (**Fig. 6.6.3-21**) fornecem orifícios combinados e, mais recentemente, foi introduzida a placa LCP condilar curva de ângulo variável de 4,5. O princípio da redução indireta e suporte entre o bloco articular e a diáfise proximal com uma dessas placas bloqueadas anatomicamente pré-moldadas é o mesmo que com os implantes mais antigos, tal como o parafuso de compressão dinâmica. A restauração do comprimento, rotação e alinhamento deve ser garantida, e isso pode ser auxiliado pelo uso temporário do fixador externo transarticular ou pelo distrator femoral [3].

Um coxim sob a área supracondilar é uma ferramenta útil para controlar a deformidade em flexão dos côndilos femorais. Um parafuso de Schanz colocado no bloco articular na direção AP facilita o controle no plano sagital, e um segundo parafuso de Schanz colocado na diáfise em uma direção AP facilita o controle rotacional. Uma vez que a redução tenha sido obtida, o bloco articular é provisoriamente fixado com fios de Kirschner na diáfise ou o parafuso de Schanz é incorporado no fixador externo. As fraturas helicoidais ou oblíquas simples podem ser reduzidas com o suporte de cerclagem minimamente invasiva antes do posicionamento de placa.

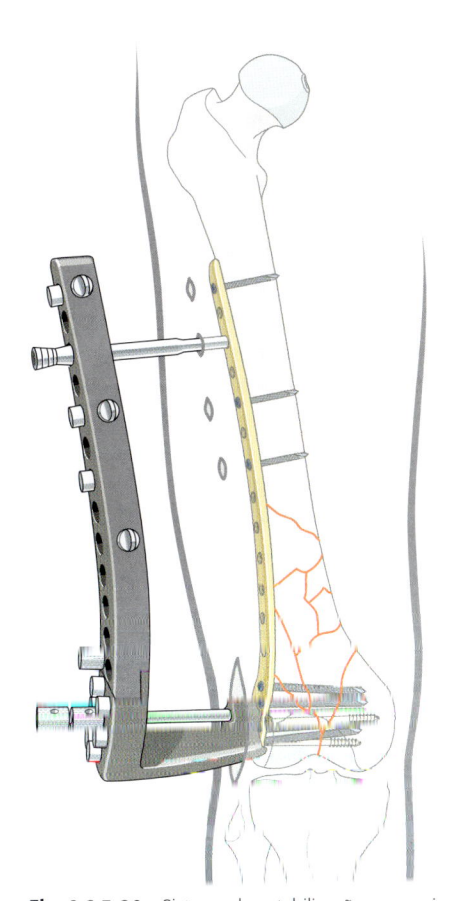

Fig. 6.6.3-20 Sistema de estabilização menos invasivo distal do fêmur. Os parafusos proximais bicorticais são preferidos na fixação com placa LISS.

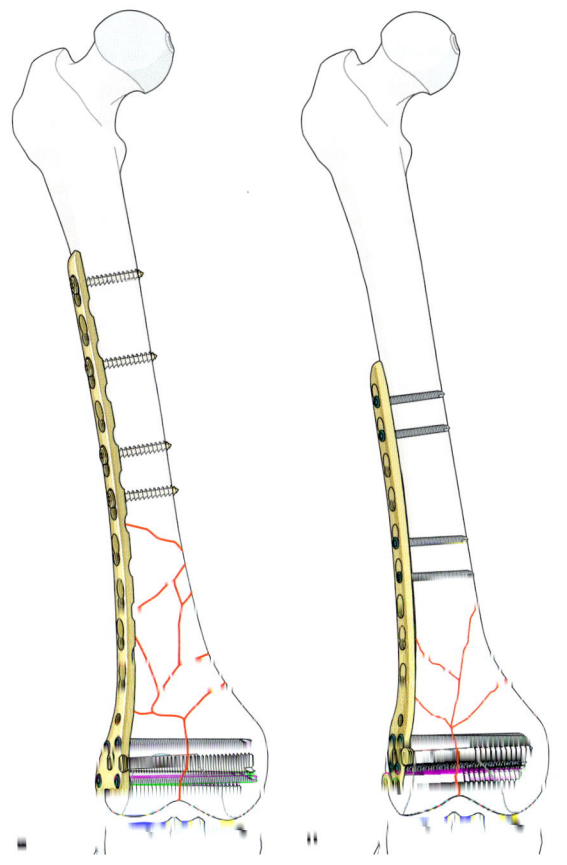

Fig. 6.6.3-21a-b Três ou quatro parafusos proximais bicorticais são preferidos para uma fixação estável.
a   Placa condilar bloqueada
b   Placa de compressão bloqueada, distal do fêmur

Fraturas específicas
6.6.3 Fêmur, distal

Uma vez que o alinhamento seja restaurado, a placa bloqueada anatomicamente pré-moldada pode ser introduzida de forma submuscular sob o vasto lateral através da incisão parapatelar. A posição da placa deve ser cuidadosamente avaliada com visualização direta e intensificador de imagem. É importante prestar atenção à inclinação cortical lateral e ter a certeza de que a placa se assenta na inclinação de forma correta. Um parafuso de Schanz ou Steinmann é inserido no orifício central da parte distal da placa. Na vista AP, o fio ou Schanz de referência precisa estar paralelo à linha articular femoral distal para evitar um mau alinhamento em varo ou valgo. Na vista lateral, a linha cortical posterior deve ser visível e paralela à margem posterior da placa. Aplicar tração manual para alcançar o comprimento e rotação corretos da fratura, e então colocar a fixação temporária com fio de Kirschner no orifício mais proximal da placa. Os ajustes secundários no alinhamento coronal podem ser feitos com o uso de um parafuso convencional inserido através do orifício da placa.

É recomendado colocar parafusos de bloqueio de forma bicortical para diminuir o risco de arrancamento e aumentar o comprimento de trabalho do parafuso. As vistas em rotação interna com o intensificador de imagem ao redor de 25 graus são recomendadas para evitar a protrusão do parafuso medial, já que isso causa irritação dolorosa e a necessidade de remoção do implante. Para a fixação proximal, os parafusos convencionais isolados fornecem uma boa fixação no osso jovem. Se forem usados os parafusos bloqueados, o cirurgião deve seguir os princípios delineados no Capítulo 3.3.4.

Nos casos com fragmentação metafisária grave, especialmente no lado medial, a placa lateral isolada pode não fornecer a estabilidade suficiente para a carga axial e rotacional. Uma segunda placa curta de 3,5 pode ser adicionada anteromedialmente para melhorar a estabilidade da montagem. As vias de acesso parapatelares permitem uma boa exposição para a aplicação dessa placa, com desnudamento adicional mínimo de partes moles.

Encavilhamento intramedular retrógrado

O encavilhamento intramedular retrógrado é apropriado para as fraturas extra-articulares (33A) e, às vezes, também para as fraturas articulares simples (33C1, 33C2) (**Fig. 6.6.3-22**). As fraturas articulares requerem a fixação dos fragmentos antes do encavilhamento.

Os parafusos de tração são usados perifericamente (**Fig. 6.6.3-18c**), mas a posição planejada da haste intramedular deve ser sempre levada em consideração.

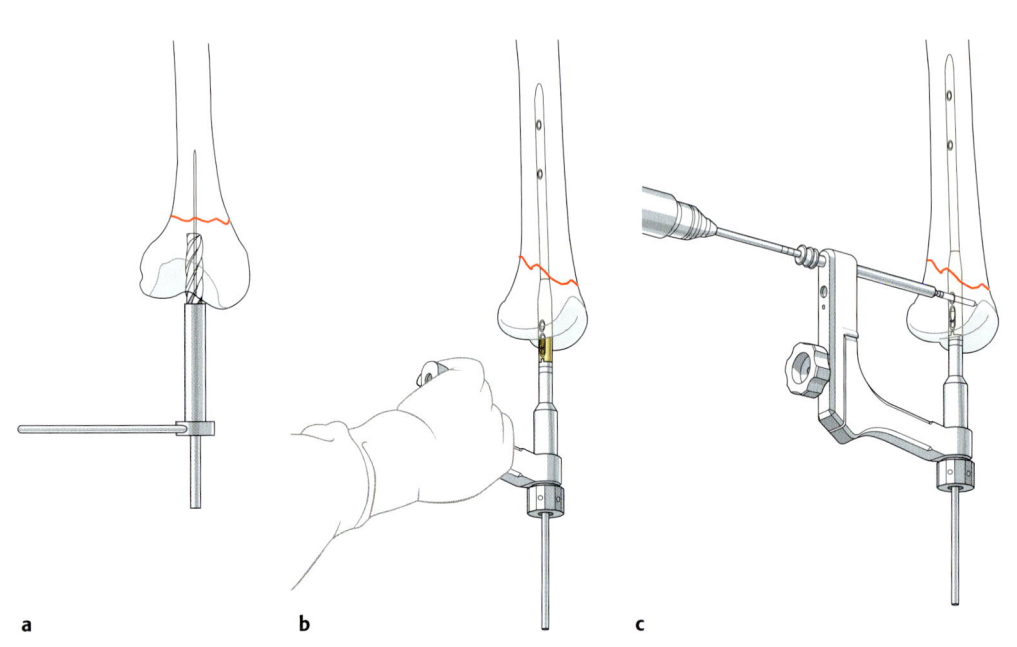

Fig. 6.6.3-22a-c Encavilhamento intramedular retrógrado com haste femoral distal (DFN) – técnica.
a   O ponto de entrada é identificado em dois planos usando controle radiográfico. O canal medular é aberto anterior à incisura condilar e fresado sobre um fio-guia.
b   Inserção da haste intramedular retrógrada (DFN), usando a manopla de inserção acima do fio-guia.
c   Perfuração do orifício para o parafuso de bloqueio distal com o dispositivo de direcionamento fixo.

O encavilhamento intramedular fechado usa uma artrotomia infrapatelar, que pode evitar o ligamento patelar medialmente ou dividir o ligamento. A decisão da via de acesso é ditada pelo tipo de fratura. Os tecidos moles devem ser sempre protegidos do dano pelas fresas e outros instrumentos. Sob orientação de um intensificador de imagem em ambos os planos, com o joelho flexionado em aproximadamente 30 graus, o fio-guia central é inserido no canal medular. O canal medular é aberto logo anterior à incisura, respeitando a origem do ligamento cruzado posterior, e a haste femoral distal sólida ligeiramente moldada ou a nova haste femoral especial retrógrada/anterógrada é inserida na cavidade medular com o dispositivo direcionador montado (**Vídeo 6.6.3-3**).

Para prevenir o mau posicionamento dos parafusos de bloqueio, este é feito de lateral para medial com o uso do dispositivo direcionador para os parafusos bloqueados ou para a lâmina espiral. Se necessário, é possível impactar a fratura por compressão axial cuidadosa. O bloqueio proximal é feito usando a inserção radiolucente da broca. Por causa de sua estabilidade axial e de inclinação, a haste intramedular bloqueada fornece estabilidade adequada para o apoio precoce, mesmo em fraturas supracondilares multifragmentadas.

Fixação externa

As indicações para a fixação externa temporária transarticular são os pacientes com politraumatismo, as fraturas ou luxações expostas, ou as fraturas fechadas com trauma grave de partes moles ou dano vascular. Se possível, o bloco articular é reconstruído com fixação interna mínima usando parafusos de tração de 3,5 mm convencionais ou canulados. Então, o fixador externo transarticular é montado com parafusos de Schanz longe da zona de lesão. Os parafusos de Schanz são inseridos anteriormente no fêmur para evitar incisões no tratamento definitivo e anteromedialmente na tíbia. Ambos os elementos são então conectados em uma técnica tubo a tubo (**Fig. 6.6.3-23**), fornecendo estabilidade suficiente até que o tratamento definitivo seja possível.

Vídeo 6.6.3-3 A haste femoral distal (DFN) (haste femoral retrógrada/anterógrada)

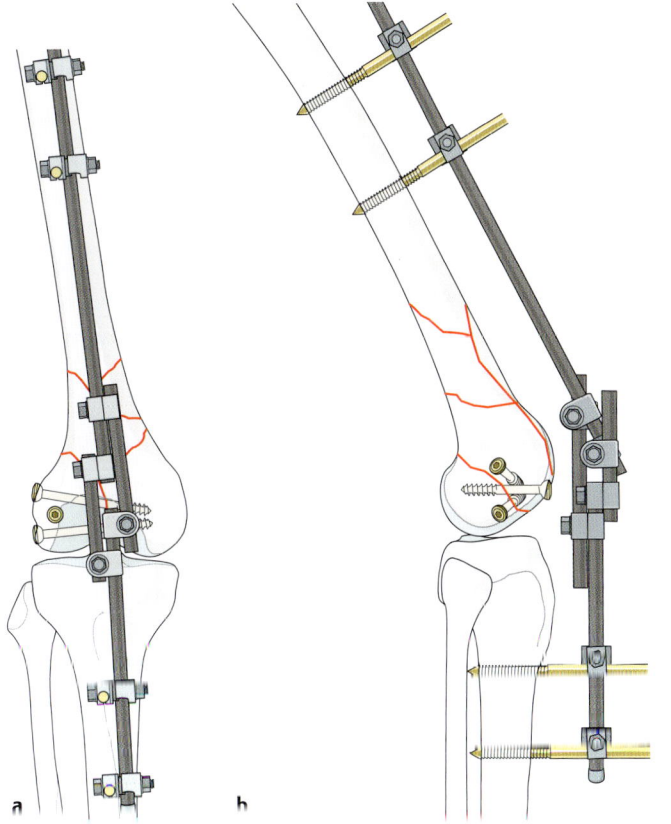

Fig. 6.6.3-23a-b Fixação externa temporária, transarticular do joelho com um fixador tubo a tubo. Inserção dos parafusos de Schanz anteriormente no fêmur e anteromedialmente na tíbia. Flexão do articular do joelho em aproximadamente 20°. O bloco articular é fixado apenas por parafusos de tração. O fixador deve estar do lado de fora da zona de lesão e da futura cirurgia (fixação interna).

Fraturas específicas
6.6.3 Fêmur, distal

Fraturas periprotéticas

Com uma incidência crescente de próteses totais de joelho, o número de fraturas periprotéticas no osso osteoporótico vai aumentar. Para tratar essas fraturas são recomendados os sistemas baseados no princípio da placa bloqueada (**Fig. 6.6.3-24**). O uso de hastes intramedulares retrógradas (**Fig. 6.6.3-25**) para tais fraturas depende do desenho do componente femoral. A incisura deve ser suficientemente larga para permitir o acesso ao ponto correto de inserção. Mais detalhes são dados no Capítulo 6.6.4.

7.3 Desafios

A enxertia óssea esponjosa é raramente necessária, desde que a fratura metafisária não tenha sido exposta e desvitalizada durante a cirurgia (técnica de redução indireta e uso de placa de ponte biológica). Entretanto, a enxertia óssea pode ser indicada para defeitos maiores ou para fornecer estabilidade dentro de um côndilo multifragmentado, especialmente em fraturas expostas onde haja uma perda óssea significativa depois do debridamento. Um vazio metafisário pode ser preenchido com um espaçador de cimento de polimetilmetacrilato para permitir o desenvolvimento de uma membrana biológica, com um segundo estágio planejado de enxerto ósseo em 6-8 semanas (técnica de Masqualet). Excepcionalmente, o cimento ósseo pode ser usado para fornecer uma melhor pega do implante no osso intensamente osteoporótico. A ruptura concomitante dos ligamentos colaterais do joelho é rara. As lesões do ligamento cruzado são mais comuns e geralmente ocorrem nas fraturas articulares multifragmentadas. As avulsões ósseas com frequência podem ser fixadas com parafusos de tração. A ruptura intrassubstancial dos ligamentos pode ser tratada por reconstrução primária ou reparo, mas muitos cirurgiões recomendam o tratamento não cirúrgico dessas lesões do ligamento cruzado, com reconstrução secundária se o paciente desenvolver instabilidade sintomática.

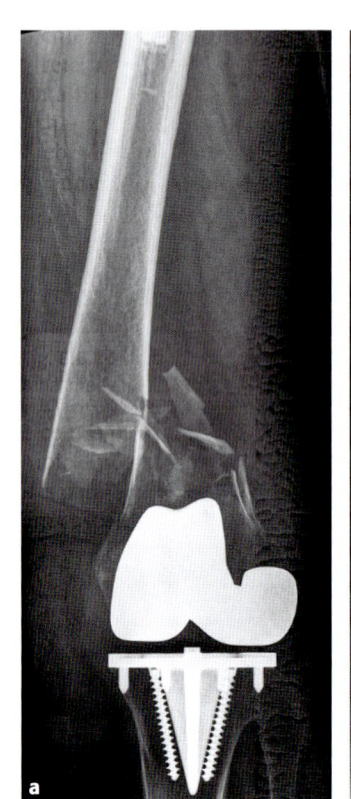

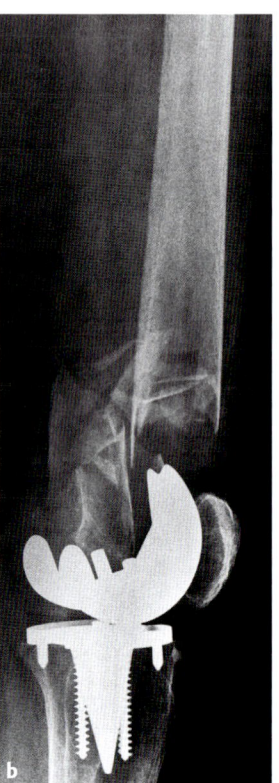

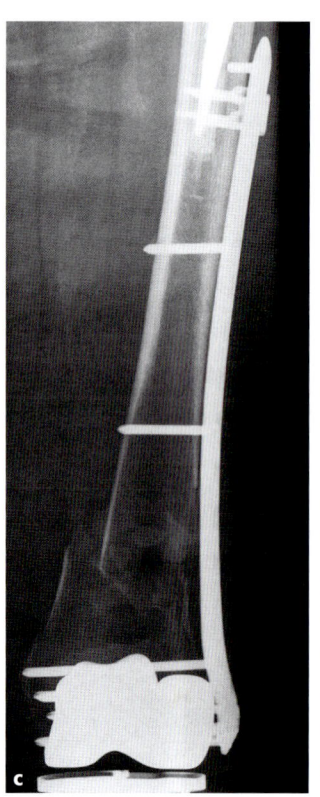

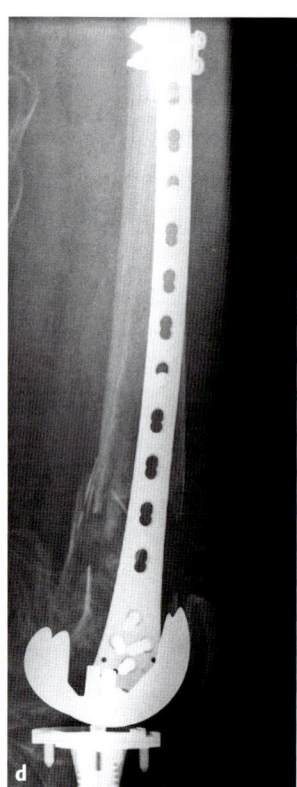

Fig. 6.6.3-24a-d Fratura periprotética.
a Vista AP do joelho esquerdo mostra desvio lateral considerável do bloco femoral distal e da prótese do joelho.
b Vista lateral do joelho esquerdo. A prótese do joelho não está solta.
c A vista AP do joelho esquerdo mostra considerável desvio medial do bloco articular devido ao encurtamento da zona de fratura, por uma posição posterior da placa em relação ao côndilo lateral, ou por ambos.
d A vista lateral do joelho esquerdo mostra bom alinhamento do eixo.

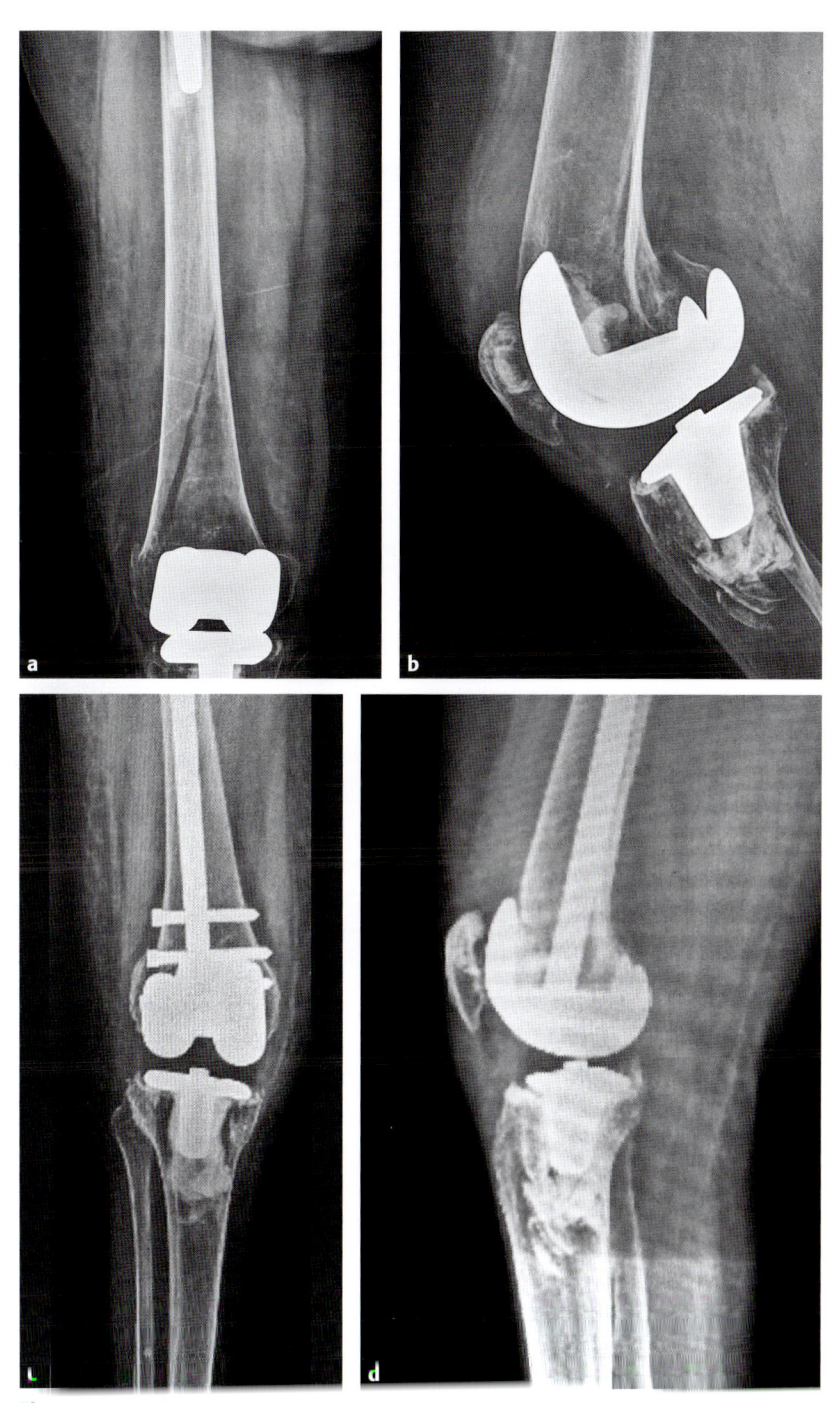

Fig. 6.6.3-25a-d
a-b Radiografias em AP e lateral do lado direito com uma nova fratura periprotética no mesmo paciente que na **Fig. 6.6.3-24**, ocorrida 8 meses depois da primeira fratura periprotética no lado esquerdo.
c-d Radiografias AP e lateral do lado direito aos 4 meses depois do encavilhamento intramedular minimamente invasivo.

8 Cuidados pós-operatórios

O objetivo da cirurgia é fornecer uma fixação estável que permita a reabilitação funcional precoce do joelho lesionado. O movimento ativo-assistido do quadril, do joelho e do tornozelo pode ser iniciado em 48 horas, desde que a lesão de partes moles permita e que o paciente tenha um bom regime de analgesia. O movimento passivo contínuo pode também ser efetivo. Em fraturas simples com contato ósseo, a fixação interna é suficientemente estável para permitir carga com apoio parcial (10-15 kg) logo após a cirurgia. As fraturas multifragmentadas com montagens de placa em ponte geralmente requerem mais proteção e não devem receber carga inicialmente. A carga progressiva é permitida depois que a formação de calo seja vista, durante o seguimento, em 6-12 semanas.

9 Complicações

9.1 Mau alinhamento

O mau alinhamento axial e rotacional é um problema típico observado no tratamento das fraturas distais do fêmur [8, 9]. Devido à tração dos músculos gastrocnêmio e adutor magno, existe um risco de joelho recurvato com subsequente hiperextensão e frouxidão articular do joelho. A flexão de joelho em 60 graus durante a cirurgia pode ajudar na prevenção de tal problema. A má rotação após a cirurgia de OPMI da distal do fêmur tem sido notada em uma porcentagem alta de pacientes (38,5%) [10]. O mau alinhamento em varo e a má rotação parecem ocorrer com mais frequência depois da fixação com a placa-lâmina condilar do que com as placas bloqueadas. Se o ponto de inserção da lâmina for muito posterior, o bloco condilar é deslocado medialmente, o que invariavelmente produz uma deformidade em varo.

9.2 Má posição da placa

A má posição rotacional causa a má posição dos parafusos de bloqueio, já que a trajetória dos parafusos é baseada na anatomia normal. A rotação externa pode causar a penetração articular no sulco troclear ou uma pega imprópria por causa do curto comprimento do parafuso. A inserção de qualquer placa femoral muito distalmente causa problemas de partes moles e a medialização do bloco articular distal (a chamada deformidade em taco de golfe). A placa posicionada empurra o bloco articular em direção ao lado medial. O posicionamento posterior da placa nos côndilos causa a penetração do parafuso para dentro da incisura intercondilar.

9.3 Não união

A não união é mais frequente nas fraturas expostas de grande energia, especialmente nos casos onde houver perda óssea. O uso de implantes muito rígidos pode resultar em um ambiente de tensão inadequada, que também predisporá à não união [7].

9.4 Complicações com o encavilhamento intramedular

Varo, valgo ou angulação é causada pelo ponto de entrada errado, canal medular largo ou fixação inadequada dos fragmentos distais da fratura. Os parafusos de apoio transcortical (*Poller*) devem ser usados para controlar a angulação anormal do fragmento distal.

10 Prognóstico e desfechos

Os resultados das placas bloqueadas por meio de técnicas de OPMI em pacientes idosos parecem ser promissores, com base nos desfechos clínicos, em termos de não união, falha do implante e infecção [11, 12]. Os fatores de risco para a reoperação incluem fraturas expostas, diabetes, tabagismo, índice de massa corporal aumentado e menor comprimento da placa. O uso de placas mais longas pode reduzir o risco de falha na fixação [10, 12]. As lesões fechadas têm uma taxa mais alta de consolidação que as lesões expostas. As fraturas expostas tipos I e II consolidam em uma velocidade significativamente mais alta que as do tipo III (80 vs. 61,3%) [10]. Menos não uniões ocorrem no uso de placa submuscular (10,7%) em comparação à redução aberta (32,0%) [10, 12, 13]. A artroplastia total preexistente do joelho aumenta o risco de falha do material de síntese [14].

11 Referências

Referências clássicas **Referências de revisão**

1. **Baker BJ, Escobedo EM, Nork SE, et al.** Hoffa fracture: a common association with high-energy supracondylar fractures of the distal femur. *AJR Am J Roentgenol.* 2002 Apr;178(4):994.

2. **Hwang JH, Oh JK, Oh CW, et al.** Mismatch of anatomically preshaped locking plate on Asian femurs could lead to malalignment in the minimally invasive plating of distal femur fractures: a cadaveric study. *Arch Orthop Trauma Surg.* 2012 Jan;132(1):51–56.

3. **Babst R, Hehli M, Regazzoni P.** [LISS tractor. Combination of the "less invasive stabilization system" (LISS) with the AO distractor for distal femur and proximal tibial fractures]. *Unfallchirurg.* 2001 Jun;104(6):530–535. German.

4. **Bolhofner BR, Carmen B, Clifford P.** The results of open reduction and internal fixation of distal femur fractures using a biologic (indirect) reduction technique. *J Orthop Trauma.* 1996;10(6):372–377.

5. **Fankhauser F, Gruber G, Schippinger G, et al.** Minimal-invasive treatment of distal femoral fractures with the LISS (Less Invasive Stabilization System): a prospective study of 30 fractures with a follow up of 20 months. *Acta Orthop Scand.* 2004 Feb;75(1):56–60.

6. **Schütz M, Müller M, Krettek C, et al.** Minimally invasive fracture stabilization of distal femoral fractures with the LISS: a prospective multicenter study. Results of a clinical study with special emphasis on difficult cases. *Injury.* 2001 Dec;32(Suppl 3):SC48–54.

7. **Ricci WM, Streubel PN, Morshed S, et al.** Risk factors for failure of locked plate fixation of distal femur fractures: an analysis of 335 cases. *J Orthop Trauma.* 2014 Feb;28(2):83–89.

8. **Krettek C, Miclau T, Grün O, et al.** Intraoperative control of axis, rotation and length in femoral and tibial fractures. Technical note. *Injury.* 1998;29(Suppl 3):29–39.

9. **Maier DG, Reisig R, Keppler P, et al.** [Post-traumatic torsional differences and functional tests following antegrade or retrograde intramedullary nailing of the distal femoral diaphysis.] *Unfallchirurg.* 2005 Feb;108(2):109–117. German.

10. **Buckley R, Mohanty K, Malish D.** Lower limb malrotation following MIPO technique of distal femoral and proximal tibial fractures. *Injury.* 2011 Feb;42(2):194–199.

11. **Syed AA, Agarwal M, Giannoudis PV, et al.** Distal femoral fractures: long-term outcome following stabilisation with the LISS. *Injury.* 2004 Jun;35(6):599–607.

12. **Beltran MJ, Gary JL, Collinge CA.** Management of distal femur fractures with modern plates and nails: state of the art. *J Orthop Trauma.* 2015 Apr;29(4):165–172.

13. **Doshi HK, Wenxian P, Burgula MV, et al.** Clinical outcomes of distal femoral fractures in the geriatric population using locking plates with a minimally invasive approach. *Geriatr Orthop Surg Rehabil.* 2013 Mar;4(1):16–20.

14. **Hoffmann MF, Jones CB, Sietsema DL, et al.** Outcome of periprosthetic distal femoral fractures following knee arthroplasty. *Injury.* 2012 Jul;43(7):1084–1089.

12 Agradecimentos

Os organizadores agradecem as contribuições de Florian Gebhard e Lothar Kinzl para este capítulo na 2ª edição de *Princípios AO do tratamento de fraturas*.

Fraturas específicas
6.6.3 Fêmur, distal

6.6.4 Fraturas periprotéticas
Michael Schütz

1 Introdução e epidemiologia

As fraturas periprotéticas ocorrem dentro da proximidade de uma prótese ou implante e são o resultado de trauma, osteólise, osso patológico, fadiga ou desgaste. As fraturas traumáticas podem ocorrer intraoperatoriamente (durante a inserção de um componente protético) ou, o que é mais comum, no pós-operatório. No idoso, as fraturas periprotéticas pós-operatórias são geralmente secundárias a um trauma de baixa energia e podem resultar em considerável morbidade e incapacidade. Devido às maiores forças mecânicas, as fraturas periprotéticas são mais comuns nas extremidades inferiores.

As consequências socioeconômicas são consideráveis. O tratamento das fraturas periprotéticas é complexo e precisa ser individualizado para cada paciente e tipo de fratura. Os altos custos desses tratamentos e o aumento esperado da prevalência serão um alto fardo financeiro para os sistemas de saúde no futuro. Os estudos [1] calculam os custos de tratamento das fraturas periprotéticas entre 20 mil e 200 mil dólares americanos para cada caso. A prevalência subirá com o envelhecimento da população e o aumento no número de artroplastias primárias feitas a cada ano [2]. É esperado que de 2005 até 2030 a demanda por artroplastia primária de quadril e joelho aumente em 171% e 673% respectivamente [3]. É antecipado que as fraturas periprotéticas e a cirurgia de revisão aumentem de acordo ou até mesmo acima da proporção. Os excelentes resultados na artroplastia têm levado a uma expansão nas indicações, incluindo pacientes mais jovens e mais ativos e também pacientes mais velhos que desejam manter a sua independência [4]. Este grupo está em risco mais alto de fratura periprotética devido a um estoque ósseo ruim, perda óssea periprotética, uso de muitos medicamentos e uma incidência mais alta de quedas.

Outros fatores também contribuem para a incidência das fraturas periprotéticas. O suprimento sanguíneo ósseo alterado depois da inserção da prótese pode causar um déficit biológico; o posicionamento e o alinhamento abaixo do ideal, da prótese, podem levar a um carregamento não fisiológico do osso circundante, que pode levar à reabsorção óssea e espelhos de estresse.

Embora as fraturas periprotéticas sejam variáveis e devam ser individualmente consideradas, é possível categorizar ou classificar a maior parte delas em um Sistema de Classificação Unificado (UCS) simples [5], similar àquele da Classificação AO/OTA de Fraturas e Luxações.

O tratamento das fraturas periprotéticas exige a avaliação completa do paciente e um processo de tomada de decisão cuidadoso. O tratamento requer uma equipe cirúrgica experiente e familiarizada com as diferentes técnicas de fixação interna e artroplastia de revisão, e capaz de dominar todas as abordagens cirúrgicas.

Para prevenir complicações secundárias devido à imobilização, qualquer tratamento deve ser capaz de fornecer estabilidade adequada para permitir a mobilização imediata ou precoce do paciente.

1.1 Fraturas periprotéticas do quadril

As fraturas periprotéticas do quadril podem envolver o acetábulo ou o fêmur. As fraturas nesses locais podem ocorrer durante ou após a cirurgia. As fraturas do acetábulo periprotéticas intraoperatórias são raras e quase sempre são secundárias às forças de impacção se forem usados componentes acetabulares não cimentados com fixação sob pressão. Dados de revisão inéditos da clínica Mayo nos Estados Unidos, envolvendo 32.684 artroplastias totais primárias de quadril, mostraram que das 78 (0,24%) fraturas do acetábulo identificadas, 70 (0,43%) eram de componentes não cimentados e 8 (0,05%) eram de componentes cimentados. No contexto de cirurgia de revisão do componente acetabular, as fraturas aumentaram para 39 (0,68%) de 5.720, com 0,74% para não cimentadas e 0,53% para a colocação do soquete cimentado.

As fraturas em torno do componente femoral são muito mais comuns. A taxa de fraturas do fêmur periprotéticas intraoperatórias é variável, dependendo se for uma artroplastia total do quadril primária ou de revisão, e se for usada uma técnica não cimentada (encaixe sob pressão) ou cimentada [2]. Na literatura atual [2], as artroplastias totais primárias de quadril com hastes femorais cimentadas têm a taxa mais baixa de fraturas do fêmur, com 0,1–2,5%. No contexto da cirurgia de revisão, essa taxa

Fraturas específicas
6.6.4 Fraturas periprotéticas

sobe para 3,0-3,6% se a haste femoral for cimentada. Mas isso é ainda mais baixo que uma técnica não cimentada (ajuste sob pressão), com 3,7-5,4% nas artroplastias totais de quadril primárias e 6,3-20,9% nas revisões [2]. A incidência de fraturas do fêmur intraoperatórias é muito mais alta no contexto de revisão devido à frequência da osteólise e dos passos cirúrgicos adicionais que aumentam o risco de fratura (**Tab. 6.6.4-1**). Tais fraturas podem ocorrer durante a exposição, luxação do quadril, remoção do implante, remoção do cimento, preparação do canal, inserção do implante e redução do quadril.

As fraturas periprotéticas pós-operatórias mostram uma prevalência crescente. Similares às fraturas intraoperatórias, nós observamos taxas mais altas depois da artroplastia total do quadril de revisão (2,1-4,2%) do que depois da primária (0,4-3,5%) (**Tab. 6.6.4-1**) [6]. Ainda não está claro se a técnica (cimentada ou não cimentada) do componente femoral teria alguma influência na taxa de fraturas pós-operatórias.

1.2 Fraturas periprotéticas do joelho

As fraturas periprotéticas associadas à prótese total do joelho são menos comuns que no quadril, mas os números absolutos estão subindo já que a prótese total de joelho tem se tornado mais comum e a atividade e longevidade do paciente aumentam. A maior parte dessas fraturas ocorre em torno do componente femoral. As fraturas intraoperatórias são menos comuns que as fraturas pós-operatórias, mas são provavelmente subestimadas, já que algumas permanecem não detectadas. A literatura atual identifica 0,1-0,4% de fraturas do fêmur intraoperatórias nos joelhos totais primários e 0,8% nas cirurgias de revisão [2]. As fraturas intraoperatórias da tíbia são geralmente mais baixas, mas alcançam quase os mesmos níveis no contexto de revisão.

As fraturas pós-operatórias são mais comuns que as fraturas intraoperatórias e são muito mais comuns no fêmur [2, 7]. A maioria ocorre na região supracondilar do fêmur [7].

As fraturas da patela são mais comuns que as fraturas da tíbia periprotéticas, mas menos comuns que as que ocorrem no fêmur [2, 8]. A troca da superfície da patela é o fator de risco principal para uma fratura da patela periprotética. A cirurgia de revisão, novamente, aumenta a probabilidade de uma fratura (1,4 vs. 2,7%).

1.3 Fraturas periprotéticas do membro superior

Devido às forças mecânicas mais baixas, as fraturas periprotéticas são menos comuns no membro superior. Novamente, nós diferenciamos em fraturas intraoperatórias e pós-operatórias. Os estudos de fraturas periprotéticas ao redor das artroplastias de ombro mostraram que a cirurgia de revisão, a implantação não cimentada e o gênero feminino parecem constituir fatores de risco [9].

A incidência de fraturas do úmero pós-operatórias associadas com a artroplastia de ombro está ao redor de 0,6-3%. As fraturas intraoperatórias parecem ser menos comuns, representando aproximadamente 1,5% [9].

2 Causas e fatores de risco de fraturas periprotéticas

2.1 Condição médica ortogeriátrica

A maioria dos pacientes que têm artroplastia é idosa e a demografia se desloca junto com o aumento da expectativa média de vida, já que um número significativo da população se encontra agora em risco de fratura periprotética. A maioria dos pacientes submetidos à artroplastia por artrite está relativamente em forma para a sua idade, mas, conforme o processo de envelhecimento continua, pode haver o desenvolvimento de osteopenia, sarcopenia e comorbidades médicas múltiplas que são acompanhadas pela ingestão de múltiplos medicamentos. Assim, muitos pacientes com uma fratura periprotética apresentam desafios similares ao idoso com uma fratura de quadril. É importante avaliar o paciente de forma abrangente antes da cirurgia para abordar todos os aspectos necessários na sua saúde física e mental. Os aspectos importantes que precisam ser verificados incluem:

- Anemia
- Plaquetas/coagulação
- Distúrbios metabólicos
- Doença cardiovascular

Tabela 6.6.4-1 Taxa de fraturas periprotéticas circundando as artroplastias de quadril [2, 6]

	Artroplastias primárias totais de quadril, variação [%]	Artroplastias totais de revisão do quadril, variação [%]
Intraoperatória		
Acetábulo		
– Não cimentada	0,43	0,74
– Cimentada	0,05	0,53
Fêmur		
– Não cimentada	3,7-5,4	6,3-20,9
– Cimentada	0,1-2,5	3,0-3,6
Pós-operatória		
Acetábulo		
– Não cimentada	ND	ND
– Cimentada	ND	ND
Fêmur		
– Não cimentada	0,4-2,9	2,1-4,2
– Cimentada	0,8-3,5	ND

As taxas das fraturas do acetábulo são baseadas em dados inéditos da Mayo Clinic (ver Seção 1.1 neste capítulo). Sigla: ND, não disponível.

- Doença pulmonar
- Diabetes melito
- Função renal
- Desnutrição
- Doença de Parkinson
- Distúrbios neurológicos
- Polifarmácia

A disponibilidade do suporte social também é um fator importante. Dentro da população geriátrica, os pacientes com fragilidade têm um risco mais alto de desenvolver complicações pós-operatórias. A síndrome de fragilidade é caracterizada por uma vulnerabilidade aumentada a fatores externos e internos de estresse devido à deficiência de múltiplos sistemas fisiológicos inter-relacionados. Esta vulnerabilidade leva a um declínio na reserva homeostática e na resiliência e implica um aumento do risco para diferentes problemas adversos relacionados à saúde. Os componentes da síndrome de fragilidade incluem sarcopenia, osteoporose e fraqueza muscular [10-14].

2.2 Técnica da artroplastia

A técnica precisa da artroplastia pode ajudar a reduzir o risco de fraturas periprotéticas. O planejamento pré-operatório cuidadoso, a técnica cirúrgica adequada e a escolha do implante são fundamentais. É importante reconhecer os fatores de risco para fraturas periprotéticas que são relacionados ao paciente, como:

- Artropatia inflamatória
- Osteoporose
- Doença óssea metabólica
- Sexo feminino
- Idade avançada
- Osteólise
- Infecção
- Mau alinhamento axial
- Intervenções cirúrgicas prévias

Também é importante ter ciência dos problemas biomecânicos como a concentração de estresse. A diferença na rigidez entre o implante e o osso é um fator importante e a presença de um implante altera a distribuição de tensão no osso circundante: a tensão reduzida contribui para a osteopenia ao redor do implante [15, 16], enquanto a tensão aumentada pode eventualmente resultar em uma fratura por estresse. O revestimento da prótese também tem uma influência sobre a reabsorção óssea, pois dispositivos extensamente cobertos é que induzem a mais pronunciada perda óssea [17]. Uma causa adicional importante de osteólise e a formação de fragmentos por desgaste do polietileno, causando afrouxamento asséptico – esse é o modo mais comum da falha de um implante.

As fraturas intraoperatórias ocorrem com mais frequência durante a remoção de uma haste protética ou cimento existente, preparação do canal medular ou inserção da prótese. Certas estratégias podem ser aplicadas para reduzir o risco:

- Obter exposição cirúrgica adequada, que pode requerer osteotomia trocantérica/tibial
- Maior fresagem para reduzir o estresse circular e a fratura durante a inserção de hastes não cimentadas de encaixe sob pressão e copas acetabulares
- Evitar fresagem excêntrica ou em varo
- Remover cuidadosamente o cimento
- Prevenir a propagação da fratura pelo uso de fios ou cabos de cerclagem profiláticos
- Usar o intensificador de imagem durante a cirurgia de revisão

3 Avaliação e diagnóstico

3.1 História do caso e exame físico

A avaliação deve diagnosticar a fratura periprotética, avaliar a forma física e o nível de função do paciente e determinar a estabilidade do componente protético. Todos eles são fatores fundamentais na tomada de decisão e ajudam a recomendar o tratamento ideal para o paciente.

Os pacientes frequentemente se apresentam com dor, instabilidade, deterioração na função ou história recente de trauma. Uma queda simples da própria altura é um mecanismo comum, mas até metade dos pacientes não relata nenhuma história de queda ou trauma antes do diagnóstico. Se a fratura tiver ocorrido sem um evento traumático claro ou se a radiografia mostrar sinais de osteólise em torno da prótese, três fatores fundamentais devem ser considerados antes de iniciar a cirurgia de revisão:

- Infecção coexistente
- Identificação dos implantes a serem extraídos
- Estoque ósseo

A identificação de infecção é importante e a sua incidência é provavelmente subestimada. Qualquer paciente que se apresente com dor, instabilidade e suspeita de fratura deve ser considerado infectado até prova em contrário. Existem múltiplos testes diagnósticos disponíveis para investigar uma infecção e cada um deles com diferentes sensibilidade, especificidade e custos. A via diagnóstica para cada paciente será determinada pela suspeita clínica (ver Cap. 7.4).

3.2 Exames de imagem

As imagens diagnósticas são uma parte fundamental da avaliação de um paciente sintomático após a artroplastia. Geralmente deve ser de forma gradual, incluindo radiografias simples, imagens transversais, medida da densidade óssea e exame de medicina nuclear em certas situações. As radiografias simples são a primeira linha de investigação. A comparação com o passar do tempo com as imagens prévias

Fraturas específicas
6.6.4 Fraturas periprotéticas

revela afrouxamento, afundamento, alteração do alinhamento e informação sobre a osteólise. O cimento ósseo deve ser cuidadosamente avaliado na busca de rachaduras.

A tomografia computadorizada (TC) é útil para detectar o afrouxamento do implante e para diagnosticar fraturas periprotéticas. Pode ajudar no planejamento pré-operatório dos casos de revisão e para avaliar o estoque ósseo. É altamente reproduzível na avaliação do alinhamento rotacional e revela a presença de osteólise ou uma fratura oculta (**Fig. 6.6.4-1**).

A ressonância magnética (RM) costumava ser limitada devido aos artefatos relacionados ao metal. Os avanços técnicos no processamento do sinal têm tornado a RM uma ferramenta diagnóstica para a interface osso-prótese e para o envelope de partes moles [18]. Uma grande vantagem é a sua habilidade em fornecer imagens de alta definição da interface de fixação da prótese e para detectar cimento ósseo no canal do fêmur.

Para a cirurgia de revisão, a absorciometria de raios X de dupla energia pode indicar a probabilidade de fixação adequada do novo implante de revisão. Existe uma forte evidência sugerindo que ela seja altamente sensível para predizer a falha do osso subjacente [19].

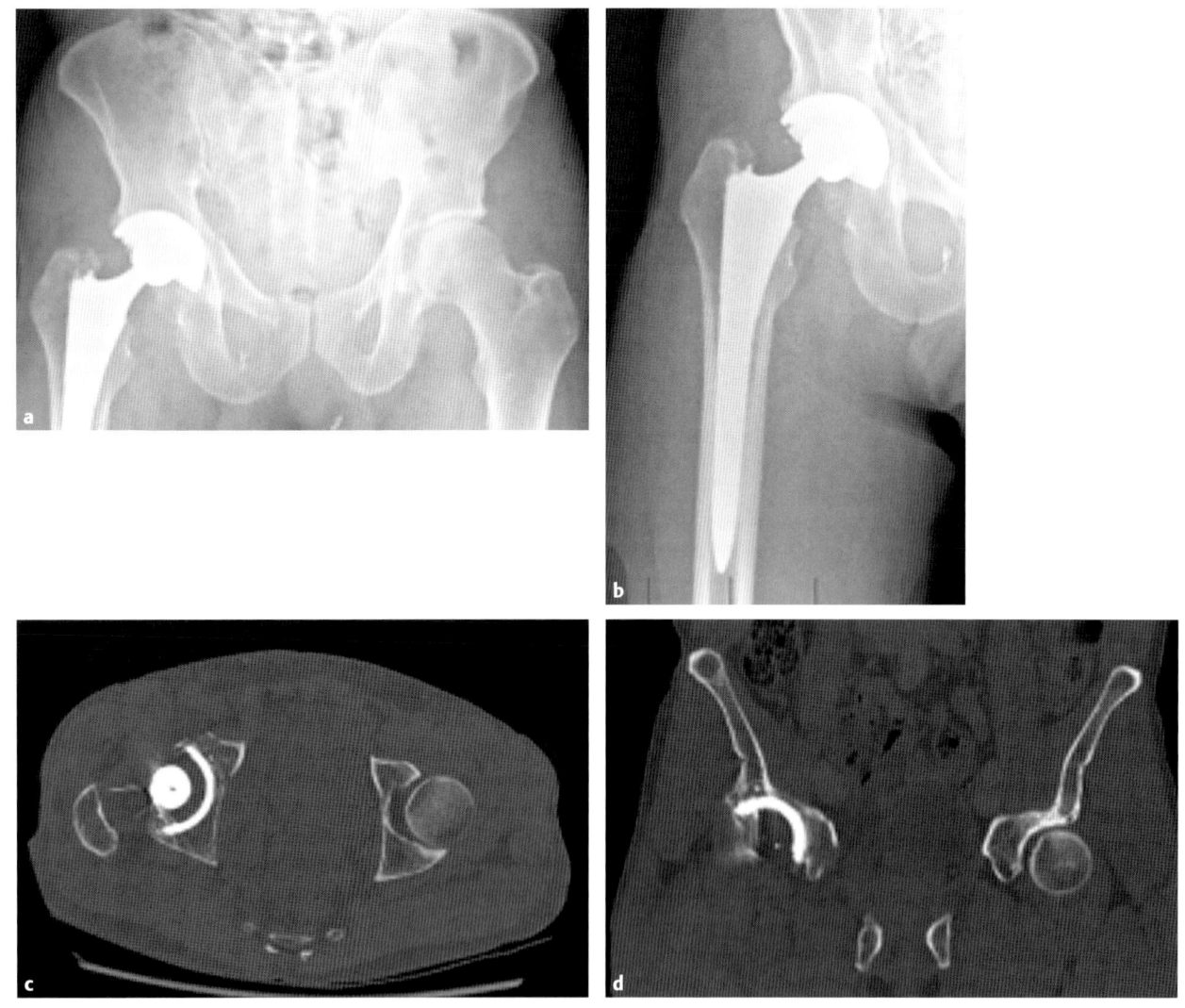

Fig. 6.6.4-1a–d
a–b Um homem de 72 anos de idade apresentou uma fratura pélvica periprotética (por compressão lateral) após uma queda de bicicleta.
c–d Um série de imagens de tomografia computadorizada forneceu informação valiosa, permitindo a decisão de tratamento não cirúrgico, uma vez que a fratura não se estendeu para dentro da região da copa.

4 Classificação

As classificações das fraturas periprotéticas foram desenvolvidas separadamente para diferentes ossos e articulações. Com o desenvolvimento do UCS [5], Duncan e Haddad combinaram e unificaram vários outros sistemas de classificação e, onde não havia nenhuma classificação (punho e tornozelo), os princípios do UCS foram aplicados.

4.1 Sistema de Vancouver

A bem estabelecida e que é o protótipo para a maioria das classificações é a Classificação de Vancouver para a fratura periprotética da proximal do fêmur. Descrita por Duncan e Masri, em 1995, tem três tipos (A, B e C) (**Tab. 6.6.4-2**, **Fig. 6.6.4-2**) [20].

4.2 Sistema de Classificação Unificado (UCS)

Os princípios básicos que são fundamentais para a avaliação e tratamento bem-sucedidos das fraturas periprotéticas foram montados por Duncan e Haddad no UCS. Eles podem ser prontamente aplicados às fraturas periprotéticas do ombro, cotovelo, punho, quadril, joelho e tornozelo [5].

Primeiro, a localização anatômica da fratura periprotética precisa ser codificada com respeito à articulação e os ossos envolvidos. Para a articulação, Duncan e Haddad numeram as articulações de I-VI a partir do ombro (I), cotovelo (II), punho (III), quadril (IV), joelho (V) e tornozelo (VI). Para a identificação dos ossos, a numeração segue aquela da Classificação AO/OTA de Fraturas e Luxações.

Para a descrição adicional das fraturas periprotéticas, eles dividiram em seis tipos (A-F), com subtipos para os tipos A e B. Para lembrar-se mais facilmente dos diferentes tipos de fratura, o seguinte código mnemônico foi inventado:

- Tipo A: apofisária
- Tipo B: leito (*bed*) do implante
- Tipo C: livre (*clear*) do implante
- Tipo D: divisão do osso entre dois implantes
- Tipo E: cada um (*each*) dos dois ossos que suportam uma artroplastia
- Tipo F: de frente e se articulando com uma hemiartroplastia

4.2.1 Tipo A: apofisária ou extra-articular/periarticular

A fratura envolve o osso ou apófise adjacente ao implante, mas tem pouca influência na fixação do implante. A necessidade para o tratamento cirúrgico é baseada na localização e nas características de cada tipo de fratura e nas consequências do tratamento não cirúrgico, independentemente da presença de um implante. Os princípios de orientação são baseados na importância das estruturas de partes moles presas a uma apófise e se aquela apófise está desviada ou não. Os exemplos incluem as fraturas do trocanter menor ou do acrômio.

Tabela 6.6.4-2 Sistema de Classificação de Vancouver original para as fraturas periprotéticas da proximal do fêmur [20]

Tipo	Localização	Subtipo
A	Região trocantérica	A-G: trocanter maior
		A-l: trocanter menor
B	Ao redor ou logo distal à haste	B1: Prótese estável (bem fixada)
		B2: Prótese instável (frouxa)
		B3: Implante frouxo e estoque ósseo inadequado
C	Bem distal à haste	—

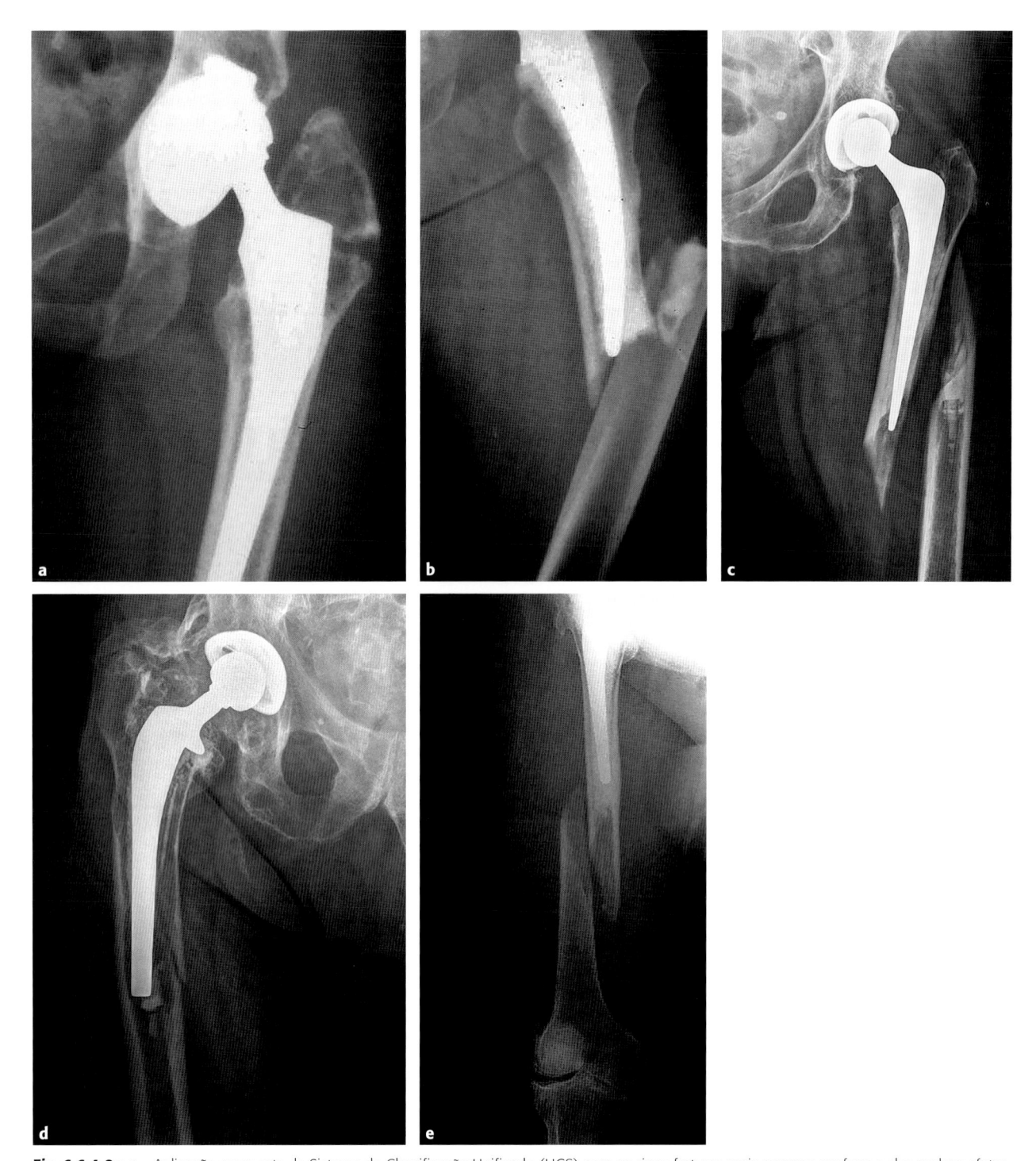

Fraturas específicas
6.6.4 Fraturas periprotéticas

Fig. 6.6.4-2a-e Aplicação composta do Sistema de Classificação Unificado (UCS) para as cinco fraturas mais comuns conforme elas podem afetar um osso, como o fêmur.
a Fratura tipo A1.
b Fratura tipo B1 (demarcada para enfatizar as interfaces estáveis).
c Fratura tipo B2, que estava bem fixa antes de a fratura helicoidal longa desestabilizar a haste.
d Fratura tipo B3, com afrouxamento da haste e perda óssea grave.
e Fratura tipo C bem distante da haste.

4.2.2 Tipo B: leito do implante ou ao redor do implante

A fratura envolve a interface osso-implante, que é responsável pela estabilidade da fixação do implante. Importante para o tratamento é classificar adicionalmente em uma de três subcategorias (**Fig. 6.6.4-3**). Duas perguntas precisam ser respondidas:

- O implante está bem fixo ou frouxo?
  - Se bem fixo: tipo B1
  - Se frouxo: tipo B2
- No caso de um implante frouxo, há osso adequado presente para apoiar com sucesso a revisão do implante?
  - Se sim: a classificação permanece tipo B2
  - Se não: tipo B3

A diferenciação entre os tipos B1 e B2 frequentemente pode ser determinada com radiografia simples, mas às vezes requer investigação radiográfica adicional (p. ex., TC ou RM) ou somente pode ser determinada durante a cirurgia.

Ademais, a distinção entre os tipos B2 e B3 é de interpretação individual, sem uma transição clara. Parcialmente, depende da escolha de reconstrução favorecida pelo cirurgião. Como regra simples, os autores sugerem que a fratura seja categorizada como tipo B2 se o implante frouxo puder ser revisado com uma técnica bastante direta. Entretanto, se técnicas mais especializadas ou um procedimento de salvação forem necessários, então deve ser classificado como tipo B3.

4.2.3 Tipo C: longe ou distante do implante

A fratura está em uma distância da artroplastia, de forma que o implante pode ser ignorado. Os princípios modernos do tratamento de fraturas são aplicáveis e algum tipo de fixação com placa modificada pode ter que ser considerada.

4.2.4 Tipo D: dividindo o osso entre dois implantes, interprotética

No momento, é um tipo incomum de fratura periprotética e em geral envolve o fêmur entre um quadril e uma prótese de joelho.

4.2.5 Tipo E: cada um dos dois ossos que suportam uma artroplastia ou poliperiprotética

Nesses casos raros, os ossos que suportam os implantes em um ou outro lado de uma artroplastia são ambos fraturados (p. ex., acetábulo e fêmur depois da prótese de quadril, ou fêmur e tíbia depois da prótese de joelho). A fratura, a estabilidade do implante e o estoque ósseo em cada lado da artroplastia são separadamente analisados e adequadamente tratados.

4.2.6 Tipo F: de frente e se articulando com uma hemiartroplastia

A fratura é encontrada na superfície articular não substituída, que se articula com o implante de uma hemiartroplastia (p. ex., fratura do acetábulo no caso de uma hemiartroplastia de quadril). Essas fraturas periprotéticas raras precisam ser analisadas em relação à saúde da superfície articular não substituída. As fraturas não desviadas podem ser tratadas conservadoramente. Se a superfície articular não substituída não mostrar degeneração e o paciente não tinha dor antes da fratura, então a redução e fixação interna podem ser consideradas. Caso contrário, uma substituição da superfície articular fraturada deve ser planejada.

O resumo da classificação UCS é mostrado na **Fig. 6.6.4-4**.

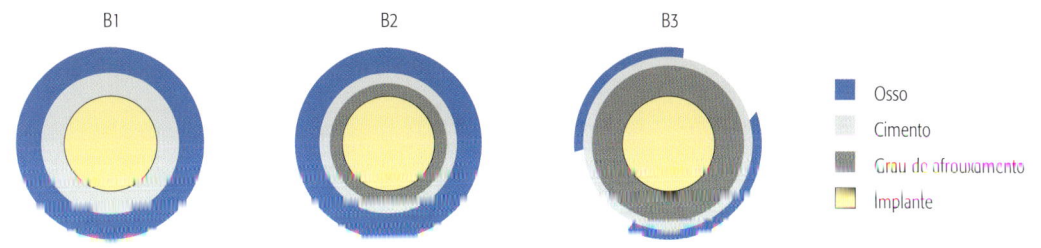

Fig. 6.6.4-3
- **B1** Osso bom, nenhum afrouxamento do implante
- **B2** Osso bom, com afrouxamento do implante
- **B3** Osso deficiente ou defeito ósseo com afrouxamento do implante

Fraturas específicas
6.6.4 Fraturas periprotéticas

5 Tomada de decisão

Ao se tratar fraturas periprotéticas, a tomada de decisão cirúrgica depende de vários fatores que são similares para todos os tipos de fraturas, independentemente da sua localização anatômica. Existem diferentes possibilidades para o tratamento das fraturas periprotéticas:

- Tratamento não cirúrgico
- Fixação interna da fratura
- Artroplastia de revisão
- Técnicas de fixação alternativas complexas

6 Planejamento pré-operatório

O planejamento começa com uma anamnese completa e avaliação clínica do paciente e é seguido ao obter de forma detalhada as informações sobre o procedimento de substituição articular original (incluindo as radiografias e modelo/fabricante da prótese). As imagens adequadas são necessárias para determinar a estabilidade e alinhamento do implante e para avaliar a qualidade óssea e determinar o tipo ideal de tratamento. Por fim, mas não menos relevante, uma infecção deve ser excluída como causa de afrouxamento no pré-operatório para decidir o prosseguimento em um ou mais estágios (**Fig. 6.6.4-5**).

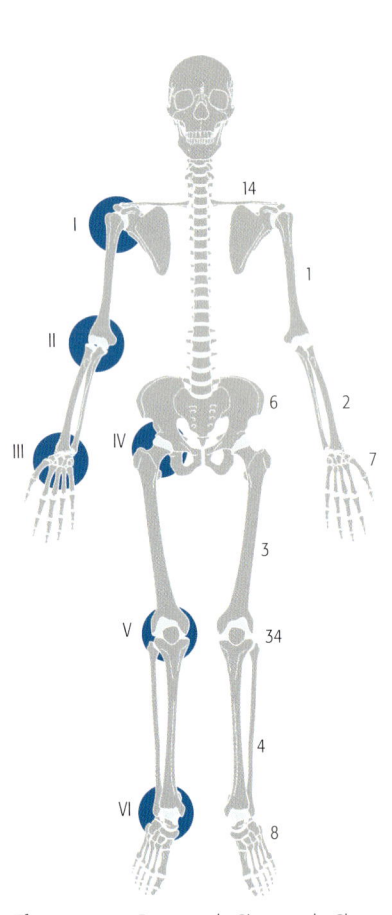

Fig. 6.6.4-4 Resumo do Sistema de Classificação Unificado (UCS).

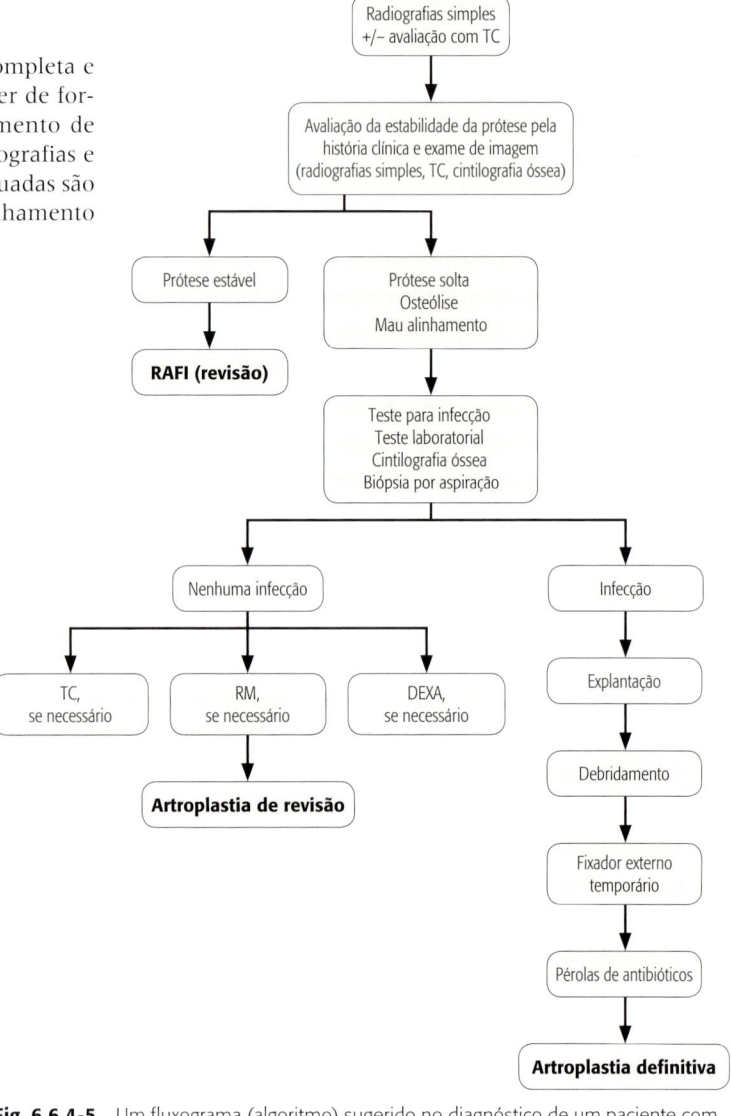

Fig. 6.6.4-5 Um fluxograma (algoritmo) sugerido no diagnóstico de um paciente com suspeita de fratura periprotética.
Siglas: DEXA, absorciometria de raios X de dupla energia; RAFI, redução aberta e fixação interna.

6.1 Configuração da sala de cirurgia

A tração manual leve (o assistente pode precisar sentar em um banquinho) é mantida no membro durante a preparação para evitar deformidade excessiva no local de fratura. A área exposta é desinfetada a partir de cima da crista ilíaca até o pé com o antisséptico apropriado.

O membro é preparado com um campo único em forma de U. A malha cobre a perna e é fixada com uma fita (**Fig. 6.6.4-6**). A perna é preparada para ser movida livremente. O joelho é flexionado sobre um dispositivo bem acolchoado e o intensificador de imagem é preparado.

O cirurgião e a equipe da sala de cirurgia ficam no lado do membro afetado, enquanto o assistente fica ao lado do cirurgião. O intensificador de imagem é colocado no lado oposto da lesão e a tela de exibição precisa ser colocada de forma que seja visível a toda a equipe cirúrgica e ao técnico em radiologia (**Fig. 6.6.4-7**).

6.2 Tratamento não cirúrgico

O tratamento não cirúrgico é uma opção para tratar uma fratura periprotética, mas envolve períodos prolongados de inatividade da articulação afetada. No paciente idoso, a imobilização tem uma alta taxa de complicação e pode levar ao declínio da função, com perda rápida de independência e da qualidade de vida. Essa opção somente deve ser escolhida em casos excepcionais, geralmente nas fraturas extra-articulares não desviadas do tipo A.

Fig. 6.6.4-6 Posicionamento, preparação e desinfecção do paciente.

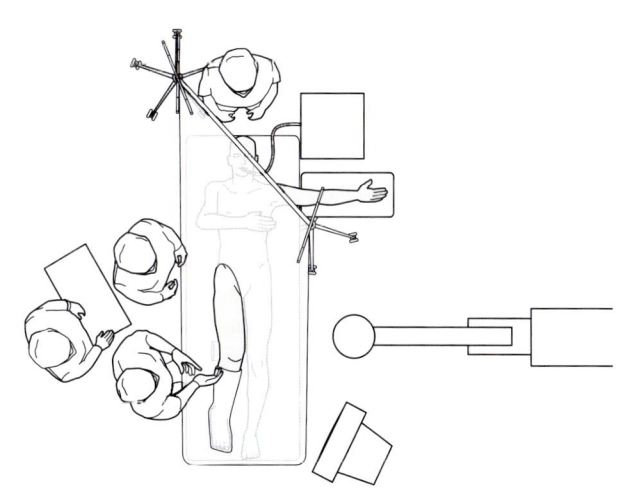

Fig. 6.6.4-7 Configuração da sala de cirurgia.

Fraturas específicas
6.6.4 Fraturas periprotéticas

7 Cirurgia

7.1 Fixação interna

Antes da fixação interna poder ser considerada, é necessário avaliar a estabilidade do implante protético. Além das radiografias, a fratura deve ser avaliada por imagens transversais para determinar se o implante está solto ou bem fixado. Um implante solto requer cirurgia de revisão e não pode ser tratado com fixação interna. O cirurgião precisa estar preparado para adaptar o plano de tratamento no caso de a situação intraoperatória ser diferente do diagnóstico radiográfico.

7.1.1 Técnica de redução

Há dois caminhos para reduzir uma fratura periprotética: a redução direta e a indireta. A redução direta pode ser usada para uma fratura simples (p. ex., helicoidal, oblíqua curta ou transversa) com dois principais fragmentos grandes. A fratura é exposta, reduzida anatomicamente e fixada com compressão interfragmentada e uma placa de proteção. Essa fixação permite a consolidação óssea primária, mas, no osso osteoporótico, a compressão interfragmentada pode não ser possível.

A redução indireta é a técnica preferida nas fraturas multifragmentadas. A meta é restaurar o correto comprimento, alinhamento e rotação e transpor a zona de fratura com uma placa longa que se estenda sobre todo o comprimento do osso, mas sem expor a zona de fratura. Isso requer uma redução fechada da fratura. A maioria dos sistemas de placa bloqueada oferece instrumentos que facilitam a inserção percutânea e minimamente invasiva da placa e parafusos, mantendo o envelope de partes moles.

7.1.2 Fixação com placa bloqueada e implantes adicionais

Os parafusos de cabeça bloqueada (LHSs) e as placas fornecem melhor estabilidade angular e axial em comparação às placas convencionais. Uma placa bloqueada permite a fixação que segue o princípio de um fixador interno e, assim, tem múltiplas vantagens [21]:

- O suprimento sanguíneo periosteal é preservado, já que a placa não é apertada contra o osso subjacente.
- A transmissão de força entre a placa e o osso não se baseia mais na fricção e pré-carga.
- A montagem placa-parafuso de ângulo fixo provou ser consideravelmente mais forte contra as forças de arrancamento e deformação.
- No osso osteoporótico, as placas com LHS fornecem fixação mais confiável, já que as placas são consideravelmente mais resistentes às forças de arrancamento.

Em combinação com as vias de acesso minimamente invasivas e técnicas de redução indiretas, a placa bloqueada pode ser aplicada como uma montagem de suporte para fornecer estabilidade relativa. A consolidação da fratura ocorre pela formação de calo.

A fixação da placa ao fragmento de fratura que contém uma haste intramedular é um desafio técnico. Com as placas bloqueadas de ângulo fixo, é difícil colocar parafusos de bloqueio bicorticais na região da prótese intramedular. Há disponibilidade de parafusos monocorticais de ponta romba para maximizar a pega óssea, mas se usados isoladamente podem resultar em fratura da cortical subjacente. A adição de cabos e/ou fios de cerclagem com a placa pode reduzir o risco de arrancamento do parafuso [22] e alguns cirurgiões preconizam a adição de longarinas de aloenxerto de osso na montagem, especialmente quando o estoque ósseo for deficiente.

As placas bloqueadas poliaxiais ou de ângulo variável foram desenvolvidas para a fixação da fratura na presença de componentes protéticos. Os parafusos bloqueados de ângulo variável podem ser colocados em uma variação de 30 graus e permitir que o cirurgião coloque parafusos bicorticais ao redor de uma haste intramedular. A *locking attachment plate* foi desenvolvida para aumentar as opções de fixação para o cirurgião. Esse implante prende-se à placa principal e permite a colocação de pequenos parafusos de bloqueio em torno da haste da prótese (**Fig. 6.6.4-8**). Os estudos biomecânicos mostraram que a *locking attachment plate* é superior às montagens de placa com cerclagem [23].

7.1.3 Haste intramedular

As fraturas periprotéticas que estão longe do implante (tipo C) podem ser tratadas com uma haste intramedular. Em geral, essa técnica somente é aplicável no fêmur, onde pode ser usada para fraturas supracondilares e da diáfise acima de uma prótese total de joelho. A avaliação minuciosa da fratura e da estabilidade do implante é obrigatória, bem como a informação sobre o implante protético previamente usado e todas as suas dimensões.

A fratura da extremidade distal do fêmur com prótese de joelho estável de caixa aberta pode ser tratada com uma haste femoral retrógrada (**Fig. 6.6.4-9**). A vantagem importante dessa técnica é que permite a carga de apoio precoce nos pacientes idosos.

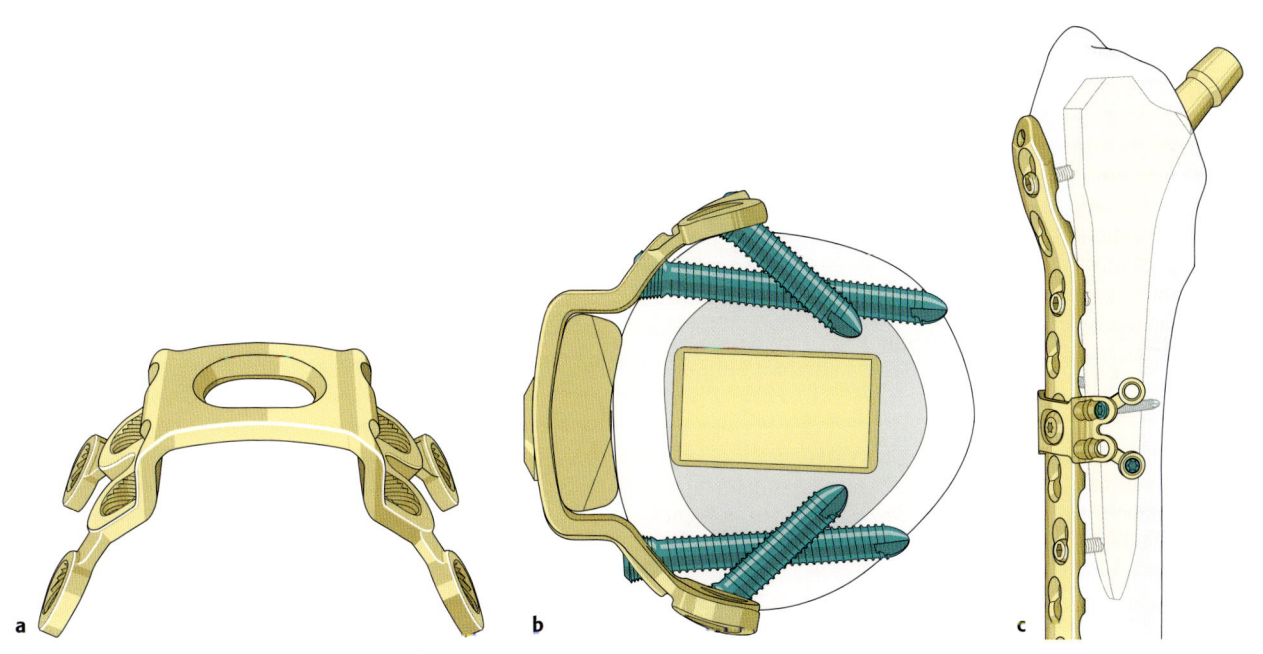

Princípios AO do tratamento de fraturas
Volume 2

Fig. 6.6.4-8a-c *Locking attachment plate* (LAP).
a   LAP de perfil baixo, anatomicamente moldada. Há disponíveis duas versões de placa: uma que se ajusta a uma placa de compressão bloqueada (LCP) de grandes fragmentos e uma segunda versão para a LCP da proximal do fêmur. Os braços cruzados em cada lado da placa aceitam parafusos bloqueados de 3,5 mm (ou parafusos corticais de 3,5 mm) que evitarão a haste da prótese.
b   A seção transversal mostra a direção dos parafusos anterior e posterior do contorno protético.
c   Vista AP da proximal do fêmur com a LAP aplicada à LCP.

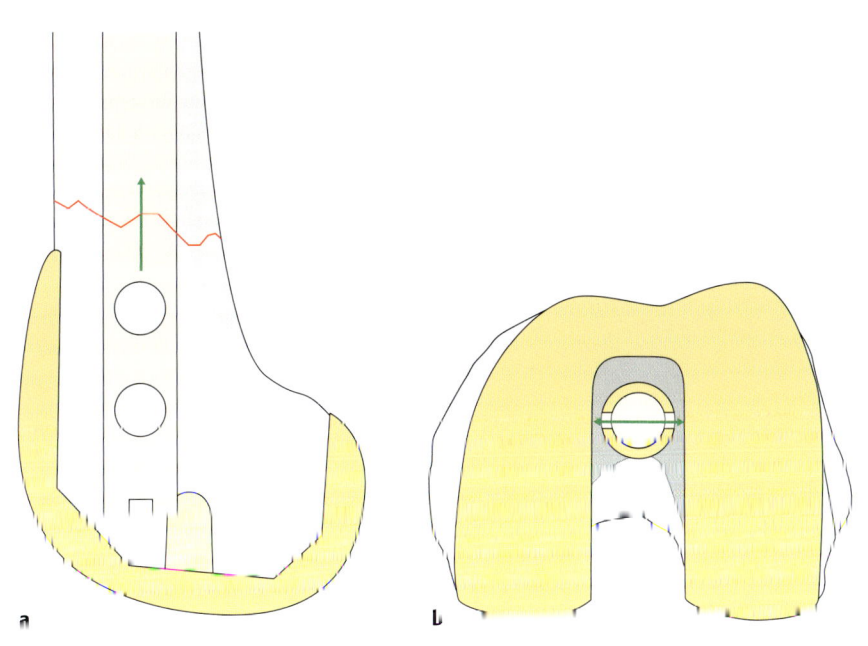

Fig 6.6.4-9a-b No caso de uma fratura distal do fêmur tipo V.3-B1 com prótese de joelho estável de caixa aberta, a inserção da haste retrógrada pode ser possível, desde que a haste intramedular passe através da fenda.
a   Vista lateral
b   Vista frontal do joelho em flexão

847

Fraturas específicas
6.6.4 Fraturas periprotéticas

Existem várias opções para uma fratura do fêmur logo distal ao componente femoral de uma prótese de quadril. A haste retrógrada bloqueada fornecerá boa estabilidade, mas com risco de uma fratura adicional entre a ponta da haste e a ponta da prótese de quadril. Uma placa curta pode ser colocada entre os dois implantes para proteger essa área de ser fraturada, e implantes customizados foram desenvolvidos para conectar as duas próteses, mas há apenas dados limitados sobre os seus resultados.

7.2 Artroplastia de revisão

Nas fraturas periprotéticas, a revisão do componente protético é sempre uma opção. A indicação mais frequente para uma artroplastia de revisão em uma fratura periprotética é o afrouxamento da prótese com osteólise associada. A revisão também pode ser indicada se o manto de cimento tiver sido fraturado ou se a prótese original tiver sido mal posicionada. O planejamento pré-operatório para a osteossíntese e revisão é importante, já que a decisão final pode ter que ser feita somente durante a cirurgia. Todos os instrumentos e implantes apropriados precisam estar disponíveis e o cirurgião deve ser preparado para mudar o procedimento escolhido para um plano cirúrgico diferente.

Para a cirurgia de revisão é recomendado usar um implante não cimentado, já que há o risco de que o cimento possa vazar através do *gap* de fratura, retardando ou até prevenindo a consolidação óssea. A ancoragem não cimentada da prótese tem melhor estabilidade em longo prazo depois da consolidação da fratura e da integração óssea. A vantagem de um implante cimentado é que fornece estabilidade imediata e permite carga de apoio completa no pós-operatório.

8 Demonstração de caso

8.1 Descrição do caso

Uma mulher de 87 anos de idade sofreu queda da própria altura enquanto estava de férias e sofreu uma fratura periprotética helicoidal longa proximal do fêmur (tipo IV.3-B1) com uma haste não cimentada estável e bem fixada. Ela havia sido submetida a uma artroplastia total do quadril 1 ano antes, sem quaisquer queixas ou sintomas pós-operatórios.

As radiografias mostraram uma prótese estável e uma fratura helicoidal longa ao redor de uma haste não cimentada (**Fig. 6.6.4-10a-c**). Ela foi liberada para a cirurgia e, então, operada em 24 horas depois do acidente.

8.2 Tomada de decisão

Por ser uma fratura simples, foi considerada a melhor opção a redução direta e a estabilidade absoluta com parafusos de tração e uma placa-gancho de compressão bloqueada por uma técnica de osteossíntese com placa minimamente invasiva (OPMI) e cabos para fixação proximal.

8.3 Planejamento pré-operatório

O equipamento incluiu uma placa-gancho de compressão bloqueada femoral proximal de 4,5/5,0, e LHSs de 5 mm, cabos e inserções para a placa bloqueada e parafusos corticais de 3,5 mm.

8.4 Preparação e posicionamento do paciente

A paciente foi colocada em decúbito dorsal em uma mesa radiolucente com um coxim sob a nádega ipsilateral. Ela recebeu cefalosporina de segunda geração para antibioticoprofilaxia e heparina de baixo peso molecular para a profilaxia da trombose.

8.5 Redução e fixação

O local da fratura foi identificado com um intensificador de imagem e uma incisão anterior curta foi feita para expor a fratura. A redução foi feita sob tração manual com uma pinça de redução e, mais proximalmente, um fio de cerclagem temporário (**Fig. 6.6.4-10d-e**).

Para a inserção submuscular percutânea da placa-gancho de compressão bloqueada foram feitas incisões laterais sobre o trocanter maior e a distal do fêmur. A fratura foi fixada pela inserção percutânea de dois parafusos de tração de 3,5 mm independentes da placa, logo distalmente à haste. A placa-gancho de compressão bloqueada com 17 orifícios foi inserida de proximal para distal depois da preparação de um túnel submuscular. A posição da placa foi confirmada com o intensificador de imagem. A fixação proximal da placa foi mantida com dois cabos de cerclagem e, distalmente, com dois LHSs e um parafuso convencional. Radiografias pós-operatórias imediatas foram obtidas (**Fig. 6.6.4-10f-h**).

8.6 Reabilitação e seguimento

A fisioterapia foi iniciada imediatamente para restaurar o movimento do quadril e do joelho. A carga de apoio parcial foi aconselhada por 6 semanas, com progressão para carga completa em 12 semanas. A profilaxia para trombose venosa profunda incluiu heparina de baixo peso molecular por 35 dias e uso de meias de compressão. O seguimento foi recomendado em 3, 6 e 12 semanas. As radiografias obtidas aos 3 meses de pós-operatório mostraram a consolidação da fratura (**Fig. 6.6.4-10i-j**). Em dois anos de pós-operatório, a paciente estava bem e vivendo de forma independente. Ela não precisou de nenhuma cirurgia adicional e caminhava sem dispositivos de auxílio.

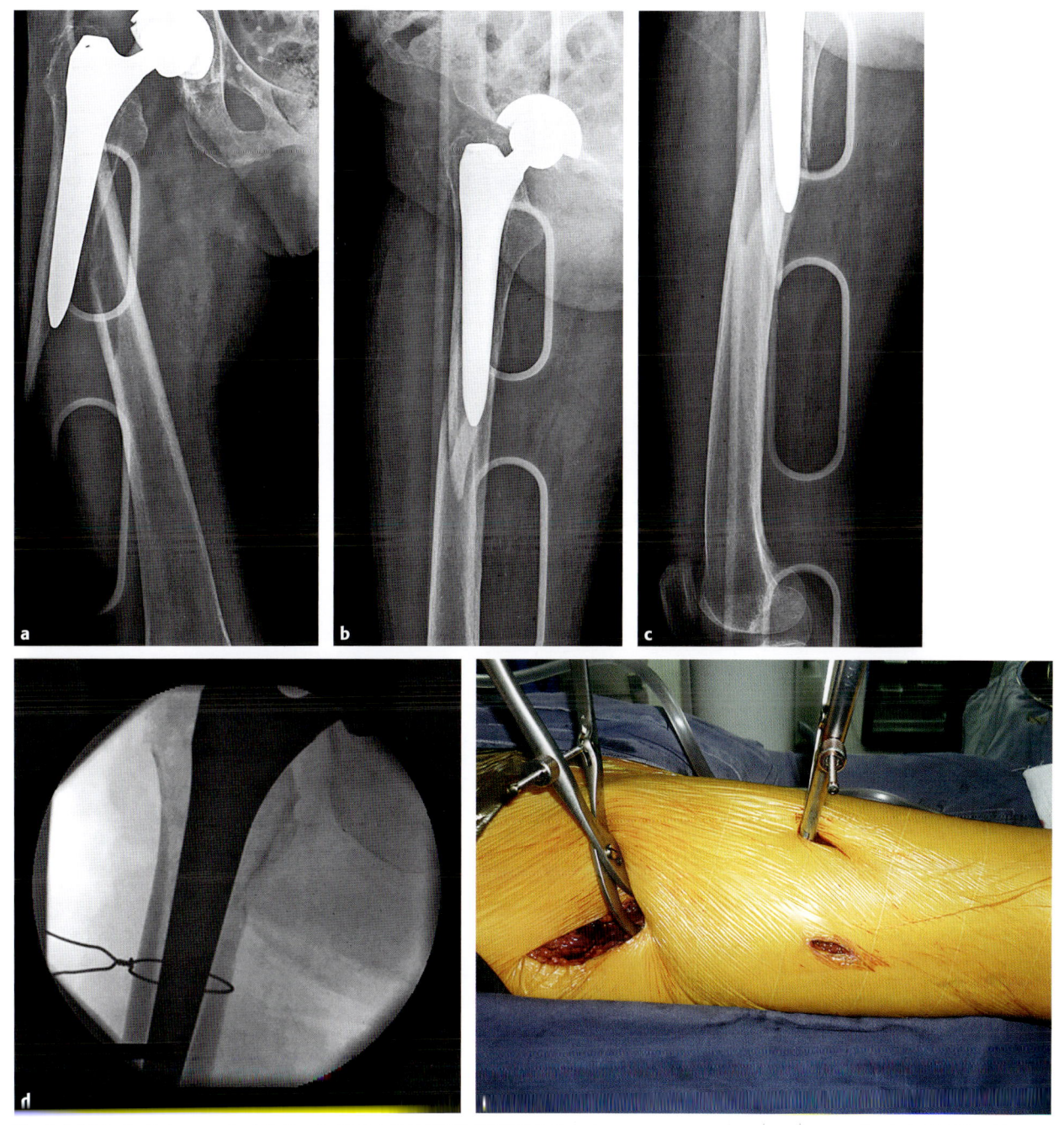

Fig 6.6.4-10a-j Fratura periprotética do fêmur, primeiro octavar (osteossíntese com placa minimamente invasiva, placa-gancho de compressão bloqueado de 4, 5/3,5). As radiografias mostram uma fratura helicoidal do fêmur ao redor de uma haste não cimentada bem fixada.

a   Vista AP proximal do fêmur
b   Vista lateral proximal do fêmur
c   Vista lateral incluindo a extremidade distal do fêmur

Redução cirúrgica
d   Aramagem com cerclagem minimamente invasiva para reduzir a fratura.
e   Incisões lateral e anterior feitas com duas pinças de Verbrugge para reduzir e segurar a fratura no lugar.

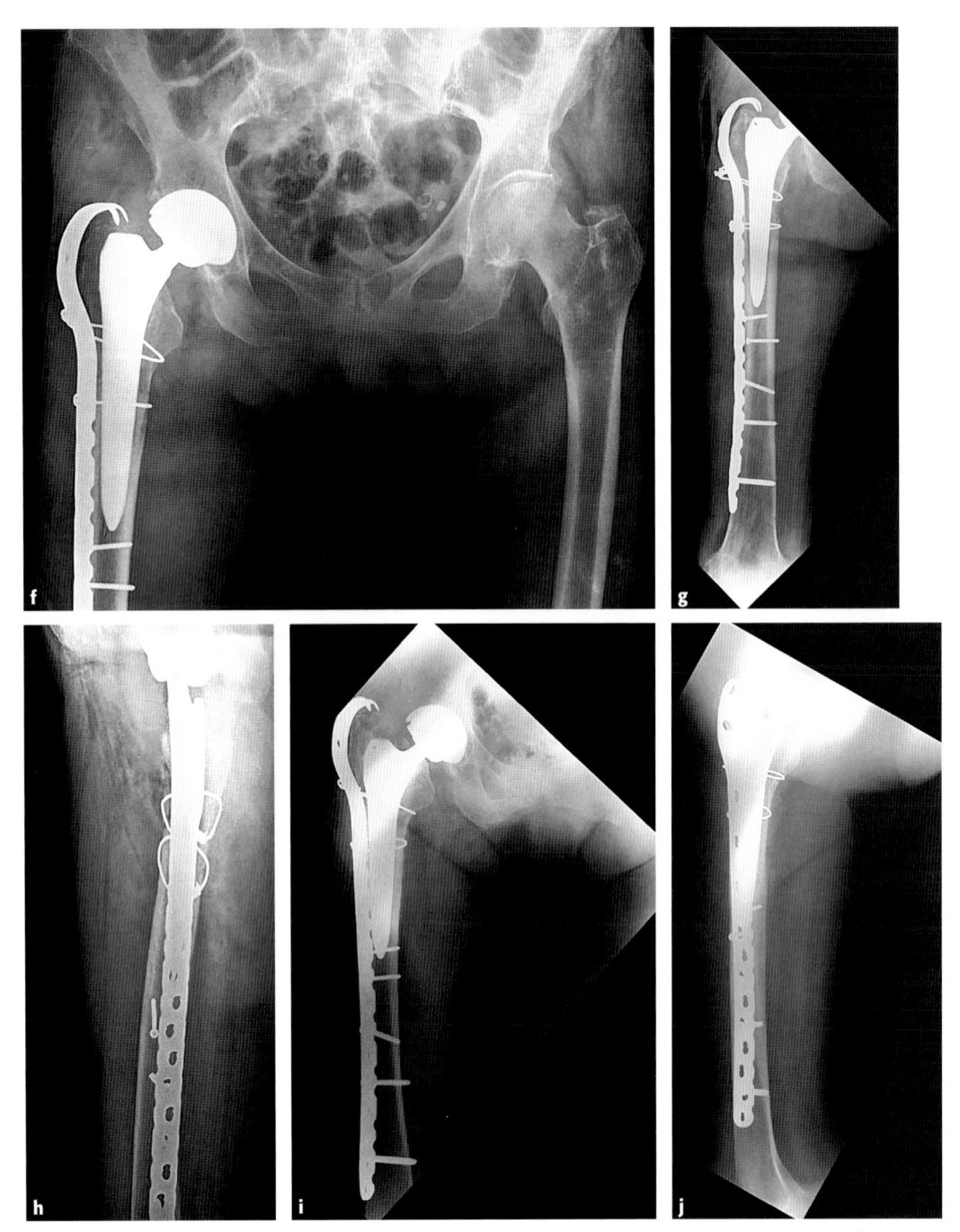

Fraturas específicas
6.6.4 Fraturas periprotéticas

Fig. 6.6.4-10a-j (cont.) Fratura proximal do fêmur, prótese estável (OPMI: Placa-gancho LCP de 4,5/5,0). Radiografias obtidas imediatamente no pós-operatório.
f Vista anteroposterior (AP) da pelve
g Vista AP do fêmur
h Vista lateral

As radiografias obtidas após 3 meses de pós-operatório mostraram bom progresso da consolidação da fratura.
i Vista AP
j Vista lateral

Questões a lembrar:

- A mesa radiolucente deve ser usada e o coxim deve ser colocado sob a nádega ipsilateral para obter uma vista anteroposterior (AP) (esquerda) e uma vista lateral (direita) do fêmur.
- O arco em C é posicionado no lado oposto da fratura com as telas distais (aos pés do paciente).
- O intensificador de imagem é usado para identificar as incisões de pele para a colocação da placa e da pinça.

9   Complicações e desfecho

O tratamento da fratura periprotética é complexo e requer um planejamento minucioso e um cirurgião experiente. As complicações diferem para as várias opções de tratamento. A maioria dos pacientes é idosa e a mobilização pós-operatória pode ser difícil. A descarga ou a carga parcial para esses pacientes pode não ser possível. Entretanto, os períodos estendidos de repouso no leito causam complicações múltiplas, incluindo escaras de pressão, pneumonia, infecção do trato urinário, osteoporose por inatividade e sarcopenia.

As complicações cirúrgicas incluem não união, falha da osteossíntese, mau alinhamento, afrouxamento asséptico, infecção, instabilidade e lesões de nervos e vasos. As complicações variam na dependência da localização da fratura e da estabilidade periprotética do implante.

As fraturas periprotéticas das artroplastias de ombro são frequentemente tratadas de forma conservadora. Entretanto, alguns relatos [24] mostram taxas altas de falhas de até 83%. Os dados publicados sobre as fraturas periprotéticas nas artroplastias de cotovelo e punho são limitados.

Múltiplos estudos [25, 26] em fraturas periprotéticas de membros inferiores relatam uma taxa de consolidação de fraturas de 87-90% depois da fixação interna. O tratamento das fraturas periprotéticas da proximal do fêmur tem uma taxa mais alta de falha que as fraturas isoladas em um contexto não protético. Isso é independente da escolha do implante ou da prótese.

As fraturas periprotéticas da patela mostram resultados ruins, especialmente se for tentada a redução aberta e fixação interna. Uma revisão sistemática [8] revelou uma taxa de 90% de não união nesses casos.

As fraturas periprotéticas de tornozelo são raras, mas foram descritas [27], principalmente como uma complicação intraoperatória. As fraturas intraoperatórias precisam ser tratadas com osteossíntese, seguindo os princípios gerais para a fixação de fraturas. O tratamento da fratura periprotética pós-operatória depende da estabilidade da prótese e do seu alinhamento. A evolução e a consolidação da fratura em longo prazo são ruins na presença de afrouxamento da prótese e mau alinhamento do retropé, de forma que a cirurgia de revisão é obrigatória.

10   Conclusão

O sucesso extraordinário da artroplastia, especialmente nos quadris e joelhos, tem levado a um número grande de pacientes submetidos à prótese articular nas nações desenvolvidas; os países em desenvolvimento estão só começando essa jornada. Desse modo, a incidência das fraturas periprotéticas está aumentando. Essas lesões criam muitos desafios técnicos para o cirurgião e precisam ser tratadas em centros com experiência na osteossíntese e na cirurgia de revisão de próteses articulares. Os pacientes são geralmente frágeis, sofrem quedas frequentes e têm comorbidades múltiplas e estoque ósseo deficiente. A provisão de cuidados ortogeriátricos é essencial para esse grupo de pacientes [28].

Fraturas específicas
6.6.4 Fraturas periprotéticas

Referências clássicas   **Referências de revisão**

11 Referências

1. **Phillips JR, Boulton C, Moran CG, et al.** What is the financial cost of treating periprosthetic hip fractures? *Injury.* 2011 Feb;42(2):146–149.
2. **Berry DJ.** Epidemiology: hip and knee. *Orthop Clin North Am.* 1999 Apr;30(2):183–190.
3. **Kurtz S, Ong K, Lau E, et al.** Projections of primary and revision hip and knee arthroplasty in the United States from 2005 to 2030. *J Bone Joint Surg Am.* 2007 Apr;89(4):780–785.
4. **Lindahl H, Malchau H, Herberts P, et al.** Periprosthetic femoral fractures classification and demographics of 1049 periprosthetic femoral fractures from the Swedish National Hip Arthroplasty Register. *J Arthroplasty.* 2005 Oct;20(7): 857–865.
5. **Duncan CP, Haddad FS.** The Unified Classification System (UCS): improving our understanding of periprosthetic fractures. *Bone Joint J.* 2014 Jun;96-b(6):713–716.
6. **Lindahl H, Garellick G, Regner H, et al.** Three hundred and twenty-one periprosthetic femoral fractures. *J Bone Joint Surg Am.* 2006 Jun;88(6):1215–1222.
7. **Kim KI, Egol KA, Hozack WJ, et al.** Periprosthetic fractures after total knee arthroplasties. *Clin Orthop Relat Res.* 2006 May;446:167–175.
8. **Chalidis BE, Tsiridis E, Tragas AA, et al.** Management of periprosthetic patellar fractures. A systematic review of literature. *Injury.* 2007 Jun;38(6): 714–724.
9. **Athwal GS, Sperling JW, Rispoli DM, et al.** Periprosthetic humeral fractures during shoulder arthroplasty. *J Bone Joint Surg Am.* 2009 Mar 1;91(3):594–603.
10. **Fielding RA, Vellas B, Evans WJ, et al.** Sarcopenia: an undiagnosed condition in older adults. Current consensus definition: prevalence, etiology, and consequences. International working group on sarcopenia. *J Am Med Dir Assoc.* 2011 May;12(4):249–256.
11. **Bischoff-Ferrari HA.** Vitamin D and fracture prevention. *Rheum Dis Clin North Am.* 2012 Feb;38(1):107–113.
12. **Delmonico MJ, Harris TB, Visser M, et al.** Longitudinal study of muscle strength, quality, and adipose tissue infiltration. *Am J Clin Nutr.* 2009 Dec;90(6):1579–1585.
13. **Bischoff-Ferrari HA, Shao A, Dawson-Hughes B, et al.** Benefit-risk assessment of vitamin D supplementation. *Osteoporos Int.* 2010 Jul;21(7):1121–1132.
14. **Schilcher J, Michaelsson K, Aspenberg P.** Bisphosphonate use and atypical fractures of the femoral shaft. *New Engl J Med.* 2011 May 5;364(18):1728–1737.
15. **Harris WH, Sledge CB.** Total hip and total knee replacement (1). *New Engl J Med.* 1990 Sep 13;323(11):725–731.
16. **Harris WH, Sledge CB.** Total hip and total knee replacement (2). *New Engl J Med.* 1990 Sep 20;323(12):801–807.
17. **Wik TS, Foss OA, Havik S, et al.** Periprosthetic fracture caused by stress shielding after implantation of a femoral condyle endoprosthesis in a transfemoral amputee-a case report. *Acta Orthop.* 2010 Dec;81(6):765–767.
18. **White LM, Kim JK, Mehta M, et al.** Complications of total hip arthroplasty: MR imaging-initial experience. *Radiology.* 2000 Apr;215(1):254–262.
19. **Shawen SB, Belmont PJ Jr, Klemme WR, et al.** Osteoporosis and anterior femoral notching in periprosthetic supracondylar femoral fractures: a biomechanical analysis. *J Bone Joint Surg Am.* 2003 Jan;85-a(1):115–121.
20. **Duncan CP, Masri BA.** Fractures of the femur after hip replacement. *Instr Course Lect.* 1995;44:293–304.
21. **Frigg R.** Development of the locking compression plate. *Injury.* 2003 Nov;34 Suppl 2:B6–10.
22. **Ricci W.** Periprosthetic femur fractures. *J Orthop Trauma.* 2015 Mar;29(3):130–137.
23. **Lenz M, Windolf M, Mückley T, et al.** The locking attachment plate for proximal fixation of periprosthetic femur fractures—a biomechanical comparison of two techniques. *Int Orthop.* 2012 Sep;36(9):1915–1921.
24. **Worland RL, Kim DY, Arredondo J.** Periprosthetic humeral fractures: management and classification. *J Shoulder Elbow Surg.* 1999 Nov-Dec;8(6):590–594.
25. **Hou Z, Bowen TR, Irgit K, et al.** Locked plating of periprosthetic femur fractures above total knee arthroplasty. *J Orthop Trauma.* 2012 Jul;26(7):427–432.
26. **Ristevski B, Nauth A, Williams DS, et al.** Systematic review of the treatment of periprosthetic distal femur fractures. *J Orthop Trauma.* 2014 May;28:(5)307–312.
27. **Haendlmayer KT, Fazly FM, Harris NJ.** Periprosthetic fracture after total ankle replacement: surgical technique. *Foot Ankle Int.* 2009 Dec;30(12):1233–1234.
28. **Schutz M, Perka C.** *Periprosthetic Fracture Management.* New York Stuttgart: Thieme Publishing; 2013.

6.7.1 Patela

Mahmoud M. Odat

1 Introdução

1.1 História

O tratamento não cirúrgico das fraturas da patela desviadas prevaleceu até o final do século XIX, quando Quenu [1] publicou uma revisão de 26 casos tratados cirurgicamente e recomendou o reparo cirúrgico. Em 1942, Gallie e Lemesurier [2] descreveram uma técnica para reparar a ruptura do tendão do quadríceps. Após esses relatos, o tratamento cirúrgico se tornou cada vez mais aceito.

1.2 Epidemiologia

As fraturas da patela são relativamente comuns, respondendo por aproximadamente 1% de todas as lesões esqueléticas [3]. A patela é propensa a tal lesão por causa da localização anterior subcutânea. Aproximadamente metade das fraturas não é desviada, restando intacto o mecanismo extensor. As fraturas da patela podem ocorrer com um trauma direto ou indireto, com as lesões contra o painel do carro e as quedas sendo as causas mais comuns.

1.3 Características especiais

A patela serve como o fulcro do mecanismo extensor com dois braços de alavanca: o tendão do quadríceps e o tendão patelar. Forças enormes são transmitidas através da articulação patelofemoral. Isso pode alcançar até sete vezes o peso do corpo, de forma que a capacidade para carga necessária a uma osteossíntese é alta. Alguns tipos de atividades, como a subida de degraus e agachamento, podem gerar forças compressivas patelofemorais com mais de sete vezes o peso corporal; consequentemente, a tensão de ruptura na superfície patelar anterior está perto dos valores que resultam em fraturas [4]. O formato da articulação patelofemoral, e consequentemente, a superfície posterior da patela, muda amplamente. O alinhamento patelar também depende da configuração do mecanismo extensor e do equilíbrio dos músculos do quadríceps. A congruência da articulação da patela com o fêmur muda consideravelmente da extensão até a flexão. Da extensão completa até 45 graus de flexão a superfície articular da patela fica em contato com a região anterior do fêmur. Em um joelho flexionado em mais de 45 graus, a superfície posterior do tendão do quadríceps fica em contato com as facetas patelares do fêmur e isso aumenta o braço de alavanca.

> O braço de alavanca aumentada do mecanismo extensor, devido à atuação da patela como um fulcro, adiciona 60% adicionais da força necessária para ganhar a extensão completa (os 15° finais).

Desse modo, a força da extensão completa fica notadamente reduzida após a patelectomia.

2 Avaliação e diagnóstico

2.1 História do caso e exame físico

O mecanismo de lesão e o tipo de força determinam o padrão da fratura. Uma força direta por um golpe direto na frente do joelho faz a patela falhar na compressão e resulta em um padrão multifragmentar ou estrelado de fratura, com dano condral significativo. Em geral, a patela falha em tensão, tal como quando a força do mecanismo extensor excede a resistência do osso. Geralmente, esse tipo de fratura é transversa ou é uma avulsão do polo inferior. A lesão frequentemente se estende em uma forma transversa através do retináculo e resulta em desvio da fratura e perda da extensão ativa do joelho [5]. Em fraturas da patela fechadas, os sinais clínicos típicos incluem edema, dor e limitação ou perda da função do mecanismo de extensor.

> A preservação da extensão ativa do joelho não afasta uma fratura da patela se os extensores auxiliares do joelho (retináculos) estiverem intactos [5].

Se o desvio for significativo, o médico pode palpar uma falha entre os fragmentos. O exame deve incluir avaliação para a ruptura pura dos tendões do quadríceps ou patelar e a lesão de outros ligamentos do joelho que resulte em instabilidade articular (ver Cap. 6.7.2).

Fraturas específicas
6.7.1 Patela

2.2 Exames de imagem

Além das radiografias comuns do joelho, em dois planos, a incidência tangencial da patela pode ser útil em alguns casos. Na vista anteroposterior (AP) a patela normalmente se projeta para dentro da linha média do sulco femoral e em geral delineia a natureza primária e a direção das linhas de fratura e pode revelar fragmentos de fratura adicionais. Uma vista lateral obtida com o joelho em 30 graus de flexão demonstra a extensão verdadeira do desvio. A região proximal da tíbia deve estar visível para excluir uma avulsão óssea do tendão patelar a partir da tuberosidade tibial. Uma ruptura do tendão patelar ou do quadríceps resulta em uma posição anormal da patela com uma patela elevada (patela alta) ou patela rebaixada (patela baixa). O método de Insall-Salvati [6, 7] é usado para avaliar a posição da patela (**Fig. 6.7.1-1**). A vista tangencial ("horizonte"), que é obtida com 45 graus de flexão de joelho, pode identificar uma fratura longitudinal ou osteocondral. A tomografia computadorizada e a ultrassonografia podem ser úteis para definir fraturas osteocondrais ou do manguito cartilaginoso. A cintilografia óssea pode ser indicada para a detecção de fraturas de estresse ocultas. A ressonância magnética é útil para diagnosticar defeitos na cartilagem e lesões ligamentares; a ruptura de ligamento cruzado anterior é uma lesão associada comum.

3 Anatomia

A patela é o maior osso sesamoide no corpo humano. Está localizada no aparato extensor do joelho. O mecanismo extensor primário do joelho é composto pelo músculo e tendão do quadríceps, pela patela e pelo ligamento patelar. As características anatômicas incluem a base cranial, o ápice caudal, as superfícies extra-articular anterior e articular posterior. Os músculos reto femoral e intermédio se inserem na base, e os músculos vasto medial e lateral, um de cada lado (**Fig. 6.7.1-2**). O tendão patelar se origina do ápice patelar e se insere na tuberosidade tibial.

> A superfície articular posterior (três quartos superiores) da patela é composta de duas facetas grandes (medial e lateral) separadas por uma crista vertical e cobertas com a cartilagem articular mais espessa no corpo (até 5 mm).

A patela bipartida resulta da falta de fusão do osso durante o crescimento e tem um aspecto característico na radiografia com linhas arredondadas e escleróticas em vez das bordas e linhas talhadas de uma fratura. É geralmente localizada no quadrante lateral proximal da patela. A patela bipartida não deve ser confundida com fratura.

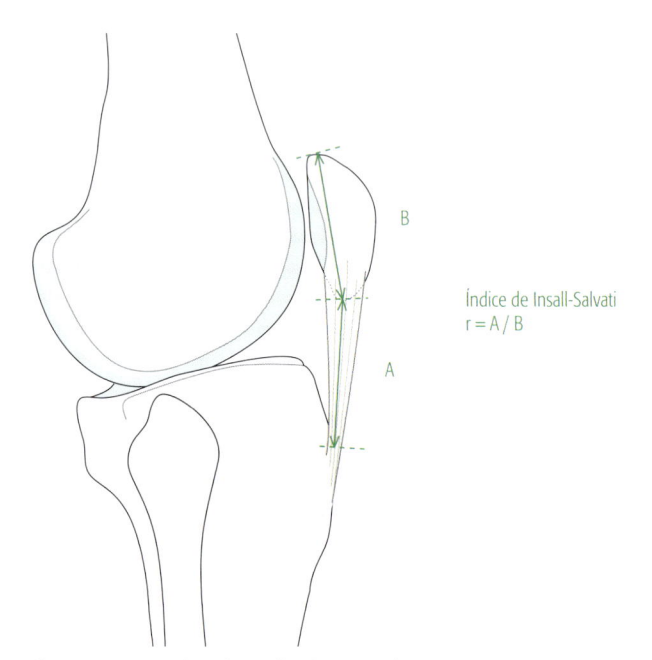

Fig. 6.7.1-1 O índice de Insall-Salvati é a relação entre o comprimento da patela e o tendão patelar em uma radiografia lateral. Essa relação normalmente é r = 1, uma relação r < 0,8 sugere uma patela alta ou ruptura do tendão patelar.

Índice de Insall-Salvati r = A / B

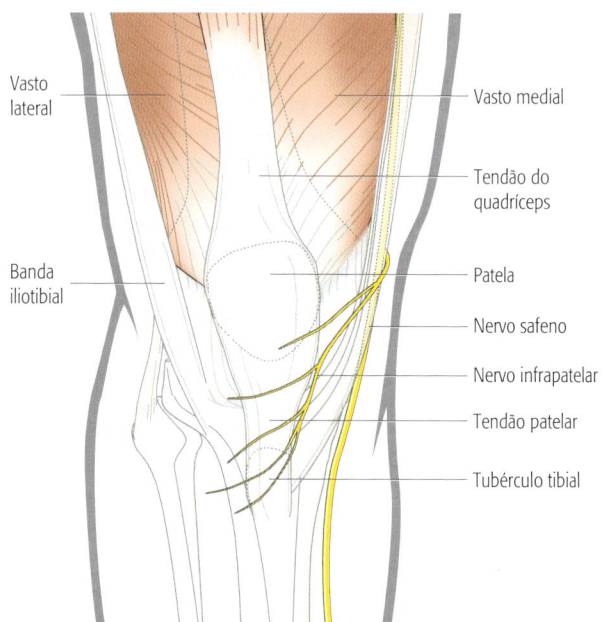

Fig. 6.7.1-2 O ramo infrapatelar do nervo safeno cruza de medial até o aspecto anterolateral da tíbia, perto do ápice da patela.

A patela bipartida é encontrada em 2-3% da população e é bilateral em 50% dos pacientes [8].

3.1 Características anatômicas fundamentais

A superfície anterior é cercada por um anel arterial extraósseo, que recebe fluxo de ramos das artérias geniculares. Esse anel anastomótico supre a patela através de vasos mediopatelares, que penetram no terço médio da superfície anterior, e dos vasos polares, que penetram no ápice. O ramo infrapatelar do nervo safeno cruza de medial até o aspecto anterolateral da tíbia, perto do ápice da patela (**Fig. 6.7.1-2**). Ele corre dentro da camada de tecido subcutâneo e corre risco com incisões longitudinais. O cirurgião também deve estar ciente da integridade das outras estruturas importantes que compõem o mecanismo extensor, como os tendões do quadríceps e patelar e o ligamento patelo-femoral.

4 Classificação

As fraturas da patela são geralmente descritas de acordo com a quantidade de desvio (não desviada ou desviada; com degrau ou *gap* de mais de 2 mm); com o padrão da fratura (transversa, vertical, marginal, osteocondral ou cominutiva); e com a localização da fratura (central, proximal ou terço distal). O tamanho dos fragmentos osteocondrais é variável e pode ser difícil de ver radiograficamente, já que eles podem ser amplamente cartilaginosos. A fratura em desenluvamento ocorre mais comumente em crianças e adolescentes e envolve o polo inferior com uma porção importante de cartilagem articular presa a um pequeno fragmento ósseo distal.

4.1 Classificação AO/OTA de Fraturas e Luxações

O osso da patela é codificado como 34 no sistema alfanumérico AO/OTA, sendo as fraturas da patela classificadas como extra-articulares, articulares parciais e completas (**Fig. 6.7.1-3**), com uma subclassificação adicional mostrada na **Fig. 6.7.1-4**.

5 Indicações cirúrgicas

O tratamento das fraturas da patela é difícil, porque a sua posição subcutânea pode resultar em problemas de cicatrização da ferida, a superfície articular requer redução anatômica precisa, e a necessidade de movimentação precoce para prevenir a rigidez do joelho significa que a fixação estará sujeita a forças significativas. O tratamento cirúrgico está indicado para fraturas da patela com:

- 2 mm de desvio do fragmento (*gap*)
- 2 mm de incongruência articular (degrau)
- Fraturas osteocondrais com corpos livres intra-articulares associados
- Mecanismo extensor comprometido na extremidade proximal ou distal da patela, com perda da extensão ativa

O método de tratamento é escolhido com base nos fatores do paciente (idade, qualidade óssea, nível de atividade e cooperação) e padrão da fratura. A banda de tensão modificada é a forma de fixação mais amplamente recomendada. O uso de parafusos isoladamente ou em combinação com uma banda de tensão anterior recentemente foi preconizado [9]. A patelectomia parcial ou total com reparo do mecanismo extensor deve ser evitada, a menos que a redução e a fixação não sejam possíveis.

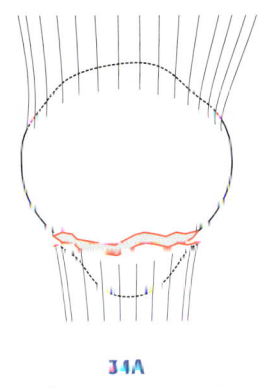

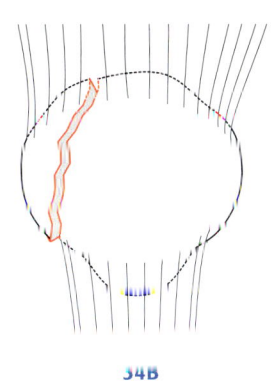

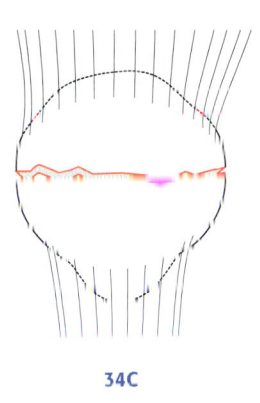

34A Patela, **fratura extra-articular**
34B Patela, **fratura articular parcial**
34C Patela, **fratura articular completa, plano frontal/coronal**

Fig. 6.7.1-3 Classificação AO/OTA de Fraturas e Luxações – patela.

Fraturas específicas
6.7.1 Patela

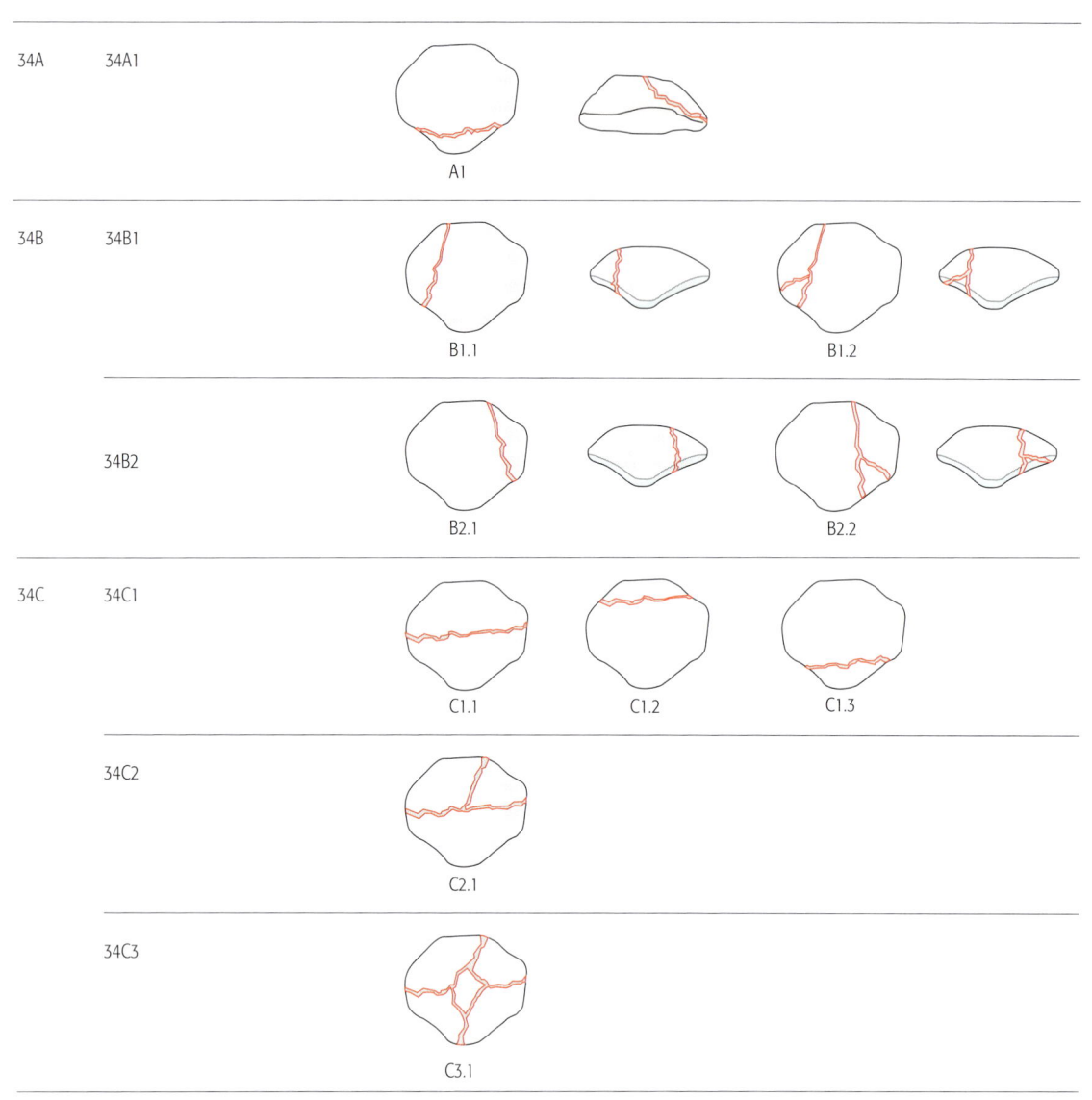

34A	34A1	A1
34B	34B1	B1.1 B1.2
	34B2	B2.1 B2.2
34C	34C1	C1.1 C1.2 C1.3
	34C2	C2.1
	34C3	C3.1

34A1 Patela, extra-articular, **fratura por avulsão**
34B1 Patela, articular parcial, sagital, **fratura lateral**
34B2 Patela, articular parcial, sagital, **fratura medial**
34C1 Patela, articular completa, frontal/coronal, **fratura simples**
34C2 Patela, articular completa, frontal/coronal, **fratura em cunha**
34C3 Patela, articular completa, frontal/coronal, **fratura multifragmentada**

Fig. 6.7.1-4 Subclassificação das fraturas da patela.

6 Planejamento pré-operatório

O exame clínico da estabilidade do joelho com o paciente sob anestesia é vital. As lesões associadas, como o dano ao ligamento cruzado, devem ser descartadas.

6.1 Seleção do implante

A aramagem com banda de tensão é altamente efetiva para transformar a força de tensão em força de compressão (ver Cap. 3.2.3). Um fio de 1,25 mm em combinação com fios de Kirschner de 1,6, 1,8 ou 2,0 mm são os implantes de escolha. Os parafusos corticais únicos de 3,5 mm, se aplicados corretamente como parafuso de tração, reforçarão a estabilidade, mas não devem ser usados sem uma banda de tensão, exceto nas fraturas longitudinais tipo B. As fraturas osteocondrais articulares podem ser reduzidas e fixadas com fios biodegradáveis (diâmetro de 1,6-2,0 mm). Fios de sutura mais grossos (inabsorvível de número 5) podem também servir para reduzir o osso e tecidos moles. Parafusos canulados (4 mm) também podem ser colocados através da fratura reduzida e o fio da banda de tensão colocado através do parafuso. Isto demonstrou ser biomecanicamente mais forte que a montagem com fio de Kirschner [10]. Placas para patela podem ser usadas na fratura multiplanar complexa.

6.2 Configuração da sala de cirurgia

O paciente é colocado em decúbito dorsal sobre a mesa radiolucente. Um coxim sob a nádega ipsilateral do paciente e outro coxim que pode ser movido abaixo do joelho para leve flexão ou sob o tornozelo para extensão de joelho também são úteis. Um torniquete na coxa melhora a visibilidade.

Posicionar o paciente e desinfetar a perna, desde a metade do fêmur, incluindo o pé. Um campo descartável em U ou um campo de extremidade podem ser usados. Uma malha cobre o pé e a perna e é fixada com uma fita adesiva. Preparar a perna para que seja livremente movimentada (**Fig. 6.7.1-5**).

A equipe da sala de cirurgia e os cirurgiões ficam no lado da lesão. O primeiro assistente fica em pé no lado oposto e o intensificador de imagem é posicionado no lado oposto da lesão. A tela do intensificador de imagem é colocada para a completa visão da equipe cirúrgica e do técnico em radiologia (**Fig. 6.7.1-6**).

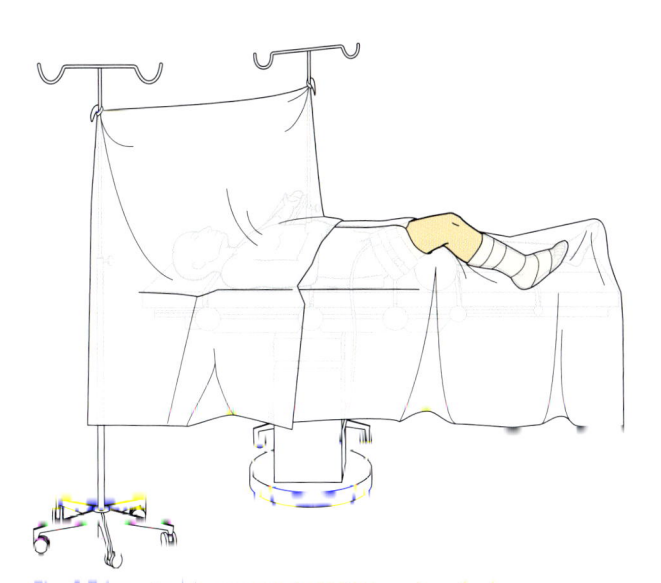

Fig. 6.7.1-5 Posicionamento do paciente, colocação de campos e desinfecção da área exposta.

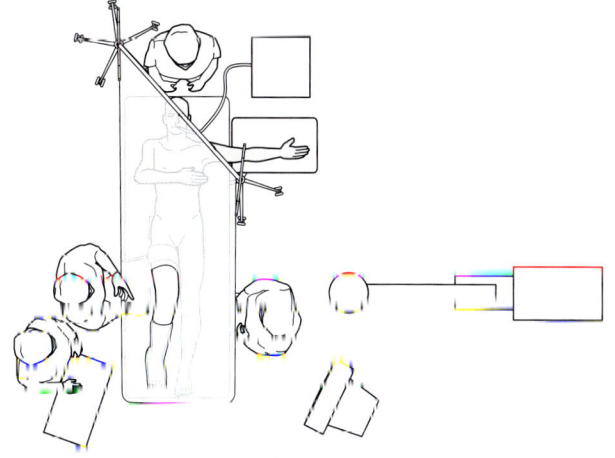

Fig. 6.7.1-6 Posicionamento da equipe da sala de cirurgia e do intensificador de imagem.

Fraturas específicas
6.7.1 Patela

7 Cirurgia

7.1 Vias de acesso

A via de acesso longitudinal mediana oferece excelente exposição do local de fratura, podendo ser estendida proximal ou distalmente, permitindo o posicionamento adequado e o tensionamento do material de síntese, e não interfere no caso de uma cirurgia mais adiante (**Fig. 6.7.1-7**). As incisões parapatelares também são possíveis, especialmente no caso de uma fratura exposta. A artrotomia parapatelar medial é feita, se necessário, para inspecionar a articulação do joelho, e a cirurgia da fratura intra-articular pode ser executada conforme a necessidade. A articulação é explorada através do local de fratura; degraus, *gaps* e a quantidade de cartilagem impactada são notadas e quaisquer fragmentos livres são removidos do joelho. A articulação é lavada e a superfície articular do côndilo femoral correspondente é examinada. A fratura pode ser tratada e fixada de forma percutânea por meio de um procedimento minimamente invasivo, com a ajuda do intensificador de imagem e um artroscópio (tanto intra-articular quanto extra-articular), mas esse procedimento é tecnicamente trabalhoso [10] e os benefícios ainda não foram comprovados.

7.2 Redução

Os fragmentos maiores são reduzidos diretamente com uma ou duas pinças grandes de redução de osso com ponta. Nas fraturas dos tipos A ou C, a redução é mais fácil com o joelho estendido. As fraturas longitudinais tipo B são mais adequadamente reduzidas com o joelho em flexão. A redução anatômica é confirmada tanto visualmente quanto por palpação através de quaisquer rupturas retinaculares em um dos lados da fratura. Se a visualização articular for deficiente, essas rupturas podem ser cirurgicamente estendidas para facilitar a avaliação da redução intra-articular; o uso do intensificador de imagens também auxilia.

7.3 Fixação

O melhor método de fixação para as fraturas transversas da patela do terço médio é o uso de aramagem de aço inoxidável com banda de tensão em forma de 8, passada ao redor de fios de Kirschner paralelos (**Fig./Animação 6.7.1-8**) ou através de parafusos canulados. A redução e fixação podem ser alcançadas de dois modos, seja primeiro reduzindo a fratura e, então, realizando a perfuração dos fios de Kirschner através dos fragmentos reduzidos (técnica *outside-in*) ou primeiro perfurando os fios nos fragmentos não reduzidos, sendo seguido pela redução e término da fixação (técnica *inside-out*). O nível ideal para os fios de Kirschner fica no centro da patela, aproximadamente 5 mm abaixo de sua superfície anterior. Frequentemente os fios de Kirschner estão mais perto da superfície articular do que anterior. Um fio de cerclagem suficientemente longo (30 cm) de 1,25 mm é empurrado manualmente através do quadríceps e do tendão patelar tão perto quanto possível até a borda entre o osso e as pontas salientes do fio de Kirschner (**Fig./Animação 6.7.1-8c**). O fio é colocado na forma de oito. O fio deve estar tão perto quanto possível do osso ao longo de todo o seu curso. O uso de um guia com ponta afiada com um tubo de dreno é útil para passar o fio através do tendão. Enquanto é tensionado com o joelho em extensão, a redução é verificada pela palpação da superfície articular retropatelar. Após apertar o fio em

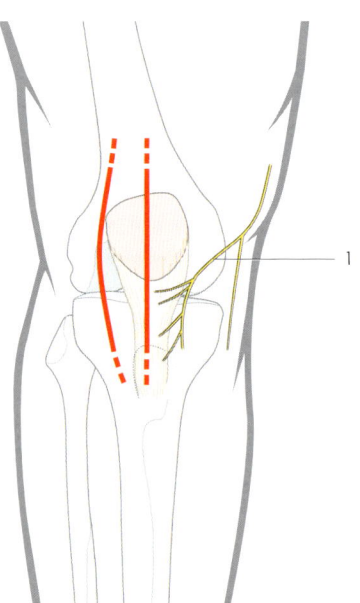

Fig. 6.7.1-7 A via de acesso vertical mediana permite a extensão da incisão e respeita o nervo infrapatelar (1). Uma incisão parapatelar também é possível. A escolha da via de acesso deve respeitar qualquer contusão ou abrasão na pele, que com frequência estão presentes.

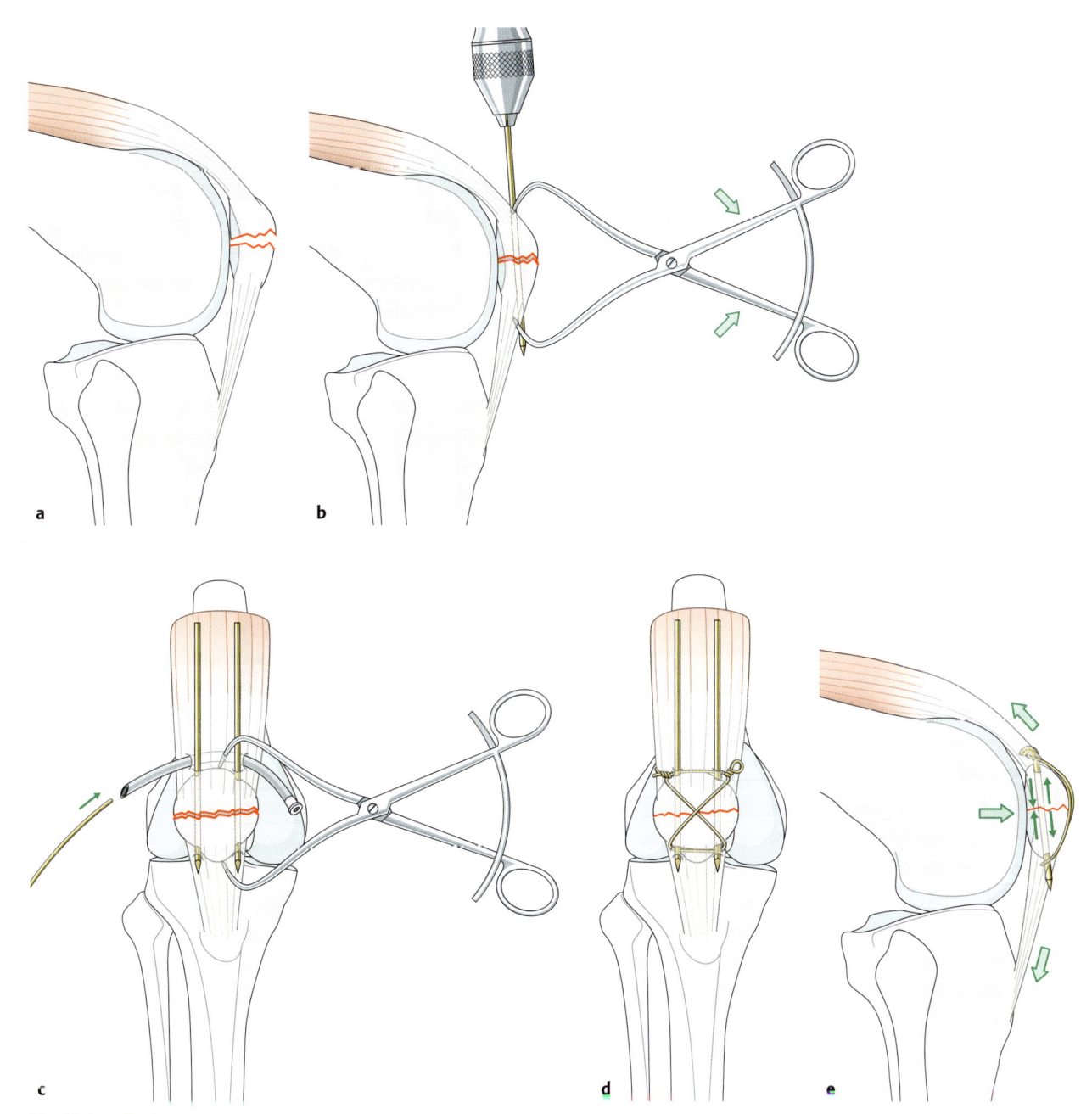

Princípios AO do tratamento de fraturas
Volume 2

Fig./Animação 6.7 1-8a-e
a   Fratura articular completa coronal simples 34C1.1 do terço médio.
b   Redução com pinça de redução grande com ponta e fixação preliminar com dois fios de Kirschner paralelos de 1,6 ou 2,0 mm. Alternativamente, a técnica *inside-out* pode ser usada.
c   Para passar os fios de cerclagem através das estruturas ligamentares e ao redor dos fios de Kirschner perto do osso, pode ser útil usar uma agulha de injeção de grande calibre ou dreno de sucção.
d   O fio de cerclagem deve ficar anteriormente à patela para agir como uma banda de tensão. A figura de oito é a preferida pela maioria dos cirurgiões.
e   A vista lateral demonstra o princípio da banda de tensão. Com a flexão do joelho, força de tensão é convertida em compressão na cortical oposta.

859

Fraturas específicas
6.7.1 Patela

oito, as extremidades proximais do fio são dobradas, encurtadas e viradas na direção do tendão do quadríceps e direcionadas para dentro da patela para prevenir irritação da pele e afrouxamento. As extremidades distais do fio são apenas aparadas e não são dobradas para uma remoção mais fácil. As fraturas multifragmentadas podem ser reduzidas e estabilizadas com a técnica da banda de tensão (fratura C3 estrelada) (**Fig. 6.7.1-9**). Em tais casos, com muitos fragmentos pequenos, fios de Kirschner adicionais podem ser usados e a técnica de banda de tensão pode ser combinada com uma cerclagem circunferencial adicional em torno da patela fraturada. Algumas vezes os fragmentos precisam ser excisados e a patela encurtada. Isso pode ser mais satisfatório com um fio grosso de sutura. O uso de placa na patela é uma das opções para a fratura C3. As fraturas do polo da patela podem ser mais adequadamente estabilizadas com parafusos de tração (**Fig. 6.7.1-10**). As forças de flexão devem ser neutralizadas pela aramagem adicional com banda de tensão anterior. As fraturas do polo superior também são estabilizadas dessa maneira, se necessário em combinação com suturas transósseas adicionais do tendão do quadríceps.

Os pequenos fragmentos devem ser excisados e o reparo do tendão é feito apenas com suturas transósseas. O autor prefere material de sutura pesado inabsorvível para a adaptação principal e material absorvível para as suturas finas adicionais. Depois que o tendão patelar tiver sido reparado ou se a fixação da origem do tendão patelar for inadequada por causa de fragmentos pequenos múltiplos, as suturas transósseas devem ser protegidas com um fio de cerclagem patelotibial entre a patela e a tuberosidade tibial (**Fig. 6.7.1-11**) [11]. A ancoragem na tuberosidade pode ocorrer ao redor um parafuso cortical de 3,5 mm ou através do orifício de um parafuso canulado. Ao apertar, é necessário assegurar que o joelho possa ser capaz de flexionar até 90 graus. Isso significa que, em extensão completa, há alguma redundância do fio de cerclagem. Nas fraturas patelares de divisões verticais simples ou com um grande pedaço de canto, a fixação somente com parafuso de tração isolado após a redução anatômica fornece estabilidade absoluta (**Fig. 6.7.1-12**). Uma banda de tensão não é necessária nesses casos, já que a integridade longitudinal do mecanismo extensor não é rompida por esses padrões de fratura.

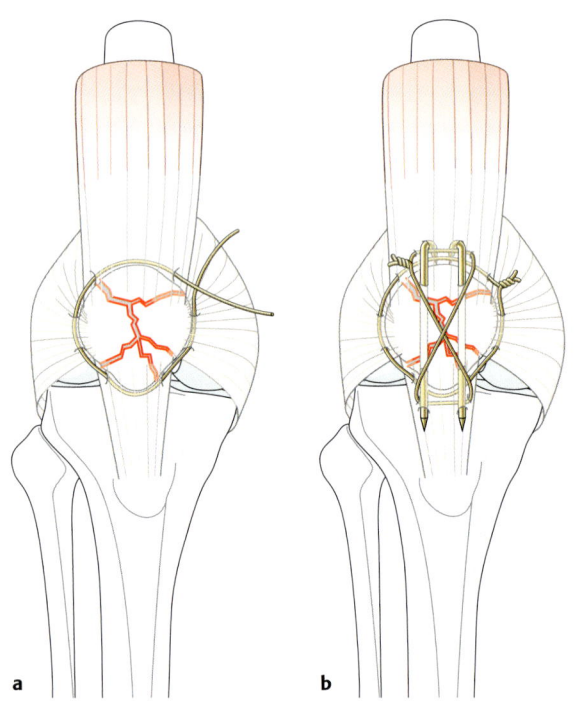

Fig. 6.7.1-9a-b
a   Fratura estrelada relativamente não desviada (34C3). No primeiro passo, um fio de cerclagem circunferencial de 1,25 mm é colocado ao redor da patela. Em indivíduos maiores, um fio de 1,6 mm é usado.
b   No segundo passo, os fios de Kirschner verticais e a configuração de banda de tensão anterior padrão são adicionados.

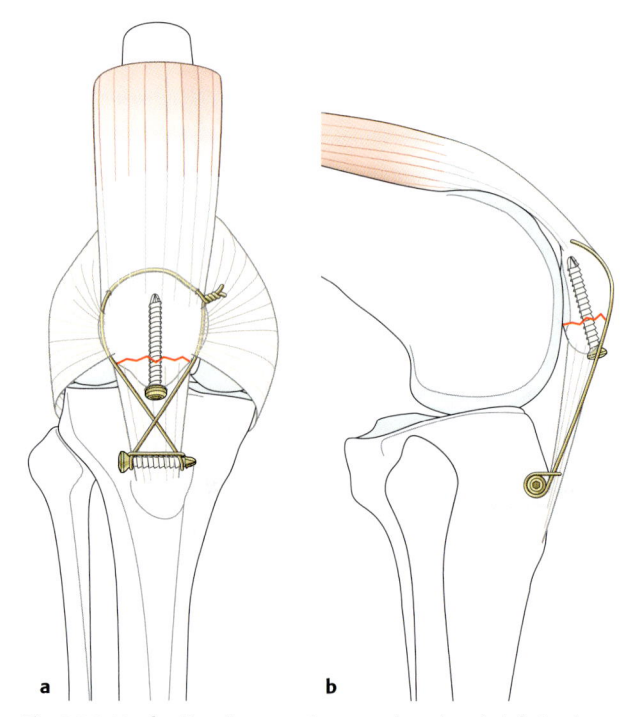

Fig. 6.7.1-10a-b   Uma fratura 34A com avulsão do polo inferior da patela. Um parafuso é usado para ancorar o fio na tuberosidade tibial, conforme mostrado, ou um fio é empurrado através de um parafuso canulado.

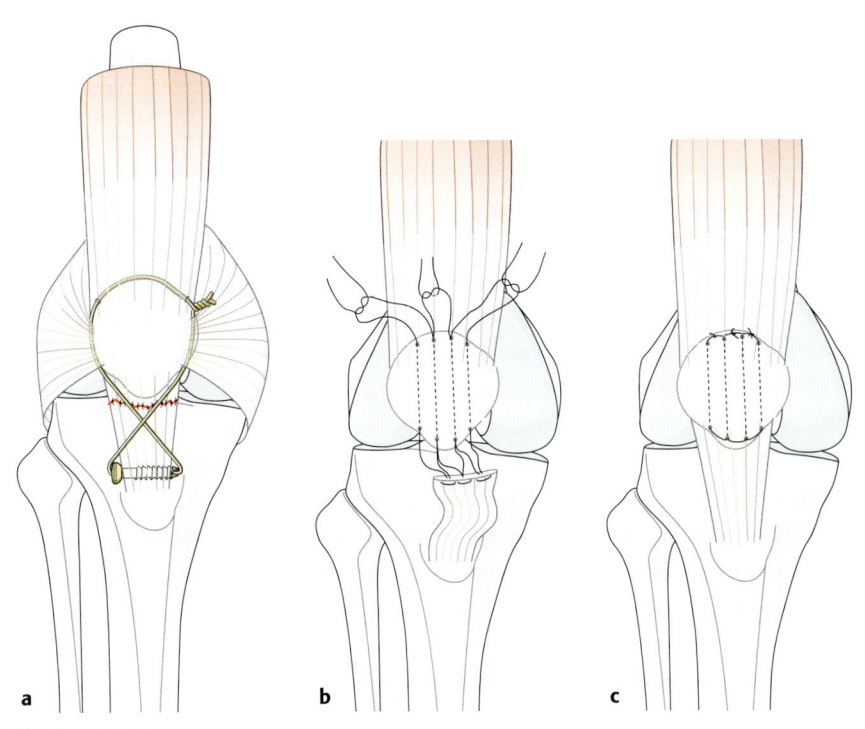

Fig. 6.7.1-11a-c
a   As suturas transósseas para reinserção ou reparo do tendão patelar são protegidas por um fio em configuração de oito entre a patela e a tuberosidade tibial.
b-c   Alternativamente, o coto do tendão patelar pode ser suturado e o tendão trazido através dos orifícios perfurados na parte inferior da patela e amarrado no polo superior.

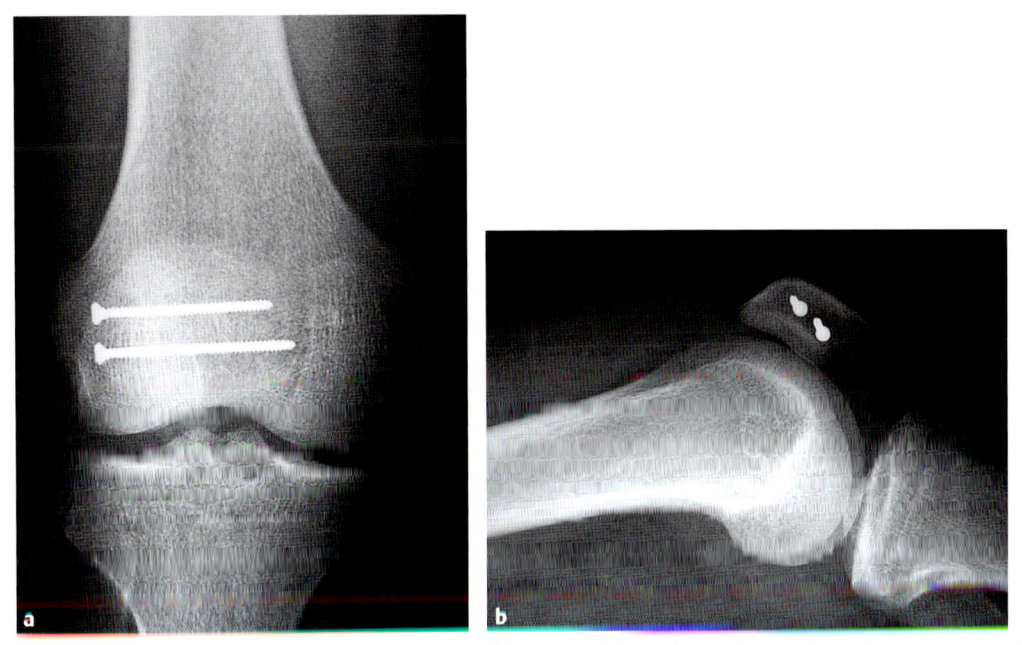

Fig. 6.7.1-12a-b   O tratamento de uma fratura 34B de divisão vertical da patela com dois parafusos de tração transversalmente inseridos.

7.4 Fechamento da ferida

A artrotomia é fechada e quaisquer rupturas nos retináculos são reparadas com suturas absorvíveis. Nas fraturas expostas, o fechamento primário deve ser executado quando for possível o fechamento sem tensão. Caso a enxertia de pele ou cobertura com retalho forem necessárias para cobrir a articulação aberta do joelho, o procedimento é feito imediatamente, já que a articulação do joelho não tolera ressecamento ou maceração.

7.5 Desafios

7.5.1 Patelectomia parcial

Sempre que for possível, a patelectomia parcial é preferível à patelectomia total, já que mantém o braço de alavanca intacto e melhora a força e o desfecho do paciente. Veselko e Kastelec [12] relataram desfechos ruins relacionados com a remoção de mais de 40% da patela. O polo superior ou inferior fragmentado e até uma zona multifragmentada no meio da patela podem ser tratados mais adequadamente pela retirada de todos os fragmentos ósseos pequenos. Se a zona danificada estiver no meio da patela, pode ser executada uma osteotomia proximal e distal com redução dos fragmentos principais, como em uma fratura transversa, (**Fig. 6.7.1-13**). Se a área cominutiva for marginal, os fragmentos ósseos são removidos para prevenir formação de osteófitos. O mecanismo extensor é restabelecido pelo reparo direto com sutura do ligamento patelar ao fragmento patelar restante. Para evitar a inclinação do fragmento patelar e o aumento das forças de contato patelofemoral, o tendão patelar é inserido próximo ao aspecto anterior do fragmento patelar restante. No osso de má qualidade, uma cerclagem patelotibial pode ser necessária para proteger o reparo com sutura transóssea [13].

7.5.2 Patelectomia

A patelectomia geralmente resulta em comprometimento da função (perda de movimento e força).

> A retenção de mesmo um fragmento maior ajuda a manter o braço de alavanca da patela.

A patelectomia total pode ser indicada em casos raros:

- A cominução é tão extensa que a patelectomia parcial não pode ser executada
- Falha da fixação interna
- Infecção
- Tumor
- Artrite patelofemoral

Todos os fragmentos ósseos e tecidos desfiados são removidos por dissecção cortante, deixando tanto aparato extensor quanto possível. Uma zona de defeito de 3-4 cm pode ser transposta pelo reparo direto. O encurtamento do aparato extensor é benéfico, já que aumenta a pré-tensão muscular. Se uma sutura direta se mostrar impossível, então a V-plastia invertida é recomendada [14].

7.5.3 Fraturas em desenluvamento

Em adolescentes, um manguito grande de cartilagem pode ser arrancado do corpo principal da patela, junto com um pedaço pequeno de osso do polo distal. O diagnóstico dessa lesão pode passar despercebido porque o fragmento ósseo distal não é facilmente visto nas radiografias. Matava [15] observou que as fraturas por avulsão podem envolver qualquer segmento da periferia patelar. As fraturas em desenluvamento são precisamente reduzidas e estabilizadas com aramagem por banda de tensão modificada ao redor de dois fios de Kirschner longitudinalmente posicionados.

7.5.4 Ruptura do tendão patelar

A ruptura do tendão patelar é uma lesão debilitante e é menos frequente que a ruptura do tendão do quadríceps. É mais comumente vista em pacientes abaixo dos 40 anos de idade e que praticam atividades desportivas. A cirurgia é mais adequadamente realizada pela reaproximação precisa da extremidade do tendão rompido sob o polo inferior da patela ou através de um orifício perfurado na patela até o polo superior, reparo dos retináculos extensores rompidos e colocação de um fio patelotibial para proteção (**Fig. 6.7.1-11**). Um programa agressivo de reabilitação, que enfatize os exercícios precoces de amplitude de movimento, carga protegida e fortalecimento do quadríceps, melhora os resultados da cirurgia [16].

8 Cuidados pós-operatórios

Quando o tratamento não cirúrgico for indicado para as fraturas da patela, a carga precoce com um imobilizador articulado de joelho e bloqueado em extensão é recomendada. Os exercícios isométricos de quadríceps e as elevações da perna reta são iniciados assim que a dor tiver cedido. A amplitude de movimento ativa e ativo-assistida começa em 1-2 semanas e os exercícios contra resistência são adicionados em 6 semanas.

> Após o tratamento cirúrgico, o movimento precoce do joelho e a carga com apoio completo são recomendados [17] e a deformidade em flexão deve ser evitada.

Nas lesões do tendão patelar onde uma cerclagem patelotibial tiver sido usada, a carga pode ser completa com um imobilizador de joelho que permita apenas 90 graus de movimento.

9 Complicações

9.1 Distúrbios na cicatrização da ferida

O plano ideal de dissecção do tecido fica entre a fáscia subcutânea e o aparelho extensor. É imperativo não cometer o erro comum de separar as camadas de tecido entre a pele e a fáscia subcutânea. O resultado é a necrose das margens da ferida. A tração excessiva na pele deve sempre ser evitada.

9.2 Infecção profunda

As infecções profundas que ocorrem antes da consolidação da fratura são agressivamente debridadas na sala de cirurgia, deixando a fixação estável no lugar. O microrganismo deve ser identificado e os antibióticos apropriados são administrados até a consolidação da fratura.

9.3 Perda da redução

A fixação interna da patela é bastante estável. Essa complicação pós-cirúrgica pode ser relacionada à técnica de fixação imprópria ou falta de cooperação pelo paciente. A perda de redução que resultar em ruptura do mecanismo extensor ou desvio inaceitável da fratura requer revisão.

9.4 Irritação pelo implante e remoção tardia do material de síntese

O material de síntese sintomático está entre as complicações mais frequentemente encontradas.

> O osso cortical denso sob tensão requer tempo para consolidar e remodelar antes de poder resistir com segurança uma força tênsil alta sem proteção.

Deste modo, a remoção do material de síntese é retardada por um mínimo de 12 meses após a fixação.

9.5 Perda de movimento

A redução na amplitude de movimento é provavelmente a complicação mais comum depois da fratura da patela. O movimento precoce é geralmente preconizado para alcançar efeitos benéficos na cicatrização da cartilagem e para diminuir a incidência e o grau de rigidez pós-operatória. A remoção do material de síntese, manipulação sob anestesia e artroscopia para soltura de aderências intra-articulares pode aumentar a mobilidade se um programa intenso de fisioterapia tiver falhado [17].

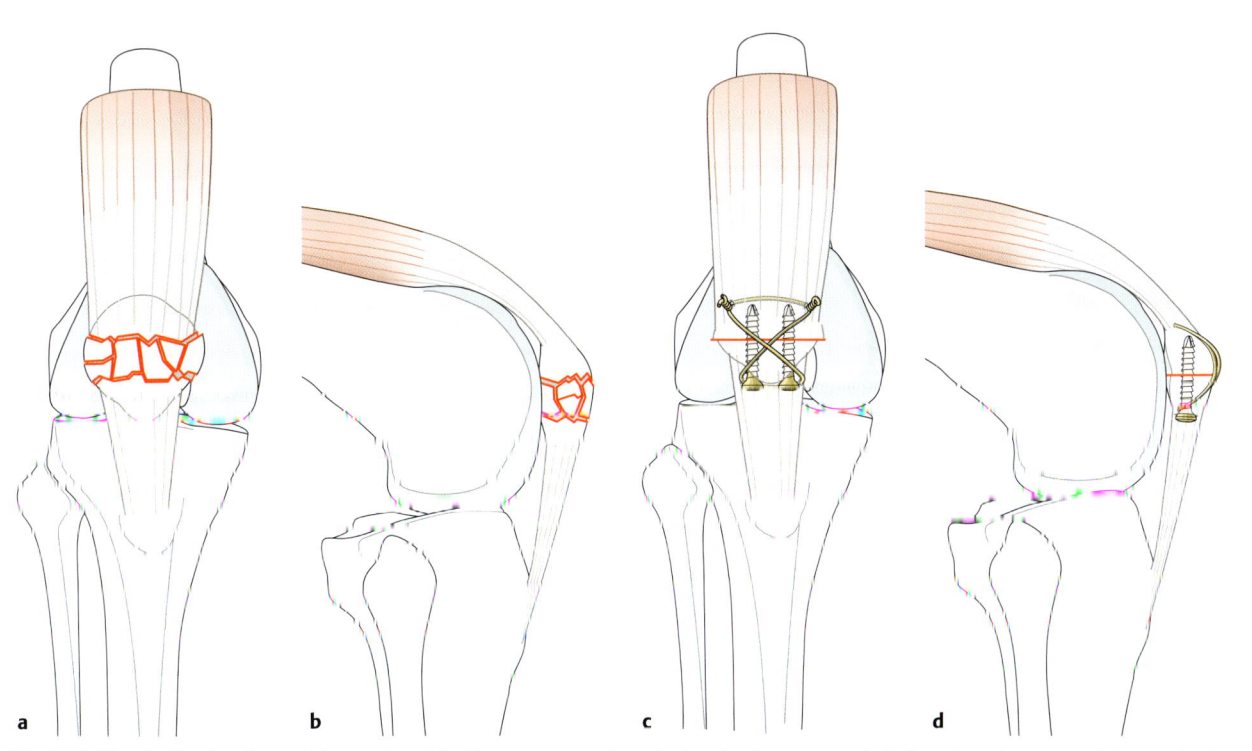

Fig. 6.7.1-13a-d Cominução central grave da patela. Como um procedimento de salvação, o segmento lesionado pode ser removido por osteotomia. As duas porções restantes são unidas por dois parafusos de tração e um fio em banda de tensão.

Fraturas específicas
6.7.1 Patela

9.6 Patela alta/patela baixa

Esta complicação pode causar uma limitação grave da flexão de joelho e deve ser evitada. Se houver necessidade que um fio de cerclagem proteja o tendão patelar, uma patela alta/patela baixa pode ser produzida quando o comprimento exato do tendão patelar não é adequadamente interpretado. O fio deve ser apertado com o joelho em 90 graus de flexão e as radiografias ou intensificação de imagem do joelho oposto indicarão a posição correta da patela.

9.7 Artrite pós-traumática

A artrite pós-traumática pode se desenvolver por causa de um dano primário grave da cartilagem articular ou se houver um dano secundário causado pela incongruência articular ou uma mudança na força através da articulação patelofemoral. Isso pode ocorrer se o tendão patelar for inserido muito anteriormente, posicionando o polo distal posteriormente. Na primeira situação, o debridamento artroscópico está indicado; na segunda, a origem do tendão deve ser corrigida pela sua transposição.

10 Prognóstico e desfecho

Apesar dos avanços nos protocolos cirúrgicos e desfechos radiográficos aceitáveis, a deficiência funcional permanece comum após o tratamento das fraturas da patela. Existe evidência limitada a partir de ensaios controlados randomizados sobre os efeitos relativos das diferentes intervenções cirúrgicas para tratar adultos com fratura da patela. As medidas de desfecho relativas ao paciente, quando usadas em pacientes com fratura da patela, mostram que os desfechos são muito menos satisfatórios do que previamente se acreditava e os desfechos em longo prazo demonstram rigidez, dor e desconforto diário como um resultado normal [18, 19]. A remoção do material de síntese em 1-2 anos pode melhorar os desfechos do paciente.

Referências clássicas **Referências de revisão**

11 Referências

1. **Quenu E.** Traitement opératoire des ruptures sous-rotuliennes du quadriceps. *Rev Chir.* 1905(31):169–194. French.
2. **Gallie WE, Lemesurier AB.** The late repair of fractures of the patella and of rupture of the ligamentum patellae and quadriceps tendon. *J Bone Joint Surg Am.* 1927(9):47–54.
3. **Boström A.** Fracture of the patella: a study of 422 patellar fractures. *Acta Orthop Scand Suppl.* 1972(143):1–80.
4. **Huberti HH, Hayes WC, Stone JL, et al.** Force ratios in the quadriceps tendon and ligamentum patellae. *J Orthop Res.* 1984;2(1):49–54.
5. **Carpenter JE, Kasman R, Matthews LS.** Fractures of the patella. *Instr Course Lect.* 1994;43:97–108.
6. **Carson WG Jr, James SL, Larson RL, et al.** Patellofemoral disorders: physical and radiographic evaluation. Part II: radiographic examination. *Clin Orthop Relat Res.* 1984 May;(185):178–186.
7. **Insall J.** Current concepts review: patellar pain. *J Bone Joint Surg Am.* 1982 Jan;64(1):147–152.
8. **Green WT Jr.** Painful bipartite patellae: a report of three cases. *Clin Orthop Relat Res.* 1975 Jul-Aug;(110):197–200.
9. **Melvin JS, Mehta S.** Patellar fractures in adults. *J Am Acad Orthop Surg.* 2011 Apr;19(4):198–207.
10. **Yang KH, Byun YS.** Separate vertical wiring for the fixation of comminuted fractures of the inferior pole of the patella. *J Bone Joint Surg Br.* 2003 Nov;85(8):1155–1160.
11. **Böstman O, Kiviluoto O, Nirhamo J.** Comminuted displaced fractures of the patella. *Injury.* 1981 Nov;13(3):196–202.
12. **Veselko M, Kastelec M.** Inferior patellar pole avulsion fractures: osteosynthesis compared with pole resection: surgical technique. *J Bone Joint Surg Am.* 2005 Mar;87 Suppl 1(Pt 1):113–121.
13. **Gardner MJ, Griffith MH, Lawrence BD, et al.** Complete exposure of the articular surface for fixation of patellar fractures. *J Orthop Trauma.* 2005 Feb;19(2):118–123.
14. **Grogan DP, Carey TP, Leffers D, et al.** Avulsion fractures of the patella. *J Pediatr Orthop.* 1990 Nov-Dec;10(6):721–730.
15. **Matava MJ.** Patellar tendon ruptures. *J Am Acad Orthop Surg.* 1996 Nov;4(6):287–296.
16. **Cramer KE, Moed BR.** Patellar ractures: contemporary approach to treatment. *J Am Acad Orthop Surg.* 1997 Nov;5(6):323–331.
17. **Lazaro LE, Wellman DS, Sauro G, et al.** Outcomes after operative fixation of complete articular patellar fractures: assessment of functional impairment. *J Bone Joint Surg Am.* 2013 Jul 17;95(14):e96 1–8.
18. **Sayum Filho J, Lenza M, Teixeira de Carvalho R, et al.** Interventions for treating fractures of the patella in adults. *Cochrane Database Syst Rev.* 2015 Feb 27;2:CD009651.

12 Agradecimentos

Agradecemos a Christopher G. Finkemeier, Michael Nerlich e Bernhard Weigel por suas contribuições para este capítulo nas edições anteriores de *Princípios AO do tratamento de fraturas*.

6.7.2 Luxações do joelho

James Stannard

1 Epidemiologia e mecanismo de lesão

O joelho é uma das articulações mais complexas do corpo humano. O trauma de alta e baixa energia pode produzir a luxação do joelho, que é definida como um desvio anormal entre a tíbia e o fêmur associado à lesão de dois ou mais grandes ligamentos articulares [1]. As colisões de veículos automotores e as lesões dos esportes de contato são as causas principais dessas lesões, mas as quedas simples em pacientes com obesidade mórbida é um problema cada vez maior. As luxações de joelho são consideradas incomuns. Entretanto, é provável que tais lesões passassem despercebidas no passado, porque a maioria dos casos se reduz espontaneamente, e muitos estão associados a politraumatismo [1, 2].

Kennedy [3] propôs uma classificação baseada na posição da tíbia em relação ao fêmur. A hiperextensão do joelho é considerada o mecanismo de lesão mais comum e resulta na luxação anterior do joelho (**Fig. 6.7.2-1**). Em 50 graus de hiperextensão, a artéria poplítea se rompe devido à tração [3]. O impacto sobre o aspecto anterior da tíbia é o mecanismo associado às luxações posteriores do joelho, que são observadas quando a região anterior do joelho sofre impacto contra o painel anterior em um acidente automobilístico. As luxações posteriores do joelho são frequentemente associadas à ruptura do mecanismo extensor e à contusão da artéria poplítea com dano da íntima. A classificação posicional também descreve as luxações de joelho como medial, lateral e rotacional. As luxações rotacionais são subdivididas em anteromediais, anterolaterais, posteromediais e posterolaterais. A última pode ser irredutível, quando o côndilo femoral medial fica bloqueado através da cápsula medial e o ligamento colateral medial (LCM) protrui para dentro da articulação do joelho. Um sinal clínico típico dessa variante é uma depressão na pele ou covinha no lado medial do joelho. As luxações posterolaterais do joelho podem causar lesão do nervo fibular por causa da tração sobre o côndilo femoral lateral.

A classificação posicional carece de especificidade para definir quais estruturas do joelho foram afetadas. Ademais, não é aplicável para a maioria de casos, que espontaneamente se reduzem antes dos exames clínicos e radiográficos. Por conseguinte, Schenck [4] propôs uma classificação anatômica baseada nos achados do exame clínico sob anestesia. Essa classificação auxilia na decisão de quais estruturas devem ser reparadas ou reconstruídas. Ela tem se tornado o esquema mais comumente utilizado, com cinco principais categorias:

- KD I: qualquer luxação de joelho onde ou o ligamento cruzado anterior (LCA) ou o ligamento cruzado posterior (LCP) esteja intacto

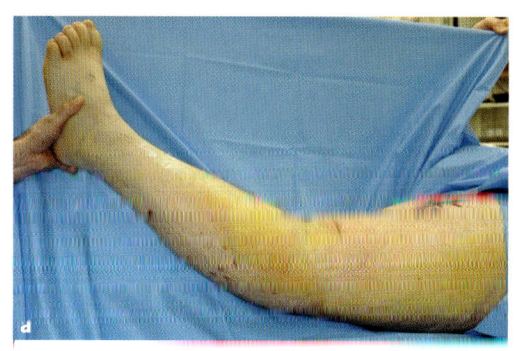

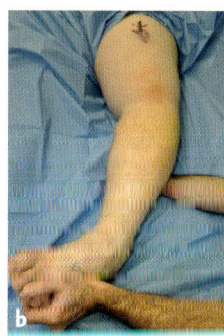

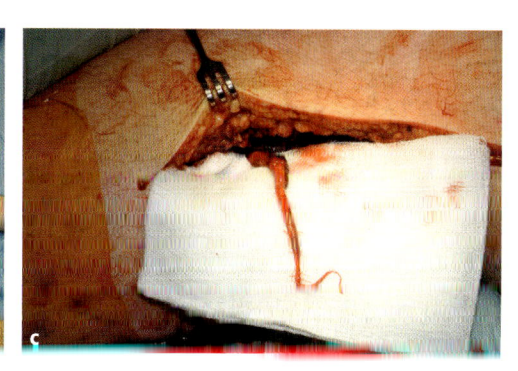

Fig. 6.7.2-1 a–c Luxação anterior do joelho que reduziu espontaneamente.
a–b O exame sob anestesia mostrou hiperextensão e instabilidade grave ao estresse em varo, mas não havia nenhuma lesão arterial.
c Entretanto, o paciente tinha déficit da dorsiflexão do pé na admissão e a exploração posterolateral do joelho mostrou ruptura completa do nervo fibular comum.

Fraturas específicas
6.7.2 Luxações do joelho

- KD II: uma ruptura do LCA e do LCP apenas
- KD III: uma ruptura do LCA e do LCP, bem como do canto posterolateral (CPL) ou do canto posteromedial (CPM)
- KD IV: uma ruptura do LCA, do LCP, do CPL e do CPM
- KD V: uma fratura articular (geralmente do planalto tibial) associada a uma luxação de joelho

2 Anatomia cirúrgica

As luxações de joelho são consideradas lesões multiligamentares. Entretanto, existem outras estruturas importantes em risco. Por razões didáticas, as estruturas serão agrupadas de acordo com a topografia do joelho.

2.1 Pivô central

Essa área extra-articular do joelho contém ambos os ligamentos cruzados. Os ligamentos cruzados são as principais restrições estáticas da translação anteroposterior (AP) da tíbia em relação ao fêmur. A luxação de joelho deve resultar em lesão de pelo menos um ligamento cruzado, a menos que exista uma fratura associada. Ambos os ligamentos cruzados estão rompidos na maioria das luxações de joelho. Estudos experimentais [3] revelaram que o ligamento cruzado anterior é rompido pela incisura femoral, habitualmente em hiperextensão; enquanto isso, o LCP é mais sensível às forças aplicadas em paralelo ao eixo de suas fibras. O trauma de alta energia com grande tensão aplicada ao LCP pode causar a sua avulsão da incisura femoral, resultando em um padrão de lesão que também envolve a cápsula posterior, que "descasca" da sua inserção femoral profunda na origem do músculo gastrocnêmio. Em geral, as luxações do joelho estão associadas a lesões intrassubstanciais do cruzado.

2.2 Canto posteromedial

O CPM do joelho contém o ligamento colateral medial superficial, o LCM profundo, o ligamento oblíquo posterior (LOP), a inserção direta do semimembranáceo e a cabeça medial do músculo gastrocnêmio (**Fig. 6.7.2-2**). O menisco medial também ajuda a estabilizar o joelho via suas inserções meniscofemoral e meniscotibial e uma dessas inserções é com frequência rompida na luxação do joelho; forças rotatórias intensas podem resultar em ruptura de ambas as inserções femorais e tibiais. O LCM superficial é a maior estrutura no lado medial do joelho. No lado femoral, ele se insere em uma depressão óssea localizada proximal e posteriormente ao epicôndilo femoral. Distalmente, insere-se na crista tibial medial. O LOP consiste em três expansões fasciais do tendão do semimembranáceo [5]. O reparo ou a reconstrução do CPM envolve a restauração do LCM e do LOP e dos ligamentos meniscais mediais.

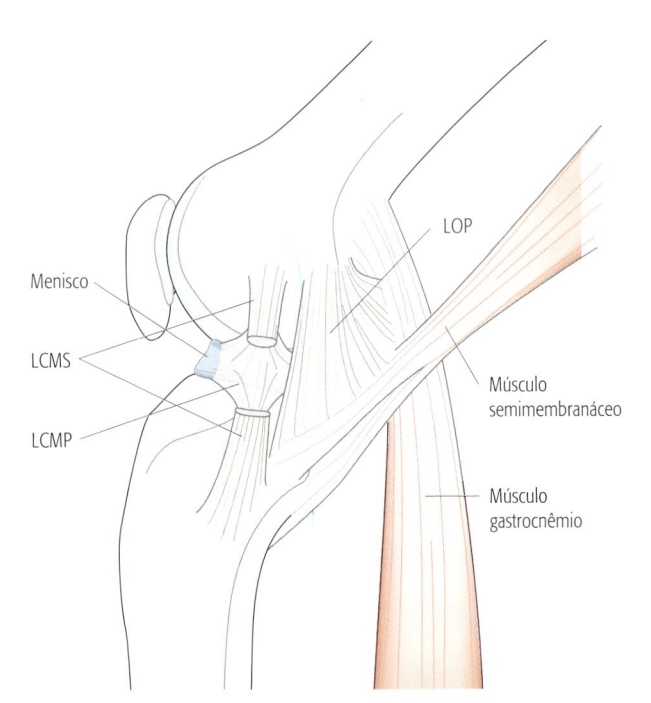

Fig. 6.7.2-2 Estruturas do canto posteromedial do joelho. Siglas: LCMP, ligamento colateral medial profundo; LOP, ligamento oblíquo posterior; LCMS, ligamento colateral medial superficial.

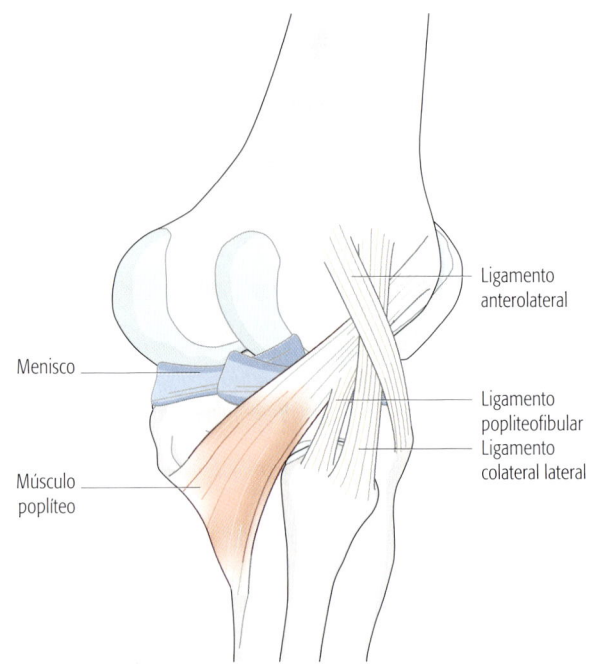

Fig. 6.7.2-3 Estruturas do canto posterolateral do joelho.

2.3 Canto posterolateral

O CPL do joelho tem anatomia complexa e a lesão ocorre por conta de uma pressão em varo no joelho, frequentemente combinada com rotação ou hiperextensão. As estruturas principais a serem reparadas ou reconstruídas são o ligamento colateral lateral, o tendão poplíteo e o ligamento popliteofibular (**Fig. 6.7.2-3**). O menisco lateral também ajuda a estabilizar o joelho via suas inserções meniscofemoral e meniscotibial e uma dessas inserções é frequentemente rompida em uma luxação de joelho; as forças rotatórias graves podem resultar em ruptura de ambas as inserções femorais e tibiais. Essas lesões devem ser reparadas, se possível. A inserção meniscotibial pode sofrer avulsão na periferia do planalto tibial, produzindo uma fratura de Segond (**Fig. 6.7.2-4**). Três estruturas laterais adicionais lesionadas frequentemente durante as luxações de joelho são o tendão do bíceps, a banda iliotibial e o nervo fibular comum. Em alguns casos, a cabeça da fíbula pode apresentar uma fratura por avulsão; a banda iliotibial pode ser arrancada do tubérculo de Gerdy ou o tubérculo pode ser avulsionado. A lesão do nervo fibular pode estar presente em um terço de todas as luxações do joelho e seu prognóstico é ruim, pois metade dos pacientes é incapaz de recuperar uma função útil [6]. Nas lesões mais graves, o nervo é avulsionado do nervo ciático (**Fig. 6.7.2-1c**).

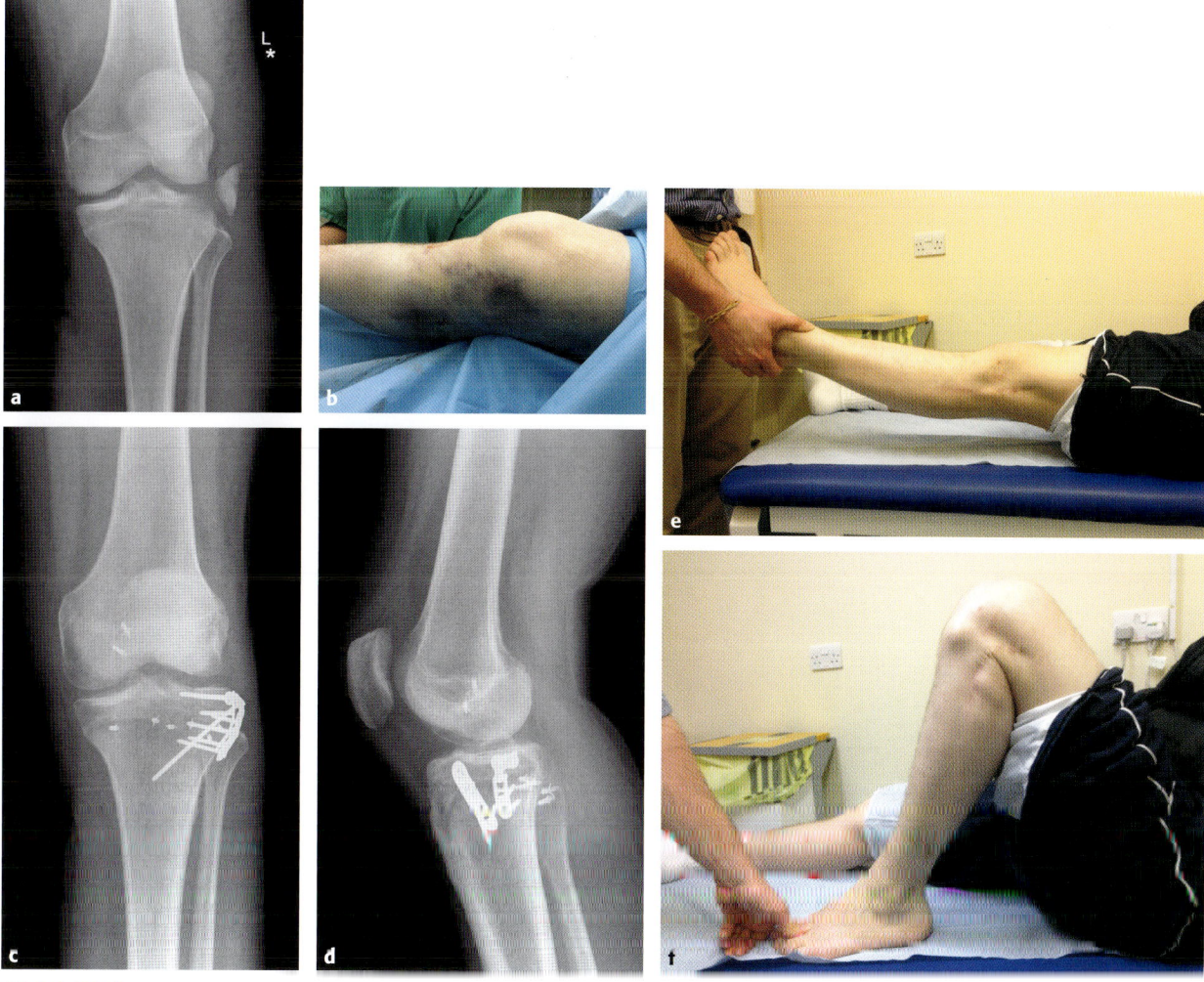

Fig. 6.7.2-4a-f
a Fratura de Segond devido à avulsão do osso pelo ligamento meniscotibial.
b O paciente tinha um hematoma tenso e doloroso na fossa poplítea, com déficit de dorsiflexão do pé, mas pulso e angiotomografia computadorizada normais. Na exploração, a veia tibial estava rompida.
c-d Ela foi reparada; a fratura de Segond foi fixada com placas de 2,7 (banda de tensão) e a cápsula posterior, o ligamento cruzado posterior e o ligamento colateral lateral anatomicamente reparados e reinseridos na tíbia e na fíbula com âncoras de sutura.
e-f O seguimento em 2 anos mostrou boa amplitude de movimento e nenhum sintoma de instabilidade.

Fraturas específicas
6.7.2 Luxações do joelho

2.4 Mecanismo extensor

As luxações posteriores estão frequentemente associadas com a ruptura do mecanismo extensor do joelho e podem estar associadas a uma lesão grave de partes moles, com desenluvamento fechado ou com feridas abertas. A lesão vascular é um achado comum. A combinação de uma luxação de joelho com uma ruptura do mecanismo extensor é o tipo mais difícil de luxação de joelho para reabilitar, porque a luxação se beneficia do movimento imediato, enquanto a lesão do mecanismo extensor se beneficia com o movimento limitado durante o período de reabilitação inicial.

2.5 Fossa poplítea

Uma consideração importante com qualquer luxação de joelho é a lesão vascular (**Fig. 6.7.2-5**). Uma revisão sistemática recente [7] identificou 862 pacientes com luxações de joelho, dos quais 171 (25%) apresentavam lesões vasculares. Entretanto, a maioria da literatura contemporânea relata uma incidência de lesão vascular com limitação do fluxo entre 5-15%. Inobstante a incidência exata, o cirurgião deve ficar alerta e procurar lesões da artéria poplítea. Todos os pacientes devem ter seus pulsos periféricos examinados e o dado deve ser registrado no registro médico. Qualquer anormalidade demanda ação imediata. A anatomia da artéria poplítea a torna suscetível à lesão com um deslocamento significativo do joelho. A artéria está relativamente aprisionada em dois locais: proximalmente, ao nível da sua emergência do túnel fibroso do canal de Hunter e, distalmente, no nível onde cruza profundamente ao arco do sóleo e se trifurca.

3 Avaliação e tratamento primário

A história médica deve incluir o mecanismo de lesão e quaisquer manobras de redução efetuadas na cena da lesão. Em pacientes politraumatizados, a avaliação segue o protocolo ATLS (suporte avançado de vida no trauma). Na maioria dos casos, o joelho já foi espontaneamente reduzido e não há nenhuma deformidade óbvia. Contusões no aspecto anterior proximal da tíbia, edema generalizado e dor devem sempre levantar suspeita de uma luxação do joelho. A estabilidade ligamentar deve ser sempre avaliada nas lesões do joelho, comparando com o lado contralateral. Sempre que possível, a história de lesões do joelho deve ser obtida para descartar instabilidades crônicas. Deve ser reconhecido que o exame do joelho agudamente lesionado é difícil, mesmo para profissionais experientes, e que a dor e o espasmo muscular podem limitar o exame clínico.

> O profissional deve sempre suspeitar da presença de lesão multiligamentar do joelho, favorecendo a avaliação adicional por ressonância magnética (RM) ou exame sob anestesia.

Se o joelho não tiver sido reduzido antes do exame, isso permite ao examinador definir a direção da luxação. É importante reduzir a articulação assim que possível, por meio de redução fechada. Um retardo de alguns minutos para obter a radiografia é razoável, mas não deve existir um retardo significativo para que as imagens sejam obtidas. Se o joelho estiver deslocado e tiver uma ferida aberta, a redução deve ser executada assim que possível na sala de cirurgia. A irrigação copiosa é executada antes da redução para evitar contaminação grosseira da articulação.

3.1 Avaliação neurovascular

> Em todos os casos, a avaliação neurovascular é uma prioridade.

É importante avaliar a capacidade do paciente em efetuar a dorsiflexão do hálux. A possibilidade de uma síndrome compartimental deve sempre ser considerada. A perfusão abaixo do joelho, incluindo a palpação dos pulsos da artéria tibial posterior e da artéria tibial anterior (pediosa dorsal), deve ser verificada e comparada com o lado contralateral. O exame com Doppler é recomendado para documentar a presença e a intensidade dos pulsos distais ao joelho se houver qualquer dificuldade na palpação. Se não houver nenhum pulso distal ao joelho, a exploração cirúrgica de emergência da artéria está indicada. Não

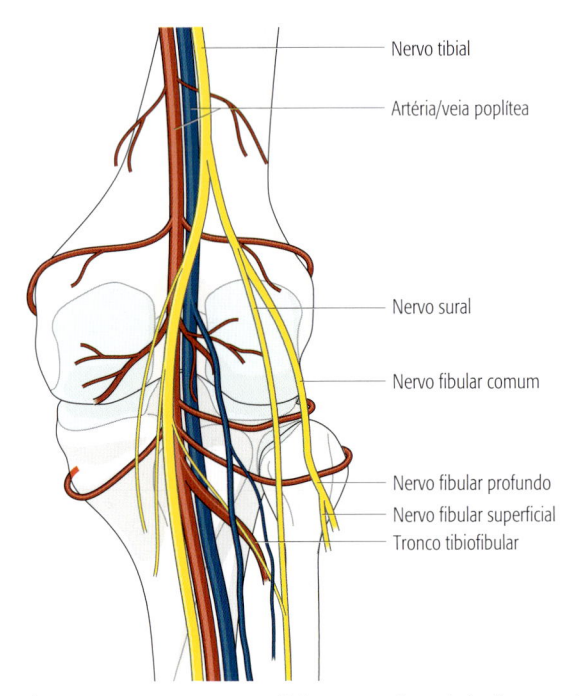

Fig. 6.7.2-5 Estruturas neurológicas e vasculares do joelho posterior.

retardar a obtenção de imagens, a menos que possam ser feitas no tempo que leva para preparar a sala de cirurgia. Em geral, as lesões vasculares com sinais isquêmicos evidentes requerem intervenção vascular imediata. Quanto mais tarde a intervenção, mais alta a taxa de amputação, e os resultados de revascularização depois de 6 horas são muito ruins. Se os pulsos estiverem presentes, mas diminuídos, imagens avançadas estão indicadas, geralmente com angiotomografia computadorizada ou angiorressonância magnética. O índice de pressão tornozelo-braquial (IPTB) tem sido usado para determinar se o paciente deve ser submetido a uma arteriografia e é recomendado que os pacientes com um IPTB abaixo de 0,9 sejam investigados com imagens ou submetidos à cirurgia vascular urgente [9]. Se um reparo vascular for necessário, a derivação arterial temporária é útil e reduz o tempo de isquemia. Um fixador externo provisório pode ser necessário para estabilizar a articulação.

Os pacientes sem sintomas ou sinais vasculares ainda assim requerem observação atenta e devem ser hospitalizados. O exame clínico vascular detalhado é recomendado na hospitalização, depois de 4-6 horas e em 24 e 48 horas. Ele deve ser claramente documentado nos registros médicos [8]. A trombose tardia da artéria poplítea, habitualmente associada com uma ruptura assintomática da íntima, é uma complicação reconhecida e devastadora [10].

3.2 Tratamento primário

O tratamento inicial de um paciente com uma luxação de joelho é dependente das lesões de partes moles, da condição neurovascular e da condição geral do paciente. As lesões fechadas devem ser reduzidas assim que possível e provisoriamente estabilizadas com um imobilizador. Isso permitirá a investigação subsequente com imagens, como a RM, que é ideal para o planejamento da cirurgia definitiva.

Em casos de lesões abertas (**Fig. 6.7.2-6**), o protocolo inclui lavagem exaustiva e debridamento, seguida pela redução e fixação externa provisória transarticular. A colocação dos Schanz deve evitar os locais de reparo ligamentar ou reconstruções futuras.

Nos casos de luxações irredutíveis, o paciente deve ser levado para a sala de cirurgia, onde uma artrotomia é executada para remover os tecidos interpostos. Com frequência será o ligamento colateral medial nos casos de luxação rotatória posterolateral.

O diagnóstico da paralisia do nervo fibular não requer exploração cirúrgica imediata, exceto nos casos de feridas abertas no lado lateral do joelho ou na paralisia de nervo dolorosa em evolução (**Fig. 6.7.2-4**). A paralisia do nervo deve ser bem documentada no momento da hospitalização.

Se a luxação do joelho estiver associada a uma fratura da superfície articular do joelho, o controle de danos com a aplicação de um fixador externo para estabilizar a articulação permite o tempo para obter os exames de imagem e planejar procedimentos complexos. No tratamento definitivo, a fratura deve ser anatomicamente reduzida e fixada com estabilidade absoluta antes de qualquer reparo ligamentar. É essencial examinar a estabilidade ligamentar depois da fixação da fratura. Uma RM pode ser "supersensível" e a fixação da fratura com frequência restaura a estabilidade sem a necessidade de reparo ligamentar adicional.

O tratamento definitivo deve ser planejado com antecedência. Existem duas abordagens estratégicas para a cirurgia: o reparo anatômico direto por via aberta dos meniscos, estruturas capsulares e ligamentos, ou a reconstrução dos ligamentos, que pode ser artroscopicamente assistida. O momento dessas estratégias é diferente. O reparo aberto direto é mais adequadamente executado tão logo quanto possível, antes que a consolidação e a fibrose comecem a obliterar os planos teciduais e tornem difícil a identificação das estruturas anatômicas. Se alguma dissecção for necessária dentro da fossa poplítea, a cirurgia é mais adequada dentro de 10-14 dias da lesão; além desse tempo, a organização do hematoma pode tornar arriscada a dissecção em torno dos vasos poplíteos. A cirurgia artroscopicamente assistida de reconstrução é mais adequadamente

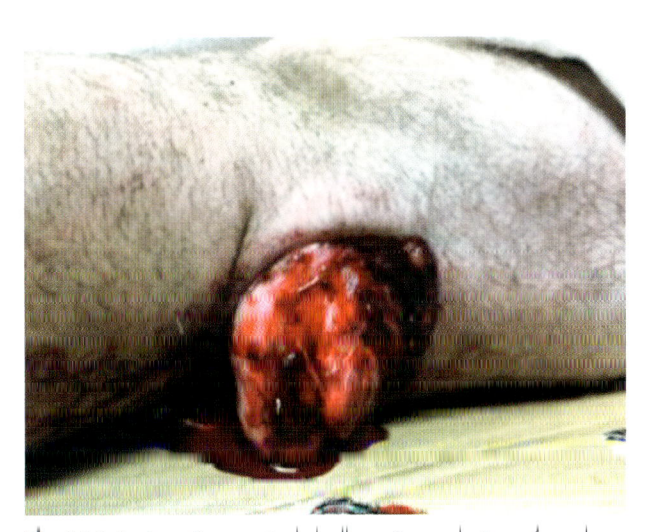

Fig. 6.7.2-6 Luxação exposta de joelho após uma lesão na fazenda.

executada em 3-4 semanas. Nesse momento, a cápsula ficou aderente e isto previne o extravasamento de fluido da articulação, tornando a visualização artroscópica mais fácil e evitando o grave edema de partes moles do fluido se imiscuindo para baixo na panturrilha. A cirurgia definitiva deve ser realizada por um especialista experiente em reconstrução multiligamentar de joelho.

4 Tratamento

4.1 Indicações e tomada de decisão

A maioria dos pacientes que sofrem uma luxação do joelho necessitará de tratamento cirúrgico. Os desfechos funcionais após os cuidados não cirúrgicos são ruins. Mesmo os candidatos cirúrgicos ruins em geral se beneficiarão de pelo menos um fixador externo transarticular que é deixado por aproximadamente 2 meses, seguido da remoção do fixador e de uma manipulação com o paciente sob anestesia. Os pacientes que devem ser considerados para o tratamento não cirúrgico são aqueles que tenham comorbidades clínicas ou lesões que tornem a sobrevida do paciente questionável após o procedimento.

A fixação externa transarticular, seja como tratamento temporário ou definitivo, deve ser considerada nos seguintes casos: luxações expostas; lesão grave de partes moles na pele e tecidos subcutâneos; lesões vasculares que requerem reconstrução ou reparo; e pacientes morbidamente obesos. Embora alguns pacientes se beneficiem de um procedimento estadiado que incorpore a fixação externa temporária, a maioria dos pacientes com uma luxação de joelho deve ser tratada com reconstrução ou reparo ligamentar do joelho.

4.2 Momento da cirurgia

O momento da reconstrução definitiva do joelho é frequentemente uma decisão complexa e multifatorial. Como no tratamento cirúrgico de qualquer lesão de grande energia, a condição dos tecidos moles locais é crítica. A reconstrução ligamentar do joelho deve ser retardada por tempo suficiente para permitir que os tecidos moles se recuperem e para minimizar o risco de deiscência e infecção na ferida. Embora o momento seja controverso, existe um consenso que o retardo na reconstrução para além de 6-8 semanas está associado a resultados menos favoráveis [1]. Na maioria dos pacientes, a cirurgia precoce é o tratamento de escolha, sendo o momento preciso ditado pela recuperação dos tecidos moles e pela escolha de reparo direto ou reconstrução artroscopicamente assistida (ver seção 3.2 neste capítulo).

As lesões expostas requerem tratamento agressivo para reduzir a contaminação e tratar os tecidos moles. Nas feridas com contaminação mínima, o reparo anatômico imediato e direto dos ligamentos pode ser possível, se um cirurgião experiente estiver disponível. Entretanto, em muitos casos é melhor obter a cicatrização (livre de infecção) da ferida aberta antes de iniciar a reconstrução ligamentar (**Fig. 6.7.2-6**), em 3-4 semanas.

Os pacientes que tiverem uma lesão da artéria poplítea terão o reparo ou a reconstrução vascular no dia da lesão. Em algumas situações é possível usar uma derivação arterial temporária enquanto o ortopedista repara ou reconstrói os ligamentos e a cápsula, e a equipe vascular retira o enxerto de veia. Uma vez que o joelho esteja estável, o cirurgião vascular então reconstrói a artéria. Entretanto, essa abordagem requer que o especialista apropriado em cirurgia ligamentar do joelho esteja imediatamente disponível e, então, em geral se recomenda aplicar um fixador externo transarticular com o joelho bem reduzido e em extensão por um período de aproximadamente 3 semanas antes de começar a reconstrução ligamentar do joelho. É preciso ter muito cuidado para evitar deixar o joelho subluxado ou em uma posição flexionada no fixador externo. A boa comunicação com a equipe vascular é essencial, já que deve ser evitado um reparo ou reconstrução vascular que seja muito tenso para permitir o movimento agressivo do joelho. Esse risco é maior quando é feito um reparo da artéria e ela encurta ligeiramente.

4.3 Planejamento pré-operatório: reconstrução ou reparo

A escolha de reparar estruturas rompidas ou fazer a sua reconstrução tem sido controversa. Há espaço tanto para o reparo quanto para a reconstrução no tratamento das luxações do joelho e excelentes resultados podem ser obtidos com ambas as técnicas. O papel da reconstrução também varia na dependência da disponibilidade e aceitação local do uso de tecido de aloenxerto. Em geral, o reparo funciona melhor quando os ligamentos e os ligamentos meniscocapsulares tiverem sido avulsionados, particularmente se for uma avulsão óssea.

O LCA é um ligamento completamente intra-articular e o reparo direto das rupturas intrassubstanciais em adultos tem um alta taxa de falha: esse ligamento deve ser sempre reconstruído. O reparo direto do LCP é tecnicamente trabalhoso e deve ser combinado com o reparo direto das lesões associadas da cápsula posterior. Há melhores taxas de cura do que com o LCA, mas a maioria dos cirurgiões recomenda a reconstrução do LCP. As avulsões, particularmente quando envolvem o osso, têm uma taxa muito mais alta de sucesso. O autoenxerto é preferido em pacientes jovens (25-30 anos ou mais jovens que tenham uma demanda alta do joelho). Entretanto, o dano concomitante dos tendões isquiotibiais ipsilaterais ou do tendão patelar significa que o joelho ileso e contralateral é frequentemente usado como um local doador. O aloenxerto, quando disponível, evita a morbidade no local doador e permite a reconstrução de um número grande de estruturas rompidas.

O reparo de ligamentos rompidos tem um papel muito mais significativo no tratamento do CPL ou CPM. Entretanto, existem alguns dados [11-13] que sugerem que a taxa de falha dos reparos do CPL e do CPM é significativamente mais alta que a taxa de falha das reconstruções. Como resultado desses estudos, muitos cirurgiões agora fazem a reconstrução das rupturas do CPL e do CPM se o enxerto adequado estiver disponível. Muitos cirurgiões repararão as rupturas ligamentares se a qualidade do tecido for boa, reconstruindo, então, sobre o reparo. A taxa de falha aumentada dos reparos é mais alta nas rupturas do CPL do que nas rupturas do CPM, mas é ainda significativa em ambos.

4.4 Exame sob anestesia

O exame sob anestesia (ESA) é o padrão ouro para o diagnóstico em pacientes com luxação do joelho. A RM pode fornecer um mapa útil da lesão para guiar o planejamento cirúrgico e dar a definição precisa das rupturas meniscais e da ruptura fechada do mecanismo extensor, mas um ESA deve ser sempre a primeira coisa a ser feita quando o paciente for levado para a sala de cirurgia. O sinal da RM pode superdiagnosticar rupturas ligamentares, particularmente no contexto de múltiplas lesões de ligamentos e fratura-luxação. O ESA fornece a confirmação dinâmica dos achados da RM e dá ao cirurgião uma compreensão muito melhor da magnitude da instabilidade do joelho (em comparação com o outro joelho). O exame sob anestesia também é muito mais preciso que a RM para avaliar a instabilidade rotacional. A intensificação de imagem pode ser usada como um adjunto ao ESA para avaliar o grau de instabilidade.

5 Técnica cirúrgica

5.1 Preservação meniscal

As rupturas meniscais frequentemente acompanham as luxações de joelho. As rupturas são comumente periféricas e na parte vascular do menisco, e são potencialmente reparáveis. A remoção do tecido meniscal tem consequências biomecânicas graves que levam à osteoartrite. A quantidade de tecido diretamente removido se correlaciona com a progressão e a gravidade da osteoartrite. O impacto de uma perda de menisco é mais grave no menisco lateral, que cobre uma porcentagem maior da articulação femorotibial e absorve 70% da carga do compartimento em comparação a 50% do menisco medial [14, 15].

> Os cirurgiões devem fazer o máximo esforço para preservar tanto tecido meniscal quanto possível.

O reparo de rupturas periféricas é a técnica primária para preservar a função do menisco (**Fig. 6.7.2-7**). As rupturas centrais que não tenham a vascularização adequada para cicatrização com frequência precisam ser ressecadas enquanto a porção periférica da ruptura é reparada. Se uma meniscectomia subtotal for o resultado de uma ressecção de tecido meniscal não salvável em pacientes jovens ou ativos, o transplante de aloenxerto de todo o menisco deve ser considerado.

5.2 Reparo da cápsula posterior

As rupturas da cápsula posterior do joelho resultam em luxações notadamente instáveis do joelho, culminando em hiperextensão e instabilidade coronal com o joelho na extensão completa (**Fig. 6.7.2-1a**). Além da reconstrução dos ligamentos rompidos, quaisquer rupturas capsulares grandes devem ser diretamente reparadas com suturas fortes e inabsorvíveis. Essas rupturas geralmente se estendem através do LCP na linha média e o reparo precisa incluir essa área. É comum que a cápsula posterior seja avulsionada do osso (sendo a tíbia mais comumente que o fêmur), e as âncoras de sutura são úteis para reinserir a cápsula (**Fig. 6.7.2-4c-d**).

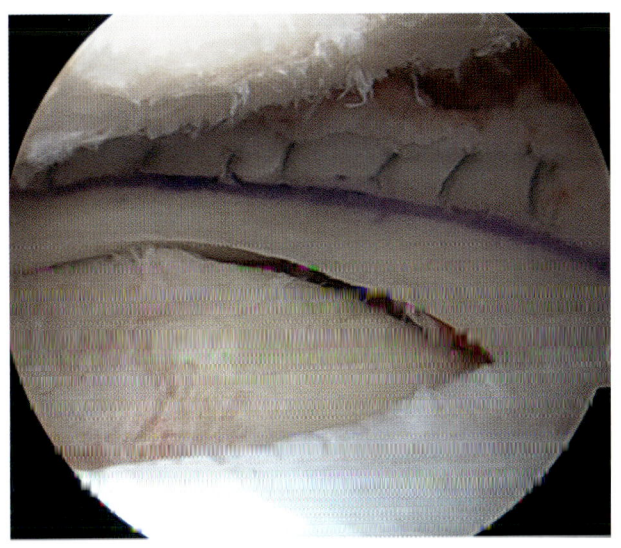

Fig. 6.7.2-7 Reparo *inside out* de uma ruptura meniscal periférica.

5.3 Ligamentos colaterais

5.3.1 Canto posterolateral

O CPL é um grupo de estruturas que fornecem estabilidade para o estresse em varo e para a rotação. A restauração do CPL geralmente envolve a reconstrução dos ligamentos popliteofibular e fibulocolateral (colateral lateral) e do tendão poplíteo (**Fig. 6.7.2-8**). O ligamento anterolateral tem um papel importante na instabilidade rotatória (**Fig. 6.7.2-3**). A falha ao tratar adequadamente uma lesão do CPL aumenta significativamente o risco de falha das reconstruções do LCA ou do LCP e dos reparos meniscais. Tem havido um trabalho significativo ao longo dos últimos 10 anos, focado para definir a anatomia do CPL e na compreensão da relação entre as estruturas que compõem esse importante complexo ligamentar [17]. Foram desenvolvidas reconstruções anatômicas que tentam reproduzir a anatomia normal das três estruturas fundamentais e isso produziu resultados superiores, restaurando uniformemente a completa estabilidade rotacional, mas não tão bem-sucedidos para restaurar a estabilidade completa no estresse em varo [18].

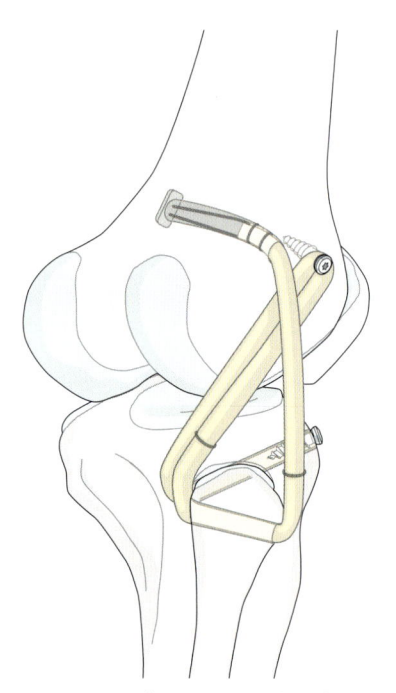

Fig. 6.7.2-8 Reconstrução do canto posterolateral com autoenxerto ou aloenxerto, reconstruindo o poplíteo, o ligamento popliteofibular e o ligamento colateral lateral.

5.3.2 Canto posteromedial

Os componentes críticos do CPM que requerem reconstrução são o LCM superficial e o LOP. O LCM fornece a estabilidade ao estresse em valgo e o LOP fornece a estabilidade rotacional. Similarmente ao CPL, tem havido trabalho significativo para definir a anatomia do CPM, avaliando a biomecânica das reconstruções e projetando reconstruções anatômicas [19].

A reconstrução precisa do CPL ou do CPM requer que seja identificado o ponto isométrico no côndilo femoral lateral ou medial. Isso pode ser realizado pelo uso da intensificação de imagem com uma vista lateral verdadeira distal do fêmur. Uma linha traçada a partir do aspecto anterior da cortical femoral posterior onde ele faz a interseção com a linha de Blumensaat identifica o ponto isométrico. O ponto isométrico é a origem femoral para a reconstrução anatômica do CPM (**Fig. 6.7.2-9**). Essa técnica de reconstrução utiliza um enxerto proximal para reconstruir o LOP e um enxerto distal para reconstruir o LCM superficial. Foram relatadas taxas de sucesso de até 96% com as reconstruções anatômicas, tanto com aloenxerto quanto com autoenxerto [13].

5.4 Ligamentos cruzados

5.4.1 Ligamento cruzado anterior

As rupturas do ligamento cruzado anterior são comuns em pacientes que apresentaram uma luxação do joelho. As rupturas intrassubstanciais requerem a reconstrução anatômica para restaurar a anatomia nativa do LCA e a cinemática do joelho. Muitos cirurgiões agora recomendam uma reconstrução do feixe único do feixe anteromedial com a origem femoral mais inferior e a orientação do enxerto menos vertical.

Não há nenhum consenso claro sobre a seleção do enxerto para as reconstruções do LCA. Há alguns dados que sugerem que os aloenxertos teriam uma taxa de falha mais alta nas reconstruções em pacientes jovens (abaixo dos 25 anos) com as rupturas isoladas do LCA, mas não há nenhum dado disponível sobre os pacientes com luxação de joelho em relação aos enxertos ideais de LCA. O enxerto preferido do autor é um tendão do quadríceps combinado com a fixação suspensória. O enxerto com tendão do quadríceps fornece tecido excepcionalmente forte que é mais grosso que o tendão patelar e menos provável de causar morbidade no local de remoção.

5.4.2 Ligamento cruzado posterior

O LCP é o maior e mais forte ligamento do joelho e é frequentemente considerado o pilar do joelho. É frequentemente lesionado em pacientes com uma luxação de joelho e é em geral a estrutura que é primeiramente reconstruída. Os aloenxertos e autoenxertos têm igualmente bons resultados nas reconstruções do LCP. O tendão de Aquiles é o aloenxerto mais frequentemente usado e os tendões do semitendíneo e do grácil são as fontes mais comuns de autoenxerto.

Há substanciais dados biomecânicos e uma quantidade crescente de dados clínicos que as reconstruções de feixe duplo seriam melhores que as reconstruções de feixe único do LCP [21]. É fundamental tensionar os dois feixes em ângulos diferentes de flexão do joelho para alcançar os benefícios reais de uma reconstrução de feixe duplo. O feixe anterolateral é o maior dos dois e deve ser tensionado em 90 graus de flexão, enquanto o feixe postcromedial deve ser tensionado em 0 graus. Existe uma relação codominante entre os dois feixes, de forma que as reconstruções de feixe duplo têm menos translação posterior em todos os ângulos de flexão entre 15 graus e 120 graus e têm menos deformidade de rotação interna a partir de 90 graus até 120 graus [20].

6 Tratamento pós-operatório

Existe alguma controvérsia em relação à reabilitação pós-operatória ideal dos pacientes após a luxação do joelho, mas é geralmente aceito agora que o reparo cirúrgico ou a reconstrução devem ser suficientemente fortes para permitir o movimento precoce do joelho para prevenir a artrofibrose e a rigidez grave.

O protocolo preferido envolve a amplitude de movimento imediata, começando em 0-30 graus no primeiro dia de pós-operatório. A carga parcial imediata é permitida com o joelho bloqueado em extensão e avançada até o apoio completo com o joelho bloqueado em extensão durante as primeiras 2 semanas. É um protocolo de atividade agressiva, mas tem produzido bons resultados funcionais. É fundamental enfatizar o ganho da extensão completa do joelho desde o início. O uso de uma bicicleta estacionária sem resistência pode realmente ajudar a obter a flexão. A reabilitação ligamentar do joelho segue os protocolos padrão para os ligamentos que estiverem sendo reconstruídos.

Há no momento dados de nível I que mostram que o tratamento das luxações mais instáveis de joelho com um fixador externo articulado por 6-8 semanas após a reconstrução pode melhorar a estabilidade e a função do paciente (**Fig. 6.7.2-10**). Nesse estudo [16], 103 pacientes com luxações de joelho foram randomizados para um fixador externo articulado ou para um imobilizador pós-operatório convencional. Com um seguimento médio de 39 meses, 21% das reconstruções ligamentares no grupo do imobilizador pós-operatório falharam, em comparação a somente 7% no grupo do fixador externo articulado ($p < 0,05$).

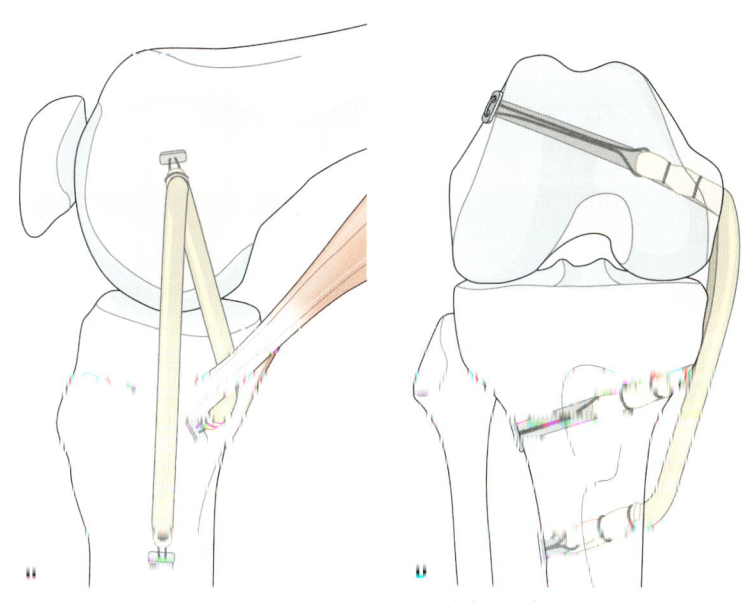

Fig. 6.7.1-9a-b Reconstrução do canto postcromedial com aloenxerto ou autoenxerto, reconstruindo o ligamento colateral medial superficial e o ligamento oblíquo posterior.

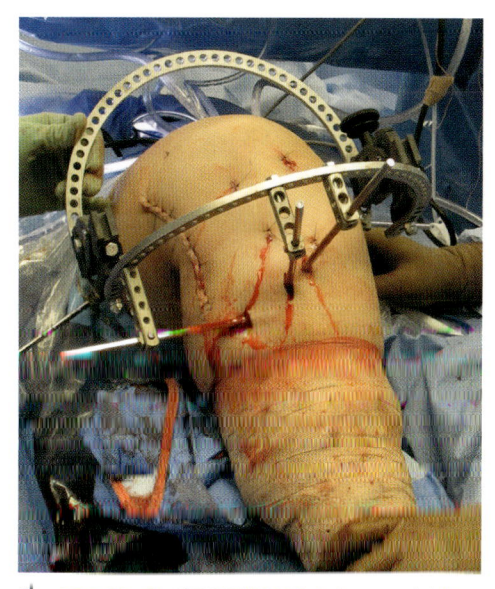

Fig. 6.7.2-10 Fixador circular articulado que estabiliza o joelho no pós-operatório, permitindo a flexão.

7 Complicações

As complicações e os desfechos adversos são comuns após as luxações do joelho. Dor residual, instabilidade e rigidez são comuns, mas estão cada vez menos frequentes com os avanços nas técnicas para reparo e reconstrução dessas lesões. As complicações adicionais podem ser divididas em duas categorias maiores: as relacionadas com a lesão e as relacionadas com o tratamento. As complicações relacionadas à lesão incluem a lesão arterial (5-10%), a lesão do nervo fibular (10-40%) ou do nervo tibial, a osteoartrite pós-traumática e o diagnóstico despercebido de instabilidade crônica. As lesões de nervo fibular com déficit da dorsiflexão têm um prognóstico ruim e 50% ou menos se recuperam: a transferência tardia do tendão tibial posterior pode ser efetiva para restaurar a dorsiflexão do tornozelo. As complicações relacionadas ao tratamento incluem a infecção e deiscência da ferida, lesão vascular, lesão nervosa, ossificação heterotópica e osteonecrose do côndilo femoral medial.

8 Desfechos dos pacientes

Há dados publicados claros [1] apontando que a reconstrução cirúrgica leva a melhores desfechos funcionais que o tratamento não cirúrgico. A mobilidade após as luxações do joelho permanece uma consideração importante. Quando os resultados de 22 estudos diferentes são combinados, 30% dos pacientes requerem tratamento cirúrgico para a artrofibrose após as luxações do joelho. Muitos pacientes requerem mais de um procedimento cirúrgico para tentar restaurar a mobilidade funcional. O arco médio de movimento alcançado nos estudos publicados antes de 1994 era de 106 graus em comparação a 123 graus nos estudos publicados desde 1994 [1]. O uso maior de reconstruções anatômicas em combinação com protocolos de reabilitação de movimentação precoce são os fatores que provavelmente melhoraram a mobilidade.

A instabilidade após o tratamento cirúrgico é outro grande problema funcional. Quando os resultados de 20 estudos de desfecho são combinados, 42% dos pacientes com luxação de joelho têm ao menos um ligamento instável depois do tratamento cirúrgico. A instabilidade anterior/posterior residual foi relatada mais frequentemente que a instabilidade em varo/valgo [1]. A revisão da reconstrução pode produzir bons resultados em longo prazo. A instabilidade após o tratamento não cirúrgico é muito frequente. A avaliação dos resultados de seis estudos demonstrou 100% de instabilidade residual em cinco dos estudos com pacientes tratados conservadoramente e 91% de instabilidade no sexto estudo [1].

A dor em longo prazo é relatada em 25-68% dos pacientes [1]. Após a luxação do joelho, 93% dos pacientes retornaram a algum tipo de trabalho, mas 31% tiveram de aceitar um trabalho que fosse fisicamente menos exigente que o seu emprego pré-lesão. Um estudo relatou que somente 56% dos pacientes retornaram ao emprego após a reconstrução de luxações crônicas em comparação com 85% dos pacientes após as reconstruções agudas [1]. A taxa de pacientes que retornam a alguma forma de recreação ou esporte varia de 0-97%, com uma média de 76%. Somente 39% puderam retornar ao seu nível pré-lesão de competição [1].

9 Referências

1. **Stannard JP, Fanelli GC.** Knee dislocations and ligamentous injuries. In: Stannard JP, Schmidt AH, eds. *Surgical Treatment of Orthopaedic Trauma*. 2nd ed. New York: Thieme Publishers; 2016: 888–911.
2. **Twaddle BC, Bidwell TA, Chapman JR.** Knee dislocations: where are the lesions? A prospective evaluation of surgical findings in 63 cases. *J Orthop Trauma*. 2003 Mar;17(3): 198–202.
3. **Kennedy JC.** Complete dislocation of the knee joint. *J Bone Joint Surg Am*. 1963 Jul;45:889–904.
4. **Schenck RC Jr, Hunter RE, Ostrum RF, et al.** Knee dislocations. *Instr Course Lect*. 1999;48:515–522.
5. **LaPrade RF, Engebretsen AH, Ly TV, et al.** The anatomy of the medial part of the knee. *J Bone Joint Surg Am*. 2007 Sep;89(9):2000–2010.
6. **Niall DM, Nutton RW, Keating JF.** Palsy of the common peroneal nerve after traumatic dislocation of the knee. *J Bone Joint Surg Br*. 2005 May;87(5):664–667.
7. **Medina O, Arom GA, Yeranosian MG, et al.** Vascular and nerve injury after knee dislocation: a systematic review. *Clin Orthop Relat Res*. 2014 Sep;472(9):2621–2629.
8. **Stannard JP, Sheils TM, Lopez-Ben RR, et al.** Vascular injuries in knee dislocations: the role of physical examination in determining the need for arteriography. *J Bone Joint Surg Am*. 2004 May;86-A(5):910–915.
9. **Mills WJ, Barei DP, McNair P.** The value of the ankle-brachial index for diagnosing arterial injury after knee dislocation: a prospective study. *J Trauma*. 2004 Jun;56(6):1261–1265.
10. **Nicandri GT, Chamberlain AM, Wahl CJ.** Practical management of knee dislocations: a selective angiography protocol to detect limb-threatening vascular injuries. *Clin J Sport Med*. 2009;1:125–129.
11. **Stannard JP, Brown SL, Farris RC, et al.** The posterolateral corner of the knee: repair versus reconstruction. *Am J Sports Med*. 2005 Jun;33(6):881–888.
12. **Levy BA, Dajani K, Morgan JA, et al.** Repair versus reconstruction of the fibular collateral ligament and posterolateral corner in the multiligament-injured knee. *Am J Sports Med*. 2010 Apr;38(4):804–809.
13. **Stannard JP, Black BS, Azbell C, et al.** Posteromedial corner injury in knee dislocations. *J Knee Surg*. 2012 Nov;25(5):429–434.
14. **Mordecai SC, Al-Hadithy N, Ware HE, et al.** Treatment of meniscal tears: An evidence based approach. *World J Orthop*. 2014 Jul 18;5(3):233–241.
15. **Hutchinson ID, Moran CJ, Potter HG, et al.** Restoration of the meniscus: form and function. *Am J Sports Med*. 2014 Apr;42(4):987–998.
16. **Stannard JP, Nuelle CW, McGwin G, et al.** Hinged external fixation in the treatment of knee dislocations: a prospective randomized study. *J Bone Joint Surg Am*. 2014 Feb;96(3):184–191.
17. **LaPrade RF, Griffith CJ, Coobs BR, et al.** Improving outcomes for posterolateral knee injuries. *J Orthop Res*. 2014 Apr;32(4):485–491.
18. **van der Wal WA, Heesterbeek PJ, van Tienen TG, et al.** Anatomical reconstruction of posterolateral corner and combined injuries of the knee. *Knee Surg Sports Traumatol Arthrosc*. 2016 Jan;24(1):221–228.
19. **LaPrade RF, Engebretsen AH, Ly TV, et al.** The anatomy of the medial part of the knee. *J Bone Joint Surg Am*. 2007 Sep;89(9):2000–2010.
20. **LaPrade CM, Civitarese DM, Rasmussen MT, et al.** Emerging updates on the posterior cruciate ligament: a review of the current literature. *Am J Sports Med*. 2015 Dec;43(12):3077–3092.
21. **Li Y, Li J, Wang J, et al.** Comparison of single-bundle and double-bundle isolated posterior cruciate ligament reconstruction with allograft: a prospective, randomized study. *Arthrosocopy*. 2014 Jun;30(6): 695–700.

6.7.2 Luxações do joelho

6.8.1 Tíbia, proximal

Luo Cong-Feng

1 Introdução

A incidência de fratura proximal da tíbia é de aproximadamente 18,6% de todas as fraturas da tíbia, de acordo com uma pesquisa de 10.234 casos de fratura [1]. As imagens e o tratamento das fraturas proximais da tíbia avançaram significativamente durante a última década. A tomografia computadorizada (TC) e a reconstrução tridimensional têm mostrado o seu valor no diagnóstico e no tratamento das fraturas do planalto tibial. O tratamento das fraturas intra-articulares e extra-articulares proximais da tíbia depende da personalidade da lesão. As decisões cirúrgicas dependem dos fatores do paciente, dos fatores de partes moles e do padrão da fratura, junto com as instalações disponíveis e experiência cirúrgica.

2 Avaliação e diagnóstico

2.1 História do caso e exame físico

É essencial revisar a história do caso, já que tanto o nível de energia (alta ou baixa) quanto o mecanismo da lesão são importantes para a tomada de decisão. Essa informação dá ao cirurgião uma ideia sobre as lesões de partes moles associadas, bem como sobre o padrão de fratura, que, por sua vez, ajudará no planejamento cirúrgico.

O exame físico é importante. A inspeção do envelope de partes moles fornece informações sobre a fratura ser fechada ou exposta. Sinais clínicos, como flictenas, abrasões superficiais, contusões profundas e lesões por desenluvamento, indicam uma lesão de alta energia, que impede uma exposição extensa imediata (**Fig. 6.8.1-1**). É importante avaliar repetidamente a condição neurológica e vascular da perna para detectar complicações graves, como a síndrome compartimental. Além de edema e tensão na perna, a dor intensa que é exacerbada por alongamento passivo é um indicador clínico sensível de uma síndrome compartimental [2]. A presença de parestesia e paralisia representam achados tardios depois de uma síndrome compartimental aguda. É fundamental manter um alto nível de suspeita e observar atentamente para evitar que pacientes com síndrome compartimental passem despercebidos [3].

> Esteja ciente de que a síndrome compartimental pode ocorrer em um compartimento único, com apresentação atípica, especialmente no compartimento anterior ou no lateral. Os pulsos pediosos devem ser sempre palpados. Os pulsos pediosos estão geralmente presentes na síndrome compartimental.

Pulsos pediosos ausentes ou anormais indicam lesão ou oclusão arterial. Esse sinal nunca deve ser ignorado, e a presença de um bom retorno capilar no pé, com pulsos ausentes, pode ser profundamente enganoso. Nessa

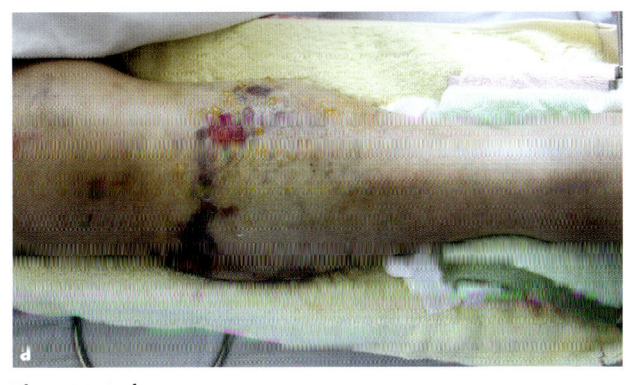

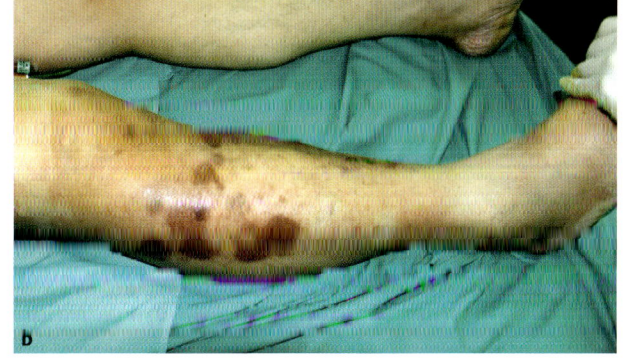

Fig. 6.8.1-1a-b
a Edema intenso de partes moles e flictenas 4 dias após o trauma inicial.
b Tecidos moles depois que o edema cedeu, 15 dias após o trauma inicial.

Fraturas específicas
6.8.1 Tíbia, proximal

situação, a deformidade deve ser imediatamente corrigida, e os pulsos, palpados novamente. Se eles não retornarem, o paciente tem uma lesão vascular que ameaça o membro até prova em contrário. É uma situação de emergência e uma consultoria imediata com o cirurgião vascular é essencial.

As estruturas de partes moles em torno do joelho, que contribuem para a estabilidade, são frequentemente lesionadas nas fraturas de planalto tibial [4]. O exame da estabilidade ligamentar do joelho antes da fixação da fratura não é útil, mas a estabilidade articular deve sempre ser avaliada no término da fixação cirúrgica de uma fratura do planalto tibial para diagnosticar alguma lesão ligamentar. A instabilidade residual após a fixação com frequência demanda tratamento adicional.

2.2 Imagens

As radiografias convencionais em dois planos (anteroposterior [AP] e lateral) são essenciais e podem ser suplementadas por vistas oblíquas em 45 graus. Entretanto, as radiografias simples não são consideradas suficientes para avaliar adequadamente o tipo de fratura. A adição da TC melhora a confiabilidade interobservador e intraobservador na classificação. Exames pré-operatórios de TC com reconstruções coronais, sagitais e em 3D se tornaram uma ferramenta padrão na análise das fraturas do planalto tibial. Se possível, devem ser feitos após a redução inicial e imobilização em um gesso ou após a colocação de um fixador externo transarticular. Com os avanços na tecnologia da TC, tem sido dada atenção cada vez maior à posição da fratura e as colunas que estão envolvidas (**Fig. 6.8.1-2**). Algumas vezes a extensão da lesão é difícil de detectar nas radiografias simples devido a sua localização [5, 6].

Embora a ressonância magnética (RM) tenha se mostrado mais sensível que outros exames para a avaliação das lesões associadas de partes moles, como as lesões meniscais e ligamentares [4], não é recomendada como um procedimento diagnóstico de rotina no contexto agudo. Uma incidência alta de lesões ligamentares tem sido observada na RM de fraturas agudas do planalto tibial e 80% têm rupturas meniscais e 40% rupturas ligamentares associadas [4]. Entretanto, a RM pode ser excessivamente sensível para tais lesões, já que o sinal da RM aguda nos ligamentos do joelho não necessariamente reflete um déficit funcional quando a estabilidade do joelho for examinada com o paciente anestesiado. Assim, as decisões de tratamento devem ser baseadas no exame intracirúrgico da estabilidade após a fixação da fratura. Os resultados positivos requerem um tratamento de partes moles cuidadoso. Ultrassom com Doppler, angiotomografia, ou angiografia de subtração digital devem ser considerados sempre que houver suspeita de trauma vascular na extremidade, mas não devem resultar em qualquer retardo significativo na revascularização (**Fig. 6.8.1-3**).

3 Anatomia

O planalto medial é maior e côncavo; o planalto lateral é menor e convexo e fica ligeiramente mais alto que a superfície articular medial. O côndilo medial é mais forte que o lateral; como resultado, as fraturas do planalto lateral são mais comuns e podem incluir depressão articular e fragmentação. As fraturas do planalto medial ocorrem mais frequentemente em bloco e estão invariavelmente associadas a lesões mais graves e a fraturas-luxações (**Fig. 6.8.1-4**).

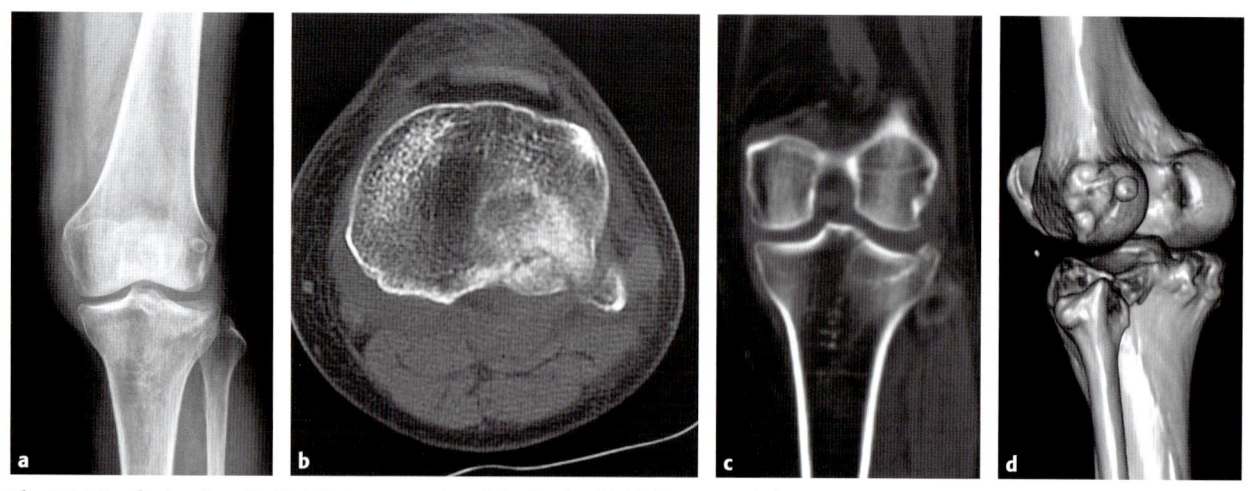

Fig. 6.8.1-2a-d A radiografia AP da fratura posterolateral do planalto tibial (**a**) é menos óbvia em comparação com as incidências axial (**b**), coronal (**c**) e na reconstrução 3D (**d**) da tomografia computadorizada.

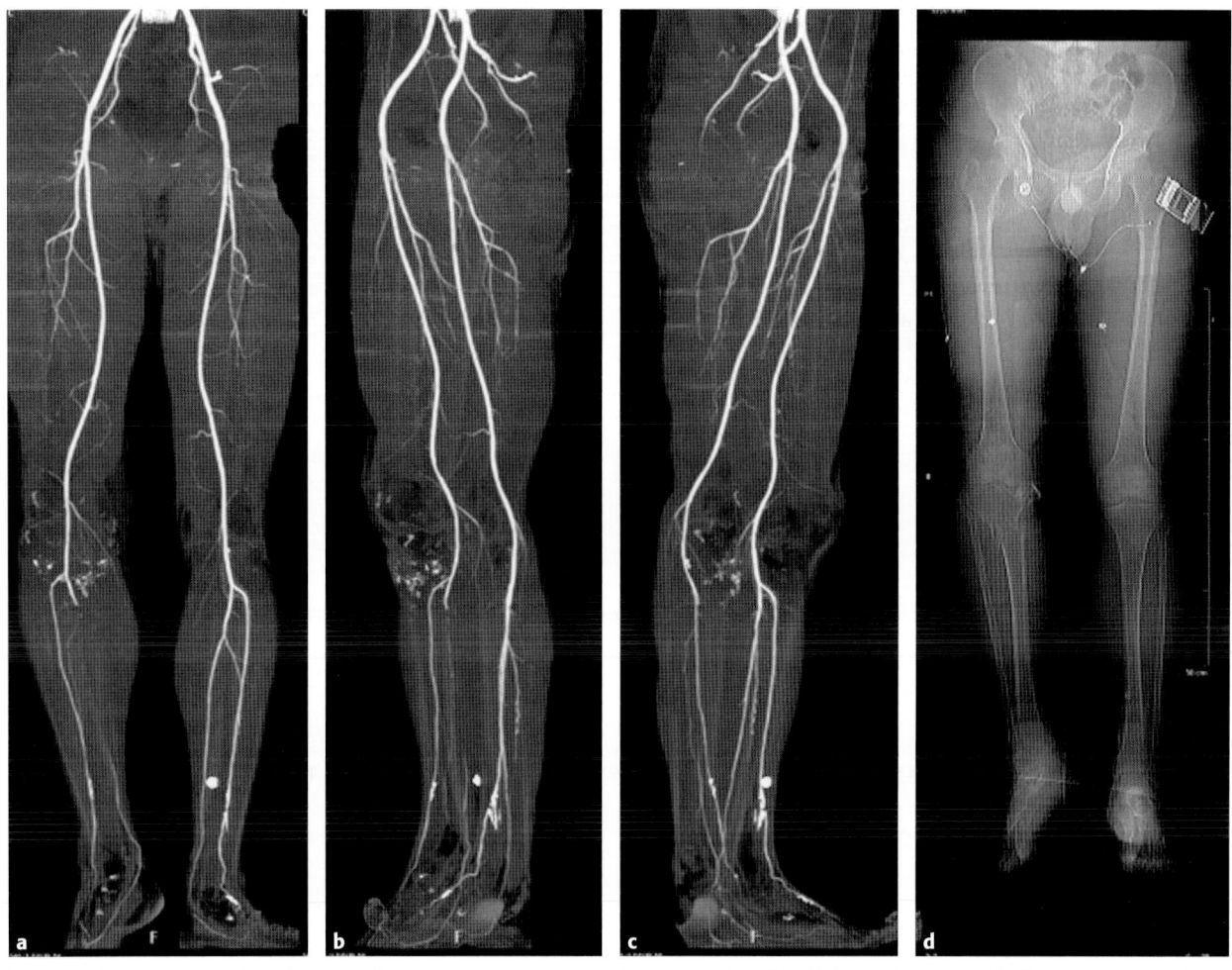

Princípios AO do tratamento de fraturas
Volume 2

Fig. 6.8.1-3a-d Imagens de angiotomografia computadorizada mostrando a ruptura da artéria tibial posterior e artéria fibular, com ar nos tecidos moles, depois de uma fratura exposta do planalto tibial.

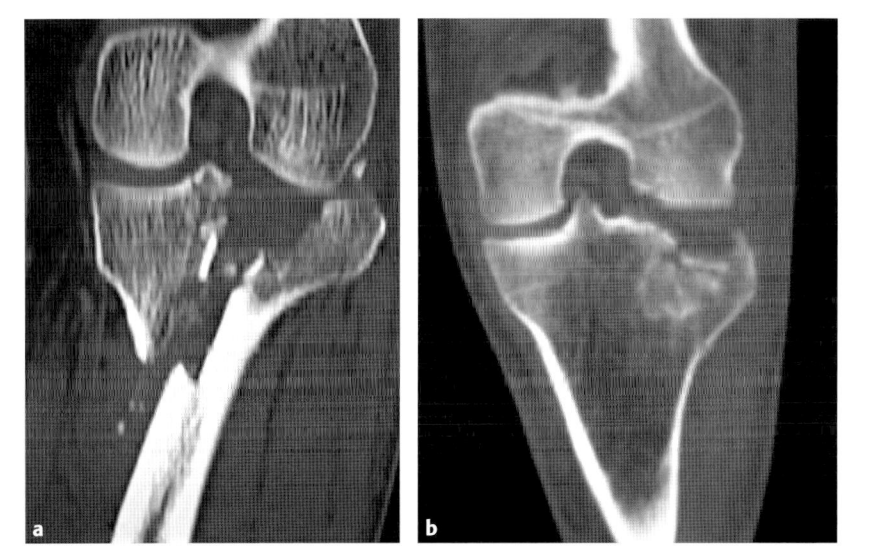

Fig. 6.8.1-4a-b O planalto medial é geralmente cisalhado em bloco, sem dano relevante à superfície articular (**a**). A lesão do planalto tibial lateral é mais comum e pode ter depressão articular e fragmentação (**b**).

879

Fraturas específicas
6.8.1 Tíbia, proximal

A crista posteromedial é a parte mais forte da extremidade proximal da tíbia, que normalmente atua como um marco para a redução intraoperatória. A tuberosidade tibial e o tubérculo de Gerdy são proeminências ósseas laterais localizadas para a inserção do tendão patelar e do trato iliotibial, respectivamente. A cabeça da fíbula fornece inserções para o ligamento colateral fibular e para o tendão do bíceps femoral e atua como um suporte para a porção lateral proximal do planalto tibial. Essas referências são importantes no planejamento das incisões cirúrgicas.

Os ligamentos cruzados anterior e posterior, junto com os complexos posteromedial e posterolateral, são os quatro estabilizadores ligamentares principais do joelho (**Fig. 6.8.1-5a**) e são descritos com mais detalhes no Capítulo 6.7.2. Os meniscos funcionam como amortecedores e aumentam a estabilidade femorotibial: deve haver o máximo de esforço para reparar e preservar os meniscos durante a cirurgia. O nervo fibular comum e a artéria poplítea, com a sua bifurcação em artéria tibial posterior e tronco tibiofibular, são estruturas vitais que devem ser protegidas [7, 8] durante a cirurgia (**Fig. 6.8.1-5b**).

Um conceito cirúrgico recentemente introduzido divide a porção proximal da tíbia em três colunas: lateral, medial e posterior. Cada coluna é uma estrutura tridimensional composta de parte da superfície articular e seu osso metafisário de suporte. Esse conceito auxilia na compreensão do padrão de fratura, no planejamento da via de acesso cirúrgica e na colocação de placas para sustentar cada coluna [9] (**Fig. 6.8.1-6**).

4 Classificação

A Classificação de AO/OTA de Fraturas e Luxações (**Fig. 6.8.1-7**) e a classificação de Schatzker são amplamente usadas (**Fig. 6.8.1-8**). Uma classificação de três colunas baseada na TC, combinada com o mecanismo de lesão, fornece a orientação no tratamento das fraturas complexas do planalto tibial [9] (**Fig. 6.8.1-6**).

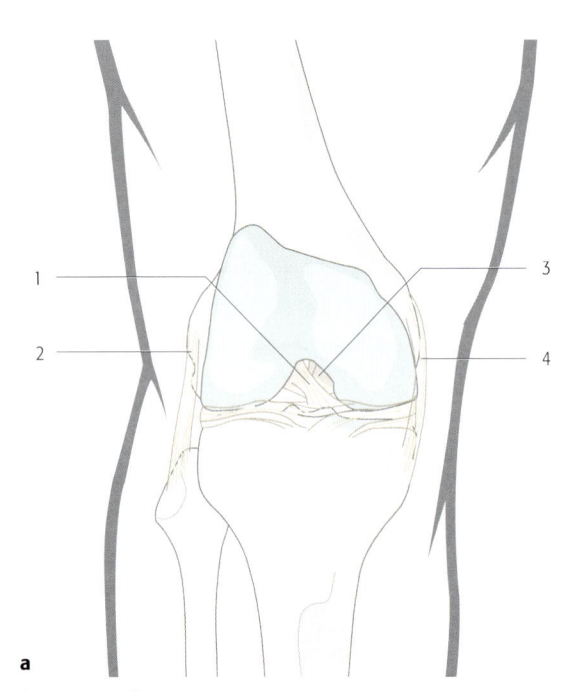

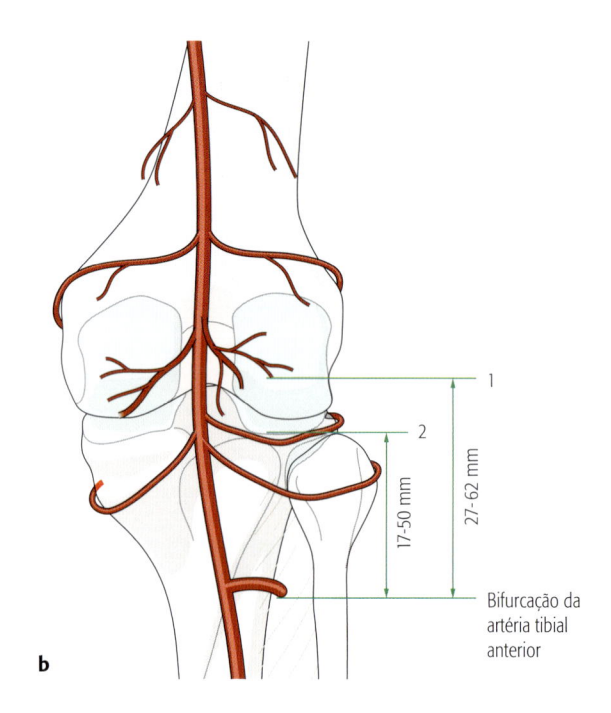

Fig. 6.8.1-5a-b
a Os quatro ligamentos do joelho são suplementados pelos complexos dos cantos posterolateral e posteromedial.
  1 Ligamento cruzado anterior
  2 Ligamento colateral lateral
  3 Ligamento cruzado posterior
  4 Ligamento colateral medial
b A bifurcação da artéria tibial posterior. A bifurcação fica 27-62 mm distalmente ao planalto tibial lateral (1) e 17-50 mm distal à cabeça da fíbula (2). Dá origem à artéria tibial posterior e ao tronco tibiofibular. Este é frequentemente muito curto (1 cm) e, por sua vez, origina as artérias tibial anterior e fibular. Uma variante anatômica é a ausência do tronco tibiofibular de forma que todas as três artérias se originam juntas, formando uma trifurcação.

5 Indicações cirúrgicas

As indicações para cirurgia incluem:

- Fraturas expostas
- Fraturas com lesão vascular ou síndrome compartimental
- Fraturas-luxações
- Fraturas intra-articulares desviadas
- Depressão articular causando instabilidade do joelho
- Mau alinhamento, especialmente em varo
- Politraumatismo

6 Planejamento pré-operatório

6.1 Momento da cirurgia

O tratamento estadiado, com redução fechada urgente e temporária, fixação externa transarticular antes da cirurgia de fixação definitiva está indicado para:

- Fraturas expostas
- Lesão vascular aguda
- Lesão grave e fechada de partes moles
- Controle de danos no politraumatizado

Sob condições estáveis, a investigação diagnóstica pode ser completada para permitir uma avaliação minuciosa e compreensão do tipo de fratura e da condição de partes moles. Uma vez que o edema de partes moles tenha cedido completamente (geralmente de 10-14 dias), a cirurgia pode ser executada com segurança. Nos pacientes com síndrome compartimental ou fraturas expostas, onde o fechamento primário de pele é um problema, terapia da ferida por pressão negativa, enxertos de pele ou retalhos rotacionais podem ser necessários.

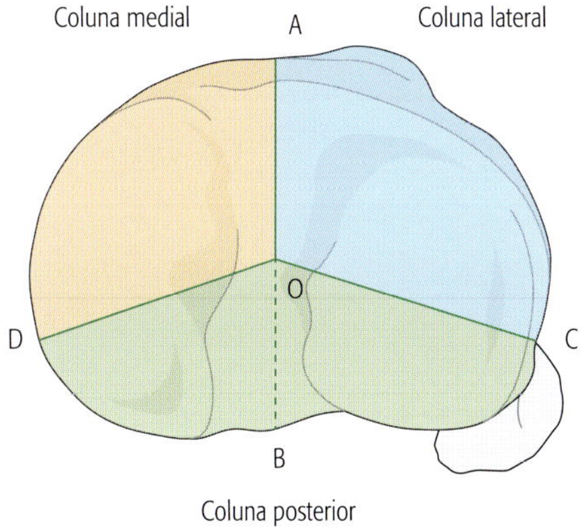

Fig. 6.8.1-6 Classificação das três colunas. O ponto O é o centro do joelho. O ponto A representa a tuberosidade anterior da tíbia. O ponto D é a crista posteromedial proximal da tíbia. O ponto C é o ponto mais anterior da cabeça da fíbula. O ponto B é o sulco posterior do planalto tibial, que divide a coluna posterior em partes medial e lateral.

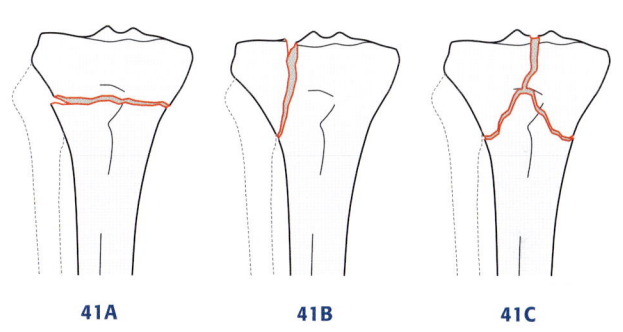

41A Tíbia, segmento da extremidade proximal, **fratura extra-articular**
41B Tíbia, segmento da extremidade proximal, **fratura articular parcial**
43C Tíbia, segmento da extremidade proximal, **fratura articular completa**

Fig. 6.8.1-7 Classificação AO/OTA de Fraturas e Luxações – proximal da tíbia.

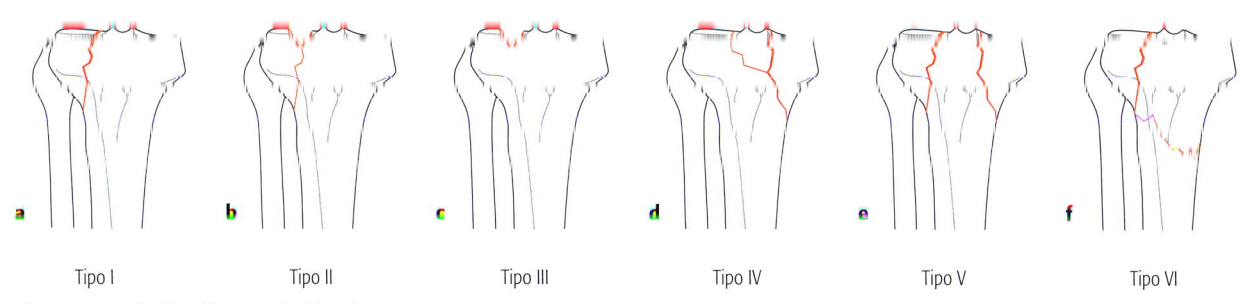

Tipo I　Tipo II　Tipo III　Tipo IV　Tipo V　Tipo VI

Fig. 6.8.1-8a-f Classificação de Schatzker.

Fraturas específicas
6.8.1 Tíbia, proximal

Um bom indicador clínico de segurança para executar a redução aberta e fixação interna (RAFI) é o enrugamento da pele indicando a regressão do edema (**Fig. 6.8.1-1b**).

6.2 Seleção do implante

A fixação externa com hastes radiolucentes é selecionada para cuidado estadiado ou em pacientes com problemas de partes moles. Para fixar fragmentos articulares, parafusos de tração de 3,5 ou 4,5 mm são usados e podem ser colocados como uma grelha (em paralelo) para apoiar o osso subcondral em fraturas articulares complexas. A fixação é com uma placa de compressão bloqueada (LCP) de 3,5 ou 4,5, que é usada para suporte ou em ponte. As placas não bloqueadas (p. ex., placa de compressão dinâmica de baixo contato) podem ser usadas para as fraturas do tipo B com boa qualidade óssea quando for necessária a fixação com suporte. As placas bloqueadas menores de 2,4 ou 2,7 podem ser usadas como placas de redução ou placas de banda de tensão e, ocasionalmente, para a fixação específica de um fragmento. A fixação isolada com parafuso pode ser aplicada (técnica da grelha) nas fraturas com depressão pura (Schatzker III). As hastes intramedulares (IM) com parafusos bloqueados proximais podem ser consideradas em fraturas do tipo A.

6.3 Configuração da sala de cirurgia

O paciente é posicionado em decúbito dorsal. Um torniquete de coxa é aplicado, que é inflado somente se for necessário. Uma leve tração manual é mantida no membro durante a preparação. A área exposta desde a metade da coxa até o pé é desinfetada com o antisséptico apropriada. O membro é preparado com campo descartável em U ou de extremidade. Uma malha tubular cobre o pé e perna e é fixada com uma fita (**Fig. 6.8.1-9**).

O cirurgião e o assistente ficam em pé (ou sentados) no lado da lesão. A equipe de sala de cirurgia fica em pé próximo ao cirurgião. Posicionar o intensificador de imagem no lado oposto da lesão, com a tela para a completa visão da equipe cirúrgica e do técnico em radiologia (**Fig. 6.8.1-10**).

7 Cirurgia

7.1 Vias de acesso
7.1.1 Via de acesso anterolateral

Essa via de acesso é a mais frequentemente usada e inclui uma artrotomia lateral através de uma incisão transversa na inserção meniscotibial: o levantamento do menisco permite a inspeção da superfície articular lateral. As seguintes referências são importantes: a linha articular, o tubérculo de Gerdy, a ponta da fíbula e o epicôndilo femoral lateral. Com o joelho em 30 graus de flexão, uma incisão ligeiramente curvada é feita, começando na área do epicôndilo e terminando entre a fíbula e o tubérculo de Gerdy (**Fig. 6.8.1-11**). Esta incisão pode ser estendida proximal e distalmente se mais exposição for necessária. A dissecção profunda envolve a divisão das fibras do trato iliotibial. Deve haver cuidado para não dissecar outras estruturas que possam estar desviadas, como o menisco. O menisco é então palpado e a articulação do joelho pode ser aberta, abaixo do menisco, que é elevado com uma sutura de reparo.

Fig. 6.8.1-9 Posicionamento e preparação em decúbito dorsal do paciente.

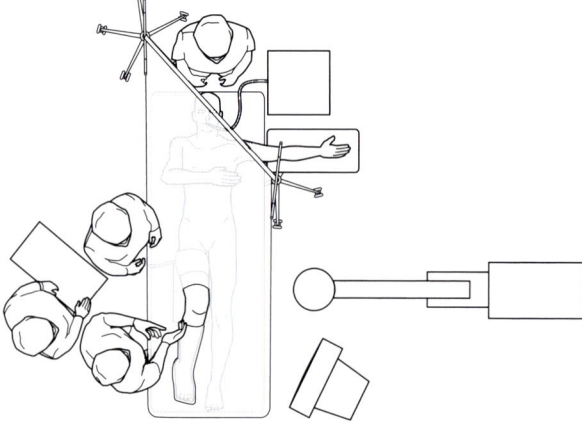

Fig. 6.8.1-10 Posicionamento da equipe na sala de cirurgia e do intensificador de imagem.

7.1.2 Via de acesso posteromedial

Essa via de acesso é executada na posição de decúbito dorsal com um coxim sob o quadril oposto. Ela é recomendada para a coluna medial e/ou parte medial das fraturas da coluna posterior. Deve ser dirigida para a crista posteromedial proximal da tíbia. A pata-de-ganso (**Fig. 6.8.1-12**) pode ser afastada anteriormente ou incisada e reparada no fechamento. Se o menisco e a articulação precisarem ser expostos, deve haver cuidado para não danificar o complexo posteromedial, que é um estabilizador importante do joelho.

7.1.3 Via de acesso posterolateral

O cirurgião deve ter uma compreensão minuciosa da anatomia do joelho, já que o nervo fibular comum está em risco durante essa via de acesso, que expõe ambas as partes anterior e posterior do planalto lateral através de uma incisão de pele única, mas com duas janelas separadas de dissecção. É executada com o paciente na posição lateral.

Uma incisão de pele longitudinal é feita ao longo da linha da cabeça da fíbula (**Fig. 6.8.1-13**). A incisão começa 3 cm acima da linha articular e segue a fíbula em uma direção distal. A artrotomia anterolateral é executada primeiro. O trato iliotibial é incisado a partir do lado dorsal e as fibras dorsais são destacadas do tubérculo de Gerdy. O ligamento meniscotibial é então incisado e o menisco é elevado para expor a superfície articular. A segunda janela é posterior ao tendão do bíceps femoral. O nervo fibular comum é exposto, marcado com um reparo de nervo e protegido ao longo do procedimento. A dissecção passa posterior ao nervo, ao tendão do bíceps femoral e ao ligamento colateral lateral para expor o canto posterolateral do planalto tibial. Essa via de acesso permite a exposição e a redução da articulação posterolateral e a fixação com um parafuso, mas a fixação com uma placa posterolateral é difícil e arriscada porque o nervo fibular comum e o tronco tibiofibular e a artéria tibial anterior limitam intensamente a dissecção distal.

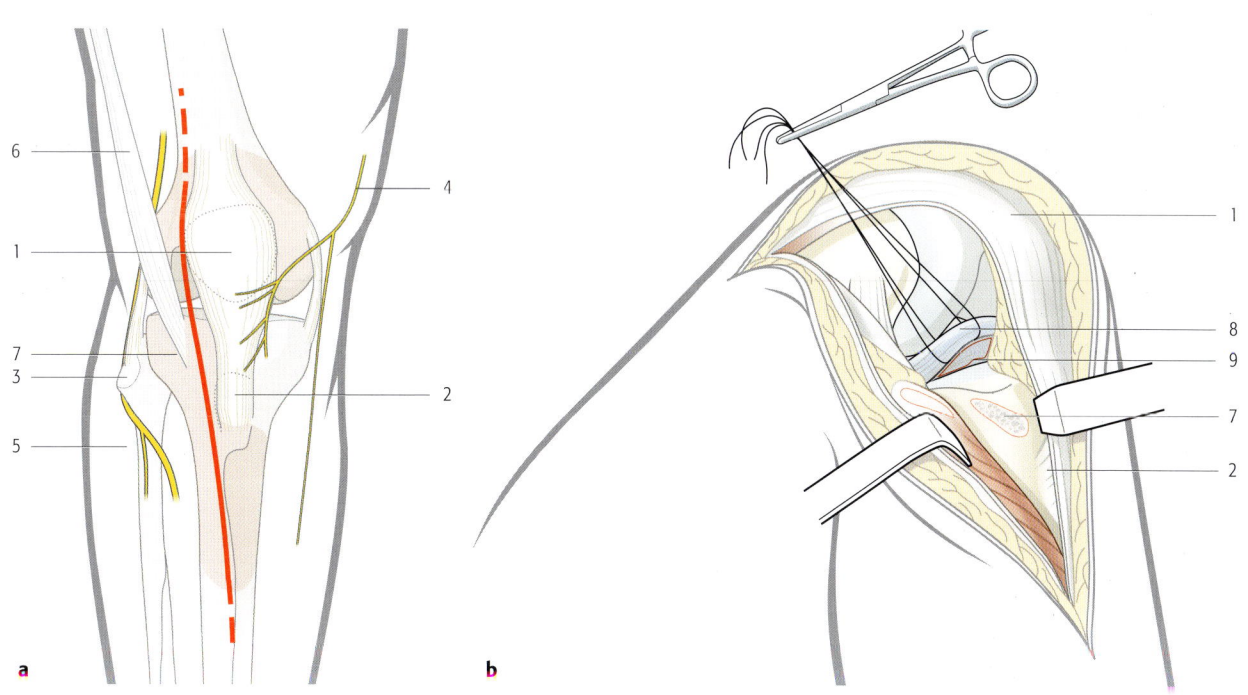

Fig. 6.8.1-11a-b Via de acesso anterolateral proximal da tíbia.
1 Tíbia
2 Tuberosidade tibial
3 Cabeça da fíbula
4 Nervo safeno
5 Nervo fibular comum (dividindo-se em ramos profundo e superficial)
6 Trato iliotibial
7 Tubérculo de Gerdy
8 Menisco lateral
9 Incisão transversal através do ligamento meniscotibial

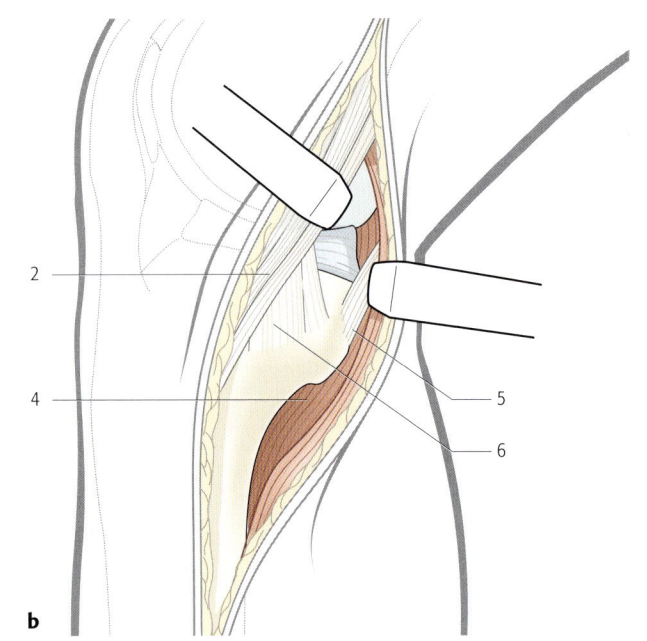

Fraturas específicas
6.8.1 Tíbia, proximal

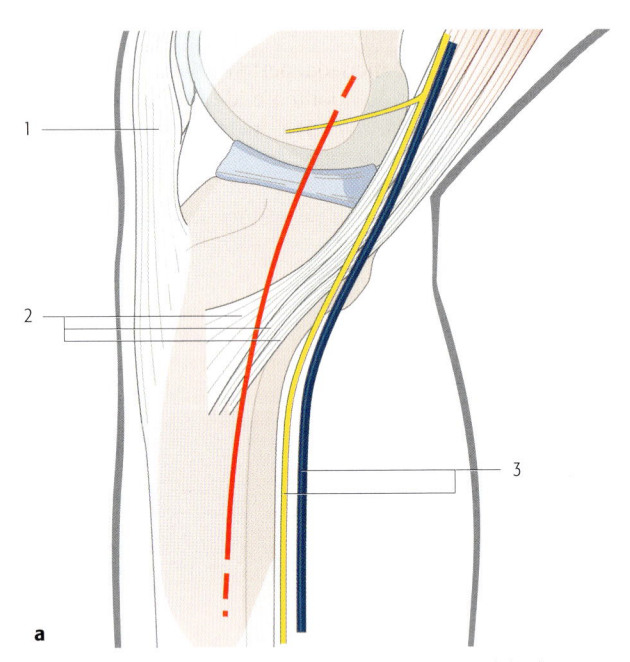

Fig. 6.8.1-12a-b Via de acesso posteromedial proximal da tíbia.
1 Tendão patelar
2 Pata-de-ganso
3 Veia safena magna e nervo
4 Cabeça medial do músculo gastrocnêmio
5 Tendão do semitendíneo
6 Ligamento colateral medial

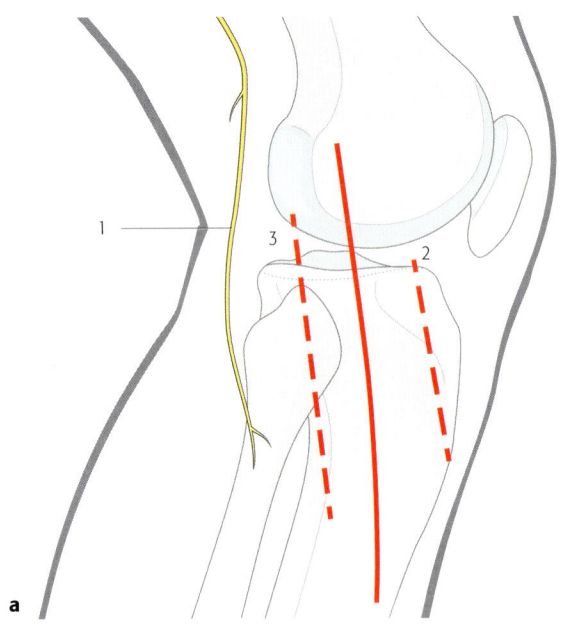

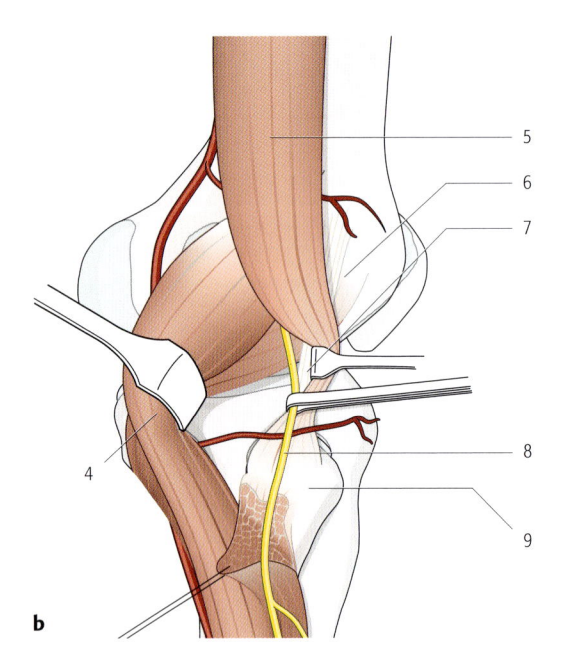

Fig. 6.8.1-13a-b
a   Via de acesso posterolateral proximal da tíbia: linha vermelha sólida = incisão de pele, janela cirúrgica para coluna lateral (2), janela cirúrgica para parte lateral de coluna posterior (3).
b   As estruturas profundas das duas janelas cirúrgicas.
   1 Nervo fibular comum
   2 Janela cirúrgica para a coluna lateral
   3 Janela cirúrgica para a coluna lateral e posterior
   4 Cabeça lateral do gastrocnêmio
   5 Bíceps femoral
   6 Tendão do poplíteo
   7 Ligamento colateral lateral
   8 Nervo fibular comum
   9 Cabeça da fíbula

7.1.4 Via de acesso posterior, formato de L invertido

Para aquelas fraturas que envolvem a coluna posterior, ou em combinação com a coluna medial, uma via de acesso posterior em forma de L invertido está indicada [10]. Esse procedimento é executado em uma "posição flutuante" ou com o paciente em decúbito ventral. Uma incisão transversal é feita na prega de pele da fossa poplítea e que gira distalmente no canto medial para formar um membro vertical que corre em paralelo à borda posteromedial da tíbia (**Fig. 6.8.1-14**). Um retalho fasciocutâneo de espessura completa é levantado, protegendo o nervo sural e a veia safena. O tendão da cabeça medial do gastrocnêmio é, então, visualizado com dissecção romba, e a fáscia profunda acima do gastrocnêmio é incisada, perto da borda posteromedial da tíbia. O músculo poplíteo é identificado na borda posteromedial da tíbia, a fáscia é incisada e o músculo é, então, elevado de medial para lateral a partir da parte de trás da tíbia, e afastado lateralmente. Isso protege os vasos poplíteos e expõe a fratura, a coluna posterior e a cápsula posterior do joelho. A dissecção excessiva lateralmente em direção à fíbula deve ser evitada, porque é fácil lesionar a bifurcação da artéria poplítea (**Fig. 6.8.1-5b**) e o nervo fibular comum também está em risco se um afastador for colocado em torno do colo da fíbula.

7.2 Redução

As lesões condilares únicas são abordadas através de incisões longitudinais que permitem a redução articular direta e, então, a colocação de parafusos de tração ou em paralelo e suporte de osso subcondral com enxerto ósseo ou substituto, seguidos pela placa de suporte. A redução da porção intra-articular geralmente requer a inspeção direta da articulação via uma artrotomia. O planalto lateral pode ser rodado lateralmente com suas inserções de partes moles. Isso permite a inspeção direta da impacção articular. A área deprimida e os fragmentos podem, então, ser suavemente elevados e diretamente reduzidos com uma alavanca por debaixo. O côndilo femoral é usado como um gabarito (**Fig. 6.8.1-15**). Nesse momento, a avaliação da

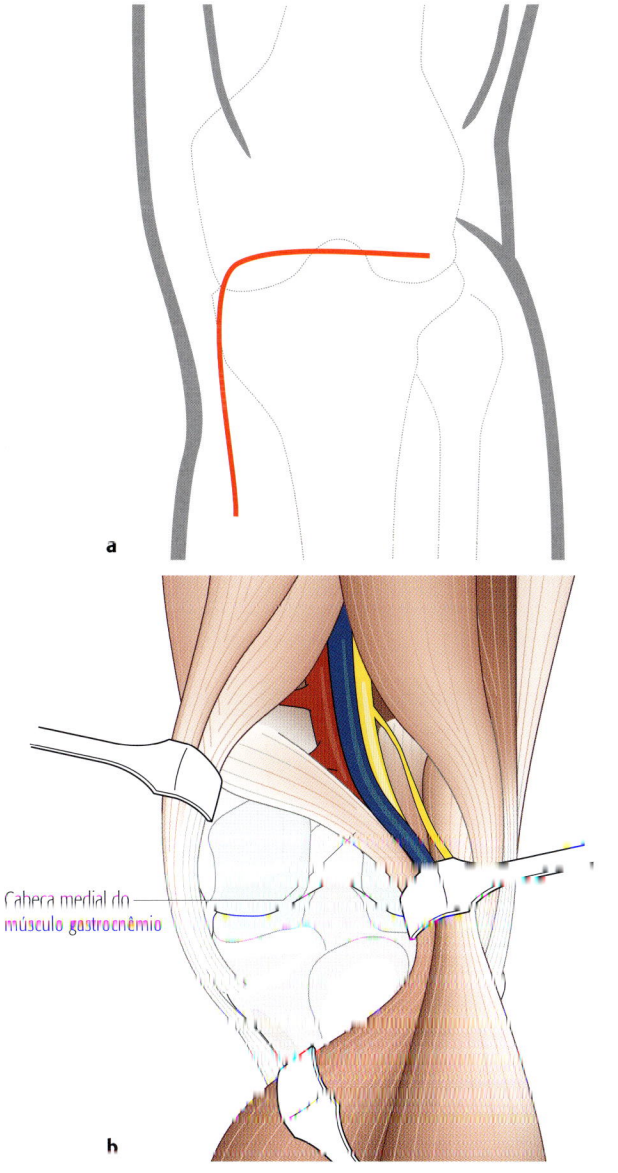

Fig. 6.8.1-14a-b Uma vista posterior do joelho indicando a via de acesso invertida em forma de L para a região proximal da tíbia.

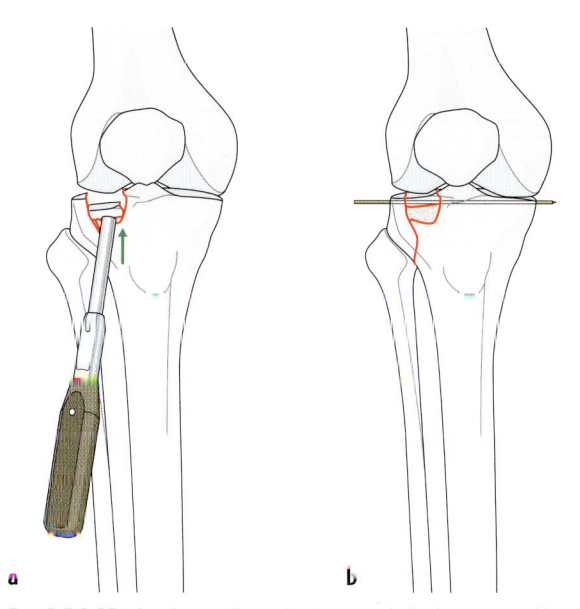

Fig. 6.8.1-15a-b A superfície articular impactada deve ser gentilmente elevada com um instrumento que pode ser introduzido através da fratura ou pela criação de uma pequena janela cortical.

Fraturas específicas
6.8.1 Tíbia, proximal

área intercondilar também deve ser executada, com atenção especial dada aos ligamentos cruzados.

Uma vez que a redução da superfície articular impactada tenha sido realizada, deve-se decidir sobre como manter a redução da superfície articular. As fraturas articulares com separação simples podem ser fixadas com parafusos de tração, mas as fraturas deprimidas requerem uma grelha de parafusos subcondrais para segurar a superfície articular elevada com parafusos corticais de 2,7 ou 3,5 mm (**Fig. 6.8.1-16a-c**). Nos casos de desvio articular grave, a pinça de redução colinear ou uma pinça de redução pélvica podem ser usadas para reduzir o planalto tibial alargado (**Fig. 6.8.1-16d**).

distrator femoral ou um fixador externo podem ser úteis como um método de redução indireta. O alinhamento, rotação e comprimento podem ser corrigidos por ligamentotaxia nos casos de extensão diafisária da fratura. Um parafuso de redução não bloqueado, através de um orifício combinado, pode ser útil no ajuste final da redução. A placa também pode ser usada como uma ferramenta de redução por meio de um efeito de suporte (**Fig. 6.8.1-16e**).

Nas fraturas bicondilares, o planalto medial geralmente é um fragmento único grande e é o primeiro passo fundamental para a redução da fratura. Ao se empurrar o fragmento proximalmente, reduzindo a superfície articular e sustentando com uma placa antideslizante no ápice do fragmento

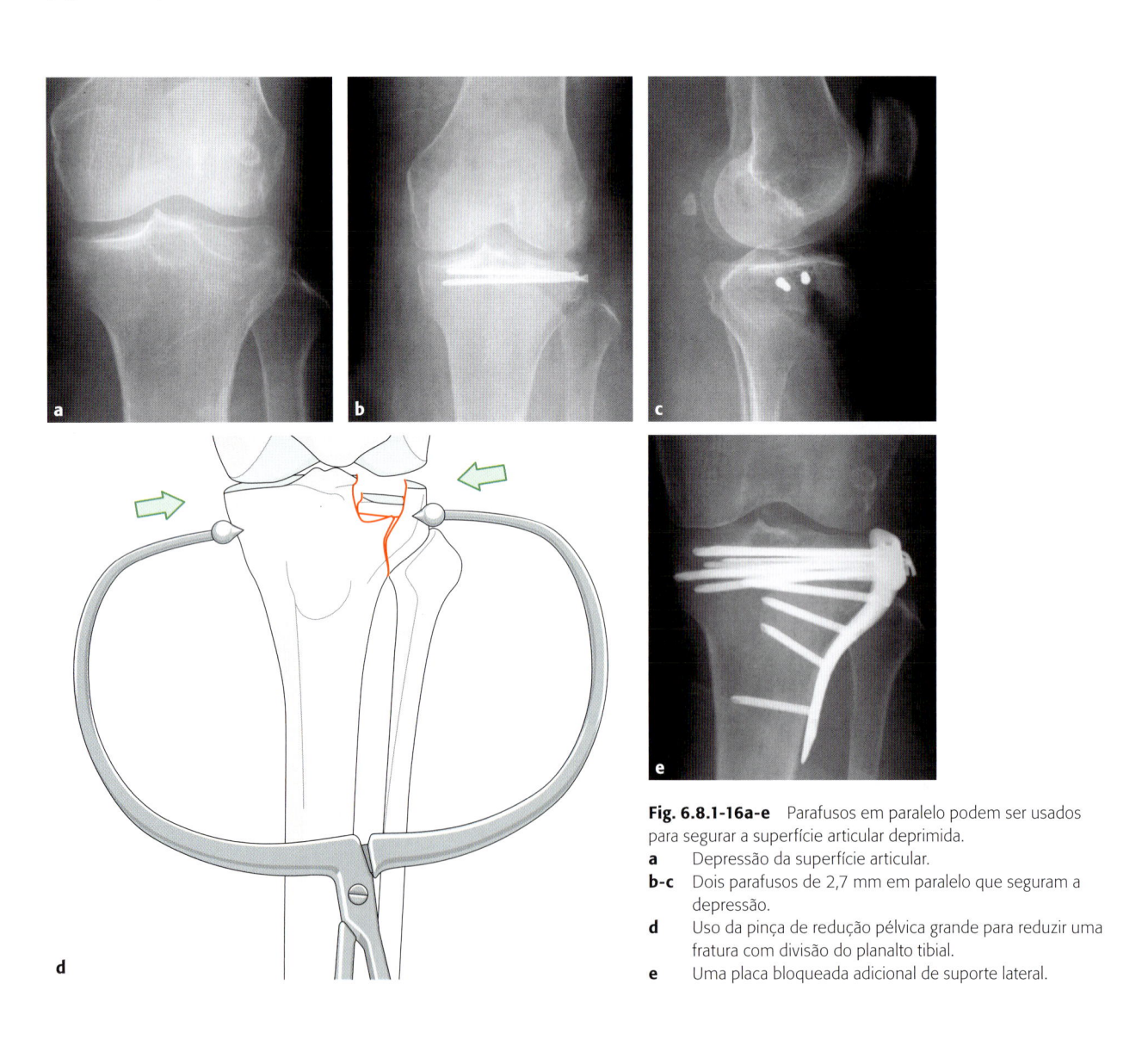

Fig. 6.8.1-16a-e Parafusos em paralelo podem ser usados para segurar a superfície articular deprimida.
- **a** Depressão da superfície articular.
- **b-c** Dois parafusos de 2,7 mm em paralelo que seguram a depressão.
- **d** Uso da pinça de redução pélvica grande para reduzir uma fratura com divisão do planalto tibial.
- **e** Uma placa bloqueada adicional de suporte lateral.

do planalto medial, a fratura do tipo C é transformada em uma do tipo B. Uma linha de fratura metafisária simples permitirá ao cirurgião obter a redução perfeita (indireta) da superfície articular sem abrir a articulação. Nos casos de cominução metafisária, a redução da superfície articular é a primeira prioridade (mudando uma fratura do tipo C com uma do tipo A), seguida pela fixação do bloco articular com a diáfise com a correção do comprimento, eixo e rotação. É importante estudar as radiografias cuidadosamente antes da cirurgia, para identificar os referenciais anatômicos principais e a fratura, para planejar a tática cirúrgica.

7.3 Fixação

A fixação deve ser baseada no mecanismo da lesão e na patomorfologia tridimensional. Identificar o lado de compressão e o lado de tensão da fratura pode ser útil para determinar a fixação. O lado de compressão requer uma placa de suporte. O lado de tensão, que é oposto à lesão de compressão, precisará de uma placa pequena, ou nenhuma, dependendo das circunstâncias. A redução do osso metafisário impactado pode resultar em defeitos ósseos e estes podem precisar ser preenchidos com autoenxerto ou aloenxerto de osso, ou substitutos ósseos, para fornecer um suporte adicional à superfície articular reduzida.

7.3.1 Fraturas extra-articulares (41A1)

As fraturas proximais extra-articulares da tíbia representam mais ou menos 7% de todas as fraturas da tíbia e geralmente exibem padrões complexos de fratura com dano de partes moles de moderado a grave [11]. Por causa da atuação do músculo gastrocnêmio posteriormente, do músculo tibial anterior anterolateralmente e do tendão patelar anteriormente, existe uma tendência de mau alinhamento em valgo e em extensão do fragmento proximal. A compreensão do mecanismo de lesão é crucial para guiar a redução e a fixação.

A maioria dessas fraturas se beneficia da estabilização cirúrgica, mesmo que não sejam grosseiramente desviadas ou instáveis. Métodos diferentes têm sido descritos, mas, devido ao segmento proximal curto e os problemas biomecânicos descritos acima, as placas que fornecem estabilidade angular são as preferidas. Elas podem ser, em geral, aplicadas com mínima ou mesmo nenhuma exposição da fratura. O uso clínico da placa do sistema de estabilização menos invasivo e LCP tem mostrado resultados excelentes relativos à consolidação da fratura, taxa de infecções e perda secundária da redução (**Fig. 6.8.1-17**) [12]. Se a cortical medial for gravemente cominutiva ou tiver um defeito grande, uma placa medial adicional é necessária para prevenir a perda secundária de alinhamento e uma deformidade em varo [13].

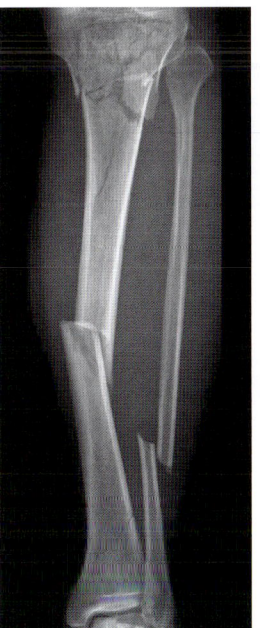

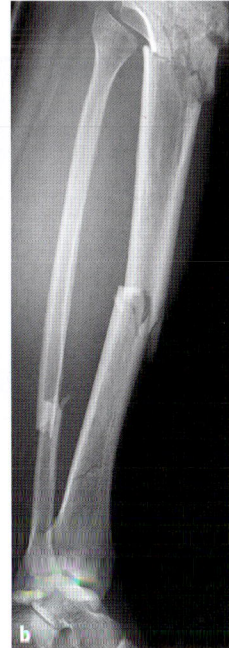

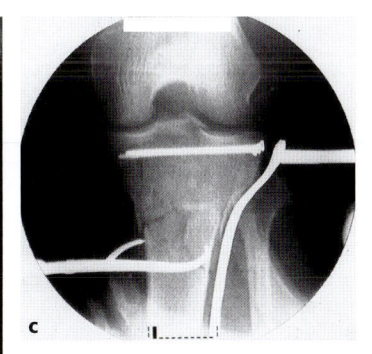

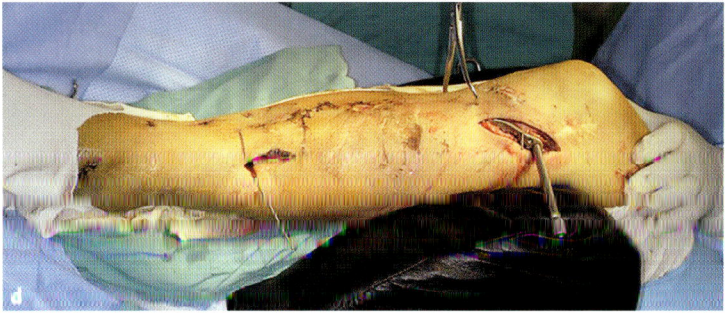

Fig. 6.8.1-17a-n Um homem de 62 anos de idade sofreu uma lesão na perna esquerda em uma colisão de carro (41A3.3).

- **a-b** As radiografias mostram uma fratura segmentar da tíbia esquerda. A fratura proximal tem múltiplas linhas de fratura e uma cunha fragmentada, mas elas não estão desviadas ou são minimamente desviadas. A fratura inteira poderia ser estabilizada com uma haste intramedular. Entretanto, por causa do nível alto da fratura proximal da tíbia, seria um procedimento tecnicamente desafiador e então foi escolhida uma osteossíntese com placa minimamente invasiva.
- **c-d** As fraturas articulares foram estabilizadas por fixação *in situ* com uma grelha de parafusos subcondrais. A seguir, a fratura metafisária proximal foi reduzida com uma técnica de redução minimamente invasiva pela aplicação percutânea de uma pinça de redução com ponta. Uma placa de compressão bloqueada na proximal lateral da tíbia (LCP-LPT) foi deslizada e provisoriamente posicionada com dois fios de Kirschner em cada extremidade da placa.

Fraturas específicas
6.8.1 Tíbia, proximal

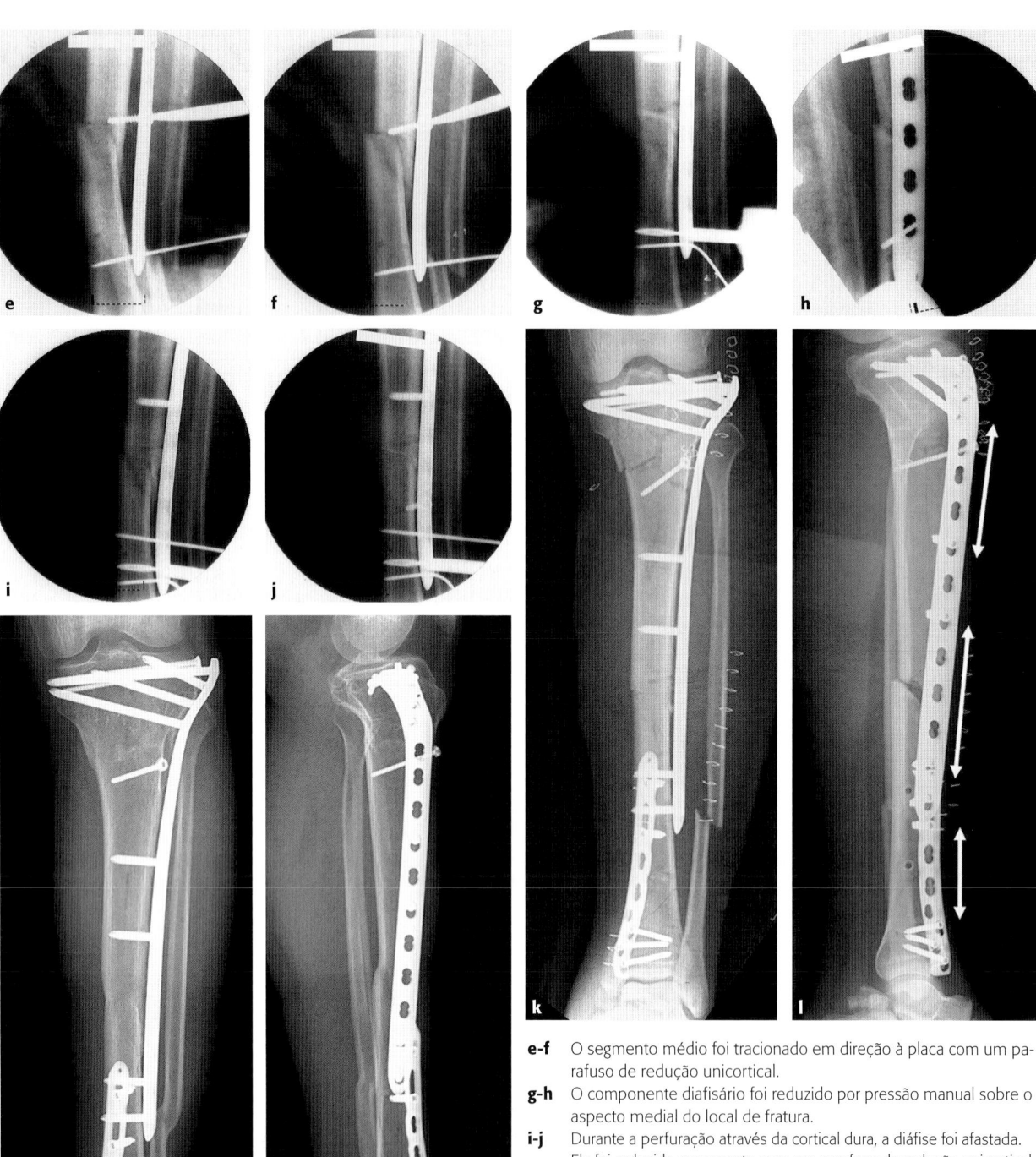

Fig. 6.8.1-17a-n (cont.) Um homem de 62 anos de idade sofreu uma lesão na perna esquerda em uma colisão de carro (41A3.3).

- **e-f** O segmento médio foi tracionado em direção à placa com um parafuso de redução unicortical.
- **g-h** O componente diafisário foi reduzido por pressão manual sobre o aspecto medial do local de fratura.
- **i-j** Durante a perfuração através da cortical dura, a diáfise foi afastada. Ela foi reduzida novamente com um parafuso de redução unicortical.
- **k-n** As radiografias pós-operatórias mostram um alinhamento aceitável. Note que, para cada componente da fratura, um espaço de três orifícios da placa foi escolhido como o comprimento de trabalho (setas com duas cabeças). O parafuso de tração colocado no local da fratura proximal destinava-se para segurar o fragmento em cunha. Em geral, é recomendado não colocar um parafuso de tração na zona de suporte, já que pode bloquear o movimento através do local de fratura, dificultando a consolidação da fratura. A placa medial distal é colocada ligeiramente mais anterior que o habitual para evitar colisão com os parafusos no lado lateral da LCP-LPT. Todas as fraturas consolidaram sem problemas.

Em fraturas instáveis com dano grave de partes moles, existe um risco mais alto da ocorrência de problemas de cicatrização da ferida. Para evitar isto, é executada a fixação externa para a estabilização temporária. Uma armação de fixação pode transpor a articulação do joelho. Se os Schanz proximais forem colocados no planalto tibial, tenha certeza que eles estejam por fora da cápsula. Depois da cicatrização das partes moles, a armação externa é substituída pela fixação interna, ou a fixação externa pode ser usada para o tratamento definitivo. O fixador externo híbrido pode ser aplicado [14]. A fixação segura da fratura proximal é realizada com dois ou três fios transfixantes e a fixação distal pode ser alcançada com dois parafusos de Schanz bem espaçados. Uma alternativa é o uso de um fixador em anel de acordo com os princípios de Ilizarov.

Se o encavilhamento IM for usado, são recomendadas hastes especiais com opções de bloqueio proximal multiplanar. Diferentemente da diáfise, a fratura proximal deve ser reduzida antes da inserção da haste. Um ponto de entrada abaixo do ideal resulta em mau alinhamento axial, enquanto um mau alinhamento secundário, com inclinação pós-operatória do fragmento proximal, pode ser o resultado de uma fixação insuficiente (**Fig. 6.8.1-18**). Algumas vezes é necessária uma pinça adicional, parafusos *Poller* ou até uma LCP de 2,4 ou 2,7 para manter a redução durante a inserção da haste (**Fig. 6.8.1-19**) [15]. A técnica de inserção suprapatelar da haste com o joelho mantido em extensão ajuda a evitar o mau alinhamento em valgo e antecurvato. Os resultados clínicos dessa técnica também mostram

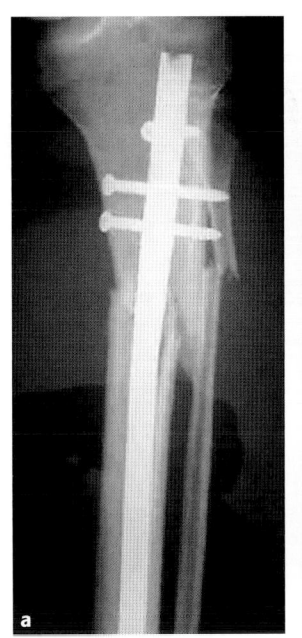

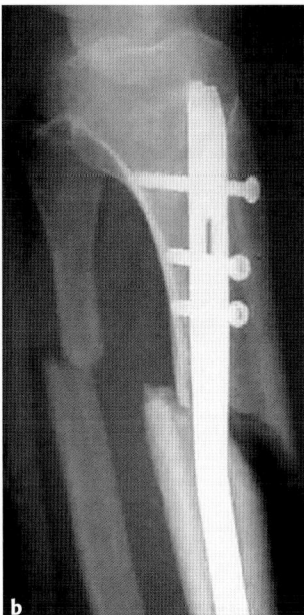

Fig. 6.8.1-18a-b Um ponto de entrada ruim pode induzir a um varo ou valgo primário e a uma deformidade em antecurvato.

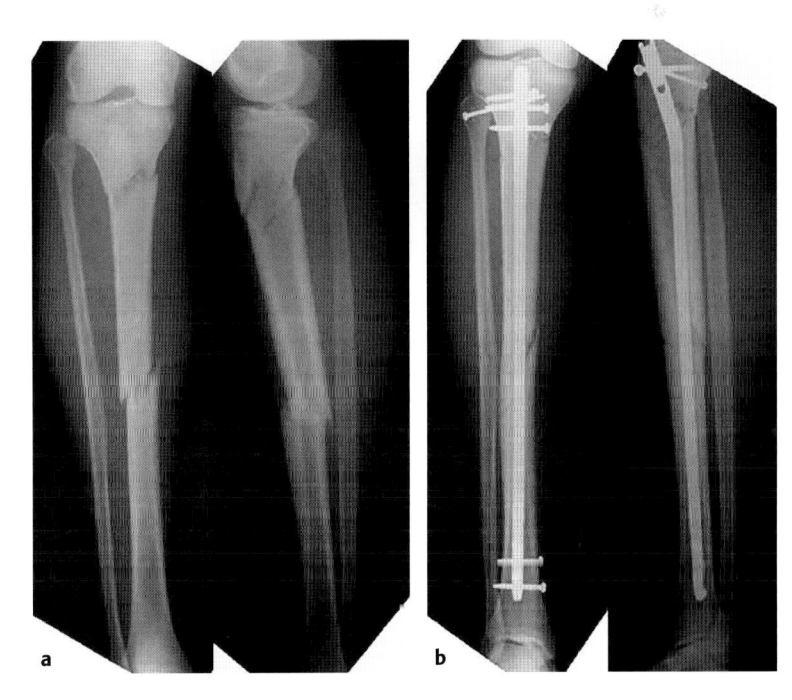

Fig. 6.8.1-19a-b
a   Um paciente com uma fratura segmentar.
b   Um ponto de entrada correto fornece redução e alinhamento satisfatórios.

Fraturas específicas
6.8.1 Tíbia, proximal

menos dor anterior no joelho e indicam um excelente alinhamento tibial, consolidação e movimento do joelho. Em adição, a artroscopia imediata e os exames de RM no seguimento de 1 ano mostram que a aplicação cuidadosa dessa técnica cirúrgica não resulta em dano na cartilagem articular patelofemoral [16].

7.3.2 Fraturas articulares parciais (41B)

Fratura da coluna lateral: fraturas de divisão puras (41B1.1, B1.3), fraturas com divisão-depressão/depressão completa (41B3.1, B3.3).

As fraturas da coluna lateral são causadas por uma força em valgo e extensão. Após a redução, a fixação com suporte é necessária para prevenir a recorrência secundária dessa deformidade em valgo. Uma via de acesso anterolateral é recomendada. As fraturas com divisão (41B1.1) podem ser tratadas pela fixação com placa de suporte, fixação com parafuso de tração ou, o que é mais comum, por um combinação de ambos. As fraturas por divisão-depressão são definidas como uma combinação de uma fratura da coluna lateral e impacção da superfície articular (41B3.1). A avaliação pré-operatória minuciosa (por exemplo, TC) é crucial para determinar o dano exato na superfície articular (**Fig. 6.8.1-20**). A fixação com fio de Kirschner provisório é útil para estabilizar a superfície articular depois da elevação do(s) fragmento(s) impactado(s). A fixação é mais adequada com uma placa. Os parafusos de tração podem ser inseridos independentemente ou através da placa. As fraturas por divisão são tratadas com uma placa de suporte, usando parafusos comuns mais parafusos de tração. As fraturas com uma superfície articular deprimida constituem uma boa indicação para uma placa bloqueada lateral para fornecer estabilidade angular ou placas que permitam parafusos paralelos logo abaixo do osso subcondral para suportar a superfície articular impactada (**Fig. 6.8.1-15**,

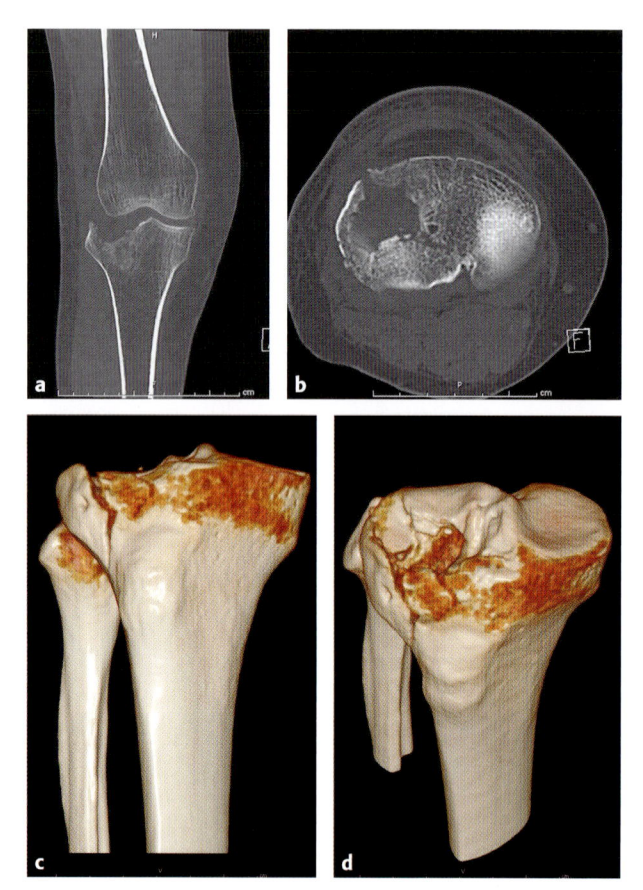

Fig. 6.8.1-20a-d
a Tomografia computadorizada (TC) coronal mostrando a divisão-depressão do planalto lateral.
b TC transversal mostrando uma perda grave da articulação anterolateral do planalto tibial lateral.
c-d TC tridimensional.

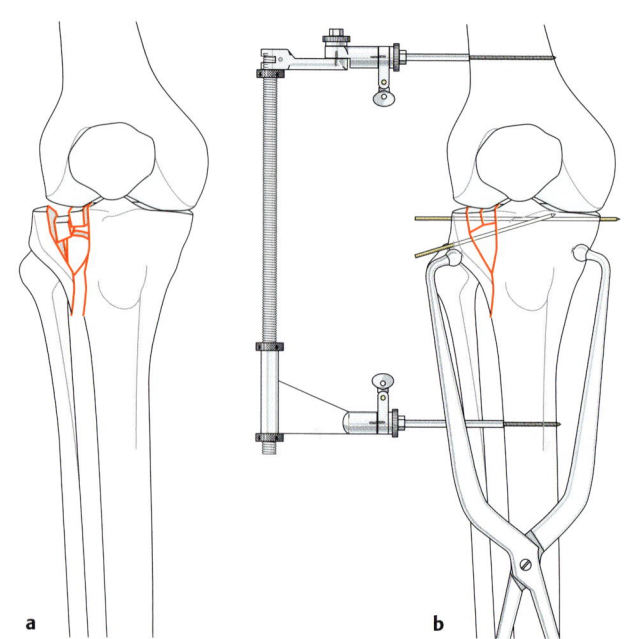

Fig. 6.8.1-21a-b Redução indireta de uma fratura lateral 41B3 com o distrator grande e a pinça de redução pélvica grande. Fixação preliminar com fios de Kirschner.

Figs. 6.8.1-21-22). O cirurgião deve estar ciente da possibilidade de uma ruptura meniscal desviada ficar aprisionada entre os fragmentos de fratura e impedir a redução anatômica. Essas rupturas devem ser reparadas uma vez que a superfície articular seja reconstruída.

Fraturas da coluna medial (41B1.2, 41B1.3, 41B2.2, 41B3.2)

As fraturas da coluna medial do planalto tibial, com ou sem depressão da superfície articular, são geralmente causadas por uma força de extensão em varo e podem ser parte de uma fratura-luxação. Desse modo, o cirurgião deve estar atento para lesões vasculares, nervosas e ligamentares associadas. O tratamento envolve uma placa de suporte medialmente colocada para prevenir a deformidade em varo; a estabilidade do joelho deve ser sempre cuidadosamente avaliada após a fixação da fratura e os achados registrados na descrição cirúrgica.

A lesão de partes moles do canto posterolateral com instabilidade está frequentemente associada a uma fratura da coluna medial e o canto posterolateral deve ser precocemente reparado.

A fratura de coluna medial frequentemente ocorre em combinação com uma fratura da coluna posterior. O tratamento de tal fratura é diferente de uma lesão única da coluna medial.

Fraturas da coluna posterior (41B2.3, 41B3.2)

A fratura-luxação que envolve a parte medial da coluna posterior é o tipo mais comum de fratura da coluna posterior. Ela é frequentemente combinada com uma depressão articular posterior-central ou posterior-lateral [17]. Esse tipo de fratura é causado por um mecanismo de lesão

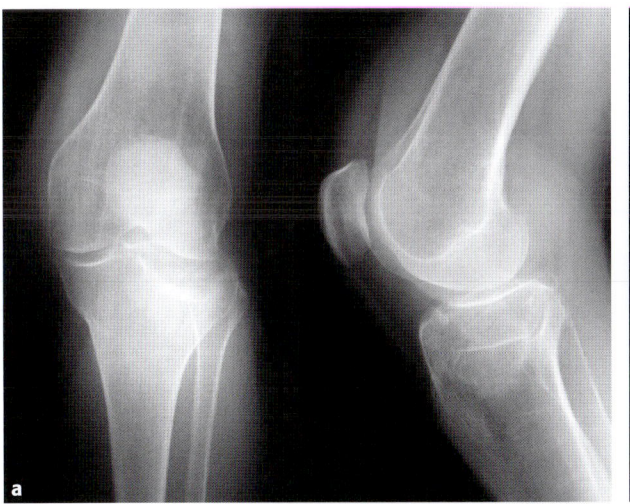

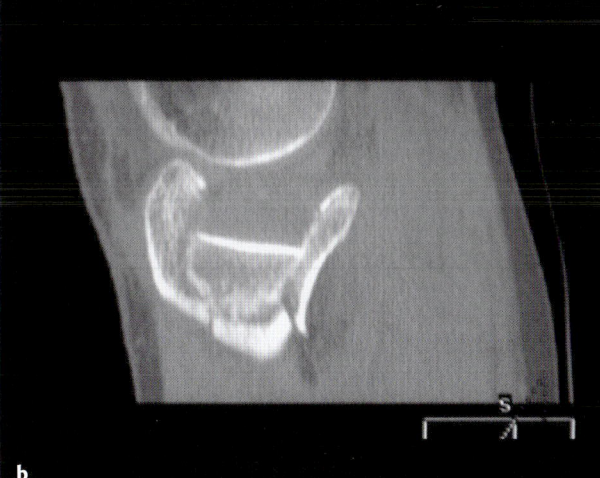

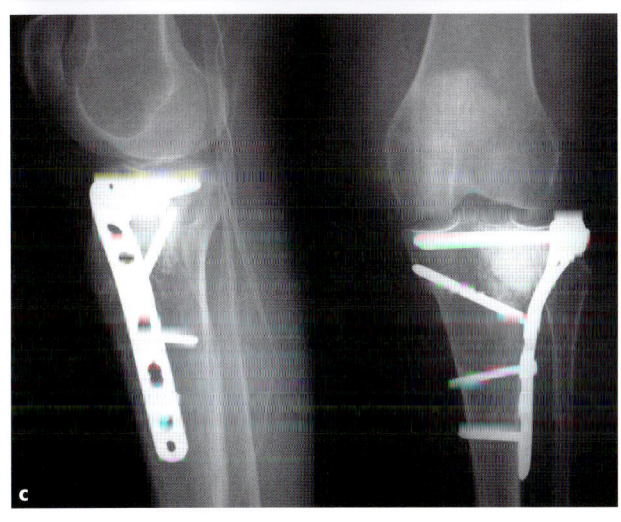

Fig. 6.8.1-22a-c Uso de substituto ósseo.
a Fratura 41B3 em uma mulher de 65 anos de idade.
b Exame de tomografia computadorizada sagital mostra depressão articular.
c Depois da redução da superfície articular, o defeito ósseo foi preenchido com substituto ósseo. A placa de suporte lateral com parafusos de cabeça bloqueada sustenta a fixação.

Fraturas específicas
6.8.1 Tíbia, proximal

em varo-flexão. A redução precoce bem-sucedida pode ser alcançada ao manter o joelho em extensão-valgo com tração axial. A luxação deve ser reduzida e fixada com uma placa de suporte posteromedial. A superfície articular deprimida pode ser acessada por meio de vias de acesso diferentes, mas uma via de acesso em forma de L invertido é uma opção razoável (**Fig. 6.8.1-23**) [17]. A avulsão do ligamento cruzado anterior e a ruptura do menisco lateral frequentemente ocorrem nesse tipo de fratura e a última deve ser reparada. O tratamento da parte lateral da coluna posterior é difícil e o melhor tratamento ainda está para ser estabelecido. O acesso cirúrgico a essa área para a redução e fixação da fratura é difícil, mesmo para cirurgiões experientes.

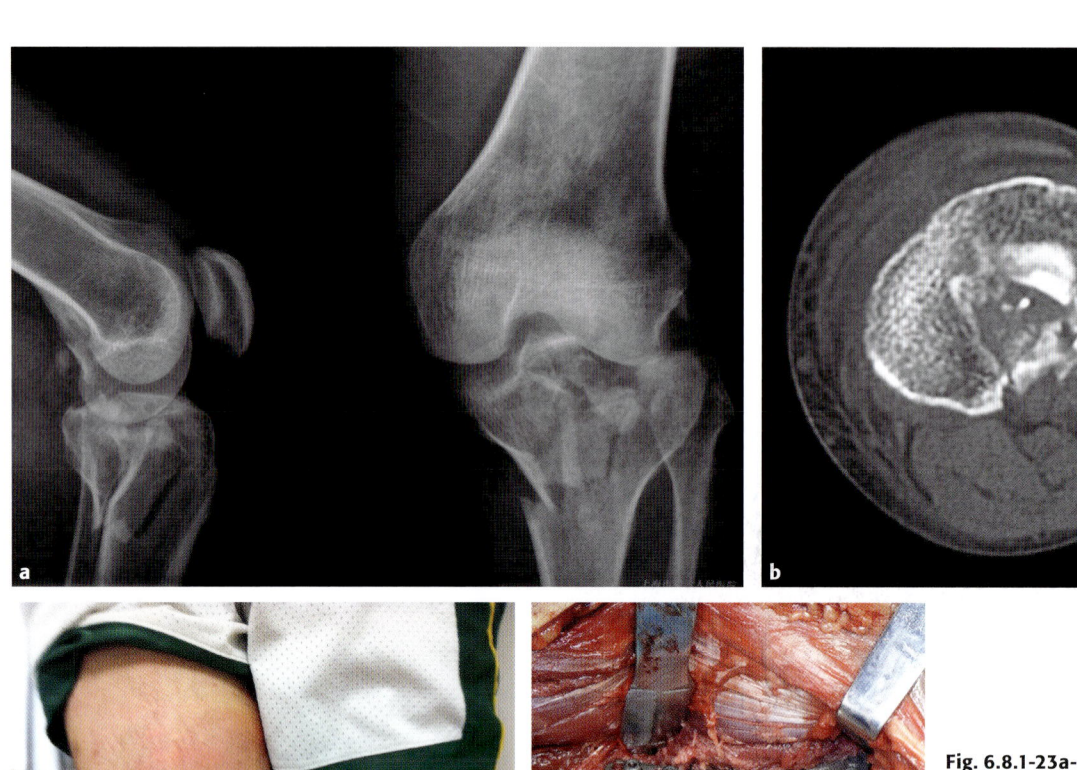

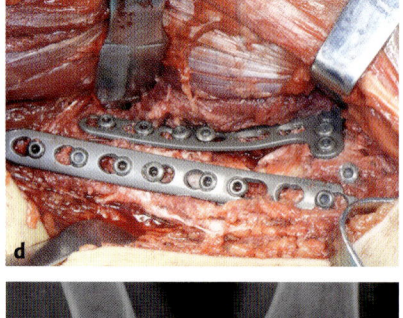

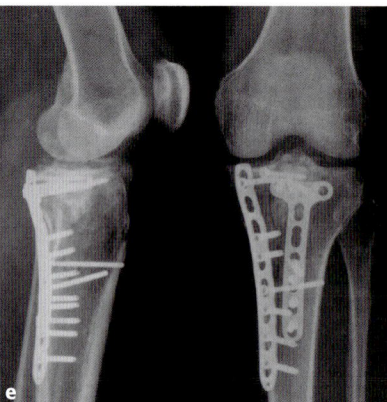

Fig. 6.8.1-23a-e Fratura da coluna posterior. Um homem de 43 anos de idade envolvido em uma lesão por motocicleta, com uma fratura da coluna posterior do planalto tibial na sua perna esquerda.
- **a** Radiografias pré-operatórias.
- **b** Tomografia computadorizada do paciente indicando um fragmento medial envolvendo a coluna posterior, bem como uma depressão articular posterior-central.
- **c** Uma via de acesso em L invertido foi executada para esse paciente.
- **d** Uma placa longa de 4,5 foi colocada como suporte para a coluna, enquanto a placa em T foi usada como suporte para a depressão articular.
- **e** Radiografia pós-operatória.

Fraturas com depressão articular (41B2)

A maior parte dessas lesões ocorre no planalto lateral e têm sido descritas como impacções circunscritas do planalto. Para avaliar essas fraturas, a TC é necessária já que as radiografias comuns podem não mostrar a extensão verdadeira da impacção [5]. A restauração completa da altura do compartimento articular afetado é essencial, já que essas fraturas tendem a sofrer colapso secundário com a perda do alinhamento axial e deformidade em valgo. Essas fraturas são mais adequadamente tratadas com parafusos paralelos e placas; a artroscopia intraoperatória pode ser útil.

7.3.3 Fraturas articulares completas (41C)

Esse tipo de fratura envolve as colunas medial e lateral ou todas as três colunas. Frequentemente resulta de um trauma de grande energia e está associada a muitas complicações. Além da fratura bicondilar, as fraturas podem se estender para dentro da diáfise e isso está associado a um risco considerável de síndrome compartimental e dano grave de partes moles. Muitas dessas fraturas vão necessitar de um fixador externo inicial transarticular enquanto os tecidos moles se acomodam durante alguns dias.

A redução percutânea com uma pinça grande pode ser tentada nas fraturas articulares simples com uma linha de fratura articular única (**Fig. 6.8.1-16d**). Para a fixação do fragmento medial, que é geralmente grande, uma incisão posteromedial separada com uma placa de 3,5 aplicada como suporte é geralmente preconizada (**Vídeo 6.8.1-1**). Em muitos casos, o padrão de fratura na metáfise medial permite a redução anatômica direta do côndilo medial sem abrir a articulação para inspecionar a superfície articular. O planalto lateral pode então ser reduzido sobre o côndilo medial (anatômico) por meio de uma incisão anterolateral ou parapatelar. Desse modo, a fratura tipo C é convertida em uma fratura do tipo B antes da redução e fixação final. A reconstrução do planalto lateral, incluindo a desimpacção da superfície articular, segue os mesmos princípios descritos para as fraturas 41B3. A fixação com parafuso de tração do bloco articular anatomicamente reduzido antes da aplicação da placa é essencial, já que qualquer cominução metafisária ou diafisária pode ser transposta com uma placa bloqueada longa de 3,5 ou 4,5 (**Fig. 6.8.1-24**). Um padrão de fratura particularmente complexo é a fratura bicondilar com um fragmento separado do tubérculo tibial que inclua a inserção inteira do mecanismo extensor. A fixação segura com parafusos de tração ou uma miniplaca (usada como uma banda de tensão) é essencial para permitir os exercícios precoces de amplitude de movimento [18]. Para as fraturas do tipo C com envolvimento da coluna posterior, uma via de acesso posterior como a incisão invertida em forma de L pode ser útil para a redução precisa.

7.4 Desafios

As fraturas de três colunas que envolvem a parte lateral da coluna posterior são o tipo mais difícil de fratura do planalto tibial. Uma via de acesso posterior em forma de L invertido na "posição flutuante" pode ser combinada com uma via de acesso anterolateral para lidar com essas fraturas (**Fig. 6.8.1-25**). Outros desafios incluem o cuidado de partes moles e o momento da cirurgia para essas fraturas. Uma fonte importante de morbidade envolve a síndrome compartimental que passa despercebida e que deve sempre ser suspeitada e agressivamente tratada. A fixação de fraturas do planalto tibial na presença de feridas abertas de fasciotomia é extremamente difícil, com uma alta taxa de complicações de partes moles e infecção profunda. Essa é uma situação onde o tratamento com armação circular deve ser considerado.

A fratura do planalto tibial ipsilateral (41, tipos A, B e C) com uma fratura da diáfise (42, tipos A, B e C) é uma lesão incomum, geralmente resultante de mecanismos de maior energia. A fratura articular tem prioridade e a fixação é claro junto para permitir a passagem de uma haste IM para a fratura da diáfise da tíbia [14].

Vídeo 6.8.1-1 Fixação interna de uma fratura bicondilar do planalto tibial com duas placas convencionais.

Fraturas específicas
6.8.1 Tíbia, proximal

8 Cuidados pós-operatórios

Depois da cirurgia, os exercícios isométricos de quadríceps são iniciados assim que possível. Muitos cirurgiões preferem duas semanas com o joelho em extensão em um imobilizador para permitir a cicatrização da ferida e prevenir contraturas em flexão do joelho. Alternativamente, um dispositivo de movimento passivo contínuo pode ser utilizado.

Os pacientes são geralmente mantidos com carga parcial por 6-8 semanas de acordo com a consolidação da fratura e a recuperação de partes moles. As exceções são as fraturas causadas por energia extremamente alta: esses pacientes precisam aderir à carga parcial por 10-12 semanas, mas ter flexão ativa ao longo das últimas 10 semanas desse período.

Fig. 6.8.1-24a-d Fratura bicondilar do planalto tibial. Um homem de 46 anos de idade feriu a sua perna direita em uma colisão de carro.
a   Radiografia pré-operatórias em AP e lateral.
b   Vista axial do planalto tibial.
c   Reconstrução tridimensional da fratura.
d   Radiografias pós-operatórias, vistas AP e lateral.

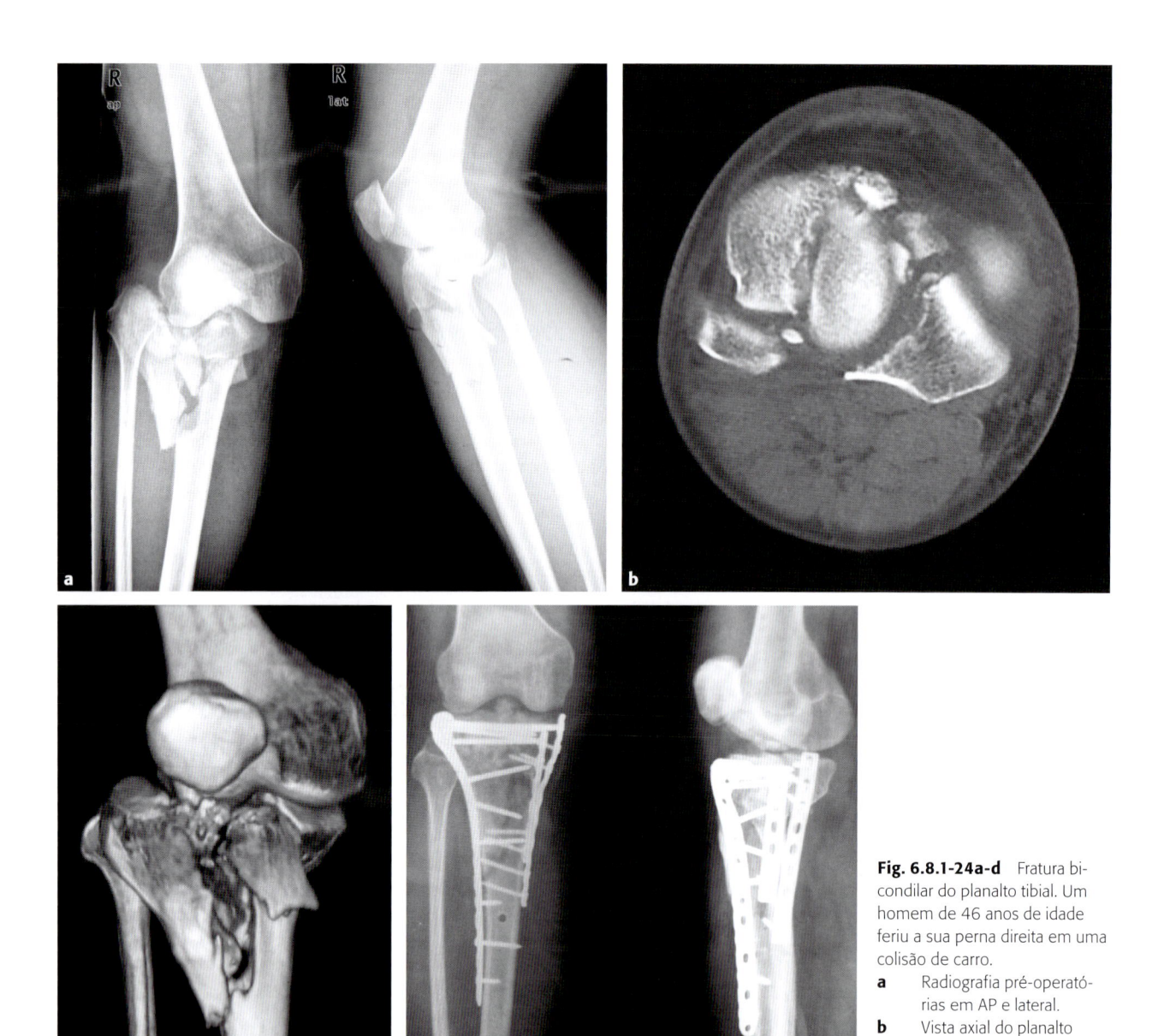

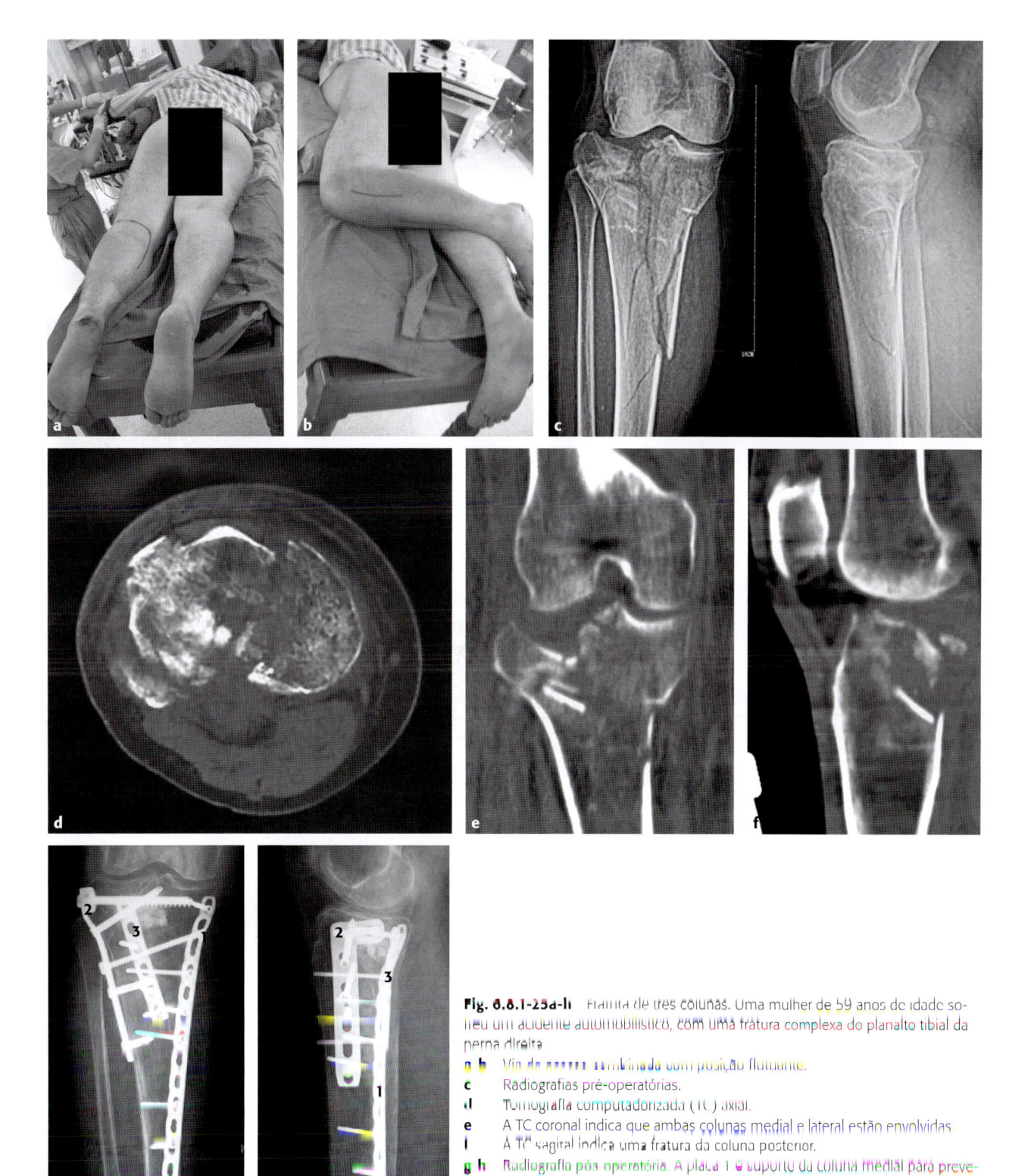

Princípios AO do tratamento de fraturas
Volume 2

Fig. 6.8.1-25a-h Fratura de três colunas. Uma mulher de 59 anos de idade sofreu um acidente automobilístico, com uma fratura complexa do planalto tibial da perna direita.

- a-b Via de acesso combinada com posição flutuante.
- c   Radiografias pré-operatórias.
- d   Tomografia computadorizada (TC) axial.
- e   A TC coronal indica que ambas colunas medial e lateral estão envolvidas.
- f   A TC sagital indica uma fratura da coluna posterior.
- g-h Radiografia pós-operatória. A placa 1 é suporte da coluna medial para prevenir o colapso em varo. A placa 2 é aplicada para reduzir o planalto lateral e a articulação. A placa 3 é usada para reduzir e estabilizar a região do planalto tibial posterior e central.

895

Fraturas específicas
6.8.1 Tíbia, proximal

9 Complicações

Os principais problemas precoces associados ao tratamento das fraturas de alta energia do planalto tibial são as complicações na ferida.

> Os problemas da ferida podem ser minimizados pela avaliação cuidadosa do envelope de partes moles, momento adequado da cirurgia, vias de acesso cirúrgicas apropriadas, desenvolvimento de retalhos de espessura completa, dissecção extraperiosteal dos fragmentos da fratura e mínimo desnudamento de partes moles no local da fratura.

A consolidação viciosa pode ocorrer com o colapso articular ou deformidade na junção metáfise/diáfise. O eixo mecânico e a depressão articular significativa devem ser corrigidos.

> Uma meta essencial da cirurgia é fornecer uma fixação estável da fratura de forma a permitir a mobilização articular precoce. A falha em alcançar isso com frequência resultará em desfechos piores que o tratamento não cirúrgico.

A artrofibrose, com rigidez grave e deformidade em flexão, pode ocorrer se o joelho for imobilizado por longos períodos. Deve ser dada atenção especial aos exercícios de extensão do joelho nos pacientes com vias de acesso posteriores. Esses pacientes também podem desenvolver uma deformidade em equino do tornozelo, de forma que a fisioterapia deve abordar todas as articulações maiores da perna. A soltura artroscópica das aderências, combinada com a manipulação gentil sob anestesia, está indicada para aqueles pacientes que falham em alcançar 90 graus de flexão dentro das primeiras 12 semanas.

As principais causas de artrite pós-traumática são:

- Mau alinhamento axial
- Instabilidade ligamentar
- Lesão primária da cartilagem articular
- Meniscectomia
- Incongruência articular
- Infecção

10 Prognóstico e desfecho

Para as fraturas do planalto tibial de baixa energia em pacientes mais jovens, que sejam tratadas cirurgicamente, os resultados são geralmente bons. Os pacientes tratados com fixação interna e que aderem aos princípios do tratamento de fraturas têm melhores desfechos clínicos, mas o tratamento dessas fraturas pode ser difícil no idoso com osteoporose. Esses pacientes têm uma alta incidência de depressão articular grave, com impacção secundária da superfície articular e deformidade em valgo. O uso de artroplastia total do joelho está sendo explorado nesse grupo de pacientes, mas as indicações e os resultados ainda não estão claros.

A não união e a infecção profunda são mais frequentes depois da RAFI das fraturas bicondilares do planalto tibial de alta energia que tenham sido tratadas com placa dupla por meio de duas incisões [20]. A importância de restaurar alinhamento ósseo, estabilidade ligamentar e preservação meniscal é enfatizada nos estudos que relatam desfechos. A remoção dos meniscos, incongruência articular ou má redução em varo aumentou a porcentagem de artrite degenerativa nos pacientes com mais de 7 anos de seguimento [21].

> Acredita-se que a estabilidade de joelho seja o fator mais importante para o desfecho do paciente em longo prazo [21].

11 Referências

1. **Zhang Y.** Fractures of the tibia/fibula. In: *Clinical Epidemiology of Orthopedic Trauma*. Stuttgart: Thieme; 2012:213–218.
2. **McQueen MM, Christie J, Court-Brown CM.** Compartment pressures after intramedullary nailing of the tibia. *J Bone Joint Surg Br.* 1990 May;72(3):395–397.
3. **Shuler FD, Dietz MJ.** Physicians' ability to manually detect isolated elevations in leg intracompartmental pressure. *J Bone Joint Surg Am.* 2010 Feb;92(2):361–367.
4. **Gardner MJ, Yacoubian S, Geller D, et al.** The incidence of soft tissue injury in operative tibial plateau fractures: a magnetic resonance imaging analysis of 103 patients. *J Orthop Trauma.* 2005 Feb;19(2):79–84.
5. **Yang G, Zhai Q, Zhu Y, et al.** The incidence of posterior tibial plateau fracture: an investigation of 525 fractures by using a CT-based classification system. *Arch Orthop Trauma Surg.* 2013 Jul;133(7):929–934.
6. **Barei DP, O'Mara TJ, Taitsman LA, et al.** Frequency and fracture morphology of the posteromedial fragment in bicondylar tibial plateau fracture patterns. *J Orthop Trauma.* 2008 Mar;22(3):176–182.
7. **Sun H, Luo CF, Yang G, et al.** Anatomical evaluation of the modified posterolateral approach for posterolateral tibial plateau fracture. *Eur J Orthop Surg Traumatol.* 2013 Oct;23(7):809–818.
8. **Heidari N, Lidder S, Grechenig W, et al.** The risk of injury to the anterior tibial artery in the posterolateral approach to the tibia plateau: a cadaver study. *J Orthop Trauma.* 2013 Apr;27(4):221–225.
9. **Zhu Y, Yang G, Luo CF, et al.** Computed tomography-based Three-Column Classification in tibial plateau fractures: introduction of its utility and assessment of its reproducibility. *J Trauma Acute Care Surg.* 2012 Sep;73(3):731–737.
10. **Luo C, Sun H, Zhang B, et al.** Three column fixation for complex tibial plateau fractures. *J Orthop Trauma.* 2010;24(11):683–692.
11. **Court-Brown CM, McBirnie J.** The epidemiology of tibial fractures. *J Bone Joint Surg Br.* 1995 May;77(3):417–421.
12. **Gosling T, Schandelmaier P, Muller M, et al.** Single lateral locked screw plating of bicondylar tibial plateau fractures. *Clin Orthop Relat Res.* 2005 Oct;439:207–214.
13. **Jiang R, Luo CF, Wang MC, et al.** A comparative study of Less Invasive Stabilization System (LISS) fixation and two-incision double plating for the treatment of bicondylar tibial plateau fractures. *Knee.* 2008 Mar;15(2):139–143.
14. **Bono CM, Levine RG, Rao JP, et al.** Nonarticular proximal tibia fractures: treatment options and decision making. *J Am Acad Orthop Surg.* 2001 May–Jun;9(3):176–186.
15. **Krettek C, Miclau T, Schandelmaier P, et al.** The mechanical effect of blocking screws ("Poller screws") in stabilizing tibia fractures with short proximal or distal fragments after insertion of small-diameter intramedullary nails. *J Orthop Trauma.* 1999 Nov;13(8):550–553.
16. **Sanders RW, DiPasquale TG, Jordan CJ, et al.** Semiextended intramedullary nailing of the tibia using a suprapatellar approach: radiographic results and clinical outcomes at a minimum of 12 months follow-up. *J Orthop Trauma.* 2014 May;28(5):245–255.
17. **Zhai Q, Hu C, Xu Y, et al.** Morphologic study of posterior articular depression in Schatzker IV fractures. *Orthopedics.* 2015 Feb;38(2):e124–128.
18. **Maroto MD, Scolaro JA, Henley MB, et al.** Management and incidence of tibial tubercle fractures in bicondylar fractures of the tibial plateau. *Bone Joint J.* 2013 Dec;95-B(12):1697–1702.
19. **Kubiak EN, Camuso MR, Barei DP, et al.** Operative treatment of ipsilateral noncontiguous unicondylar tibial plateau and shaft fractures: combining plates and nails. *J Orthop Trauma.* 2008 Sep;22(8):560–565.
20. **Ruffolo MR, Gettys FK, Montijo HE, et al.** Complications of high-energy bicondylar tibial plateau fractures treated with dual plating through 2 incisions. *J Orthop Trauma.* 2015 Feb;29(2):85–90.
21. **Giannoudis PV, Tzioupis C, Papathanassopoulos A, et al.** Articular step-off and risk of post-traumatic osteoarthritis. Evidence today. *Injury.* 2010 Oct;41(10):986–95

12 Agradecimento

Agradecemos a Hans Chris Pape e Pol Rommens por suas contribuições para este capítulo na 2ª edição de *Princípios AO do tratamento de fraturas*.

Fraturas específicas
6.8.1 Tíbia, proximal

6.8.2 Tíbia, diáfise

Paulo Roberto Barbosa de Toledo Lourenço

1 Introdução

1.1 História

A fratura da tíbia, além de todas as outras fraturas de ossos longos, tem sido um problema difícil para os cirurgiões. Seja de natureza exposta ou fechada, esta fratura tem uma história de consolidação difícil e, antes do advento dos antibióticos, uma fratura exposta da tíbia era com frequência suficiente para matar uma pessoa por infecção. É a fratura mais comum dos ossos longos.

1.2 Epidemiologia

A incidência global tem sido estimada em 20 por 100 mil pessoas/ano. São os adolescentes do sexo masculino que têm o risco mais alto de sofrer essa lesão, com uma incidência de 39 por 100 mil pessoas/ano. Até 24% de todas as fraturas diafisárias da tíbia se apresentam como lesões expostas [1].

1.3 Características especiais

O terço anterior da tíbia não tem nenhuma cobertura muscular e fica diretamente sob a pele. Por conseguinte, a maioria das fraturas da tíbia está associada a uma lesão da pele e tecidos subcutâneos, mesmo em fraturas fechadas. A síndrome compartimental ocorre mais frequentemente com as fraturas da tíbia do que com qualquer outra fratura. Isso pode ser porque a fáscia é particularmente espessa e forte na perna. As causas incluem inchaço, sangramento, isquemia ou edema de rebote após a restauração da vascularização (lesão por reperfusão). O compartimento anterior é geralmente o mais envolvido.

2 Avaliação e diagnóstico

2.1 História do caso e exame físico

A gravidade do dano de partes moles é vital na tomada de decisão para o tratamento das fraturas da tíbia e deve ser completamente avaliada. A perna inteira deve ser inspecionada na busca de feridas, contaminação, contusões, edema e flictenas. Esses são sinais de comprometimento de partes moles que podem influenciar o momento do tratamento definitivo. Tais lesões devem ser claramente documentadas.

O exame neurovascular do membro inferior após o trauma é essencial e nunca deve ser omitido. A lesão arterial é relativamente comum. Os pulsos pedioso dorsal e tibial posterior devem ser examinados. O índice tornozelo-braquial pode ser útil, mas pode ser difícil de medir na presença de uma fratura da tíbia. O retorno capilar para os dedos do pé deve ser avaliado, mas pode ser enganoso, já que pacientes jovens com uma lesão arterial importante frequentemente têm circulação colateral suficiente para manter o pé cor-de-rosa, enquanto os músculos na perna estão isquêmicos. Qualquer anormalidade dos pulsos pediosos após uma fratura da tíbia é uma emergência cirúrgica. A deformidade deve ser corrigida e, se os pulsos permanecerem anormais, o paciente tem uma lesão vascular até prova em contrário: é necessária uma consulta imediata com um cirurgião vascular.

A síndrome compartimental ocorre em até 9% das fraturas da diáfise da tíbia [2]. Os pulsos estão geralmente presentes. O sintoma principal é a dor pronunciada, que não é aliviada por opioides. Os sinais clínicos fundamentais incluem pele tensa e brilhante, dor à extensão passiva do pé e dos dedos do pé e parestesia no primeiro espaço interdigital. A suspeita de síndrome compartimental requer ação imediata, seja com a medida das pressões dos compartimentos ou a liberação operatória da fáscia profunda. Nas fraturas da tíbia, as lesões nervosas são menos comuns que as lesões arteriais, mas a função motora e sensitiva dos nervos fibular comum e tibial posterior deve ser avaliada com precisão.

Fraturas específicas
6.8.2 Tíbia, diáfise

2.2 Exames de imagem

As imagens radiográficas da tíbia são geralmente limitadas às radiografias comuns em vista anteroposterior (AP) e lateral. O joelho e o tornozelo devem ser incluídos nos filmes ou com imagens separadas. A investigação no trauma grave de pacientes com frequência requer a angiotomografia computadorizada dos membros, que pode ser útil para ajudar na avaliação da circulação periférica e da integridade óssea.

3 Anatomia

O terço médio da tíbia é ímpar, com a sua falta de cobertura muscular e com quatro compartimentos musculares que cercam a tíbia e a fíbula (**Fig. 6.8.2-1**). Os tecidos moles são de importância extrema nessa área anatômica; desse modo, é um osso longo onde as técnicas minimamente invasivas têm uma história favorável, seja encavilhamento, uso de placa ou fixação com anel para cuidados definitivos. Quando os tecidos moles estiverem comprometidos, perdidos ou necessitando de reconstrução, a experiência de uma equipe de cirurgia plástica é essencial. Hoje o cuidado ortoplástico precoce e combinado é reconhecido por fornecer o melhor desfecho para os pacientes com fraturas expostas da tíbia [3]. Não é incomum a perda óssea com uma fratura multifragmentada. As técnicas especiais são então necessárias para o tratamento da perda óssea, como a técnica de Masquelet [4] ou o método de Ilizarov.

4 Classificação

4.1 Classificação AO/OTA de Fraturas e Luxações

A Classificação alfanumérica AO/OTA de Fraturas e Luxações designa as fraturas da diáfise da tíbia como osso 4 (tíbia) e segmento 2 (diáfise). O tipo A corresponde a fraturas simples com uma única linha de fratura. É o tipo de fratura mais comum. As fraturas tipo B têm um fragmento em cunha intermediário. As fraturas tipo C são causadas por trauma de grande energia e são fraturas multifragmentadas e segmentadas (**Fig. 6.8.2-2**).

4.2 Outras classificações relevantes

Com 25% das fraturas da tíbia sendo fraturas expostas, a classificação de Gustilo das fraturas expostas é importante [5]. Essa classificação ajuda no tratamento precoce: o fechamento primário pode ser executado nos tipos 1 e 2, um segundo debridamento é geralmente necessário para o tipo 3A, um procedimento de cobertura de partes moles é necessário para o tipo 3B e o reparo vascular é necessário para tipo 3C. Essa classificação se correlaciona com as taxas de infecção e de consolidação.

5 Indicações cirúrgicas

- Fraturas expostas [1]
- Politraumatismo
- Joelho ou tornozelo flutuantes
- Falha para obter ou manter uma redução aceitável com as técnicas fechadas
- Comprometimento neurovascular
- Síndrome compartimental [2]

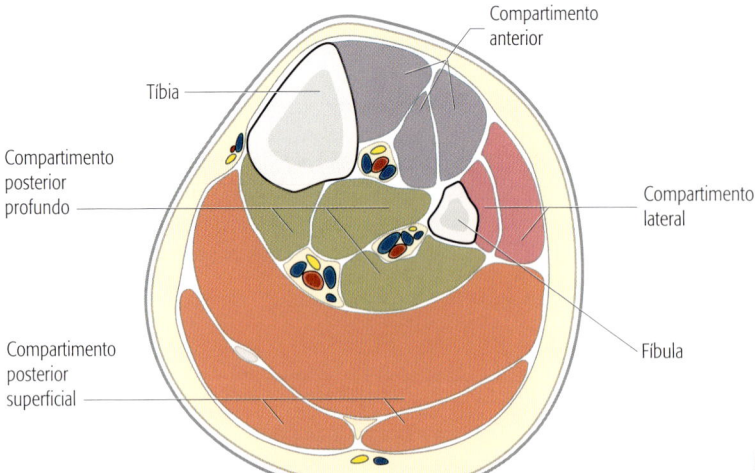

Fig. 6.8.2-1 Seção transversal da porção média da perna mostrando ossos, músculos e compartimentos.

Em fraturas expostas e nas fraturas fechadas associadas à lesão arterial ou síndrome compartimental, a estabilização da fratura é uma parte fundamental do tratamento das partes moles.

6 Planejamento pré-operatório

As decisões fundamentais do tratamento dependerão da "personalidade da lesão": fatores do paciente, dos tecidos moles e da fratura em si. As instalações disponíveis e a experiência também são fundamentais para a tomada de decisão.

6.1 Tratamento não cirúrgico

Atualmente, o tratamento não cirúrgico deve ser considerado para as fraturas incompletas, fraturas de estresse e para as fraturas completas não desviadas ou minimamente desviadas resultantes de trauma de baixa energia [6]. Embora o tratamento não cirúrgico tenha sido comum no passado, o padrão atual para as fraturas fechadas e desviadas da diáfise da tíbia é o encavilhamento intramedular [7-9]. Vários estudos que compararam os resultados do tratamento não cirúrgico contra o tratamento cirúrgico com a haste bloqueada mostraram que o grupo não cirúrgico tinha mais dor, taxas mais altas de consolidação viciosa e de retardo de consolidação, e desfechos funcionais menos favoráveis.

O tratamento não cirúrgico, se escolhido, pode ser inicialmente executado com um gesso bem moldado. Assim que o paciente mostre melhora da dor, a carga progressiva deve ser encorajada por meio de um imobilizador funcional até que haja uma consolidação completa da fratura [6].

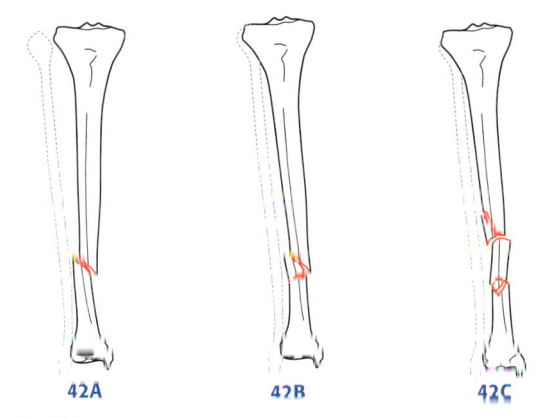

42A Tíbia, segmento diafisário, **fratura simples**
42B Tíbia, segmento diafisário, **fratura em cunha**
42C Tíbia, segmento diafisário, **fratura multifragmentada**

Fig. 6.8.2 Classificação AO/OTA de Fraturas e Luxações – segmento diafisário da tíbia.

6.2 Momento da cirurgia

O momento da cirurgia será determinado pelos fatores do paciente (p. ex., politraumatismo, comorbidades e considerações de partes moles, como feridas, edema e flictenas). Se a fratura da tíbia for exposta ou o paciente apresentar-se politraumatizado, o debridamento da ferida com controle de danos pode ser a melhor tática [10]. A redução e a fixação externa constituem um primeiro passo razoável para o cuidado de partes moles com debridamento adicional e cobertura de partes moles quando for possível. A síndrome compartimental é sempre um risco e deve ser cuidadosamente monitorada: é importante lembrar que mesmo as fraturas expostas podem apresentar síndrome compartimental. O cuidado ideal da fratura envolve o tratamento cirúrgico precoce com monitoração cuidadosa das complicações. A melhor prática para o cuidado de partes moles envolve o debridamento precoce seguido pelo debridamento repetitivo e cobertura de partes moles em 5-7 dias, embora alguns sistemas de trauma recomendem o cuidado definitivo de partes moles dentro de 72 horas [3].

6.3 Seleção do implante

Muitos estudos compararam os implantes na fratura de tíbia. Os fixadores externos servem para o cuidado inicial das fraturas da diáfise da tíbia (somente temporário), mas as hastes têm menos complicações quando usadas em definitivo [1]. Vários ensaios controlados e randomizados de grande porte [11-15] determinaram que as hastes tibiais fresadas têm as vantagens de melhores taxas de consolidação e com menos complicações se comparadas com as hastes tibiais não fresadas nas fraturas da diáfise da tíbia. As fraturas expostas da tíbia também podem ser tratadas seguramente com hastes tibiais fresadas [13]. Foi mostrado que a circulação endosteal, destruída pela fresagem do canal, está completamente restabelecida entre 8 e 12 semanas. Durante esse período, o periósteo permanece a principal fonte de suprimento sanguíneo para o osso cortical. A fresagem do canal medular tem vários benefícios em potencial para a fixação da tíbia. Mecanicamente, permite o uso de hastes maiores e mais fortes que melhoram a estabilidade. Biologicamente, o material de fresagem é composto de milhares de células pluripotenciais e pode ser depositado ao longo do local de fratura, servindo como um estímulo biológico para a consolidação da fratura.

As fraturas diafisárias da tíbia podem se estender em direção a alguma articulação e é nesses casos que o uso da placa poderia ter algumas vantagens, com taxas mais baixas de consolidação viciosa, embora a taxa de consolidação permaneça melhor com as hastes [16]. As técnicas especiais, como os parafusos Poller, são necessárias quando as hastes forem usadas para as fraturas proximais ou distais da diáfise da tíbia [17].

Fraturas específicas
6.8.2 Tíbia, diáfise

6.4 Configuração da sala de cirurgia

Uma leve tração manual é mantida no membro (se ele já não estiver em tração) durante a preparação para evitar uma deformidade excessiva no local de fratura. A área exposta é desinfetada a partir do quadril, distalmente, incluindo o pé, com um antisséptico apropriado. O membro é preparado com campo descartável em U ou de extremidade. Uma malha (ou luva estéril) cobre o pé e é fixada com fita. Deve haver cuidado para não esconder as posições do parafuso de bloqueio distal (**Fig. 6.8.2-3**).

A equipe da sala de cirurgia e os cirurgiões ficam no lado do membro afetado. O intensificador de imagem é posicionado no lado oposto da mesa, medial à fratura e perpendicular ao eixo longo da tíbia. A tela do intensificador de imagem é posicionada de forma a ser plenamente visível por parte da equipe cirúrgica e pelo técnico de radiologia (**Fig. 6.8.2-4**).

7 Cirurgia

7.1 Posicionamento e vias de acesso
7.1.1 Encavilhamento intramedular

Uma vez que a decisão para uma haste intramedular (IM) tenha sido feita, é importante avaliar a largura do canal no ponto mais estreito (às vezes, ele pode ser menor que a menor fresa).

A **Fig. 6.8.2-5** mostra as muitas formas para posicionar o paciente para o encavilhamento da tíbia. As vias de acesso clássicas para inserção de uma haste IM são a via de acesso transpatelar ou a parapatelar. A decisão depende da experiência e preferência do cirurgião, uma vez que a literatura não mostrou nenhuma diferença em termos de dor no joelho ou outras complicações ao comparar ambas as opções (**Fig. 6.8.2-6**) [18, 19]. O ponto de entrada correto é na linha média e logo ao lado da cartilagem anteriormente e bem acima da tuberosidade tibial. O ponto de início deve ser conferido com vistas em AP e lateral no intensificador de imagem antes de abrir o canal medular. Em algumas fraturas oblíquas proximais, um ponto de entrada parapatelar lateral ajuda a assegurar que haja pouco desvio da fratura durante a inserção da haste (**Vídeo 6.8.2-1**). As hastes IM modernas têm uma curva no plano sagital proximal (curva de Herzog). O joelho deve ser flexionado para evitar a perfuração da cortical posterior da tíbia [20].

Fig. 6.8.2-3 Posicionamento, desinfecção e preparo do paciente.

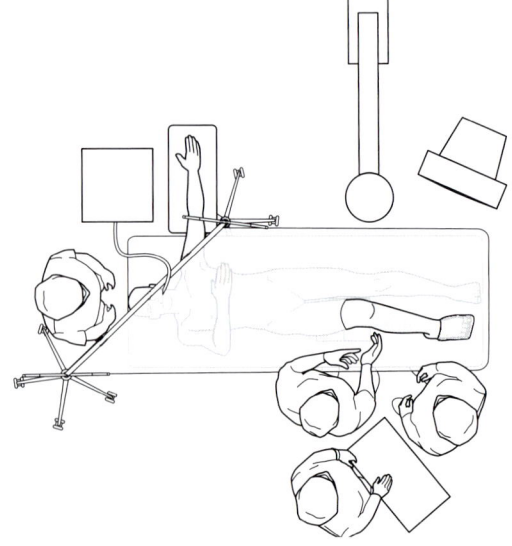

Fig. 6.8.2-4 Posicionamento da equipe na sala de cirurgia e do intensificador de imagem para o encavilhamento intramedular.

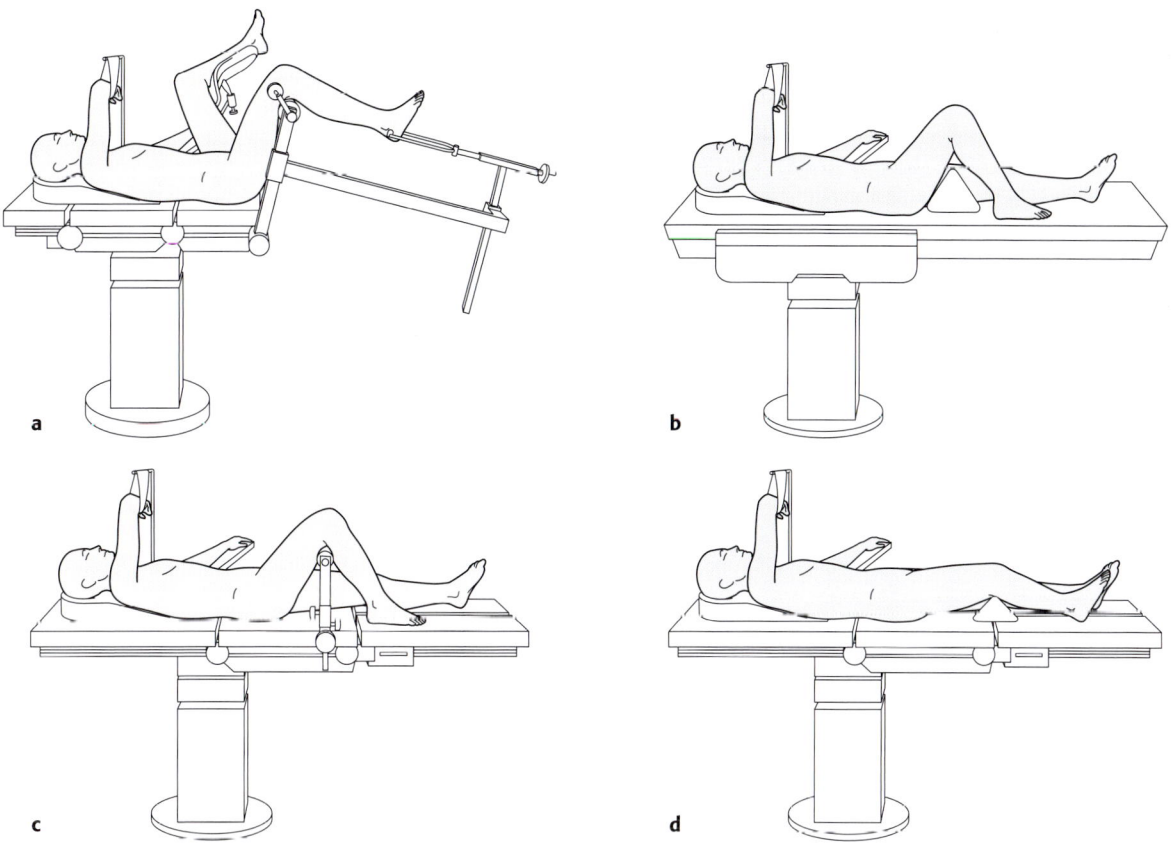

Princípios AO do tratamento de fraturas
Volume 2

Fig. 6.8.2-5a-d Posicionamento para o encavilhamento intramedular da tíbia.
a Na mesa de tração.
b Em uma mesa radiolucente, o joelho é flexionado sobre um triângulo radiolucente.
c Em um apoio acolchoado, o joelho é flexionado o máximo possível.
d Posição de semiextensão sobre uma almofada com o joelho quase completamente estendido.

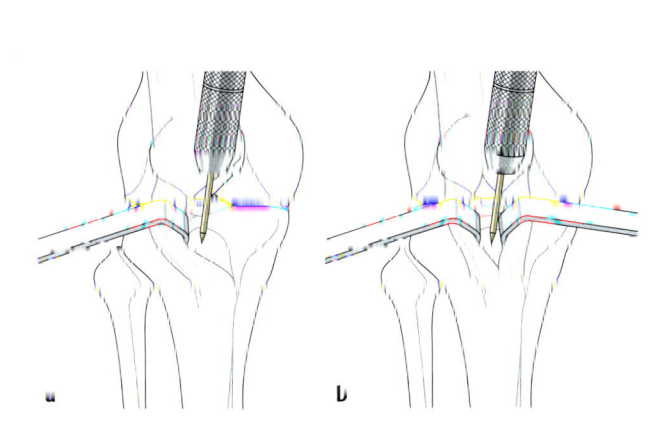

Fig. 6.8.2-6a-b Via de acesso para o encavilhamento intramedular.
a Via de acesso medial ao tendão
b Divisão do tendão patelar

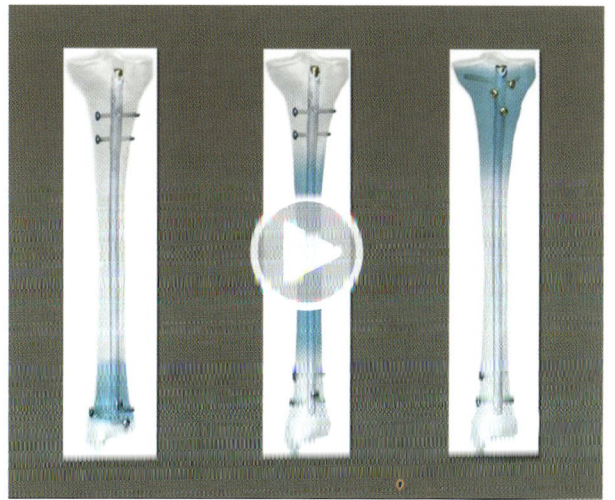

Vídeo 6.8.2-1 Planejamento, redução e técnica de inserção da haste intramedular da tíbia (ETN).

Fraturas específicas
6.8.2 Tíbia, diáfise

Recentemente, uma via de acesso alternativa, a via de acesso suprapatelar, foi descrita para o tratamento das fraturas proximais da tíbia. A vantagem dessa via de acesso é que o membro afetado é colocado com o joelho em semiextensão, evitando as deformidades clássicas de extensão e valgo do fragmento proximal da tíbia [21-23]. A posição semiestendida neutraliza as forças de deformação, favorecendo a fixação com redução satisfatória. Para proteger a cartilagem femoropatelar, foram projetados instrumentos especiais e capas de proteção de partes moles para diminuir o dano potencial à cartilagem. O seguimento em longo prazo é necessário para assegurar a eficácia dessa via de acesso (**Fig. 6.8.2-7**).

7.1.2 Placas

A **Fig. 6.8.2-5d** demonstra a posição adequada para o uso de placa na tíbia. As vias de acesso são planejadas com base em uma via de acesso aberta ou uma osteossíntese com placa minimamente invasiva (OPMI) e devem levar em conta o dano de partes moles, incluindo o desenluvamento fechado e a posição dos vasos perfurantes.

Os seguintes princípios são importantes:

- Colocar a placa sob cobertura viável de partes moles.
- Criar uma montagem estável osso-placa.
- Aplicar a placa sem desnudamento periosteal.
- Tomar grande cuidado com os tecidos moles comprometidos.

A técnica de OPMI ajuda a alcançar essas metas, mas tendo cuidado para evitar a tração excessiva das partes moles com os afastadores. A meta da OPMI não é fazer a menor incisão cirúrgica possível, mas sim causar a quantidade mínima de dano cirúrgico às partes moles.

A superfície anteromedial da tíbia é subcutânea ao longo de seu comprimento, mas o cirurgião deve estar ciente da necessidade para perfeita moldagem da placa a fim de evitar má redução angular ou rotacional, especialmente em fraturas distais da tíbia. Além disso, a placa deve estar bem próxima ao osso nessa posição. Isso é mais fácil de alcançar com um parafuso-convencional. Os parafusos de bloqueio, se usados apenas eles, podem fazer a placa ficar mais afastada do osso, pondo tensão excessiva na pele sobrejacente e às vezes prejudicando o fechamento da ferida. O uso de placa medial deve ser evitado em pacientes com pele fina.

Uma via de acesso anterolateral também é acessível, mas a exposição requer a abertura do compartimento anterior e a proteção dos nervos e vasos anteriores. A moldagem da placa é mais difícil nesse lado da tíbia, já que a placa deve ser torcida. A via de acesso da tíbia é de 1 cm lateralmente à crista tibial (**Fig. 6.8.2-8**). A fáscia sobrejacente ao músculo é incisada em alguns milímetros da crista da tíbia para deixar uma franja de tecido para reinserção posterior. As incisões cirúrgicas anteromediais ou anterolaterais para a fixação com placa são retas e de comprimento suficiente para serem usadas sem tensão nos tecidos moles,

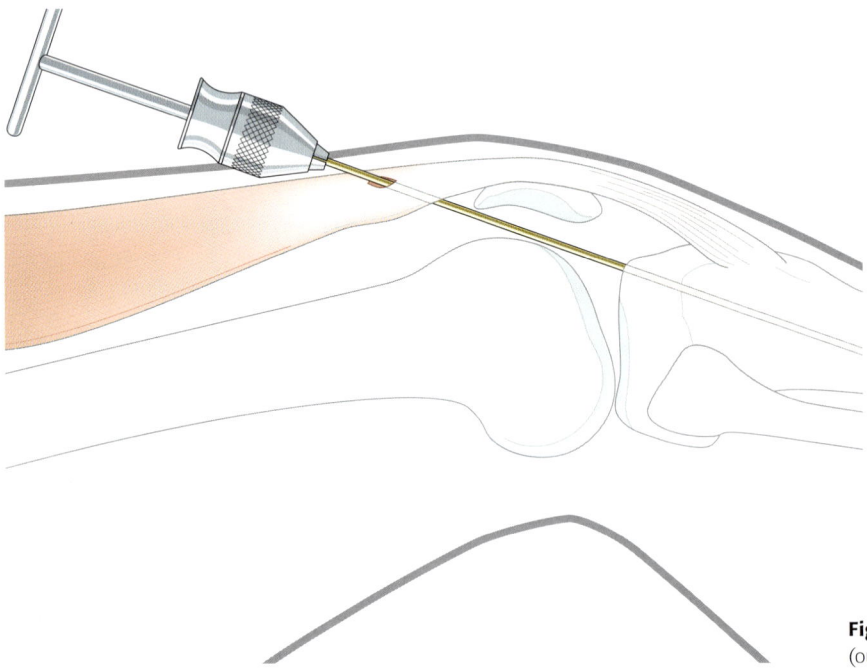

Fig. 6.8.2-7 Encavilhamento semiestendido (ou retropatelar) proximal da tíbia.

especialmente na região distal da perna. Isso requer uma avaliação pré-operatória cuidadosa dos tecidos moles para decidir a posição e o comprimento da via de acesso.

A tuberosidade tibial, o maléolo medial e a face lateral proximal da tíbia devem ser evitados como posições para implantes grandes, já que as placas e parafusos são com frequência palpáveis e causam desconforto depois que o edema cede.

7.1.3 Fixação externa

Na maioria das situações, a armação unilateral será a escolha mais fácil e mais adequada para as fraturas diafisárias. As armações circulares com fios finos tensionados, incluindo a armação híbrida, são úteis para as fraturas que envolvem a porção proximal e distal da tíbia, já que permitem a fixação estável perto de uma articulação sem prejudicar o movimento articular. As armações circulares também podem ser úteis para o encurtamento agudo das fraturas expostas com perda de osso e partes moles, permitindo a osteogênese por distração em um estágio mais tardio. Se for planejado o uso de uma haste IM, a troca do fixador externo para a haste IM deve ser dentro de 2 semanas da lesão para evitar o risco de infecção (**Fig. 6.8.2-9**). O cirurgião deve estar ciente das zonas seguras para a fixação externa, por meio das quais os pinos, os fios transfixantes ou os parafusos de Schanz podem ser colocados sem envolver músculos, tendões, nervos ou vasos (ver Cap. 3.3.3). As zonas seguras para os pinos transfixantes são mais estreitas e um bom conhecimento da anatomia é essencial. É mais seguro usar fios finos tensionados (1,8-2,0 mm) para transfixação.

7.2 Redução

7.2.1 Encavilhamento intramedular

As fraturas da diáfise requerem a "redução funcional" para restaurar o comprimento, o alinhamento e a rotação e, desse modo, restaurar o eixo mecânico do membro.

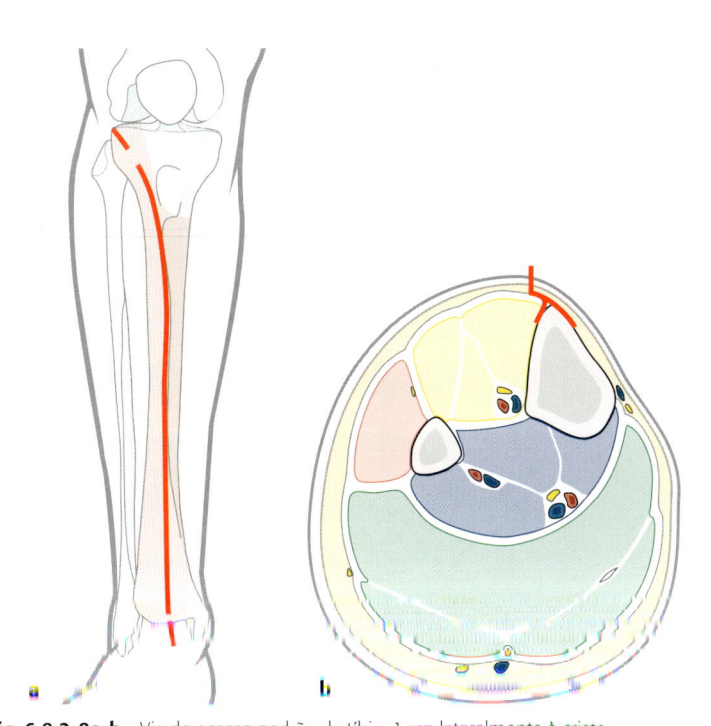

Fig. 6.8.2-8a-b Via de acesso padrão da tíbia, 1 cm lateralmente à crista.
a Na extremidade distal, a incisão cruza a crista em uma leve curva, na direção do maléolo medial.
b O corte transversal da perna mostra os melhores caminhos para abordar o lado medial e o lado lateral da tíbia. Os quatro compartimentos da perna estão demonstrados.

Amarelo = Compartimento anterior
Vermelho = Compartimento lateral
Azul   = Compartimento posterior profundo
Verde   = Compartimento posterior superficial

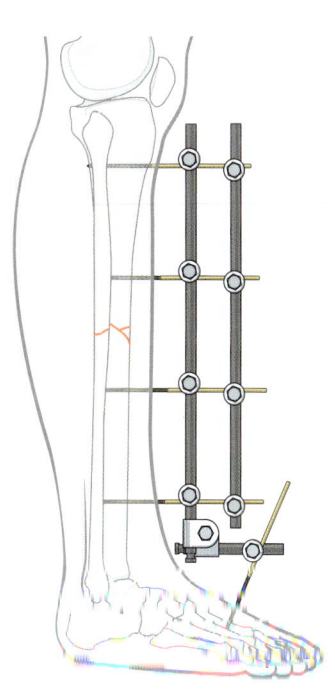

Fig. 6.8.2-9 Para prevenir a contratura em flexão plantar do pé, um fio pode ser colocado no primeiro metatarso e conectado à armação principal por uma barra única.

Fraturas específicas
6.8.2 Tíbia, diáfise

Em algumas fraturas, a tração manual é um método efetivo para alcançar a redução. Ao obter o comprimento adequado do osso fraturado, as deformidades angulares são corrigidas. Para controlar a rotação, a inclusão do membro contralateral no campo cirúrgico é útil para comparação. Várias ferramentas de redução estão disponíveis para ajudar na redução e fixação com haste IM, como o distrator femoral, o fixador externo, os instrumentos de osteossíntese minimamente invasiva (OMI), as placas de redução temporária, a pinça convencional e a mesa de tração. O planejamento pré-operatório deve considerar essas opções. Essas técnicas são particularmente importantes para as fraturas mais proximais e distais da diáfise, já que o alargamento do canal IM não permite que a haste reduza a fratura, o que ela faz na diáfise. Ocasionalmente, após a redução e uso de placa na fíbula, a redução da tíbia é bastante facilitada (**Fig. 6.8.2-10**).

O distrator femoral é uma ferramenta útil para ajudar na redução, especialmente nas fraturas multifragmentadas ou na fixação retardada da fratura, quando a tração mais efetiva e consistente for necessária. Deve haver cuidado ao inserir os parafusos de Schanz do lado medial, já que eles devem ser posicionados sem bloquear a colocação da haste tibial. Na proximal da tíbia, o fio é posicionado em paralelo à articulação, mas posterior ao caminho da haste. O Schanz distal é colocado em paralelo à articulação, mas, posteriormente, se a configuração da fratura demandar o posicionamento distal da haste, ou no centro, se não houver necessidade que a haste termine perto da linha articular. Nas fraturas distais, o parafuso de Schanz pode ser colocado no tálus ou no calcâneo, já que a haste terminará perto da articulação do tornozelo. Os Schanz para o distrator devem ser colocados em uma direção ligeiramente convergente, de forma que o eixo seja corrigido com a distração, já que o distrator tende a causar um posicionamento em valgo. *Joysticks* também podem ser usados. Os parafusos *Poller* podem ser usados para ajudar a corrigir o mau alinhamento axial (Cap. 3.3.1).

Depois que o comprimento tiver sido restaurado na tíbia, os ajustes finos podem ser feitos com a inserção de uma pinça percutânea que pode ser usada para a redução final da fratura (**Figs. 6.8.2-11-12**) e para manter a redução até que a haste tenha sido colocada.

7.2.2 Placas

As fraturas desviadas e instáveis dos terços proximais e distais da diáfise da tíbia – com ou sem envolvimento articular – são a melhor indicação para a fixação com placa. A fixação com placa também está indicada nos casos que requerem a redução anatomicamente precisa ou quando as hastes não puderem ser usadas como, por exemplo, um canal estreitado, nas deformidades preexistentes ou fraturas peri-implante. A redução miniaberta de uma fratura simples, combinada com OPMI, é uma boa opção para reduzir anatomicamente a fratura com menos dissecção de partes moles.

Fig. 6.8.2-10 No caso de uma fratura distal da fíbula, uma placa terço de tubo pode ajudar no controle do alinhamento dos fragmentos tibiais.

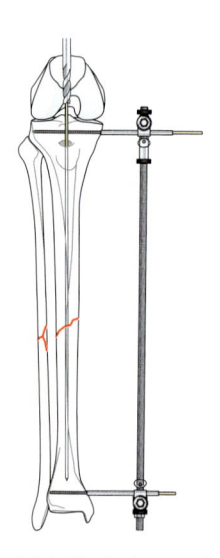

Fig. 6.8.2-11 Redução pelo distrator grande com correção do comprimento e do alinhamento axial e rotacional antes do encavilhamento intramedular.

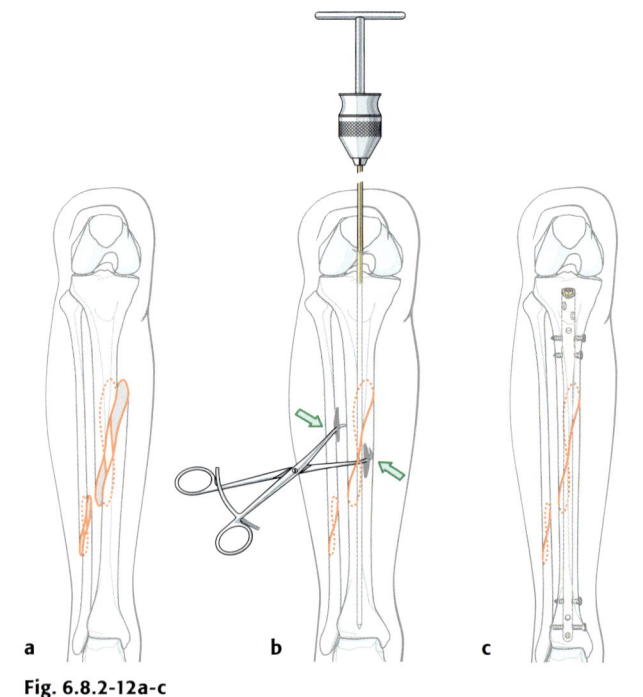

Fig. 6.8.2-12a-c
A redução pode ser difícil em fraturas muito instáveis e é auxiliada por uma pinça de redução percutânea. O bloqueio estático é necessário.

A **Fig. 6.8.2-13** demonstra o planejamento do comprimento adequado para uma placa necessária para transpor uma zona de fratura multifragmentada. O comprimento é fundamental para a redução correta e deve ser restaurado como o primeiro passo na maioria das reduções. A manipulação para obter redução deve ser gentil para evitar o comprometimento adicional ao suprimento sanguíneo dos fragmentos de fratura, e todo o periósteo é poupado. Com uma fratura simples tipo A, ou uma fratura em cunha de flexão tipo B, a redução anatômica direta deve ser alcançada, seguida pela fixação com parafuso de tração interfragmentar e uma placa de proteção ou de compressão para fornecer a estabilidade absoluta. Nas fraturas complexas tipo C, a redução exata não é necessária e a placa somente deve ter uma função de suporte (**Vídeo 6.8.2-2**). As técnicas minimamente invasivas com redução indireta e implantes extralongos (**Fig. 6.8.2-13**) fornecem estabilidade relativa e um ambiente de baixa tensão que permite a consolidação pela formação de calo. A **Fig./Animação 6.8.2-14** demonstra a técnica adequada para a inserção da placa percutânea com uma função de ponte. A pinça de redução percutânea ou a pinça colinear são ferramentas extremamente úteis para os ajustes finos na redução das fraturas proximais ou distais da tíbia.

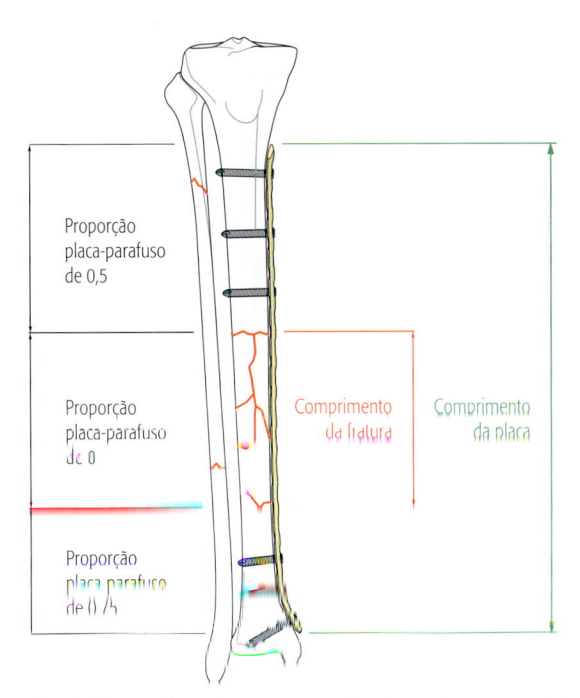

7.3 Fixação

7.3.1 Encavilhamento intramedular

Se uma haste não fresada for usada, ela pode ser colocada uma vez que a redução tenha sido alcançada. A maioria das fraturas da tíbia é mais adequadamente tratada com fresagem. A fresagem deve ser executada até que o som cortical característico ocorra, e isso significa que o istmo da tíbia está sendo fresado para melhorar o comprimento de "trabalho" da haste tibial. A maioria das tíbias aceitará uma haste, depois de cuidadosamente fresada, entre 1 e 1,5 mm acima do tamanho da haste desejada. É importante usar fresas afiadas para reduzir a produção de calor.

As hastes IM fornecem estabilidade relativa, permitindo a mobilidade controlada no local de fratura. É recomendado que a haste seja bloqueada com dois parafusos proximais e dois distais. A opção de bloqueio dinâmico proximal (apenas um parafuso de bloqueio localizado na região proximal do bloqueio dinâmico) somente deve ser usada quando houver um *gap* de até 2 mm no foco de uma fratura transversa simples (42A3). A diastase na fratura pode ser causada por má rotação da fratura, e isso deve ser verificado. Qualquer esforço deve ser feito para que uma redução adequada da fratura seja obtida, porque a presença de diastase transversa é um fator importante no desenvolvimento do retardo de consolidação que demande uma reoperação. A "impacção reversa" pode ser feita para fechar a diastase da fratura em uma fratura de tíbia que fique com *gap* depois do encavilhamento. Essa técnica simples é executada pela colocação dos parafusos distais primeiro, sendo o segmento distal "puxado" de volta em direção ao segmento proximal pela impacção no dispositivo de extração que está posicionado. O bloqueio proximal é executado uma vez que a diastase da fratura seja minimizada, e a fratura, reduzida.

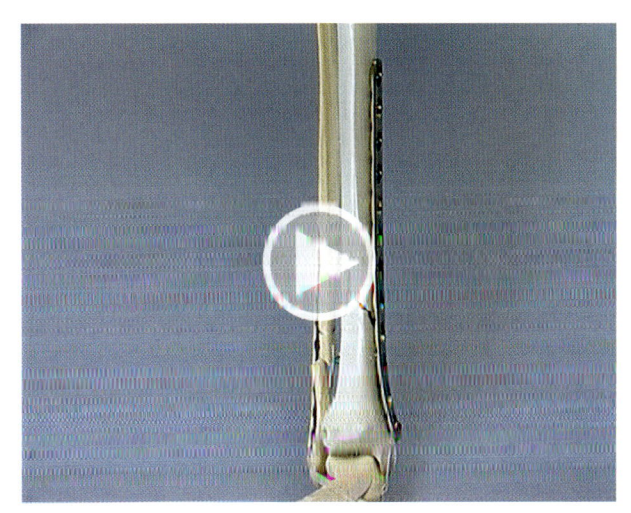

Fig. 6.8.2-13 Uma placa em ponte deve ter mais ou menos três vezes o comprimento da zona respectiva de fratura multifragmentada. A relação placa-parafuso é a relação dos orifícios preenchidos com os não preenchidos em determinada seção da placa.

Vídeo 6.8.2-2 Fixação de placa percutânea (técnica de OPMI) de uma fratura complexa da tíbia e da fíbula com placas de compressão bloqueada em ponte.

Fraturas específicas
6.8.2 Tíbia, diáfise

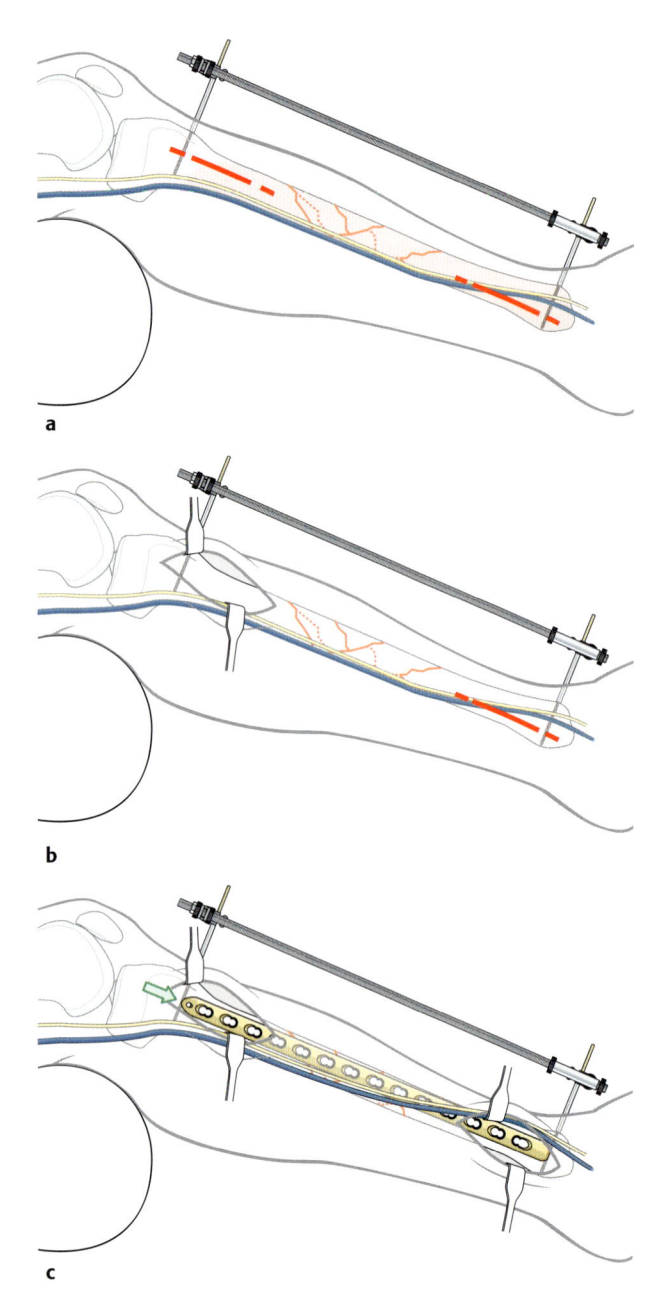

Fig./Animação 6.8.2-14a–c Inserção da placa percutânea – técnica em ponte.
a Alinhamento da fratura com um distrator grande temporário – redução indireta.
b Incisão proximal medial na tíbia. A veia e nervo safenos devem ser protegidos.
c A placa é introduzida e empurrada distalmente entre a fáscia e o periósteo. Uma incisão distal curta é feita. A posição é verificada pelo intensificador de imagem.
A placa em ponte é fixada proximalmente e distalmente apenas com alguns (2-3) parafusos.

Os sistemas de encavilhamento disponíveis atualmente têm muitas opções de bloqueio, que podem ser úteis tanto em fraturas proximais quanto distais da tíbia. Na região proximal, existe a opção do uso de parafusos de bloqueio de medial para lateral (padrão) e parafusos de núcleo duplo, que são oblíquos e perfuram o osso cortical oposto. Esses parafusos aumentam a estabilidade da fixação nas fraturas proximais da tíbia.

Na osteoporose, nos padrões complexos de fratura ou nas fraturas distais ou proximais, o uso do sistema bloqueado estável angular (ASLS, *angular stable locking system*) pode ser uma alternativa para aumentar a estabilidade da fixação.

7.3.2 Placas

O uso de placa na diáfise da tíbia requer o conjunto básico de instrumentos, uma variação da placa de compressão dinâmica estreita de baixo contato de 4,5 ou a placa de compressão bloqueada (LCP) de 5,0/4,5 e instrumentos de redução. Para as fraturas mais proximais ou distais ou nas fraturas da diáfise com uma extensão proximal e distalmente, placas anatômicas metafisárias pré-moldadas estão disponíveis, com uma combinação de parafusos de 3,5 mm. As placas largas não devem ser usadas na tíbia: elas são muito rígidas e volumosas.

Para as técnicas de uso de placa convencional (redução aberta e fixação interna) é recomendado alcançar seis pontos de fixação cortical em cada lado da fratura. A tendência atual para a placa em ponte nas fraturas multifragmentadas é o uso de placas mais longas (10-14 orifícios), sem preencher todos os orifícios. Dois ou três parafusos bicorticais acima e dois ou três abaixo do foco de fratura são considerados suficientes, desde que estejam espaçados e ancorados em osso de boa qualidade. Mais parafusos não são necessários. Nas fraturas complexas do tipo C, uma placa em ponte deve ter aproximadamente três vezes o comprimento da zona de fratura (**Fig. 6.8.2-13**).

Recomenda-se uma densidade de parafusos (número de parafusos dividido pelo número de orifícios da placa) de 0,5. Dependendo do padrão de fratura (simples ou complexo), a configuração dos parafusos pode mudar. Para as fraturas complexas, recomenda-se um menor comprimento de trabalho (dois parafusos mais perto do foco, com um em cada lado, e mais dois parafusos em cada lado em orifícios alternados ou mais perto da extremidade da placa). O comprimento da placa deve ser de aproximadamente três vezes mais que a extensão da zona da fratura multifragmentada. Para as fraturas com linha simples de fratura, que tenham o potencial para alto *strain*, é recomendado que a fixação com um comprimento de trabalho maior deva ser feita com parafusos um pouco mais distantes do local da fratura. As fraturas com traço simples devem ter placas com um comprimento que seja de oito vezes a extensão do local de fratura.

7.3.3 Fixação externa

Se a fixação externa for usada para o tratamento definitivo da fratura da tíbia, é importante lembrar que a estabilidade em demasia pode retardar a consolidação da fratura por causa de falta de carga no local da fratura. É sempre possível dinamizar uma armação de fixação externa para colocar carga na montagem da fratura.

8 Desafios

As fraturas proximais da diáfise constituem um desafio de redução quando uma haste IM for usada. O principal problema é a deformidade causada pelo encavilhamento da tíbia em flexão-extensão e valgo do fragmento proximal quando o joelho for flexionado para acessar o ponto de entrada e inserir a haste. A posição semiestendida com uma técnica suprapatelar é uma opção promissora para tratar essas fraturas. Um método alternativo é reduzir a fratura e, então, usar uma LCP de fixação temporária com parafusos bloqueados unicorticais através de uma incisão pequena.

Os parafusos *Poller* também são úteis na correção do mau alinhamento axial. Nas fraturas proximais, esses parafusos são geralmente colocados na região posterior (no plano coronal, de medial para lateral) e lateral (no plano sagittal, de anterior para posterior) para neutralizar a extensão e a deformidade em valgo do fragmento proximal. Na distal da tíbia, a localização dependerá da deformidade a ser corrigida. Geralmente, os parafusos *Poller* são colocados no fragmento menor e para dentro do lado côncavo da deformidade. Entretanto, o cirurgião deve executar uma avaliação individual do paciente para determinar a melhor posição do parafuso *Poller*.

Algumas vezes, é difícil obter a rotação correta de uma fratura da tíbia. Alguns pontos devem ser considerados:

- Preparar e colocar campos no membro contralateral e usá-lo para comparar e avaliar a qualidade da redução.
- As pinças percutâneas são úteis para a redução e ajuste da rotação.
- Avaliar se as linhas de tensão de pele estão torcidas.
- Em fraturas transversas (42A3), a espessura da cortical proximal e distal é útil para avaliar qualquer deformidade rotacional.
- O desafio mais comum para a fixação das fraturas diafisárias da tíbia com placas está relacionado aos tecidos moles, especialmente a necrose de pele e a deiscência da ferida. Como o implante está na região subcutânea, qualquer problema de pele pode levar à exposição da placa e subsequente infecção.

Os fatores fundamentais ao se usar uma placa para prevenir os problemas de partes moles incluem:

- Evitar cirurgia quando inchaço e edema estiverem presentes (procedimentos precoces).
- Evitar o trabalho através de incisões pequenas e tração excessiva da pele, que traumatizam a pele.
- Saber a posição dos vasos perfurantes e levantar retalhos fasciocutâneos de espessura completa.
- Não suturar com tensão excessiva.

A fixação da fratura com redução inadequada ou com placas incorretamente moldadas pode levar à fixação com má rotação. A fixação com a tíbia em má rotação externa é duas vezes mais frequente que em rotação interna. As fraturas complexas são mais propensas à fixação com deformidade rotacional que os padrões de fratura simples. Em fraturas mais distais, a redução anatômica e fixação da fratura da fíbula associada pode facilitar a redução e a fixação da tíbia.

9 Cuidados pós-operatórios

No período pós-cirúrgico imediato, o membro deve ser mantido elevado nos primeiros dias para ajudar a reduzir o edema. Medicação regular para dor é usada e o paciente é encorajado a mobilizar ativamente, a fim de prevenir a deformidade em equino no tornozelo e as deformidades em flexão no joelho.

O paciente que se queixar de dor pós-operatória intensa deve ser imediatamente avaliado para descartar a possibilidade de síndrome compartimental. Mais de um terço dos casos de síndrome compartimental da extremidade inferior são associados a fraturas da diáfise da tíbia. Os pacientes em risco mais elevado são os homens com idade média de 30 anos e com fraturas fechadas da diáfise da tíbia.

Quando uma haste tibial bloqueada estática tiver sido usada, a carga progressiva com muletas é permitida imediatamente. Quando uma placa tiver sido usada, é permitido que o paciente sustente carga de apoio parcial (10-15 kg). Em 4-6 semanas, a carga de apoio é aumentada. Dependendo do padrão de fratura original e do seguimento clínico, o apoio completo deverá ser possível em 12 semanas de pós-operatório.

Se o tratamento definitivo foi com um fixador externo unilateral e a armação estiver estável, o paciente pode iniciar com carga parcial (10-15 kg). Conforme a progressão clínica e radiográfica da consolidação, a carga é gradualmente aumentada até que o paciente seja capaz de fazer o apoio completo. As armações circulares permitem à carga completa imediata. Depois da remoção do fixador externo, um imobilizador é uma medida útil para prevenir novas fraturas.

10 Complicações

10.1 Complicações precoces
- Síndrome compartimental [2]
- Necrose da ferida
- Dor anterior no joelho (pode ocorrer em até 30% dos pacientes, especialmente nas pessoas jovens e ativas) [18, 19]
- Infecção precoce (maiores taxas de infecção foram documentadas quando a conversão para encavilhamento for feita 2 semanas depois da fixação externa)
- Má rotação (os procedimentos de OPMI têm uma incidência mais alta de má rotação que as tíbias tratadas com redução aberta e fixação interna) [24]

10.2 Complicações tardias
- Contraturas do joelho ou tornozelo.
- Dor anterior no joelho [18, 19].
- As taxas de infecção se correlacionam bastante com o grau de lesão de partes moles [25, 26]. As fraturas fechadas e as expostas de grau I e II têm uma taxa de infecção baixa (1%) e taxas de infecção similares podem ser alcançadas em fraturas de grau IIIa com o tratamento apropriado. A taxa de infecção para as lesões que requerem reconstrução de partes moles (grau IIIb) varia de 10-40%. O tratamento da infecção da tíbia e do canal intramedular é discutido nos Capítulos 5.3 e 5.4.
- A não união pode ocorrer em até 14% dos pacientes com fraturas da tíbia e é mais comum no terço distal, nas fraturas expostas e no trauma de alta energia. Em uma não união asséptica estabelecida, a troca da haste IM depois da fresagem é o tratamento padrão. A inserção de um implante de diâmetro maior aumenta a estabilidade da fixação e o conteúdo da fresagem serve como um estímulo biológico para a consolidação da fratura.
- A não união infectada representa uma das situações mais desafiadoras. Os princípios de tratamento estão delineados nos Capítulos 5.3 e 5.4. Os cirurgiões devem ter um amplo espectro de opções reconstrutivas de osso e de partes moles disponíveis, e os melhores desfechos são alcançados nas unidades que se especializam no tratamento desses problemas complexos.

11 Prognóstico e desfecho

As fraturas isoladas e fechadas da diáfise da tíbia, quando tratadas com hastes IM têm um bom prognóstico, com uma consolidação satisfatória por volta de 6 meses [27-29]. As placas e parafusos são uma opção de tratamento viável para as fraturas proximal e distal da tíbia. Os fixadores externos estão reservados para o controle de danos nos pacientes politraumatizados e nos pacientes que apresentam fraturas expostas com grave contaminação ou perda óssea. O desfecho em longo prazo depois da fratura da tíbia é geralmente bom, exceto nos casos onde houver significativa perda de tecidos moles ou osso. Ocasionalmente, com a perda grave de partes moles, a amputação é uma opção melhor que a salvação do membro e a incidência de amputação permanece alta em fraturas da tíbia com lesão arterial que demande reparo. A remoção do material de síntese é comum, sendo que aproximadamente 30% dos pacientes pedem a remoção dos implantes tibiais [30].

12 Referências

1. **Mundi R, Chaudhry H, Niroopan G, et al**. Open tibial fractures: updated guidelines for management. *JBJS Rev.* 2015 Feb 3;(2).
2. **Shuler FD, Dietz MJ**. Physicians' ability to manually detect isolated elevations in leg intracompartmental pressure. *J Bone Joint Surg Am.* 2010 Feb;92(2):361–367.
3. **Nanchahal J, Nayagam S, Khan U, et al**. Standards for the Management of Open Fractures of the Lower Limb. Royal Society of Medicine Press Ltd: London; 2009.
4. **Molina CS, Stinner DJ, Obremsky WT**. Treatment of traumatic segmental long-bone defects. *JBJS Rev.* 2014 Apr 1;2(4).
5. **Gustilo RB, Mendoza RM, Williams DM**. Problems in the management of type III (severe) open fractures: a new classification of type III open fractures. *J Trauma.* 1984 Aug;24(8):742–746.
6. **Sarmiento A, Sharpe F, Ebramzadeh E, et al**. Factors influencing the outcome of closed tibial fractures treated with functional bracing. *Clin Orthop Relat Res.* 1995;315:8–24.
7. **Bone LB, Sucato D, Stegemann PM, et al**. Displaced isolated fractures of the tibial shaft treated with either a cast or intramedullary nailing. An outcome analysis of matched pairs of patients. *J Bone Joint Surg Am.* 1997 Sep;79(9):1336–1341.
8. **Hooper, GJ, Keddell RG, Penny ID**. Conservative management or closed nailing for tibial shaft fractures. A randomised prospective trial. *J Bone Joint Sur Br.* 1991 Jan;73(1):83–85.
9. **Karladani AH, Granhed H, Edshage B, et al**. Displaced tibial shaft fractures: a prospective randomized study of closed intramedullary nailing versus cast treatment in 53 patients. *Acta Ortho Scand.* 2000 Apr;71(2):160–167.
10. **Roberts CS, Pape HC, Jones AL, et al**. Damage control orthopaedics: evolving concepts in the treatment of patients who have sustained orthopaedic trauma. *Instr Course Lect.* 2005;54:447–462.
11. **Xia L, Zhou J, Zhang Y, et al**. A meta-analysis of reamed versus unreamed intramedullary nailing for the treatment of closed tibial fractures. *Orthopedics.* 2014 Apr;37(4):e332–338.
12. **Gaebler C, McQueen MM, Vécsei V, et al**. Reamed versus minimally reamed nailing: a prospectively randomised study of 100 patients with closed fractures of the tibia. *Injury Int J Care Injured.* 2011;42:17–21.
13. **Schemitsch EH, Bhandari M, Guyatt G, et al**. Prognostic factors for predicting outcomes after intramedullary nailing of the tibia. *J Bone Joint Surg Am.* 2012 Oct;94(19):1786–1793.
14. **Finkemeier CG, Schmidt AH, Kyle RF, et al**. A prospective, randomized study of intramedullary nails inserted with and without reaming for the treatment of open and closed fractures of the tibial shaft. *J Orthop Trauma.* 2000;14(3):187–193.
15. **Keating JF, O'Brien PJ, Blachut PA, et al**. Locking intramedullary nailing with and without reaming for open fractures of the tibial shaft. A prospective, randomized study. *J Bone Joint Surg Am.* 1997 Mar;79(3):334–341.
16. **Li B1, Yang Y, Jiang LS**. Plate fixation versus intramedullary nailing for displaced extra-articular distal tibia fractures: a system review. *Eur J Orthop Surg Traumatol.* 2015 Jan;25(1):53–63.
17. **Hannah A, Aboelmagd T, Yip G, et al**. A novel technique for accurate Poller (blocking) screw placement. *Injury.* 2014 Jun;45(6):1011–1014.
18. **Väistö O, Toivanen J, Kannus P, et al**. Anterior knee pain after intramedullary nailing of fractures of the tibial shaft: an eight-year follow-up of a prospective, randomized study comparing two different nail-insertion techniques. *J Trauma.* 2008 Jun;64(6):1511–1516.
19. **Labronici PJ, Pires RES, Franco JS, et al**. Recommendations for avoiding knee pain after intramedullary nailing of tibial shaft fractures. *Patient Safety Surg.* 2011;5:31.
20. **Samuelson A, McPherson EJ, Norris L**. Anatomic assessment of the proper insertion site for a tibial intramedullary nail. *J Orthop Trauma.* 2002 Jan;16(1):23–25.
21. **Franke J, Hohendorff B, Alt V, et al**. Suprapatellar nailing of tibial fractures: indications and technique. *Injury.* 2016 Feb;47(2):495–501.
22. **Eastman J, Tseng S, Lo E, et al**. Retropatellar technique for intramedullary nailing of proximal tibia fractures: a cadaveric assessment. *J Orthop Trauma.* 2010 Nov;24(11):672–676.
23. **Kubiak EN, Widmer BJ, Horwitz DS**. Extra-articular technique for semiextended tibial nailing. *J Orthop Trauma.* 2010 Nov;24(11):704–708.
24. **Buckley R, Mohanty K, Malish D**. Lower limb malrotation following MIPO technique of distal femoral and proximal tibial fractures. *Injury.* 2011 Feb;42(2):194–199.
25. **Sancineto CF, Barla JD**. Treatment of long bone osteomyelitis with a mechanically stable intramedullary antibiotic dispenser: nineteen consecutive cases with a minimum of 12 months follow-up. *J Trauma.* 2008 Dec;65(6):1416–1420.
26. **Shyam AK, Sancheti PK, Patel SK, et al**. Use of antibiotic cement-impregnated intramedullary nail in treatment of infected non-union of long bones. *Indian J Orthop.* 2009 Oct;43(4):396–402.
27. **Milner SA, Davis TR, Muir KR, et al**. Long-term outcome after tibial shaft fracture: is malunion important? *J Bone Joint Surg Am.* 2002 Jun;84-A(6):971–980.
28. **Larsen P, Lund H, Laessoe U, et al**. Restrictions in quality of life after intramedullary nailing of tibial shaft fractures. A retrospective follow-up study of 223 cases. *J Orthop Trauma.* 2013;27:197.
29. **Johal H, Bhandari M, Tornetta P 3rd**. Cochrane in CORR ®. Intramedullary nailing for tibial shaft fractures in adults. *Clin Orthop Relat Res.* 2017 Mar;475(3):585–591.
30. **Sidky A, Buckley RE**. Hardware removal after tibial fracture has healed. *Can J Surg.* 2008 Aug;51(4):263–268.

13 Agradecimentos

Agradecemos a Ray White, George Babikian e Antonio Pace por suas contribuições para a 2ª edição de *Princípios AO do tratamento de fraturas*. Agradecemos também a Robinson Pires dos Santos por sua contribuição para este capítulo.

Fraturas específicas
6.8.2 Tíbia, diáfise

6.8.3 Tíbia, distal intra-articular (pilão)

Sherif A. Khaled

1 Introdução

1.1 História

A fratura do pilão (pilão do farmacêutico, conforme descrição do radiologista francês Destot, em 1911) ou o "teto", como descrito por Bonin, é definida pelo envolvimento intra-articular distal da tíbia com extensão metafisária [1]. Rüedi e Allgower introduziram os princípios básicos do tratamento cirúrgico, incluindo: reconstrução do correto comprimento, alinhamento e rotação da fíbula; reconstrução anatômica da superfície articular da tíbia; inserção de autoenxerto esponjoso para preencher *gaps* deixados pela impacção e cominução; e fixação interna estável dos fragmentos com uma placa colocada no aspecto medial da tíbia [2]. Os relatos [3-5] mostraram desfechos clínicos mistos e altas taxas de complicação.

1.2 Epidemiologia

A fratura do pilão responde por menos de 1% das lesões do membro inferior e a 3-10% das fraturas da tíbia [1]. A fratura pode ocorrer com baixa energia (p. ex., algumas lesões do esqui) ou por trauma de alta energia, como queda de altura ou colisão de veículo automotor. O padrão da lesão irá variar consideravelmente, dependendo da posição do pé (**Fig. 6.8.3-1**).

1.3 Características especiais

As fraturas do pilão são frequentemente associadas a lesões graves de partes moles que alteram o plano de tratamento e o momento da cirurgia. As fraturas do pilão são desafiadoras, especialmente quando envolvem fragmentos articulares múltiplos, impacção e componentes metafisários ou diafisários complexos. Durante a última década, o estadiamento dos cuidados cirúrgicos, implantes mais novos e técnicas cirúrgicas menos invasivas emergiram para melhorar os desfechos clínicos.

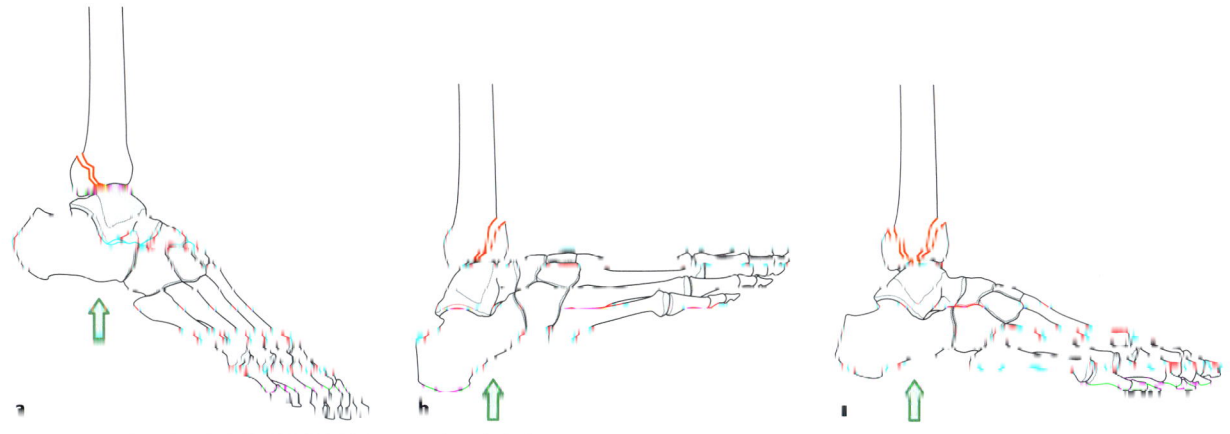

Fig. 6.8.3-1a-c Influência da posição do pé no padrão de fratura.
a   A flexão plantar resulta em lesão posterior.
b   A flexão dorsal resulta em lesão anterior.
c   A posição neutra resulta em impacção anterior e posterior.

2 Avaliação e diagnóstico

2.1 História do caso e exame físico

A compreensão minuciosa do mecanismo da lesão é muito importante na avaliação inicial da fratura do pilão. A quantidade de lesão de partes moles e o grau de complexidade variam amplamente, desde as lesões de baixa até aquelas de alta energia. Comorbidades como diabetes, neuropatia, doença vascular periférica, uso de corticosteroides, osteoporose, abuso de álcool ou tabagismo podem levar a um aumento do risco de complicações da ferida e a dificuldades no tratamento [3].

As fraturas do pilão são geralmente associadas a um trauma de alta energia: uma análise completa do trauma e a avaliação secundária são necessárias. A avaliação clínica deve incluir a condição dos tecidos moles, as feridas abertas, a condição vascular e a função sensitiva e motora do pé. Atenção especial é dada para quaisquer sinais de síndrome compartimental. O edema com flictenas cutâneas indica distúrbio do suprimento sanguíneo da pele, que é causado por lesão grave de partes moles. O desenluvamento fechado é comum com essas lesões. As fraturas grosseiramente desviadas devem ser imediatamente reduzidas e imobilizadas.

2.2 Exames de imagem

As vistas comuns anteroposteriores (AP), laterais e AP verdadeiro do tornozelo são obtidas, enquanto as radiografias de todo o comprimento da tíbia mostram o alinhamento e o joelho. Em alguns pacientes, as radiografias do membro contralateral também podem ser úteis para fornecer um gabarito para reconstrução de fraturas mais complexas e detectar quaisquer variantes anatômicas ou congênitas preexistentes [3].

O mecanismo de lesão pode ser antecipado a partir do padrão de fratura da fíbula nas radiografias e é dividido em falha por compressão (deformidade em valgo); falha por tensão (varo); e carga axial (fíbula intacta). Quando a fíbula estiver intacta, existe uma prevalência de lesões articulares parciais graves (do tipo B) [4]. A lesão por carga axial resultará em pequena translação, mas carga distal significativa da tíbia, com múltiplos fragmentos pequenos da superfície articular e um prognóstico ruim secundário à impacção de cartilagem [4, 5]. A direção do desvio pode ser antecipada a partir da vista lateral, que mostra o padrão de desvio do tálus (geralmente anterior) [2].

As imagens de tomografia computadorizada (TC) com reconstrução bi e tridimensional são obrigatórias para se obter informação sobre a cominução, a posição e o número de fragmentos, além da direção do desvio. A TC fornecerá informação para planejar a melhor via de acesso para redução e fixação e é mais adequadamente obtida depois de restaurar o comprimento e o eixo mecânico do membro. Isso desimpactará o tálus da porção distal da tíbia, permitindo melhor visualização dos fragmentos articulares. Tornetta e Gorup [6] mostraram que o planejamento cirúrgico e a via de acesso mudaram em 64% dos pacientes depois da TC. Uma informação adicional foi obtida em 82% dos pacientes.

3 Anatomia

As fraturas do pilão têm um componente metafisário e, às vezes, diafisário, bem como impacção e cominução articulares.

> Três fragmentos ósseos básicos estão constantemente presentes: o fragmento anterolateral (Tillaux-Chaput), o fragmento maleolar medial e o fragmento posterolateral (Volkmann) (**Fig. 6.8.3-2**).

Existem três áreas típicas de cominução articular:

- Cominução lateral, que ocorre entre o fragmento anterolateral e o posterolateral, geralmente próxima à fíbula.
- Cominução central com fragmentos livres ou uma parte impactada do fragmento posterolateral.
- Cominução medial com parte do fragmento medial ou impacção próximo ao maléolo medial [5].

Em 2013, Cole e colaboradores [7] estudaram o mapa do pilão em fraturas de pilão do tipo 43C3 e mostraram que a cominução é mais comum nas regiões central e anterolateral.

Os "angiossomas" são territórios vasculares tridimensionais formados por pele e vasos profundos do tecido (**Figs. 6.8.3-3-5**). As conexões vasculares entre os angiossomas adjacentes permitem uma perfusão bidirecional. A compensação é possível nos casos onde um ramo for ferido ou ocluído devido ao desvio de fratura, desenluvamento fechado ou feridas abertas. O cirurgião deve estar ciente do território anatômico de cada angiossoma em torno do tornozelo [8]. Se a cirurgia aberta precoce for executada, as incisões devem ser planejadas de acordo com os angiossomas. As incisões longitudinais de espessura total são seguras para usar quando o edema tecidual tiver cedido.

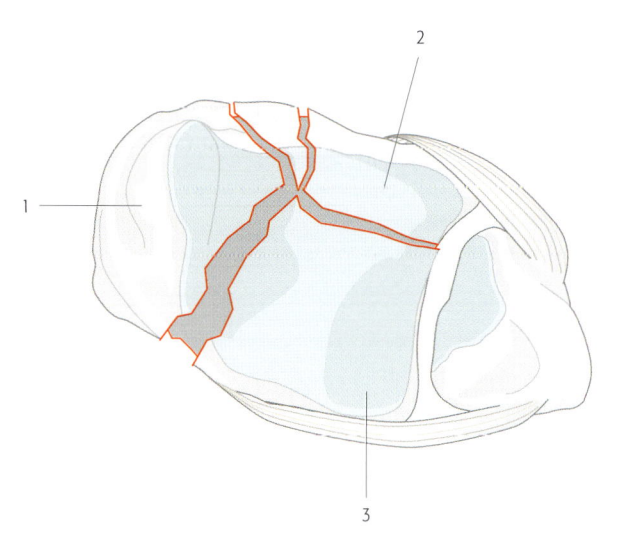

Princípios AO do tratamento de fraturas
Volume 2

Fig. 6.8.3-2 Fragmentos comuns vistos em uma fratura do pilão.
1 Fragmento medial
2 Fragmento anterolateral (Tillaux-Chaput)
3 Fragmento posterolateral (Volkmann)

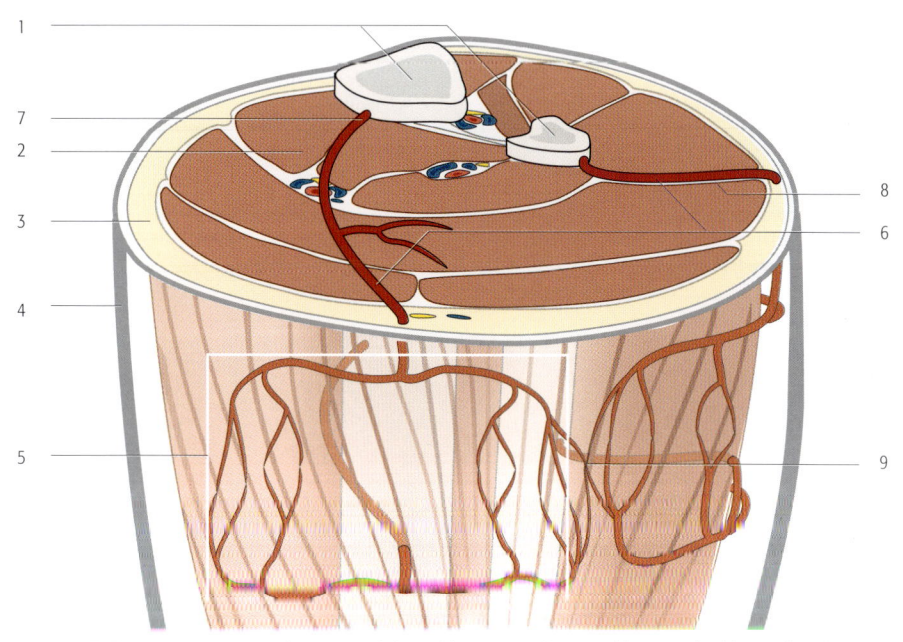

Fig. 6.8.3-3 Um segmento tridimensional de tecido mostrando osso (1), músculo (2), tecido subcutâneo (3) e pele (4) com seus angiossomas (5) originados de vasos fonte (6) que perfuram os músculos (7) ou correm dentro de septos (8). Os angiossomas são interconectados por anastomoses (9).

915

Fraturas específicas
6.8.3 Tíbia, distal intra-articular (pilão)

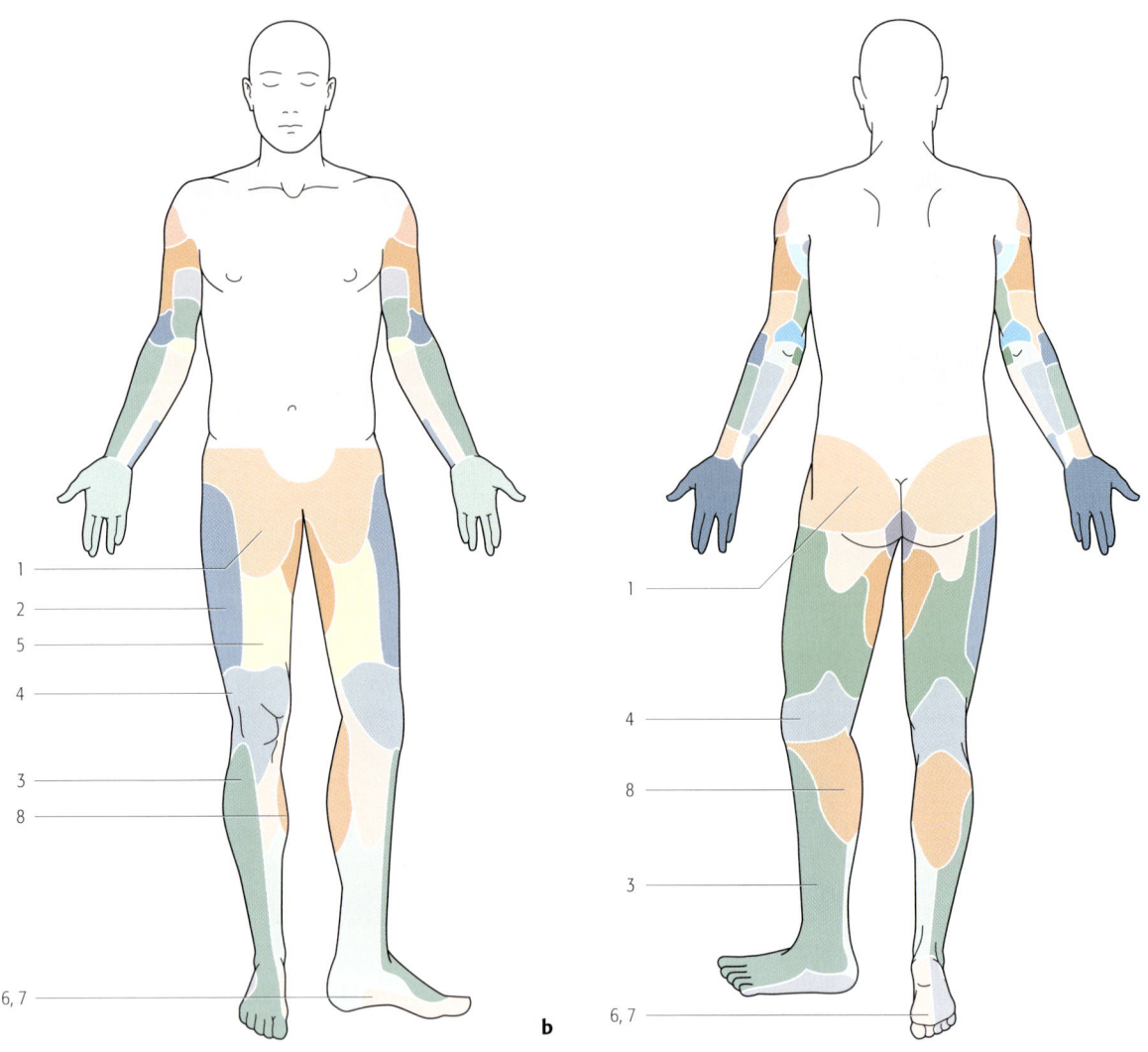

Fig. 6.8.3-4a-b Angiossomos das extremidades do corpo e a sua importância na cirurgia de retalhos.
a Vista anterior
b Vista posterior

1 Retalho da virilha (artéria circunflexa ilíaca superficial)
2 Retalho anterolateral da coxa (ramo descendente ou horizontal que se origina da artéria circunflexa femoral lateral)
3 Retalho supramaleolar lateral (artéria maleolar lateral que se origina da artéria fibular)
4 Retalho safeno (ramo terminal da artéria genicular descendente)
5 Retalho medial distal da coxa (artéria colateral medial que se origina da artéria poplítea)
6 Retalho medial do pé (ramo cutâneo que se origina da artéria plantar medial)
7 Retalho da artéria plantar medial, o chamado retalho do peito do pé (artéria plantar medial)
8 Retalho da artéria sural (artéria sural com fluxo reverso)

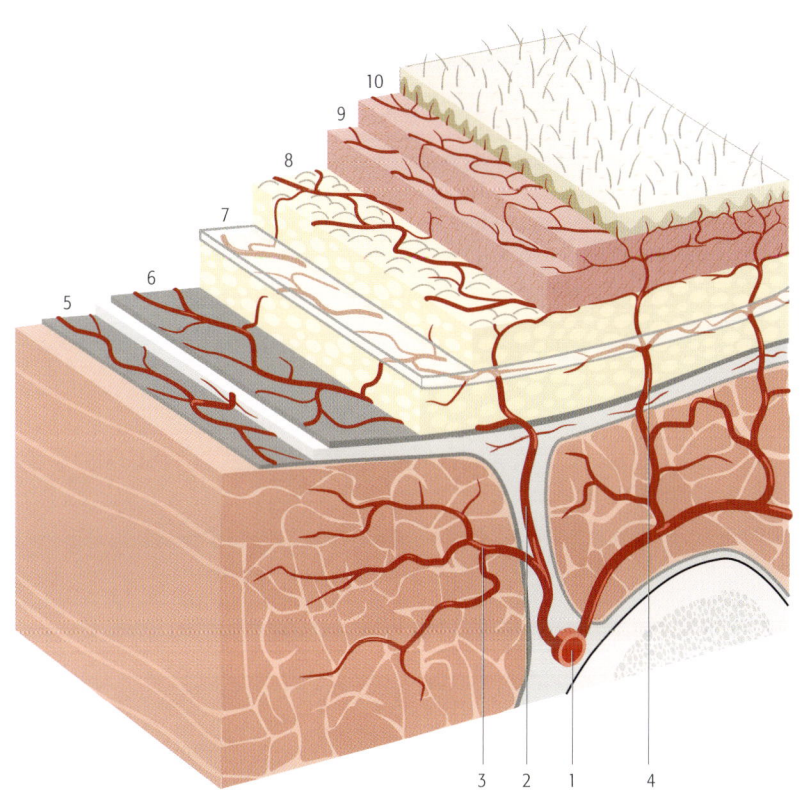

Fig. 6.8.3-5 A circulação cutânea que passa através dos septos (sistema cutâneo direto) ou músculos perfurantes (sistema musculocutâneo). Subdivisão em plexos horizontais. A artéria segmentar (1) se divide em ramos septocutâneos (2), musculares (3) e musculocutâneos (4). Os vasos septocutâneos e musculocutâneos perfuram a fáscia profunda (fáscia muscular). Os vasos cutâneos consistem em vasos perfurantes (2, 4), dos quais somente os vasos que penetram no músculo são perfurantes de verdade. Depois da perfuração muscular, esses vasos continuam a correr perpendicularmente à pele. Eles dão origem a três plexos arteriais horizontais: o plexo fascial, que pode ser subfascial (5) e pré-fascial (6), o plexo subcutâneo dentro da fáscia superficial da pele (7) e o plexo cutâneo, que tem três elementos: subdérmico (8), dérmico (9) e subepidérmico (10).

Fraturas específicas
6.8.3 Tíbia, distal intra-articular (pilão)

4 Classificação

4.1 Classificação AO/OTA de Fraturas e Luxações

A fratura extra-articular tipo A frequentemente parece simples, mas pode ser associada a uma significativa lesão de partes moles. A fratura articular parcial tipo B geralmente tem cominução articular e requer uma placa de suporte para reduzir o fragmento articular. A fratura articular completa tipo C denota uma alta energia, com cominução da articulação tibiotalar, ruptura da sindesmose, fratura da fíbula e envolvimento da metáfise da tíbia (**Fig. 6.8.3-6**). Ela frequentemente tem uma lesão grave de partes moles.

4.2 Outras classificações relevantes

Topliss e colaboradores [9] introduziram a ideia de seis fragmentos principais (anterior, posterior, medial, anterolateral, posterolateral e *die-punch*) com duas famílias distintas de fraturas classificadas pela TC: (1) fraturas sagitais que tendem a se apresentar em varo, com dissociação metafisária-diafisária mais proximal e de ocorrência em pacientes mais jovens com lesão de maior energia; (2) fraturas coronais que se apresentam em valgo com dissociação mais distal e após um trauma de energia mais baixa em pacientes mais velhos.

5 Indicações cirúrgicas

5.1 Opções de tratamento

- Não cirúrgico:
  – Fratura fechada estável não desviada (43A, B1 ou C1)
  – Comorbidades significativas (risco excessivo com cirurgia)

- Cirúrgico:
  – Degrau articular maior que 2 mm
  – Angulação em valgo maior que 5 graus
  – Qualquer angulação em varo
  – Fraturas expostas
  – Síndrome compartimental
  – Lesão vascular
  – Politraumatismo

5.2 Momento

- Redução aberta e fixação interna (RAFI) precoce (menos que 24 horas) nos pacientes com trauma de baixa energia, lesão mínima de partes moles e fraturas fechadas isoladas que se apresentam nas primeiras 24 horas [10, 11].
- Tratamento estadiado (redução inicial com fixação externa seguida por RAFI retardada):
  – Condição desfavorável de partes moles: flictenas e fraturas expostas
  – Pacientes que se apresentam tardiamente ou por transferências tardias
  – Pacientes politraumatizados que necessitam de controle de danos
  – Lesão vascular associada
  – Falta de experiência, de instalações ou de implantes

6 Planejamento pré-operatório

6.1 Momento da cirurgia

O momento da cirurgia é controverso e é determinado pela condição dos tecidos moles. As fraturas simples e fechadas com lesão mínima de partes moles podem ser definitivamente estabilizadas com segurança dentro de 24-36 horas [10, 11].

Para a maioria dos pacientes com lesão de partes moles, o protocolo estadiado "imobilizar, visualizar e planejar" é usado. Um fixador externo transarticular (imobilizar) (ou tração calcaneana alternativamente) é aplicado, seguido pela elevação do membro. O fixador faz a ligamentotaxia da articulação, permitindo a estabilização da fratura como também dos tecidos moles (**Fig. 6.8.3-7a-d**). Ele é deixado até que o edema de partes moles tenha cedido. A pele começa a enrugar e as flictenas se epitelizam geralmente dentro de 7-17 dias (**Fig. 6.8.3-7e**). Isso permite a avaliação radiográfica detalhada (visualizar) com os fragmentos na posição reduzida. Por fim, o cuidadoso planejamento pré-operatório é feito (planejar), incluindo a via de acesso cirúrgica, as manobras de redução e a fixação definitiva.

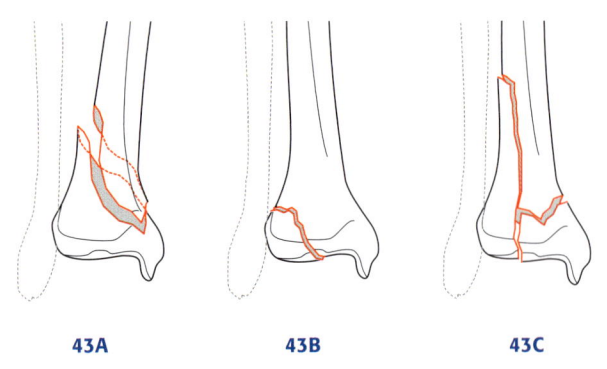

43A Tíbia, segmento distal da extremidade, **fratura extra-articular**
43B Tíbia, segmento distal da extremidade, **fratura articular parcial**
43C Tíbia, segmento distal da extremidade, **fratura articular completa**
Fig. 6.8.3-6 Classificação AO/OTA de Fraturas e Luxações – distal da tíbia.

6.2 Seleção do implante

Para redução e sustentação articular, um fixador externo é usado. Uma armação de configuração delta simples que esteja fora da zona de lesão distal da tíbia (mais um Schanz metatarsal adicional para prevenir o equino do pé) é geralmente suficiente (**Fig. 6.8.3-7a-b**). Alguns cirurgiões preferem armações híbridas ou fixadores em anel. Um grande número de desenhos de placa está disponível, dependendo da posição da placa (medial, anterior ou anterolateral) e da função desejada (ponte, suporte, compressão, etc.) (**Fig. 6.8.3-8**). As hastes intramedulares podem ser usadas para as fraturas distais extra-articulares da tíbia (tipo A) e para um pequeno número de fraturas articulares após a redução e fixação dos fragmentos articulares (**Fig. 6.8.3-9**).

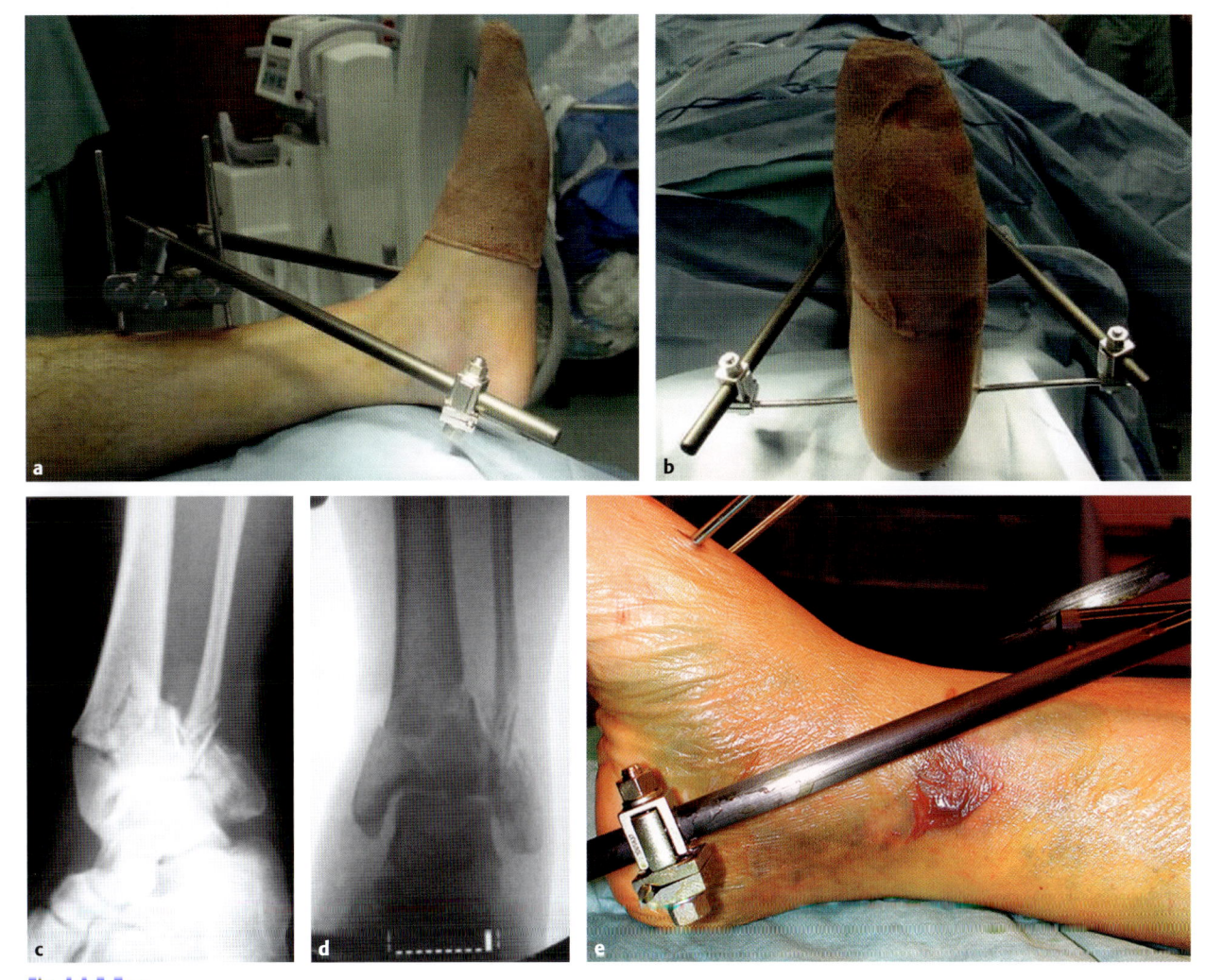

Fig. 6.8.3-7a-e
- **a-b** Fixador externo modelo Delta transarticular para uma condição desfavorável de partes moles.
- **c-d** Exemplo de radiografias pré-redução e pós-redução de uma fratura do pilão em que foi aplicada uma armação transarticular.
- **e** O brilho da pele enfraqueceu e agora o sinal de ruga está presente 10 dias após a lesão.

Fraturas específicas
6.8.3 Tíbia, distal intra-articular (pilão)

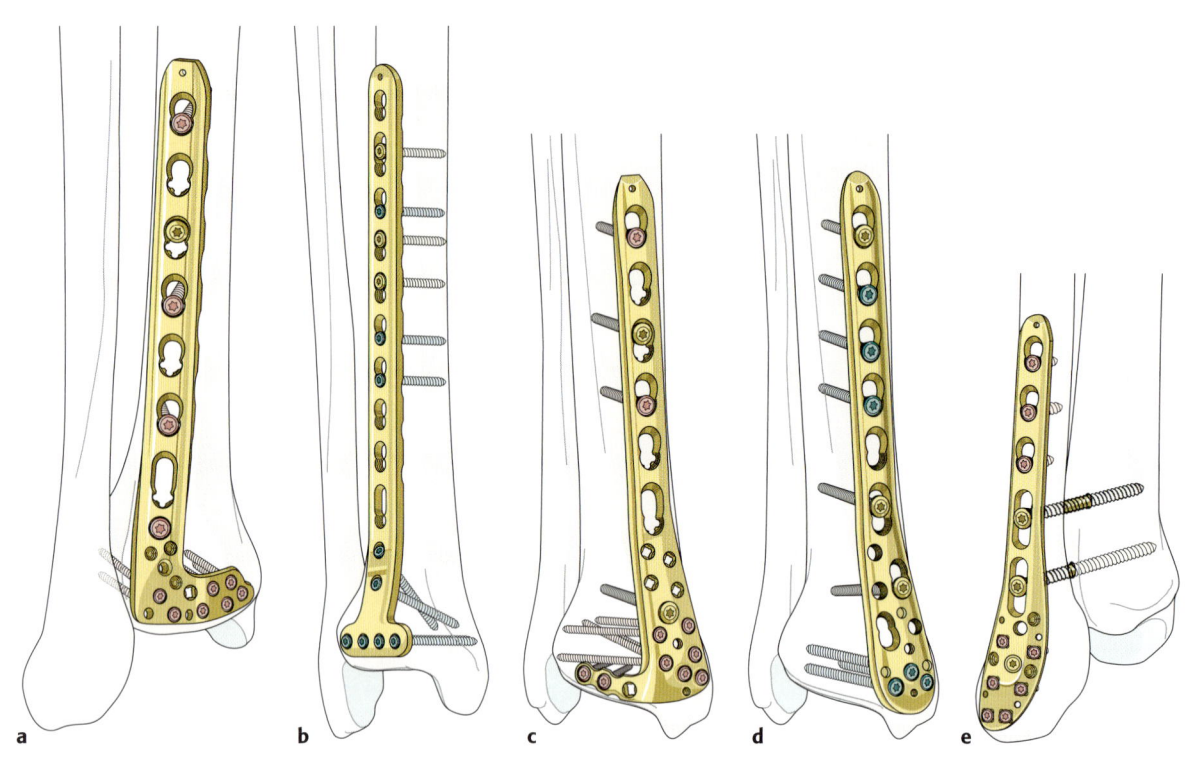

Fig. 6.8.3-8a-e Placas bloqueadas de 3,5/2,7 disponíveis para as fraturas do pilão.
a   Placa tibial anterolateral
b   Placa tibial anterior
c   Placa tibial anteromedial
d   Placa distal da tíbia moldada embaixo
e   Placa fibular

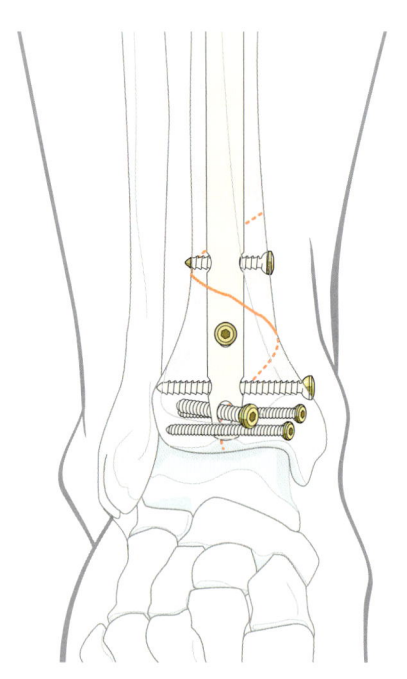

Fig. 6.8.3-9 Encavilhamento para as fraturas do pilão.

6.3 Configuração da sala de cirurgia

Uma leve tração manual é mantida sobre o membro durante a preparação para evitar uma deformidade excessiva no local de fratura. O membro inferior, desde a metade da coxa até os dedos do pé, é desinfetado com o antisséptico apropriado, garantindo que nada da solução vaze sob o torniquete. O membro é preparado com campo descartável em U ou de extremidade. Uma malha fixada com fita adesiva ou uma luva cobrem apenas o antepé (**Fig. 6.8.3-10**). O tornozelo é internamente rodado em 15 graus ligeiramente sobre um rolo estéril e o intensificador de imagem é preparado.

A equipe da sala de cirurgia e os cirurgiões posicionam-se ao lado da lesão. O assistente posiciona-se no lado inferior da mesa. A tela intensificadora de imagem é posicionada com uma visão completa da equipe cirúrgica e do técnico de radiologia (**Fig. 6.8.3-11**).

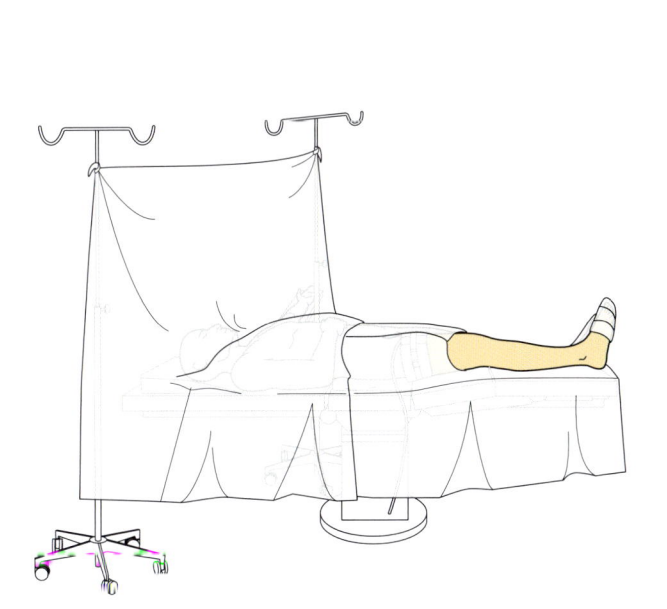

Fig. 6.8.3-10 Posicionamento, desinfecção e preparo do paciente.

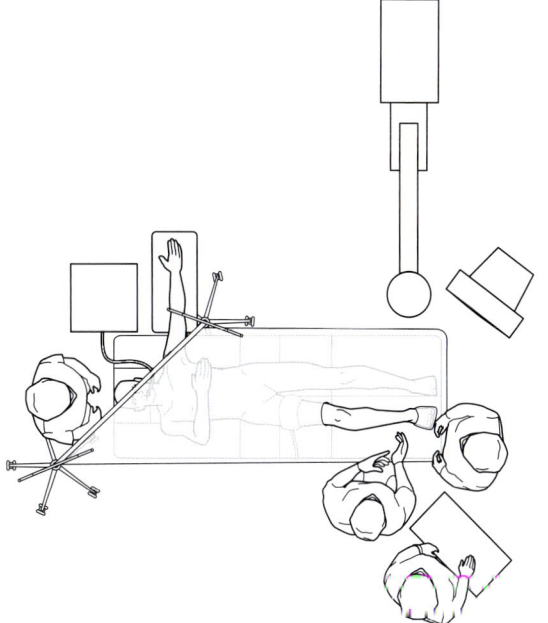

Fig. 6.8.3-11 Posicionamento da equipe na sala de cirurgia e do intensificador de imagem.

Fraturas específicas
6.8.3 Tíbia, distal intra-articular (pilão)

7 Cirurgia

Uma revisão completa da literatura aponta que "não existe um método único ideal para a fixação de todas as fraturas do pilão e que seja apropriado a todos os pacientes" [12]. Vários fatores, tanto do paciente quanto do cirurgião, afetam o processo da tomada de decisão. Devem ser considerados o padrão de lesão do osso e das partes moles, as comorbidades do paciente, a habilidade e experiência cirúrgica e os recursos do hospital. O tratamento é estadiado na maioria dos casos; a fase precoce inclui um fixador transarticular com ou sem fixação da fíbula, dependendo do padrão de fratura, para recuperar o comprimento e a rotação do membro e permitir a recuperação de partes moles. Evitar a colocação dos parafusos de Schanz na região dos futuros implantes definitivos. Se o padrão de fratura da fíbula for simples, pode ser fixado precocemente, tendo em mente a via de acesso que será usada para a fixação definitiva da tíbia. Porém, se a fíbula está cominutiva ou o paciente será encaminhado para a cirurgia definitiva, a melhor escolha é deixar a fíbula ser definitivamente fixada no estágio final. As fraturas expostas ou fasciotomias geralmente são tratadas precocemente com um curativo por terapia por pressão negativa (**Fig. 6.8.3-12**) e o fechamento retardado é executado antes de 5 dias, com ou sem a cobertura por retalho. A reconstrução de partes moles nessa área é difícil, uma vez que não existe nenhum retalho muscular local disponível. O envolvimento precoce de um cirurgião plástico é essencial para garantir os melhores resultados [13].

7.1 Vias de acesso

As vias de acesso cirúrgicas para a fratura do pilão incluem incisões cutâneas anteromedial, anterior, anterolateral, posteromedial, posterolateral, minimamente invasiva e combinações dessas vias de acesso. A escolha da via de acesso depende de muitos fatores, incluindo a condição dos tecidos moles, a cominução articular, o componente metafisário-diafisário, o padrão de desvio e a função e posição planejadas do implante.

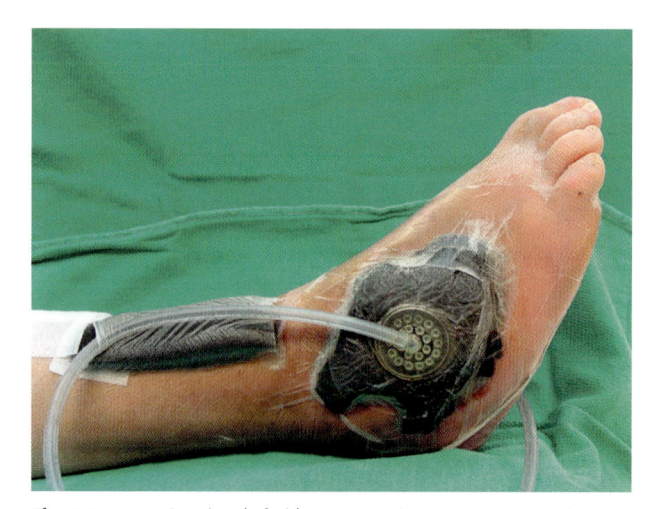

Fig. 6.8.3-12 Curativo da ferida com terapia por pressão negativa.

A TC deve ser cuidadosamente analisada para planejar tanto as manobras de redução quanto o método de fixação. O paciente é posicionado em decúbito dorsal, lateral ou ventral, dependendo da via de acesso planejada. O intensificador de imagem deve estar disponível. Um torniquete de exsanguinação pode ser usado. Geralmente, o primeiro passo é reduzir e fixar a fíbula através de uma via de acesso lateral ou posterolateral (**Fig. 6.8.3-13**) [3]. Essas vias de acesso são resistentes à degradação ou necrose da pele. A fíbula também pode ser abordada posteriormente no tornozelo, no intervalo entre os fibulares e o tendão de Aquiles. Essa mesma via de acesso pode ser usada para abordar o fragmento posterior de Volkmann na tíbia (**Fig. 6.8.3-14**). Deve haver cuidado ao escolher a via de acesso da fíbula para evitar o bloqueio de outras vias de acesso, como a incisão anterolateral. A redução da fratura da fíbula indiretamente reduzirá o fragmento posterolateral pelo ligamento talofibular posterior inserido e, assim, uma fratura da fíbula simples requer a redução anatômica, enquanto uma fratura multifragmentada da fíbula requer o comprimento, alinhamento e rotação anatômicos. Isso pode ser difícil de julgar na ausência de referências anatômicas claras. A fixação é feita com uma placa em ponte.

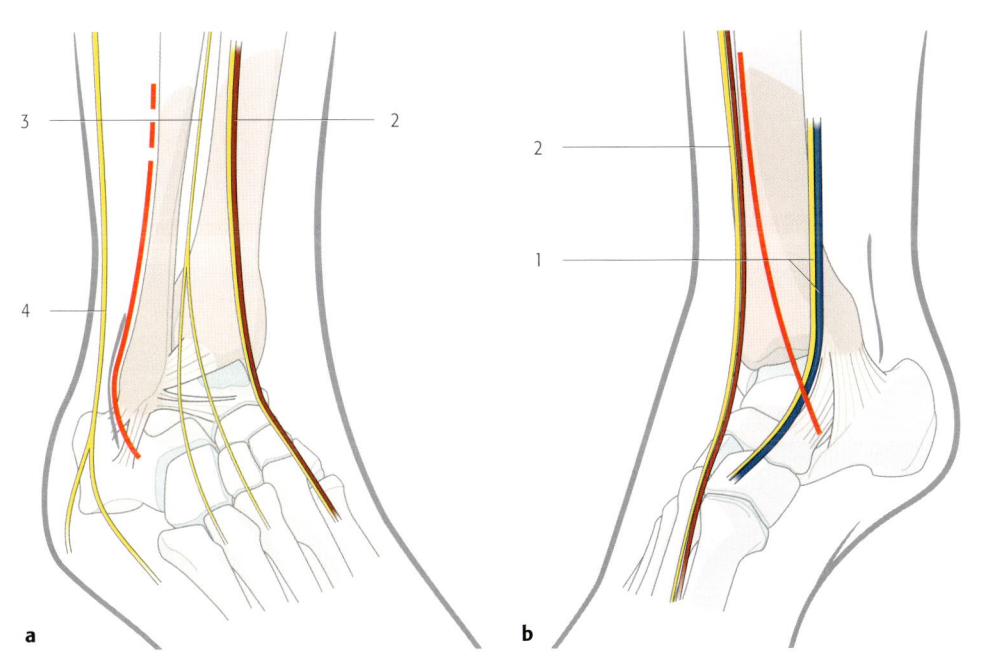

Fig. 6.8.3-13a-b
a Via de acesso posterolateral da fíbula, que é usada principalmente para as fraturas simples da fíbula.
b Anatomia cirúrgica e via de acesso anteromedial para a redução aberta e fixação interna distal da tíbia.

1   Veia safena magna e nervo
2   Artéria pediosa dorsal
3   Nervo fibular superficial
4   Nervo sural

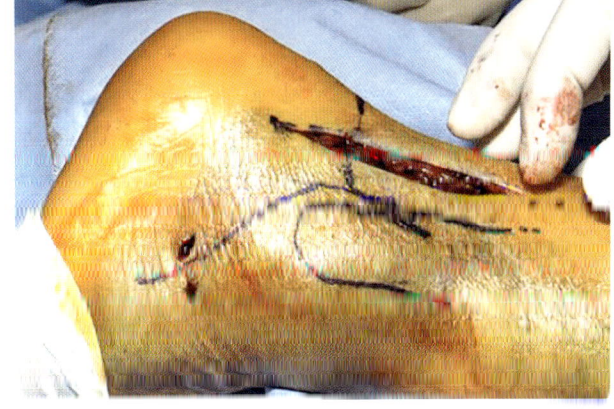

Fig. 6.8.3-14 Via de acesso posterolateral com o paciente em decúbito ventral. A incisão é paralela à borda posteromedial da fíbula. Durante a dissecção profunda, os fibulares podem ser afastados medialmente ou lateralmente.

Fraturas específicas
6.8.3 Tíbia, distal intra-articular (pilão)

As vias de acesso anteriores são baseadas no princípio da reconstrução de posterior para anterior. A visualização direta da fratura é alcançada através da linha de fratura ao "abrir o livro" a partir da frente. O fragmento posterolateral de Volkmann é usado como o "fragmento referência". Cada via de acesso anterior tem vantagens e desvantagens próprias. Embora a incisão anteromedial ofereça bom acesso para as reduções articulares medial e anterior, ela não permite o pronto acesso ao fragmento anterolateral de Tillaux-Chaput. A via de acesso anterolateral permite acesso direto ao fragmento de Tillaux-Chaput (**Fig. 6.8.3-15**). A via de acesso anterior pode permitir acesso a ambas as partes anterolateral e anteromedial distal da tíbia anterior, mas passa por um angiossomo e, então, não deve ser usada para a fixação precoce (dentro de 24 horas). As vias de acesso posteriores para o pilão são usadas em situações especiais, quando as metas não puderem ser realizadas com o uso de vias de acesso anteriores (**Fig. 6.8.3-14**, **Fig. 6.8.3-16**). Entretanto, a redução articular direta não é possível e conta com a redução cortical perfeita da metáfise e o intensificador de imagem. Os benefícios da incisão posterolateral são seu uso para reconstruir o fragmento referência, especialmente se houver impacção e/ou rotação significativa. A reconstrução do fragmento referência também pode converter uma fratura do tipo C para uma fratura do tipo B [3].

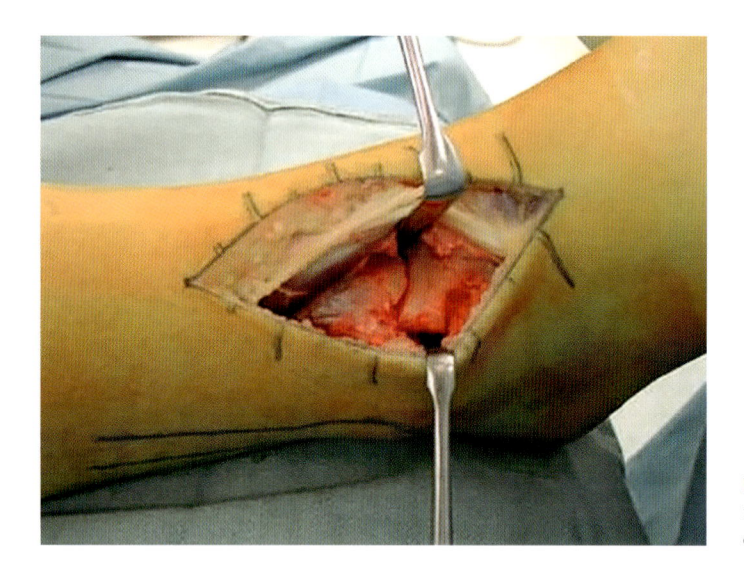

Fig. 6.8.3-15 Via de acesso anterolateral com a incisão alinhada ao 4° metatarso, dissecção profunda entre os extensores dos dedos do pé e a fíbula.

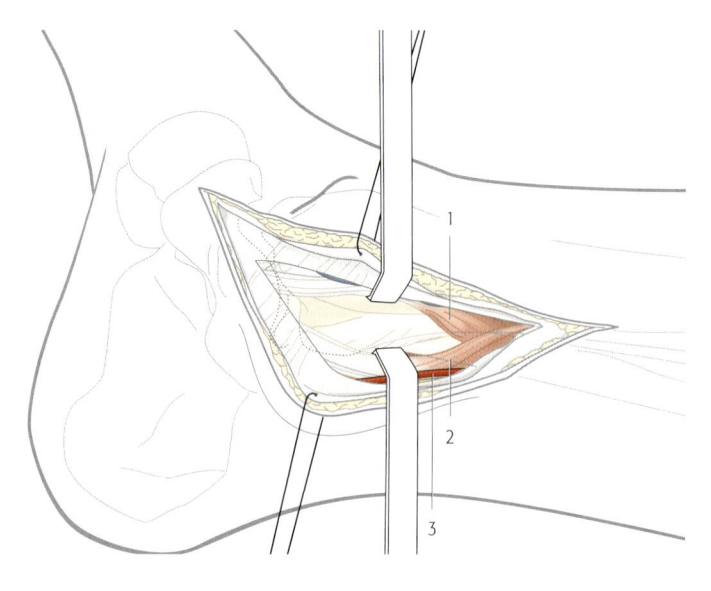

Fig. 6.8.3-16 Via de acesso posteromedial com a incisão paralela à borda posteromedial da tíbia. A dissecção profunda pode ser mais medial ou posterior, de acordo com os fragmentos da fratura.
1 Músculo tibial posterior
2 Músculo flexor comum dos dedos
3 Artéria tibial posterior

7.2 Redução

A tração pode ser alcançada com o mesmo fixador externo que foi usado para a fase de "imobilizar". Um distrator com um Schanz no tálus e outro na tíbia pode ser usado para visualizar a superfície articular na redução (**Fig. 6.8.3-17**). A redução direta dos componentes articulares é geralmente alcançada por meio de uma via de acesso aberta definitiva, porque a redução indireta é difícil devido à impacção e rotação dos fragmentos. A redução fechada é reservada para as fraturas com cominução metafisária-diafisária ou para as fraturas articulares simples não desviadas que possam ser reduzidas anatomicamente sob intensificação de imagem. No caso de protocolo estadiado, a redução pode ser começada na fase inicial. A combinação da fixação percutânea dos componentes articulares simples com a fixação externa pode mudar uma fratura do tipo C para o tipo A nos casos onde a redução anatômica possa ser fácil e definitivamente alcançada com o intensificador de imagem. Se houver um componente longo metafisário-diafisário simples com uma superfície de fratura extensa, a formação precoce de calo e a interposição de partes moles tornam difícil a redução retardada. Uma via de acesso aberta pequena pode ser usada proximalmente para reduzir e fixar o componente metafisário na fase inicial com parafusos ou uma pequena placa antideslizante, transformando uma fratura do tipo C em uma do tipo B [14]. Um princípio fundamental é que a fixação inicial não deve dificultar ou obstruir a fixação definitiva.

A sequência da redução é importante para o sucesso. O fragmento posterolateral "referência" geralmente não está desviado e, se desviado ou rodado (em casos complexos), o primeiro passo é fazer a sua redução. Ketz e Sanders [15] sugeriram que um maléolo posterior estável é o fundamento para uma boa redução e deve ser fixado primeiro. O fragmento posteromedial é, então, conectado ao fragmento posterolateral referência. A seguir, o fragmento central é desimpactado, reduzido a esse bloco e seguro provisoriamente com fios de Kirschner. Se houver um defeito metafisário e ele precisar ser enxertado, isto é feito neste estágio. O fragmento anterolateral pode, então, ser reduzido e, por fim, a superfície articular é fixada à diáfise (**Fig. 6.8.3-18**) [5]. A enxertia é usada na zona de impacção metafisária para suportar a redução articular. Pode ser usado autoenxerto local de proximal ou distal da tíbia, da crista ilíaca, aloenxerto [15] ou substituto de enxerto ósseo apropriado.

7.3 Fixação

A fixação da fíbula é obrigatória na maioria dos casos. A fixação das fraturas simples é feita com um parafuso de tração e placa terço de tubo, e as fraturas complexas são sustentadas com uma placa de compressão dinâmica de baixo contato de 3,5, placa de compressão bloqueada anatômica fibular (**Fig. 6.8.3-8e**) ou uma haste intramedular.

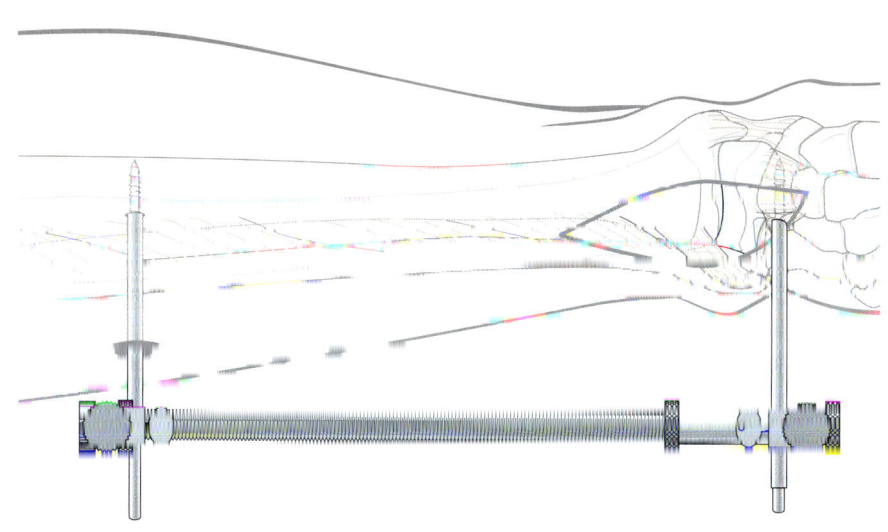

Fig. 6.8.3-17 Um distrator é uma ferramenta valiosa para visualizar a superfície articular.

Fraturas específicas
6.8.3 Tíbia, distal intra-articular (pilão)

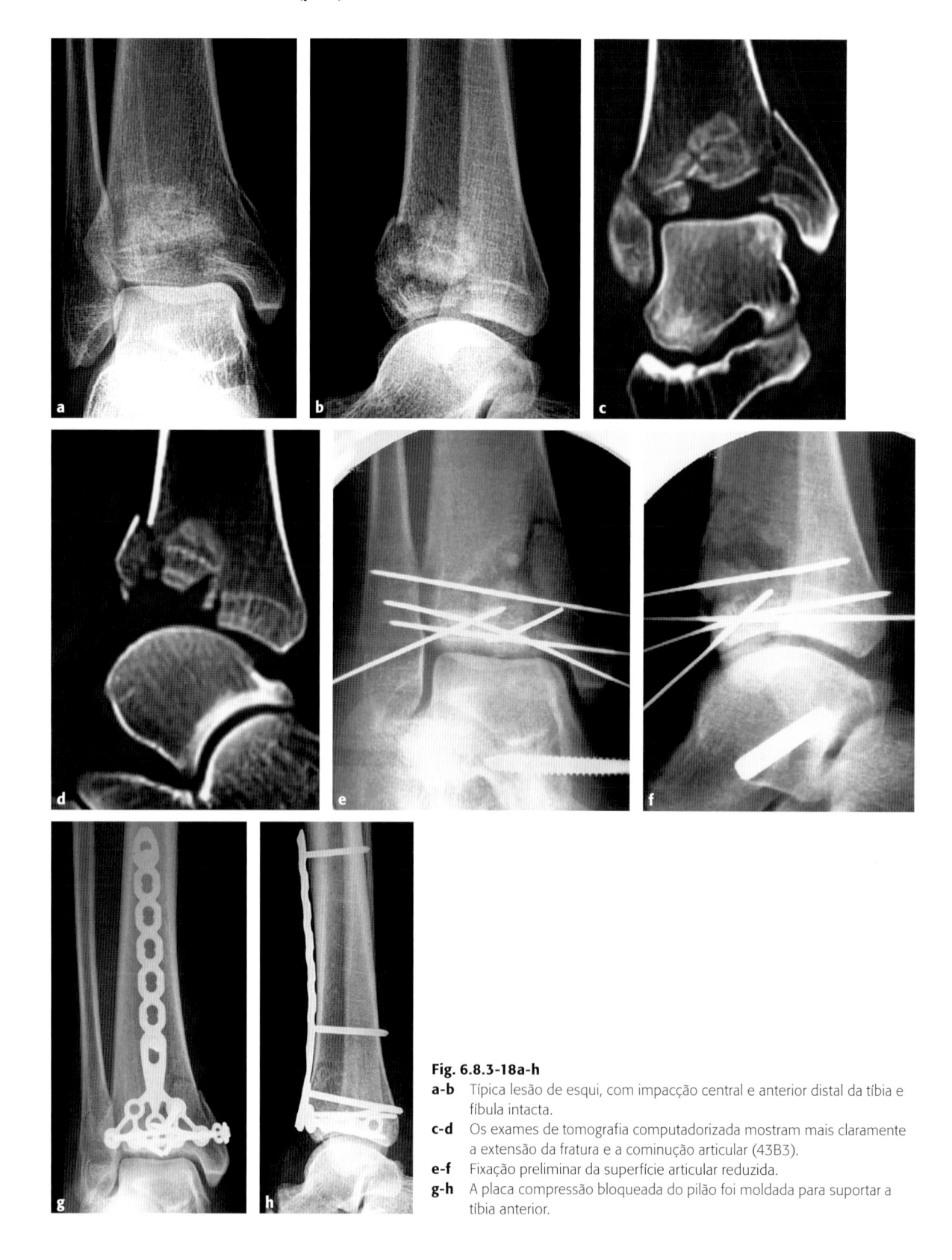

Fig. 6.8.3-18a-h
- **a-b** Típica lesão de esqui, com impacção central e anterior distal da tíbia e fíbula intacta.
- **c-d** Os exames de tomografia computadorizada mostram mais claramente a extensão da fratura e a cominução articular (43B3).
- **e-f** Fixação preliminar da superfície articular reduzida.
- **g-h** A placa compressão bloqueada do pilão foi moldada para suportar a tíbia anterior.

Na tíbia, as placas devem atuar como suporte e serem colocadas na posição biomecânica mais adequada para resistir às forças de desvio. Isso é indicado pelo padrão da fratura da fíbula, pela direção da extrusão talar, pelos três fragmentos ósseos básicos e o seu desvio. A maioria das fraturas do pilão requer uma placa de suporte medial e uma anterolateral (**Figs. 6.8.3-19-20**). Se a fíbula falhar em compressão, isto indica uma força em valgo inicial e a placa de suporte definitiva na tíbia é colocada na posição anterolateral para evitar a perda de redução tardia. A falha em tensão da fíbula habitualmente resulta em uma fratura transversa e indica uma força inicial em varo. Esta situação requer uma placa de suporte medial na tíbia para prevenir a perda de redução tardia [5]. Nos casos de uma carga axial inicial com uma fíbula intacta, o uso de placa anterior ou posterior pode ser necessário, dependendo da direção de impacção talar. A técnica "de grelha" pode ser usada para suportar a superfície articular com múltiplos parafusos de 2,7 ou 3,5 mm. Eles podem ser colocados no osso subcondral separadamente ou através de uma placa moldada e colocada distalmente à placa de suporte principal.

As placas e parafusos de bloqueio periarticular têm demonstrado melhor fixação nos pacientes com osteoporose e nos casos com cominução significativa da metáfise tibial. Em algumas fraturas, quando a fíbula e tíbia recebem placas, ambas as colunas estão estáveis e as placas bloqueadas são desnecessárias [5]. Entretanto, em muitas fraturas do tipo C de grande energia no pilão, a cominução é que indica se um implante bloqueado será usado para manter firmemente a redução até que aconteça a consolidação da fratura. Esses implantes devem ainda ser usados na posição de suporte para ganhar a vantagem mecânica máxima. Existe uma grande variedade de implantes disponíveis que poderiam ser usados na fratura do pilão (**Fig. 6.8.3-8a-d**). Sempre que possível, as placas regulares em T de 2,7 ou 3,5 ou uma placa terço de tubo podem ser usadas como placas de suporte. Pelo fato da pele no lado medial da porção distal da tíbia ser mais vulnerável a flictenas, necrose e degradação, as placas minimamente invasivas e as de baixo perfil são favorecidas nessa área.

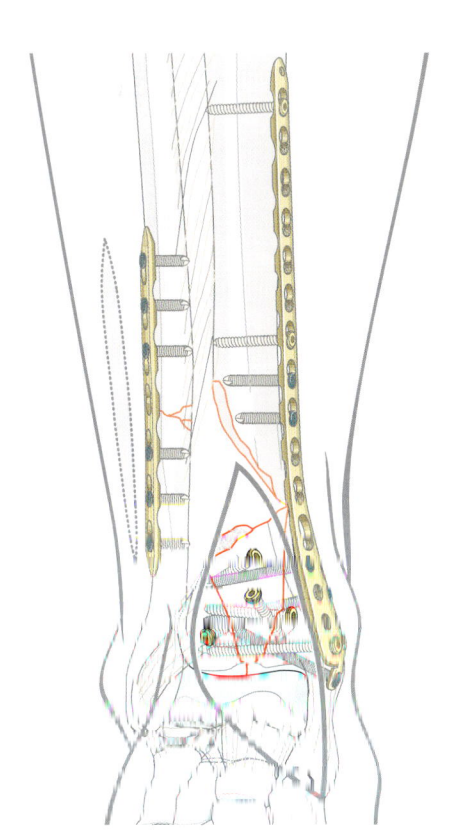

Fig. 6.8.3-19 Uso de placa medial e parafusos de tração para os fragmentos articulares por meio de uma via de acesso anteromedial.

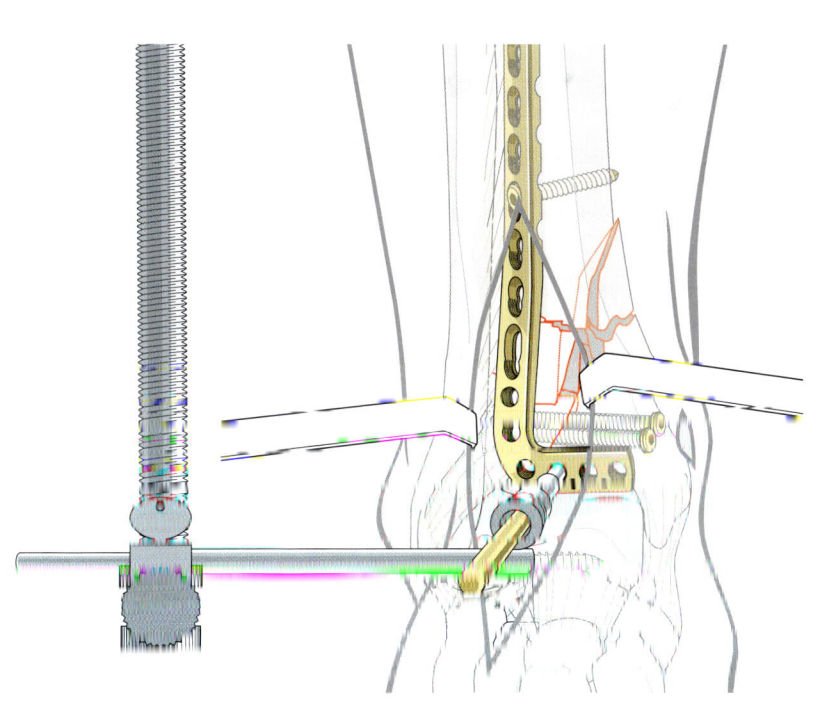

Fig. 6.8.3-20 Uso de placa anterolateral por meio de uma via de acesso anterolateral, com fixação medial mínima. Um distrator é visto no lado lateral.

A fixação alternativa, como a fixação externa ou a fixação com armação circular de fios finos, é uma opção. Para reduzir o risco de artrite séptica, os fios finos não devem ser colocados através da cápsula articular. A fixação com armação circular pode fornecer várias vantagens, incluindo a carga precoce, menos incisões de partes moles, um risco mais baixo de infecção profunda e menos complicações relacionadas a implantes retidos. Entretanto, essa técnica requer seleção cuidadosa do paciente, grande conhecimento e familiaridade com o sistema de fixação em anel, conhecimento completo da anatomia transversal e vigilância pós-operatória diligente que inclui o cuidado local meticuloso dos fios [3, 13]. A fixação com haste intramedular também tem sido descrita para as fraturas 43C1 e C2 junto com a fixação da fíbula, redução anatômica e fixação separada do componente articular com parafusos (**Fig. 6.8.3-9**) [16].

7.4 Desafios

- As fraturas expostas devem ser tratadas cuidadosamente com um protocolo estadiado de debridamento, fixação externa precoce, curativos com terapia da ferida por pressão negativa, debridamento repetido e planejado e cobertura definitiva de partes moles da fratura e de todos os implantes [17].
- Cominução grave, com mais de 50% de perda da cartilagem articular e superfícies articulares não passíveis de reconstrução, podem demandar a fusão primária do tornozelo.
- A perda óssea segmentar metafisária com a fratura exposta requer uma reconstrução complexa. Tudo necessita debridamento precoce, estabilização da fratura e reconstrução de partes moles. A perda óssea pode ser gerenciada temporariamente com pérolas de antibióticos ou espaçadores de cimento com antibiótico, seguidos, 6 semanas mais tarde, por autoenxerto ósseo para o defeito enquanto é preservada a membrana que se desenvolve (técnica de Masquelet) (**Fig. 6.8.3-21**). Alguns defeitos grandes podem requerer transporte ósseo (osteogênese por tração) ou enxertos vascularizados [18].
- As fraturas osteoporóticas requerem atenção especial com o uso de implantes bloqueados, parafusos bicorticais, e parafusos em grelha para apoiar os fragmentos articulares e enxertia do defeito ósseo para evitar o colapso tardio.

8 Cuidados pós-operatórios

A elevação de perna é recomendada por 2-5 dias no pós-cirúrgico, com o pé apoiado em uma posição neutra para prevenir a deformidade em equino. Os exercícios ativo-assistidos são iniciados dentro de alguns dias. A imobilização não é necessária (a menos que os tecidos moles precisem de proteção) e a mobilização começa com a carga parcial (10-15 kg). Dependendo da consolidação da fratura, a carga pode ser aumentada depois de 6-8 semanas com carga completa em geral após 3 meses. Se houver retardo na consolidação da fratura, a enxertia óssea precoce é recomendada em 6-8 semanas, com o autoenxerto usado para reforço da consolidação. O tabagismo deve ser desencorajado, já que a consolidação retardada é comum nessa população. A remoção do implante pode ser necessária nos casos de irritação de partes moles por causa do implante. O melhor momento para a remoção é depois da remodelação completa, pelo menos 12 meses depois da cirurgia.

9 Complicações

9.1 Complicações precoces

- As complicações de partes moles (p. ex., deiscência da ferida, descamação, infecção superficial ou profunda e infecção do trajeto do fio) podem ser tratadas com cuidados locais da ferida, terapia da ferida por pressão negativa ou debridamento [3], com ou sem retalhos locais ou livres.
- Mau alinhamento ósseo e perda de redução com afrouxamento de implante.

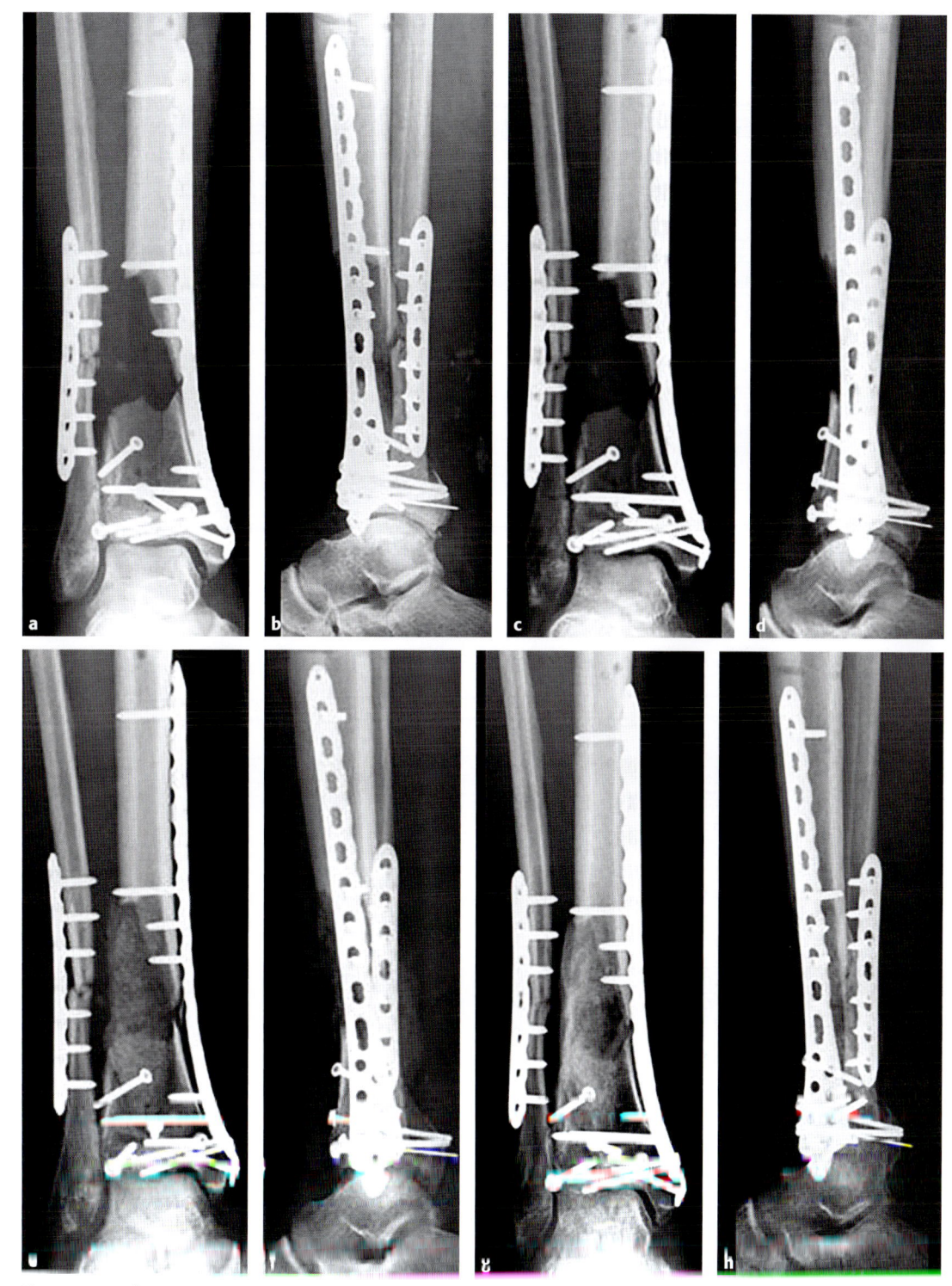

Fig. 6.8.3-21a-h
a-b Fratura exposta com defeito segmental, redução e fixação com parafusos em grelha e placa medial.
c-f Enxerto do defeito após 7 semanas.
g-h Por fim, a fratura consolidou em aproximadamente 5 meses.

9.2 Complicações tardias

- A artrite pós-traumática é a complicação mais comum em longo prazo depois da fratura do pilão [19]. O tratamento consiste no uso de medicamentos, modificação de calçados, imobilizadores do tornozelo e injeções de corticosteroide como passos iniciais. A artroscopia do tornozelo e a queilectomia anterior podem fornecer algum alívio, mas os resultados em longo prazo são incertos. O tratamento mais confiável para a artrite é a artrodese, e ela permanece o principal tratamento [3].
- A não união da fratura articular é rara, mas a não união metafisária é bastante frequente. Existe habitualmente uma linha de fratura única que precisa ser fixada com técnicas de estabilidade absoluta depois da correção da deformidade e exclusão da infecção. Alguns autores recomendam o enxerto ósseo.
- A consolidação viciosa da fratura articular raramente pode ser salva com a osteotomia intra-articular: a consolidação viciosa articular sintomática em geral requer uma artrodese. A consolidação viciosa extra-articular que resulta em mau alinhamento axial pode requerer correção, se sintomática. A deformidade em varo perto da articulação do tornozelo é mal tolerada. O tratamento é com osteotomia e fixação de revisão ou a correção gradual com uma armação circular e osteogênese de tração [3].
- A infecção profunda deve ser tratada de acordo com os princípios demarcados no Capítulo 5.4. Todo tecido infectado deve ser excisado e o microrganismo infectante identificado. Se a fixação da fratura for estável, pode ser possível reter o implante, fornecer cobertura de partes moles (isso frequentemente requer uma transferência microvascular de tecido) e tratamento com antibióticos até a consolidação da fratura. Entretanto, se a fixação da fratura não for estável ou o microrganismo infectante for virulento, todos os implantes são removidos e a fratura é estabilizada com um fixador externo, que pode ser usado definitivamente ou temporariamente com a colocação de uma placa mais adiante [3]. A infecção profunda após a fratura do pilão é uma complicação séria e um número significativo de pacientes necessitará amputação abaixo do joelho.
- Falha do implante.
- Síndrome da dor regional complexa.
- Amputação.

10 Prognóstico e desfecho

O desfecho clínico e funcional depende da fratura e dos fatores relacionados ao paciente e ao cirurgião. A artrite pós-traumática se correlaciona com a gravidade da lesão e a qualidade da redução [2, 17, 19, 20]. Blauth e colaboradores [21] verificaram que 94% dos pacientes tinham sinais radiográficos de artrite em 35-84 meses. Entretanto, mais da metade ainda tinham > 75% da sua amplitude de movimento normal e 92% estavam satisfeitos. Dois estudos [19, 22] encontraram que os pacientes com fratura do pilão tiveram um escore SF-36 significativamente mais baixo que os comparativos normais em gênero e idade; na Escala de Osteoartrite de Tornozelo, eles relataram dor no tornozelo e função diminuída em até 2 anos após a lesão.

Quarenta e três por cento daqueles empregados antes da lesão estavam desempregados em 3,2 anos e 68% dos desempregados consideravam que a fratura do pilão os impedia de trabalhar. Trinta e cinco por cento relataram dor e rigidez persistentes no tornozelo. De 5-11 anos após a lesão, o efeito negativo sobre a função física e na função e dor do tornozelo ainda eram evidentes. Uma metanálise de Wang e colaboradores [23] não mostrou nenhuma diferença nas complicações (consolidação, infecção e artrite) entre a redução aberta e fixação interna, fixação interna limitada e fixação externa. Embora a artrose se desenvolva na maioria dos pacientes, ela geralmente não se correlaciona com o desfecho clínico ruim [21].

11 Referências

1. **Bartlett CS, Putnam RM, Endres NK.** Fractures of the tibial pilon. In: Browner BD, Jupiter J, Levine A, et al, eds. *Skeletal Trauma: Basic Science, Management, and Reconstruction*. 4th ed. Philadelphia: Elsevier; 2009:2.
2. **Rüedi TP, Allgower M.** The operative treatment of intra-articular fractures of the lower end of the tibia. *Clin Orthop Relat Res.* 1979 Jan-Feb;138:105–110.
3. **Liporace FA, Mehta S, Rhorer AS, et al.** Staged treatment and associated complications of pilon fractures. *Instr Course Lect.* 2012;61:53–70.
4. **Barei DP, Nork SE, Bellabarba C, et al.** Is the absence of an ipsilateral fibular fracture predictive of increased radiographic tibial pilon fracture severity? *J Orthop Trauma.* 2006 Jan;20(1):6–10.
5. **Sirkin MS.** Plating of tibial pilon fractures. A review paper. *Am J Orthop.* 2007 Dec;36(12 suppl):13–17.
6. **Tornetta P 3rd, Gorup J.** Axial computed tomography of pilon fractures. *Clin Orthop Relat Res.* 1996 Feb;(323):273–276.
7. **Cole PA, Mehrle RK, Bhandari M, et al.** The pilon map: fracture lines and comminution zones in OTA/AO type 43C3 pilon fractures. *J Orthop Trauma.* 2013 Jul;27(7):e152–e156.
8. **Wettstein R, Erni D.** Fascial system: a connective tissue framework. In: Volgas DA, Yves H, eds. *Manual of Soft-tissue Management in Orthopaedic Trauma*. Stuttgart: Thieme Medical Publishers; 2011.
9. **Topliss CJ, Jackson M, Atkins R.** Anatomy of the pilon fractures of the distal tibia. *J Bone Joint Surg Br.* 2005 May;87(5):692–697.
10. **White TO, Guy P, Cooke CJ, et al.** The results of early primary open reduction and internal fixation for treatment of OTA 43.C-type tibial pilon fractures: a cohort study. *J Orthop Trauma* 2010 Dec;24(12):757–763.
11. **Tang X, Liu L, Tu CQ, et al.** Comparison of early and delayed open reduction and internal fixation for treating closed tibial pilon fractures. *Foot Ankle Int.* 2014 July;35(7):657–664.
12. **Calori GM, Tagliabue L, Mazza E, et al.** Tibial pilon fractures: which method of treatment? *Injury.* 2010 Nov;41(11):1183–1190.
13. **Reid JS.** Pilon fracture update. *Current Orthop Pract.* 2009 Sep-Oct;20(5):527–533.
14. **Dunbar RP, Barei DP, Kubiak EN, et al.** Early limited internal fixation of diaphyseal extensions in select pilon fractures: upgrading AO/OTA type C fractures to AO/OTA type B. *J Orthop Trauma.* 2008 Jul;22(6):426–429.
15. **Ketz J, Sanders R.** Staged posterior tibial plating for the treatment of Orthopaedic Trauma Association 43C2 and 43C3 tibial pilon fractures. *J Orthop Trauma.* 2012 Jun; 26(6):341–347.
16. **Marcus MS, Yoon RS, Langford J, et al.** Is there a role for intramedullary nails in the treatment of simple pilon fractures? Rationale and preliminary results. *Injury.* 2013 Feb;44.1107–1111.
17. **Boraiah S, Kemp TJ, Erwteman A, et al.** Outcome following open reduction and internal fixation of open pilon fractures. *J Bone Joint Surg Am.* 2010 Feb;92A(2):346–352.
18. **Gardner MJ, Mehta S, Barei DP, et al.** Treatment protocol for open AO/OTA type C3 pilon fractures with segmental bone loss. *J Orthop Trauma.* 2008 Aug;22(7):451–457.
19. **Pollak AN, McCarthy ML, Bess RS, et al.** Outcomes after treatment of highenergy tibial plafond fractures. *J Bone Joint Surg Am.* 2003 Oct;85-A(10):1893–1900.
20. **Jansen H, Fenwick A, Doht S, et al.** Clinical outcome and changes in gait pattern after pilon fractures. *Int Orthop.* 2013 Jan;37(1):51–58.
21. **Blauth M, Bastian L, Krettek C, et al.** Surgical options for the treatment of severe tibial pilon fractures: a study of three techniques. *J Orthop Trauma.* 2001 Mar-Apr;15(3):153–160.
22. **Marsh JL, McKinley T, Dirschl D, et al.** The sequential recovery of health status after tibial plafond fractures. *J Orthop Trauma.* 2010 Aug;24(8):499–504.
23. **Wang D, Xiang JP, Chen XH, et al.** A meta-analysis for postoperative complications in tibial plafond fracture: open reduction and internal fixation versus limited internal fixation combined with external fixator. *J Foot Ankle Surg.* 2014 Aug 12;S1067-2516(14):00273–00277.

12 Agradecimento

Agradecemos a Christoph Sommer e Michael Baumgaertner por suas contribuições para a 2ª edição de *Princípios AO do tratamento de fraturas*.

Fraturas específicas
6.8.3 Tíbia, distal intra-articular (pilão)

6.9 Maléolos

David M. Hahn, Keenwai Chong

1 Introdução

A articulação do tornozelo pode ser lesionada por forças diretas ou, o que é mais comum, por forças indiretas rotacionais, translacionais e axiais. Elas podem resultar em subluxação ou luxação do tálus do encaixe do tornozelo, geralmente associada a um complexo de fratura.

1.1 Epidemiologia

As fraturas do tornozelo são uma das fraturas mais comuns e, no membro inferior, são a segunda em frequência, abaixo somente das fraturas proximais do fêmur. As fraturas do tornozelo têm uma distribuição bimodal de idade, em homens jovens e mulheres idosas. Existe um aumento notável nas fraturas de tornozelo entre os idosos.

1.2 Características especiais

As lesões maleolares são fraturas articulares. O tratamento é direcionado à restauração da anatomia articular normal e à estabilidade suficiente para o movimento precoce. Os padrões de fratura estáveis e não desviados podem ser tratados por métodos fechados. A restauração anatômica e fixação estável da fratura instável e desviada é mais adequadamente alcançada pela redução aberta e fixação interna.

> A decisão de operar não é baseada apenas no padrão de fratura. A condição dos tecidos moles é fundamental. Os fatores do paciente, como idade, diabetes e osteoporose, podem alterar as indicações e as técnicas de fixação para a fratura do tornozelo.

2 Avaliação e diagnóstico

2.1 História do caso e exame físico

As fraturas do tornozelo são com frequência lesões isoladas, e é importante obter um registro do mecanismo de lesão, da deformidade e da capacidade de apoiar o peso depois da lesão. As fraturas do tornozelo mais frequentemente resultam de lesões por torção com baixa energia. A posição do pé e do tornozelo no momento da lesão geralmente ditará o padrão da fratura. Uma história de trauma com energia mais alta deve indicar a possibilidade de envolvimento de partes moles maiores e o desenvolvimento de síndrome compartimental. Os mecanismos de energia mais alta podem indicar que a fratura pode ser do pilão tibial.

É importante determinar a presença de comorbidades como diabetes, doença vascular periférica, neuropatia e tabagismo. Uma história social que determine a mobilidade pré-lesão e as aspirações funcionais do paciente pode ajudar na tomada de decisão sobre o tratamento.

O exame físico deve buscar quaisquer ferimentos abertos, inchaço, deformidade, contusões e dor. A descoloração de pele e palidez podem indicar comprometimento cutâneo e a necessidade de uma redução urgente. A condição neurovascular do pé deve ser cuidadosamente avaliada.

Fraturas específicas
6.9 Maléolos

2.2 Exames de imagem

Três incidências radiográficas do tornozelo são necessárias: a vista anteroposterior (AP), a vista AP obtida em um ângulo de 20 graus interna para trazer o eixo transmaleolar em paralelo à placa (AP verdadeiro) e a vista lateral. É importante buscar o encurtamento da fíbula, que é mais adequadamente avaliada por um degrau no alinhamento das placas subcondrais do pilão tibial e o maléolo lateral (**Fig. 6.9-1**). O ângulo talocrural é de 83 graus mais ou menos 4 graus (**Fig. 6.9-2**). Se o ângulo for maior ou menor, então isso indica instabilidade, mudança no comprimento fibular ou desvio da pinça articular. O espaço articular entre o tálus e o pilão devem se equiparar ao espaço entre o maléolo medial e o tálus medial.

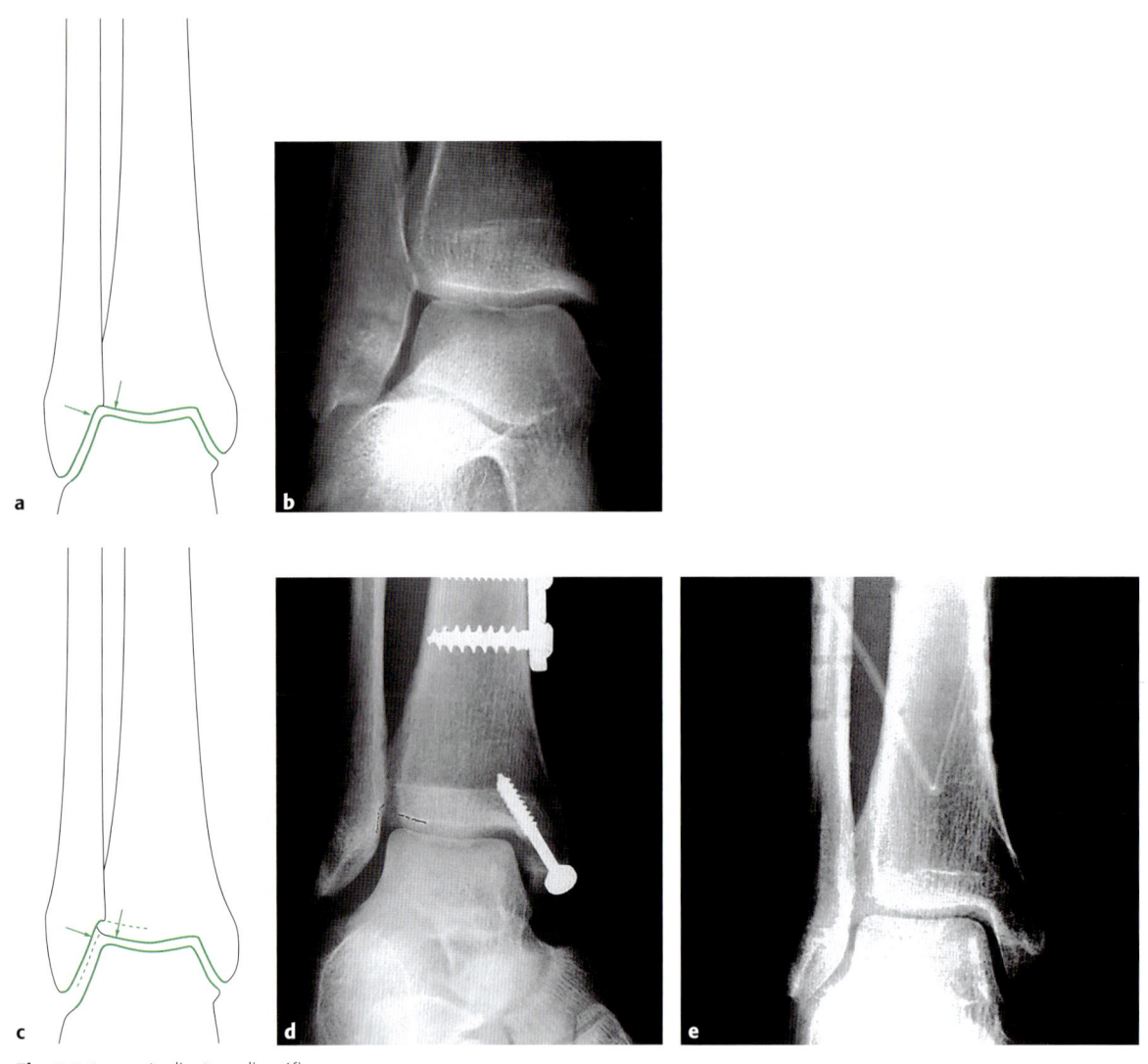

Fig. 6.9-1a-e Avaliação radiográfica.
a-b Articulação normal do tornozelo com a perna em 20° de rotação interna: o espaço articular possui largura igual ao longo de toda a extensão. A linha da placa subcondral do pilão tibial, projetada acima do *gap*, é contínua com aquela do maléolo lateral.
c-d Mesmo o menor encurtamento da fíbula pode ser reconhecido radiograficamente como um degrau no alinhamento das placas subcondrais do pilão tibial e do maléolo lateral.
e Depois da osteotomia de alongamento da fíbula, a congruência articular é restabelecida.

O alargamento do espaço articular medial é indicativo de desvio da pinça articular.

A vista lateral demonstra o padrão de fratura da fíbula e qualquer translação anterior ou posterior do tálus. A tomografia computadorizada (TC) é raramente necessária para as fraturas maleolares. Entretanto, se há dúvida sobre o padrão de fratura ou mecanismo exato da lesão, uma TC pode ser útil para identificar fraturas do tornozelo que sejam uma variante da fratura do pilão, com um grande fragmento cortical posterior (Volkmann) em associação a uma fratura da fíbula. Ocasionalmente, com as fraturas infrassindesmais de supinação-adução, uma TC também pode ajudar a elucidar com clareza a impacção articular tibial medial para permitir um planejamento pré-operatório completo. As incidências radiográficas em estresse somente são úteis no paciente completamente anestesiado e ao comparar com o lado normal (**Fig. 6.9-3**).

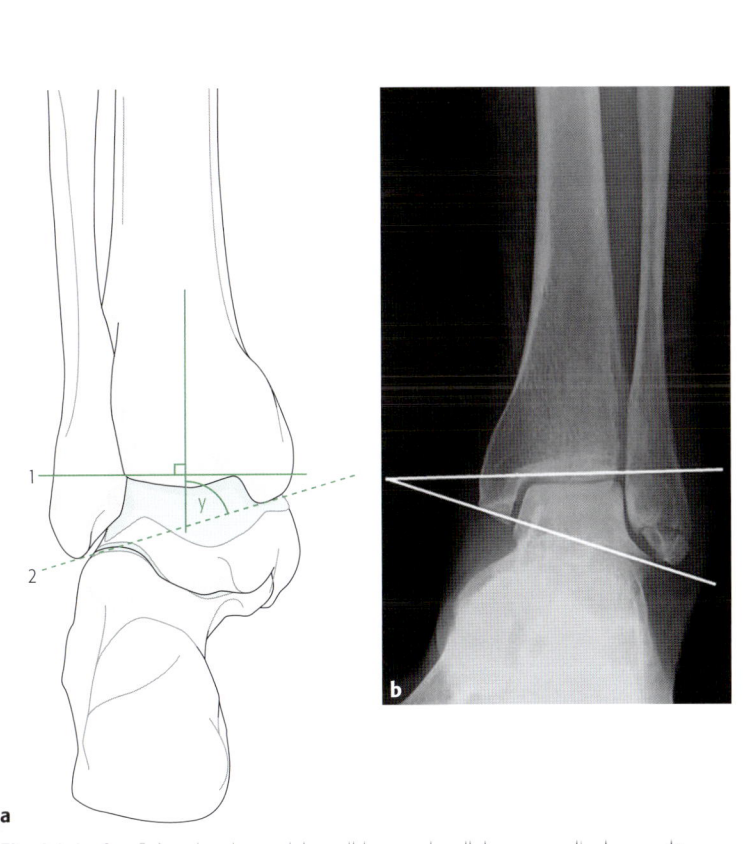

Fig. 6.9-2a-b O ângulo talocrural é medido usando a linha perpendicular ao pilão tibial (1) e a linha entre as pontas dos maléolos (2).

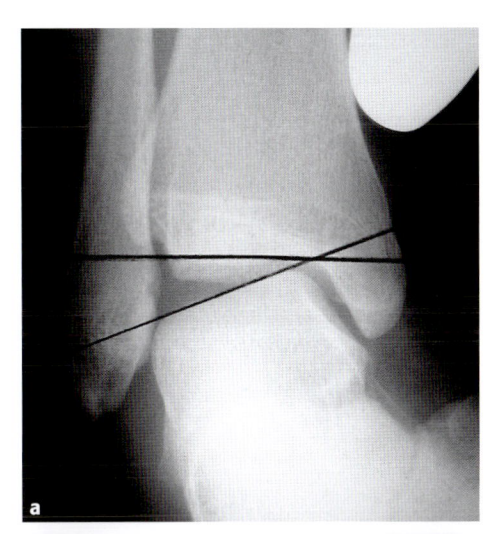

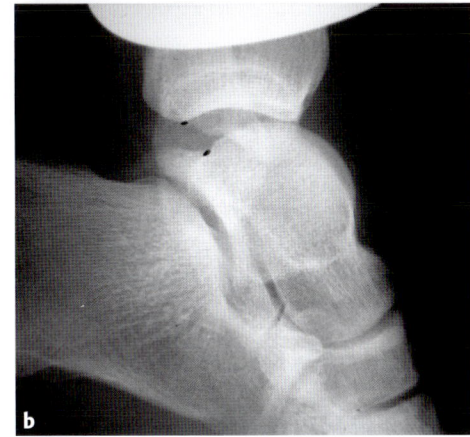

Fig. 6.9-3a-b Radiografias com estresse.
a Uma radiografia AP com estresse da articulação do tornozelo. Note a inclinação de 10° em varo do tálus. Isso denota que o importante ligamento calcaneofibular está lesionado, em adição ao ligamento talofibular anterior.
b Subluxação anterior do tálus visto na incidência radiográfica lateral com estresse anterior aplicado no retropé. Uma diferença entre o tornozelo lesionado e o ileso de 5 mm ou mais na altura do espaço articular é patognomônica de uma lesão do ligamento talofibular anterior.

Fraturas específicas
6.9 Maléolos

3 Anatomia

A estabilidade da pinça do tornozelo baseia-se tanto na morfologia do osso quanto do sistema osteoligamentar. A pinça óssea consiste na articulação de três ossos: o aspecto distal da tíbia, o aspecto distal da fíbula e o tálus. A articulação principal fica entre o domo em forma de sela do tálus e o pilão tibial. O tálus também tem importantes superfícies articulares mediais e laterais, que se articulam com os respectivos maléolos. Os componentes ósseos do tornozelo são estabilizados por três complexos ligamentares: os complexos tibiofibulares inferiores, bem como os complexos dos ligamentos colaterais lateral e medial.

3.1 Complexo tibiofibular inferior (sindesmose)

A tíbia e fíbula distais são mantidas juntas para fornecer uma rígida pinça no tornozelo, e essa união sindesmótica consiste em três elementos (**Fig. 6.9-4**):

- O ligamento sindesmótico anterior (tibiofibular anterior) une o tubérculo tibial anterior (tubérculo de Tillaux-Chaput) ao maléolo lateral.
- O ligamento sindesmótico posterior (tibiofibular posterior) é mais forte e une o maléolo lateral ao tubérculo tibial posterior.
- O ligamento interósseo une a tíbia à fíbula na incisura tibial (incisura tibiofibular) e está em continuidade com a membrana interóssea proximal aos ligamentos sindesmóticos.

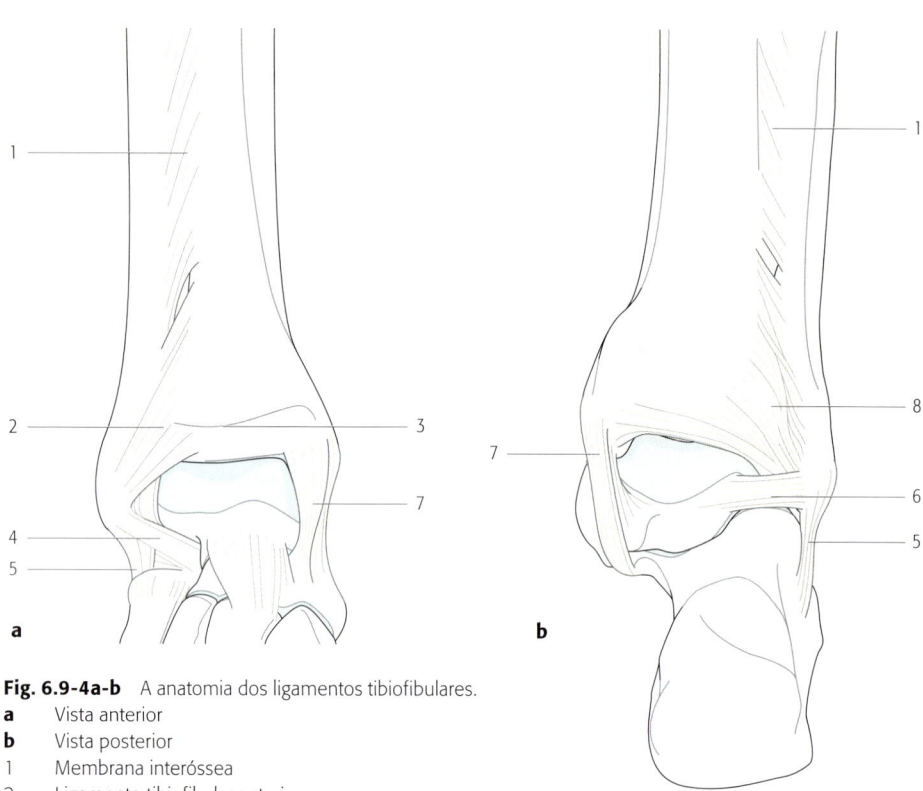

Fig. 6.9-4a-b A anatomia dos ligamentos tibiofibulares.
a Vista anterior
b Vista posterior
1 Membrana interóssea
2 Ligamento tibiofibular anterior
3 Tubérculo tibial anterior (tubérculo de Tillaux-Chaput)
4 Ligamento talofibular anterior
5 Ligamento calcaneofibular
6 Ligamento talofibular posterior
7 Ligamento deltoide
8 Ligamento tibiofibular posterior

3.2 Complexos ligamentares colaterais

Os ligamentos colaterais previnem a inclinação em varo/valgo do tálus na pinça do tornozelo. O complexo ligamentar colateral lateral consiste em três elementos distintos (**Figs. 6.9-4-5**):

- O ligamento fibulotalar anterior se origina da borda anterior da fíbula e se insere logo anterior à faceta maleolar lateral do tálus.
- O ligamento fibulocalcaneo se origina na ponta da fíbula e corre posterior e distalmente sob os tendões fibulares até se inserir no calcâneo.
- O ligamento fibulotalar posterior se origina a partir do aspecto posterior distal da fíbula e se insere posteriormente no tálus.

O complexo ligamentar colateral medial, ou ligamento deltoide, consiste em duas partes:

- O ligamento tibiocalcâneo é superficial e em forma de leque.
- Os ligamentos tibiotalares profundos anterior e posterior.

3.3 Congruência da pinça

> O tálus permanece em contato íntimo com toda a superfície articular da pinça em todas as posições de dorsiflexão e flexão plantar.

Esse contato íntimo é importante para uma distribuição equilibrada de carga no tornozelo [1] e deve ser restaurado depois da lesão. Estudos biomecânicos [2, 3] mostraram que a congruência do tornozelo é mantida não por um movimento como uma dobradiça, mas por uma combinação de deslizamento e rotação do tálus, acoplada com o movimento translacional da fíbula, em todas as posições de flexão dorsal e plantar.

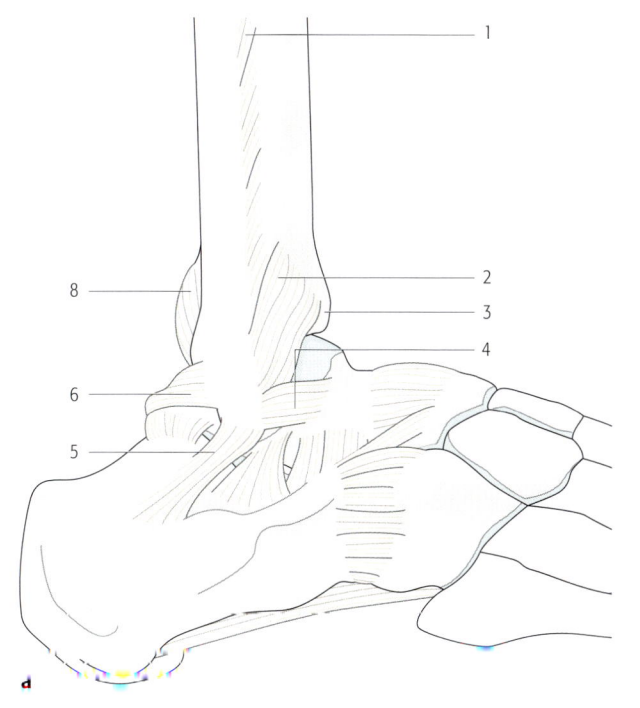

Fig. 6.9 5a b Anatomia dos ligamentos colaterais.
a O complexo ligamentar colateral lateral (4-6)
b O complexo ligamentar colateral medial (ligamento deltoide)
1 Membrana interóssea
2 Ligamento tibiofibular anterior
3 Tubérculo tibial anterior (tubérculo de Tillaux-Chaput)
4 Ligamento fibulotalar anterior
5 Ligamento fibulocalcaneo
6 Ligamento fibulotalar posterior
7 Ligamento deltoide
8 Ligamento tibiofibular posterior

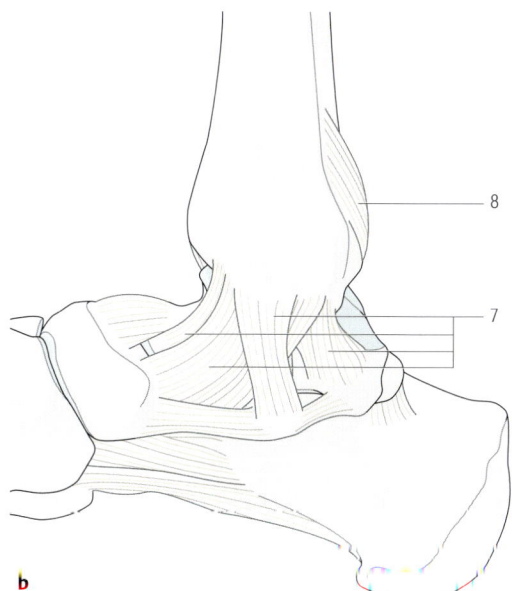

Fraturas específicas
6.9 Maléolos

A flexão plantar do tornozelo é acompanhada pela rotação interna do tálus. A dorsiflexão resulta na rotação externa do tálus e na combinação entre a translação posterolateral e a rotação externa da fíbula. Esse movimento fibular na sindesmose é uma parte essencial da função normal do tornozelo. A congruência total da articulação é o elemento mais importante para proteger a fina cartilagem articular do tornozelo de um *strain* alto e degeneração secundária.

> Os distúrbios da congruência do tornozelo reduzem a área de contato e podem levar à sobrecarga da cartilagem articular [4].

4 Classificação

4.1 Classificação AO/OTA de Fraturas e Luxações

A classificação AO/OTA de Fraturas e Luxações foi desenvolvida para permitir aos cirurgiões que reconheçam e descrevam o aspecto radiográfico dos padrões de fratura em um modo detalhado e comparável. Nessa base, os três tipos principais de fraturas do tornozelo podem ser classificados de acordo com o nível da fratura da fíbula como A, B ou C, com instabilidade crescente da pinça (**Fig. 6.9-6**) [5].

> Como os complexos ligamentares não aparecem nas radiografias, o cirurgião deve poder diagnosticar as lesões ligamentares a partir do padrão de fratura para entender completamente a anatomia da lesão.

Uma fratura transversa da fíbula abaixo do nível da articulação do tornozelo implica uma lesão por adução, com a fíbula sofrendo fratura em tensão e o ligamento sindesmótico permanecendo intacto (**Fig. 6.9-7a-c**). Com a supinação do pé e rotação externa do tálus, a fratura da fíbula é oblíqua ou helicoidal e começa anteriormente ao nível da articulação do tornozelo com possível ruptura parcial do ligamento sindesmótico anterior (**Fig. 6.9-8c**). A membrana interóssea, como regra, permanece intacta. O ligamento sindesmótico posterior permanece completamente intacto, ou fica intacto, mas tem um fragmento avulsionado do lábio articular tibial posterior (triângulo de Volkmann) (**Fig. 6.9-8d**).

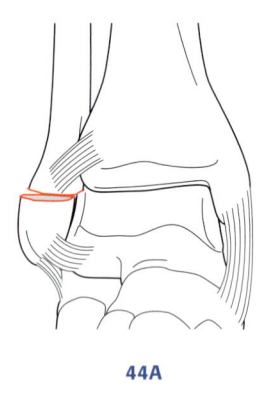

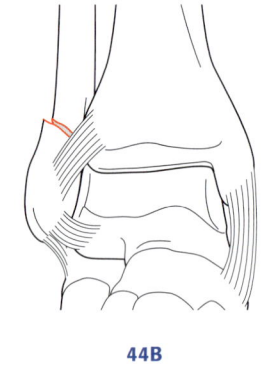

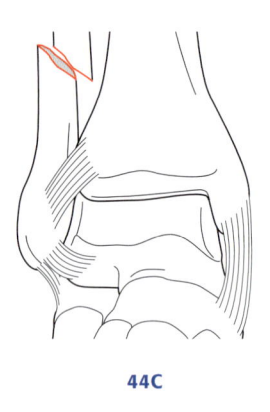

44A
44B
44C

44A Tíbia/fíbula, segmento maleolar, **fratura da fíbula infrassindesmal**
44B Tíbia/fíbula, segmento maleolar, **fratura da fíbula trans-sindesmal**
44C Tíbia/fíbula, segmento maleolar, **fratura da fíbula suprassindesmal**

Fig. 6.9-6a-c Classificação AO/OTA de Fraturas e Luxações – segmento maleolar.

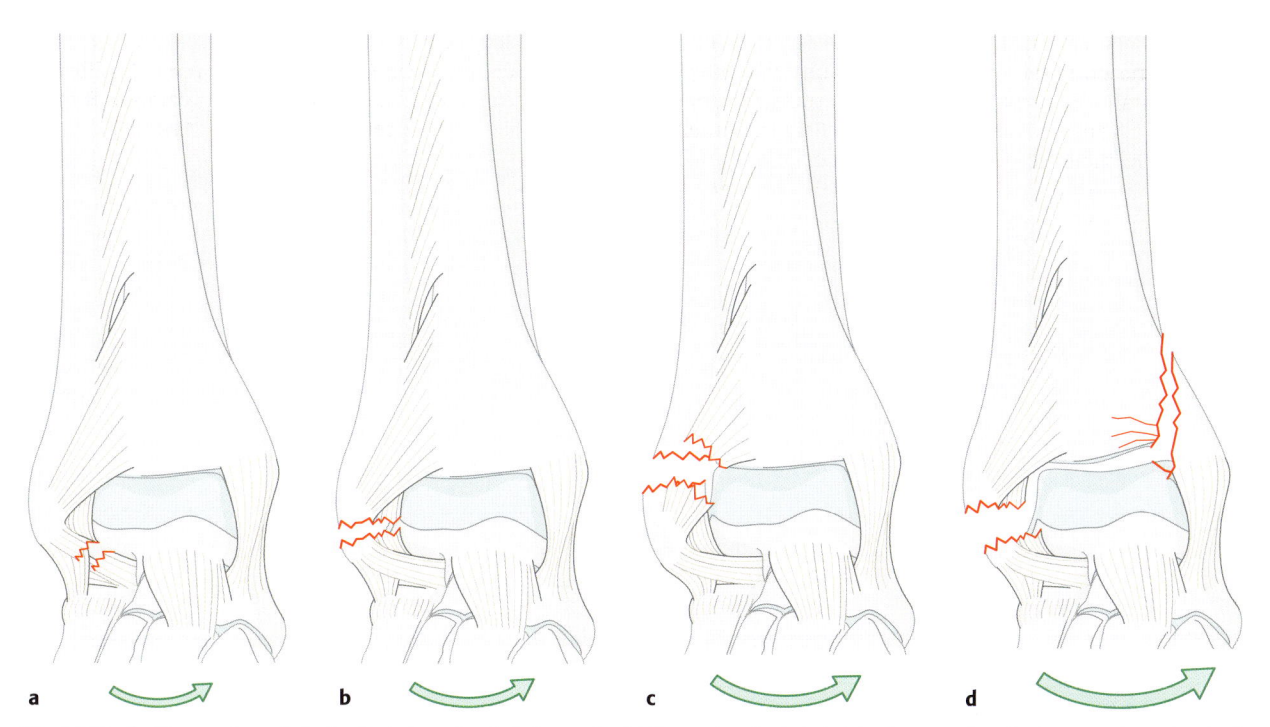

Fig. 6.9-7a-d O mecanismo de lesão das fraturas tipo A do tornozelo. A falha em tensão do lado lateral com o pé supinado e uma força de adução aplicada.
a   Ruptura do ligamento fibulotalar anterior.
b   Avulsão osteoligamentar.
c   Fratura da fíbula transversa por avulsão.
d   Lesão medial resultante de adução talar forçada. Com a falha do lado lateral mais a carga axial vertical, o tálus se inclina, causando uma fratura por compressão e cisalhamento do maléolo medial. Uma lesão osteocondral do tálus também pode ocorrer.

Fraturas específicas
6.9 Maléolos

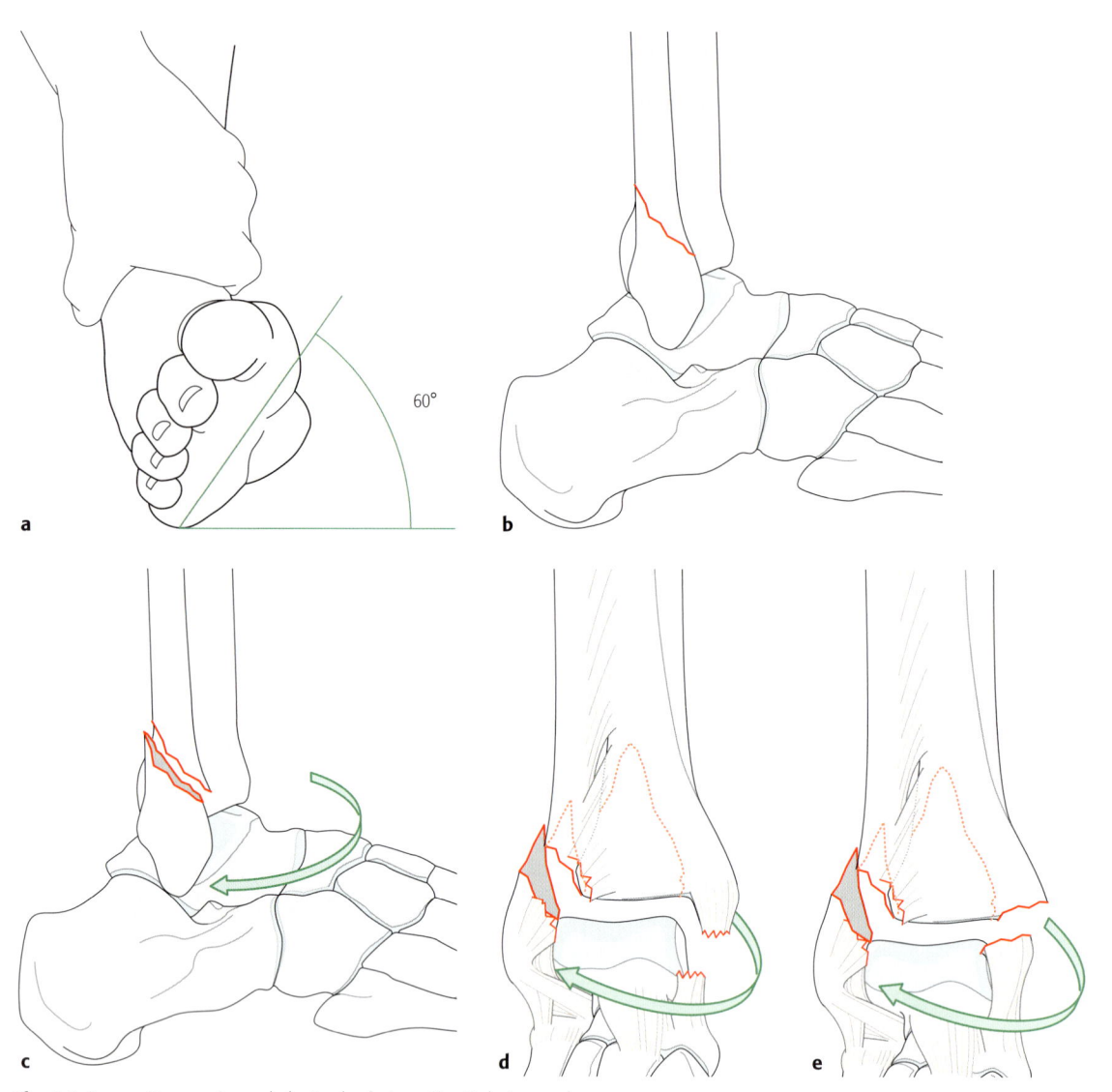

Fig. 6.9-8a-e O mecanismo de lesão das fraturas tipo B do tornozelo.
a Lesão com falha do lado lateral com o pé em supinação, resultando em violenta inclinação talar e rotação externa.
b A primeira lesão é uma fratura oblíqua ou helicoidal da fíbula que se inicia ao nível da articulação do tornozelo e passa posteriormente. Essa pode ser uma fissura não desviada se a força deformante cessar nesse momento. Esse é o tipo mais comum de fratura, e a pinça permanece estável.
c A rotação talar progressiva causa desvio posterior e proximal da fratura da fíbula.
d-e A rotação talar adicional resulta em uma fratura do lábio articular posterior da tíbia (triângulo de Volkmann). Conforme o tálus deixa a pinça posteriormente, ocorre falha medial no ligamento deltoide (**d**) ou no maléolo medial (**e**).

A fratura indireta da diáfise da fíbula que está acima dos ligamentos sindesmóticos implica que tanto o ligamento colateral medial quanto os complexos sindesmóticos foram rompidos e provavelmente haverá uma instabilidade importante (**Fig. 6.9-9i-j**). A membrana interóssea, a partir da articulação do tornozelo proximalmente até pelo menos o nível da fratura da fíbula, e os ligamentos sindesmóticos serão rompidos ou avulsionados com as suas inserções ósseas. Embora isto seja a implicação comum potencialmente mais séria desse padrão, uma fratura helicoidal acima da sindesmose pode ocorrer a partir de uma rotação externa pura da fíbula. Isso romperá somente o ligamento tibiofibular anterior, resultando em um padrão mais estável, já que a fíbula roda externamente sobre a membrana interóssea e o ligamento tibiofibular posterior intactos.

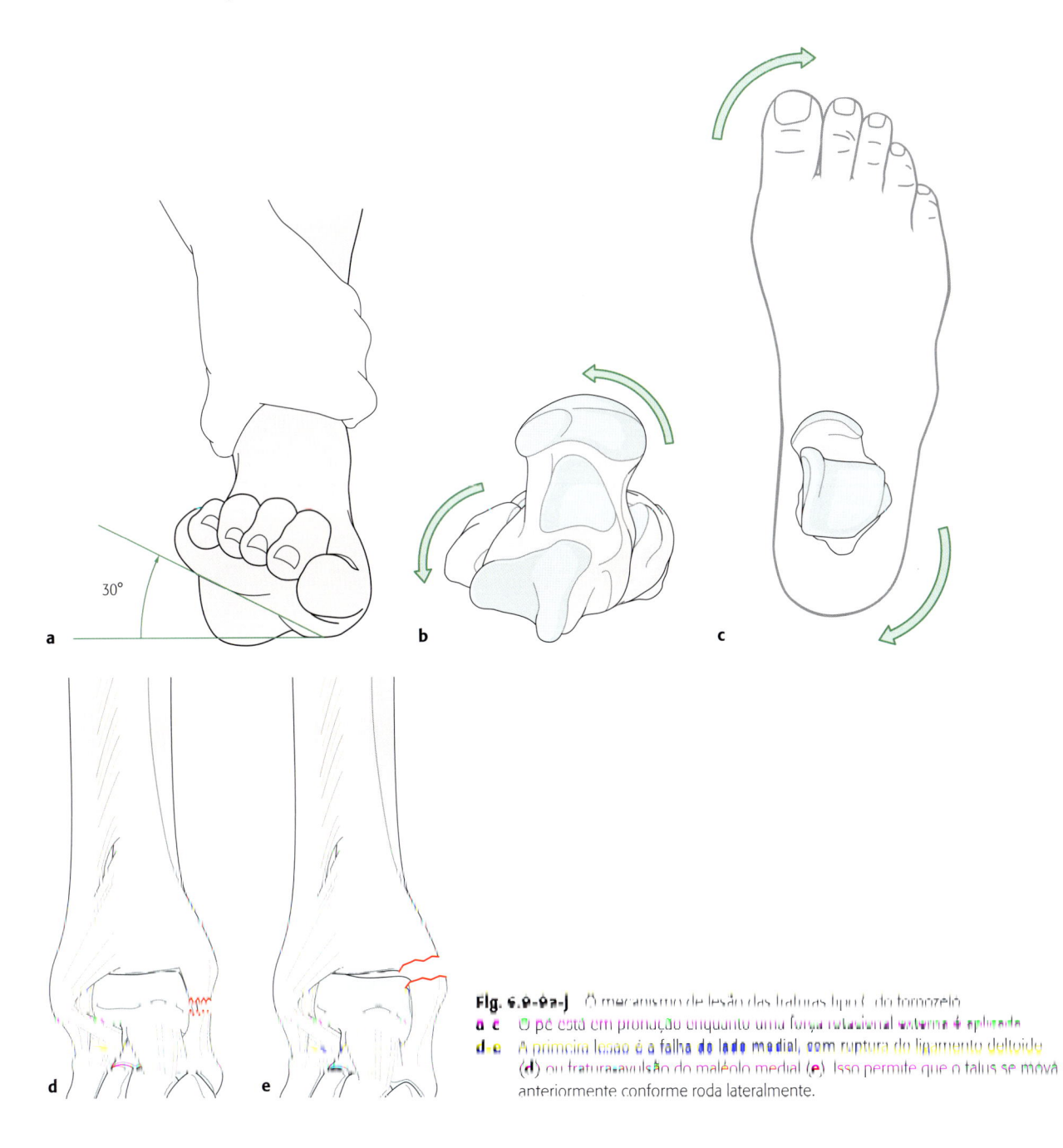

Fig. 6.9-9a-j O mecanismo de lesão das fraturas tipo C do tornozelo.

a-c O pé está em pronação enquanto uma força rotacional externa é aplicada.

d-e A primeira lesão é a falha do lado medial, com ruptura do ligamento deltoide (**d**) ou fratura-avulsão do maléolo medial (**e**). Isso permite que o talus se mova anteriormente conforme roda lateralmente.

Fraturas específicas
6.9 Maléolos

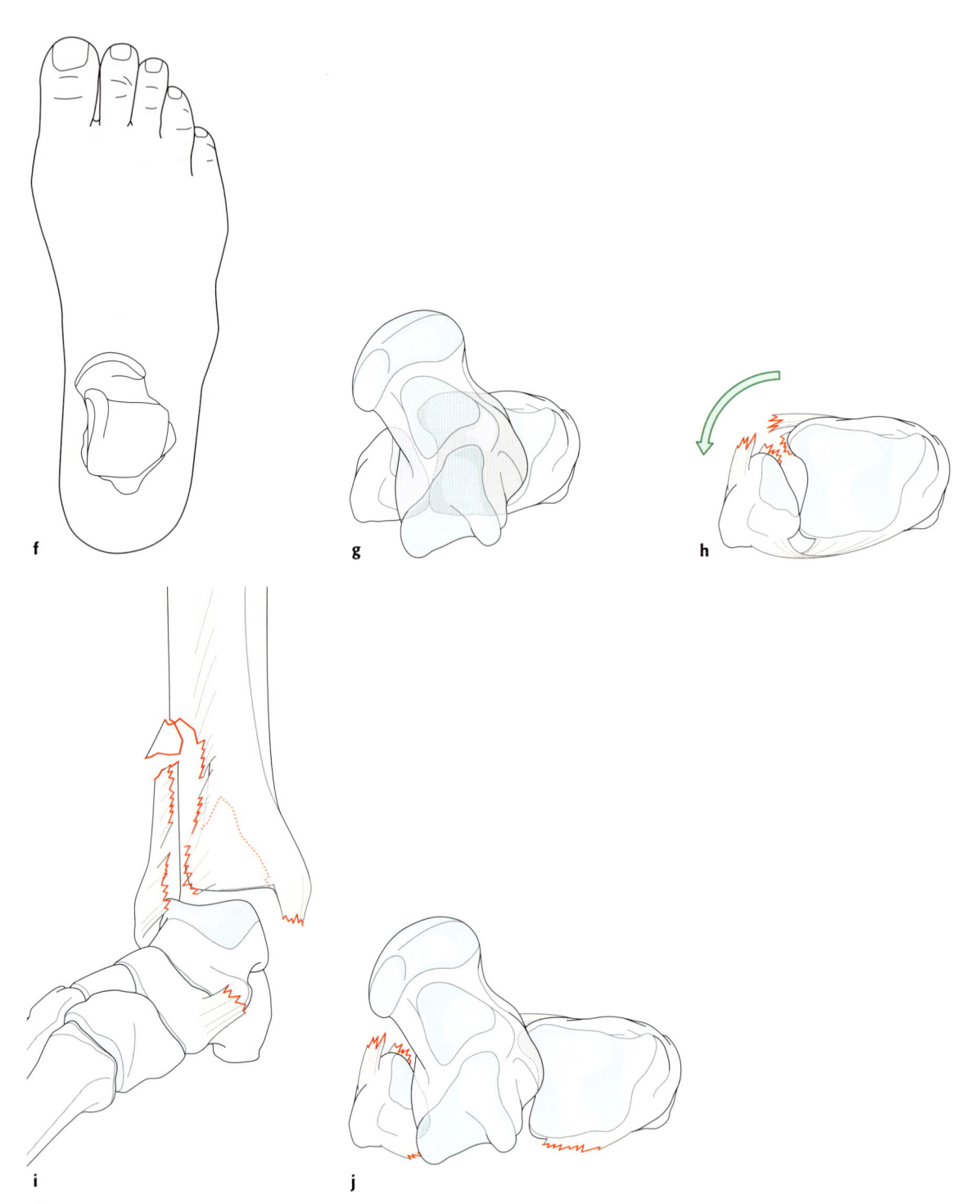

Fig. 6.9-9a-j (cont.) O mecanismo de lesão das fraturas tipo C do tornozelo.
f–h A fíbula é rodada e sofre translação lateral, causando falha dos ligamentos sindesmóticos.
i–j Finalmente, a fíbula sofre fratura proximal à sindesmose.

A natureza única da complexidade das fraturas maleolares e a necessidade de distingui-las das lesões por compressão vertical do pilão tibial requer a alocação de um código específico. Como uma exceção ao restante da Classificação AO/OTA de Fraturas e Luxações, para essa região óssea o código 4 é usado. As fraturas maleolares são, por conseguinte, categorizadas como 44.

4.2 Classificação e mecanismo da lesão

A posição do pé e a direção da força deformante apontam para o padrão de falha osteoligamentar da pinça. A posição do pé determina quais estruturas são apertadas no início da deformação e, por conseguinte, com maior probabilidade de falhar primeiro e falhar sob tensão. Se o pé estiver supinado (invertido), as estruturas laterais estarão retesadas, e as estruturas mediais, relaxadas. Em contraste, na pronação (eversão) as estruturas mediais estarão retesadas e falham primeiro. A força deformante pode ser rotacional, geralmente externa, ou translacional em abdução ou adução. Os padrões específicos resultantes da fratura do maléolo lateral formam a base da classificação (**Fig. 6.9-6**), conforme originalmente proposto por Weber [6].

4.2.1 A lesão infrassindesmal (fratura tipo A)

Com o pé supinado e uma força deformante de adução aplicada ao tálus, a primeira lesão ocorrerá no lado lateral, que está sob tensão. Isso irá romper o ligamento lateral ou causar avulsão osteoligamentar, ou resultar em uma fratura transversa do maléolo lateral no ou logo abaixo do nível do pilão tibial (**Fig. 6.9-7a-c**). Se a força deformante ainda continuar, o tálus se inclina, e isso causará uma fratura por cisalhamento e compressão do maléolo medial (**Fig. 6.9-7d**, **Fig./Animação 6.9-10**).

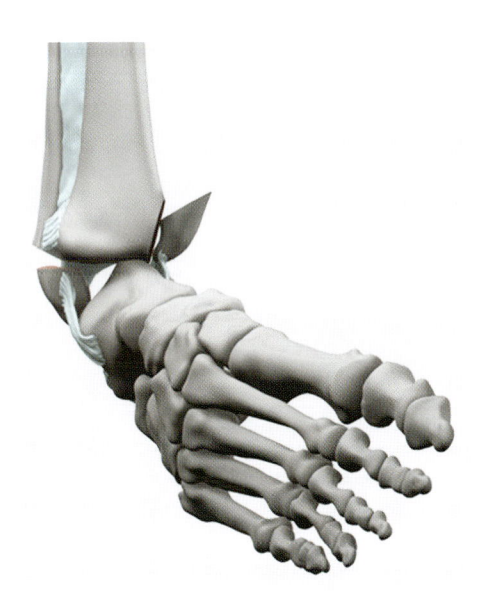

Fig./Animação 6.9-10 Fraturas tipo A do tornozelo.

Fraturas específicas
6.9 Maléolos

4.2.2 A lesão trans-sindesmal (fratura tipo B)

O padrão mais comum de lesão ocorre com carga axial em um pé supinado.

Em virtude da obliquidade do eixo sobre o qual ocorre o movimento subtalar, a inversão resulta em rotação externa do tálus (**Fig. 6.9-11**). Primeiro a fíbula falha, produzindo uma fratura oblíqua que se inicia ao nível da articulação do tornozelo e se estende proximalmente de anterior até posterior (**Fig. 6.9-8a**). A rotação externa do talus progressiva (**Fig. 6.9-8b**) causa o desvio posterior, resultando em uma lesão do ligamento sindesmótico posterior ou uma fratura do maléolo posterior (**Fig. 6.9-8c**). Finalmente, conforme o tálus subluxa posteriormente, o complexo medial falha em tensão, seja por ruptura do ligamento deltoide (**Fig. 6.9-8d**) ou por uma fratura transversa do maléolo medial (**Fig. 6.9-8e**, **Fig./Animação 6.9-12**).

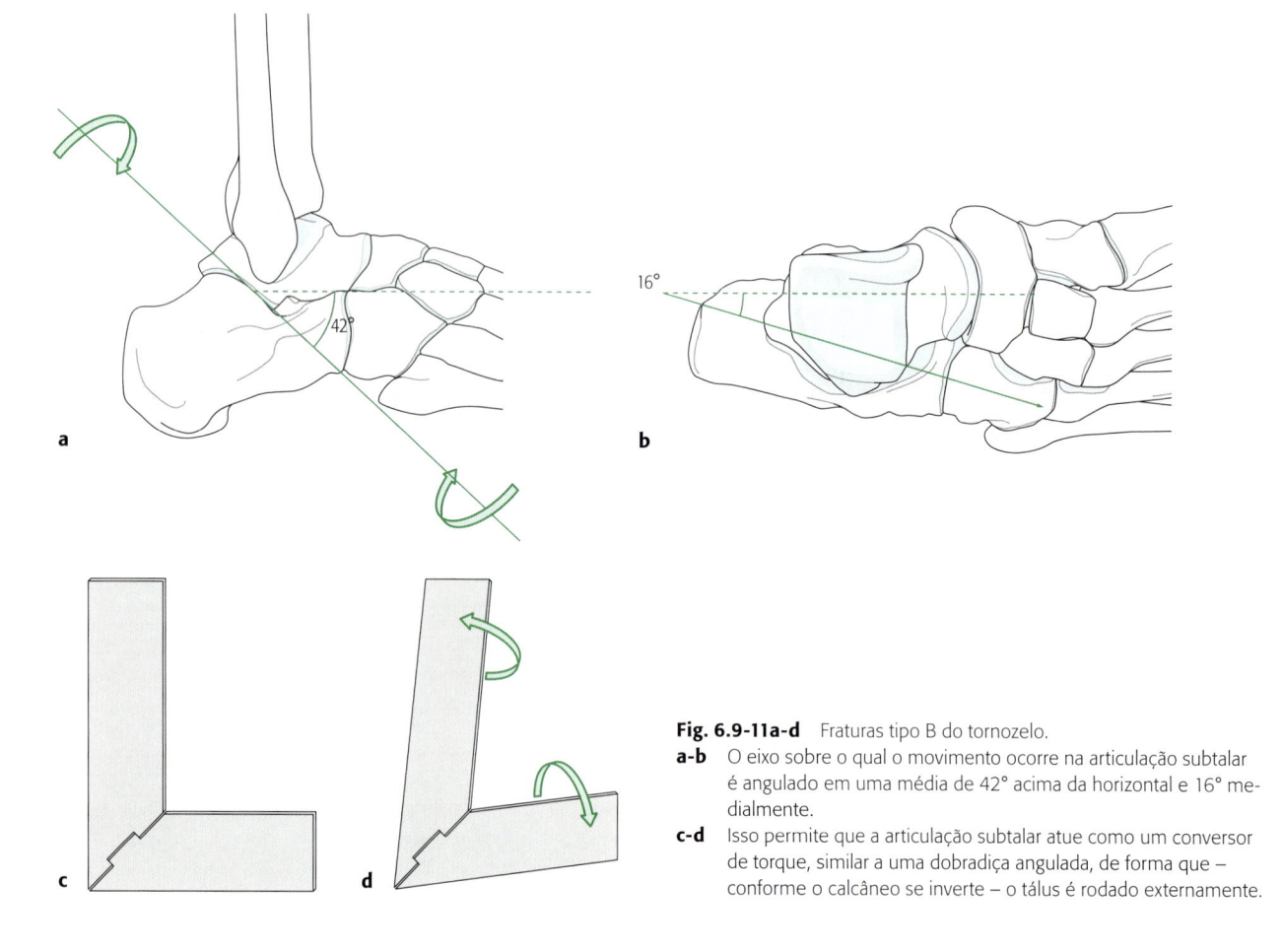

Fig. 6.9-11a-d Fraturas tipo B do tornozelo.
a-b O eixo sobre o qual o movimento ocorre na articulação subtalar é angulado em uma média de 42° acima da horizontal e 16° medialmente.
c-d Isso permite que a articulação subtalar atue como um conversor de torque, similar a uma dobradiça angulada, de forma que – conforme o calcâneo se inverte – o tálus é rodado externamente.

4.2.3 A lesão suprassindesmal (fratura do tipo C)

Um terceiro tipo de lesão ocorre quando o pé estiver em pronação, as estruturas mediais sob tensão e uma força de rotação externa é aplicada (**Fig. 6.9-9a-c**). A primeira lesão ocorrerá no lado medial tensionado sob a forma de uma ruptura do ligamento deltoide (**Fig. 6.9-9d**) ou uma fratura-avulsão maleolar medial (**Fig. 6.9-9e**). Isso permite que o lado medial do tálus sofra translação anterior. Conforme o tálus roda externamente, ele força a fíbula para girar sobre o seu eixo vertical. Isso resulta primeiro em ruptura do ligamento sindesmótico anterior e, então, do ligamento interósseo (**Fig. 6.9-9f-h**). Nesse momento, a tíbia se desvia medialmente do tálus em rotação, forçando a separação (diastase) da fíbula a partir da tíbia. Isso causa a falha do ligamento sindesmótico posterior (ou, raramente, avulsão do maléolo posterior) e, finalmente, uma fratura indireta da diáfise da fíbula, cujo nível depende de qual distância se rompe proximalmente a membrana interóssea (**Fig. 6.9-9i-j, Fig./Animação 6.9-13**).

5 Indicações cirúrgicas

A decisão sobre se uma fratura do tornozelo requer redução aberta e fixação interna deve ser baseada em como a anatomia normal pode ser mais adequadamente restaurada, e a estabilidade, mantida.

A incongruência da pinça do tornozelo é mal tolerada e leva a cargas anormais sobre a cartilagem articular [4].

As fraturas isoladas infrassindesmais (tipo A) distal da fíbula que não envolvem o lado medial podem ser estáveis e o tratamento não cirúrgico pode ser suficiente.

As fraturas isoladas não desviadas trans-sindesmais (tipo B) do maléolo lateral que não envolvam o lado medial pode ser tratadas conservadoramente, desde que a pinça do tornozelo permaneça congruente [6, 7]. Essas lesões são estáveis, e o tratamento funcional precoce e a carga completa são possíveis. Determinar se o ligamento deltoide está rompido se baseia nos achados clínicos de dor no lado medial. Se houver associação com evidência de um desvio da pinça, então o tratamento pede a estabilização operatória da fíbula. Os indicadores de partes moles sobre o lado medial podem não ser preditores precisos de instabilidade. Em fraturas isoladas tipo B do maléolo lateral, a incompetência do ligamento deltoide é diagnosticada com mais precisão por radiografias com estresse [8] ou por radiografias repetidas após um período curto (1 semana) de carga com apoio. Todas as lesões desviadas do tornozelo são provavelmente instáveis e a redução anatômica precisa pode geralmente ser fixada somente por redução aberta e fixação interna estável.

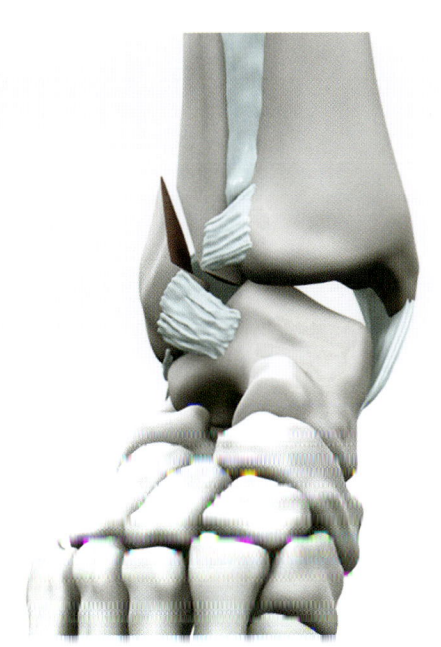

Fig./Animação 6.9-12 Fraturas tipo B do tornozelo.

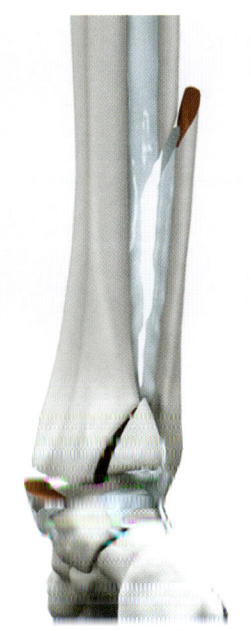

Fig./Animação 6.9-13 Fraturas tipo C do tornozelo.

Fraturas específicas
6.9 Maléolos

6 Planejamento pré-operatório

6.1 Momento da cirurgia

O momento ideal para a cirurgia do tornozelo é antes que qualquer inchaço ou flictenas de fratura se desenvolvam. O inchaço inicial é devido à formação de hematoma e não pelo edema.

> A redução aberta e fixação interna de emergência com frequência liberam o hematoma e permitem o fechamento primário sem tensionamento da ferida cirúrgica. O momento da cirurgia é ditado pelo estado dos tecidos moles.

Entretanto, é aceito que, em muitas situações, não é possível operar antes que o inchaço de partes moles impeça a cirurgia com segurança. Na presença de edema intradérmico, edema subcutâneo marcado ou flictenas de fratura (**Fig. 6.9-14**), é fortemente aconselhado que a cirurgia seja retardada até que a condição de partes moles tenha melhorado. Nesse evento, a fratura é reduzida pela manipulação gentil e imobilizada em uma tala de gesso bem acolchoada, e a perna é elevada. Nos tipos suprassindesmais de fraturas de alta energia, o tecido mole pode estar gravemente traumatizado. Um fixador externo transarticular, similar àquele usado nas fraturas do pilão, pode ser considerado se houver expectativa de demora na recuperação de partes moles. O uso de um sistema de impulso A-V pode acelerar a resolução do inchaço, com uma diminuição resultante nas complicações da ferida [9]. A cirurgia é adiada até que a lesão de partes moles tenha se resolvido. Isso é evidenciado pela resolução das flictenas da fratura, epitelização das abrasões e presença de pregas cutâneas no local cirúrgico.

6.2 Seleção do implante

O planejamento pré-operatório para qualquer fratura envolve a consideração do momento da cirurgia, a escolha da incisão e a seleção dos implantes. Pode envolver o planejamento gráfico com o uso de gabaritos de implantes a partir de um *kit* de planejamento pré-operatório.

O delineamento dos fragmentos da fratura e a sua redução, com as técnicas ilustradas no Capítulo 2.4, com frequência é extremamente útil ao lidar com as fraturas maleolares. O comprimento da placa da fíbula e a colocação dos parafusos de tração devem ser planejados no pré-operatório e a sua disponibilidade assegurada antes de começar a operação.

Todos os implantes-padrão para a maioria das fraturas maleolares estão contidos no conjunto de implantes para pequenos fragmentos. Um conjunto para aramagem em banda de tensão também deve estar prontamente disponível. Os pacientes diabéticos com algum grau de neuropatia periférica podem não ter a sensibilidade dolorosa protetora. Os implantes mais fortes, como a placa de compressão bloqueada (LCP) de 3,5 ou a LCP da fíbula, devem ser considerados. Os pacientes idosos com osteoporose também podem se beneficiar de tais implantes.

6.3 Configuração da sala de cirurgia

O paciente é posicionado em decúbito dorsal com um coxim debaixo da nádega do lado afetado. Isso permite que o pé fique em posição neutra e evita a rotação externa normal da perna no paciente anestesiado. A perna pode então ser colocada em um bloco de espuma com o joelho flexionado em 30 graus. Isso permite o acesso simultâneo a ambos os lados medial e lateral. O uso de um torniquete pode ser útil, mas geralmente não é necessário (**Fig. 6.9-15**).

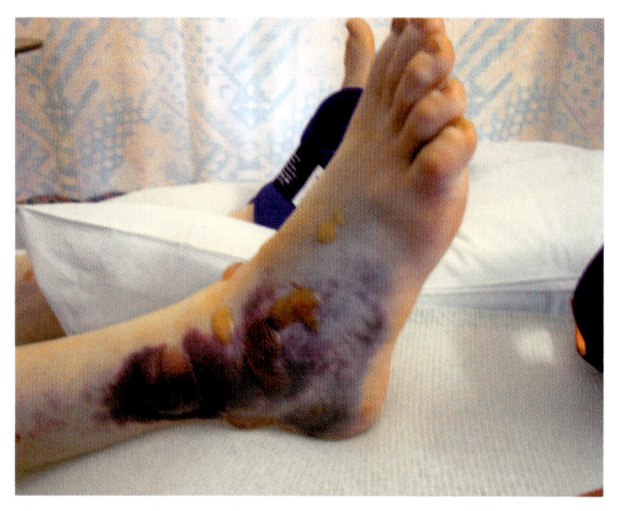

Fig. 6.9-14 As flictenas da fratura (serosas e hemorrágicas) impedem a cirurgia e requerem a espera por vários dias.

Para facilitar o acesso ao aspecto posteromedial distal da tíbia, é algumas vezes útil colocar um coxim sob a nádega do lado ileso e repousar o tornozelo lesionado sobre a canela oposta (com acolchoamento apropriado), em uma posição em figura de quatro.

O paciente também pode ser colocado em uma posição lateral plena, com a perna oposta estendida. Isto permite o acesso lateral ou posterolateral à fíbula e também o acesso posterior direto ao maléolo posterior para a colocação de uma placa de suporte ou posterior para parafusos de tração anteriores. Estes parafusos podem ser inseridos percutaneamente. Depois de abordar a fíbula e o maléolo posterior, um assistente pode liberar o suporte lombar sob os campos cirúrgicos estéreis e o paciente é rolado de volta para a posição de decúbito dorsal sem a necessidade de recolocar os campos. O membro oposto não deve estar flexionado para permitir que aquilo aconteça. Agora o maléolo medial pode ser acessado na posição de decúbito dorsal.

Ocasionalmente, a posição de decúbito ventral sobre almofadas permitirá o acesso por meio da via de acesso posterior para a fíbula e maléolo posterior, particularmente se um fragmento grande estiver presente, ou se uma placa de suporte for necessária. A via de acesso do maléolo medial é mais difícil nessa posição, mas pode ser feita com segurança.

O cirurgião fica em pé ou sentado no lado da lesão. O assistente fica ao pé da mesa. A equipe de sala de cirurgia fica próxima ao cirurgião. O intensificador de imagem é trazido para dentro a partir do pé da mesa operatória para as imagens laterais e axiais. A tela do intensificador de imagem é posicionada de forma a ser plenamente visível por parte da equipe cirúrgica e pelo técnico de radiologia (**Fig. 6.9-16**).

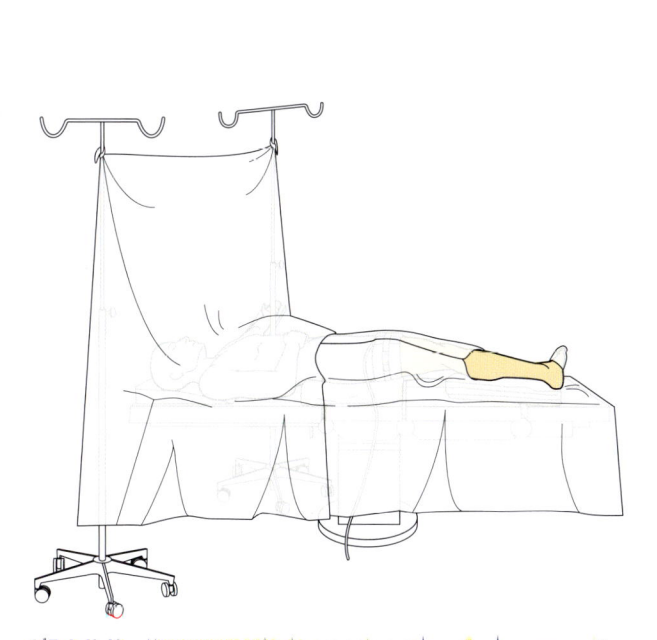

Fig. 6.9-15 Posicionamento do paciente e colocação de campos. Um coxim de areia é colocado sob a nádega do lado afetado.

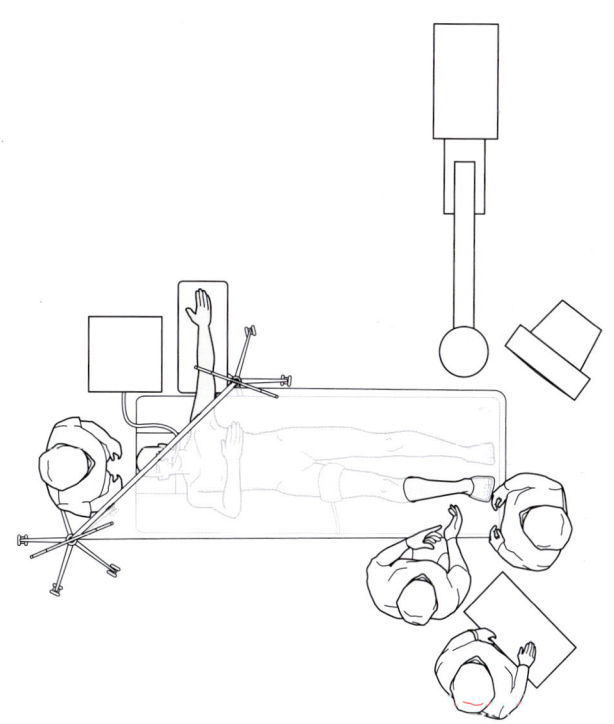

Fig. 6.9-16 Posicionamento da equipe na sala de cirurgia e do intensificador de imagem.

Fraturas específicas
6.9 Maléolos

7 Cirurgia

7.1 Vias de acesso

7.1.1 Via de acesso lateral

A incisão da pele no lado lateral é feita de forma que uma quantidade mínima de dissecção de partes moles tenha que ser executada para obter a redução e fixação (**Fig. 6.9-17a**). Se uma placa lateral for necessária para a fíbula, a incisão cirúrgica reta pode ser feita levemente de modo anterior, de forma que – no fechamento da pele – a placa não fique imediatamente abaixo. Deve haver cuidado para não lesionar o nervo fibular superficial, que corre anteriormente à fíbula. Uma incisão mais posterior deve ser usada se uma placa posterior antideslizante (de suporte) for colocada na fíbula ou se o acesso ao canto posterolateral da tíbia for necessário. Tal incisão deve evitar lesão do nervo sural. Uma incisão mais posterior também é recomendada se uma segunda incisão for indicada anteromedialmente, como nas fraturas do pilão. Se for decidido colocar uma placa de suporte posterior por meio de uma via de acesso posterior direta, a incisão lateral para a fíbula pode ser feita ligeiramente anterior para permitir uma ponte de pele mais larga entre as duas incisões. Uma incisão dupla direta como essa reduz a quantidade de dissecção de partes moles que é necessária quando uma via de acesso posterolateral única é usada para abordar tanto a fíbula quanto o maléolo posterior.

7.1.2 Via de acesso medial

A incisão medial padrão corre posterior ou anterior ao maléolo. A veia safena e o nervo devem ser protegidos (**Fig. 6.9-17b**).

7.1.3 Via de acesso posterolateral

A incisão é feita entre o tendão de Aquiles e os tendões fibulares. O nervo sural deve ser evitado. A dissecção é continuada através do coxim de gordura posterior e em direção ao aspecto posterior da tíbia. O músculo flexor longo do hálux segue medialmente e protege a artéria e o nervo tibial posterior. A fratura é facilmente identificada e reduzida. Essa é uma boa via de acesso para a colocação de uma placa de suporte posterior ou para a inserção de parafusos de tração de posterior para anterior. O retalho de pele lateral dessa via de acesso pode ser elevado para permitir o acesso posterior à fíbula pelo afastamento dos tendões fibulares anteriormente (**Fig. 6.9-18**).

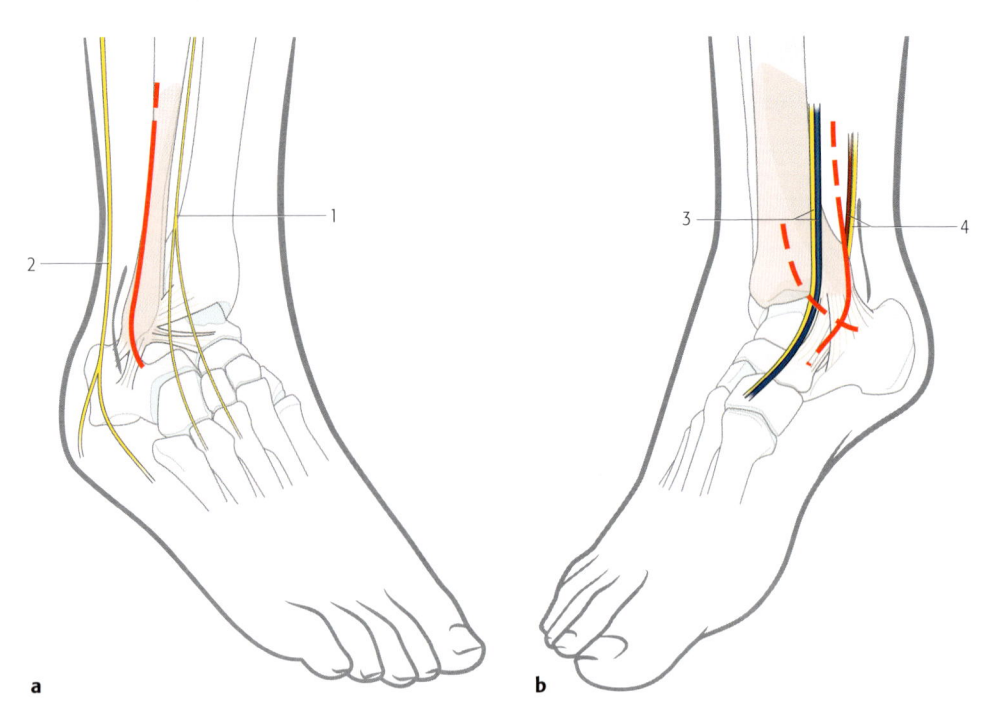

Fig. 6.9-17a-b Vias de acesso para os maléolos lateral e medial.
a   Lado lateral: Uma incisão reta é recomendada, ligeiramente posterior à fíbula. O cirurgião deve tomar cuidado para não lesionar o nervo fibular superficial (1) ou o nervo sural (2). Uma incisão anterolateral pode ser usada, especialmente em algumas lesões do tipo A.
b   Lado medial: A incisão corre ligeiramente posterior ao maléolo medial em linha com a tíbia, curvando anterior e distalmente para formar um J. Uma alternativa é uma incisão curva, mais anterior, que permite melhor inspeção da articulação do tornozelo. Deve haver cuidado para evitar tanto a veia quanto o nervo safeno (3). O nervo tibial posterior e os vasos (4) correm atrás do maléolo medial.

7.1.4 Via de acesso posteromedial

É indicada quando uma fratura maleolar posterior for combinada com uma fratura do maléolo medial. A incisão é feita entre o tendão de Aquiles e o maléolo medial. A dissecção é continuada através da fáscia. Os vasos tibiais posteriores e o nervo são identificados e protegidos.

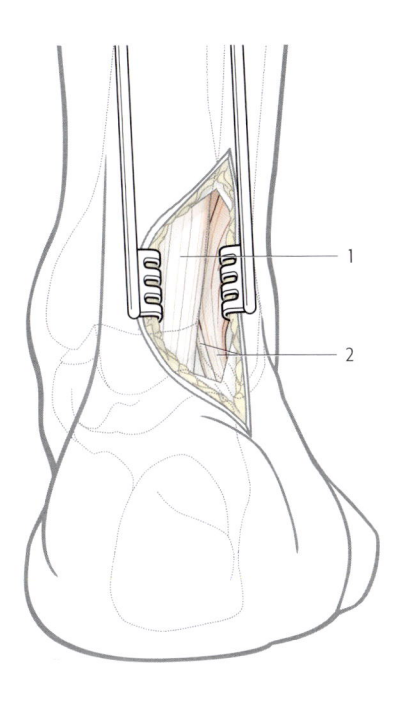

A dissecção posteriormente identifica o tendão do flexor longo do hálux e o músculo, que é elevado a partir da face posterior da tíbia. O maléolo medial é exposto por dissecção em uma direção anterior e com o afastamento dos tendões do tibial posterior e do flexor longo dos dedos junto com o feixe neurovascular (**Fig. 6.9-19**).

7.2 Redução e fixação

As fraturas do tornozelo podem envolver elementos mediais, laterais e posteriores, sendo que algum ou todos podem requerer redução e fixação. Eles podem ocorrer sequencial ou simultaneamente, dependendo do padrão de fratura.

7.2.1 Sequência dos passos

Na maioria dos casos, o primeiro passo na fixação é a reconstrução da fíbula. A dissecção de partes moles deve ser mantida a um mínimo, mas, em fraturas simples, é necessária uma exposição mínima das linhas de fratura para permitir a remoção do hematoma e periósteo, redução anatômica direta e estabilização provisória com pequenas pinças de redução (com ponta) ou fios de Kirschner. Ocasionalmente, o lado medial deve ser exposto antes da estabilização definitiva da fíbula, porque o ligamento deltoide ou um fragmento osteocondral podem estar interpostos, impedindo a redução completa. A incapacidade de reduzir a fíbula é uma pista para a necessidade de abertura do lado medial.

Fig. 6.9-18 Via de acesso posterolateral.
1 Tendão de Aquiles
2 Fibulares longo e curto

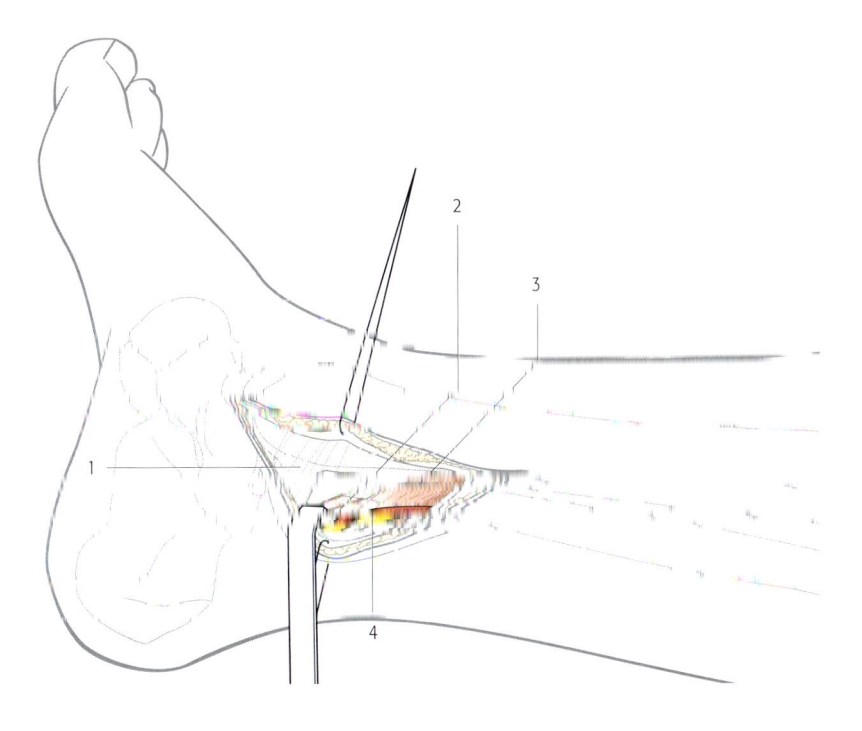

Fig. 6.9-19 Via de acesso posteromedial.
1 Retináculo dos músculos flexores
2 Tendão do tibial posterior
3 Músculo flexor longo dos dedos
4 Feixe neurovascular tibial posterior

Fraturas específicas
6.9 Maléolos

Se a fixação tiver sido retardada por motivos de recuperação de partes moles, os planos da fratura devem ser meticulosamente limpos de quaisquer coágulos sanguíneos organizados antes da redução.

Nas fraturas complexas da fíbula que requerem uma técnica de placa em ponte, pode ser aconselhável fazer somente duas incisões curtas em qualquer extremidade da zona de fratura e inserir a placa subcutaneamente. Deve haver grande cuidado para restaurar o correto alinhamento, comprimento e rotação usando os parâmetros radiográficos visíveis no intensificador de imagem.

7.2.2 Fraturas infrassindesmais fibulares (tipo A)

Quando o maléolo lateral inteiro é avulsionado com uma linha de fratura transversa, ele é reduzido e pode ser estabilizado com uma placa de terço de tubo funcionando como uma banda de tensão (**Fig. 6.9-20a**). A técnica de aramagem em banda de tensão ou um parafuso retrógrado inserido no canal medular da fíbula podem também ser usados quando a falha lateral for do tipo osteoligamentar. Com avulsão da ponta do maléolo lateral, a aramagem com banda de tensão é usada e suplementada pela sutura do ligamento, quando apropriado (**Fig. 6.9-20b**).

Se a lesão lateral for uma ruptura do complexo ligamentar lateral, ela deve ser suturada somente se o tornozelo estiver instável e a redução não puder ser mantida. Em geral, o complexo ligamentar lateral irá cicatrizar sem reparo cirúrgico.

O próximo passo é expor o maléolo medial anteromedialmente; quaisquer retalhos periosteais interpostos devem ser removidos das superfícies de fratura. A cápsula anterior está frequentemente rompida, o que permite uma visão excelente da porção intra-articular da fratura. Pequenas lascas de osso ou cartilagem podem ser removidas, mas os fragmentos maiores devem ser preservados. A superfície do pilão tibial no canto medial deve ser inspecionada pela exposição via anterior ao plano da fratura. Qualquer fratura de impacção é reduzida e apoiada por um enxerto ósseo.

Em uma fratura por adução (supinação), a linha de fratura principal do maléolo medial é frequentemente vertical ou oblíqua e está no lado de compressão da lesão. Qualquer impacção (**Fig. 6.9-20c**) da superfície articular tibial deve ser diagnosticada – em caso de dúvida, com uma TC – e cuidadosamente reduzida e apoiada por um pequeno enxerto ósseo.

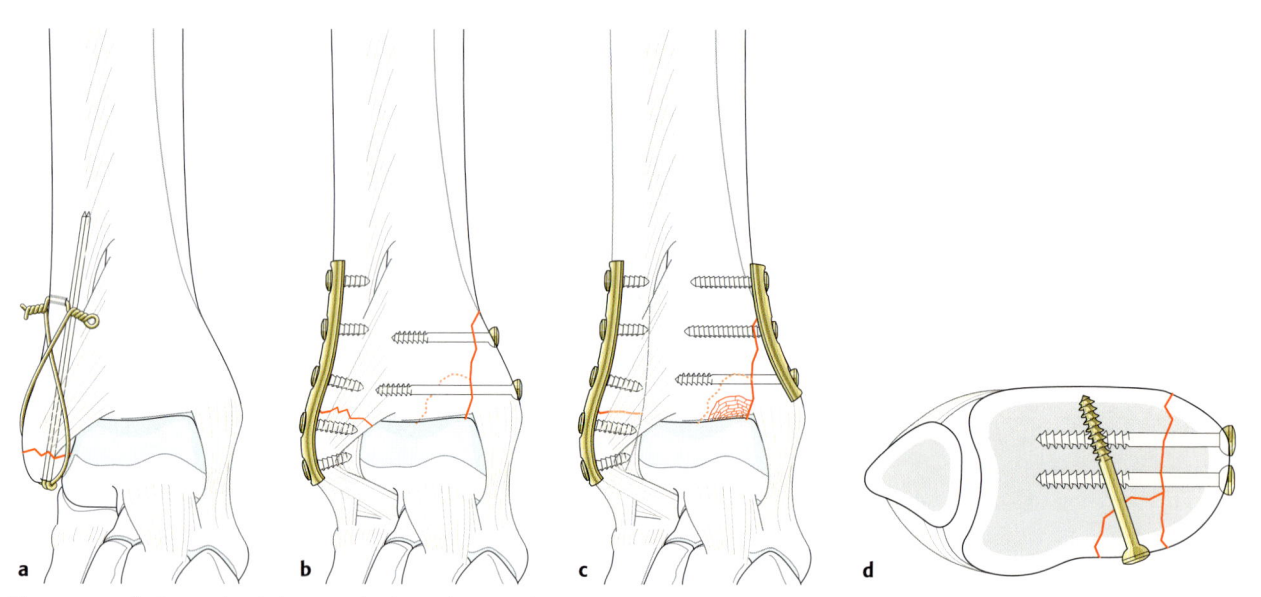

Fig. 6.9-20a-d   Fratura tipo A do tornozelo. Fixação interna típica.
a   Um fragmento avulsionado do maléolo lateral é primeiro estabilizado com dois fios de Kirschner e então fixado sob compressão por meio de uma aramagem com fio de banda de tensão.
b   Quando o osso tiver boa qualidade, um fragmento maleolar lateral grande pode ser fixado com uma placa moldada de terço de tubo sob leve compressão, atuando como uma banda de tensão. A fratura por cisalhamento vertical medial foi fixada com dois parafusos de tração.
c   Uma fratura vertical do maléolo medial pode ser fixada por dois parafusos de tração (**b**) ou uma placa de terço de tubo com 3 orifícios para fornecer suporte. Qualquer impacção da superfície articular tibial deve ser elevada e apoiada com um enxerto.
d   Os fragmentos posteromediais associados com as fraturas 44A3 são raros. Eles sempre ficam na proximidade do fragmento maleolar medial. Tais fragmentos podem ser expostos, reduzidos e fixados com pequenos parafusos ósseos esponjosos a partir de uma direção posteromedial.

Uma vez que a redução tenha sido completada e provisoriamente segura por fios de Kirschner, a fixação definitiva é alcançada por meio de parafusos de tração colocados perpendicularmente ao plano de fratura principal. A aplicação de duas placas de um terço de tubo curtas (de 2 orifícios ou de 3 orifícios) ou uma placa de 2,7 no ápice dessa fratura irá funcionar como suporte e melhorar a estabilidade da montagem (**Fig. 6.9-20c**). As técnicas de aramagem em banda de tensão não são apropriadas para o tratamento dessas fraturas por compressão. Um pequeno fragmento triangular posteromedial de Volkmann pode ser fixado com um parafuso adicional a partir de posterior (**Fig. 6.9-20d**).

7.2.3 Fraturas trans-sindesmais da fíbula (tipo B)
Placa de proteção

A fratura da fíbula é geralmente oblíqua ou helicoidal, correndo de distal anterior para proximal posterior. O maléolo lateral geralmente está virado proximalmente, desviado posteriormente e externamente rodado. A inspeção do domo do tálus pode ser possível através da fratura em si e quaisquer flocos condrais livres podem ser removidos manualmente ou por irrigação. A dissecção distal ao maléolo lateral é mantida a um mínimo. A redução da fratura oblíqua curta e simples do maléolo lateral é mais adequadamente feita pela tração gentil e rotação interna do pé. Pequenas pinças de redução (com ponta) podem ser aplicadas ao longo da fratura para estabilização temporária. Se a redução for difícil, pode ser porque a ponta do fragmento proximal da fíbula pode fraturar e virar – sobre um pedículo de fibras do ligamento tibiofibular anterior – para dentro do *gap* de fratura. Isso nem sempre é óbvio e deve ser buscado e extraído antes que a redução seja completada.

A acurácia da redução pode ser avaliada pela inspeção da borda anterior da fíbula, ao nível da sindesmose anterior. Para alcançar a fixação definitiva, um parafuso cortical de tração de 2,7 ou 3,5 mm é colocado de anterior até posterior ou de posterior para anterior. Uma placa terço de tubo e moldada ao aspecto lateral da fíbula atua como placa de proteção. Deve haver cuidado, ao posicionar os parafusos no maléolo lateral distal, para assegurar que a superfície articular não seja penetrada (**Fig. 6.9-21a**). O osso metafisário do maléolo lateral é frequentemente mole e a melhor pega dos parafusos pode ser alcançada sem o uso do macho, aplicando os parafusos de tração de posterior para anterior (**Fig. 6.9-21b**).

Placa de suporte posterior (antideslizante)

Se a fratura do maléolo lateral não for simples ou o osso estiver osteoporótico e não se prestar para estabilização com parafusos de tração, uma placa terço de tubo pode ser colocada posteriormente na fíbula, como suporte, contrariando o desvio posterior (**Fig. 6.9-21b**). Ocasionalmente, um parafuso de tração pode ser incorporado através da placa. Se essa técnica for usada, a incisão deve ser mais posterior para permitir o acesso à borda posterior da fíbula. Geralmente, uma placa de terço de tubo com 5 ou 6 orifícios é aplicada ao aspecto posterolateral da fíbula, de forma que cubra o ápice proximal do fragmento. A placa é colocada reta e é presa com pinça à fíbula proximalmente ou com um parafuso através do orifício mais proximal. O parafuso logo proximal à fratura é agora inserido e ele força a placa reta a empurrar o fragmento ao longo da superfície de fratura oblíqua, levando à redução e estabilidade. A colocação da pinça de redução na ponta da fíbula é útil para controlar a rotação durante a aplicação da placa. Os parafusos restantes são então inseridos e um parafuso de tração pode ser colocado através da placa. Essa técnica também é útil nos pacientes em que a consolidação da fratura provavelmente levará mais tempo, como aqueles com diabetes.

7.2.4 Exploração medial

As lesões do ligamento deltoide não requerem exploração de rotina. Entretanto, se depois da redução da fratura da fíbula as radiografias intracirúrgicas mostrarem que o espaço articular medial permanece alargado, ou se houver dificuldades com a redução precisa da fratura da fíbula, o lado medial deve ser explorado. Eventualmente o ligamento medial ou um fragmento osteocondral estará interposto no espaço articular medial e deverá ser erguido. O ligamento deltoide pode então ser reparado para prevenir a interposição articular durante a mobilização pós-operatória. Raramente a interposição do tendão tibial posterior após uma fratura-luxação gravemente desviada irá impedir a redução anatômica.

As lesões do maléolo medial nas fraturas tipo B são geralmente fraturas-avulsão causadas quando o tálus se desvia posteriormente para fora da pinça. Elas podem se estender posteromedialmente e o seu tamanho pode variar de forma significativa. A exposição da fratura é alcançada por uma incisão padrão medial e qualquer periósteo interposto é removido do *gap* de fratura para permitir a redução precisa. Uma pinça de redução pequena com ponta é útil para segurar o maléolo medial e mantê-lo reduzido. A estabilização temporária com fios de Kirschner é seguida pela estabilização definitiva, que é alcançada com um parafuso de tração: um parafuso esponjoso de 4,0 mm com rosca parcial ou um parafuso cortical de 3,5 mm podem ser usados (**Fig. 6.9-21c**). Se o fragmento for suficientemente grande, dois parafusos paralelos podem ser usados. Com fragmentos menores, um parafuso pode ser combinado com um fio de Kirschner ou dois parafusos corticais de 2,7 mm podem ser usados como parafusos de tração. Os parafusos corticais devem ser suficientemente longos para permitir que a rosca passe completamente além do plano da fratura. Os parafusos com um comprimento excessivo ganham uma pega ruim no frequentemente escasso osso esponjoso da metáfise, especialmente no paciente mais velho ou se fixação for retardada. Uma técnica alternativa é o uso de dois fios de Kirschner em paralelo e um fio com banda de tensão (**Fig. 6.9-21d**).

Fraturas específicas
6.9 Maléolos

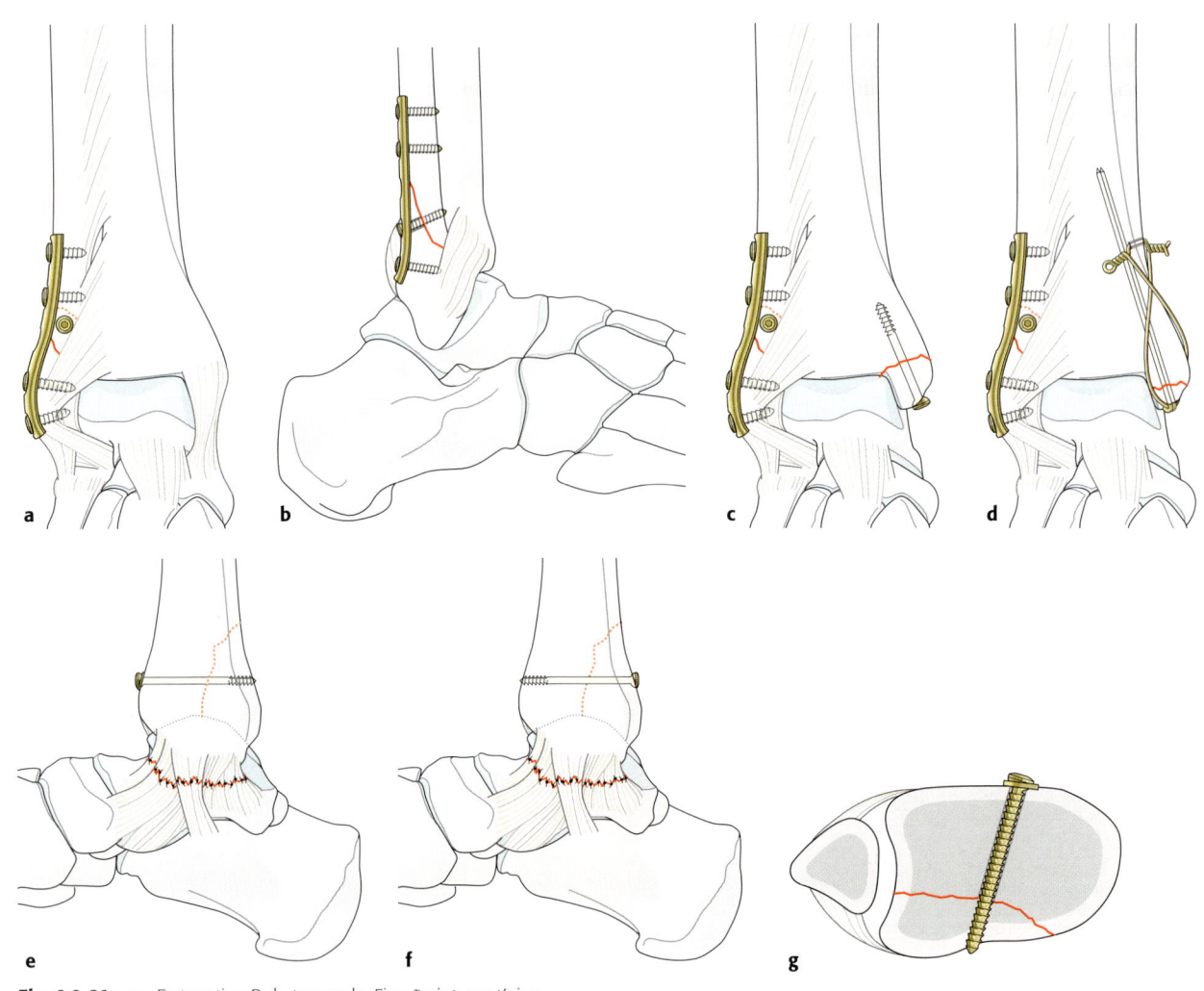

Fig. 6.9-21a–g Fratura tipo B do tornozelo. Fixação interna típica.
- **a** A fratura oblíqua curta da fíbula é comprimida com um parafuso cortical de tração de 3,5 mm. Essa fixação é protegida por uma placa terço de tubo.
- **b** Colocação posterolateral de uma placa terço de tubo antideslizante. Ela funciona como uma placa antideslizante ou de suporte. Em osso de boa qualidade, um parafuso cortical de tração de 3,5 mm pode ser colocado através da placa. Isso pode ser omitido no osso osteoporótico.
- **c-d** Exemplos de tipos diferentes de fixação interna do maléolo medial, com um parafuso de tração ou uma banda de tensão. A banda de tensão pode passar através do orifício perfurado (como mostrado) ou em torno da cabeça de um parafuso monocortical colocado no topo do maléolo medial.
- **e-f** Um grande fragmento posterolateral de Volkmann é cuidadosamente reduzido e, então, fixado com um parafuso esponjoso de tração de 4,0 mm inserido em uma direção AP (**e**) ou PA (**f**).
- **g** Se o tamanho do fragmento de Volkmann não puder acomodar a rosca do parafuso de osso esponjoso, um parafuso cortical de 3,5 mm pode ser usado como um parafuso de tração. Note a direção do parafuso e o túnel liso do fragmento anterior.

Nos fragmentos maleolares mediais pequenos e de difícil fixação e que estejam minimamente desviados, existe evidência para mostrar que o tratamento não cirúrgico é efetivo [10].

7.2.5 Fraturas maleolares posterolaterais ou posteriores

O fragmento da tíbia no canto posterolateral (triângulo de Volkmann) nas fraturas do tipo B ou, raramente, do tipo C com frequência se desvia com o maléolo lateral, porque está inserido no ligamento sindesmótico posterior. A redução precisa da fratura da fíbula reduzirá o desvio proximal do fragmento posterior até certo ponto, mas o *gap* da fratura pode ainda permanecer aberta. Os fragmentos menores que 25% da superfície articular na incidência lateral não precisam ser estabilizados, a menos que haja uma tendência para que o tálus subluxe posteriormente. Os fragmentos maiores podem ser fixados seja pela colocação de um parafuso de tração através de uma pequena incisão de anterior para posterior (**Fig. 6.9-21e**) ou pela exposição direta do fragmento posterior através de uma incisão e inserção posterolateral de um parafuso de tração ou placa de suporte, de posterior para anterior. Essa técnica requer mais dissecção, mas geralmente fornece uma colocação mais precisa do parafuso. Alternativamente, uma incisão pequena separada ou pequenas incisões a partir de uma via posterior mais direta e na proximidade do tendão de Aquiles podem ser usadas para colocar os parafusos no fragmento posterolateral de posterior para anterior (com cuidado para evitar o nervo sural). Isso anula a dissecção excessiva necessária se ocorrer a tentativa a partir de uma incisão posterolateral. Uma pequena placa de suporte pode até ser colocada sobre o fragmento se uma estabilidade maior for buscada (**Fig. 6.9-22**).

Ao usar a técnica percutânea de anterior para posterior, o fragmento em uma fratura tipo B ficará no canto posterolateral da tíbia e, por conseguinte, o parafuso deve ser dirigido apropriadamente (**Fig. 6.9-21f**). Se o fragmento posterior for pequeno, um parafuso cortical de 3,5 mm com maior perfuração do fragmento anterior fixará esse fragmento sob compressão (**Fig. 6.9-21g**).

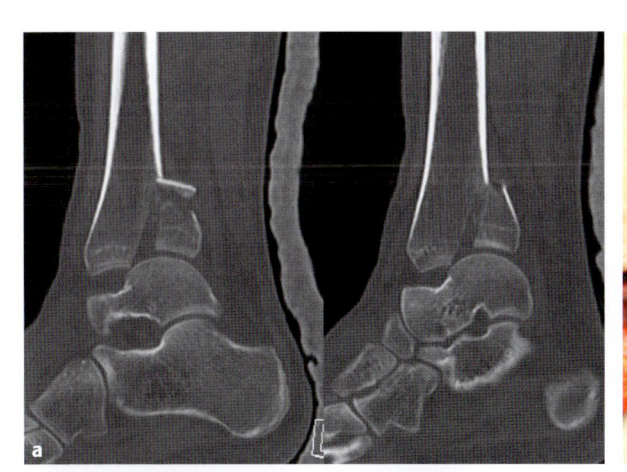

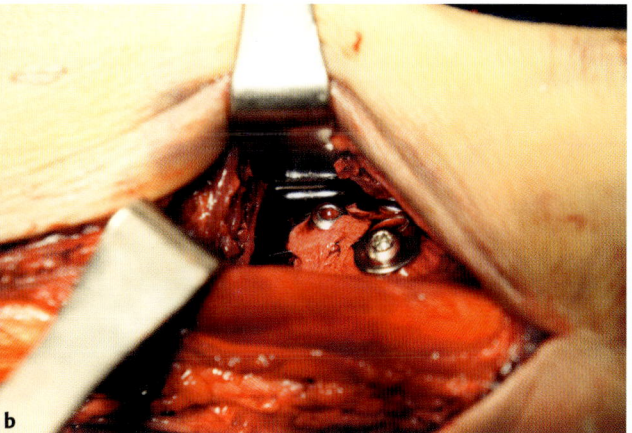

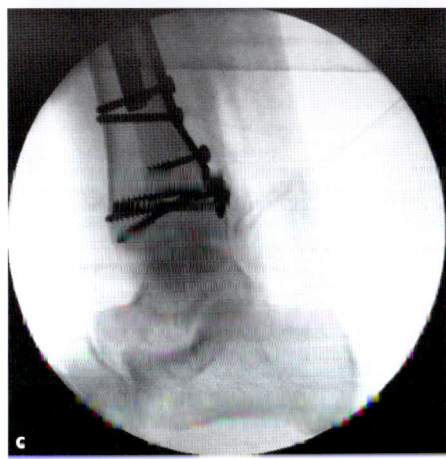

Fig. 6.9-22a–c
a Uma grande fratura do maléolo posterior.
b Suporte posterior usando uma pequena placa em T através de uma via de acesso posterolateral direta.
c Radiografia intraoperatória.

Fraturas específicas
6.9 Maléolos

7.2.6 Fraturas fibulares suprassindesmais (tipo C)

O primeiro passo para lidar com as fraturas do tipo C é abordar a fíbula (**Fig. 6.9-23**). O fundamental para a fixação bem-sucedida é restaurar o comprimento, alinhamento e rotação da fíbula. Se a fratura da fíbula for oblíqua curta ou helicoidal, a fratura pode ser aberta para permitir a redução anatômica direta com pinça e fixada com parafusos de tração e uma placa terço de tubo (atuando como uma placa de proteção). Se a fratura da fíbula for multifragmentada, devem ser usadas as técnicas de redução indireta e exposição mínima. A melhor técnica é usar a placa como uma ferramenta de redução. A via de acesso deve ser limitada ao maléolo lateral distal à fratura e à fíbula proximal acima da zona de fratura. Nenhuma dissecção é executada em torno da área de cominução. É então inserida uma placa terço de tubo, longa e distalmente moldada, ou uma placa de compressão dinâmica de 3,5 de baixo contato. A placa é ancorada na porção distal da fíbula, sustentando a área cominutiva. Um parafuso é, então, colocado na diáfise proximal da fíbula até a extremidade superior da placa, e a extremidade proximal da placa é fixada ligeiramente na fíbula com uma pinça de placa (**Fig. 6.9-24**). Usando um afastador de osso entre a extremidade da placa e o parafuso separado, a placa é empurrada distalmente, alongando a fíbula (técnica de empurra). É aconselhável planejar esse procedimento graficamente, com o tornozelo ileso servindo como referência antes da operação.

Um intensificador de imagem é usado para verificar a acurácia da redução, que é determinada pela correspondência do nível do pilão tibial e do maléolo lateral ou ângulo talocrural em comparação ao lado ileso. Com a restauração do comprimento e rotação da fíbula, os fragmentos intermediários múltiplos são indiretamente reduzidos e devem ir para o seu lugar. A placa pode então ser fixada proximalmente para restaurar o alinhamento.

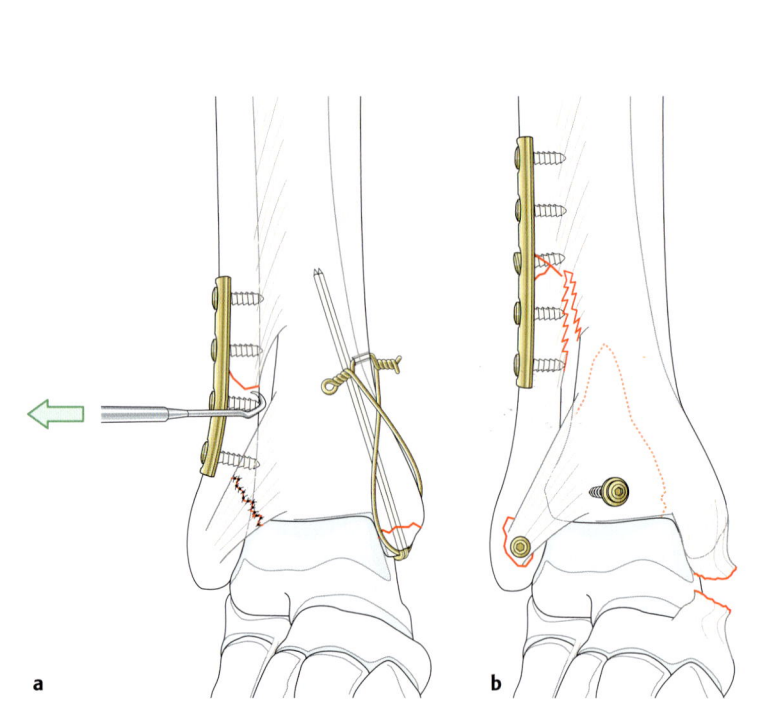

Fig. 6.9-23a-b Fraturas tipo C do tornozelo. Fixação interna típica.
a A fratura da diáfise da fíbula é reduzida e estabilizada com uma placa terço de tubo. A pequena fratura-avulsão do maléolo medial é fixada com dois fios de Kirschner e um fio com banda de tensão. Um pequeno gancho é usado para testar a estabilidade do ligamento sindesmótico anterior rompido.
b Uma fratura da diáfise média da fíbula é fixada com uma placa. A sindesmose anterior foi avulsionada da sua inserção no maléolo lateral. Ela é fixada com um pequeno parafuso de osso esponjoso. Um grande fragmento posterolateral é reduzido e fixado com um parafuso de osso esponjoso de tração na direção AP. Alternativamente, esse parafuso pode ser inserido a partir da via posterior.

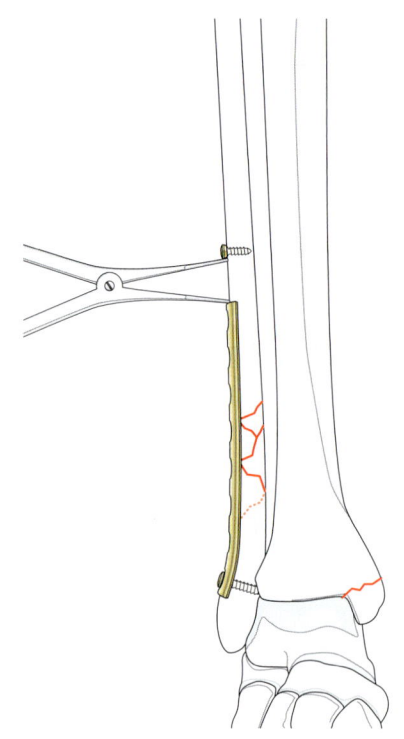

Fig. 6.9-24 As fraturas multifragmentadas da fíbula requerem uma técnica de placa em ponte. O local de fratura não é aberto e uma placa de compressão dinâmica de baixo contato ou uma placa de compressão bloqueada de 3,5 é moldada e usada como uma ferramenta de redução com o afastador de osso. A congruência da pinça do tornozelo deve ser restaurada, evitando o encurtamento e o mau alinhamento rotacional da fíbula.

As fraturas proximais que ocorrem através do colo da fíbula não demandam, como regra, ser abertas. A fíbula deve ser reduzida para a sua posição normal na incisura tibial (incisura fibular tibial) por tração e rotação com uma pinça de campo ou uma pinça de redução com ponta. O intensificador de imagem deve ser usado para verificar a redução e, se houver qualquer dúvida sobre a qualidade da redução, então a sindesmose deve ser aberta e diretamente reduzida. O julgamento dessa redução pode ser difícil e requerer uma combinação de visualização direta e uso do intensificador de imagem. A redução pode então ser temporariamente fixada com um ou dois fios de Kirschner passados através da fíbula até a tíbia e, mais tarde, ser substituída pela fixação definitiva com parafusos de posição. Como o local de fratura proximal não é fixado, dois parafusos sindesmóticos de posição isolados, ou através de uma placa de 2 orifícios, devem ser usados em vez de um parafuso único. Isto reduz a probabilidade de instabilidade ou mau alinhamento rotacional da fíbula no plano sagital, ou seja, o efeito da lâmina do helicóptero.

As fraturas do maléolo medial são reduzidas e fixadas com as técnicas descritas para as fraturas do tipo B.

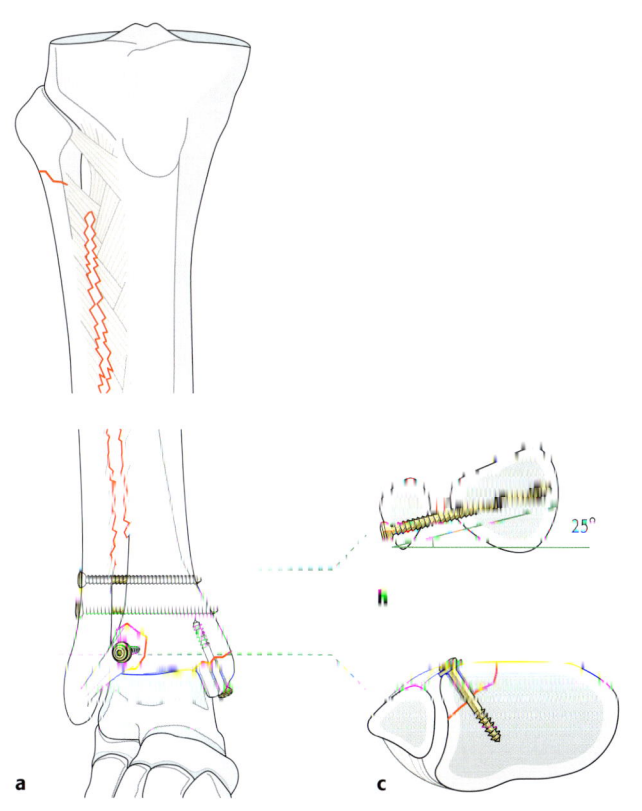

7.2.7 Parafuso tibiofibular sindesmótico de posição

A decisão sobre a necessidade de fixação adicional depende da estabilidade da sindesmose, uma vez que o comprimento da fíbula tenha sido restaurado, a fíbula fixada e o lado medial reconstruído.

A sindesmose anterior pode ser exposta pela incisão lateral. Se for avulsionada com o tubérculo tibial anterior (Tillaux-Chaput) ou a partir da fíbula, pode ser reduzida e fixada com um pequeno parafuso de tração. Se o ligamento sindesmótico anterior estiver rompido dentro da sua substância, pode ser reparado com suturas.

A necessidade de qualquer estabilização da fíbula adicional pode ser determinada pelo uso do gancho de teste, no qual a fíbula é fixada com a pinça óssea ou um gancho de osso, e suavemente tracionada posterolateralmente para revelar qualquer instabilidade tibiofibular residual significativa (**Fig. 6.9-23a**). Além disso, a intensificação de imagem ou as vistas em estresse com rotação externa podem ser obtidas no momento intracirúrgico. O alargamento do espaço articular medial em mais de 2 mm sugere instabilidade da sindesmose. Se a sindesmose for instável, um parafuso de posição deve ser colocado a partir da fíbula para dentro da tíbia (**Fig. 6.9-25**). Esse parafuso é introduzido obliquamente de posterior para anterior em um ângulo de 25-30 graus e em paralelo com o pilão tibial. É colocado 2 cm proximalmente à articulação tibiofibular. Como esse parafuso não tem a função de um parafuso compressivo de tração, a rosca deve ser macheada tanto na fíbula quanto na tíbia. Um parafuso cortical de 3,5 ou 4,5 mm é inserido enquanto a fíbula é mantida sem compressão, na sua relação anatômica com a tíbia. Alguns cirurgiões preferem dois parafusos de pequenos fragmentos através de uma placa, mas nenhuma vantagem clínica tem sido demonstrada.

Fig. 6.9-25a-c Fratura tipo C do tornozelo.

a   Um fratura proximal da fíbula geralmente não está encurtada e não requer redução aberta. É mais importante, contudo, verificar a radiografia AP do tornozelo com cuidado, na busca de qualquer degrau (encurtamento), que deve ser corrigido, no alinhamento das placas subcondrais do pilão tibial e do maléolo lateral. Um pequeno fragmento avulsionado da tíbia pelo ligamento sindesmótico pode ser mobilizado e fixado e reduzido e fixado com um ou dois parafusos de osso esponjoso de tração (?)

b   Uma vez que esse tecido envolve todo o lado e do ligamento interósseo, a pinça do tornozelo fica instável e requer a fixação por dois parafusos de posição. Eles devem ser introduzidos obliquamente de atrás para frente, em um ângulo de 25-30°, sendo a rosca macheada tanto na fíbula quanto na tíbia. O fragmento avulsionado do maléolo medial é fixado com um (ou dois) parafusos de tração de 4 mm. Os parafusos de posição podem ser removidos em 12-16 semanas.

c   A redução anatômica exata da fíbula na incisura fibular da tíbia (incisura fibular tibial) garante a normalidade da pinça do tornozelo. O tubérculo de Tillaux-Chaput da tíbia foi fixado com um parafuso de tração de 4,0 mm.

A posição do pé durante a colocação do parafuso sindesmótico deve ser em uma posição neutra (a dorsiflexão não é necessária). Não há concordância sobre se uma ou ambas as corticais da tíbia devem ser atravessadas pela rosca do parafuso de posição. Um estudo recente [11] indica o uso de parafusos "tricorticais" sem qualquer aumento nas complicações. Uma vantagem do envolvimento de ambas as corticais da tíbia é que, caso um parafuso de posição quebre em um paciente não cooperativo, o fragmento rosqueado pode ser facilmente removido através de uma pequena janela na cortical medial da tíbia. No caso de grande instabilidade, dois parafusos de posição podem ser necessários. Há necessidade de radiografias ou intensificação de imagem intraoperatória para confirmar a posição do(s) parafuso(s). Se ao longo do processo de redução houver qualquer dúvida sobre a qualidade da redução da sindesmose, então deve ser feita uma redução aberta.

> É essencial alcançar o comprimento e a rotação fibular corretos antes da colocação do parafuso.

7.3 Desafios

7.3.1 Fraturas osteoporóticas

As fraturas do tornozelo em pacientes mais velhos com osteoporose estão se tornando cada vez mais comuns e constituem desafios ímpares. Os padrões de fratura são frequentemente mais cominutivos, tanto na fíbula quanto no maléolo medial. O osso está fraco e a sua capacidade de segurar a fixação é ruim. O uso de técnicas de redução indireta (redução da placa com empurrão) e os dispositivos de ângulo fixo, como a placa fibular LCP, podem ajudar na manutenção da redução. Alcançar e manter o comprimento da fíbula é a meta suprema da fixação nesses pacientes. No lado medial, o uso de parafusos corticais de 2,7 mm irá segurar os fragmentos menores na posição.

7.3.2 Pacientes com diabetes e neuropatia periférica

Os pacientes com diabetes, especialmente aqueles com neuropatia periférica, apresentam desafios adicionais. Os problemas com cicatrização e infecção são mais frequentes. A atenção cuidadosa na manipulação de partes moles, assim como evitar seu desnudamento, é essencial. O uso de técnicas de redução indireta é útil. Para o paciente neuropático, talas e gessos bem acolchoados são essenciais para evitar o comprometimento de pele. O controle do diabetes deve ser otimizado e um período estendido sem carga é necessário, com vigilância atenta porque o retardo de consolidação é comum e esses pacientes podem desenvolver uma não união neuropática similar à artropatia de Charcot.

8 Cuidados pós-operatórios

Tanto a ferida medial quanto lateral são fechadas com suturas finas sem tensão. O tornozelo é colocado em uma tala gessada com o pé em 90 graus para prevenir uma deformidade em equino. Quando uma redução anatômica da fratura da fíbula não for possível, é aconselhável obter uma TC da sindesmose no período pós-cirúrgico precoce para excluir uma má rotação da fíbula [12].

O paciente é encorajado a começar movimentos ativos precoces do quadril, joelho e dedos do pé. Se as feridas estiverem satisfatórias em 24-48 horas, a mobilização ativa do tornozelo pode ser iniciada sob supervisão qualificada. A decisão sobre se o tornozelo pode ser deixado livre ou deve ser protegido com um gesso, uma vez que a dorsiflexão ativa tiver sido alcançada, depende de vários fatores. Eles incluem a estabilidade da fixação alcançada pelo cirurgião, a mobilidade geral do paciente e o prospecto de cooperação com o regime pós-cirúrgico escolhido. Foi mostrado [13] que o desfecho em longo prazo é similar, não interessando se o tornozelo foi imobilizado ou deixado livre durante as primeiras 6 semanas depois da cirurgia. Uma decisão relativa à carga com apoio, dentro ou fora de um gesso, também depende muito da estabilidade de fixação alcançada e da cooperação do paciente. Nenhum problema foi experimentado pelos autores ao usar um regime de carga progressiva em um gesso de 6 semanas, embora o retorno à atividade completa seja mais rápido no grupo da mobilização precoce. No final desse período, a mobilização ativa e a carga completa podem ser liberadas.

Se um parafuso sindesmótico tiver sido usado e o tornozelo deixado livre, é recomendado permitir apenas a carga protegida nas primeiras 6-8 semanas.

Há controvérsia sobre a remoção do parafuso sindesmótico. O parafuso sindesmótico pode ser removido em 12-16 semanas, antes do retorno à atividade normal completa. Nos casos onde tanto a falha medial quanto sindesmótica tiverem sido exclusivamente ligamentares, é aconselhável reter o parafuso de posição e restringir a atividade completa por 10-12 semanas.

Se o parafuso de posição não for removido, pode erodir um caminho mais largo através da fíbula, conforme ocorre o movimento tibiofibular normal, ou ele pode se quebrar. Tais possibilidades são explicadas para os pacientes, de forma que eles fiquem totalmente cientes a respeito do curso pós-cirúrgico.

Nos pacientes com diabetes, a observação atenta e regular das feridas é essencial e pode envolver trocas frequentes do gesso. No paciente com neuropatia periférica prolongada, a carga protegida pode ser necessária, já que o paciente não tem nenhuma sensibilidade protetora.

9 Problemas e complicações

9.1 Problemas de partes moles

Como em todas as fraturas articulares e periarticulares, a condição dos tecidos moles é o fator mais crucial em determinar um desfecho bem-sucedido e com mínimas complicações.

As fraturas do tornozelo podem inchar drasticamente dentro de poucas horas da lesão. Se a cirurgia puder ser executada dentro de 6-8 horas, o inchaço é quase sempre devido ao hematoma e não pelo edema dentro dos tecidos. O fechamento primário das feridas cirúrgicas pode ser alcançado nesses casos. Se, contudo, o fechamento somente puder ser alcançado com tensão, a ferida deve ser deixada aberta, ficando os implantes expostos com curativos estéreis absorventes ou terapia da ferida por pressão negativa, além da elevação do pé. Em 48 horas as feridas podem ser inspecionadas e geralmente podem ser fechadas nesse momento.

Se houver desenvolvimento de edema e flictenas (**Fig. 6.9-14**), é fortemente recomendado que a cirurgia seja retardada por pelo menos 4-6 dias até que os tecidos moles se recuperem. O uso de um sistema de impulso A-V pode ser útil para melhorar o retorno venoso (nos pacientes imobilizados) e diminuir o edema.

9.2 Fraturas expostas

As feridas de partes moles nas fraturas expostas do tornozelo devem ser tratadas de acordo com os princípios cirúrgicos demarcados para todas as fraturas expostas. A ferida mais comum nas fraturas-luxações de tornozelo expostas é uma laceração transversa medial. A redução anatômica e a fixação estável da pinça do tornozelo devem ser alcançadas na maioria dos casos, uma vez que tenha sido feito o debridamento de todos os ferimentos abertos. As feridas de partes moles devem então ser deixadas abertas, embora as extremidades dos implantes possam ser fechadas primariamente, desde que qualquer tensão seja evitada. Um curativo bem acolchoado, não aderente e absorvente ou a terapia da ferida por pressão negativa são usados, seguidos pela elevação do membro e uma revisão cirúrgica dentro de 48-72 horas. As decisões para o fechamento definitivo da ferida devem considerar os princípios mencionados.

9.3 Osso osteoporótico

As fraturas de tornozelo no idoso são comuns e apresentam o problema de estoque ósseo ruim por causa da osteoporose. No osso osteoporótico, as técnicas já descritas para o lado lateral são recomendadas, especialmente o uso de fixação de suporte com placa antideslizante e técnicas de redução indireta para a restauração do comprimento da fíbula. O uso de redução fechada e intramedular da fíbula nos padrões de fratura que sejam axialmente estáveis pode ser uma alternativa para o osso osteoporótico, em particular se os tecidos moles estiverem comprometidos. As placas bloqueadas também são úteis no osso osteoporótico, especialmente na fíbula. No lado medial, o fragmento medial pode não resistir ao uso de um parafuso esponjoso de tração e, por conseguinte, a estabilização com fio de Kirschner e a aramagem com banda de tensão ou placa de suporte podem ser mais úteis nas lesões do tipo B ou C. O uso de tais técnicas pode levar a desfechos funcionais excelentes nesse grupo difícil de pacientes [14].

9.4 Comprimento inadequado da fíbula, rotação e má redução da articulação tibiofibular distal

As fraturas do tornozelo com rupturas da sindesmose, particularmente o tipo C suprassindesmal, têm instabilidade multiplanar.

A má redução intraoperatória da articulação tibiofibular distal não é incomum (**Fig. 6.9-26**) [15]. Quando a má redução ocorre, a anatomia da pinça do tornozelo não é restaurada. Os ligamentos sindesmóticos não cicatrizam na sua tensão correta e a instabilidade crônica da sindesmose é o resultado. A redução correta depende primeiramente da restauração do comprimento correto, da rotação e do alinhamento da fíbula. Ela deve ser reduzida de volta ao sulco na articulação tibiofibular distal. A rotação e a translação no plano sagital são importantes e os parafusos da sindesmose são colocados depois da redução. Se os parafusos da sindesmose são usados para reduzir a fíbula (usando um efeito de tração), a placa irá alargar quando o parafuso sindesmótico for removido.

Fraturas específicas
6.9 Maléolos

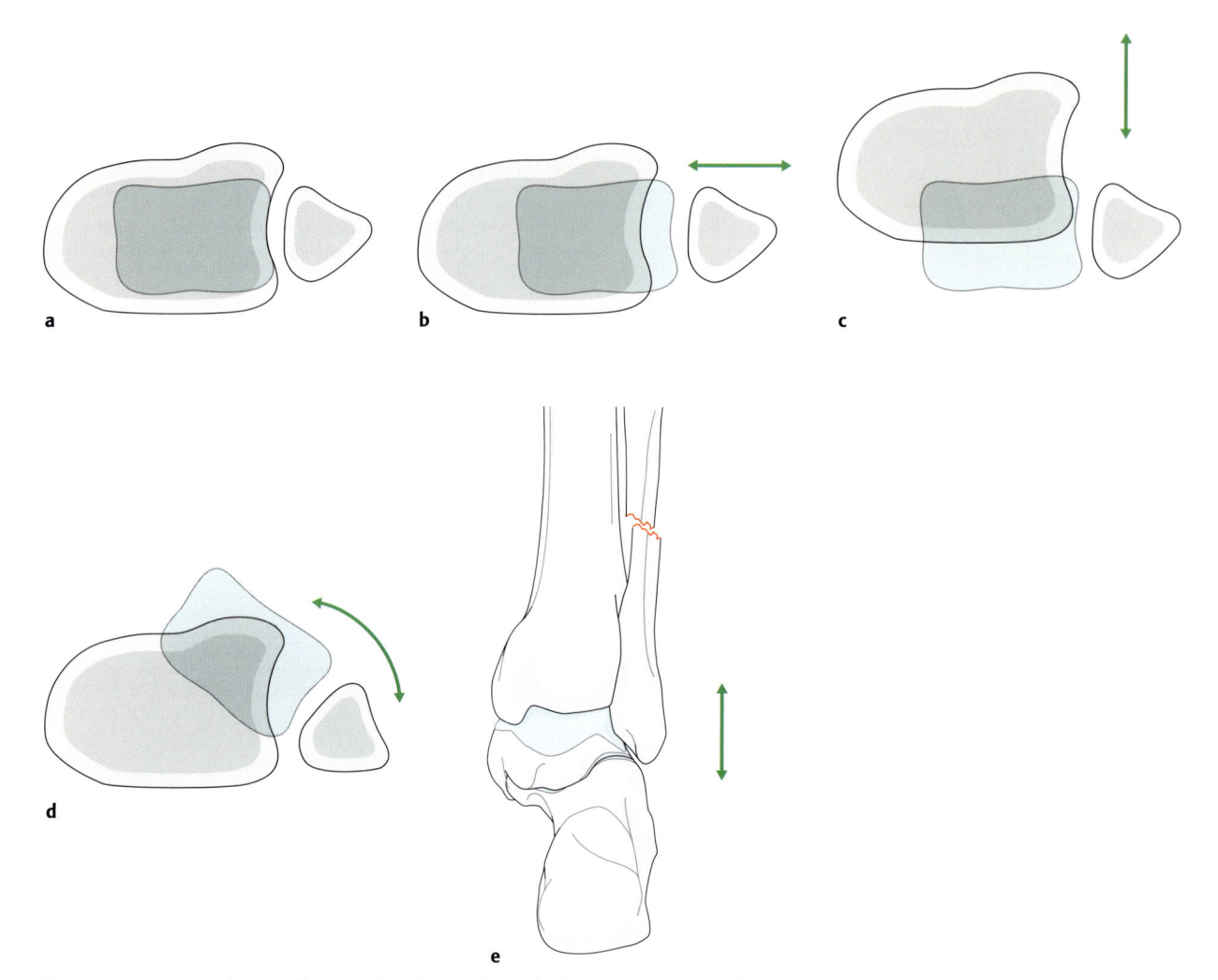

Fig. 6.9-26a-e Exemplos dos diferentes tipos de má redução da sindesmose após uma fratura aguda de tornozelo [15].

Infelizmente, no momento atual, além de executar uma TC intraoperatória ou contar com a disponibilidade de um intensificador de imagem tridimensional, não existe nenhum método seguro à prova de falha clínica para certificar uma redução perfeita. Entretanto, vários passos podem ser executados para reduzir a possibilidade de má redução durante a cirurgia:

- Primeiro, comparar as imagens da anatomia da pinça com o tornozelo oposto [16].
- Segundo, expor a articulação tibiofibular distal e palpar, bem como buscar diretamente qualquer má redução grosseira [17, 18].
- Terceiro, a avaliação artroscópica intraoperatória também tem sido preconizada [15].

9.5 Pacientes com diabetes

Os pacientes com diabetes têm uma incidência muito mais alta de complicações com a cirurgia de fratura do tornozelo. A infecção é comum e deve ser prevenida. As complicações de Charcot devem ser buscadas no paciente portador de neuropatia periférica. As técnicas minimamente invasivas podem diminuir os riscos de infecção nos pacientes com diabetes. A monitoração adequada dos níveis de glicose sanguínea é essencial.

10 Resultados

É geralmente recomendado que a fratura instável do tornozelo seja tratada com redução aberta e fixação interna [3, 16]. Entretanto, mesmo quando a redução anatômica e a fixação estável são alcançadas, como na maioria de fraturas articulares, a recuperação funcional completa nem sempre pode ocorrer. Até 25% dos pacientes podem ter um desfecho menos que satisfatório. Estudos [19-22] sobre o desfecho funcional mostraram que os pacientes podem ter que esperar algum grau de déficit funcional como resultado da sua fratura de tornozelo, mesmo com até 2 anos de pós-cirúrgico. Um ensaio clínico randomizado recente [23] mostrou que havia equivalência entre o uso de gesso e a redução aberta e fixação interna para fraturas instáveis de tornozelo nos pacientes idosos aos 6 meses. Embora os escores de desfecho tenham melhorado com o tempo, com frequência há um déficit físico mensurável por até 24 meses depois da lesão. Os ensaios clínicos randomizados [24] mostram que o uso pós-cirúrgico precoce de tensores funciona bem para diminuir o edema no pacientes com fratura de tornozelo. Como em todas as fraturas traumáticas, os fatores sociais podem ser determinantes relevantes de desfecho.

Fraturas específicas

6.9 Maléolos

Referências clássicas   Referências de revisão

11 Referências

1. **Calhoun JH, Li F, Ledbetter BR, et al.** A comprehensive study of pressure distribution in the ankle joint with inversion and eversion. *Foot Ankle Int.* 1994;15(3):125–133.
2. **Lundberg A, Goldie I, Kalin B, et al.** Kinematics of the ankle/foot complex: plantarflexion and dorsiflexion. *Foot Ankle.* 1989;9(4):194–200.
3. **Michelson JD.** Fractures about the ankle. *J Bone Joint Surg Am.* 1995;77(1):142–152.
4. **Ramsey PL, Hamilton W.** Changes in tibiotalar area of contact caused by lateral talar shift. *J Bone Joint Surg Am.* 1975;58(3):356–357.
5. **Weber BG.** *Die Verletzungen des oberen Sprunggelenkes.* Bern Stuttgart Wien: Huber Verlag; 1972. German
6. **Bauer M, Bergstrom B, Hemborg A, et al.** Malleolar fractures: nonoperative versus operative treatment. A controlled study. *Clin Orthop Relat Res.* 1985;(199):17–27.
7. **Kristensen KD, Hansen T.** Closed treatment of ankle fractures. Stage II supination-eversion fractures followed for 20 years. *Acta Orthop Scand.* 1985;56(2):107–109.
8. **McConnell T, Creevy W, Tornetta P.** Stress examination of supination external rotation-type fibular fractures. *J Bone Joint Surg Am.*#2004;86(10):2171–2178.
9. **Caschman J, Blagg S, Bishay M.** The efficacy of the A-V Impulse system in the treatment of posttraumatic swelling following ankle fracture: a prospective randomized controlled study. *J Orthop Trauma.* 2004;18(9):596–601.
10. **Hoelsbrekken SE, Kaul-Jensen K, Morch T, et al.** Nonoperative treatment of the medial malleolus in bimalleolar and trimalleolar ankle fractures: a randomized controlled trial. *J Orthop Trauma.* 2013 Nov;27(11):633–637.
11. **Buckley R.** Tricortical screws were as effective as quadricortical screws in ankle fractures at 1 year. *J Bone Joint Surg Am.* 2005;87(2):465.
12. **Gardner MJ, Demetrakopoulos D, Briggs S et al.** Malreduction of the tibiofibular syndesmosis in ankle fractures. *Foot Ankle Int.* 2006 Oct;27(10):788–792.
13. **Lehtonen H, Jarvinen TL, Honkonen S, et al.** Use of a cast compared with a functional ankle brace after operative treatment of an ankle fracture. A prospective, randomized study. *J Bone Joint Surg Am.* 2003;85(2):205–211.
14. **Srinivasan CM, Moran CG.** Internal fixation of ankle fractures in the very elderly. *Injury.* 2001;32(7):559–563.
15. **Lui TH, Ip K, Chow HT.** Comparison of radiological and arthroscopic diagnoses of distal tibiafibular syndesmotic disruption in acute ankle fractures. *Arthroscopy.* 2005 Nov;21(11):1370.
16. **Koenig SJ, Tornetta P 3rd, Merlin G.** Can we tell if the syndesmosis is reduced using fluoroscopy? *J Orthop Trauma.* 2015 Sep;29(9):e326–330.
17. **Scolaro J Maracek G, Barei D.** Management of syndesmotic disruption in ankle fractures: a critical analysis review. *J Bone Joint Surg Rev.* 2014;2(12):e4.
18. **Jones C, Gilde A, Sietsema D.** Treatment of syndesmotic injuries of the ankle: a critical analysis review. *J Bone Joint Surg Rev.* 2015;3(10):e1.
19. **Belcher GL, Radomisli TE, Abate JA, et al.** Functional outcome analysis of operatively treated malleolar fractures. *J Orthop Trauma.* 1997 Feb-Mar;11(2):106–109.
20. **Ponzer S, Nasell H, Tornkvist H.** Functional outcome and quality of life in patients with type B ankle fractures: a two-year follow-up study. *J Orthop Trauma.* 1999 Jun-Jul;13(5):363–368.
21. **Bhandari M, Sprague S, Hanson B, et al.** Health-related quality of life following operative treatment of unstable ankle fractures: a prospective observational study. *J Orthop Trauma.* 2004 Jul;18(6):338–345.
22. **Obremskey WT, Dirschl DR, Crowther JD, et al.** Change over time of SF-36 functional outcomes for operatively treated unstable ankle fractures. *J Orthop Trauma.* 2002 Jan;16(1):30–33.
23. **Willett K, Keene D, Mistry D et al.** Closed contact casting versus surgery for initial treatment of unstable ankle fractures in older adults: a randomized clinical trial. *JAMA.* 2016;316(14):1455–1463.
24. **Rohner-Spengler M, Frotzler A, Honigmann P, et al.** Effective treatment of posttraumatic and postoperative edema in patients with ankle and hindfoot fractures. *J Bone Joint Surg Am.* 2014;96:1263–71.

12 Agradecimentos

Os organizadores agradecem a Chris Colton por suas contribuições para o texto da 2ª edição de *Princípios AO do tratamento de fraturas*.

6.10.1 Retropé – calcâneo e tálus

Richard E. Buckley

1 Fraturas do calcâneo

1.1 Introdução

As fraturas do calcâneo são comuns e respondem por aproximadamente 60% das lesões do tarso.

> A etiologia das fraturas do calcâneo é geralmente um trauma de alta energia, como queda de altura ou um acidente automobilístico.

Durante a carga axial, o tálus é forçado na direção caudal para dentro do calcâneo. A gravidade, o tipo e a localização da fratura são determinados pela posição do pé, direção e magnitude da força aplicada e qualidade do osso, e resultam em vários padrões de fratura observados com frequência. As fraturas da coluna vertebral e das extremidades estão frequentemente associadas e requerem avaliação cuidadosa. O inchaço significativo de partes moles é comum e está relacionado a uma combinação de forças que produzem a lesão e o desvio persistente da fratura. Nos padrões altamente desviados, a pele posterior pode estar gravemente comprometida pela pressão da tuberosidade calcânea posterior, que é tracionada proximalmente pelo tendão de Aquiles. Similarmente, nos padrões com depressão articular desviada, o desvio da fratura pode produzir significativa tensão de pele medial ou lateral que resulta em flictenas (**Fig. 6.10.1-1**). Os pacientes com fraturas expostas e aqueles que serão submetidos a tratamento cirúrgico percutâneo precisam de cirurgia urgente. Os pacientes que requerem a redução aberta e fixação interna (RAFI) devem ter o tratamento retardado até que o inchaço de partes moles se resolva: a elevação do membro é essencial.

1.2 Avaliação e diagnóstico

Uma história minuciosa deve ser obtida do paciente e incluir história médica, ocupação, interesses esportivos e tabagismo.

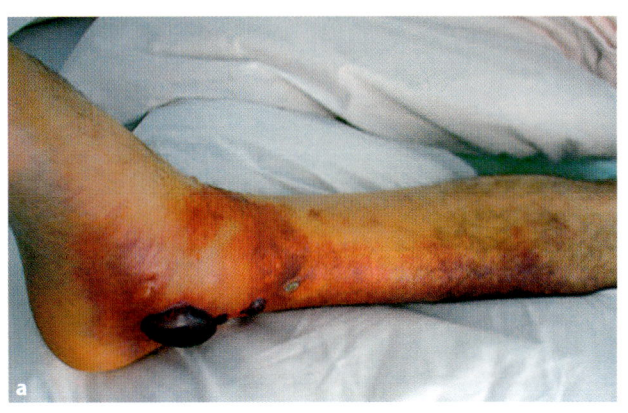

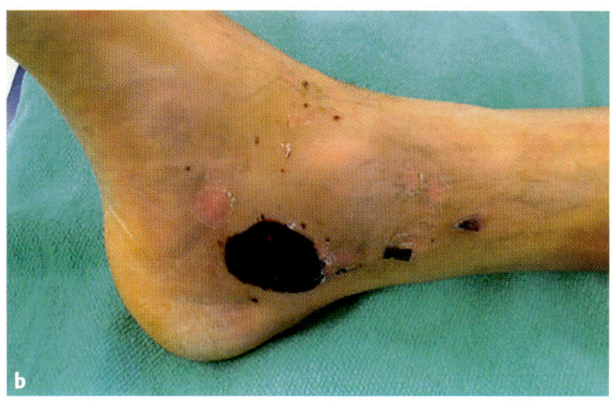

Fig. 6.10.1-1a-b
a   Flictenas mediais de partes moles 4 dias após a queda.
b   Inchaço de partes moles 2 semanas após a queda.

Fraturas específicas
6.10.1 Retropé – calcâneo e tálus

A avaliação radiográfica do calcâneo começa com três incidências do pé (anteroposterior [AP], lateral e oblíqua) como também com uma vista axial (de Harris). O padrão básico de fratura (tipo língua vs. tipo depressão articular) é mais adequadamente demonstrado na vista lateral. Uma diminuição no ângulo de Böhler, medido como o ângulo entre as linhas que conectam a porção cranial da tuberosidade, a superfície articular posterior do tálus e o processo anterior do calcâneo, é determinada na radiografia lateral (**Fig. 6.10.1-2**). As vistas oblíquas e AP delineiam a extensão da fratura na articulação calcaneocubóidea.

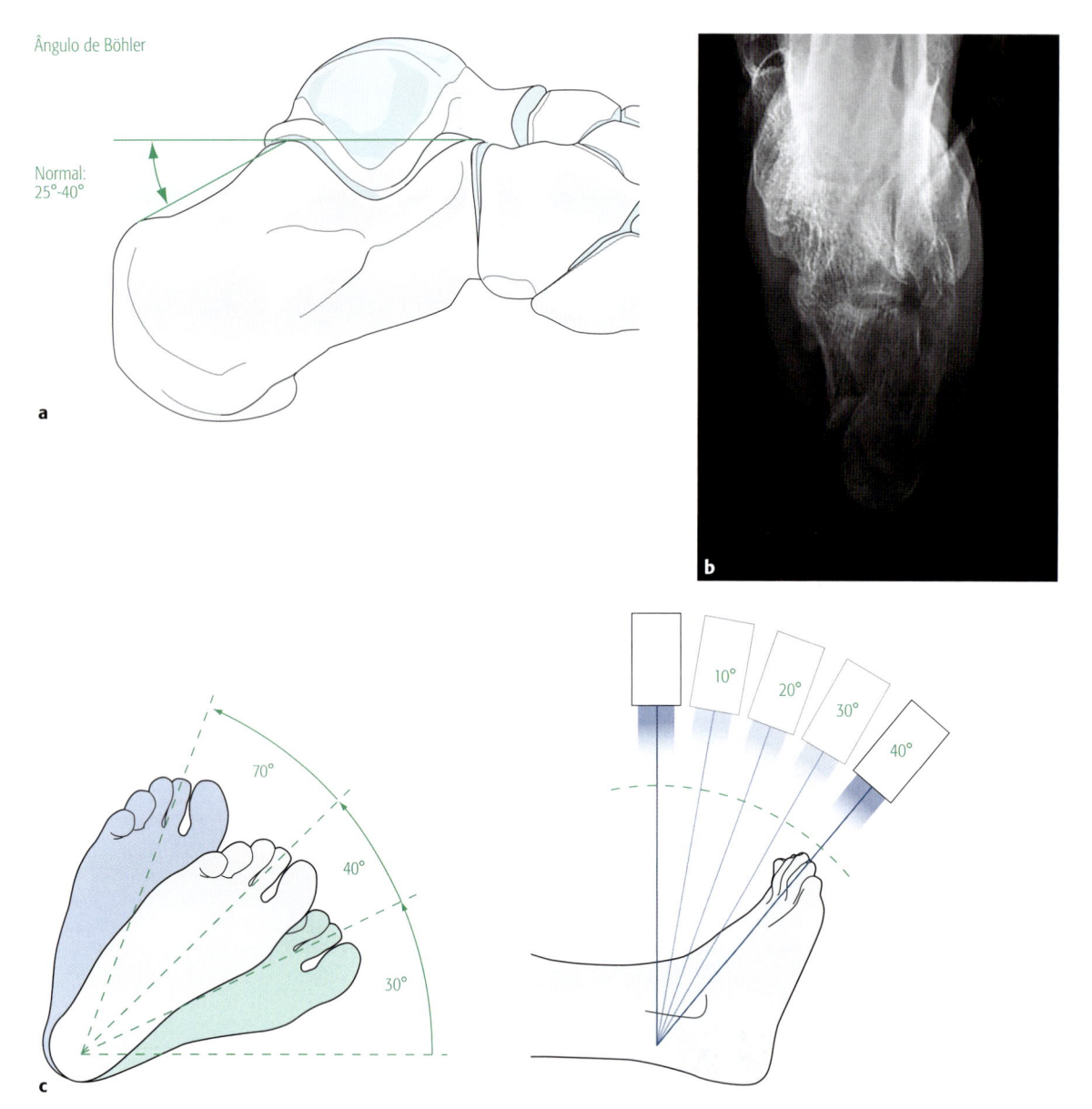

Fig. 6.10.1-2a-c Ângulo de Böhler.
a   Uma diminuição no ângulo de Böhler demonstra a gravidade da lesão articular e o desvio (depressão) pela medida na radiografia lateral. O ângulo normal é de 25°-40°. Se esse ângulo permanecer acima de 15°, o tratamento não cirúrgico pode ser sugerido.
b   A vista axial mostra o desvio articular primário e a angulação da tuberosidade, bem como qualquer aumento na largura do calcanhar. Essa vista é importante durante a cirurgia para assegurar que não há varo em qualquer procedimento de reconstrução do calcâneo.
c   As incidências de Brodén são projeções radiográficas especiais do calcâneo para mostrar a congruência da articulação subtalar. Elas são obtidas com 10°, 20°, 30° e 40° na horizontal com o tubo de fluoroscopia angulado em 10° cranialmente e com o pé internamente rodado em 40°.

A vista axial mostra os desvios articulares primários e a angulação da tuberosidade (encurtamento e varo), bem como qualquer aumento na largura do calcanhar. As incidências de Brodén (vistas oblíquas da superfície articular posterior da articulação talocalcânea) são úteis no pré-operatório e durante a cirurgia. Uma comparação radiográfica com a extremidade contralateral ilesa pode ser útil para avaliar o padrão de lesão e planejar a fixação cirúrgica.

> **A tomografia computadorizada (TC) nos planos axial e coronal é necessária para entender completamente o padrão de fratura.**

As imagens axiais demonstram quaisquer extensões do processo anterior da fratura na articulação calcaneocubóidea (**Fig. 6.10.1-3a**). As imagens coronais demonstram o envolvimento da superfície articular posterior do calcâneo, bem como encurtamento e posição da tuberosidade (**Fig. 6.10.1-3b**). As reconstruções sagitais na TC podem ser usadas para identificar adicionalmente a lesão.

1.3 Anatomia

Uma compreensão da complexa anatomia do calcâneo requer uma avaliação tridimensional das múltiplas articulações e processos ósseos. Há duas articulações (com três facetas) com o tálus e uma articulação em forma de sela com o cuboide. Com frequência, as facetas anterior e média são contíguas uma com a outra já que formam uma articulação e são separadas da maior superfície articular posterior pelo assoalho do canal tarsal. O sustentáculo do tálus é o osso denso sob a faceta articular média, que recebe o maior peso. A parede lateral do calcâneo é fina e tem inserções do ligamento calcaneofibular e a reflexão óssea dos tendões fibulares. No aspecto medial, o osso é mais espesso e existe grande proximidade com os flexores dos dedos do pé e as estruturas neurovasculares tibial posterior.

É essencial entender o suprimento vascular (angiossomos) da pele do retropé lateral, já que as complicações de cicatrização da ferida podem ser encontradas depois de uma RAFI em que foi usada uma via de acesso lateral estendida. A artéria calcânea lateral, a artéria lateral do retropé e a artéria tarsal lateral contribuem para a vascularização da pele e dos tecidos moles laterais do pé. A artéria calcânea lateral é responsável pela maioria do suprimento sanguíneo para o canto do retalho na via de acesso lateral estendida. Existe também uma estrutura muito especial – o coxim do calcanhar – na parte inferior do pé. Ele é insubstituível como tecido e deve ser respeitado durante a cirurgia ou na tentativa de salvar um pé gravemente ferido.

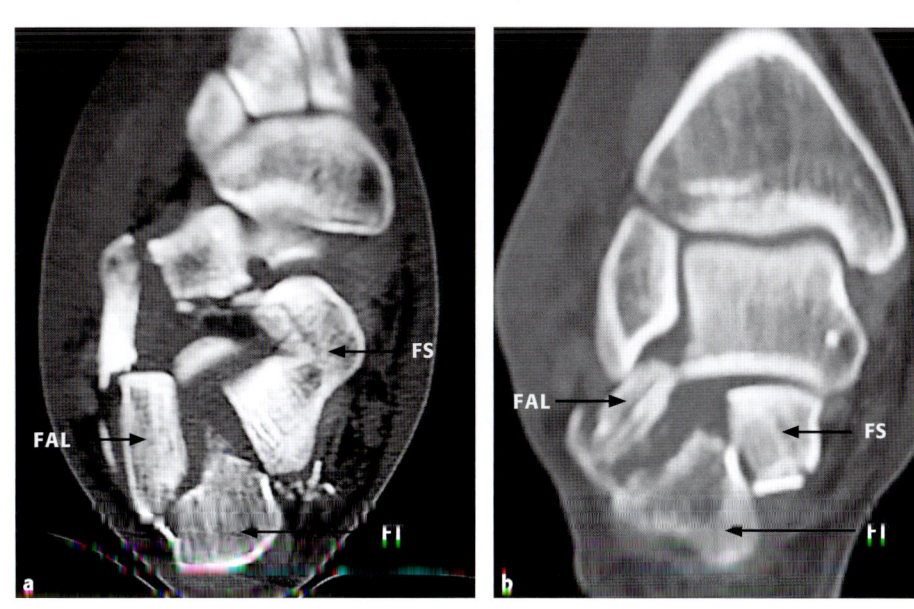

Fig. 6.10.1-3a-b Imagens de tomografia computadorizada axial (**a**) e coronal (**b**) de uma fratura do calcâneo, identificando o fragmento articular lateral (FAL), o fragmento sustentacular (FS) e a tuberosidade ou fragmento de corpo (FT). Existe luxação lateral, impacção e desvio na superfície articular.

Fraturas específicas
6.10.1 Retropé – calcâneo e tálus

1.4 Classificação

A classificação de fraturas assume uma compreensão dos principais desvios da fratura e dos fragmentos que são comumente observados (**Fig. 6.10.1-4a-b**). Essex-Lopresti diferenciaram os padrões de fratura com depressão articular e em língua, dependendo do ponto de saída da linha de fratura secundária (**Fig. 6.10.1-4c-d**). Nos padrões tipo língua, uma porção variável da superfície articular posterior permanece em continuidade com o fragmento da tuberosidade. Nos tipos de depressão articular, a linha de fratura sai anterior à tuberosidade. A classificação de Sanders por TC é baseada na localização e no número das linhas de fratura da superfície articular posterior, conforme demonstrado pelas imagens coronais na parte mais larga do calcâneo, ou seja, o sustentáculo. A Classificação AO/OTA de Fraturas e Luxações é abrangente e inclui uma descrição das fraturas intra-articulares e extra-articulares (**Fig. 6.10.1-5**).

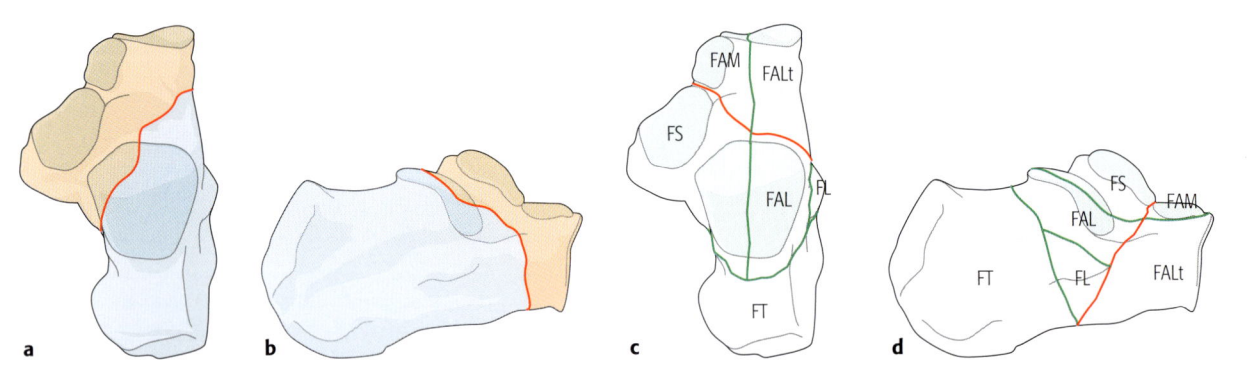

Fig. 6.10.1-4a-d Linha de fratura intra-articular primária mostrada em uma vista superior (**a**) e lateral (**b**) do calcâneo. Ela divide o calcâneo em um fragmento anteromedial (laranja) e um fragmento posterolateral (azul). Esta fratura habitualmente cruza a superfície articular posterior. Linhas de fratura intra-articular secundária (verde) mostradas em uma vista superior (**c**) e lateral (**d**) (tipo depressão articular).
Siglas: FALt, fragmento anterolateral; FAM, fragmento anteromedial; FL, fragmento da cominução da parede lateral; FAL, fragmento articular lateral; FS, fragmento sustentacular; FT, fragmento da tuberosidade ou corpo.

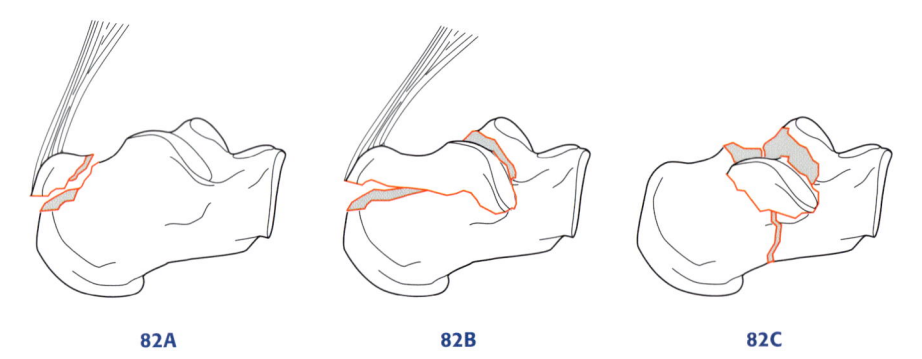

Fig. 6.10.1-5 Classificação das fraturas do calcâneo conforme proposto pela Classificação AO/OTA de Fraturas e Luxações.

1.5 Indicações cirúrgicas

- Indicações cirúrgicas – absolutas [1]:
  - Fraturas expostas
  - Comprometimento cutâneo (pele posterior [fratura tipo língua])
  - Formato do pé e posição do calcanhar ruins
  - Fratura-luxação do retropé
- Indicações cirúrgicas – relativas:
  - Cominução grave da articulação (mais bem servida por fusão primária da articulação subtalar e reconstrução do formato do calcâneo)
  - Desvio da superfície articular acima de 2 mm
  - Fraturas bilaterais dos calcâneos (cada pé tratado com as respectivas características tomográficas)
  - Não fumante
- Contraindicações cirúrgicas:
  - Pé inchado, com flictenas
  - Doença vascular periférica
  - Neuropatia
  - Paciente medicamente indisposto
  - Paciente não cooperativo, com trauma craniano permanente ou psiquiátrico
  - Abuso de álcool e/ou drogas
- Outros fatores fundamentais a considerar:
  - Condição de partes moles: sinal da ruga cutânea no retropé lateral
  - Paciente acima de 60 anos, mas clinicamente otimizado

1.6 Planejamento pré-operatório

O tratamento das fraturas intra-articulares desviadas do calcâneo permanece controverso. O tratamento fechado pode ser indicado em pacientes com envolvimento articular mínimo, posição adequada do calcanhar e em pacientes com contraindicações para o tratamento cirúrgico. O tratamento fechado consiste no tratamento funcional precoce. Isso inclui exercícios das articulações do tornozelo e subtalar que abranjam a amplitude de movimento completa, mas somente depois da diminuição apropriada do edema de partes moles. A carga deve ser limitada até que ocorra a consolidação da fratura, que geralmente ocorre após 6-12 semanas.

A avaliação cuidadosa do paciente é fundamental se o tratamento cirúrgico for considerado.

O prognóstico é pior se o paciente for do sexo masculino, tiver necessidades de trabalho médias a pesadas ou estiver em algum processo de indenização, ângulo de Böhler muito diminuído ou se houver lesões bilaterais [2]. Ademais, os pacientes com fraturas expostas, os que fumam e os pacientes com diabetes foram identificados como tendo uma incidência mais alta de complicações na ferida depois da cirurgia [3].

A condição dos tecidos moles é o determinante primário para o momento da cirurgia no tratamento das fraturas desviadas do calcâneo.

A paciência é necessária para otimizar o ambiente cirúrgico local e minimizar a incidência de complicações na ferida.

O retorno das pregas cutâneas na região lateral do pé, no local da incisão cirúrgica, deve ser usado como guia para o momento de cirurgia, que é geralmente possível entre 7-14 dias depois da lesão [4].

Os retardos mais longos podem estar associados a maior dificuldade para obter a redução e fechamento da incisão cirúrgica uma vez que a altura do calcanhar tenha sido restaurada.

Se a condição das partes moles não permitir a via de acesso cirúrgica completa, então técnicas percutâneas limitadas podem ser úteis e ajudar a reduzir a superfície articular posterior até uma posição mais aceitável [1].

Os instrumentos e implantes incluem fios de Kirschner, afastadores de lâmina, parafusos e placas de pequenos fragmento e implantes para o calcâneo. Um parafuso de Schanz de 4,0 ou 5,0 mm ajuda a manipular o fragmento da tuberosidade. Os ganchos de odontologia e os descoladores pequenos podem ser úteis na redução dos fragmentos articulares. Os substitutos ósseos podem ser utilizados para preencher o defeito ósseo grande que fica depois da redução dos fragmentos impactados.

Fraturas específicas
6.10.1 Retropé – calcâneo e tálus

1.7 Configuração da sala de cirurgia

A área exposta do membro é desinfetada com o antisséptico apropriado e a crista pélvica é desinfetada caso seja necessário remover osso para enxertia. A crista ilíaca é preparada primeiramente com um campo descartável e impermeável, e, então, o membro com um campo de membro (**Fig. 6.10.1-6**). O intensificador de imagem também é preparado.

O cirurgião fica em pé (ou se senta) de frente para o calcâneo do paciente, e o assistente fica na posição oposta. A equipe de sala de cirurgia fica em pé, próxima aos cirurgiões. Um coxim estéril é colocado por baixo da superfície do tornozelo afetado, permitindo o pé cair ligeiramente em varo. O intensificador de imagem é trazido para dentro a partir do pé da mesa operatória para as imagens laterais e axiais. A tela do intensificador de imagem é posicionada de forma a ser plenamente visível para a equipe cirúrgica e para o técnico de radiologia (**Fig. 6.10.1-7**).

1.8 Cirurgia

Um estudo recente [5] mostrou que os resultados cirúrgicos são ruins e com altas taxas de complicação se a cirurgia da fratura do calcâneo for feita por cirurgiões que executem baixos volumes desse procedimento complexo.

Uma compreensão dos desvios comuns da fratura é essencial para o tratamento cirúrgico. Tanto os desvios intra-articulares quanto extra-articulares da fratura devem ser considerados. O desvio extra-articular determina a perda na altura do calcanhar, o aumento na largura do calcanhar e a sua posição em varo. O desvio intra-articular pode incluir a articulação calcaneocuboidea, a superfície articular posterior e/ou as superfícies articulares anterior e média. A linha de fratura primária para as fraturas intra-articulares (**Fig. 6.10.1-4a-b**) geralmente se estende de forma oblíqua, de posteromedial até o calcâneo anterolateral (**Fig./Animação 6.10.1-8**). Essa linha de fratura produz um segmento posterolateral que consiste na tuberosidade, parede lateral e uma porção variável da superfície articular posterior. O segmento anteromedial consiste do processo anterior, o sustentáculo do talus e o aspecto medial restante da superfície articular posterior. As linhas de fratura secundária (**Fig. 6.10.1-4c-d**) são comuns e podem se estender para dentro da articulação calcaneocubóidea (separando o processo anterior em fragmentos anteromedial e anterolateral) ou medialmente (separando o fragmento sustentacular do fragmento anteromedial). Um fragmento lateral da superfície articular posterior caracteriza os padrões de depressão articular e é produzido pela extensão de uma linha de fratura secundária à porção cranial da tuberosidade (**Fig./Animação 6.10.1-9**).

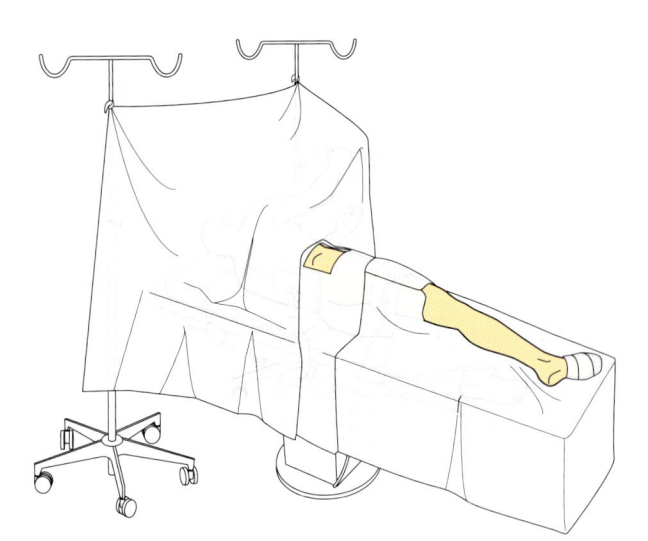

Fig. 6.10.1-6 Posicionamento do paciente em decúbito lateral com colocação de campos e desinfecção.

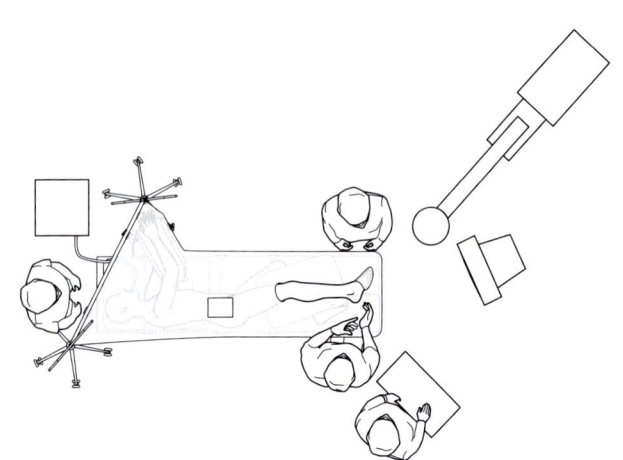

Fig. 6.10.1-7 Configuração da sala de cirurgia.

Por causa das fortes inscrições ligamentares entre o tálus e o fragmento sustentacular, esse fragmento é "a referência" e geralmente não está desviado. A localização desse fragmento e a densidade do osso nessa área são fundamentais para a redução e fixação das fraturas do calcâneo. O posicionamento lateral do paciente otimiza a via de acesso e a redução. Uma via de acesso lateral estendida, descrita pela primeira vez por Letournel, permite o acesso lateral a todo o calcâneo, ao processo anterior e à superfície articular média. Nessa via de acesso, a porção vertical cursa em paralelo ao tendão de Aquiles, enquanto a porção horizontal fica paralela ao aspecto plantar do calcâneo (**Fig. 6.10.1-10**). Essa é a borda do angiossomo e é definida, clinicamente, pela borda da equimose. Um retalho cutâneo fascial periosteal de espessura completa é criado pela dissecção subperiostal lateral no calcâneo [6]. O retalho inclui o nervo sural, os tendões fibulares e o ligamento calcaneofibular. O nervo sural fica sob risco nas partes proximal e distal da incisão. Distalmente, a articulação calcaneocubóidea é exposta. O retalho pode ser afastado manualmente ou com fios de Kirschner colocados no tálus e/ou no maléolo lateral, bem como no cuboide. Deve-se tomar cuidado para proteger o retalho ao longo da exposição e redução.

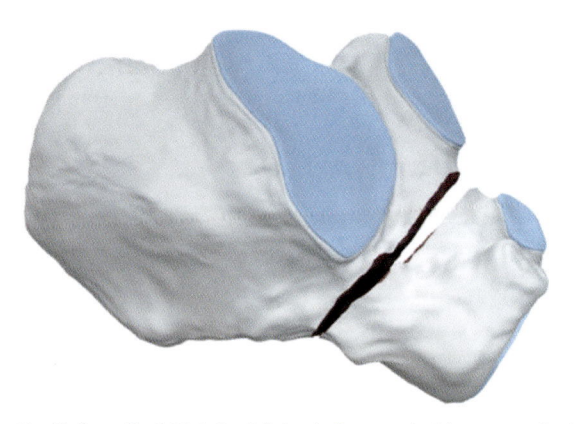

Fig./Animação 6.10.1-8 A linha de fratura primária se estende de posteromedial até anterolateral.

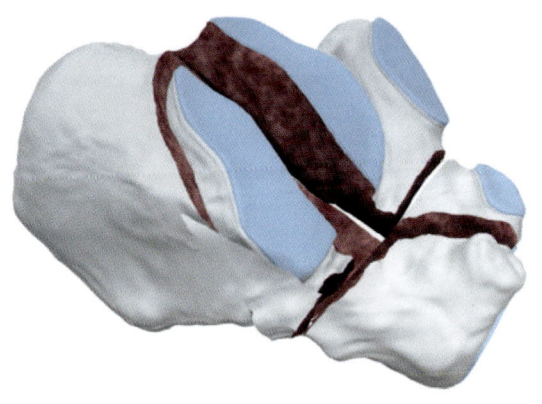

Fig./Animação 6.10.1-9 As linhas de fratura secundárias separam o fragmento anteromedial em um fragmento sustentacular e um anterior, enquanto a superfície articular lateral é impactada, junto com a quebra em pedaços de um fragmento lateral.

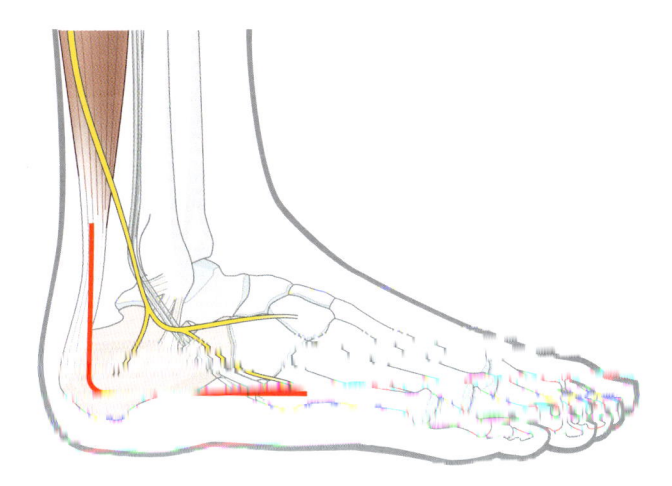

Fig. 6.10.1-10 A via de acesso lateral estendida. A porção vertical da incisão corre, ligeiramente proximal à ponta da fíbula e logo anterior ao tendão de Aquiles. A porção horizontal deve ficar logo distal à pele contundida que demarca a borda do angiossomo suprido pela artéria calcânea lateral e se estende distalmente até a base do quinto metatarsal. Uma virada relativamente aguda conecta as duas no ponto do calcanhar. O nervo sural é mostrado e está em risco nas extremidades proximal e distal da ferida.

Fraturas específicas
6.10.1 Retropé – calcâneo e tálus

O osso da parede lateral pode precisar ser refletido para expor o fragmento articular posterior lateral e o ligamento calcaneofibular. Em raras situações, uma via de acesso medial isolada pode ser necessária para alcançar o sustentáculo para reconstrução.

> A redução do calcâneo deve restaurar a morfologia calcaneana inteira, bem como as superfícies articulares das articulações subtalar e calcaneocubóidea.

Há vários aspectos fundamentais da redução. O fragmento sustentacular medial fica geralmente em uma posição estável e os segmentos ósseos restantes são reduzidos em relação a este fragmento "referência". O processo anterior está habitualmente separado do fragmento sustentacular medial e lateralizado. Uma linha de fratura secundária que se estende para a articulação calcaneocuboidea requer redução. A redução da superfície articular posterior somente pode ser realizada depois que o segmento da tuberosidade tiver sido retirado da sua posição impactada entre os fragmentos da superfície articular posterior (**Fig. 6.10.1-11**). Esse é geralmente o estágio final da redução articular.

A sequência das reduções da fratura depende da experiência e da preferência do cirurgião. Cada estratégia tem os seus proponentes e alguma flexibilidade é necessária nessas difíceis lesões.

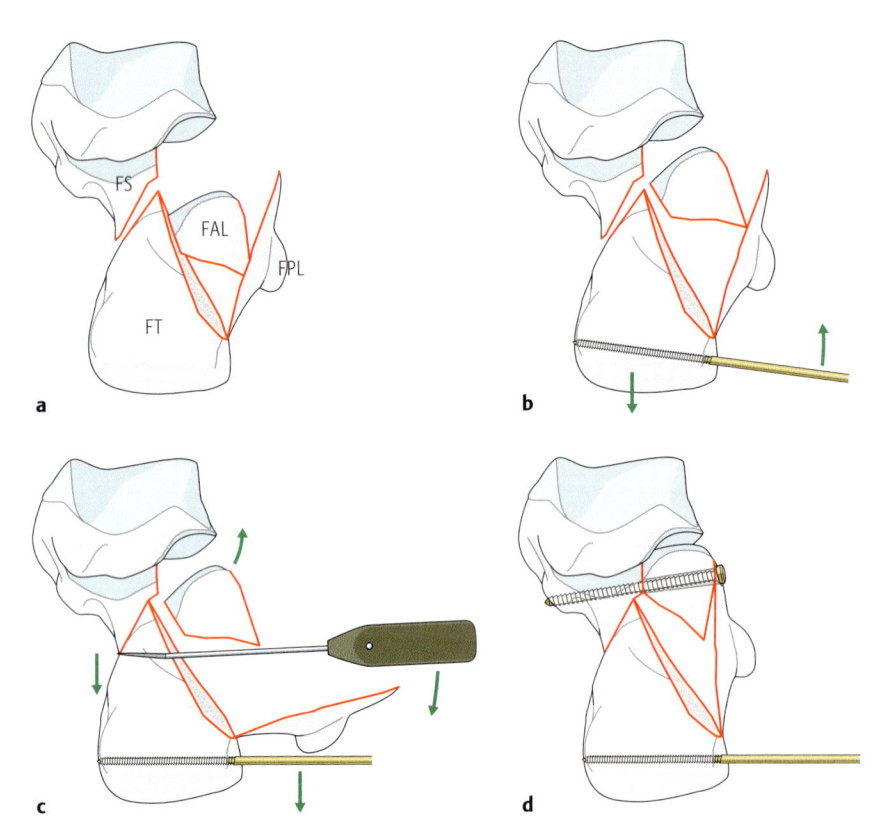

Fig. 6.10.1-11a-d   Redução das fraturas do calcâneo.
a   O fragmento sustentacular (FS) não está desviado por causa das suas inserções de partes moles. O fragmento da tuberosidade (FT) está impactado e em posição em varo. O fragmento articular lateral (FAL) está deprimido e impactado. O fragmento da parede lateral (FPL) está desviado lateralmente, causando pinçamento na fíbula.
b   A redução do segmento da tuberosidade com frequência requer a colocação de parafuso de Schanz. As manobras de redução primária restauram o comprimento, eliminam a angulação em varo e medializam a tuberosidade.
c   Um descolador periosteal inserido através da fratura pode ser usado para desimpactar e reduzir o fragmento da tuberosidade em relação ao FS. Isto frequentemente requer a rotação do FAL e FPL para permitir o acesso à linha de fratura primária.
d   O FAL é então reduzido para permitir a redução anatômica da superfície articular posterior. Ele é mantido com um fio de Kirschner temporário e então fixado com um parafuso cortical de tração de 3,5 mm que deve passar para dentro do sustentáculo.

Uma estratégia é executar a redução na seguinte sequência:

- Redução do processo anterior (e, consequentemente, da articulação calcaneocubóidea)
- Redução do processo anterior para o fragmento sustentacular medial
- Redução do fragmento da tuberosidade para o fragmento sustentacular medial
- Redução do fragmento articular lateral da superfície articular posterior
- Reposição da parede lateral

O mais comum é reduzir o calcâneo inteiro e manter esta redução com fios de Kirschner periféricos para permitir uma avaliação intraoperatória, tanto por inspeção quanto por intensificador de imagem. O uso intracirúrgico de um intensificador de imagem e/ou radiografias simples (incidências de Brodén) nos planos lateral, axial e oblíquo podem ajudar a avaliar a redução da tuberosidade, a superfície articular posterior e a altura e comprimento do calcâneo.

Após avaliação da redução, a fixação definitiva pode ser realizada. De preferência, uma placa lateral deve se localizar entre o fragmento da tuberosidade e o processo anterior, enquanto simultaneamente permite a fixação com parafuso através da placa e para dentro do fragmento sustentacular medial. Os implantes de perfil menor e mais baixo mostraram ter propriedades biomecânicas similares àquelas dos implantes maiores e mais volumosos [7]. As placas bloqueadas especiais permitem a fixação de todas as fraturas comumente observadas, mas não são mecanicamente mais fortes que a placa não bloqueada tradicional de fixação [7]. A fixação com parafuso de tração através da superfície articular posterior reduzida pode ser feita através da placa ou, independentemente, antes da aplicação da placa.

A impacção resulta em um defeito ósseo grande abaixo da superfície articular posterior do calcâneo após a reconstrução. Alguns cirurgiões não preenchem o defeito, enquanto outros usam autoenxerto, aloenxerto ou substitutos ósseos de preenchimento. Entretanto, isso pode não ser necessário com a placa bloqueada de calcâneo (**Fig. 6.10.1-12**). A incisão cirúrgica deve ser fechada em camadas. O fechamento profundo consiste em suturas múltiplas e interrompidas que incorporam o periósteo e que são habitualmente atadas da periferia até o centro. Deve haver cuidado para assegurar que essa porção do fechamento reaproxime adequadamente os tecidos profundos. A pele pode, então, ser fechada sem tensão com suturas interrompidas modificadas de Allgöwer-Donati (ver Cap. 3.1.2).

Fraturas específicas
6.10.1 Retropé – calcâneo e tálus

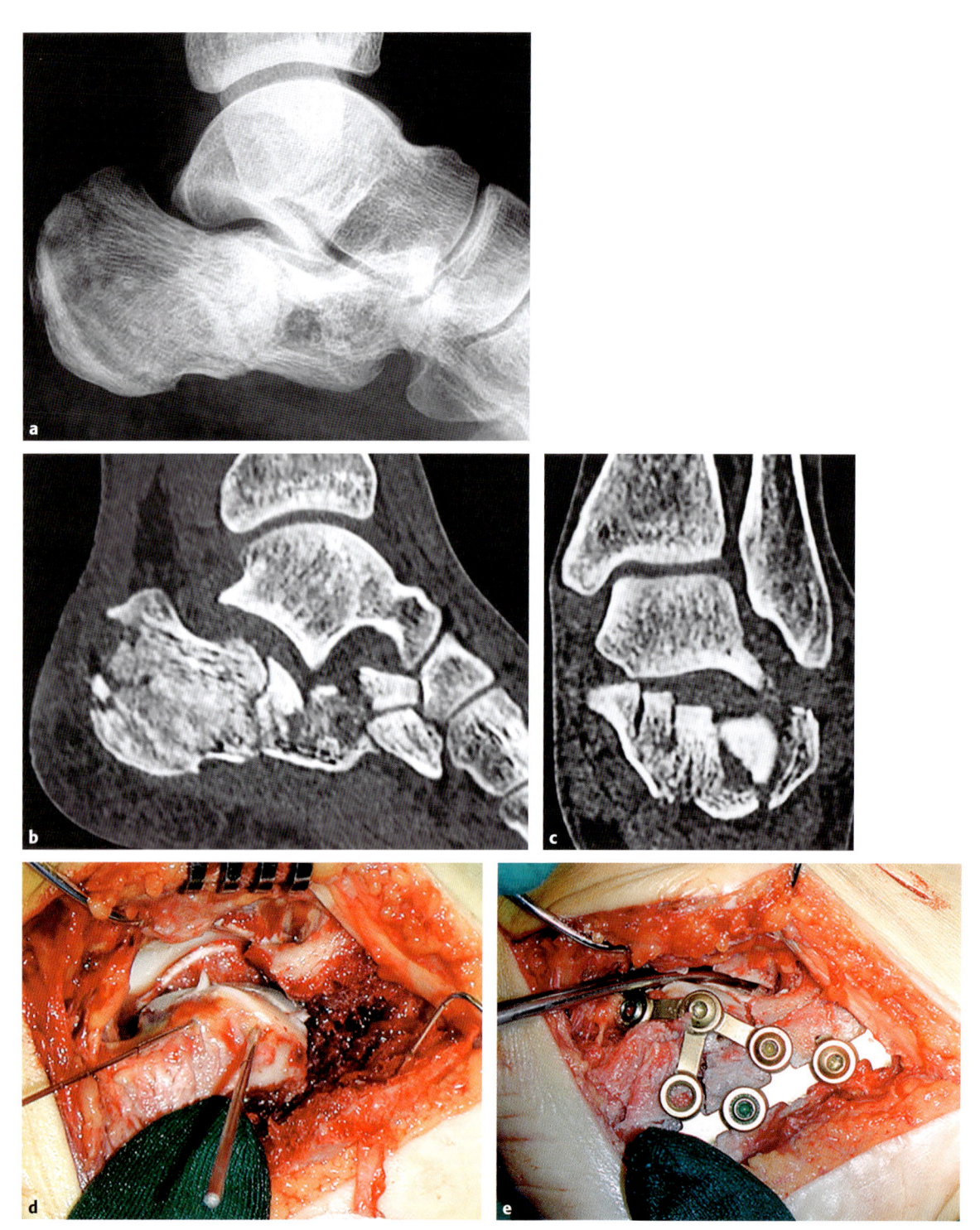

Fig. 6.10.1-12a-i Uma jovem escaladora de montanhas que apresentou fraturas bilaterais complexas dos calcâneos após uma queda. Radiografia lateral (**a**) e tomografia computadorizada (**b-c**) do pé esquerdo. Exposição cirúrgica da articulação subtalar com reconstrução parcial (**d**) e após a aplicação de uma placa bloqueada para calcâneo (**e**).

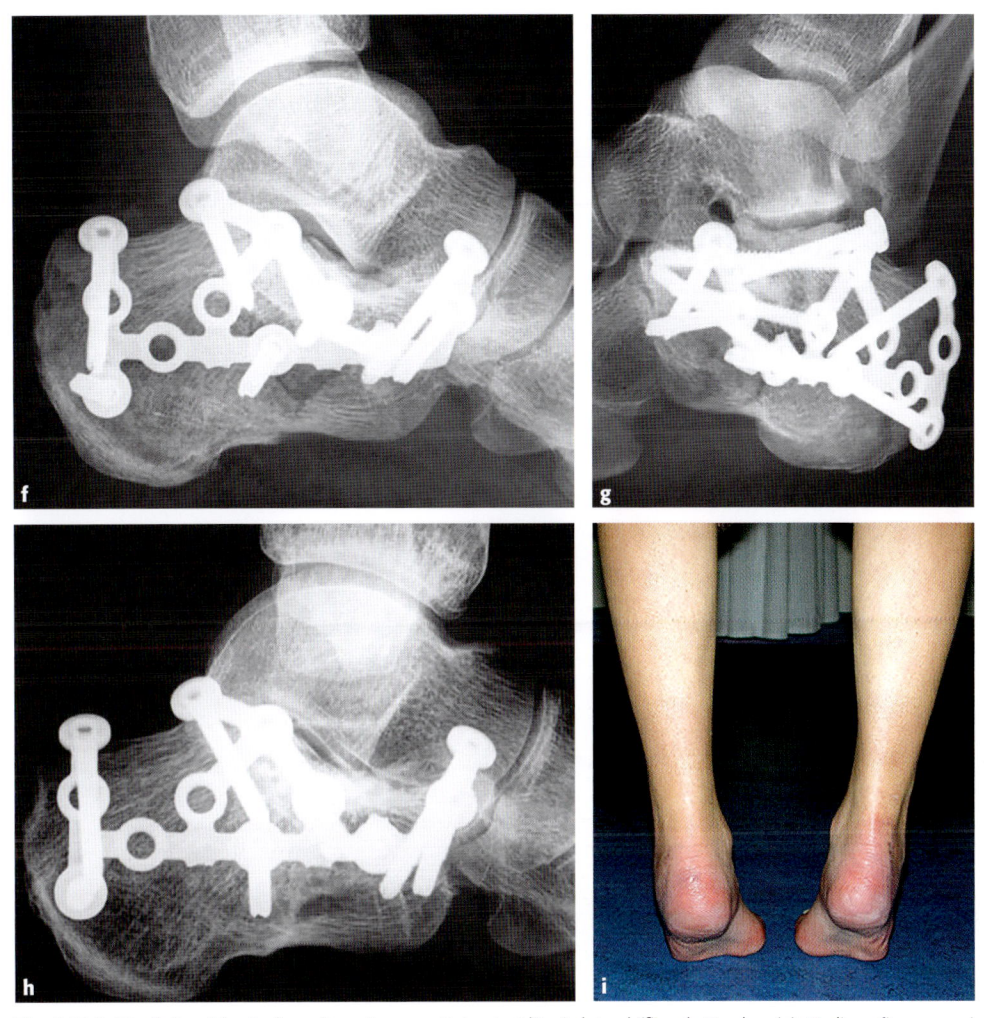

Fig. 6.10.1-12a-i (**cont.**) Radiografias pós-operatórias, incidência lateral (**f**) e de Broden (**g**). Radiografia no seguimento de 7 meses (**h**) e fotografia clínica da função (**i**). A paciente retornou à escalada de montanhas (com autorização de Christoph Sommer).

Fraturas específicas
6.10.1 Retropé – calcâneo e tálus

As técnicas minimamente invasivas também são úteis se indicadas pela condição geral do paciente e de partes moles. Essa técnica pode ser particularmente útil para as fraturas tipo língua e naquelas do tipo depressão articular com linha de fratura primária isolada. As incisões limitadas sob a orientação de intensificador de imagem podem permitir a redução indireta ou direta das superfícies articulares. A fixação interna limitada ou a fixação percutânea, com fios ou parafusos cuidadosamente posicionados, manterão essas reduções nos pacientes para os quais um procedimento cirúrgico de grande porte não é seguro (**Fig. 6.10.1-13**).

1.9 Cuidados pós-operatórios

Inicialmente, a perna do paciente é mantida em uma tala posterior bem acolchoada que mantém o pé em uma posição neutra. Os drenos cirúrgicos são removidos no máximo 2 dias após a cirurgia. Por causa das preocupações relativas à cicatrização da ferida, a perna deve ser elevada ligeiramente acima do nível do coração por vários dias. As articulações do tornozelo e subtalar são submetidas a exercícios de amplitude de movimento que podem começar assim que a incisão permita, em geral entre 2-5 dias. A carga é retardada por 8-12 semanas, dependendo do grau de cominução e da suficiência da fixação. A atividade pode progredir na dependência dos sintomas, mas as atividades de impacto devem ser evitadas por 6 meses a partir do momento da lesão. As avaliações radiográficas, incluindo vistas laterais e axiais, são obtidas em 6 semanas, 12 semanas, 6 meses e 1 ano.

1.10 Complicações

> A avaliação cuidadosa do paciente é fundamental se o tratamento cirúrgico for considerado. A atenção aos detalhes cirúrgicos, fechamento cuidadoso da ferida e momento apropriado da cirurgia podem contribuir para reduzir a taxa de complicações relativas à cicatrização da ferida (2-10%) [3, 4].

1.10.1 Complicações precoces
- A cicatrização ruim da ferida permanece uma complicação comum após a fixação cirúrgica das fraturas do calcâneo.
- A necrose da borda da ferida ocorre mais comumente na ponta da via de acesso lateral estendida.
- A infecção profunda da ferida, embora vista menos frequentemente, pode levar a resultados desastrosos.
- Fraturas expostas, tabagismo, falta de cooperação e diabetes têm sido identificados como fatores de risco para o desenvolvimento de complicações na ferida [3].
- Outros fatores de risco incluem fechamento em camada única, alto índice de massa corporal e intervalo estendido entre a lesão e a cirurgia.

1.10.2 Complicações tardias
Consolidação viciosa
- A consolidação viciosa do calcâneo (ver Cap. 5.1) resulta da falha em reduzir com precisão a fratura ou falha em manter a redução.
- Uma má redução da articulação pode estar associada ao desenvolvimento de artrite subtalar e deve ser evitada.
- Uma reconstrução precisa do alinhamento de toda a morfologia do calcâneo é importante para maximizar a altura do calcanhar e a sua posição.
- Uma má redução em varo da tuberosidade altera a área de contato entre a sola do pé e o solo, o que por sua vez afeta a carga normal das articulações do pé e do tornozelo.
- As placas bloqueadas podem ser úteis para manter a redução das fraturas multifragmentadas do calcâneo [7].

Artrite
- A artrite da articulação subtalar ocorrerá mesmo depois de uma redução precisa das superfícies articulares superiores do calcâneo [8, 9].
- A artrite é provavelmente devido à lesão em si, mas pode ser secundária a uma má redução articular. O aumento da cominução demonstrou ser associado a uma incidência maior de artrite subtalar terminal.
- Nos pacientes com sintomas persistentes, uma artrodese subtalar pode ser necessária. O tratamento não cirúrgico demonstrou aumentar em seis vezes a necessidade de fusão subtalar em comparação ao tratamento cirúrgico das fraturas do calcâneo [9].
- Similarmente, um ângulo inicial de Böhler de menos que 0 e cominução aumentada da superfície articular posterior demonstraram resultar com mais frequência em fusões subtalares [10].

1.11 Prognóstico e desfechos

As fraturas do calcâneo resultam em alguma rigidez da articulação subtalar. Os resultados ideais parecem estar associados a uma restauração precisa da anatomia extra-articular e intra-articular.

> Vários estudos [1, 11] mostraram bons resultados depois da fixação cirúrgica seletiva de fraturas desviadas e intra-articulares do calcâneo em pacientes mais jovens, do sexo feminino e com redução anatômica.

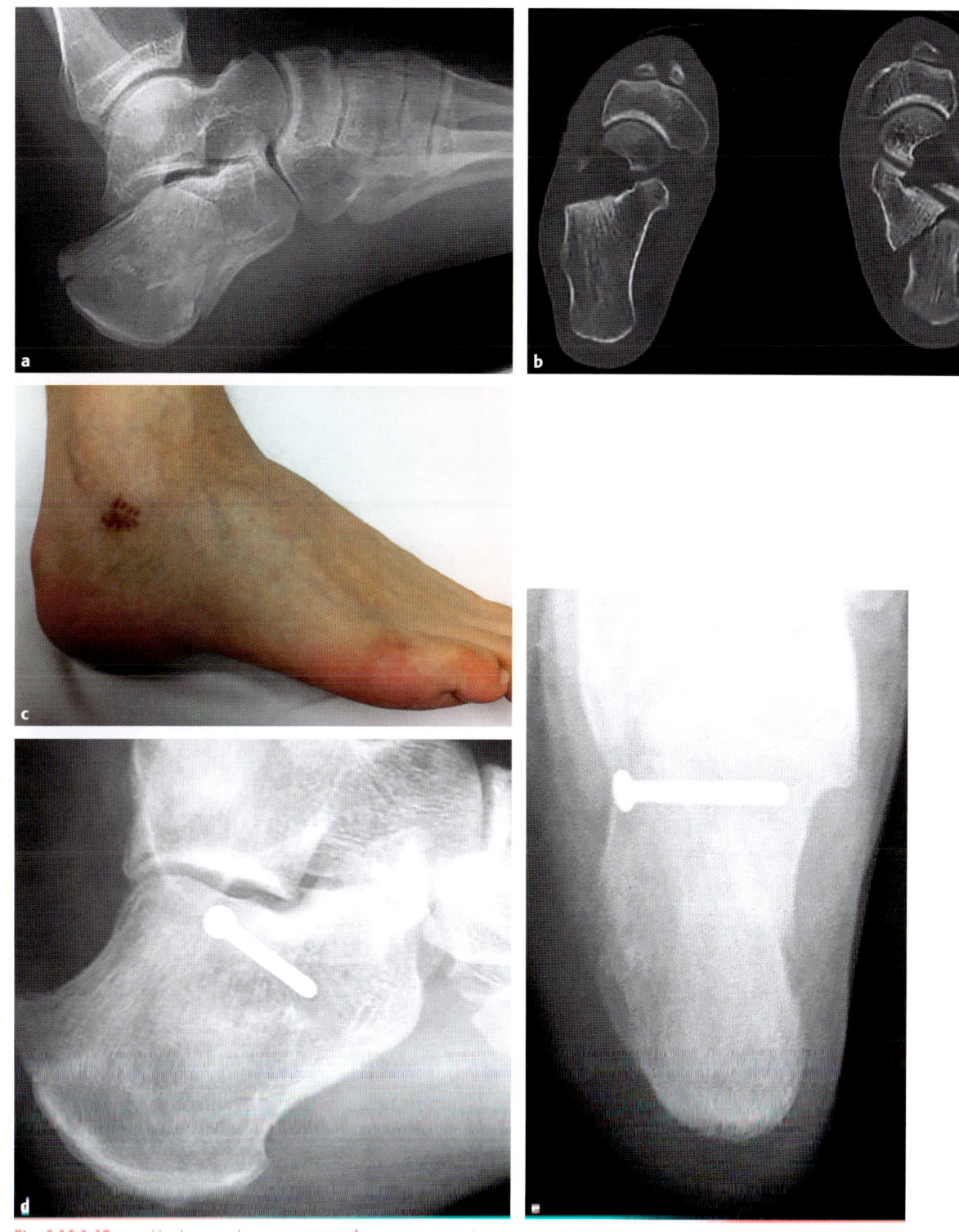

Princípios AO do tratamento de fraturas
Volume 2

Fig. 6.10.1-13a-e Um homem jovem com uma fratura intra-articular desviada do calcâneo. A vista lateral (**a**) mostra uma fratura desviada simples com um ângulo de Böhler aplanado, enquanto a tomografia computadorizada (**b**) mostra um componente intra-articular simples desviado. Imagens finais depois da redução minimamente invasiva e redução percutânea (clínica) (**c**) e radiografias em 12 semanas (**d-e**).

Os fatores associados aos resultados piores incluem maior cominução [11], incongruência articular [11] e um ângulo de Böhler aplanado [10]. Praticamente todos os pacientes terão dificuldade com esportes vigorosos, corridas, inclinações e saltos.

> Evitar complicações no tratamento cirúrgico foi sugerido como um fator relevante que leva a resultados favoráveis no tratamento cirúrgico das fraturas do calcâneo.

A indenização do trabalhador mostrou-se altamente preditiva de um resultado pior, tanto após o tratamento cirúrgico quanto não cirúrgico [11]. Os ensaios prospectivos recentes [12, 13] mostraram que a redução operatória nessas fraturas oferece poucas vantagens se comparada ao tratamento não cirúrgico. Fundamentalmente, os melhores resultados ocorrem com os candidatos cirúrgicos bem escolhidos e os piores resultados ocorrem com as complicações de pacientes que não deveriam ter sido operados ou que deveriam ter tido uma via de acesso cirúrgica diferente [14, 15].

2 Fraturas do tálus

2.1 Introdução

As fraturas do tálus são raras. Geralmente são resultado de mecanismos de alta energia e com frequência associadas a trauma múltiplo. Por causa de sua anatomia ímpar, suprimento sanguíneo tênue e múltiplas articulações complexas no retropé, essas lesões estão associadas a complicações incapacitantes, incluindo artrite, deformidade do retropé e necrose avascular [16]. Um estudo recente mostrou resultados muito melhores com o cuidado cirúrgico apropriado dessas fraturas [17]. As lesões do corpo do tálus são mais difíceis de tratar que as fraturas do colo do tálus.

2.2 Avaliação e diagnóstico

A avaliação radiográfica inclui uma série de tornozelo (AP lateral e AP verdadeiro) e uma série do pé (AP, lateral e oblíqua). A vista de Canale deve ser obtida para avaliar adicionalmente o colo do tálus e é obtida angulando cranial e medialmente o feixe radiográfico em 15 graus. As fraturas do processo lateral do tálus ficam mais bem definidas nas incidências AP verdadeiro e lateral do tornozelo. A tomografia computadorizada com reformatação sagital e coronal deve ser obtida como parte da avaliação de rotina. Essas imagens ajudam a definir melhor as fraturas e o desvio, mostrar áreas de fragmentação e fragmentos intra-articulares na articulação subtalar, e a planejar a redução e a via de acesso cirúrgica. Qualquer desvio do tálus requer intervenção operatória.

2.3 Anatomia

As fraturas do corpo do tálus são diferenciadas de fraturas do colo do tálus pela localização mais baixa da fratura em relação ao processo lateral. As fraturas do processo lateral ocorrem como resultado de dorsiflexão forçada em combinação com eversão e são comumente vistas em praticantes do *snowboarding*. O trauma e edema de partes moles são comuns nas fraturas do colo e do corpo do tálus. Como essas lesões são frequentemente o resultado de acidentes de alta energia, podem estar presentes luxações associadas do corpo do tálus posterior, fratura do maléolo medial e outras fraturas do tornozelo e pé ipsilaterais. Com a luxação posteromedial do corpo do tálus, a necrose de pele e o comprometimento neurovascular são prováveis, até que o tálus posterior seja reduzido de volta à pinça do tornozelo. A redução fechada pode ser impedida pela interposição do tendão tibial posterior e do feixe neurovascular.

Um inchaço grave e flictenas são comuns com essas lesões e são um fator importante para determinar o momento e a via de acesso para a cirurgia. A anatomia e o suprimento sanguíneo ímpares do tálus contribuem para as dificuldades com a fixação e o desenvolvimento de complicações. Mais de 60% do tálus é coberto de cartilagem e reflete as articulações complexas com a tíbia, fíbula, calcâneo e navicular. Como resultado, a maioria das fraturas do tálus envolve pelo menos uma articulação crítica. Ademais, qualquer deformidade do tálus terá algum efeito na mecânica do retropé e na função articular. O suprimento sanguíneo para o tálus vem das artérias fibular, tibial anterior e tibial posterior, formando uma anastomose complexa (**Fig. 6.10.1-14**) [18]. Os vasos importantes incluem a artéria para o seio do tarso, a partir das artérias fibular e tibial anterior, o ramo deltoide da artéria tibial posterior e a artéria do canal tarsal da artéria tibial posterior. Foi demonstrado que o principal suprimento sanguíneo do corpo talar é a artéria do canal do tarso. A localização desses vasos e o impacto de uma fratura adjacente devem ser considerados ao planejar as vias de acesso cirúrgicas e a dissecção profunda [16, 18].

2.4 Classificação

As fraturas de colo do tálus são classificadas (**Tab. 6.10.1-1**) com base no desvio da fratura e subluxação ou luxação associada das três articulações fundamentais: subtalar, tornozelo e talonavicular. Isso foi definido por Hawkins [19] e modificado por Canale [20]. A classificação é importante, já que a necrose avascular está associada a maior desvio.

2.5 Indicações cirúrgicas – absolutas
- Qualquer desvio do colo ou da anatomia do corpo por indicação na TC
- Fragmentos que sejam o resultado de lesão deixada em quaisquer dos espaços articulares do retropé
- Redução não congruente
- Comprometimento cutâneo ou fraturas expostas
- Comprometimento neurovascular

2.6 Planejamento pré-operatório

O exame clínico dos tecidos moles e da TC é essencial no planejamento. As fraturas do colo e do corpo do tálus frequentemente ocorrem como lesões combinadas. As fraturas de corpo do tálus são mais adequadamente definidas como aquelas localizadas posteriormente ao processo lateral do tálus e que envolvem ambas as articulações tibiotalar e subtalar. Embora todo o colo do tálus seja facilmente visto através das vias de acesso anteriores, as fraturas do corpo do tálus estão frequentemente escondidas dentro da articulação do tornozelo e requerem osteotomias adjuntas para inspeção. As fraturas posteromediais do tálus são com frequência multifragmentadas e são difíceis de acessar por meio de vias de acesso anteriores. As fraturas do processo lateral envolvem a articulação talocalcaneana posterior como também a articulação fibulotalar. Como resultado, a redução simultânea de ambas as articulações deve ser planejada nos casos onde a redução aberta for indicada.

A redução fechada deve ser tentada nas fraturas do colo do tálus que tenham uma luxação associada da articulação subtalar. Isso em geral pode ser realizado primeiro flexionando o joelho, para relaxar o músculo gastrocnêmio, seguido pela flexão plantar e distração do pé. O pé, o calcâneo e a cabeça do tálus são distraídos e colocados em flexão do tálus em relação ao componente do corpo talar em uma tentativa de destrancar a articulação subtalar e reduzir o corpo do tálus de volta para a superfície articular posterior do calcâneo. Nos casos onde o corpo do tálus estiver completamente desviado da articulação do tornozelo, uma redução fechada geralmente fracassa. Nós recomendamos a aplicação do distrator femoral entre a tíbia e calcâneo, que então permite ao cirurgião empurrar o tálus suavemente de volta para o seu lugar correto. Uma redução aberta pode ser necessária. Nas luxações posteromediais, pode ocorrer o comprometimento neurovascular tibial posterior devido à pressão direta do fragmento desviado do corpo. Uma redução aberta de emergência é necessária nesses casos.

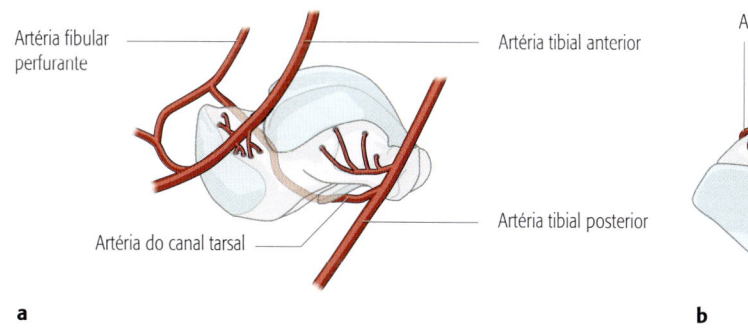

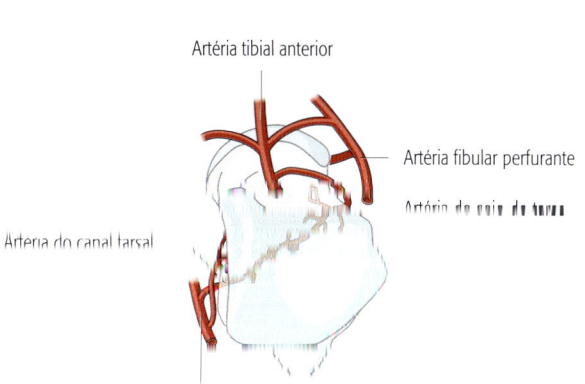

Fig. 6.10.1-14 Suprimento sanguíneo do tálus: vistas lateral (**a**), caudal (**b**) e AP (**c**).

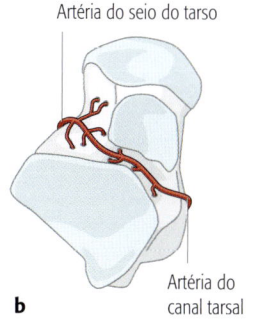

Tabela 6.10.1-1 Classificação de Hawkins das fraturas do colo do tálus

Tipo I	Fratura não desviada do colo do tálus
Tipo II	Fratura desviada do colo do tálus com subluxação ou luxação da articulação subtalar
Tipo III	Fratura desviada do colo do tálus com subluxação ou luxação da articulação subtalar a partir de ambas as articulações, tibiotalar e subtalar
Tipo IV	Fratura desviada do colo do tálus com luxação ou subluxação das articulações talonavicular, tibiotalar e subtalar

Fraturas específicas
6.10.1 Retropé – calcâneo e tálus

As fraturas desviadas do colo e do corpo do tálus requerem redução precisa e fixação estável para permitir o movimento precoce das articulações do tornozelo e subtalar. O momento do tratamento cirúrgico das fraturas do colo do tálus permanece controverso. Foi sugerido que a estabilização cirúrgica precoce diminui a incidência de necrose avascular. Entretanto, relatos recentes falharam em demonstrar os efeitos do momento cirúrgico sobre os desfechos [17, 21-23]. A intervenção cirúrgica imediata é ainda necessária nos casos de luxação do corpo do tálus, comprometimento neurovascular, fratura exposta e pressão excessiva de partes moles.

A fixação externa transarticular do tornozelo pode ser indicada em algumas fraturas do colo e do corpo do tálus, onde o tratamento cirúrgico definitivo estiver sendo retardado. Isso permite a avaliação adicional com TC e a resolução do inchaço de partes moles. Os Schanz do fixador externo devem ser colocados fora da zona de lesão e da zona de cirurgia definitiva.

2.7 Configuração da sala de cirurgia
Para informação sobre a configuração da sala de cirurgia, ver **Figs. 6.10.1-6** e **6.10.1-7**.

2.8 Cirurgia
As duas vias de acesso cirúrgicas geralmente usadas para a fixação das fraturas do colo do tálus são a via de acesso anteromedial e a via de acesso anterolateral (**Fig. 6.10.1-15**, **Vídeo 6.10.1-1**) [24]. Ambas as incisões são frequentemente necessárias para permitir a redução precisa e fixação estável. Os locais primários de cominução são os lados dorsal e medial. A via de acesso anterolateral fornece acesso à articulação subtalar como também para o colo do tálus lateral e processo lateral. A articulação subtalar deve ser inspecionada atentamente e todos os fragmentos removidos para minimizar a incidência de artrite subtalar pós-traumática. Um afastador de lâmina pode ser usado para facilitar esse processo.

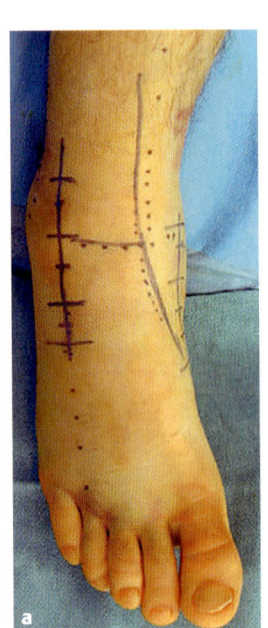

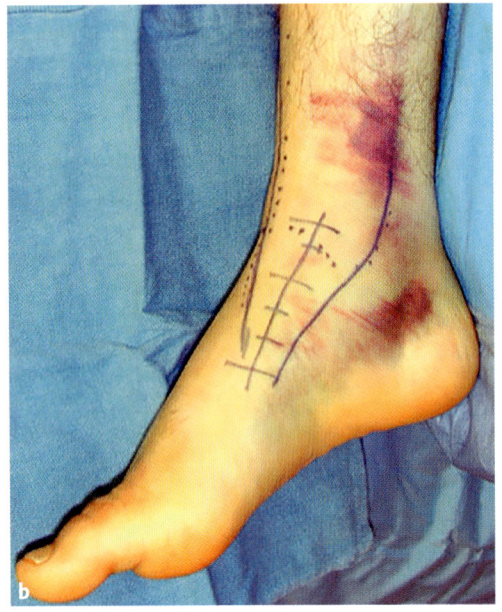

Fig. 6.10.1-15a-b Via de acesso anterolateral (**a**) e anteromedial (**b**) do colo do tálus. O tendão tibial anterior, a artéria pediosa dorsal e a artéria tibial posterior devem ser protegidos.

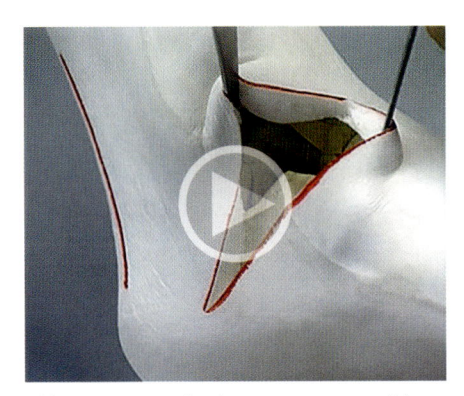

Vídeo 6.10.1-1 Vias de acesso anteromedial e anterolateral do colo do tálus.

Os implantes podem ser colocados tanto lateral quanto medialmente (**Fig. 6.10.1-16**). A ordem de fixação, o tamanho dos implantes e a localização do implante são determinados pela localização da fratura e das zonas de cominução. O colo do tálus geralmente se quebra sob tensão nos aspectos plantar e lateral, com falha compressiva de ocorrência dorsal e medialmente. Isso torna o colo do tálus plantar e lateral mais fácil de reduzir com precisão e é uma localização apropriada para iniciar a redução da fratura. Placas pequenas de 2,4 e 2,7 também podem ser colocadas dorsomedialmente, sustentando a cominução nessa localização [24]. Entretanto, o colo do tálus extra-articular é mais estreito medialmente do que lateralmente. A fixação com parafuso pode ser feita de distal para proximal. A direção habitual é a partir da cabeça do tálus até o corpo do tálus. Estes implantes podem ser colocados a partir dos aspectos medial ou lateral da cabeça do tálus e requerem sepultamento para evitar um pinçamento na articulação talonavicular. A abdução do pé em combinação com a remoção ocasional de uma porção pequena do navicular medial extra-articular permite a descoberta da superfície articular medial da cabeça do tálus. Em geral, se for obtida uma boa aposição óssea, a fixação com parafuso de tração pode ser usada para maximizar a estabilidade e a consolidação (**Fig. 6.10.1-17**). Para a fixação por meio de uma zona de cominução, um parafuso de posição ou uma placa devem ser usados.

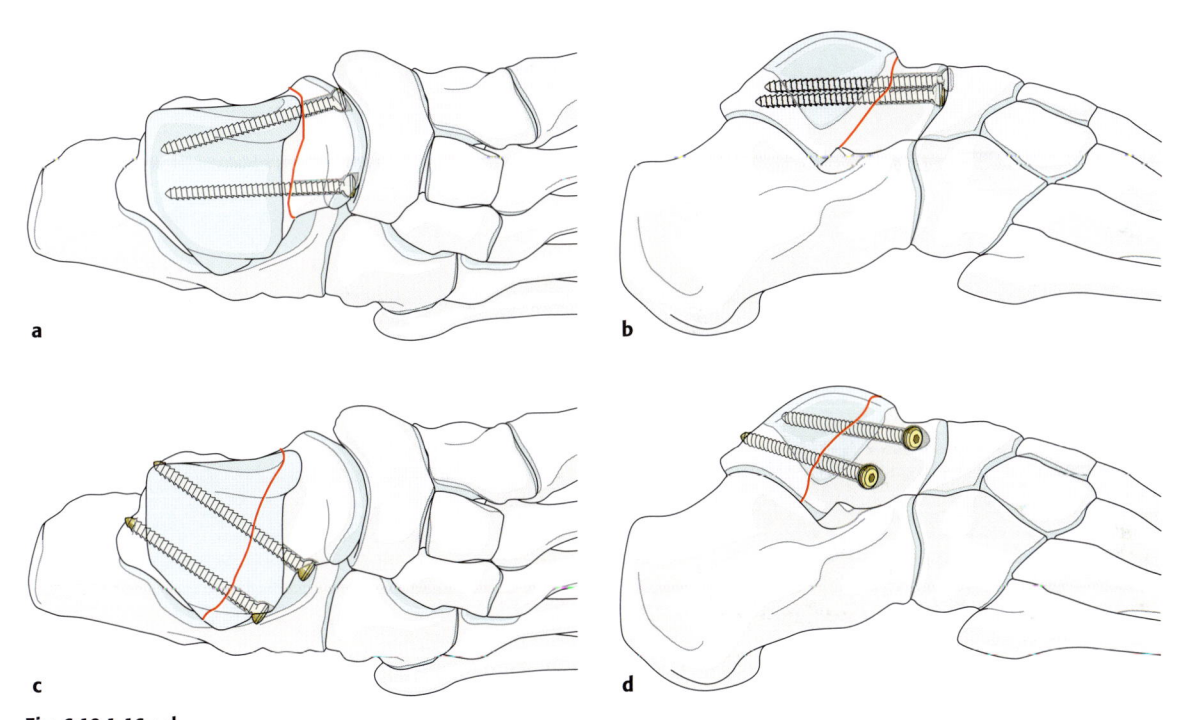

Fig. 6.10.1-16a-d
a-b A localização típica de uma fratura do colo do tálus é anterior ao processo lateral do tálus. Os parafusos de tração podem ser colocados de anterior para posterior depois do sepultamento sob a superfície cartilaginosa da cabeça do tálus.
c-d A fratura do corpo do tálus está geralmente localizada posteriormente ao processo lateral do tálus. Depois da redução, os parafusos também podem ser colocados de anterior para posterior no processo lateral, onde uma boa pega pode ser obtida. Alternativamente, a inserção do parafuso pode ser feita em uma direção posterior para anterior.

Fraturas específicas
6.10.1 Retropé – calcâneo e tálus

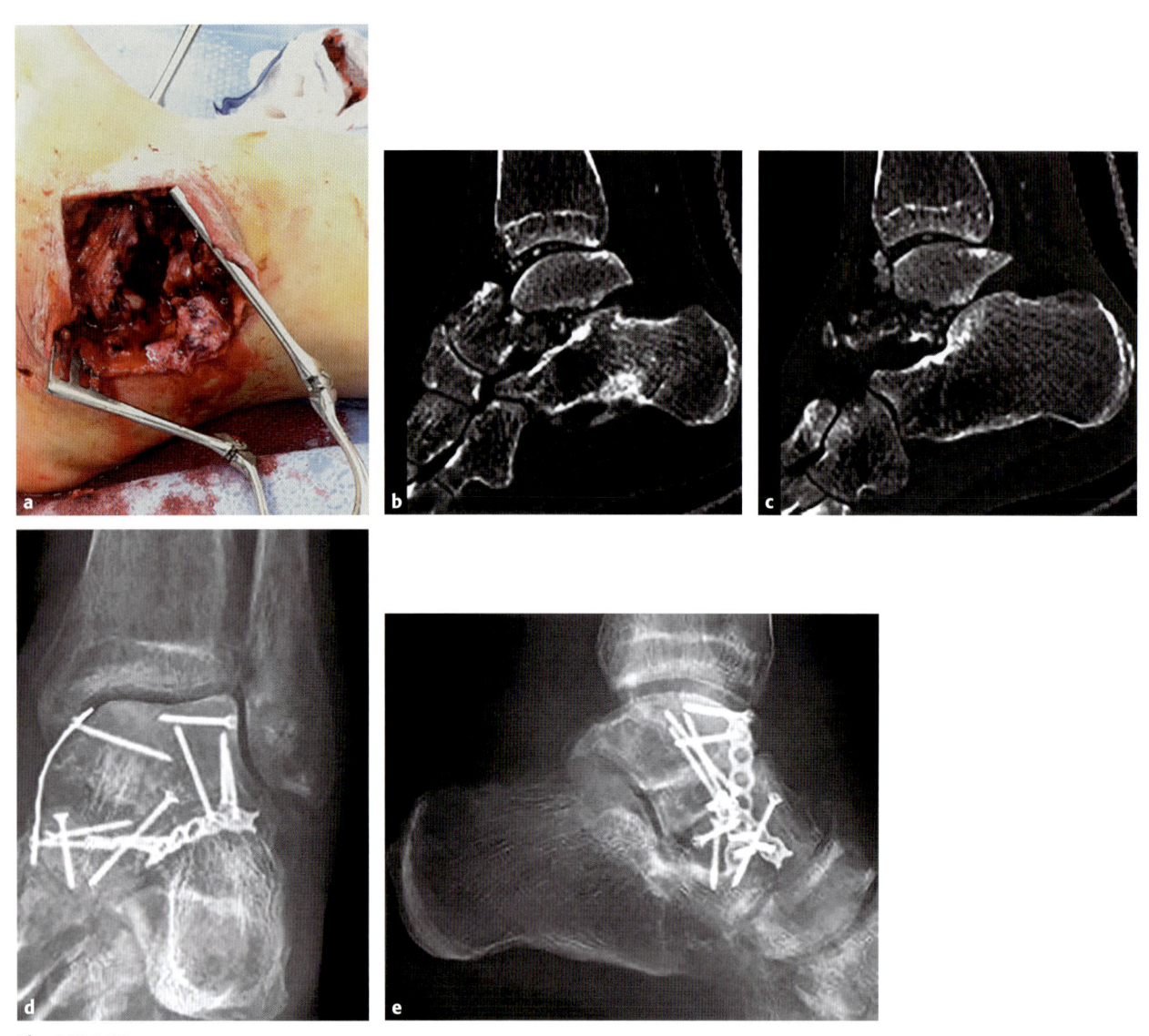

Fig. 6.10.1-17a–e
a–c Uma fratura-luxação exposta do tálus é uma emergência cirúrgica. Os cortes na tomografia computadorizada do tálus exposto mostram a gravidade da fratura.
d–e Duas incisões são usadas para restaurar com precisão a anatomia do tálus. A fratura consolidou em 26 semanas.

A osteotomia do maléolo medial ou da fíbula é com frequência necessária para a inspeção e fixação das fraturas do corpo do tálus. No lado medial, deve haver grande cuidado para proteger a artéria que corre ao longo do ligamento deltoide.

Pelo fato das fraturas do corpo do tálus serem frequentemente limitadas às porções articulares do tálus, é frequentemente necessário colocar múltiplos parafusos sepultados diretamente através da superfície articular do corpo do tálus. Novamente, os implantes menores com cabeças de parafuso menores irão minimizar a remoção iatrogênica de cartilagem articular e, assim, parafusos de 2,7 mm e 2,0 mm devem estar disponíveis.

Vias de acesso adicionais, como as exposições posteromediais e posterolaterais, podem ser necessárias em algumas fraturas do tálus (conforme determinado pela TC). A via de acesso posteromedial é frequentemente necessária para as fraturas posteromediais do corpo do tálus.

2.9 Cuidados pós-operatórios

Uma tala posterior bem acolchoada com o pé em posição neutra é aplicada após a cirurgia. Os exercícios ativos, precoce e irrestritos de amplitude de movimento das articulações do tornozelo e subtalar podem ser iniciados assim que a cicatrização da ferida permitir. A carga na extremidade afetada deve ser restringida por pelo menos 6-12 semanas para permitir consolidação da fratura. As radiografias em 6 e 12 semanas são utilizadas para avaliar a consolidação e a evidência radiográfica de revascularização.

> A lucência subcondral do domo do tálus, demonstrada na radiografia da pinça, indica que o osso está vascularizado e sugere menor probabilidade de necrose asséptica. Isso é denominado sinal de Hawkins e é um bom sinal prognóstico.

Um período estendido de carga restringida nos pacientes que não demonstram evidência radiográfica de revascularização não mostrou melhora nos resultados ou no fluxo sanguíneo do tálus. As atividades de impacto devem ser limitadas por pelo menos 6 meses. As avaliações radiográficas devem continuar por 2 anos em intervalos de 6 meses para confirmar a continuada viabilidade do tálus. O cirurgião deve se cauteloso no uso da ressonância magnética para fornecer evidência prognóstica da necrose avascular.

2.10 Complicações

2.10.1 Complicações precoces

- Os problemas relacionados à ferida podem ser reduzidos pela atenção cuidadosa na execução das incisões cirúrgicas e no momento do tratamento cirúrgico.
- Nos casos onde houver luxação do corpo do tálus, o tratamento cirúrgico precoce é necessário para evitar a necrose de pele secundária à pressão do segmento desviado.
- O uso de duas vias de acesso (com uma ponte cutânea adequada) não está associado a um aumento nas complicações da ferida [16, 17, 21-24].

2.10.2 Complicações tardias

Necrose avascular

- A necrose avascular ocorre comumente após as fraturas do colo do tálus e tem sido relatada em 10-50% dos casos.
- Existe uma incidência aumentada de necrose avascular com o crescente desvio da fratura, conforme previsto pela classificação de Hawkins. Embora a maioria dos pacientes tenha alguma evidência de aumento da densidade nas avaliações radiográficas que seguem de uma fratura do colo, esse achado não prediz um colapso do tálus ou um resultado ruim.
- Uma porcentagem significativa desses pacientes terá revascularização com resolução da esclerose, enquanto outros terão persistência da esclerose sem colapso.
- A necrose avascular com colapso do corpo do tálus é uma complicação séria que resulta em dor com artrite precoce das articulações do tornozelo e subtalar.
- Procedimentos secundários complexos de reconstrução são necessários.
- As feridas traumáticas abertas demonstram ser associadas a uma taxa aumentada de necrose avascular, tanto no corpo do tálus quanto nas lesões do colo do tálus, com as incidências relatadas variando de 69-86% [17].

Fraturas específicas
6.10.1 Retropé – calcâneo e tálus

Consolidação viciosa

A consolidação viciosa do colo do tálus é devido a uma má redução no momento da cirurgia ou a uma perda na redução antes da consolidação de uma fratura previamente reduzida.

- Os padrões comuns de deformidade incluem o encurtamento do colo do tálus, varo e dorsiflexão.
- Estas deformidades tardias imitam os padrões de desvio da lesão e os padrões de cominução comumente observados.
- A consolidação viciosa em varo do colo talar está diretamente associada a uma perda de movimento subtalar e uma perda da eversão do pé [16].
- Essa complicação é mais adequadamente evitada com a redução precisa da fratura no lado da tensão (geralmente plantar e lateral), combinada com a sustentação por fixação estável das zonas cominutivas (geralmente dorsal e medial).
- A fixação com placa colocada no lado com a maior cominução pode ajudar a minimizar uma deformidade tardia.
- A enxertia óssea na hora da fixação é frequentemente necessária se houver um *gap* dorsal e medialmente depois do restabelecimento do comprimento adequado do colo do tálus.

Artrite

- A rigidez peritalar e a artrite ocorrem depois das fraturas do colo e do corpo do tálus.
- A artrite da articulação subtalar ocorre mais frequentemente depois das fraturas do colo do tálus, com uma incidência de 60-100% [16].
- As fraturas do corpo do tálus aumentam as taxas de artrite na articulação do tornozelo.
- Apesar da evidência radiográfica de estreitamento do espaço articular em muitos pacientes, em geral há pouca necessidade de procedimentos secundários de reconstrução [23].

2.11 Prognóstico e desfecho

Os desfechos são frequentemente determinados pelas complicações comuns que ocorrem depois do tratamento das fraturas do colo e corpo do tálus. As fraturas expostas demonstraram estar associadas a uma taxa maior de complicações, particularmente necrose avascular e artrite pós-traumática [21-23]. Os desfechos com medidas funcionais múltiplas mostraram que as fraturas do processo lateral tiveram os melhores resultados, seguidas pelas fraturas do colo e, por fim, as fraturas do corpo. Rigidez pós-traumática, artrite e dor crônica foram desfechos comuns mesmo depois da redução anatômica e fixação estável, especialmente nas fraturas expostas [21]. Em uma revisão de 100 pacientes com 102 fraturas do colo do tálus, tratadas com redução aberta e fixação interna, Vallier e colaboradores [22] verificaram limitações funcionais significativas, complicações frequentes e desfechos ruins apesar de uma redução precisa na maioria dos pacientes.

Os desfechos depois das fraturas do corpo do tálus também foram estudados. Em uma revisão de 56 pacientes com 57 fraturas do corpo do tálus, Vallier e colaboradores [23] encontraram altas taxas de osteonecrose e artrite pós-traumática. As fraturas expostas e o envolvimento do colo do tálus tiveram resultados funcionais piores, particularmente devido a osteonecrose e artrite. A artrite do tornozelo foi observada mais frequentemente e a osteonecrose menos comumente nas fraturas do corpo do tálus, em comparação com as fraturas do colo do tálus. No todo, limitações funcionais significativas e complicações frequentes foram observadas depois da fixação cirúrgica das fraturas do corpo do tálus [23-27].

3 Referências

1. **Sharr PJ, Mangupli MM, Winson IG, et al.** Current management options for displaced intra-articular calcaneal fractures: Non-operative, ORIF, minimally invasive reduction and fixation or primary ORIF and subtalar arthrodesis. A contemporary review. *Foot Ankle Surg*. 2016 Mar;22(1):1–8.
2. **Tufescu TV, Buckley R.** Age, gender, work capability, and worker's compensation in patients with displaced intraarticular calcaneal fractures. *J Orthop Trauma*. 2001 May;15(4):275–279.
3. **Folk JW, Starr AJ, Early JS.** Early wound complications of operative treatment of calcaneus fractures: analysis of 190 fractures. *J Orthop Trauma*. 1999 Jun-Jul;13(5):369–372.
4. **Harvey EJ, Grujic L, Early JS, et al.** Morbidity associated with ORIF of intra-articular calcaneus fractures using a lateral approach. *Foot Ankle Int*. 2001 Nov;22(11):868–873.
5. **Poeze M, Verbruggen J, Brink P, et al.** The Relationship between Outcome of ORIF Calcaneus and Institutional Fracture load. *J Bone Joint Surg Am*. 2008;90:1013–1021.
6. **Borrelli J, Lashgari C.** Vascularity of the lateral calcaneal flap: a cadaveric injection study. *J Orthop Trauma*. 1999 Feb;13(2):73–77.
7. **Redfern DJ, Oliveira ML, Campbell JT, et al.** A biomechanical comparison of locking and nonlocking plates for the fixation of calcaneal fractures. *Foot Ankle Int*. 2006 Mar;27(3):196–201.
8. **Sanders R, Vaupel Z, Erdogan M, et al.** Operative treatment of displaced intraarticular calcaneal fractures: long-term (10-20 years) results in 108 fractures using a prognostic CT classification. *J Orthop Trauma*. 2014 Oct;28(10):551–563.
9. **Csizy M, Buckley R, Tough S, et al.** Displaced intra-articular calcaneal fractures: variables predicting late subtalar fusion. *J Orthop Trauma*. 2003 Feb;17(2):106–112.
10. **Loucks C, Buckley R.** Bohler's angle: correlation with outcome in displaced intra-articular calcaneal fractures. *J Orthop Trauma*. 1999 Nov;13(8):554–558.
11. **Buckley R, Tough S, McCormack R, et al.** Operative compared with nonoperative treatment of displaced intra-articular calcaneal fractures: a prospective, randomized, controlled multicenter trial. *J Bone Joint Surg Am*. 2002 Oct;84-a(10):1733–1744.
12. **Griffin D, Parsons N, Shaw E, et al.** Operative versus nonoperative treatment for closed, displaced, intra-articular fractures of the calcaneus: randomized controlled trial. *BMJ*. 2014 July (349):4483.
13. **Agren PH, Wretenberg P, Sayed-Noor AS.** Operative versus nonoperative treatment of displaced intra-articular calcaneal fractures: a prospective, randomized, controlled multicenter trial. *J Bone Joint Surg Am*. 2013 Aug 7;95(15):1351–1357.
14. **Buckley R.** Evidence for the best treatment for displaced intra-articular calcaneal fractures (a current concepts review). *Acta Chir Orthop Trauma Cech*. 2010 77(3):179–185.
15. **Hsu AR, Anderson RB, Cohen BE.** Advances in surgical management of intra-articular calcaneus fractures. *J Am Acad Orthop Surg*. 2015 Jul;23(7):399–407.
16. **Lamothe J, Buckley R.** Talus (a current concepts review). *Acta Chir Orthop Trauma Cech*. 2012; 79:97–106.
17. **Vallier HA, Reichard SG, Boyd AJ, et al.** A new look at the Hawkins classification for talar neck fractures: which features of injury and treatment are predictive of osteonecrosis? *J Bone Joint Surg Am*. 2014 Feb 5;96(3):192–197.
18. **Peterson L, Goldie IF.** The arterial supply of the talus. A study on the relationship to experimental talar fractures. *Acta Orthop Scand*. 1975 Dec;46(6):1026–1034.
19. **Hawkins LG.** Fractures of the neck of the talus. *J Bone Joint Surg Am*. 1970 Jul;52(5):991–1002.
20. **Canale ST.** Fractures of the neck of the talus. *Orthopedics*. 1990 Oct;13(10):1105–1115.
21. **Lindvall E, Haidukewych G, DiPasquale T, et al.** Open reduction and stable fixation of isolated, displaced talar neck and body fractures. *J Bone Joint Surg Am*. 2004 Oct;86-a(10):2229–2234.
22. **Vallier HA, Nork SE, Barei DP, et al.** Talar neck fractures: results and outcomes. *J Bone Joint Surg Am*. 2004 Aug;86-a(8):1616–1624.
23. **Vallier HA, Nork SE, Benirschke SK, et al.** Surgical treatment of talar body fractures. *J Bone Joint Surg Am*. 2003 Sep;85-a(9):1716–1724.
24. **Vallier HA, Nork SE, Benirschke SK, et al.** Surgical treatment of talar body fractures. *J Bone Joint Surg Am*. 2004 Sep;86-A Suppl 1(Pt 2):180–192.
25. **Dodd A, Lefaivre K.** (2015) Outcomes of talar neck fractures: a systematic review and meta-analysis; *J Orthop Trauma* 29(5):210–215.
26. **Vallier HA.** Fractures of the talus: state of the art. *J Orthop Trauma*. 2015 Sep;29(9):385–392.
27. **Gross CE, Sershon RA, Frank JM, et al.** Treatment of osteonecrosis of the talus. *JBJS Rev*. 2016 Jul 12;4(7).

4 Agradecimentos

Agradecemos a Sean Nork por sua contribuição para este capítulo na 2ª edição de *Princípios AO do tratamento de fraturas*.

Fraturas específicas
6.10.1 Retropé – calcâneo e tálus

6.10.2 Mediopé e antepé

Mandeep S. Dhillon

1 Introdução

As fraturas do mediopé e do antepé são relativamente comuns, sendo a maioria das lesões o resultado de quedas simples que causam fraturas isoladas de um dos ossos do tarso ou metatarso. A maior parte dessas fraturas irá consolidar e apresentar um bom desfecho após o tratamento não cirúrgico. O trauma de alta energia resulta em fraturas mais complexas e luxações e a redução anatômica para restaurar a biomecânica do pé se torna mais importante. Entretanto, isso está associado a um risco aumentado de complicações de partes moles. A decisão para recomendar a cirurgia nunca pode ser feita somente com base na fratura, e a condição dos tecidos moles mais os fatores do paciente devem ser sempre estimados para avaliar a personalidade da lesão. Este capítulo revisa o tratamento das fraturas tarsais e metatarsais isoladas do mediopé e antepé e alguns dos padrões de lesão complexa mais comuns.

2 Fraturas do navicular

2.1 Anatomia

O navicular é uma parte importante da articulação de Chopart, que é composta das superfícies articulares da cabeça do tálus e do navicular medialmente, e do calcâneo distal e do cuboide lateralmente (**Fig. 6.10.2-1**). É a pedra angular do arco longitudinal medial do pé e tem cinco articulações:

- A cabeça do tálus proximalmente (articulação talonavicular)
- Três cuneiformes distalmente (articulação naviculocuneiforme)
- Cuboide lateralmente (articulação cubonavicular)

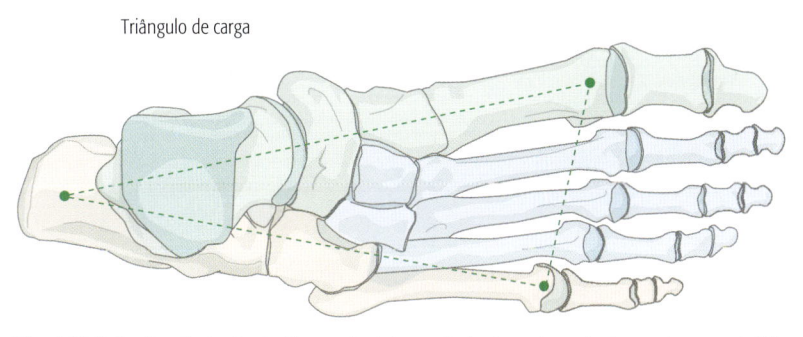

Triângulo de carga

Fig. 6.10.2-1 A articulação de Chopart inclui as articulações talonavicular e calcaneocubóidea.

Fraturas específicas
6.10.2 Mediopé e antepé

Os aspectos medial e plantar do navicular são suportados por tecidos moles que incluem o ligamento calcaneonavicular plantar, o ligamento calcaneonavicular medial e, especialmente, pela inserção do mais forte dos cinco braços do tendão tibial posterior. Lateralmente, é suportado pelo ligamento calcaneonavicular lateral e pelo ligamento cubonavicular dorsal. A cápsula articular dorsal é reforçada pelo ligamento talonavicular dorsal, partes do ligamento deltoide e do ligamento calcaneonavicular. A parte quadrilátera do navicular é estabilizada pelo braço navicular do ligamento bifurcado e pelo ligamento navicular cubolateral. Patomecanicamente, o tendão tibial posterior pode se avulsionar da tuberosidade no trauma de eversão, ou pode ficar interposto nas fraturas-luxações, tornando difícil a redução. Por causa de sua posição central no pé, as lesões do navicular são frequentemente associadas a lesões no resto da articulação de Chopart e/ou na articulação de Lisfranc. Elas devem ser excluídas pelo exame clínico e radiográfico, bem como pela tomografia computadorizada (TC).

2.2 Padrões de fratura e tratamento

Existem três tipos de fraturas do navicular: avulsões corticais, fraturas da tuberosidade e fraturas do corpo (**Fig. 6.10.2-2**) [1, 2]. As fraturas de estresse do corpo são ocasionalmente vistas em atletas.

As fraturas de avulsão cortical são o resultado de uma lesão de torção que rompe a forte cápsula talonavicular e as fibras mais anteriores do ligamento deltoide: um fragmento ósseo é avulsionado (**Fig. 6.10.2-3**). É importante avaliar clinicamente se tais lesões seriam parte de uma lesão mais complexa do mediopé. O tratamento funcional consiste em carga precoce em um gesso curto ou bota por 6 semanas. Se o fragmento incluir mais de 20% da superfície articular, ou se houver instabilidade significativa visível em uma radiografia por estresse, deve ser estabilizado com parafusos pequenos.

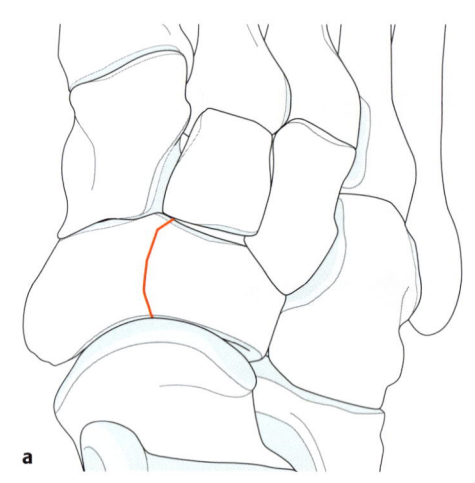

Fig. 6.10.2-2a-b
a Fratura de estresse simples do navicular médio.
b Fratura multifragmentada do corpo do navicular.

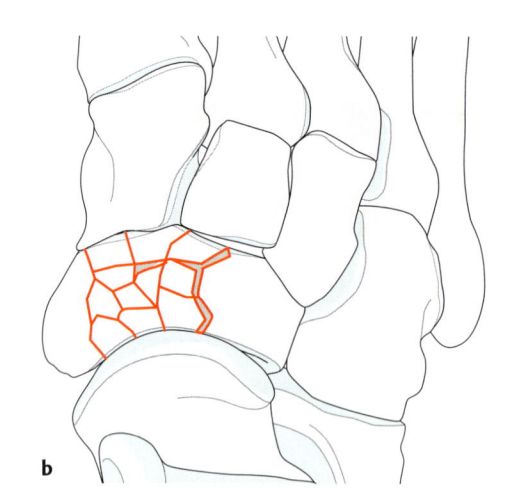

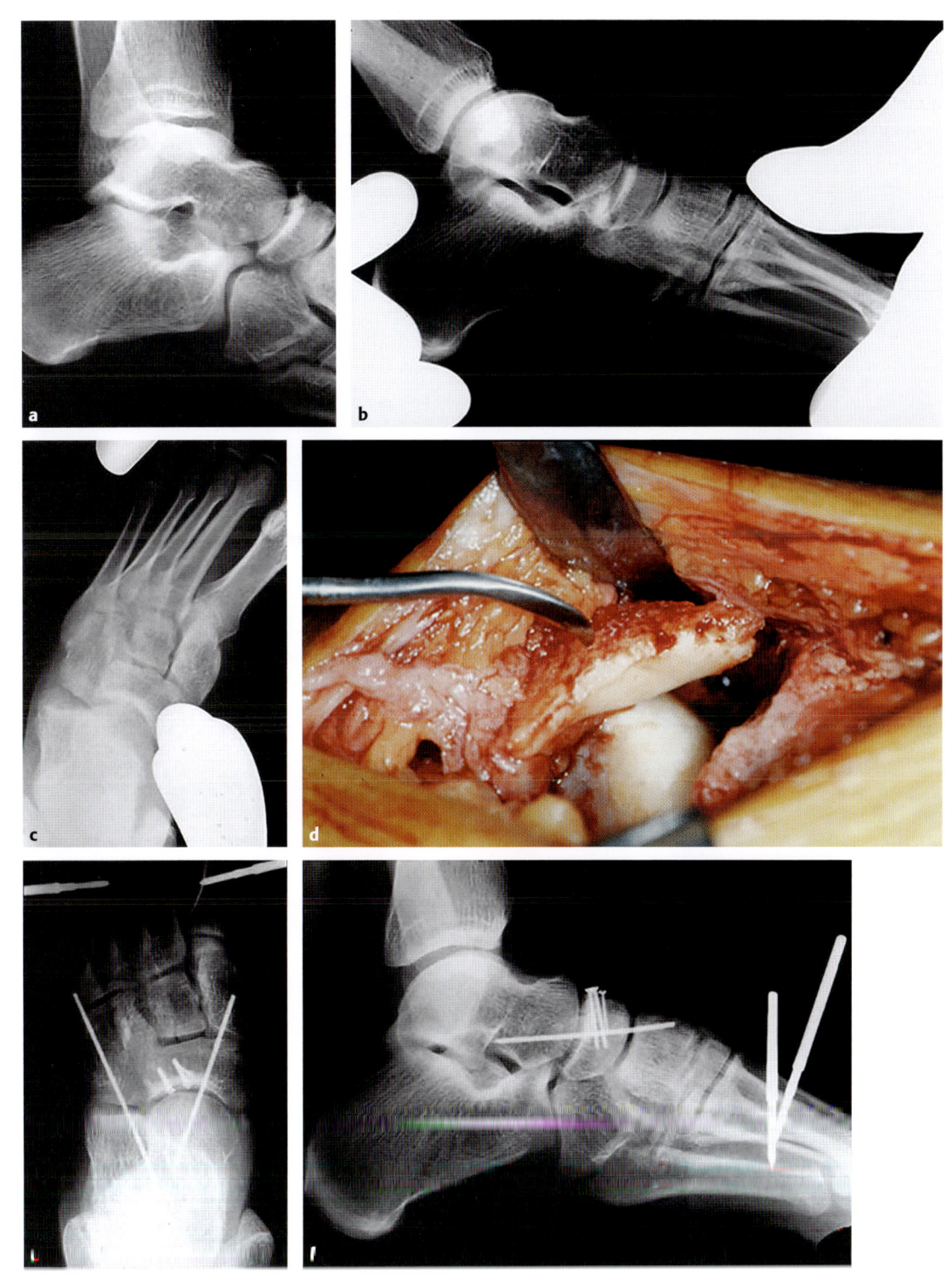

Fig. 6.10.3-3a-f Fratura-avulsão do navicular com uma articulação de Chopart instável.
- **a-c** Fratura-avulsão cortical do navicular com instabilidade significativa nas radiografias com estresse.
- **d-f** O grande fragmento intra-articular foi fixado com três parafusos corticais de 2,0 mm. Fios de Kirschner foram usados para estabilizar a articulação de Chopart e a fixação foi protegida com um fixador externo.

Fraturas específicas
6.10.2 Mediopé e antepé

As fraturas da tuberosidade são causadas por uma lesão em eversão, com o tendão de tibial posterior avulsionando a tuberosidade do navicular. Se vista junto com uma fratura por esmagamento do cuboide, essa lesão pode indicar uma luxação ou subluxação oculta da articulação mediotarsal. Sem desvio, um gesso curto ou bota para marcha por 6 semanas é o tratamento apropriado. Com desvio (> 2 mm), a fratura é reduzida e estabilizada com parafuso ou pequeno fio com banda de tensão (**Fig. 6.10.2-4**).

As fraturas do corpo estão geralmente associadas a outras lesões mediotarsais, que devem ser diagnosticadas e tratadas. As fraturas não desviadas são tratadas com um gesso curto bem moldado por 6 semanas.

> As fraturas desviadas do navicular são tratadas cirurgicamente com parafusos, placa ou pequeno fixador externo temporário.

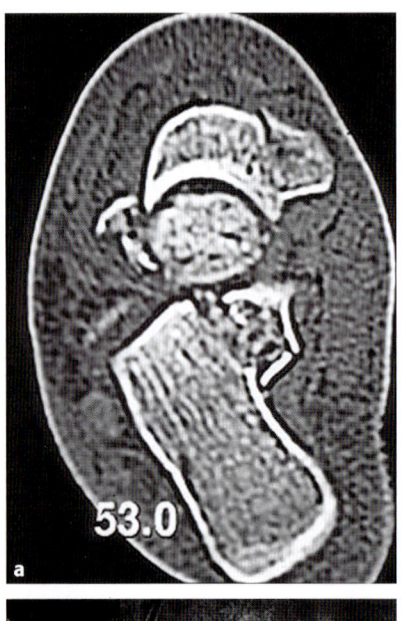

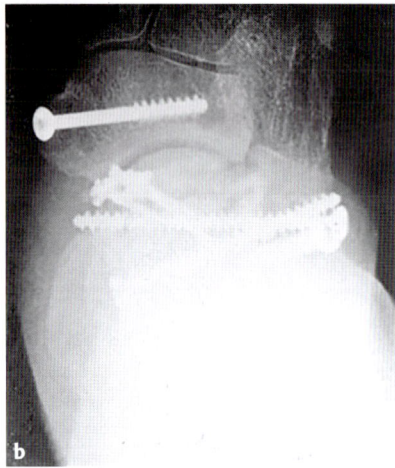

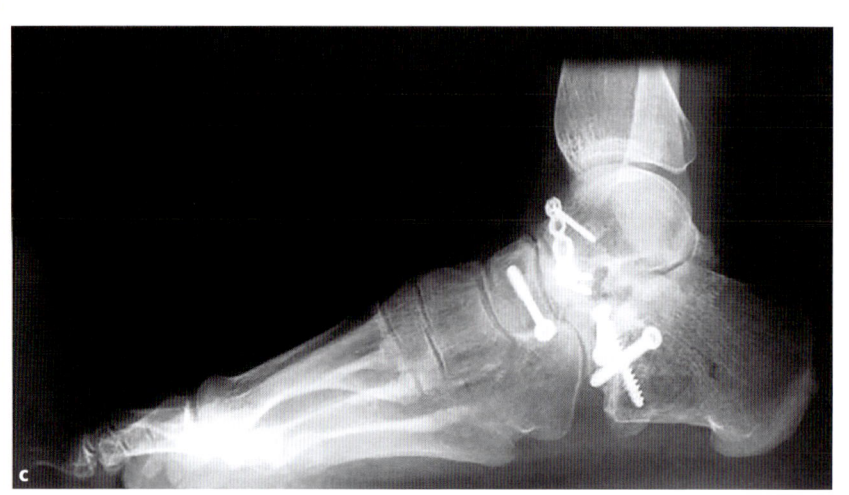

Fig. 6.10.2-4a-c Fratura da tuberosidade do navicular.
a Uma fratura da tuberosidade do navicular como parte de uma fratura tripla complexa da articulação de Chopart, com fraturas desviadas da cabeça do tálus e do processo anterior do calcâneo.
b-c Fixação com parafuso de tração do navicular em 5 meses (**b**) e em 1 ano (**c**).

Os defeitos ósseos no caso de fraturas por esmagamento devem ser preenchidos com um autoenxerto (**Fig. 6.10.2-5**). As fraturas multifragmentadas devem ser estabilizadas, e as placas de minifragmentos constituem uma boa opção. A fratura está frequentemente associada à instabilidade complexa do mediopé e a adição de um fixador externo ou uma placa em ponte através das articulações do mediopé pode estabilizar todo o pé [3].

A restauração precisa do comprimento e do alinhamento da coluna medial do pé é importante para a boa função tardia [3].

As fraturas por estresse geralmente requerem a compressão por dois ou três parafusos esponjosos de 4,0 mm e um gesso para marcha por 6 semanas.

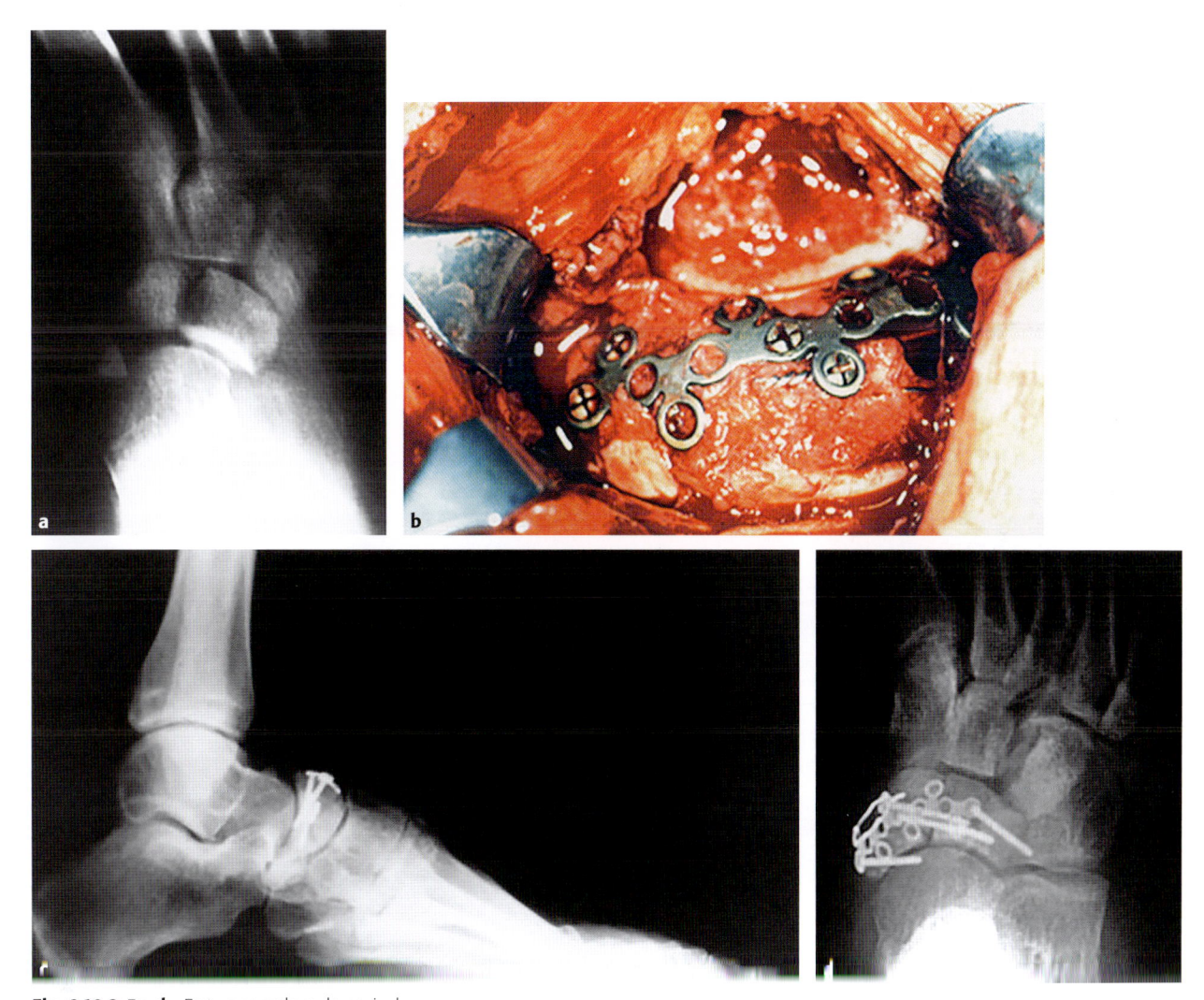

Fig. 6.10.2-5a-d Fratura complexa do navicular.
a   Uma fratura multifragmentada do corpo do navicular.
b   Redução aberta e fixação interna com placa da fratura em três partes do corpo e aramagem com banda de tensão da fratura da tuberosidade.
c-d Fixação final.

Fraturas específicas
6.10.2 Mediopé e antepé

3 Fraturas do cuboide

3.1 Anatomia

O cuboide é o lateral dos dois ossos do mediopé e é um componente essencial da coluna lateral do pé (**Fig. 6.10.2-6**). Ele se articula:

- Proximalmente com o calcâneo (articulação calcaneocuboidea)
- Medialmente com o navicular (articulação cubonavicular)
- Medialmente com o cuneiforme lateral (articulação cubocuneiforme)
- Distalmente com as bases do quarto e quinto metatarsais (articulação cubometatarsal)

3.2 Padrões de fratura e tratamento

A lesão significativa mais comum no osso cuboide ocorre por causa do mecanismo de "quebra-nozes" [4].

Há frequentemente lesões associadas [5] já que o mediopé inteiro é forçado em abdução e o cuboide é esmagado entre o calcâneo e os metatarsais. Isso é comparável à fratura tipo "quebra-nozes" do navicular nas lesões de adução forçada [6, 7].

Se houver impacção mínima, o tratamento não cirúrgico com gesso curto por 6 semanas é apropriado. Entretanto, se houver perda significativa do comprimento ou deformidade de abdução da coluna lateral do pé, é provável que o desfecho em longo prazo tenha dor e disfunção na articulação calcaneocuboidea e/ou no tendão do fibular longo. O tratamento deve incluir a reconstrução anatômica precoce das superfícies articulares (**Fig. 6.10.2-7**), como também a restauração do comprimento da coluna lateral por redução aberta e fixação interna. Placas que fazem ponte nas articulações da coluna lateral ou fixadores externos podem ser usados para descarregar a montagem e manter o comprimento da coluna.

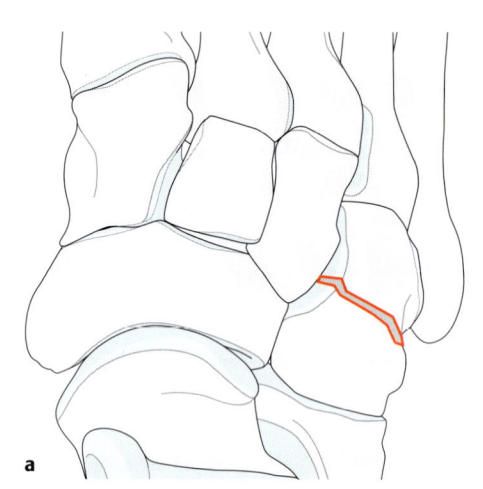

Fig. 6.10.2-6a-b Exemplos de fraturas do cuboide.
a Fratura não desviada simples do cuboide.
b Fratura multifragmentada do cuboide.

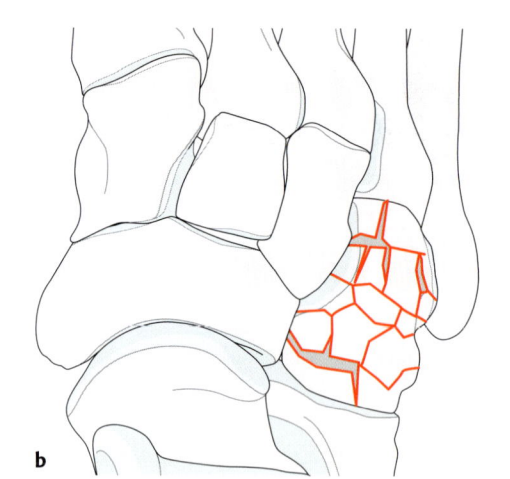

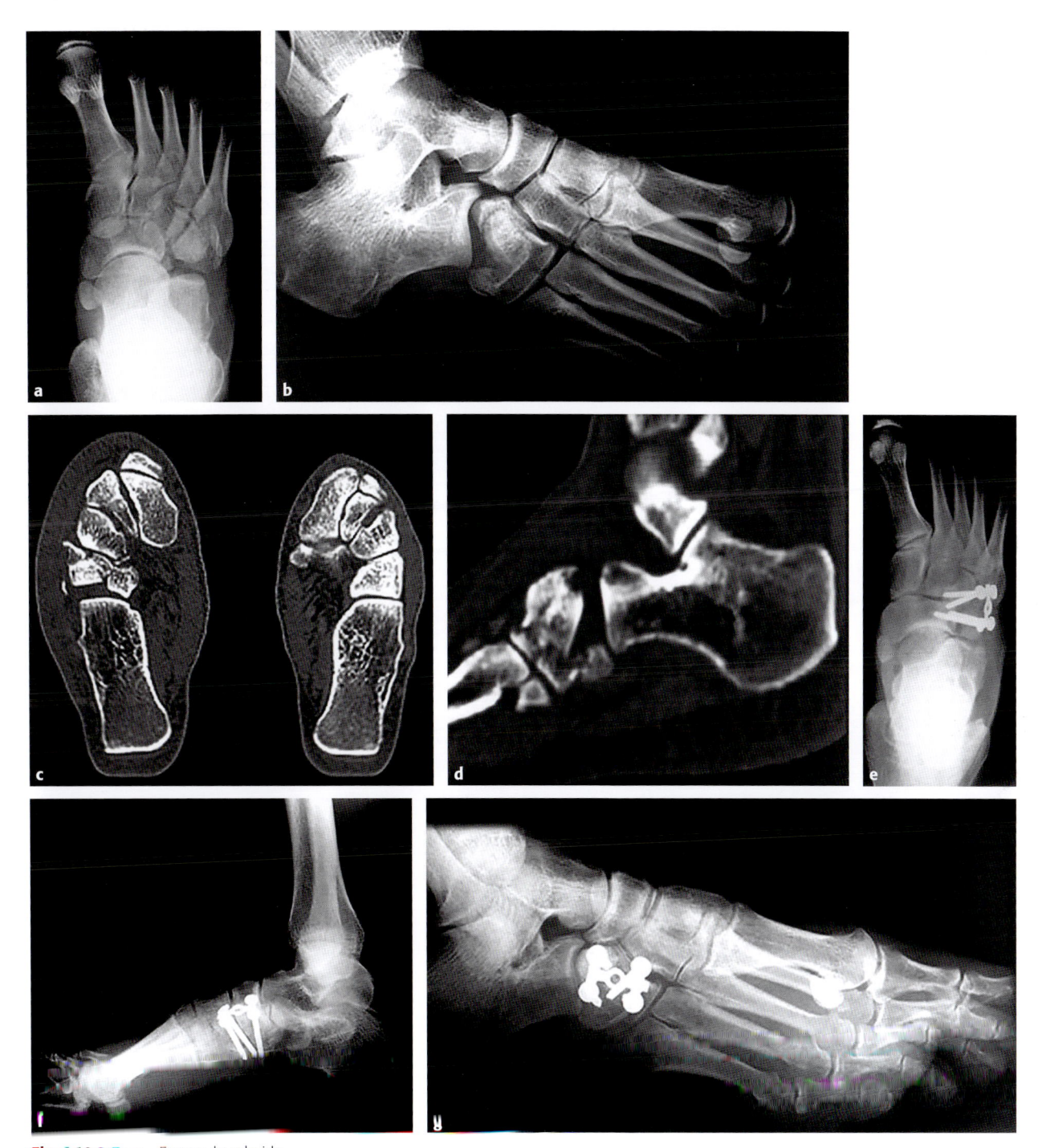

Princípios AO do tratamento de fraturas
Volume 2

Fig. 6.10.2-7a-g Fratura do cuboide.
a-d Fratura por impacção do cuboide com mau alinhamento em abdução do raio lateral.
e-g Fixação com placa no cuboide e enxerto ósseo no seguimento aos 3 meses.

989

Fraturas específicas
6.10.2 Mediopé e antepé

Nas fraturas por compressão do osso cuboide, a superfície articular intacta do calcâneo proximalmente ou aquelas das bases do quarto e quinto metatarsos são usadas como molde. Com um pequeno distrator para redução (**Fig. 6.10.2-8**), preenchimento dos defeitos com enxerto ósseo e colocação de placa bloqueada no cuboide lateral ou placa em ponte a partir do calcâneo até o quarto metatarso, a reconstrução da articulação é protegida e o comprimento da coluna lateral restaurado de maneira eficaz.

4 Lesões da articulação tarsometatarsal

4.1 Anatomia

A área de Lisfranc, que descreve a transição entre o antepé e o mediopé, é formada pelas articulações dos metatarsais com os cuneiformes e o cuboide. O adequado alinhamento e estabilidade desse grupo de articulações é crucial para a função normal do pé.

A coluna medial do mediopé inclui os três cuneiformes e os três metatarsais mediais. Essa coluna é menos móvel que a coluna lateral e serve como suporte estrutural.

> A estabilidade inerente da articulação tarsometatarsal é devido à anatomia óssea da base tipo pedra angular do segundo metatarso e aos fortes ligamentos entre cada articulação tarsometatarsal.

Geralmente, os ligamentos plantares são mais fortes e o ligamento de Lisfranc é o maior e mais forte de todos. Ele se origina do aspecto plantar do cuneiforme medial e se insere no aspecto plantar da base do segundo metatarso, sendo a única ligação entre o primeiro e o segundo metatarsos. O ligamento de Lisfranc "segura" a base do segundo metatarso no lugar, limitando o movimento adicional e fornecendo estabilidade a essa estrutura.

A coluna lateral, composta do cuboide e dos dois metatarsos laterais, é mais móvel que a coluna medial para permitir a deambulação em solo desigual. Essa flexibilidade é necessária para função adequada do pé. A instabilidade pós-traumática é mais bem tolerada aqui, mas a rigidez causa problemas significativos.

Ao reconstruir a articulação tarsometatarsal, é fundamental manter essas características anatômicas em mente. A redução anatômica perfeita é crucial para resultados excelentes em longo prazo [5, 6].

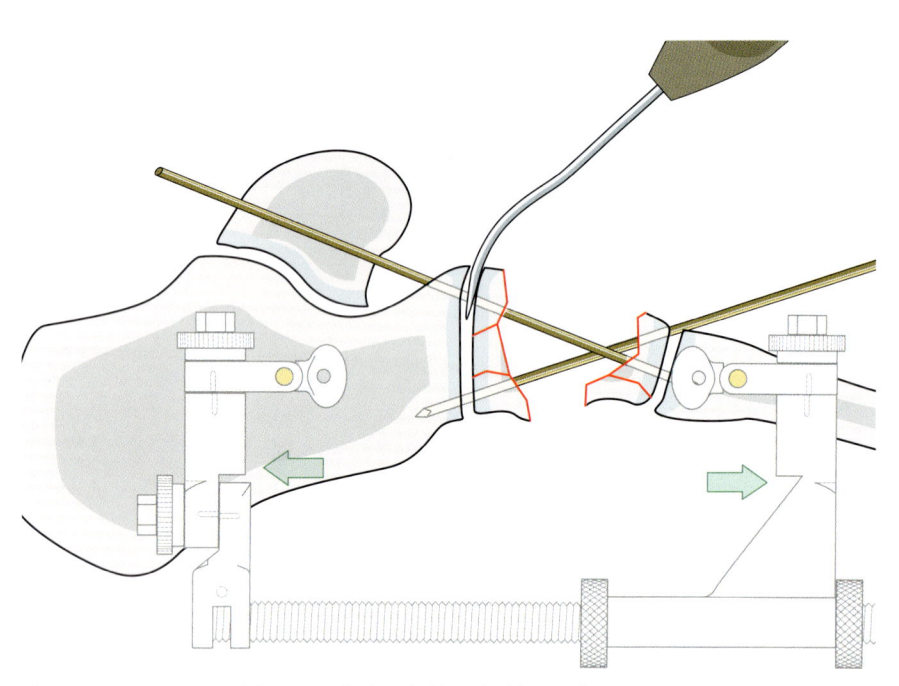

Fig. 6.10.2-8 Fratura multifragmentada do cuboide reduzida com fixação externa para restaurar o comprimento e com reconstrução que começa com fios de Kirschner seguidos por enxerto ósseo.

4.2 Padrões de fratura e avaliação

As lesões tarsometatarsais podem ser difíceis de diagnosticar e tratar (**Fig. 6.10.2-9**). Essas lesões englobam um amplo espectro, desde entorses simples até luxações grosseiramente instáveis. Elas causam grave morbidade em longo prazo se não forem apropriadamente tratadas. Até 20% de tais lesões não são reconhecidas, já que muitas se reduzem espontaneamente, embora no exame mais atento elas permaneçam desviadas – muitos desses pacientes são tratados por um diagnóstico de "entorse do pé".

> As lesões tarsometatarsais não tratadas têm um desfecho ruim. Assim, qualquer mecanismo traumático com dor significativa no mediopé ou edema deve despertar a suspeita de uma possível lesão na Lisfranc.

Clinicamente, essas lesões são dolorosas durante a palpação da articulação tarsometatarsal. Existe com frequência um inchaço no mediopé junto com equimose plantar medial. Se o paciente puder ficar em pé, ele pode ter dor ao tentar ficar na ponta do pé. A síndrome compartimental é possível em casos com edema significativo.

Se possível, devem-se obter radiografias comuns com carga do pé (incidências AP, lateral e oblíqua interna em 30 graus). As incidências com estresse ajudam a revelar algum desvio nos casos de redução espontânea. Entretanto, elas são dolorosas e devem ser feitos sob bloqueio anestésico ou sedação. É preciso procurar por desvios do alinhamento normal entre cada base do metatarsal e o seu osso tarsal oposto. Qualquer desvio > 2 mm nas vistas-padrão ou de estresse significa instabilidade. A incidência AP é mais adequada para avaliar o desvio lateral do segundo metatarsal sobre o cuneiforme intermédio. A borda lateral do primeiro cuneiforme deve se alinhar com a base do primeiro metatarso. A incidência lateral ajuda a avaliar qualquer desvio dorsal. A incidência oblíqua é ideal para avaliar o alinhamento do terceiro e quarto metatarsais com o cuneiforme lateral e o cuboide, respectivamente. Os indicadores mais significativos de instabilidade são as posições do segundo e do quarto metatarsos (**Fig. 6.10.2-10**).

As técnicas de imagens avançadas, como TC ou ressonância magnética, demonstram a anatomia tridimensional do complexo articular tarsometatarsal e podem também ser úteis para avaliar lesões associadas, como fraturas nas bases dos metatarsos.

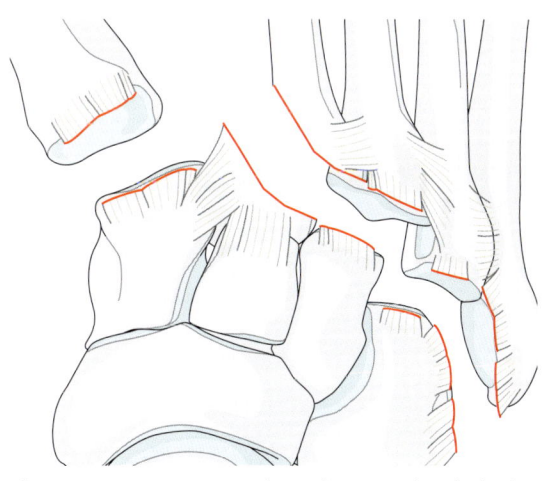

Fig. 6.10.2-9 Ruptura grave do mediopé, envolvendo desde o primeiro até o quinto metatarso. Essa é uma luxação divergente completa.

Fraturas específicas
6.10.2 Mediopé e antepé

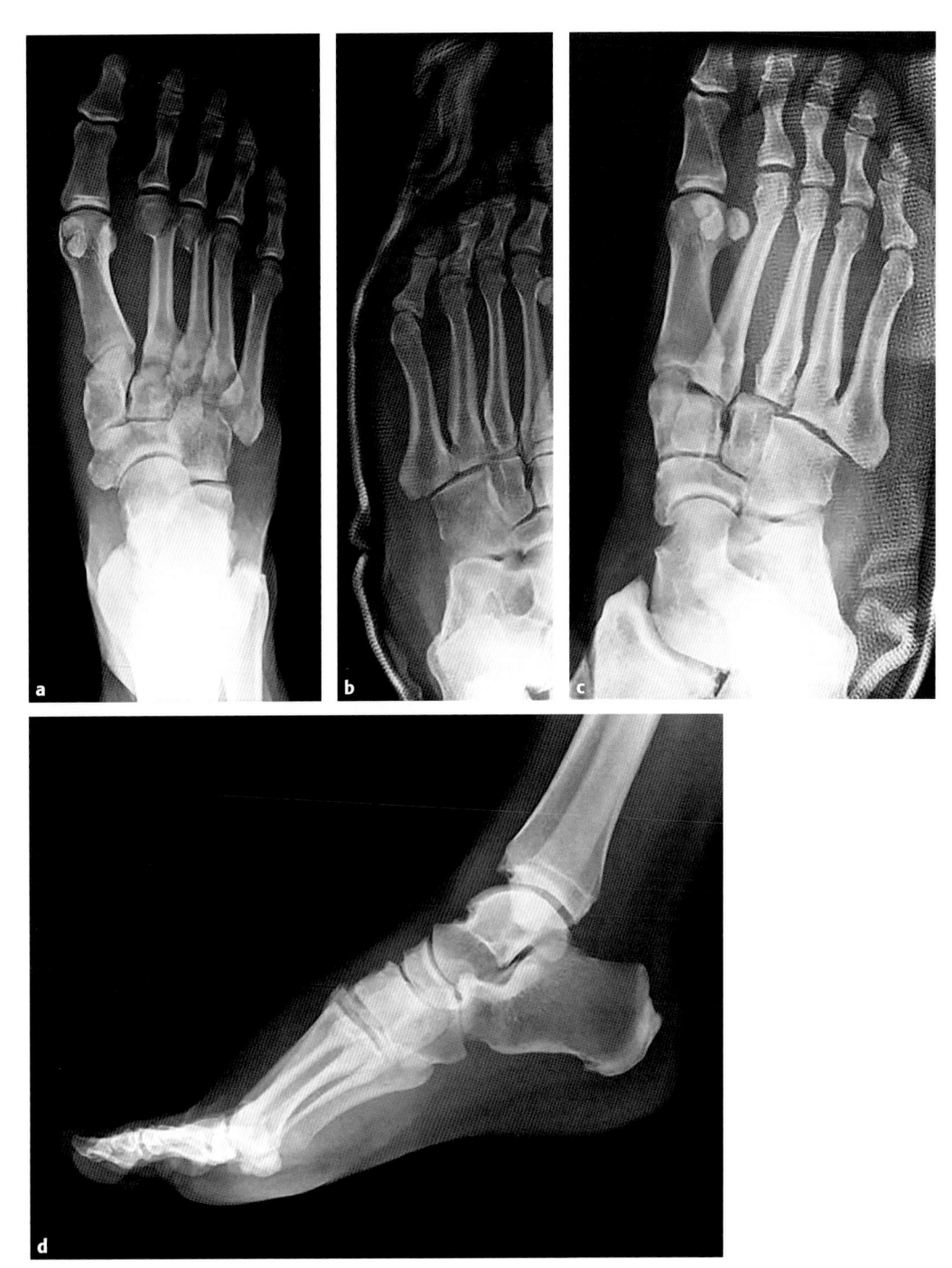

Fig. 6.10.2-10a-d
a   A radiografia em anteroposterior (AP) demonstra uma perda da relação normal entre o segundo metatarso e o cuneiforme intermédio.
b-c As radiografias oblíquas que mostram um pé esquerdo normal (**b**) e um pé direito lesionado (**c**) com relação anormal do terceiro e quarto metatarsos em relação ao cuneiforme lateral e cuboide.
d   Uma radiografia lateral mostra o desvio dorsal do segundo metatarso em relação ao cuneiforme.

As lesões da Lisfranc são classificadas de acordo com o padrão de instabilidade [6, 8, 9]:

- Homolateral (medial ou lateral)
- Divergente (parcial ou completa) (**Fig. 6.10.2-11**)

4.3 Planejamento pré-operatório

O tratamento inicial das lesões na Lisfranc se concentra nos tecidos moles. A elevação do pé até o nível do coração ajuda a diminuir o edema, enquanto evita a perfusão reduzida à extremidade lesionada. É aconselhável o monitoramento intenso para síndrome compartimental. Foi demonstrado que o uso do dispositivo de pressão intermitente no pé acelera a resolução do edema, mas é especialmente controverso por causa da possível síndrome compartimental.

As lesões estáveis podem ocorrer devido a acidentes aparentemente inócuos, como um tropeço no meio-fio. As lesões estáveis podem ser tratadas com imobilização gessada (com o antepé aduzido), seguida por uma bota, com carga progressiva conforme a tolerância, após 8 semanas. Em geral a carga plena deve ser retardada por 3 meses. Aos 3 meses, se não houver dor, o paciente pode apoiar completamente e começar a reabilitação. Uma palmilha acolchoada com suporte medial é usada para apoiar o arco.

> Qualquer articulação tarsometatarsal com um desvio de > 2 mm em comparação com a posição articular normal nas radiografias simples, de estresse ou com apoio é considerada instável e o tratamento cirúrgico está indicado.

É imperativo tratar essas lesões precoce e agressivamente. O tratamento de emergência inclui a redução fechada e a imobilização para proteger os tecidos moles. A redução é frequentemente difícil devido à interposição de cápsula, fragmentos avulsionados, impacção da superfície articular ou interposição do tendão do tibial anterior no primeiro interespaço.

O momento da cirurgia e a posição da incisão são determinados pelos tecidos moles. As lesões sutis com edema mínimo podem ser tratadas quase imediatamente. As luxações agudas devem ser reduzidas dentro de 4-6 horas, já que a circulação para o antepé pode ser comprometida. A lesão importante de partes moles necessariamente retarda o tratamento cirúrgico, sendo exceção a síndrome compartimental, onde o tratamento definitivo pode ocorrer ao mesmo tempo em que a descompressão. As imagens de boa qualidade do pé lesionado e do pé contralateral são úteis para o planejamento adequado.

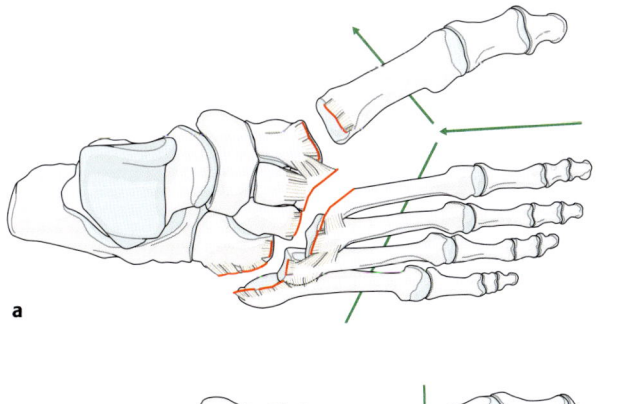

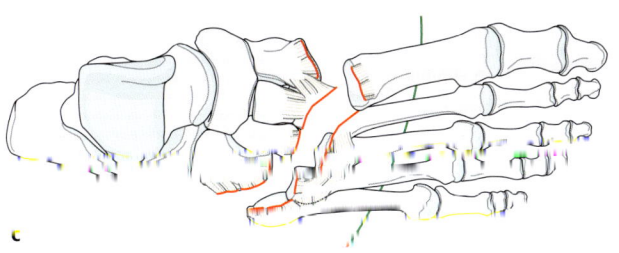

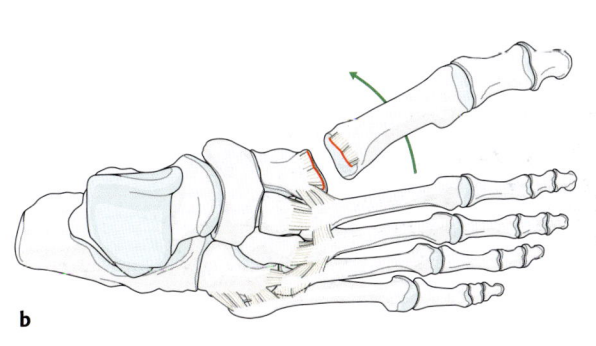

Fig. 6.10.1-11a-c Classificação descritiva das lesões tarsometatarsais.
a Divergente (completa)
b Divergente medial (incompleta)
c Divergente lateral completa

4.4 Tratamento cirúrgico

O exame físico com o paciente sob anestesia geral confirma a instabilidade do mediopé. A via de acesso dorsal com incisão dupla é preferida, porque permite excelente exposição e redução direta. As incisões são centradas sobre o primeiro e o quarto metatarsal e as articulações tarsometatarsais e a dissecção continua para baixo, sem desvio. Isso protege o feixe neurovascular e os tecidos moles entre as duas incisões. Uma vez no periósteo, a dissecção medial e lateral eleva retalhos de espessura completa. A primeira articulação tarsometatarsal e a metade medial da segunda articulação tarsometatarsal são abordadas por meio da incisão medial. A metade lateral da segunda articulação tarsometatarsal e a terceira articulação tarsometatarsal são abordadas por meio da incisão lateral. A quarta e a quinta articulações tarsometatarsais geralmente se reduzem com os metatarsos mediais. Após a incisão e exposição, as superfícies articulares devem ser limpas de fragmentos, interposição capsular e quaisquer impeditivos para a redução. Ocasionalmente, a instabilidade se estende até a articulação de Chopart, e uma avaliação cuidadosa é obrigatória. Em geral, as lesões mais proximais e a instabilidade são abordadas primeiro, antes de se mover distalmente para reduzir e estabilizar a articulação tarsometatarsal [8].

Os parafusos devem ser sólidos, com uma cabeça de perfil baixo e um corpo grande. O parafuso cortical de 3,5 mm é o preferido para o mediopé. Os parafusos canulados não devem ser usados nesta área, já que não são suficientemente resistentes. As cabeças dos parafusos devem ser sepultadas para impedir uma fratura cortical dorsal conforme a cabeça se encaixa (**Fig. 6.10.2-12**). Cada uma das articulações deve ser provisoriamente fixada com fios de Kirschner de 1,6 mm antes que os parafusos sejam colocados. A posição deve ser verificada pelo intensificador de imagem. A base do segundo metatarsal é reduzida em sua posição de pedra angular e um parafuso de posição é colocado a partir do cuneiforme medial através da base do segundo metatarsal. A primeira articulação tarsometatarsal é, então, reduzida e fixada com um parafuso de posição colocado a partir do dorso da primeira base metatarsal até o cuneiforme medial. Se um segundo parafuso for necessário, ele é colocado a partir do dorso do cuneiforme medial até o aspecto plantar do primeiro metatarsal. A terceira articulação tarsometatarsal é então reduzida e estabilizada com um parafuso de posição a partir do terceiro metatarso até o cuneiforme intermediário ou lateral (**Fig. 6.10.2-13**). A coluna lateral é estabilizada por redução indireta e fixação percutânea com fios de Kirschner. Em alguns casos, quando as bases dos metatarsos estiverem multifragmentadas, não é possível obter fixação segura somente com parafusos de posição.

Uma vez que o alinhamento anatômico seja restaurado, placas de compressão bloqueada (LCP) dorsais de 2,4 ou 2,7 podem ser usadas para transpor o cuneiforme e a diáfise metatarsal.

Se a fusão primária das primeiras três articulações tarsometatarsais for necessária (como no caso das lesões puramente ligamentares [6, 9-13]), a cartilagem articular deve ser apropriadamente removida, sendo colocado um enxerto ósseo. A consolidação pode ser lenta nesses casos, de forma que fixação adicional com uma placa dorsal de 2,4 ou 2,7 dever ser considerada e, em casos tardios, uma contratura em equino do pé está frequentemente presente. O alongamento do tendão de Aquiles pode ser executado ao mesmo tempo, já que se acredita que uma contratura coexistente em equino pode causar estresse impróprio através do mediopé.

4.5 Tratamento pós-operatório

Uma tala de gesso baixa é usada para imobilizar o pé lesionado e, 2 semanas após a cirurgia, a tala poder ser trocada por uma bota. A carga progride conforme a tolerância após 8 semanas. A carga completa não é liberada até 3 meses de pós-cirúrgico, desde que haja evidência de consolidação. Um suporte acolchoado do arco medial deve ser usado para proteger o pé. Os fios de Kirschner da coluna lateral devem ser removidos em 6-8 semanas. Os parafusos articulares na primeira, segunda e terceira articulações tarsometatarsais devem permanecer por um mínimo de 6 meses e podem ser permanentes, a menos que sintomáticos.

4.6 Resultados

Uma correlação direta tem sido encontrada entre a redução anatômica e os bons desfechos clínicos e radiográficos [8, 10]. Os desfechos piores foram notados nas lesões puramente ligamentares [10]. Por estas razões, muitos cirurgiões escolhem fazer a fusão primária das articulações lesionadas [6, 11-13].

5 Fraturas dos metatarsos

5.1 Princípios do tratamento

O objetivo da reconstrução depois das fraturas metatarsais é o alinhamento funcional das cabeças metatarsais, com mobilidade funcional das articulações metatarsofalângicas. A flexão ativa da articulação metatarsofalângica é essencial para a marcha indolor. O alinhamento correto das cabeças metatarsais no plano axial e no plano sagital é obrigatório para a carga indolor, que lateralmente também depende da mobilidade da articulação tarsometatarsal correspondente. O encurtamento ou a angulação dos metatarsais depois da fratura (especialmente o primeiro metatarso) devem ser evitados [14].

Princípios AO do tratamento de fraturas
Volume 2

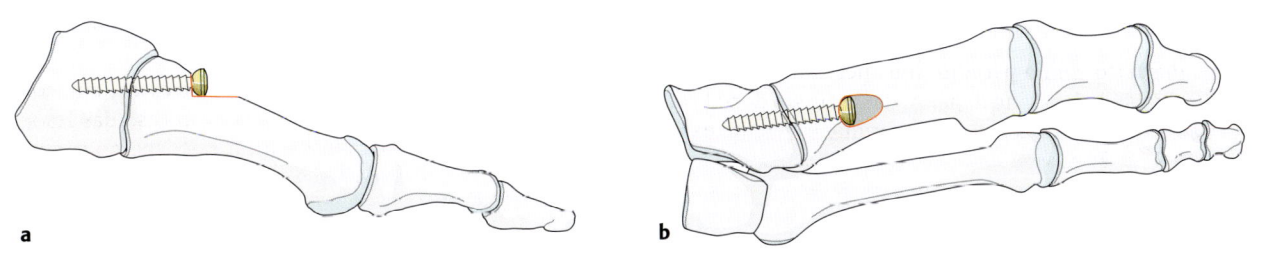

Fig. 6.10.2-12a-b Incidências lateral (**a**) e AP (**b**) do primeiro metatarso. Uma incisura dorsal na diáfise do metatarsal impedirá que a cortical dorsal se parta com a inserção do parafuso e reduz a proeminência da cabeça do parafuso. O orifício da broca deve ser posicionado no topo da incisura.

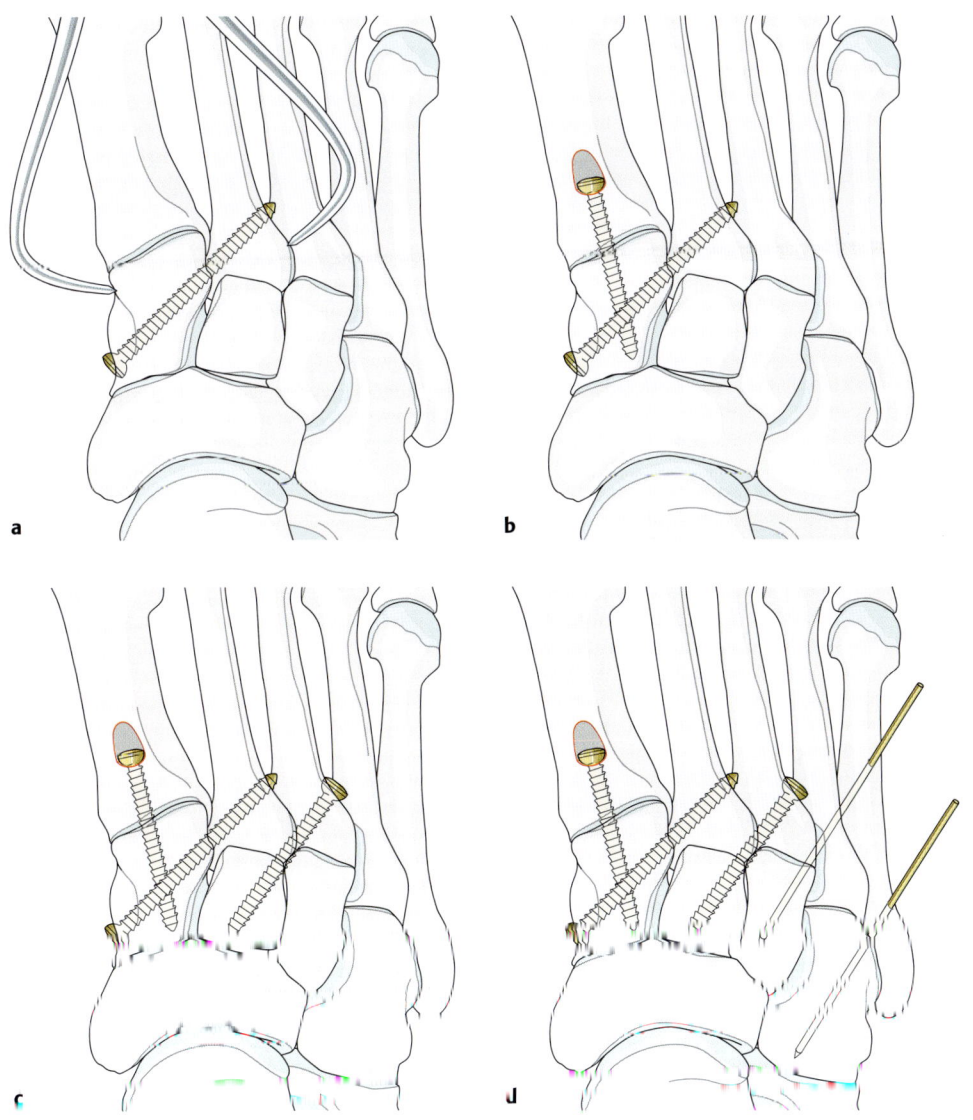

Fig. 6.10.2-13a-d Redução e fixação de uma lesão de Lisfranc.
a   Redução e colocação do parafuso inicial
b-c Fixação da coluna medial
d   Fixação da coluna lateral com fios de Kirschner

Fraturas específicas
6.10.2 Mediopé e antepé

5.2 Tratamento

5.2.1 Fraturas de um único raio

A maioria das fraturas metatarsais é localizada no primeiro ou no quinto raio. A maior parte está minimamente desviada e não requer tratamento cirúrgico. Com as fraturas desviadas, os tecidos moles devem ser cuidadosamente avaliados e a redução aberta, fixação com parafusos ou com placa e parafusos permite o tratamento funcional precoce no pós-cirúrgico, com carga parcial. O primeiro raio é mais adequadamente fixado com uma LCP de 2,4 ou 2,7. Se gravemente desviadas, é melhor que as fraturas da diáfise do quinto sejam fixadas com uma LCP de 2,0 (**Fig. 6.10.2-14**).

5.2.2 Fraturas de múltiplos raios

Nos casos de fraturas múltiplas situadas proximalmente às cabeças metatarsais, o ligamento intermetatarsal (primeiro raio excluído) tem um papel importante na estabilização. Se as fraturas forem transversas, os metatarsais não tendem a encurtar devido ao cisalhamento: a fixação por meio de múltiplos fios de Kirschner intramedulares é eficiente. Os fios devem ser inseridos através do lado plantar da falange, transfixando e segurando a articulação metatarsofalângica correspondente em uma posição anatômica (**Figs. 6.10.2-15-16**).

5.2.3 Fraturas instáveis e intra-articulares

Nas fraturas distais oblíquas, o encurtamento é provável [14]. Nesses casos, como também em todos os outros casos com um risco óbvio de encurtamento ou angulação, a fixação aberta com placa e parafuso pode ser considerada (**Fig. 6.10.2-17**). As vias de acesso longitudinais podem ser conectadas pelo segundo e terceiro raios (via de acesso longitudinal intermetatarsal). O quarto e o quinto metatarsos podem ser fixados por meio da respectiva via de acesso dorsal intermetatarsal também. O primeiro metatarsal é fixado por meio de uma incisão medial longitudinal na borda superior do tendão do abdutor do hálux e os quintos metatarsais isolados são abordados por meio de uma incisão lateral longitudinal na borda superior do tendão do abdutor do quinto dedo.

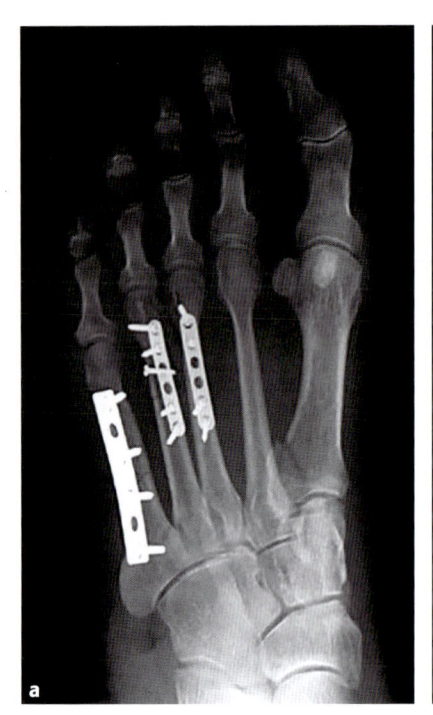

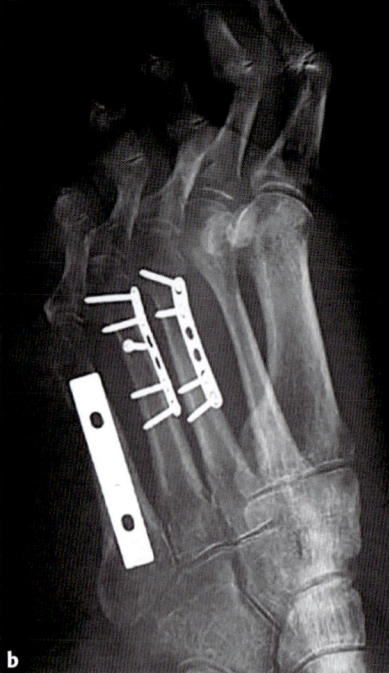

Fig. 6.10.2-14a-b Fixação de fraturas dos metatarsos menores.

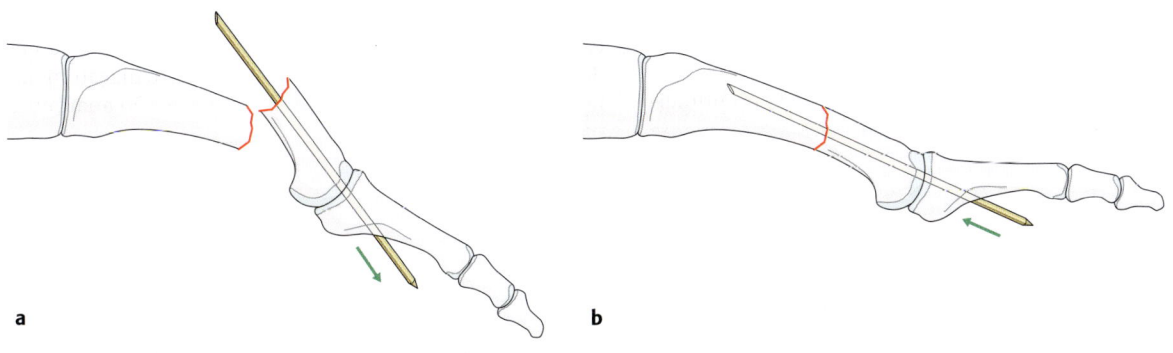

Princípios AO do tratamento de fraturas
Volume 2

Fig. 6.10.2-15a-b Alinhamento metatarsal com fios de Kirschner para impedir o desvio ou angulação dorsal distal do fragmento. O fio deve transfixar a articulação metatarsofalângica para permitir o alinhamento correto do metatarso.

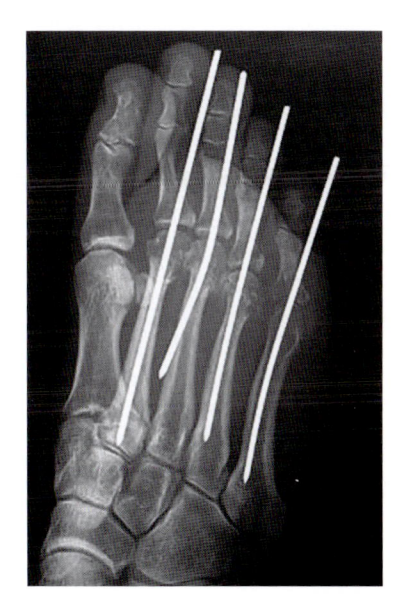

Fig. 6.10.2-16 Fraturas do segundo ao quinto metatarsos fixadas com fios de Kirschner.

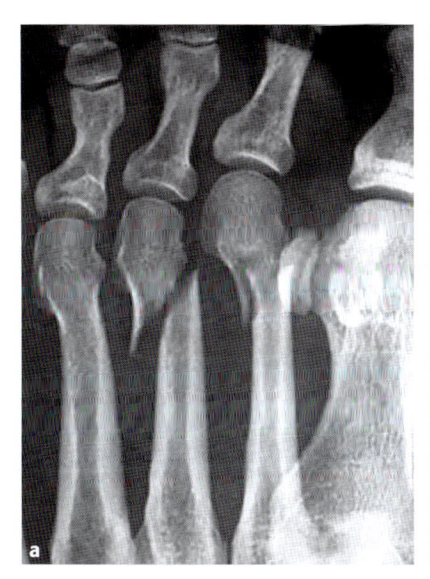

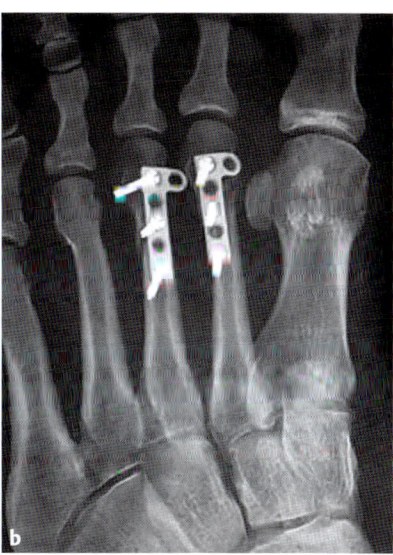

Fig. 6.10.2-17a-b Fixação de fraturas instáveis do segundo e terceiro metatarsos.

997

Fraturas específicas
6.10.2 Mediopé e antepé

5.2.4 Fraturas proximais do quinto metatarso

O quinto metatarso proximal pode ser dividido em três zonas:

- Zona 1: tuberosidade
- Zona 2: junção metafisária-diafisária
- Zona 3: proximal da diáfise

As fraturas da zona 2 são conhecidas como fraturas de Jones. O potencial de consolidação varia de acordo com as zonas e, consequentemente, as estratégias de tratamento são diferentes.

As fraturas intra-articulares e extra-articulares sem desvio podem ser funcionalmente tratadas com uma tala gessada abaixo do joelho ou uma bota com carga completa precoce; a possibilidade de retardo de consolidação e não união deve ser mantida em mente. Aos atletas pode ser oferecido o tratamento cirúrgico inicial [15, 16]. O método cirúrgico de escolha é a colocação de um parafuso de tamanho adequado através do local de fratura na cavidade medular do quinto metatarso, penetrando a partir da tuberosidade do osso. O ponto de partida deve ser alto e pelo lado de dentro e a colocação do fio guia com auxílio do intensificador de imagem é seguida pela fresagem com tamanhos de broca gradualmente maiores. O parafuso deve ser colocado de tal forma que as roscas cruzem o local de fratura e que ocorra pega adequada das roscas do parafuso para dentro da superfície do osso endosteal. A carga conforme a tolerância é permitida após 4 semanas com o pé apoiado em uma órtese moldada.

6 O pé mutilado

Com mecanismos de lesão cada vez mais complexos, algumas lesões do pé são muito complexas para serem adequadamente classificadas, levando a dilemas no tratamento (**Fig. 6.10.2-18**). A luxação e as fraturas que envolvem níveis múltiplos podem ocorrer, junto com significativo dano de partes moles, e o potencial para complicações não é reconhecido por causa do desenluvamento fechado. O desfecho precoce após o trauma complexo do pé é essencialmente determinado pela lesão de partes moles, enquanto o desfecho em longo prazo é determinado mais pela deformidade óssea, contratura articular e acurácia alcançada na reconstrução.

Neste cenário, as combinações de métodos com o uso de fios de Kirschner, parafusos e fixadores externos podem ser a melhor opção [17], junto à cobertura precoce com partes moles do osso exposto. A acurácia da redução em todos os níveis da lesão é a chave para um bom desfecho. Nos pés gravemente mutilados, alguns estudos [18, 19] mostraram melhores desfechos com a amputação primária abaixo do joelho e isto é particularmente verdadeiro nas lesões por explosão devido a minas terrestres.

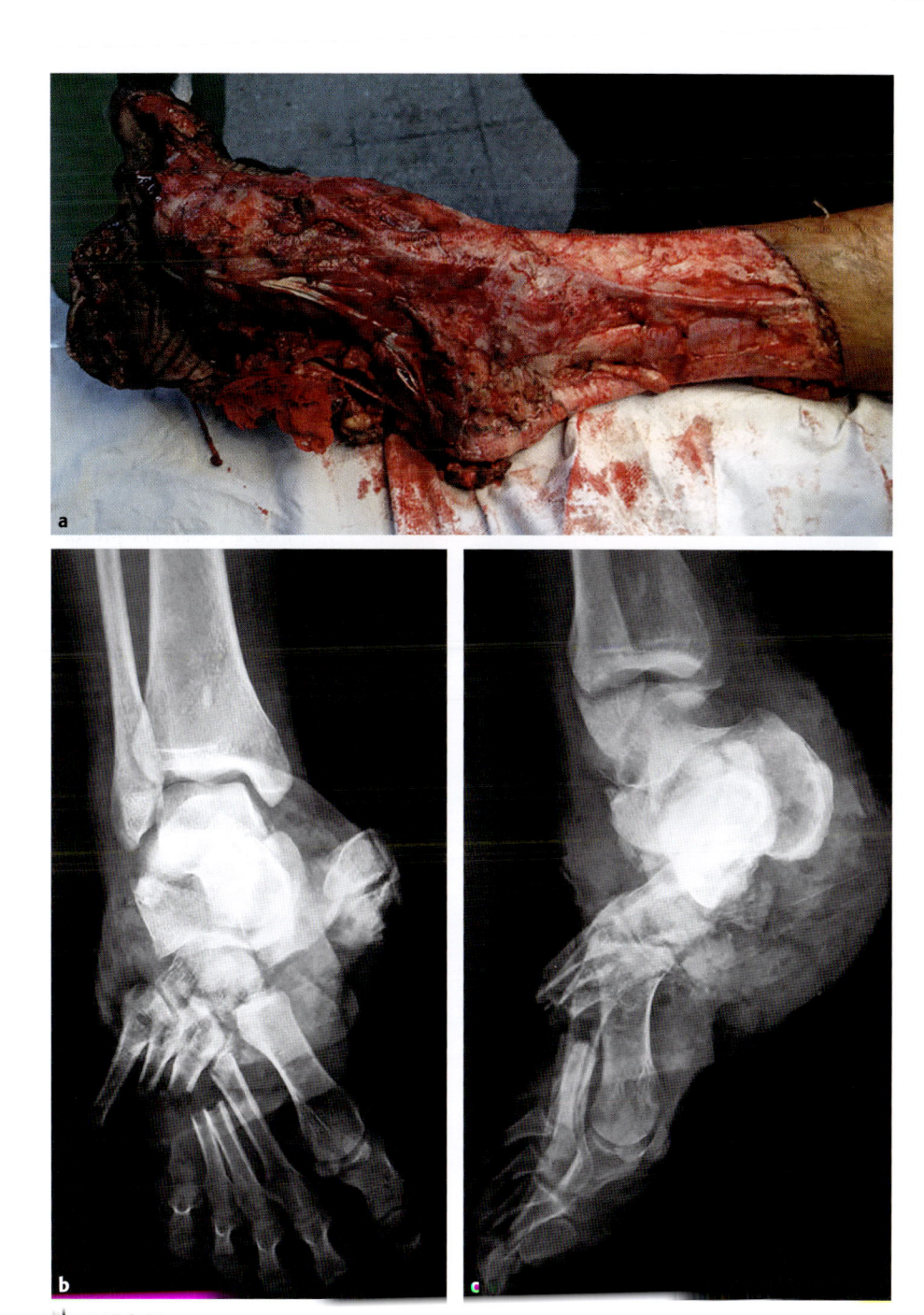

Fig. 6.10.2-18a-c
a Fotografia clínica de um pé mutilado.
b-c Radiografia AP e lateral mostrando trauma grave não classificável do antepé, mediopé e retropé. A opção de amputação deve ser sempre considerada em tais casos.

Fraturas específicas
6.10.2 Mediopé e antepé

| Referências clássicas | Referências de revisão |

7 Referências

1. **Zwipp H, Baumgart F, Cronier P, et al.** Integral classification of injuries (ICI) to the bones, joints, and ligaments—application to injuries of the foot. *Injury.* 2004;35(Suppl 2):3–9.
2. **Rosenbaum AJ, Uhl RL, DiPreta JA.** Acute fractures of the tarsal navicular. *Orthopedics.* 2014;37(8):541–546.
3. **Rosenbaum A, DiPreta J, Tartaglione J, et al.** Acute fractures of the tarsal navicular: a critical analysis review. *J Bone Joint Surg Rev.* 2015;3(3):e5.
4. **van Raaij TM, Duffy PJ, Buckley RE.** Displaced isolated cuboid fractures. *Foot Ankle Int.* 2010 Mar;31(3): 242–246.
5. **Richter M, Wipperman B, Krettek C, et al.** Fractures and fracture dislocations of the midfoot: occurrence, causes and long-term results. *Foot Ankle Int.* 2001 May;22(5):392–398.
6. **Arastu MH, Buckley RE.** Tarsometatarsal joint complex and midtarsal injuries. *Acta Chir Orthop Traumatol Cech.* 2012;79:21–30.
7. **Sharma S, Dhillon MS, Sharma G, et al.** Nutcracker cuboid fractures are never isolated injuries. *J Foot Ankle Surg (Asia-Pacific).* 2014;1(1): 9–11.
8. **van Dorp KB, de Vries MR, van der Elst M, et al.** Chopart joint injury: a study of outcome and morbidity. *J Foot Ankle Surg.* 2010 Nov-Dec;49(6):541–545.
9. **Richter M, Thermann H, Huefner T, et al.** Chopart joint fracturedislocation: initial open reduction provides better outcome than closed reduction. *Foot Ankle Int.* 2004 May;25(5):340–348.
10. **Kuo RS, Tejwani NC, DiGiovanni CW, et al.** Outcome after open reduction and internal fixation of Lisfranc joint injuries. *J Bone Joint Surg Am.* 2000 Nov;82-A(11):1609–1618.
11. **Mulier T, Reynders P, Dereymaekar G, et al.** Severe Lisfranc injuries: primary arthrodesis or ORIF? *Foot Ankle Int.* 2002 Oct;23(10):902–905.
12. **Benirschke SK, Meinberg EG, Anderson SA, et al.** Fractures and dislocations of the midfoot: Lisfranc and Chopart injuries. *Instr Course Lect.* 2013;62:79–91.
13. **Welck M, Zinchenko R, Rudge B.** Lisfranc injuries. *Injury.* 2015 Apr;46(4):536–541.
14. **Rammelt S, Heineck J, Zwipp H.** Metatarsal fractures. *Injury.* 2004 Sep;35 Suppl 2:SB77–86.
15. **Den Hartog BD.** Fracture of the proximal fifth metatarsal. *J Am Acad Orthop Surg.* 2009 Jul;17(7): 458–464.
16. **Thevendran G, Deol RS, Calder JD.** Fifth metatarsal fractures in the athlete: evidence for management. *Foot Ankle Clin.* 2013 Jun;18(2):237–254.
17. **Chandran P, Puttaswamaiah R, Dhillon MS, et al.** Management of complex open fracture injuries of the midfoot with external fixation. *J Foot Ankle Surg.* 2006 Sep-Oct;45(5):308–315.
18. **Kinner B, Tietz S, Müller F, et al.** Outcome after complex trauma of the foot. *J Trauma.* 2011 Jan;70(1):159–168.
19. **Ellington JK, Bosse MJ, Castillo RC, et al.** The mangled foot and ankle: results from a 2-year prospective study. *J Orthop Trauma.* 2013 Jan;27(1):43–48.

8 Agradecimentos

Agradecemos a Hans Zwipp, Andrew Sands e Kaj Klaue por suas contribuições para a 2ª edição de *Princípios AO do tratamento de fraturas*.

Glossário

O glossário fornece definições para os termos usados pelos autores neste livro. Esperamos que ele ajude os leitores a entender o texto, e também que seja útil para cirurgiões que realizam provas e concursos.

abdução	Movimento de uma parte, no plano coronal, para longe da linha média.
adução	Movimento de uma parte, no plano coronal, em direção à linha média.
afrouxamento do pino	Reabsorção óssea na interface de um fio do fixador externo e o osso.
algodistrofia	*Ver* síndrome da dor regional complexa (SDRC).
aloenxerto	Osso ou tecido transplantado de um indivíduo a outro indivíduo da mesma espécie.
alternância	Leve movimento na junção entre um parafuso e uma placa ou haste intramedular. Os implantes podem ser projetados para permitir alguma alternância (p. ex., nas hastes intramedulares) onde as tolerâncias da montagem não permitem um encaixe exato. Pode ocorrer alternância entre placas e parafusos durante a falha da placa com afrouxamento do implante.
anquilose	Fusão de uma articulação por uma união óssea ou fibrosa, ocorrendo espontaneamente como resultado de um processo de doença (p. ex., após artrite séptica).
antibiótico	Qualquer fármaco biologicamente derivado ou substância de ocorrência natural que possa inibir o crescimento de microrganismos ou destruí-los.
artrite	Uma condição inflamatória de uma articulação sinovial; pode ser séptica ou asséptica.
artrodese	Fusão óssea de uma articulação como um desfecho planejado de procedimento cirúrgico.
atrofia de Sudeck	*Ver* síndrome da dor regional complexa (SDRC).
autoenxerto	Enxerto de tecido de um local até outro no mesmo indivíduo.
avulsão	Arrancamento. Um fragmento ósseo arrancado por um ligamento ou inserção muscular é uma fratura por avulsão.
bactericida	Capaz de matar as bactérias.
banda de tensão	Princípio pelo qual um implante, preso no lado da tensão de uma fratura, converte a força tênsil em uma força compressiva na cortical oposta do implante. Embora fios, cabos e suturas sejam frequentemente usados para a fixação por banda de tensão, as placas e fixadores externos, quando apropriadamente posicionados, também podem funcionar como bandas de tensão.
biocompatibilidade	A capacidade de existir em harmonia com tecidos ou processos biológicos associados, sem feri-los.
bloqueio dinâmico	Quando um parafuso de bloqueio é colocado no orifício de uma haste intramedular, ele controla a rotação e o alinhamento, mas permite alguma impacção (controlada) da fratura durante a carga – *ver* dinamização.
cálcar	Significa "esporão" em latim, é a cortical medial do colo do fêmur proximal que transmite ou sustém parte da força compressiva gerada no colo do fêmur durante a carga (*calcar femorale*).

Glossário

calo	Um tecido de osso imaturo e cartilagem que é formado no local de reparo ósseo para aproximar uma fratura – *ver* consolidação indireta.
cirurgia de controle de danos (CCD)	O manejo rápido e emergencial para salvar a vida e/ou o membro enquanto se evita a demorada e potencialmente traumática fixação definitiva da fratura. A CCD geralmente envolve controle da hemorragia, debridamento da ferida e a rápida aplicação de fixadores externos temporários para estabilizar as fraturas dos ossos longos e as fraturas desviadas instáveis.
cirurgia minimamente invasiva	Qualquer procedimento cirúrgico com o uso de pequenas incisões de pele. Os exemplos incluem cirurgia abdominal laparoscópica, artroscopia, osteossíntese com placa minimamente invasiva e encavilhamento intramedular fechado.
cisalhamento	Uma força de cisalhamento é aquela que tende a promover o deslizamento de um segmento de um corpo sobre outro, ao contrário das forças tênseis, que tendem a alongar ou a encurtar um corpo.
classificação, processo de	Método pelo qual os cirurgiões alocam fraturas em categorias específicas.
classificação de fraturas, sistema de	Conjunto de categorias de fraturas organizadas com uma estrutura baseada em um diagnóstico de fratura definitivo.
compartimento muscular	Espaço anatômico cercado em todos os lados por osso ou fáscia profunda, que contém um ou mais ventres musculares.
compressão	O ato ou efeito de pressionar, geralmente para aumentar ou alcançar a estabilidade.
compressão interfragmentar	Os fragmentos ósseos são apertados juntos, com um parafuso de tração ou uma placa, para produzir estabilidade absoluta.
comprimento de trabalho	A distância através de um local de fratura entre os dois pontos mais próximos onde o implante (geralmente uma haste intramedular ou placa em ponte) e o osso estão unidos.
concentração de tensão	A formação de tensões em um implante ou osso em que existe um defeito, uma mudança no corte transverso, um orifício ou um arranhão – *ver* distribuição de tensão.
condrócitos	As células ativas da cartilagem que produzem colágeno tipo II e proteoglicanos, que compõem a matriz condral.
consolidação	Processo biológico que retorna uma parte lesionada à condição pré-lesão. A consolidação óssea é considerada completa quando o osso tiver recuperado a rigidez e a resistência normal.
consolidação direta	É observada após a fixação interna com estabilidade absoluta. É caracterizada pela ausência de calo; não há qualquer reabsorção no local de fratura. O osso se forma por remodelação interna sem tecido de reparo intermediário, sendo que os osteons se movem diretamente através das áreas de contato da fratura. A consolidação direta de fratura era antigamente chamada consolidação primária.
consolidação indireta	Consolidação óssea por formação de calo em fraturas tratadas com estabilidade relativa ou deixadas sem tratamento.
consolidação óssea	*Ver* consolidação.
consolidação por contato	Forma de consolidação óssea direta que ocorre entre dois fragmentos ósseos mantidos em contato imóvel (estabilidade absoluta). A fratura é reparada por remodelação interna direta.
consolidação por *gap*	Forma de consolidação óssea direta na qual existe estabilidade absoluta, mas um pequeno *gap* permanece entre os fragmentos de fratura. O osso lamelar se forma no *gap* e é, então, remodelado por osteons penetrantes.
consolidação retardada	A consolidação de fratura não está ocorrendo no curso de tempo esperado para uma fratura ou um paciente em particular – *ver* não união.
consolidação viciosa	A fratura consolidou em uma posição de deformidade.

Glossário

consolidado	O osso consolidou e recuperou a sua rigidez e resistência normais. Em condições clínicas, isso significa não existir nenhum movimento ou sensibilidade no local da fratura e nenhuma dor ao tensionar o local da fratura. Radiograficamente, deve haver evidência de trabéculos ósseos unindo o local da fratura.
corrosão	É um processo eletroquímico que resulta na destruição do metal pela liberação de metal iônico.
cortical cis	A cortical mais próxima ao operador e no lado da inserção de um implante – *ver* cortical trans. Às vezes referida como cortical proximal.
cortical trans	A cortical mais distante do operador – *ver* cortical cis. Às vezes referida como cortical distal.
corticotomia	Osteotomia especial onde a cortical é cirurgicamente dividida, mas o conteúdo medular e o periósteo não são lesados.
cuidado total apropriado	Estabilização cirúrgica definitiva de fraturas mecanicamente instáveis da extremidade proximal e da diáfise do fêmur, anel pélvico, acetábulo e coluna toracolombar dentro de 36 horas da lesão em pacientes hemodinamicamente estáveis com ressuscitação adequada e índices fisiológicos voltando ao normal. Alguns centros de trauma incluem também fraturas instáveis da coluna cervical e da diáfise da tíbia. A melhora da acidose metabólica é o melhor índice fisiológico – *ver* cuidado total precoce (CTP).
cuidado total precoce (CTP)	Tratamento definitivo de todas as lesões no politraumatismo, incluindo as fraturas importantes dos ossos longos, dentro de 24 horas da lesão.
debridamento	Excisão cirúrgica de uma zona lesionada, ou área patológica, de material estranho e de todo tecido avascular, contaminado ou infectado.
deformação elástica	Mudança temporária no comprimento ou no ângulo de um material que irá recuperar seu antigo estado quando a força deformante for liberada.
deformação plástica	Mudança no comprimento ou no formato de um material que é permanente e não se recupera quando a força deformante for liberada.
deformidade	Qualquer anormalidade da forma de uma parte do corpo.
deslizamento, orifício de	A cortical sob a cabeça de parafuso é perfurada no tamanho do diâmetro externo da rosca para que a rosca não obtenha qualquer pega. Ele é usado para a técnica do parafuso de tração.
desviado	A condição de estar fora do lugar. Uma fratura está desviada se os fragmentos não estiverem alinhados de forma anatomicamente perfeita.
diáfise	Parte cilíndrica ou tubular de um osso longo entre as extremidades metafisárias.
dinamização	Transferência da carga mecânica de um dispositivo de fixação para a carga no local da fratura a fim de reforçar a formação de osso.
dispositivo de ângulo fixo	Implante com duas ou mais partes que estão solidamente unidas em um ângulo de forma que resistam a forças que tendem a angular uma parte em relação à outra. Tais dispositivos são usados para prevenir o desvio angular das fraturas. Os dispositivos de ângulo fixo podem ser fabricados como um dispositivo único e sólido (p. ex., uma placa de lâmina angulada em 95°) ou produzidos pela junção mecânica de dois implantes (p. ex., uma placa de compressão bloqueada com um parafuso de cabeça bloqueada).
dispositivo direcionador	Um dispositivo para guiar um fio ou broca na direção correta.
distal	Longe do centro do corpo, mais periférico.
distribuição de tensão	Conforme as tensões de encurvamento são distribuídas sobre um segmento longo da placa, a tensão por área de unidade é correspondentemente baixa, o que reduz o risco de falha da placa.

divisão-depressão	*Ver* fratura articular com divisão-depressão.
doença da fratura	Condição caracterizada por dor desproporcional, edema de tecidos moles, perda óssea reticular e rigidez articular – *ver* síndrome da dor regional complexa (SDRC).
dorsal	Relacionado com a parte de trás – ou dorso – do corpo na posição anatômica. Uma exceção é o pé; a sua parte superior, mesmo quando olha para frente na posição anatômica, é chamada de dorso. Neste livro, dorsal é somente usado para descrever o dorso da mão e do pé. Para todas as outras partes, é usado o termo "posterior".
ductilidade	O grau de deformação permanente (plástica) que um material tolera antes de quebrar. A ductilidade de um material determina o grau no qual um implante, como uma placa, pode ser moldado sem se quebrar.
empurra-puxa, parafuso	Parafuso temporário de ancoragem que fornece um ponto de fixação para um instrumento reduzir uma fratura por tração e/ou compressão.
empurra-puxa, técnica	Um implante (geralmente uma placa) é aplicado a um lado de uma fratura. Um instrumento (p. ex., afastador ósseo) é colocado entre um ponto de ancoragem (geralmente um parafuso temporário) no outro lado da fratura e o implante. O instrumento é, então, usado para distrair (empurrar) ou apor (puxar) a fratura e obter a redução.
endósteo	Uma membrana de camada única que reveste a superfície interior do osso, isto é, a parede da cavidade medular. Suas células têm potencial osteogênico.
energia cinética	A energia armazenada por um corpo em virtude de estar em movimento. A energia cinética é calculada de acordo com a fórmula $E = 1/2\ mv^2$, onde *m* é a massa do objeto em movimento e *v* a sua velocidade.
enxerto ósseo	Osso removido de um local esquelético e colocado em outro. Os enxertos ósseos são usados para estimular a união óssea (osteoindução) e também para restaurar a continuidade esquelética onde há perda óssea – *ver* aloenxerto, autoenxerto e xenoenxerto.
enxerto/retalho vascularizado livre	O tecido mole e/ou osso que é transplantado a um local anatômico separado no mesmo indivíduo e revascularizado com o uso de técnicas microcirúrgicas para inserir o seu pedículo vascular aos vasos no local recipiente.
epífise	A extremidade de um osso longo que suporta o componente articular. A epífise se desenvolve a partir do elemento cartilaginoso entre a superfície articular e a placa de crescimento – *ver* metáfise.
escarear	O processo de tornar um recesso raso ao redor um orifício de parafuso para aumentar a área de contato entre o osso e a cabeça do parafuso. "Escareador" refere-se à ferramenta para fazer tal recesso.
escore de gravidade da lesão (ISS)	Escala anatômica desenvolvida para dar um valor numérico à extensão do trauma em pacientes com lesões de múltiplos sistemas. A escala de lesão abreviada mais alta (variação 0-5) é calculada para um máximo de três sistemas (p. ex., trauma craniano, trauma musculoesquelético, lesões abdominais). Cada pontuação abreviada de lesão é elevada ao quadrado e os três escores ao quadrado são somados para calcular o ISS (máximo = $3 \times 5^2 = 75$) – *ver* politraumatismo.
estabilidade absoluta	Fixação de fragmentos de fratura de forma que não exista praticamente qualquer desvio das superfícies de fratura sob carga fisiológica. Isso permite a consolidação óssea direta.
estabilidade relativa	Fixação ou construção de suporte que permite quantidades pequenas de movimento em proporção à carga aplicada. Isso resulta em consolidação indireta, por formação de calo.
falha por fadiga	Se qualquer material estiver sujeito a múltiplos ciclos de carga, pode desenvolver rachaduras e, por fim, falhas microscópicas sob uma tensão bem abaixo da resistência à tração, e frequentemente abaixo da resistência de rendimento do material original.

fasciotomia	A divisão cirúrgica da parede fascial de um compartimento muscular osteofascial, geralmente para liberação de pressão intracompartimental elevada – *ver* síndrome compartimental.
fechamento auxiliado por vácuo	Uma ferida aberta é selada com um curativo impermeável e adesivo, e uma sucção de baixa pressão é aplicada para remover quaisquer exsudatos e reforçar a formação do tecido de granulação.
fibrocartilagem	Tecido que consiste em elementos de cartilagem e de tecido fibroso. É o componente normal dos meniscos do joelho e da fibrocartilagem triangular no punho. Forma-se também como um tecido de reparo depois da lesão na cartilagem articular.
fio-guia	Fio inserido no osso para o posicionamento preciso de uma broca, fresa ou implante. O fio pode ser um auxílio visual para direcionar a inserção de um instrumento ou implante ou pode fisicamente dirigi-los, como com uma broca canulada.
fixação da fratura	Aplicação de um dispositivo mecânico a um osso quebrado para permitir a consolidação em uma posição controlada e (geralmente) para facilitar a reabilitação funcional precoce. O cirurgião determina o grau de redução exigida e o ambiente mecânico no local da fratura, que, por sua vez, influenciam o modo de consolidação óssea.
fixação estável	A fixação de uma fratura que permite movimento precoce das articulações adjacentes e fornece um ambiente mecânico que permite a consolidação da fratura antes da falha do implante.
fixação externa	Estabilização esquelética usando fios, pinos, ou parafusos que protruem através da pele e são externamente ligados por barras ou outros dispositivos.
fixação interna biológica	Técnica biologicamente cuidadosa de exposição cirúrgica, redução de fratura e fixação, que favorece a preservação do suprimento sanguíneo do local da fratura e, assim, otimiza o potencial curativo do osso e tecidos moles.
fixador interno	Dispositivo mecânico que fica debaixo da pele e aproxima uma zona de fratura – semelhante à fixação externa – fornecendo um imobilizador extramedular angularmente bloqueado, resultando em estabilidade relativa (p. ex., LCP, LISS).
fragmento em asa-de-borboleta	Onde houver uma fratura complexa com um terceiro fragmento que não completa uma seção transversal do osso (i.e., após a redução há algum contato entre os dois fragmentos principais). O pequeno fragmento em forma de cunha, que, por um mecanismo de rotação, pode ser helicoidal, é ocasionalmente referido como um fragmento em asa-de-borboleta – *ver* fratura em cunha.
fratura articular com depressão pura	Fratura articular na qual existe somente uma depressão da superfície articular, sem uma divisão. A depressão pode ser central ou periférica – *ver* fratura impactada.
fratura articular com divisão-depressão	Lesão articular com uma linha de fratura correndo para dentro da metáfise (divisão) e impacção de fragmentos articulares osteocondrais separados (depressão).
fratura articular completa	O bloco articular inteiro é separado da diáfise.
fratura articular de divisão pura	Fratura articular na qual há uma divisão articular e metafisária longitudinal, sem qualquer lesão osteocondral adicional.
fratura articular multifragmentada	Fratura na qual parte da articulação está afundada e há mais do que um fragmento articular.
fratura articular parcial	Somente parte da articulação está envolvida, enquanto o restante permanece preso à diáfise. Há diversas variedades.
fratura com depressão impactada	Fratura articular parcial na qual parte da articulação é afundada e existem mais de um fragmento articular e de fratura.
fratura com depressão pura	Fratura articular na qual há uma depressão da superfície articular devido a impacto, mas sem uma divisão. A depressão pode ser central ou periférica.

fratura complexa	Fratura com um ou mais fragmento(s) intermediário(s) na qual não há nenhum contato entre os fragmentos principais depois da redução – *ver* fratura multifragmentada.
fratura dividida	Fratura articular parcial na qual há uma divisão articular e metafisária longitudinal sem qualquer lesão osteocondral ou impacto articular adicional.
fratura em cunha	Complexo de fratura com um terceiro fragmento, principalmente causado por um trauma direto no qual, após redução, há algum contato direto entre os dois fragmentos principais – *ver* fragmento em asa-de-borboleta.
fratura espontânea	Fratura que ocorre sob carga ou tensão fisiológica, geralmente em osso anormal – *ver* fratura patológica, fratura por fragilidade.
fratura extra-articular	A fratura não envolve a superfície articular, mas está dentro do segmento terminal de um osso longo e pode estar dentro da cápsula articular.
fratura impactada	Fratura em que as superfícies ósseas opostas são dirigidas uma contra a outra e se comportam como uma unidade. É um diagnóstico clínico e radiográfico combinado.
fratura interprotética	Fratura que ocorre em um osso entre dois implantes protéticos.
fratura intertrocantérica	Fratura proximal do fêmur que passa entre os trocanteres maior e menor.
fratura multifragmentada	Fratura com mais do que um plano de fratura, de modo que há três fragmentos ou mais. Os fragmentos proximal e distal não terão contato direto após redução. O termo é usado na Classificação AO/OTA de Luxações e Fraturas como um tipo de fratura.
fratura patológica	Fratura através de osso anormal que ocorre sob tensão fisiológica ou carga normal.
fratura periprotética	Fratura que ocorre com forte relação com um componente da prótese articular, geralmente a haste intramedular em uma substituição articular.
fratura pertrocantérica	Fratura proximal do fêmur que envolve o trocanter maior.
fratura por fragilidade	Fratura que ocorre em ossos enfraquecidos por osteopenia ou osteoporose durante atividades diárias normais ou após uma queda da altura de uma pessoa em pé ou menor.
fratura simples	Existe uma linha de fratura única produzindo dois fragmentos de fratura.
***gap*, consolidação por**	*Ver* consolidação por *gap*.
háptica	Relacionada ao sentido do toque, em particular à percepção e manipulação de objetos usando os sentidos do toque e propriocepção. A ciência da háptica aplica a sensibilidade e o controle tátil à interação com aplicações computacionais.
imobilização	Um imobilizador é feito de material rígido que é aplicado a uma região fraturada do corpo para reduzir o movimento no local de fratura. Pode ser aplicado externamente (gesso, fixador externo) ou internamente (placa, haste intramedular, fixador interno).
imobilizador bloqueado	Existe uma junção fixa entre o osso e o dispositivo de imobilização, acima e abaixo da zona de fratura, de forma que o comprimento de trabalho entre os pares não pode mudar (p. ex., haste estaticamente bloqueada).
imobilizador deslizante	As junções entre o osso e o dispositivo de imobilização permitem movimento axial (controlado), de forma que a distância entre os pares pode mudar (p. ex., haste dinamicamente bloqueada).
infecção de sítio cirúrgico	Ocorre no campo cirúrgico 30-90 dias após o procedimento. A infecção pode envolver apenas a pele (infecção de sítio cirúrgico superficial) ou a fáscia, músculos, osso ou implantes (infecção de sítio cirúrgico profunda).

Glossário

infecção profunda	Infecção bacteriana ou fúngica envolvendo a fáscia e/ou os músculos e/ou os ossos e/ou implantes com resposta inflamatória associada.
***infix* (pélvico)**	A fratura do anel pélvico é estabilizada com a inserção de Schanz supra-acetabulares bilaterais e conectados com barras que ficam no subcutâneo, não deixando material metálico exposto.
isquemia	Redução no fluxo sanguíneo resultando em hipoxia tecidual.
isquemia-reperfusão, lesão por	A hipoxia tecidual prolongada resulta na ativação de enzimas de superóxido, que produzem radicais livres de oxigênio quando a circulação é restaurada. Esses radicais livres causam dano da membrana celular, resultando em permeabilidade aumentada que pode levar ao edema celular. Em última instância, pode resultar em morte celular e, em um compartimento anatômico fechado, a síndrome compartimental pode ser o desfecho.
joystick	Parafuso de Schanz ou fio rosqueado com uma manopla introduzida em um fragmento de fratura, permitindo a manipulação direta do fragmento para efetuar a redução da fratura.
LC-DCP	*Ver* placa de baixo contato.
LCP	*Ver* placa bloqueada e fixador interno.
ligamentotaxia	Tração que é aplicada através de uma articulação fraturada, de forma que a tensão nas inserções capsulares e ligamentares reduza os fragmentos da fratura.
luxação	Desvio de uma articulação em que nenhuma parte de uma superfície articular permanece em contato com a outra. Algumas vezes usada incorretamente para denotar o desvio da fratura.
macho	Instrumento usado para cortar uma rosca em um orifício perfurado.
medicina baseada em evidências	Uso lógico, cauteloso e explícito da pesquisa científica para tomar decisões clínicas a respeito do cuidado de pacientes individuais. A prática da medicina baseada em evidências requer a integração de experiência clínica com a melhor evidência clínica de pesquisas sistemáticas.
mesa de tração	Mesa operatória com dispositivos que permitem o posicionamento seguro e preciso do paciente e a aplicação de tração ou compressão em um membro para reduzir uma fratura e permitir o acesso para cirurgia e para imagens radiográficas. Também conhecida como mesa ortopédica.
metáfise	No adulto, este é o segmento de um osso longo localizado entre a superfície articular e a diáfise. Consiste principalmente de osso esponjoso dentro de um fino envoltório cortical.
módulo de elasticidade	A relação da tensão à deformação na região linear de uma curva de tensão-deformação. Também chamado módulo de Young.
moldagem de uma placa	Moldagem pré-operatória ou intraoperatória de uma placa no formato do osso.
movimento passivo contínuo (MPC)	Uso de um aparato que fornece períodos de movimento passivo de uma articulação por meio de uma amplitude de movimento controlada.
não união	A fratura ainda está presente e a consolidação cessou. A fratura não se consolidará sem intervenção cirúrgica. Uma não união ocorre habitualmente por condições mecânicas ou biológicas inadequadas – *ver* consolidação, pseudoartrose e consolidação retardada.
necrose avascular	O osso que foi privado de suprimento sanguíneo morre; na ausência de sepse, isso se chama necrose asséptica. O osso morto retém a sua resistência normal (embora seja incapaz de consolidar) até que o processo natural da revascularização, por lenta substituição, envolva a remoção do osso morto, em preparação para a aposição de osso novo. A adição de carga nessas áreas pode levar a colapso ósseo.
nível crítico de *strain*	O nível de *strain* em que um tecido se rompe ou para de executar a sua função fisiológica normal.

Glossário

orifício combinado	Orifício da placa de compressão bloqueada (LCP), que consiste em duas partes: a unidade de compressão dinâmica não rosqueada (UCD; formada pelos orifícios de uma placa de compressão dinâmica [DCP]) e a parte rosqueada, que tem uma rosca recíproca para a inserção de um parafuso de cabeça bloqueada (LHS).
orifício rosqueado	Um orifício-piloto é perfurado e um macho é usado para cortar o sulco helicoidal que recebe a rosca do parafuso. O resultado é um orifício rosqueado.
orifício-piloto	Orifício que tem o mesmo diâmetro do núcleo do parafuso. Ele pode, então, ser usado para guiar a inserção de parafusos que cortam sua própria rosca (parafuso automacheante) ou um macho que cortará as roscas e produzirá um orifício rosqueado.
órtese	Dispositivo externo que é aplicado ao corpo para proteger e/ou estabilizar uma parte do corpo, para prevenir ou corrigir fibrose e deformidades ou para ajudar no movimento.
ossificação heterotópica (ectópica)	Formação de novo osso em tecidos moles e local anormal secundária a um trauma ou outra patologia.
osso cortical	Osso denso que forma o elemento tubular da diáfise (parte média) de um osso longo. O termo também é aplicado à densa e fina concha que cobre o osso esponjoso da metáfise.
osso esponjoso	Osso trabecular esponjoso mais encontrado nas extremidades proximal e distal dos ossos diafisários e no interior de ossos pequenos, como os ossos tarso e carpo.
osteoartrite	Condição degenerativa das articulações sinoviais caracterizada por perda da cartilagem articular, esclerose óssea subcondral, cistos ósseos e formação de osteófitos. Hoje é mais conhecida como doença articular degenerativa (DAD).
osteocondução	Propriedade física de um material que fornece a microestrutura para facilitar o crescimento de células que produzem osso.
osteogênese	Formação de osso novo a partir do tecido osteoprogenitor.
osteogênese por tração	A indução de formação óssea pela aplicação de tração ao tecido mole que tem o potencial para formar osso; por exemplo, hematoma organizado, periósteo e endósteo no local de uma osteotomia ou osteoclasia. Esse fenômeno foi primeiramente descrito por August Bier (1927) e cientificamente investigado pelo cirurgião russo Ghavriil Ilizarov.
osteoindução	Propriedade de estimular neoformação óssea (osteogênese).
osteomielite	Condição inflamatória aguda ou crônica que afeta o osso e a sua cavidade medular, sendo geralmente o resultado de infecção.
osteon	Nome dado aos pequenos canais e suas lâminas de osso concêntricas circundantes, que se juntam para formar o sistema haversiano no osso cortical – *ver* sistema haversiano.
osteopenia	Redução na massa óssea de entre 1 e 2,5 desvios-padrão abaixo da média para um adulto jovem (ou seja, um escore T de –1 a –2,5) – *ver* osteoporose.
osteoporose	Uma redução na massa óssea de mais de 2,5 desvios-padrão abaixo da média para um adulto jovem (ou seja, um escore T < –2,5) – *ver* osteopenia, fratura por fragilidade e fratura patológica.
osteossíntese	Termo cunhado por Albin Lambotte para descrever a "síntese" (derivado do grego "fazer junto ou fundir") de um osso fraturado com uma intervenção cirúrgica, usando implantes. Inclui a fixação externa.
osteossíntese com placa minimamente invasiva (OPMI)	Redução e fixação com uma placa de qualquer desenho, sem exposição cirúrgica direta do local da fratura, usando pequenas incisões de pele e inserção subcutânea ou submuscular da placa.

osteossíntese minimamente invasiva (OMI)	Qualquer fixação de fratura usando pequenas incisões de pele e projetada para limitar o trauma cirúrgico às partes moles mais profundas. Exemplos incluem a aramagem percutânea com fio de Kirschner, fixador externo e o encavilhamento intramedular fechado, bem como a osteossíntese com placa minimamente invasiva (OPMI).
osteotomia	Divisão cirúrgica controlada de um osso.
parafuso	Dispositivo que explora a geometria helicoidal para converter o movimento rotacional em movimento longitudinal retilíneo.
parafuso autoperfurante/ automacheante	Parafuso com uma ponta aguda e afiada com flautas cortantes, que perfura seu próprio orifício e faz a sua própria rosca.
parafuso bicortical	Parafuso que obtém pega tanto na cortical cis quanto na trans.
parafuso convencional	Qualquer parafuso com uma superfície exterior lisa da cabeça (i.e., sem roscas) usado para fixação da fratura ou da placa.
parafuso de ancoragem	Um parafuso que serve como ponto de fixação para ancorar uma alça de fio, um fio de sutura grosso ou um instrumento (p. ex., dispositivo de compressão articulado).
parafuso de bloqueio	Também chamado parafuso de bloqueio da haste intramedular. Acopla uma haste intramedular ao osso para manter o comprimento e o alinhamento e controlar a rotação.
parafuso de cabeça bloqueada (LHS)	Parafuso com uma rosca cortada em sua cabeça, criando uma união, ou ligação mecânica, a um orifício de parafuso rosqueado em uma placa, criando, assim, um dispositivo de ângulo fixo.
parafuso de compressão	*Ver* parafuso de tração.
parafuso de diástese	*Ver* parafuso de sindesmose e parafuso de posição.
parafuso de placa	Parafuso inserido em uma placa para comprimir a placa contra o osso. A pré-tensão criada e a fricção mantém a placa no lugar.
parafuso de posição	Um parafuso de posição é colocado entre dois ossos ou fragmentos de fratura adjacentes para manter a sua configuração anatômica normal relativa sem aplicar compressão. Depois da restauração da relação normal dos ossos, um orifício piloto ou orifício rosqueado é perfurado através de ambas as corticais cis e trans. Um parafuso de rosca completa é introduzido e a ausência de um orifício de deslizamento significa que nenhuma compressão é gerada entre a cabeça do parafuso e a cortical distal. O parafuso de sindesmose usado nas fraturas tipo C do tornozelo é um exemplo de um parafuso de posição – *ver* parafuso de sindesmose.
parafuso de redução	Parafuso convencional usado através de uma placa para puxar os fragmentos de fratura em direção à placa; o parafuso pode ser removido ou trocado uma vez que o alinhamento seja obtido.
parafuso de Schanz	Um parafuso parcialmente rosqueado que é introduzido no osso como parte da fixação externa. Os parafusos de Schanz comuns têm uma ponta em forma de trocar e requerem pré-perfuração. Existem também parafusos de Schanz autoperfurantes.
parafuso de sindesmose	Um parafuso de posição que é colocado entre a fíbula e a tíbia para manter a sua relação anatômica normal na sindesmose tibiofibular distal. O parafuso deve ganhar pega em ambos os ossos, já que não deve ser aplicada compressão.
parafuso de tração	Parafuso que passa através de um orifício de deslizamento para segurar o fragmento oposto em um orifício rosqueado, produzindo compressão interfragmentar quando é apertado.
parafuso monocortical	Um parafuso que tem pega somente na cortical cis.
parafuso Poller	Parafuso de apoio transcortical através do canal intramedular inserido para redirecionar uma haste intramedular durante a sua inserção.

Glossário

parafusos em paralelo	Grupo de parafusos de posição colocados paralelamente à superfície articular e logo abaixo do osso subcondral para manter a redução de uma fratura articular com depressão.
perioperatório	Período de tempo em torno de uma cirurgia, incluindo a avaliação pré-operatória imediata, a anestesia e as primeiras 24 horas após a cirurgia.
periósteo	Membrana fibrovascular que cobre a superfície externa de um osso. A camada celular profunda tem potencial osteogênico.
"personalidade" da fratura	Termo cunhado por E.A. Nichol (1965) para expressar a combinação de atributos de uma fratura que determinam o seu desfecho depois do tratamento. Há três fatores fundamentais: o paciente, as partes moles e a fratura propriamente dita.
placa antideslizante	Previne o cisalhamento de fragmentos articulares, funcionando como um suporte. Classicamente, está fixada somente ao fragmento principal.
placa bloqueada	Placa com orifícios de parafusos rosqueados que permite a junção mecânica a um parafuso de cabeça bloqueada (LHS). O sistema de estabilização menos invasivo (LISS) aceitará somente esse tipo de parafuso, enquanto as placas de compressão bloqueada (LCPs) têm um orifício combinado que aceitará as cabeças de parafusos convencionais ou cabeças de parafusos rosqueadas.
placa convencional	Qualquer placa com orifícios lisos que acomode qualquer cabeça de parafuso não rosqueada de mesmo tamanho.
placa de baixo contato	Placa projetada para limitar o contato com o osso subjacente que preserve o suprimento sanguíneo periosteal possível máximo. A variedade mais comum é a placa de compressão dinâmica de baixo contato (LC-DCP).
placa de compressão bloqueada (LCP)	*Ver* placa bloqueada e fixador interno.
placa de compressão dinâmica (DCP)	Placa com orifícios ovais chanfrados pelos quais os parafusos colocados de forma excêntrica podem ser inseridos para fornecer compressão através de um local de fratura.
placa de reconstrução	Placa entalhada que pode ser moldada também na maneira convencional, produzindo formatos tridimensionais complexos para a fixação de fraturas em ossos de formato irregular, como a pelve ou distal do úmero.
placa de suporte	Uma placa que suporta o local de fratura e é presa a cada fragmento principal de uma fratura multifragmentar, mantendo o alinhamento axial e rotacional, e o comprimento. Não é fixada e nem perturba o suprimento sanguíneo dos fragmentos intermediários.
placa em onda	A seção central de uma placa é moldada para ficar fora da cortical cis em uma distância de vários furos. Isso deixa um *gap* entre a placa e o osso, que preserva a biologia do osso subjacente, fornece um espaço para a inserção de enxerto ósseo e aumenta a estabilidade por causa da distância da posição "em onda" do implante a partir do eixo neutro da diáfise. Tal placa é útil no tratamento da não união.
placa pré-moldadas	Placa projetada e moldada durante a fabricação para se ajustar a um local anatômico específico, de forma que o contorno intraoperatório da placa não é habitualmente necessário.
placa-gancho	Placa que é curvada de forma que capture um fragmento de fratura que pode, então, ser reduzido, aplicando tração à placa. O gancho pode ser parte de uma placa especialmente projetada para um local anatômico específico ou improvisada ao cortar e entortar uma placa convencional.
plano coronal	O plano vertical do corpo que passa de um lado ao outro, de forma que uma bissecção coronal do corpo cortaria em uma metade à frente e uma metade de trás. Também chamado de plano frontal.
plano sagital	Este é um plano vertical do corpo que passa de frente para trás, de forma que uma bissecção sagital do corpo o cortaria em uma metade direita e uma metade esquerda.

politraumatismo	Síndrome de lesões múltiplas a um ou mais sistemas orgânicos com reações sistêmicas sequenciais que podem levar à disfunção ou falência de órgãos remotos e sistemas vitais, que não tenham sido diretamente feridos. Também pode ser definido como um escore de gravidade da lesão (ISS) ≥ 15.
posição anatômica	A posição de referência do corpo: em pé, de frente para o observador, com as palmas das mãos viradas para frente.
pré-tensão	A aplicação de compressão interfragmentar mantém os fragmentos juntos até que uma força tênsil aplicada exceda a compressão (pré-tensão).
pré-tensão da placa	Uma placa moldada exatamente recebe uma leve curva extra no nível de uma fratura transversa, de forma que a sua porção central fica ligeiramente fora da cortical cis. Conforme a compressão é aplicada por tensionamento da placa, a cortical trans é comprimida em primeiro lugar, depois a cortical proximal, resultando em uma compressão equilibrada através de todo o diâmetro transversal do osso. Sem a dobra excessiva, a placa somente comprimirá a cortical cis, resultando em fixação instável, risco de carga cíclica da placa e eventual falha por fadiga.
proteção (placa)	Placa, ou outro implante, que reduz a carga colocada em uma fixação com parafuso de tração, protegendo-o da sobrecarga. Esse termo substituiu a neutralização (placa).
proteção da tensão	Usar uma placa para reduzir picos de carga ao fixar um parafuso – *ver* proteção (placa). Em textos mais antigos, esse termo poderia ser aplicado ao conceito de que um implante rígido, como uma placa, aplicado firmemente a um osso, protege o osso subjacente da tensão e, assim, induz a reabsorção óssea. Esse fenômeno observado é agora entendido como decorrente do impacto vascular da placa na cortical subjacente – *ver* remodelação adaptativa.
protocolos de transfusão maciça	Usados para o tratamento de hemorragia grave para substituir o sangue perdido com concentrados de hemácias, plaquetas e plasma fresco congelado. Evidências atuais sugerem que uma razão de transfusão de 1:1:1 produz os melhores resultados.
pseudoartrose	Literalmente, significa falsa articulação. Quando uma não união é móvel e deixada assim por um período longo, as extremidades do osso ficam escleróticas e os tecidos moles intervenientes se diferenciam para formar um tipo de articulação sinovial – *ver* consolidação retardada, consolidação.
reabsorção óssea	Remoção de osso por osteoclastos. É um elemento integral do remodelamento ósseo, durante renovação natural, crescimento ou depois de uma fratura. A remoção patológica de osso por osteoclastos ativados e células gigantes ocorre se o osso estiver morto, infectado e ao redor de implantes onde há movimento excessivo.
reconstrução de ligamento	Substituição de um ligamento rompido ou estirado por um enxerto (ou biomaterial) de tecidos moles para restaurar a estabilidade de uma articulação lesada.
redução	O realinhamento de uma fratura desviada.
redução anatômica	Restabelecimento do formato ósseo pré-fratura exato.
redução direta	As mãos ou instrumentos manipulam os fragmentos de fratura sob visão direta.
redução indireta	Os fragmentos são manipulados aplicando-se força corretiva distante da zona de fratura, pela distração ou outros meios, sem expor o local da fratura.
refratura	Fratura adicional que ocorre depois de uma fratura estar solidamente aproximada por osso, em um nível de carga que seria tolerada por osso normal. A linha de fratura resultante pode coincidir com a linha de fratura original, ou estar dentro da área do osso que sofreu as alterações resultantes da fratura e do seu tratamento.
remodelação (óssea)	Processo de transformação do formato ósseo externo (remodelação externa) ou da estrutura óssea interna (remodelação interna ou remodelação do sistema haversiano).

remodelação adaptativa	O osso destituído de estimulação funcional, tendo suas tensões fisiológicas reduzidas por um implante que compartilha a carga, pode reagir tornando-se menos denso, de acordo com o lei de Wolff (1872).
reparo de ligamento	Para restaurar a estabilidade de uma articulação lesada, um ligamento rompido é suturado diretamente ou religado a um osso usando suturas ou âncoras.
resistência	É a capacidade de um material em resistir à aplicação de forças sem deformação. A resistência de um material pode ser expressa como a resistência definitiva à tração, resistência de encurvamento, ou resistência de torção. A resistência determina o nível de carga que um implante pode resistir.
ressuscitação de controle de danos (RCD)	Tratamento precoce de um paciente traumatizado em choque hipovolêmico, que visa prevenir o desenvolvimento de coagulopatia, hipotermia e acidose. A RCD inclui controle inicial da hemorragia, uso maciço de protocolos de transfusão e aquecimento ativo do paciente.
ressuscitação hemostática	*Ver* ressuscitação de controle de danos.
retalhos fasciocutâneos	Retalhos de tecidos moles, baseados em uma artéria perfurante, que incluem a pele, os tecidos subcutâneos e a fáscia profunda.
revestimento	Camada fina aplicada à superfície de um implante, que pode conter diferentes agentes biologicamente ativos (p. ex., antibióticos, proteína morfogenética óssea ou hidroxiapatita).
revisão cirúrgica	Inspeção cirúrgica de um ferimento ou zona de lesão 24-72 horas depois do tratamento inicial da lesão.
rigidez	A capacidade de um material para resistir à deformação. É medida como a relação entre carga aplicada e a deformação elástica resultante. A rigidez inerente de um material é expressa pelo seu módulo de elasticidade (módulo de Young).
rigidez de flexão	A rigidez de flexão de uma haste intramedular é inversamente proporcional ao quadrado do comprimento, ao diâmetro da haste e à elasticidade do metal. O desenho da haste, oco ou sólido, também é um fator importante.
rigidez de torção	A rigidez de torção de uma haste intramedular é inversamente proporcional ao comprimento e é proporcional ao diâmetro da haste e à elasticidade do metal. O desenho da haste, oco ou sólido, também é um fator importante.
sarcopenia	Perda de força e massa musculoesquelética resultante do envelhecimento.
segmentada	Se a diáfise de um osso está quebrada em dois níveis, deixando um segmento de diáfise entre os dois locais da fratura, isto é chamado um complexo de fratura "segmentada".
segmento terminal	Esse termo foi criado para a classificação AO/OTA das fraturas articulares no adulto. É definido ao traçar-se uma linha através da parte mais larga da metáfise em uma radiografia. Essa linha é, então, usada para criar um quadrado com um lado disposto ao longo da superfície articular. O osso que fica dentro do quadrado é definido como segmento terminal. Em crianças, o segmento terminal é adicionalmente dividido em epífise e metáfise, que são separadas pela placa de crescimento.
sequestro	Pedaço de osso morto ao longo, mas separado, do leito ósseo do qual se originou. Os sequestros infectados são formados na osteomielite crônica.
síndrome compartimental	Pressão elevada em um compartimento osteofascial fechado que resulta em isquemia tecidual local dolorosa – *ver* compartimento muscular, isquemia-reperfusão, lesão por. É uma emergência médica.
síndrome da dor regional complexa (SDRC)	Dor neuropática com distúrbios sudomotores e vasomotores associados que se desenvolve depois do trauma, outro evento incitante ou de um período de imobilização. Os critérios diagnósticos são amplos e não há nenhum teste específico para o diagnóstico dessa condição. Há dois tipos (SDRC I e SDRC II) que têm os mesmos sinais e sintomas; a diferença é que há uma lesão nervosa identificável associada à SDRC II. A SDRC também é conhecida como doença da fratura, algodistrofia, distrofia simpaticorreflexa e atrofia de Sudeck.

Glossário

síndrome de fragilidade — Comprometimento de múltiplos sistemas fisiológicos inter-relacionados, geralmente como resultado de envelhecimento e comorbidades, resultando em aumento da vulnerabilidade a fatores de estresse internos e externos.

sistema haversiano — O osso cortical é composto de um sistema de pequenos canais (osteons) de cerca de 0,1 mm de diâmetro. Cada osteon consiste de camadas, ou lâminas, concêntricas de tecido ósseo compacto que circundam um canal central, o canal haversiano. Esses canais contêm os vasos sanguíneos e são remodelados após um comprometimento do suprimento sanguíneo para o osso. Há uma renovação natural do sistema haversiano por meio de remodelamento osteonal contínuo; esse processo é parte da natureza dinâmica e metabólica do osso. Também está envolvido na adaptação do osso a um ambiente mecânico alterado.

strain — Alteração no comprimento de um material quando certa força é aplicada. O *strain* normal é a razão da deformação (encurtamento ou alargamento) com o comprimento original. Ele não tem dimensões, mas geralmente é expresso como uma porcentagem.

subluxação — Desvio de uma articulação com contato parcial entre as duas superfícies articulares.

substituição por rastejamento — A lenta substituição do osso morto por osso vascular vivo.

substituto ósseo — Material não ósseo biológico ou inorgânico que pode ser usado em vez de um enxerto ósseo (ou para reforçá-lo), preenchendo um defeito.

suporte — Uma construção que resiste à carga axial aplicando-se força em 90° ao eixo de deformidade potencial.

técnica de Masquelet — Método para tratar defeitos ósseos agudos estabilizando uma fratura e, então, preenchendo o defeito ósseo com cimento acrílico. Após 6-8 semanas, uma biomembrana vascular se forma entre o cimento e os tecidos relacionados. Uma segunda cirurgia, então, remove o cimento, mas preserva a biomembrana. Um enxerto ósseo autógeno é usado para substituir o cimento e os fatores de crescimento produzidos pela biomembrana promovem a incorporação do enxerto e a consolidação da fratura.

teoria do *strain* de Perren — Com um *gap* de fratura pequeno, qualquer movimento interfragmentar resulta em uma mudança relativamente grande no comprimento (i.e., *strain* alto). Se este exceder a tolerância de *strain* do tecido intermediário, a consolidação não irá ocorrer. Se um *gap* de fratura maior for submetido à mesma amplitude de movimento, a mudança relativa no comprimento de cada componente do tecido intermediário será menor (i.e., *strain* menor). Se o nível crítico de *strain* não for excedido, haverá função normal do tecido e consolidação indireta pelo calo.

terapia por pressão negativa (TPN) — *Ver* fechamento auxiliado por vácuo (FAV).

tolerância de *strain* — Capacidade do tecido de sofrer transformação devido a uma força aplicada e continuar a desempenhar sua função fisiológica normal. A tolerância de *strain* máxima é a maior quantidade de deformação que um tecido consegue aguentar enquanto ainda desempenha sua função fisiológica normal. Nenhum tecido funciona normalmente quando uma força de deformação causa uma ruptura no tecido. Esse é o nível crítico de *strain*.

tomografia computadorizada por emissão de fóton único (SPECT) — Técnica de imagem nuclear que usa raios gama e um detector para produzir tomografias e informações em 3D.

tomografia computadorizada/tomografia por emissão de pósitrons (PET-TC) — Técnica de medicina nuclear que combina, em uma única vez, uma tomografia por emissão de pósitrons e uma TC por raios X para obter imagens sequenciais de ambas as técnicas na mesma sessão.

torque	O momento produzido por uma força de rotação ou torção. Como exemplo, o torque é aplicado para dirigir e apertar um parafuso. O momento é igual ao produto do braço de alavanca (unidade, metro) e força (unidade, newton) produzindo torção e rotação sobre um eixo (a unidade de torque newton-metro).
transferência de energia	Quando tecidos são lesionados, o dano causado se deve à energia que é transferida aos tecidos. Geralmente, se deve à transferência da energia cinética de um objeto em movimento (carro, projétil, objeto em queda, etc.), mas também pode ser devido à energia térmica – *ver* energia cinética.
translação	Desvio de um fragmento ósseo em relação a outro, geralmente em ângulos retos em relação ao eixo longo do osso, ou no plano da fratura.
tratamento da fratura, meta do	De acordo com Müller e colaboradores, a meta de tratamento da fratura é restaurar a função ideal do membro em relação à mobilidade e capacidade de carga, evitando complicações.
unidade de compressão dinâmica (UCD)	A parte não rosqueada de um orifício combinado da LCP que tem a forma do orifício de uma placa de compressão dinâmica (DCP).
valgo	Angulação da parte distal para longe da linha média na posição anatômica.
varo	Angulação da parte distal em direção à linha média na posição anatômica.
ventilação com proteção do pulmão	Estratégia usada no politraumatismo que reduz a pressão nas vias aéreas para evitar barotrauma iatrogênico aos alvéolos.
xenoenxerto	Tecido transplantado de uma espécie para outra – também conhecido como heteroenxerto.
zona de lesão	Todo o volume de osso e partes moles danificados pela transferência de energia durante o trauma. A microcirculação é perturbada e pode arriscar a viabilidade do tecido.
zona segura	Um cirurgião deve estar familiarizado com a anatomia dos diferentes cortes transversais de um membro para evitar lesões aos nervos, vasos, tendões e músculos ao posicionar pinos ou fios percutâneos de um fixador externo. Isso somente deve ser executado em uma das zonas seguras para colocação do fio.

Índice

Volume 1, páginas 1-562
Volume 2, páginas 563-1000

Números de página seguidos de "*f*" referem-se a figuras.
Números de página seguidos de "*t*" referem-se a tabelas.

A

AAS. *Ver* Ácido acetilsalicílico (AAS)
Abordagem de Bryan-Morrey, 630, 630*f*
Abordagem de Henry, 664, 664*f*, 665*f*
Abordagem de Kocher, 643-644, 644*f*
Abordagem de Thompson, 666, 666*f*
Abordagem *over-the-top* de Hotchkiss, 644, 644*f*
Absorciometria de raios X de dupla energia (DEXA), 456, 840
Acessório limitador de torque (ALT), com parafusos de cabeça bloqueada, 282
Acetábulo, fratura do
　ambas as colunas, 768*f*, 769
　anatomia, 745-746, 745*f*, 746*f*
　avaliação, 746-750, 746*f*-750*f*
　classificação, 745-746, 745*f*-749*f*
　classificação de Letournel, 747*f*, 748*f*
　coluna anterior, 766-767, 767*f*
　　hemitransversa posterior, 768, 768*f*
　coluna posterior, 764, 765*f*
　complexa, 767-769, 767*f*, 768*f*
　complicações, 770
　comprometimento do nervo ciático na, 749
　configuração da sala de cirurgia na, 752, 752*f*
　cuidados pós-operatórios na, 769-770
　desfechos, 770
　diagnóstico, 746-750, 746*f*-750*f*
　epidemiologia, 745
　exame, 746, 749
　exame neurológico na, 749
　exame retal na, 746
　exame vaginal na, 746
　exames de imagem, 748*f*, 748*f*-750*f*, 749-750
　fixação na interna, 763*f*-767*f*
　incidência oblíqua ilíaca na, 748*f*, 749
　incidência oblíqua obturadora, 748*f*, 749
　indicações cirúrgicas na, 750-751
　luxação cirúrgica anterior do quadril na, 760-761, 760*f*
　mau alinhamento na, 93
　mobilização precoce na, 769-770
　momento da cirurgia, 100, 751
　no politraumatismo, 320*f*, 323*f*
　osteoporose e, 769
　parede, 766-767, 767*f*
　parede posterior, 764, 764*f*, 765*f*
　pediátrica, 382
　periprotética, 837-838
　planejamento pré-operatório na, 751-752, 752*f*
　prognóstico, 770
　reabilitação na, 769-770
　redução aberta e fixação interna na, 763-767, 763*f*-767*f*
　redução na, 761-767, 763*f*-767*f*
　seleção de implantes na, 751
　seleção de instrumentos na, 751
　tomada de decisão na, 750-751
　transversa, 766, 766*f*
　transversa em forma de T, 767
　tromboembolismo venoso na, 431, 433
　trombose venosa profunda, 770
　via de acesso de Kocher-Langenbeck na, 745*f*, 752, 752*f*, 753-755-769, 789
　via de acesso de Stoppa modificada na, 758-759, 758*f*-759*f*
　via de acesso iliofemoral estendida na, 761, 762*f*
　via de acesso ilioinguinal na, 752, 752*f*, 755, 756*f*-757*f*
　via de acesso intrapélvica anterior, 758-759, 758*f*-759*f*
　vias de acesso cirúrgicas na, 753-761, 754*f*, 756*f*-760*f*, 762*f*
Ácido acetilsalicílico (AAS), 432, 440*t*
Ácido tranexâmico, 74
Aço
　erosão, 30
　formação de cápsula fibrosa com, 30-31, 32*f*
　inoxidável eletropolido, 27
　propriedades de superfície dos, 30-31, 30*f*, 32*f*
　reações alérgicas, 32
　resistência, 28*t*
　resistência à corrosão, 29
ACOD. *Ver* Anticoagulantes orais diretos (ACOD)
Acurácia, na classificação de fraturas, 48
Adjuvar biológico, em matologia, 37
Afastador de Hohmann, 128-129, 128*f*, 129*f*, 142
Afastador ósseo, 127-128, 128*f*
AFDL. *Ver* Ângulo femoral distal lateral (AFDL)
AINEs. *Ver* Anti-inflamatórios não esteroidais (AINEs)
AIS. *Ver* Escala Abreviada de Lesão (AIS)
Alarminas, 313
Alças vasculares de silicone, 146, 147*f*
Allgöwer, Martin, 4
Aloenxertos
　na fratura por fragilidade, 475, 477*f*
　na luxação do joelho, 870, 871, 872-873, 873*f*
　na não união, 522-523
　nas fraturas periprotéticas, 846
Altura radial, 674, 674*f*
Alumínio-nióbio-titânio (ANT)
　como material, 27
　resistência, 28*t*
Ambiente de cuidados de saúde, tomada de decisão e, 80
Amitriptilina, 440, 446
Amoxicilina-clavulanato, 427*t*
Amputação
　banco de tecido e, 367
　controle da dor na, 440
　dor do membro fantasma na, 440
　na cirurgia de controle de danos, 75
　na fratura da tíbia, 910
　na fratura do pilão, 930
　na luxação de joelho, 869
　na osteomielite, 560
　na perda óssea, 353
　nos pacientes pediátricos, 392
　salvação do membro vs., 326, 349, 361-364, 361*f*-363*f*
　subtotal, 59, 67*f*
　traumática, 51*t*
Analgésicos, 437-442, 441*t*, 442*t*. *Ver também* Dor, controle da
Analgésicos opioides, 440-441, 441*t*, 462
Anderson, Roger, 3
Anel pélvico, fratura do
　algoritmo de emergência para, 730*f*
　anatomia na, 718, 718*f*, 719*f*
　anterior, 734-736, 734*f*, 735*f*, 736-737, 736*f*
　avaliação de longo prazo na, 743-744
　avaliação primária na, 721-725, 722*f*, 725*f*-729*f*
　cateterização na, 724
　cisalhamento vertical na, 720, 720*t*
　classificação, 720-721, 720*t*, 721*f*, 721*t*
　classificação de Tile na, 720, 721*f*, 721*t*
　classificação de Young-Burgess na, 720, 720*t*
　com instabilidade hemodinâmica, 725, 730-731, 730*f*
　complicações, 743
　compressão anteroposterior na, 720, 720*t*
　compressão lateral na, 720, 720*t*
　compressão pélvica na, 730-731
　consignação de sala de cirurgia na, 733*f*
　contaminação fecal na, 724-725
　cuidados pós-operatórios, 743
　desfechos, 743-744
　diagnóstico, 717
　embolização arterial na, 723

embolização na, 723
epidemiologia, 717
exame sob anestesia na, 731, 736
exames de imagem, 717, 718f, 723
exposta, 724-725, 725f-729f
fixação da, 731-742, 731t, 733f-742f
fixação dos ramos púbicos na, 736-737, 736f
fixação externa na, 742, 742f
hipotensão na, 723
indicações para cirurgia na, 731-732, 731t
instabilidade da asa do ilíaco na, 737, 737f
instabilidade na
  com estabilidade hemodinâmica, 731-742, 731t, 733f-742f
  com instabilidade hemodinâmica, 725, 730-731, 730f
lateral, 737, 737f
lesão uretral na, 724
momento da cirurgia na, 732
parafusos de tração na, 737f
placa de compressão dinâmica de baixo contato na, 735f, 740
placa de compressão dinâmica na, 735f
posterior, 737-740, 738f-741f, 742, 742f
problemas, 743
ruptura da sínfise púbica na, 734-736, 734f, 735f
ruptura sacroilíaca na, 737-740, 738f-741f
sacral, 741f, 742, 742f
sinais de, 717
tomada de decisão na, 721-725, 722f, 725f-729f, 731-732, 731t
tomografia computadorizada na, 723
verticalmente instável, 742
vetor da força causal na, 720, 720t
Anestesia neuroaxial, 466
Angiogênese, 12
Angiossomos, 372, 914, 916f
Ângulo coluna central-diafisário (CCD), no úmero, 590
Ângulo de Böhler, 962f, 973f
Ângulo em lágrima, 674, 674f
Ângulo femoral distal lateral (AFDL), 815, 816f
Ângulo talocrural, 934, 935f
Ângulo variável (VA), placa de compressão bloqueada, 271, 271f, 846
ANT. Ver Alumínio-nióbio-titânio (ANT)
Antebraço, fratura do. Ver também Olécrano, fratura do; Rádio, fratura do
  consolidação viciosa na, 504, 504f
  cuidados pós-operatórios, 438t
  diáfise
    abordagem de Henry na, 664, 664f, 665f
    abordagem de Thompson na, 666, 666f
    anatomia, 657-658
    avaliação, 657
    características especiais da, 657

classificação, 658-660, 658f-660f
complicações, 670-671
configuração da sala de cirurgia na, 661-662, 661f, 662f
cuidados pós-operatórios, 670
desafios, 670
desfechos, 671
diagnóstico, 657
epidemiologia, 657
exame físico, 657
exames de imagem, 657
fixação da, 668, 668f, 669f
fratura de Galeazzi na, 659, 659f
história do caso na, 657
indicações cirúrgicas para, 661
lesão de Essex-Lopresti na, 660, 660f
momento da cirurgia na, 661
não união na, 671
paralisia de nervo na, 670
planejamento pré-operatório, 661-662, 661f, 662f
prognóstico, 671
redução na, 667, 667f
refratura na, 671
seleção de implantes na, 661
síndrome compartimental na, 670
síndrome da dor regional complexa na, 670
sinostose na, 670-671
via de acesso posterolateral para, 666, 666f
vias de acesso cirúrgicas na, 662-666, 663f-666f
encavilhamento intramedular na, 222
lesão de Essex-Lopresti na, 654, 654f
mau alinhamento aceitável na, 381t
pediátrica, 399-402, 400f-402f
placa de compressão bloqueada na, 289
placas de compressão dinâmica de baixo contato na, 187
proximal
  anatomia, 637, 637f, 638-640, 639f
  avaliação, 637-638, 638f
  classificação, 640, 640f
  complicações, 655
  configuração da sala de cirurgia para, 642f, 642-643, 643f
  cuidados não operatórios, 641
  desafios, 655
  desfechos, 655
  diagnóstico, 637-638, 638f
  epidemiologia, 637
  exame físico, 637
  exames de imagem, 637, 637f
  fixação da, 645-650, 646f-659f
  história do caso na, 637
  indicações cirúrgicas para, 641
  momento da cirurgia na, 641
  planejamento pré-operatório, 641-643, 642f, 643f
  posição em decúbito dorsal na, 642, 642f
  posição em decúbito ventral na, 642, 642f

posicionamento do paciente na, 641-642, 642f
prognóstico, 655
redução da, 645-650, 646f-659f
seleção de implantes na, 641
vias de acesso cirúrgicas na, 643-645, 643f-645f
Antibioticoterapia
  biofilmes e, 532
  na fratura aberta, 338-339
  na infecção aguda, 541-542
  na infecção crônica, 556
Anticoagulantes orais diretos (ACOD), 463
Anticoagulantes, para pacientes com fratura por fragilidade, 462-463
Anti-inflamatórios não esteroides (AINEs), 77, 440, 440t, 462, 518
Antiplaquetários, 432
Antissépticos, 542
AO (Arbeitsgemeinschaft für Osteosynthesefragen/Association for the Study of Internal Fixation)
  filosofia da, 3, 6-7
  papel da, 4
  princípios contemporâneos da, 6-7
  princípios originais da, 5
Aporte molecular ativo, 33
Arco em C, 483-485, 483f-485f, 486-488, 487f
Área de Lisfranc, 990
Armação bilateral, na fixação externa, 263
Armação de alongamento, 263
Armação de fixação externa para sustentação, 263, 263f
Armação em A, na fixação externa, 263
Armação unilateral, na fixação externa, 263
Artéria axilar, 591f
Artéria circunflexa umeral anterior, 591f
Artéria circunflexa umeral posterior, 591f
Artérias segmentares, 137, 138f
Articulação carpometacarpal, anatomia, 699
Articulação carpometacarpal, fratura da
  no polegar, 704-706, 704f-707f
  nos dedos, 706
Articulação de Chopart, 983, 983f
Articulação, fratura de. Ver Fratura articular
Articulação metacarpofalângica, anatomia, 700, 700f
Articulação radioulnar proximal (ARUP), 658-659, 659f
Articulações interfalângicas, anatomia das, 700, 700f, 701f
Artrite. Ver Osteoartrite; Artrite séptica
Artrite séptica, 532-533, 532f, 541, 544
Artrodese
  e consolidação viciosa intra-articular, 494
  fixação externa na, 265
  na consolidação viciosa, 518f
  na fratura da tíbia, 930

I-2

na fratura do tálus, 972
na fratura do fêmur, 786
Artroplastia total de cotovelo, 625, 631
ARUP. *Ver* Articulação radioulnar proximal (ARUP)
ASLS. *Ver* Sistema bloqueado estável angular (ASLS)
Autodinamização, de hastes intramedulares, 238
Avaliação do estado neurológico, na lesão de partes moles, 54-55
Avaliação do estado vascular
   na fratura articular, 96
   na lesão de partes moles, 54
Avaliação focada com ultrassom no trauma (FAST), 723
Avaliação muscular na lesão de partes moles, 53-54
Avaliação primária, no politraumatismo, 74
Avaliação radiográfica. *Ver* Exames de imagem
Avaliação secundária, no politraumatismo, 74, 317f

B

Banda de tensão, conceito
   aplicação da, 212-213, 211f, 212f
   biomecânica da, 209-211, 209f-211f
   complicações, 215
   em ossos curvos, 212
   estática, 213, 213f
   lado de compressão na, 209, 209f
   lado de tensão na, 209, 209f
   materiais para, 212, 212f
   na fratura articular, 210-211, 211f
   na fratura da patela, 213, 213f
   na fratura diafisária, 212
   na fratura do maléolo, 950f
   no fêmur, 210, 210f
   pré-requisitos para, 215
   problemas, 215
   técnica cirúrgica com, 211f, 214-215, 214f
Beta-lactamase, indutores de, 422, 424
Beta-tricalciofosfato (β-TCP), 34
Biocompatibilidade, propriedades, 29-32, 30f, 32f
Biofilme, 53, 366, 530, 531f, 532, 548, 548f, 556
Biomecânica. *Ver também* Mecanobiologia
   da consolidação indireta da fratura, 17-19, 17f-19f
   da fixação com estabilidade absoluta, 19-24, 20f-24f
   da fixação com estabilidade relativa, 16-19, 17f-19f
   da fixação externa, 23, 184-185, 185f
   da fratura multifragmentada, 19
   da lesão de partes moles, 51, 51t
   da placa de compressão bloqueada, 21-22, 192-194, 193f, 194f, 288-289, 288t
   da placa em ponte, 21, 204-205, 205f
   das bandas de tensão, 209-211, 209f-211f
   das hastes intramedulares, 17
   das placas, 17, 21-22, 22f, 186t
   de implantes, 20-22, 21f, 22f
   do calo, 17-18, 18f
   do tratamento não cirúrgico de fraturas, 15-16, 16f
   dos parafusos, 175-176, 175f-177f
   dos parafusos de tração, 20-21, 21f
   e consolidação óssea, 15-24, 15f-24f
   imobilização externa e, 16
   na fratura da patela, 853
   na fratura de osso esponjoso, 23
   na fratura do rádio, 676
   na fratura periprotética, 839
   tração e, 15, 16f
Bloqueios nervosos, 442
BMPs. *Ver* Proteínas morfogenéticas ósseas (BMPs)
Böhler, Lorenz, 4, 4f
Braçadeiras, na fixação externa, 260, 261f
Bradicinina, 52

C

Calcâneo, fratura do
   anatomia, 963
   ângulo de Böhler na, 962f, 973f
   artrite na, 972
   avaliação, 961-963, 962f
   classificação, 964, 964f
   complicações, 972
   configuração da sala de cirurgia na, 966, 966f
   consolidação viciosa na, 510, 972
   cuidados pós-operatórios, 439t, 972
   desfechos, 972-974
   desvio extra-articular na, 966
   desvio intra-articular na, 964f, 966
   diagnóstico, 961-963, 962f
   etiologia, 961
   exames de imagem, 962-963, 963f
   fixação da, 969
   indicações cirúrgicas na, 965
   linhas de fratura secundárias na, 964f, 966, 967f
   osteossíntese com placa minimamente invasiva na, 154
   planejamento pré-operatório, 965
   perioperatório, 972-974
   redução aberta e fixação interna da, 140
   redução da, 968, 968f
   uso de placas na, 970f
Cálcio, terapia com, 465-466
Calicreína, 52
Calo
   biomecânica do, 17-18, 18f
   consolidação óssea e perfusão do, 11, 12
   duro, formação na consolidação de fraturas, 13, 14f
   mole, formação na consolidação de fraturas, 13, 14f
   na consolidação primária, 12
   placas em ponte e, 242, 242f, 243f
   strain e formação do, 19
   suprimento sanguíneo do, 12, 12f
Canto posterolateral (CPL), 866f, 867, 867f, 872, 872f
Canto posteromedial (CPM), 866, 866f, 872, 873f
Cápsula do cotovelo, 640
Características do paciente
   na consolidação óssea, 9
   na tomada de decisão, 76-78
Cateterização, na fratura do anel pélvico, 724
CCD. *Ver* Ângulo coluna central-diafisário (CCD)
CDO. *Ver* Controle de danos ortopédicos (CDO)
Cefalosporina, 427t
Cefoxitina, 422
Ceftazidima, 422, 423
Cefuroxima, 424t
Cerclagem, na osteossíntese com placa minimamente invasiva, 152
Cetamina, 440
Cetorolaco, 440t
CFCT. *Ver* Complexo da fibrocartilagem triangular (CFCT)
Chave de fenda com limitação de torque, 181, 272t, 282, 283t
Choque, 318t
Cicatrização de partes moles
   fase inflamatória na, 52
   fase proliferativa na, 52
   fase reparadora na, 52
   fases da, 51
   respostas fisiopatológicas na, 52
Cimento ósseo
   espaçadores, 353, 354f
   na fratura do fêmur, 832
   na fratura por fragilidade, 474, 474f
   nas pérolas de antibióticos, 147f, 339, 426
Cinta pélvica, 717, 721-723, 722f, 730, 730f
Cintilografia, no diagnóstico de infecção, 536, 549
Ciprofloxacino, 423
Cirurgia de controle de danos, no politraumatismo, 75, 75f
Cirurgia de revisão
   fraturas periprotéticas e, 840
   placas de compressão bloqueada na, 277
Cirurgião plástico, na perda de partes moles, 365
Lidocaína, 51
Classificação de Allman, 575
Classificação de Edimburgo, 575
Classificação de Fernandez, 677, 677t
Classificação de fraturas
   acurácia na, 48
   atributos na, 39, 40f

confiabilidade interobservador na, 48
de Tscherne, 59
epífise na, 41
estrutura na, 39, 40f
exposta, 335, 335t
grupos na, 44-45, 44t, 45t
localização na, 39, 40f, 41, 41f
metáfise na, 41
morfologia na, 39, 40f, 42-45, 42t-45t
no segmento maleolar, 43, 43t
observação na, 46
ossos e segmentos na, 40f, 41, 41f
processo de, 46-47, 46t, 47t, 49
processo de revisão, 48-49
sistema de, 49
sistema de codificação na, 40f
subgrupos na, 44-45, 44t, 45t
terminologia, 49
tipos na, 42-43, 42t, 43t
validação da, 48
validade do conteúdo na, 48
visualização na, 46
Classificação de Gustilo das fraturas expostas, 58, 59t, 335t
Classificação de Gustilo-Anderson das fraturas expostas, 335t
Classificação de Hawkins, 975t
Classificação de Letournel, 747f, 748f
Classificação de Mason das Fraturas da Cabeça do Rádio, 640, 641f
Classificação de Neer, 592
Classificação de Salter-Harris, 383, 384t-385f
Classificação de Tile, 720, 721f, 721t
Classificação de Tscherne, da lesão aberta das partes moles, 59
Classificação de Vancouver, 841, 841t, 842f
Classificação de Weber para a fratura de tornozelo, 41
Classificação de Young-Burgess, 720, 720t
Classificação LEGO, 592
Clavícula, fratura da
  anatomia, 574, 574f
  avaliação, 573-574, 573f, 574f
  características especiais da, 573
  classificação, 575
  classificação de Allman para, 575
  classificação de Edimburgo na, 575
  complicações, 585
  configuração da sala de cirurgia na, 577, 577f
  consolidação viciosa na, 501, 585
  cuidados pós-operatórios na, 584
  da extremidade lateral, 575, 580-583, 580f-583f
  da extremidade medial, 575, 584
  desfechos, 585
  diagnóstico, 573-574, 573f, 574f
  epidemiologia, 573
  exame físico na, 573, 573f
  exames de imagem, 574, 574f
  fixação da, 578-584, 578f-583f
  fratura da diáfise na, 575
  hastes intramedulares na, 223, 579

história do caso na, 573
indicações cirúrgicas na, 575
luxação da articulação acromioclavicular, 581-583, 582f, 583f
luxação da articulação esternoclavicular na, 584
momento da cirurgia na, 576
não união na, 585
nervo supraescapular na, 574, 574f
osteoartrite com, 585
osteossíntese com placa minimamente invasiva na, 155, 155f, 579, 579f
placa de compressão bloqueada na, 576
placa em ponte na, 578
planejamento pré-operatório, 576-577, 576f, 577f
prognóstico, 585
redução da, 578
seleção do implante na, 576-577, 576f
uso de placas na, 578, 578f, 580-583, 580f-583f
vias de acesso cirúrgicas, 577f, 578
Clindamicina, 423, 427t
Clopidogrel, 432, 462
Clostridium difficile, 422, 423, 425, 427t
Cloxacilina, 423
Coagulopatia, no politraumatismo, 314-315, 314f, 318t
Codeína, 441, 441t
Colapso cutâneo, na osteossíntese com placa minimamente invasiva, 170
Comorbidades
  com fratura exposta, 334
  com osteoporose, 457-458
  suprimento sanguíneo e, 10
Complexo da fibrocartilagem triangular (CFCT), 676, 676f
Complexo do ligamento colateral lateral, 639f, 640
Complexo do ligamento colateral medial, 639, 639f
Complexo tibiofibular inferior, 936, 936f
Complexos ligamentares colaterais, na fratura do maléolo, 937f, 937
Complicações
  na banda de tensão, 215
  na fratura da escápula, 570
  na fratura de clavícula, 585
  na fratura do acetábulo, 770
  na fratura do anel pélvico, 743
  na fratura do antebraço
    diáfise, 670-671
    proximal, 655
  na fratura do calcâneo, 972
  na fratura do fêmur
    diáfise, 813
    distal, 834
    proximal, 786
  na fratura do maléolo, 957-959, 958f
  na fratura do pilão, 928-930
  na fratura do rádio, 694, 695f
  na fratura do talo, 979-980
  na fratura do úmero
    diáfise, 620

distal, 635
proximal, 604-605
na fratura exposta, 348
na fratura proximal da tíbia, 896
na luxação de joelho, 874
na osteossíntese minimamente invasiva (OMI), 170
Compressão interfragmentar
  parafusos de tração na, 179-180, 180f, 181f
  placas e, 198
Compressão pélvica, 730-731
Comunicação
  nos cuidados pós-operatórios, 444
  tomada de decisão e, 80
Confiabilidade interobservador, na classificação de fraturas, 48
Congruência da pinça, 937-938. *Ver também* Maléolo, fratura do
Consolidação óssea
  angiogênese na, 52
  biologia da, 12-14, 14f
  biomecânica, 15-24, 15f-24f, 17-19, 17f-19f
  características do paciente na, 9
  direta, 12, 22-24, 23f, 24f
  e características do osso, 10
  fatores de crescimento na, 13
  formação de calo duro na, 13, 14f
  formação de calo mole na, 13, 14f
  fresagem e, 218
  indireta, 12, 13, 14f, 17-19, 17f-19f
  inflamação na, 13, 14f
  mecanobiologia da, 17-19, 17f-19f, 22-24, 23f, 24f
  na fixação com estabilidade absoluta, 19-20
  na fratura por fragilidade, 475
  no osso cortical, 14
  no osso esponjoso, 14
  perfusão do calo e, 12
  primária, 12, 22-24, 23f, 24f
  proteínas morfogenéticas ósseas na, 13
  redução e, 119
  remodelamento na, 13, 14f
  secundária, 13, 14f, 17-19, 17f-19f
  sem tratamento, 15, 15f
  tipos de, 12
Consolidação viciosa
  autodinamização e, 238
  bandas de tensão e, 212, 212f
  classificação, 493-496, 493f-496f
  combinada, 510
  definição, 493
  diafisária, 496, 496f
  discrepâncias de comprimento com, 493, 493f
  encavilhamento intramedular e, 219, 220, 499
  escolha do implante na, 498-499, 498f
  fixação externa na, 499
  fixação na, 498-499, 498f, 500f
  infectada, fixação externa e, 265
  intra-articular, 494, 494f

metafisária, 495, 495f
na clavícula, 501, 585
na fratura do maléolo, 510, 511f
na fratura do rádio, 694
na fratura do tálus, 980
na osteossíntese minimamente invasiva, 170
na tíbia, 506-510, 508f, 509f
neuropática, com diabetes, 76
no antebraço, 504, 504f
no calcâneo, 510, 972
no fêmur, 504-506, 506f, 507f, 813
no tornozelo, 510, 511f
no úmero, 501-504, 501f-503f, 605
osteossíntese minimamente invasiva e, 160, 170
osteotomia diafisária na, 499
osteotomia em plano único na, 499, 500f
osteotomia metafisária na, 499
placa-lâmina angulada, 132f, 133
placas de compressão bloqueada na, 287, 498
redução na, 237, 498-499, 498f, 500f
sistema bloqueado estável angular e, 218
terminologia, 493-496, 493f-496f
tomada de decisão na, 497, 497f
uso de placas em ponte e, 241, 301
Consolidação viciosa, Lisfranc, 510
Construto da comorbidade, 459, 459f
Contaminação fecal, na fratura pélvica exposta, 724-725
Controle de danos ortopédicos (CDO), 220, 311-312, 317-319, 318t, 319t
Coronoide, fratura do
luxação do cotovelo na, 653, 653f
vias de acesso cirúrgicas na, 644-645, 644f, 645f
Costela, fixação da fratura de, 325
CPM. *Ver* Canto posteromedial (CPM)
Crescimento e desenvolvimento, em fraturas pediátricas, 379-381, 381t
Crianças. *Ver* Fratura pediátrica
CTP. *Ver* Cuidado total precoce (CTP)
Cúbito varo, 398
Cuboide, fratura do
anatomia, 988, 988f
compressão, 990
padrões de fratura no, 988-990, 989f, 990f
tratamento, 988-989, 989f, 990f
tratamento não cirúrgico, 988
uso de placas na, 989f
Cuidado apropriado precoce, no politraumatismo, 76, 312
Cuidado total precoce (CTP), no politraumatismo, 75-76, 220, 311-312, 319, 319t
Cumarínicos, 463
Curativos
na fratura exposta, 346-347, 347f
nos cuidados pós-operatórios, 442

D

DAMPs. *Ver* Padrões moleculares associados ao dano (DAMPs)
Danis, Robert, 3, 4, 4f
DCP. *Ver* Placa de compressão dinâmica (DCP)
DDD. *Ver* Doença discal degenerativa (DDD)
Debridamento
da lesão de partes moles, para diagnóstico, 54
na fratura exposta, 339-340, 340f
na reconstrução de partes moles, 366
no tratamento da infecção aguda, 537-538
no tratamento da infecção crônica, 551, 551f
Deficiência de antitrombina, 431t
Deformidade em valgo, 83, 506, 506f, 507, 507f
Deformidade em varo, 83, 506f, 507f, 509
Deformidade residual, na fratura diafisária, 83
Delirium, 463-464
Demência, fratura por fragilidade e, 458, 463-464
Densidade óssea, definição, 454
Descompressão, na fresagem, 219
Desenluvamento
de pele fechada, 54, 62f, 141, 141f
enxertos cutâneos no, 370
na fratura articular, 100
Desnutrição, 465
Desvios
estabilização e, 15, 16
exames de imagem, 117
fixação externa e, 16, 17
fricção e, 20
na fratura articular, 98
pré-tensão compressiva, 20f
redução e, 117, 117f
rotacional, 117f
secundários, tratamento não cirúrgico e, 87
translacional, 117f
DEXA. *Ver* Absorciometria de raios X de dupla energia (DEXA)
Dextrometorfano, 440
DHS. *Ver* Parafuso dinâmico do quadril (DHS)
Diabetes
fratura do maléolo no, 938, 939
fratura por fragilidade e, 458
infecção e, 76
não união e, 518, 518f
tomada de decisão e, 76
Diclofenaco, 440t
Di-hidromorfina, 462
Dinamização das hastes intramedulares, 238
Discrepâncias de comprimento, na consolidação viciosa, 493, 493f

Dispositivo de tensão articulado
com placa de compressão dinâmica de baixo contato, 188
estabilidade absoluta e, 199-200, 199f, 200f
na consolidação viciosa, 511f
na fratura do fêmur, 794
na fratura do úmero, 619
na não união, 523, 523f
na redução, 132f
Dispositivos de compressão sequencial, na profilaxia do tromboembolismo, 432
Distração do calo, na infecção crônica, 555, 555f
Divisão do deltoide, na fratura proximal do úmero, 596, 596f
Doença arterial periférica, tomada de decisão e, 76
Doença articular, tomada de decisão e, 77
Doença discal degenerativa (DDD), proteína morfogenética óssea-2 na, 13
Doença hepática, tomada de decisão e, 77
Doença renal
fratura por fragilidade e, 458
tomada de decisão e, 76-77
Doença venosa, tomada de decisão e, 76
Dor, controle da. *Ver também* Síndrome da dor regional complexa (SDRC)
analgésicos, 437-442, 441t, 442t
analgésicos opioides, 441, 441t
anti-inflamatórios não esteroides, 440, 440t
bloqueios nervosos, 442
codeína, 441, 441t
fármacos neuromoduladores, 440
fentanila, 441, 441t
hidrocodona, 441, 441t
hidromorfona, 441, 441t
inibidores da COX-2, 440
meperidina, 441, 441t
morfina, 441, 441t
na síndrome da dor regional complexa, 445, 446-447, 446f
nos cuidados pós-operatórios, 437-442, 437f, 438t-439t, 440t, 441t
nos pacientes com fratura por fragilidade, 462
oxicodona, 441, 441t
paracetamol, 437
Drenos, 146
Drenos a vácuo, 146
Drenos de sucção, 146
Eletrocautério, 444 materiais, 10

E

Efeitos biológicos da fratura, 10. *Ver também* Efeitos mecânicos
Efeitos mecânicos da fratura, 10. *Ver também* Biomecânica
Eletrocauterização, 142
Embolia pulmonar (EP), 219, 429, 430. *Ver também* Profilaxia do tromboembolismo

Embolização arterial, na fratura de anel pélvico, 723
Enchimento capilar, 359, 359f
Encurvamento do fêmur, 817
Envelope de partes moles, na fratura articular, 96
Enxerto ósseo, substitutos, 34-35
Enxertos
  aloenxertos
    na fratura por fragilidade, 475, 477f
    na luxação do joelho, 870, 871, 872-873, 873f
    na não união, 522-523
    nas fraturas periprotéticas, 846
  cutâneos, na reconstrução de partes moles, 368-370, 369f
  ósseos
    na fratura do navicular, 987f
    na fratura por fragilidade, 475, 476f
    na infecção crônica, 553, 553f, 556
    na não união, 519, 521f, 522
EP. *Ver* Embolia pulmonar (EP)
Epífise, na classificação de fraturas, 41
Equipamento
  na redução, 121-131, 122t, 123t, 124f-131f
  no planejamento pré-operatório, 109, 109f
Equipamentos de proteção, para exposição à radiação, 486
Erosão, 30
ESA. *Ver* Exame sob anestesia (ESA), na fratura de anel pélvico
Escada de reconstrução, 367-368, 367f
Escala Abreviada de Lesão (AIS), 311, 318t
Escala de gravidade de mutilação da extremidade (MESS), 361
Escala de lesão do nervo, isquemia, lesão de partes moles, lesão esquelética, choque e idade do paciente (NISSSA), 361
Escala Visual Analógica (EVA), 437, 437f
Escápula, fratura da
  anatomia, 565
  articular, 569, 569f
  avaliação, 565
  características especiais da, 565
  classificação, 566
  colo da escápula na, 569
  complicações, 570
  configuração da sala de cirurgia na, 566, 567f
  cuidados pós-operatórios, 570
  desafios, 570
  desfechos, 572
  diagnóstico, 565
  e da clavícula ipsilateral, 570
  epidemiologia, 565
  exames de imagem, 565
  fixação da, 570, 571f
  hematoma na, 570
  história da, 565
  indicações cirúrgicas na, 566
  infecção com, 570
  momento da cirurgia na, 566

  osteossíntese com placa minimamente invasiva na, 154
  paralisia do nervo supraescapular na, 570
  planejamento pré-operatório com, 566
  processo escapular na, 568-569
  prognóstico, 572
  redução na, 568-570, 569f
  rigidez após, 570
  seleção de implantes na, 566
  uso de placas na, 570, 571f
  via de acesso deltopeitoral na, 567
  via de acesso superior na, 567
  vias de acesso cirúrgicas na, 567-568, 568f
  vias de acesso posteriores na, 567, 568f
Escareador, 176, 176f
Esfera com ponta, 129
Estabilidade
  absoluta
    biomecânica e, 15, 19-24, 20f-24f
    com parafusos de cabeça bloqueada, 173
    com placas de compressão bloqueada, 289-294, 290f-294f, 305
    consolidação direta e, 12
    consolidação indireta e, 12
    definição, 15
    dispositivo de tensão articulado e, 199-200, 199f, 200f
    dos imobilizadores externos, 16
    e fratura de osso esponjoso, 23
    fixação cirúrgica com, 19-24, 20f-24f
    fixadores externos e, 22
    fricção e, 20, 20f
    implantes e, 20-22, 21f, 22f
    mecânica da, 20, 20f
    na fixação externa, 255
    na fratura diafisária, 22-23, 23f
    na história do tratamento de fraturas, 9
    na osteossíntese com placa minimamente invasiva, 153
    na osteossíntese minimamente invasiva, 149
    parafusos de tração e, 20-21, 21f, 173, 198-199, 198f, 199f
    placas de proteção e, 198-199, 198f, 199f
    placas e, 21-22, 22f, 198-202, 198f-202f
    pré-tensão compressiva e, 20, 20f
    suprimento sanguíneo e, 23-24, 24f
  formação de calo mole e, 13
  na fratura articular, 95, 95f
  relativa, 9
    biomecânica e, 15
    características do osso e, 10
    com fratura por fragilidade, 471, 472f
    com placas de compressão bloqueada, 17, 294-305, 295f-307f
    consolidação indireta e, 12
    da fixação externa, 16-17
    das hastes intramedulares, 17

    dos implantes, 16
    fixação cirúrgica com, 16-19, 17f-19f
    na osteossíntese com placa minimamente invasiva, 153
    na osteossíntese minimamente invasiva, 149
Estiloide radial, 676
EVA. *Ver* Escala Visual Analógica (EVA)
Exame retal, na fratura do acetábulo, 746
Exame sob anestesia (ESA)
  na fratura de anel pélvico, 731, 736
  na lesão da articulação tarsometatarsal, 994
  na luxação de joelho, 871
Exame vaginal, na fratura do acetábulo, 746
Exames de imagem
  cópias impressas dos, 489
  desvios nos, 117
  documentação dos, 488-489
  futuro dos, 489
  intensificador de imagem móvel na, 483-485, 483f-485f
  modos de memória nos, 488
  na avaliação de fratura articular, 98, 99f
  na avaliação de fratura diafisária, 84-86
  na classificação de fraturas, 46
  na fratura da clavícula, 574, 574f
  na fratura da escápula, 565
  na fratura da patela, 854
  na fratura da tíbia
    diáfise, 900
    proximal, 878, 878f
  na fratura distal do rádio, 673-676, 674f-676f
  na fratura do acetábulo, 748f, 748f-750f, 749-750
  na fratura do anel pélvico, 717, 718f, 723
  na fratura do antebraço, 637, 637f, 657
  na fratura do calcâneo, 962-963, 963f
  na fratura do fêmur
    diáfise, 790
    proximal, 774
  na fratura do maléolo, 934-935, 934f, 935f
  na fratura do pilão, 914
  na fratura do úmero
    diáfise, 607
    distal, 623
    proximal, 588-590
  na fratura pediátrica, 382-383
  na fratura periprotética, 839-840, 840f
  na fratura proximal do úmero, 588f-590f
  na lesão da articulação tarsometatarsal, 991, 992f
  na osteossíntese com placa minimamente invasiva, 154
  no diagnóstico de infecção, 536
  no planejamento pré-operatório, 106, 107
  nos cuidados pós-operatórios, 444, 447-448

papel dos, 481, 481t
riscos da exposição à radiação nos, 481-482, 482t
Expectativa de vida, 451
Exposição com divisão do tríceps, na fratura distal do úmero, 627-628

F

Falange, anatomia da, 700, 700f
Falange, fratura da
    diafisária, 709, 709f
    intra-articular, 710-712, 711f, 712f
    uso de placas na, 701t, 702f
    via de acesso cirúrgica para, 709-710, 709f-712f, 712, 712f
Fármacos neuromoduladores, 440
Fasciotomia, na síndrome compartimental, 57
FAST. *Ver* Avaliação focada com ultrassom no trauma (FAST)
Fator VIII, excesso de, 431t
Fatores de crescimento
    na cicatrização de partes moles, 52
    na consolidação de fraturas, 13
    nos materiais, 35
Fatores sociais, tomada de decisão e, 77-78
Fechamento, 144-146, 145f-147f, 862. *Ver também* Incisão
    alças vasculares de silicone no, 146, 147f
    importância do, 144
    no planejamento pré-operatório, 109
    síndrome compartimental e, 144
    sutura de Allgöwer-Donati no, 145, 145f
    técnicas de pérolas de antibióticos no, 146, 147f
Fechamento da ferida, 144-146, 145f-147f
Fêmur, fratura do. *Ver também* Hastes intramedulares
    atípica, na fratura por fragilidade, 469
    conceito de banda de tensão na, 210, 210f, 212f
    consolidação viciosa na, 496, 496f, 498f, 500f, 504-506, 506f, 507f
    cuidados pós-operatórios, 438t, 439t
    diáfise
        anatomia, 790-791, 790f
        associada a bifosfonados, 811, 811f, 812f
        atípica, 811, 811f, 812f
        avaliação, 789-790
        bilateral, 789
        características especiais da, 789
        classificação, 791, 791f
        colo, 805-807, 805f-807f
        com fratura distal, 807
        complicações, 813
        configuração do paciente na, 790
        configuração da sala de cirurgia para, 795, 796f
        consolidação viciosa na, 813
        cuidados pós-operatórios, 813
        desafios, 805-811, 805f-812f
        desfechos, 813
        diagnóstico, 789-790
        encavilhamento intramedular na, 792f, 793, 799-800, 799f, 800f, 808, 808f
        epidemiologia, 789
        exame, 789-790
        exames de imagem, 790
        exames laboratoriais, 789
        exposta, 789
        fixação da, 802-805, 802f-804f
        fixação externa na, 795, 795f
        fresagem na, 804
        história do caso na, 789-790
        indicações cirúrgicas na, 791-792, 792f
        infecções na, 813
        mau alinhamento aceitável na, 381t
        momento da cirurgia na, 793
        não união na, 813
        osteossíntese com placa minimamente invasiva na, 151, 162, 162f, 794, 794f
        parafusos de Schanz na, 795, 795f, 803f
        parafusos de tração na, 806, 806f
        planejamento pré-operatório, 793-795, 794f, 796f
        posicionamento do paciente na, 797, 798f
        prognóstico, 813
        redução da, 802-805, 802f-804f
        seleção do implante na, 793-795, 794f, 795f
        subtrocantérica, 807-808, 808f
        suprimento sanguíneo na, 790-791, 790f
        uso de placas na, 792, 793-794, 794f, 800-801, 800f, 801f, 809, 809f
        vias de acesso cirúrgicas para, 797-801, 798f-801f
    discrepâncias de comprimento após, 493f
    distal
        anatomia, 815-817, 816f, 817f
        avaliação, 815
        classificação, 817, 817f
        com fratura da diáfise, 807
        complicações, 834
        configuração da sala de cirurgia na, 820, 820f
        cuidados pós-operatórios, 834
        desafios, 832
        desfechos, 834
        desviada, parafusos de tração na, 7f
        diagnóstico, 815
        encavilhamento intramedular na, 830-831, 830f, 831f, 834
        escora condilar na, 829-830, 829f
        extra-articular, 826, 826f
        fixação da, 826-832, 826f-833f
        fixação externa da, 831, 831f
        grupos musculares e, 817, 817f
        indicações cirúrgicas na, 818
        intra-articular, 819, 827-832, 827f-833f
        lesão vascular na, 817
        má posição da placa na, 834
        mau alinhamento na, 834
        momento da cirurgia na, 818, 818f
        não união na, 834
        osteossíntese com placa minimamente invasiva na, 162-164, 163f, 822, 822f
        periprotética, 832, 832f, 833f
        placa de compressão bloqueada na, 196f, 829-830, 829f
        planejamento pré-operatório, 818-820, 818f-820f
        posicionamento do paciente na, 821, 821f
        prognóstico, 834
        redução da, 826-832, 826f-833f
        seleção do implante na, 818-819, 819f
        sistema de estabilização menos invasivo na, 829-830, 829f
        via de acesso do encavilhamento retrógrado na, 825, 825f
        via de acesso lateral padrão, 822
        via de acesso lateral padrão modificada, 822, 822f
        via de acesso medial subvasto, 824, 824f
        via de acesso parapatelar na, 823, 823f
        vias de acesso cirúrgicas na, 821-825, 821f-825f
    encavilhamento intramedular na, 221-222
    fixação externa na, 257f
    na osteoporose, 467f-468f, 472f
    no politraumatismo, 220-221
    pediátrica, 381t, 404-413, 404f-414f
    periprotética, 467f-468f, 837-838, 847f, 848-851, 849f-850f
    proximal
        algoritmo para, 779
        anatomia, 774, 775f
        avaliação, 773-774
        características especiais da, 773
        classificação, 43, 43t, 774-776, 775f
        complicações, 786
        configuração da sala de cirurgia para, 780, 780f
        considerações sobre implantes, 776-779, 777f-779f
        cuidados pós-operatórios, 786
        da cabeça do fêmur, 785-786, 785f
        desafios, 782, 784, 786
        desfechos, 786
        diagnóstico, 773-774
        encavilhamento intramedular na, 777-780
        epidemiologia, 773
        exame, 773
        exames de imagem, 774
        fixação da, 782, 783f, 784, 784f, 785, 785f
        história do caso na, 773

indicações cirúrgicas na, 776
intertrocantérica, 782-784, 784f
momento da cirurgia na, 776
osteossíntese com placa minimamente invasiva na, 160, 160f-161f
parafusos dinâmicos de quadril na, 778, 778f
pertrocantérica, 777f
planejamento pré-operatório, 776-780, 777f-780f
prognóstico, 786
redução da, 782, 782f, 784, 784f, 785, 785f
subcapital desviada, 780-782, 781f-783f
subcapital não desviada, 780
vias de acesso cirúrgicas na, 780, 781f, 785
redução da
com encavilhamento intramedular, 228
com parafusos de Schanz, 245f
trocantérica de duas partes, 778f
Fentanila, 441, 441t
Fíbula, fratura da. *Ver também* Maléolo, fratura do
classificação da, 43f, 49
encavilhamento intramedular na, 343f
enxerto ósseo na, 553f
exposta, 334, 346f
fixação externa da, 345f
infecção na, 543f
na fratura do maléolo, 938f, 940f, 941f-942f, 945, 950, 950f, 951, 952f, 954, 954f, 955f
não união da, 519
pediátrica, 417, 418f
placa de compressão dinâmica de baixo contato, 187
placa de suporte na, 191f
via de acesso posterolateral na, 923f
Filosofia da AO, 3
Filtro de veia cava inferior (FVCI), 432
Fio de Kirschner, 101, 109
com placas de compressão bloqueadas, 303f
na aplicação de banda de tensão, 213f
na fixação externa, 261, 262, 397f, 534
na fratura condilar, 398, 399f
na fratura da clavícula, 580, 582f
na fratura da escápula, 569f
na fratura da patela, 858
na fratura da tíbia, 101f, 417
na fratura do fêmur, 404, 413, 413f, 505f
na fratura do maléolo, 950f, 951
na fratura do olécrano, 645-648, 647f
na fratura do rádio, 402, 403f
na fratura do úmero, 593, 598, 598f, 599f, 625
na fratura pediátrica, 392
na fratura supracondilar, 396, 396f
na lesão da articulação tarsometatarsal, 994, 995f

na osteossíntese com placa minimamente invasiva, 157f, 161f, 168f
na osteotomia em plano único, 499, 500f
na osteotomia valgizante, 505f, 507f
na redução com *joystick*, 130, 130f
na redução de Kapandji, 130
no encavilhamento intramedular, 227
no PHILOS, 302f
parafusos com, 283f
retrocesso, 215
Fios de cerclagem, 130, 131f
Fios de Steinmann, na fixação externa, 255, 260
Fise, na fratura pediátrica, 380
Fisioterapia, na fratura diafisária, 91
Fixação. *Ver também* Redução aberta e fixação interna (RAFI); Placas
biomecânica da, 16-19, 17f-19f
cirúrgica
biomecânica da, 19-24, 20f-24f
com estabilidade absoluta, 19-24, 20f-24f
com estabilidade relativa, 16-19, 17f-19f
com hastes intramedulares, 237-238, 237f
consolidação óssea e, 19-20
dos ramos púbicos, 736-737, 736f
externa
aplicações especiais da, 265-266
armação A na, 263
armação bilateral na, 263
armação de alongamento na, 263
armação para sustentação na, 263, 263f
armação unilateral na, 263
biomecânica da, 16-17, 22, 254-255, 255f
braçadeiras na, 260, 261f
cuidados pós-operatórios, 266-267
cuidados no trajeto do Schanz na, 266
diáfise na, 256
dinamização na, 267
elementos da, 260-262, 260f-262f
estabilidade na, 255f
estabilidade relativa da, 16-17
fio de Steinmann na, 255, 260
fixação externa na, 795, 795f
fixador em anel circular na, 262, 262f
fixador externo articulado na, 262
fixador externo híbrido na, 261, 261f
hastes na, 260, 260f
indicações para, 253-254, 254f
infecção após, 266-267
infecção e, 265
metáfise na, 256
montagem da armação na, 263-265, 263f-265f
na artrodese, 265
na consolidação viciosa, 499
na fratura articular, 253-254, 263, 263f
na fratura da tíbia, 256, 258f, 345f
diáfise, 905, 905f, 909

na fratura de anel pélvico, 742, 742f
na fratura diafisária, 90-91
na fratura do fêmur, 257f, 795, 795f, 831, 831f
na fratura do rádio, 686-690, 687f-691f
na fratura do úmero, 259f, 619, 619f
na fratura exposta, 253, 344-345, 345f, 353
na fratura fechada, 253
na fratura pediátrica, 392, 393f, 396, 397f
na fratura supracondilar, 396, 396f
na osteogênese por tração, 266
na osteotomia corretiva, 265
na redução, 121, 254
na redução articular, 266
não união e, 524
no politraumatismo, 253
no transporte ósseo, 266
no tratamento de infecção crônica, 552-553, 552f
osteomielite e, 533f, 534, 544
parafusos de Schanz na, 255, 260, 260f, 264, 264f
parafusos na, 255, 255f
perda de partes moles e, 254
perda óssea e, 254, 353
princípios, 254-256, 257f-259f
rigidez na, 255, 255f
sistema de tubo e haste na, 260, 260f
sistema monolateral na, 261, 261f
suscetibilidade a infecção e, 31
técnica de inserção do Schanz na, 255
técnica de redução modular na, 264-265, 264f, 265f
tempo para a, 267
transição para interna, 267
vantagens, 253
zonas seguras na, 256, 257f-259f
fricção e, 20, 20f
história da, 3-4
na consolidação viciosa, 498-499, 498f, 500f
na fratura articular, 94f
com extensão diafisária, 101f, 102
com extensão metafisária, 101f, 102
indicações, 98
técnicas, 101-102, 101f
na fratura da clavícula, 578-584, 578f-583f
na fratura da escápula, 570, 571f
na fratura da mão, 699, 704
na fratura da patela, 858-860, 859f-861f
na fratura da tíbia
diáfise, 907-909
proximal, 887-893, 887f-894f
na fratura de costela, 325
na fratura diafisária
indicações para, 86-87
técnicas, 90-91
na fratura distal do rádio, 682-684, 683f, 686, 687f

na fratura do acetábulo, 98, 761-767, 763f-767f
na fratura do anel pélvico, 731-742, 731t, 733f-742f
na fratura do antebraço, 645-650, 646f-659f, 668, 668f, 669f
na fratura do calcâneo, 969
na fratura do fêmur
  cabeça do fêmur, 785, 785f
  diáfise, 802-805, 802f-804f
  distal, 826-832, 826f-833f
  pediátrica, 404, 405f-406f
  proximal, 782, 783f, 784, 784f
na fratura do maléolo, 949-956, 950f, 952f-955f
na fratura do pilão, 925-928, 926f, 927f
na fratura do úmero
  diáfise, 619, 619f
  distal, 632-634, 633f, 634f
  proximal, 597-604, 597f-602f
na fratura exposta, 341-346, 342f-346f
na fratura periprotética, 846-848, 847f, 848, 849f
na fratura por fragilidade, 470, 471-475, 472f-474f
no cuidado total precoce para politraumatismo, 76
no planejamento pré-operatório, 108f, 109
osteomielite e, 533-534, 533f, 534f
osteoporose e, 456
pré-tensão compressiva e, 20, 20f
propósito da, 9
provisória, no planejamento pré-operatório, 109
reconstrução de partes moles e, 366
suprimento sanguíneo e, 12
Fixação externa
  aplicações especiais da, 265-266
  armação A na, 263
  armação bilateral na, 263
  armação de alongamento na, 263
  armação para sustentação na, 263, 263f
  armação unilateral na, 263
  biomecânica da, 16-17, 22, 254-255, 255f
  braçadeiras na, 260, 261f
  cuidados no trajeto do Schanz na, 266
  diáfise na, 256
  dinamização na, 267
  elementos da, 260-262, 260f-262f
  estabilidade na, 255
  estabilidade relativa da, 16-17
  fio de Steinmann na, 255, 260
  fixação externa na, 795, 795f
  fixador em anel circular na, 262, 262f
  fixador externo articulado na, 262
  grampo com fio transfixante, 261, 261f
  hastes na, 260, 260f
  indicações para, 253-254, 254f
  infecção após, 266-267
  infecção e, 265
  metáfise na, 256

montagem da armação na, 263-265, 263f-265f
na artrodese, 265
na consolidação viciosa, 499
na fratura articular, 253-254, 263, 263f
na fratura da tíbia, 256, 258f, 345f diáfise, 905, 905f, 909
na fratura de anel pélvico, 742, 742f
na fratura diafisária, 90-91
na fratura do fêmur, 257f, 795, 795f, 831, 831f
na fratura do rádio, 686-690, 687f-691f
na fratura do úmero, 259f, 619, 619f
na fratura exposta, 253, 344-345, 345f, 353
na fratura fechada, 253
na fratura pediátrica, 392, 393f, 396, 397f
na fratura supracondilar, 396, 397f
na osteogênese de distração, 266
na osteotomia corretiva, 265
na redução, 121, 254
na redução articular, 266
não união e, 524
no politraumatismo, 253
no transporte ósseo, 266
no tratamento de infecção crônica, 552-553, 552f
osteomielite e, 533f, 534, 544
parafusos de Schanz na, 255, 260, 260f, 264, 264f
parafusos na, 255, 255f
perda de partes moles e, 254
perda óssea e, 254, 353
princípios, 254-256, 257f-259f
rigidez na, 255, 255f
sistema de tubo e haste na, 260, 260f
sistema monolateral na, 261, 261f
suscetibilidade à infecção e, 31-32
técnica de inserção do pino na, 255
técnica de redução modular na, 264-265, 264f, 265f
tempo para a, 267
transição para interna, 267
tratamento pós-operatório, 266-267
vantagens, 253
zonas seguras na, 256, 257f-259f
Fixador em anel circular, 262, 262f
Fixador externo em anel, 262
Fixador externo híbrido, 261, 261f
Flictenas de fratura, 54, 54f, 140
Flucloxacilina, 424t, 427t
Formação de cápsula fibrosa, propriedades da superfície e, 31-32
Fosfato tricálcico, revestimento com, 33
Fragilidade, 458
Fragmento de Tillaux-Chaput, 914, 924, 924f
Fragmento de Volkmann, 914, 915f, 923, 924, 935
Fraqueza muscular dos abdutores, com encavilhamento intramedular, 226
Fratura. Ver também Fratura articular; Consolidação óssea; Fratura por fragilidade;

Fratura exposta; Fratura pediátrica; Fratura periprotética; ossos específicos
  com depressão fragmentada, 49
  contaminação e, no politraumatismo, 312
  depressão pura, 49
  diafisária
    avaliação inicial, 84-86
    avaliação radiográfica na, 84-86
    banda de tensão na, 212
    considerações funcionais com, 83-84, 83f
    consolidação viciosa na, 496, 496f
    cuidados pós-operatórios, 91
    deformidade em valgo na, 83
    deformidade em varo na, 83
    deformidade residual com, 83
    estado do paciente na, 84
    fisioterapia na, 91
    fixação da
      como padrão-ouro, 90-91
      indicações para, 86-87
      técnicas, 90-91
    gesso na, 87
    grupos na, 44, 44t
    hastes intramedulares na, 90
    helicoidal, definição, 44, 44t, 84
    história do caso na, 84
    incidência de, 84
    incisão e, 143
    lesão arterial na, 84
    lesão de partes moles na, 84, 85f, 86
    lesões associadas com, 86
    macanobiologia da consolidação na, 22-23, 23f
    mecanismo da, 84
    mobilização precoce após, 87
    momento da cirurgia na, 89, 89f
    não união na, 525-526, 526f
    oblíqua, 44, 44t
    padrões de lesão na, 84, 85f
    parafusos na, 90, 91f
    placas na, 90
    planejamento pré-operatório, 90
    princípios do tratamento cirúrgico na, 89-91, 89f
    processo de classificação na, 46, 46t
    radiografias na, 84-86
    redução da, 83f, 85f, 88f, 120
      momento da cirurgia e, 89
      técnicas, 90-91
    síndrome compartimental na, 84
    sintomas, 84
    transmissão de carga na, 91
    transversa, 44, 44t, 84
    tratamento não cirúrgico, 87-89, 88f
    uso de placa em ponte na, 241, 241, 241f
  efeitos bioquímicos da, 10
  efeitos mecânicos da, 10
  extra-articular, definição, 42, 42t
  fragmentada, 49
  hemorragia e, no politraumatismo, 312
  impactada, 49

I-9

isquemia-reperfusão e, no politraumatismo, 312
metafisária
consolidação viciosa na, 495, 495*f*
definição, 42
encavilhamento intramedular na, 230
na classificação, 47, 47*f*, 47*t*
não união na, 525
osteossíntese com placa minimamente invasiva na, 150
parafusos *Poller* na, 230, 230*f*
placas de compressão bloqueadas na, 272*t*, 288*t*, 289, 290*f*
redução da, 133, 133*f*
tipos de, 45, 45*t*
uso de placas em ponte na, 244
multifragmentada, 45, 45*t*, 85*f*
biomecânica da, 19
da patela, 856*f*, 860, 860*f*
definição, 42, 42*t*, 49
do rádio, 650
placas de compressão bloqueadas na, 288*t*
uso de placas em ponte na, 241, 241*f*, 242, 242*f*, 243*f*
no politraumatismo, importância da, 311-312
periarticular, placas de compressão bloqueadas na, 278, 278*f*, 291, 291*f*-293*f*
simples, 42, 42*t*
split, 49
suprimento sanguíneo e, 10-12, 11*f*, 12*f*
tomada de decisão e, 78
tratamento não cirúrgico, 15-16, 16*f*
zonas hipóxicas e, no politraumatismo, 312
Fratura articular
avaliação clínica, 96-98, 97*f*
avaliação da, 96-98, 97*f*
avaliação radiográfica da, 98, 99*f*
com extensão diafisária, 101*f*, 102
com extensão metafisária, 101*f*, 102
completa definida, 42*t*, 43
conceito de banda de tensão na, 210-211, 211*f*
considerações funcionais na, 94-96, 94*f*, 95*f*
consolidação viciosa na, 494, 494*f*
da escápula, 569, 569*f*
da falange, 710-712, 711*f*, 712*f*
da patela, 855*f*
do fêmur, 819, 827-832, 827*f*-833*f*
do metatarso, 996, 997*f*
envelope de partes moles na, 96
exposta, 353
fixação da, 94*f*
com extensão diafisária, 101*f*, 102
com extensão metafisária, 101*f*, 102
indicações, 98
técnicas, 101-102, 101*f*
fixação externa na, 253-254, 263, 263*f*
incisão e, 144
incongruência da superfície articular na, 94, 94*f*

instabilidade na, 95, 95*f*
lesão do ligamento na, 96
ligamentotaxia na, 101
mau alinhamento na, 94
mecanismo da lesão na, 96
mobilização precoce na, 98
momento da cirurgia, 100
movimento passivo contínuo na, 98
na osteoporose, 98
não união na, 524-525
osteoartrite pós-traumática na, 95, 95*f*
parcial, definição, 42*t*, 43, 45, 45*t*
placas de compressão bloqueadas, 291, 291*f*-293*f*, 305
planejamento pré-operatório na, 100-101
por aplicação direta de força, 96, 97*f*
por aplicação indireta de força, 96, 97*f*
princípios, 93-104, 94*f*, 95*f*, 97*f*, 99*f*, 101*f*, 103*f*
radiografias na, 98, 99*f*
redução da, 101, 101*f*
imperfeita, 95*f*
momento da cirurgia e, 100
objetivo, 119
técnicas, 101-102, 101*f*
reparo das partes moles na, 102
situação vascular na, 96
tomografia computadorizada na, 98, 99*f*
tração na, 101, 120-121, 121*f*
tratamento não cirúrgico, 100
tratamento pós-operatório na, 102
Fratura condilar, em paciente pediátricos, 398, 399*f*
Fratura da articulação carpometacarpal do polegar, 704-706, 704*f*-707*f*
articular completa, 706, 706*f*
articular parcial, 704-705, 705*f*
extra-articular, 704
Fratura da asa do ilíaco, redução com afastador de Hohmann, 128-129, 129*f*
Fratura de Bennett, 704-705, 705*f*
Fratura de Galeazzi, 657, 659, 659*f*
Fratura de Holstein-Lewis, 609
Fratura de Monteggia
definição, 657, 658
luxação, posterior, 652-653, 652*f*-653*f*
pediátrica, 401, 401*f*
Fratura de Rolando, 706, 706*f*
Fratura do fêmur associada a bifosfonados, 811, 811*f*, 812*f*
Fratura epicondilar medial, nos pacientes pediátricos, 398, 399*f*
Fratura exposta
articular, 353
avaliação inicial da, 336*t*, 337-338, 338*f*
cirurgia primária na, 339-346, 339*f*, 340*f*, 342*f*-346*f*
classificação da, 335-336, 335*f*, 335*t*
classificação de Gustilo da, 58, 59*t*, 335*t*
classificação de Gustilo-Anderson da, 335*t*
comorbidades com, 334
complicações, 348

cuidados, 336-346, 336*t*, 338*f*-340*f*, 339*t*, 342*f*-346*f*
curativo da ferida na, 346-347, 347*f*
debridamento na, 339-340, 340*f*
desfechos com, 348
do maléolo, 957
do tálus, 978*f*
encaminhamentos a especialistas com, 337
epidemiologia, 334, 334*t*
estabilização da, 341-346, 342*f*-346*f*
etiologia, 332-333, 332*f*, 333*f*
fixação externa na, 253, 344-345, 345*f*, 353
fresagem na, 344, 344*f*
hastes intramedulares na, 343-344, 343*f*, 344*f*
infecção na, 334
irrigação na, 339-340, 340*f*
lesão de partes moles na, 54
lesões vasculares na, 349-350, 349*f*-351*f*
localizações da, 334, 334*t*
mecanismo de lesão, 332-333, 332*f*, 333*f*
metas do tratamento na, 336
microbiologia, 334
momento da cirurgia na, 79*t*, 339, 339*t*
na lesão penetrante, 332, 332*f*
na lesão por esmagamento, 332
na lesão por explosão, 333
nas lesões por arma de fogo, 352, 352*f*
nos pacientes pediátricos, 392
pélvica, 724-725, 725*f*-729*f*
perda óssea na, 353, 354*f*
perspectiva histórica, 331
problemas, 348
profilaxia com antibiótico na, 424, 427*t*
reconstrução das partes moles na, 348, 348*f*
situações especiais com, 349-353, 349*f*-352*f*, 354*f*
terapia com antibiótico na, 338-339, 347
terapia da ferida por pressão negativa, 347, 347*f*
uso de placas na, 342, 342*f*
"zona de lesão" na, 339, 339*f*
Fratura metacarpal do polegar, uso de placas na, 701*t*, 702*f*
Fratura multifragmentada, biomecânica da, 19
Fratura pediátrica
classificação, 383-387, 384*t*-385*t*, 386*f*, 387*f*, 388*t*-390*t*
condilar, 398, 399*f*
considerações sobre crescimento e desenvolvimento na, 379-381, 381*t*
crescimento epifisário na, 380
da tíbia, 381*t*, 415-419, 415*f*, 416*f*, 418*f*, 419*f*
da ulna, 401*f*
de Monteggia, 401, 401*f*
diáfise na, 380
do antebraço, 381*t*, 399-402, 399*f*-403*f*
do fêmur, 381*t*, 404-413, 404*f*-414*f*

do rádio, 399-400, 400f, 402, 402f, 403f
do úmero, 381t, 394-398, 395f-398f
e distúrbios do crescimento, 380
epicondilar medial, 398, 399f
epidemiologia, 379
estabilização cirúrgica da, 392, 393f
estabilização da, 391
exame clínico, 382
exames de imagem, 382-383
exposta, 392
fise na, 380
hastes intramedulares na, 392, 393f, 395f
história do caso na, 382
na Classificação AO Completa das Fraturas Pediátricas em Ossos Longos, 386-387, 386f, 387f, 388t-390t
na classificação de Salter-Harris, 383, 384t-385f
no politraumatismo, 382
placas na, 392
potencial de remodelamento na, 381, 381t
salvação na, 392
supracondilar, 396-398, 396f-398f
tratamento, 391-392, 393f
tratamento aberto da, 391
tratamento fechado da, 391
Fratura periprotética
ao redor do implante, 843, 843f
apofisária, 841
artroplastia de revisão e, 848
avaliação, 839-840, 840f
biomecânica na, 839
causas, 838-839
classificação, 841-843, 841t, 842f-844f
classificação de Vancouver da, 841, 841t, 842f
complicações, 851
condições clínicas ortogeriátricas na, 838-839
configuração da sala de cirurgia na, 845, 845f
demonstração de caso na, 848-851, 849f-850f
desfechos com, 851
diagnóstico, 839-840, 840f
distante do implante, 843
do acetábulo, 837-838
do fêmur, 837-838, 847f, 848-851, 849f-850f
distal, 832, 832f, 833f
do joelho, 838
do úmero superior, 838
encavilhamento intramedular na, 846, 847f
epidemiologia, 837-838, 838t
exame físico, 839
exames de imagem, 839-840, 840f
extra-articular, 841
fatores de risco para, 838-839
fixação interna da, 846-848, 847f
fixação na, 848, 849f
história do caso, 839

interprotética, 843
longe do implante, 843
na fratura distal do fêmur, 832, 832f, 833f
na hemiartroplastia, 843
no leito do implante, 843, 843f
no quadril, 837-838, 838t
parafuso de cabeça bloqueada na, 846
periarticular, 841
placas de compressão bloqueada na, 272t, 277, 277f, 847f
planejamento pré-operatório, 844-845, 844f, 845f, 848
poliperiprotética, 843
reabilitação na, 848, 850f
redução da, 846, 848, 849f
Sistema de Classificação Unificado na, 841-843, 841t, 842f-844f
técnica de artroplastia na, 839
tomada de decisão na, 844, 848
tratamento não cirúrgico, 845
Fratura por fragilidade. *Ver também* Osteoporose
abordagem de equipe com, 459-461
aloenxertos na, 475, 477f
anestesia em pacientes com, 466-467
anestesista na, 460
assistente social na, 461
caminho rápido dos pacientes, 461
cardiologista na, 461
carga após cirurgia para, 471
cimento ósseo na, 474, 474f
cirurgião de trauma na, 460
cirurgião ortopédico na, 460
comanejo na, 459-461
comorbidades com, 457-458
condições preexistentes e, 457-458
considerações sobre as instalações na, 459
consolidação óssea na, 475
Construto da Comorbidade e, 459, 459f
controle da dor e, 462
cuidado vitalício na, 461-462
cuidados pós-operatórios, 463-466
debilidade e, 458
definição, 451
deformação óssea na, 469
delirium e, 463-464
demência e, 458, 463-464
desfechos, 475
desnutrição e, 465
diabetes e, 458
diretrizes, 461
disfunção renal e, 458
doença cardíaca e, 457
doença pulmonar e, 458
enfermeiros ortopédicos na, 460
enxertos ósseos e, 475, 476f
epidemiologia, 451-454, 454f
estabelecimento de metas em pacientes com, 459
estabilidade relativa com, 471, 472f
etiologia, 454-457, 455f-457f
farmacêutico na, 461

fisioterapeuta na, 460-461
fixação, 470, 471-475, 472f-474f
fonoaudiólogo na, 461
fratura do fêmur atípica na, 469
geriatra na, 460
imobilização e, 458-459
imobilização na, 462, 473
incapacidades funcionais e, 458
manejo da transfusão sanguínea e, 464
manejo dos eletrólitos e, 462
manejo hídrico e, 462
manejo ortogeriátrico, 459-462, 459f, 475
mecanismos de lesão na, 456, 457f
mortalidade na, 475
no osso cortical, 455, 455f
nutricionista na, 461
paciente, 457-459
preocupações com as partes moles na, 467, 467f, 468f
prevenção secundária de fraturas na, 465-466
princípios do tratamento cirúrgico na, 467-475, 467f-470f, 472f-474f
protocolos, 461
psiquiatra na, 461
quedas e, 456, 465
reabilitação e, 465
sarcopenia e, 458
terapia anticoagulante em pacientes com, 462-463
terapia ocupacional na, 461
tratamento clínico na, 462-463
tromboprofilaxia na, 464-465
uso de placas na, 471, 472f
Fratura subtrocantérica, 6f
Fratura supracondilar pediátrica, 396-398, 396f-398f
Fratura vertebral, epidemiologia, com osteoporose, 454
Fratura-luxação posterior de Monteggia, 652-653, 652f-653f
Fratura-luxação transolecraniana, 651-652, 651f
Fresagem. *Ver também* Hastes intramedulares
com hastes de Küntscher, 217
consolidação óssea e, 218
embolia pulmonar e, 219
hastes intramedulares sem, 218, 219
na fratura da diáfise do fêmur, 804
na fratura exposta, 804, 804f
necrose térmica e, 227
nos pacientes politraumatizados, 219
orifício distal, 219, 228
resposta local às, 218-219
resposta sistêmica às, 219
suprimento sanguíneo e, 12, 218
técnicas de, 227
vantagens, 218
Fresagem, irrigação e aspiração (RIA), sistema de, 219

Fricção, 20, 20f
FVCI. *Ver* Filtro de veia cava inferior (FVCI)

G

Gabapentina, 440
Gancho ósseo, 129
Gatifloxacino, 542
Gentamicina, 423, 424t, 427t
Gestação, exposição à radiação na, 482
Glicopeptídeos, 424

H

Hastes intramedulares. *Ver também* Fresagem
 alinhamento axial das, 234, 234f
 aspectos atuais das, 220-221
 autodinamização das, 238
 biomecânica das, 17
 canuladas, 218
 comprimento no alinhamento das, 233, 233f
 contraindicações, 238
 controle do alinhamento com, 233-236, 233f-236f
 de Küntscher, 217, 217f
 dinamização das, 238
 em casos retardados, 237
 embolia pulmonar e, 219
 estabilidade relativa das, 17
 fisiopatologia, 218-221
 fraqueza do músculo abdutor com, 226
 infecção crônica com, 560
 mau alinhamento com, 231f, 237
 na clavícula, 223, 579
 na consolidação viciosa, 499
 na fratura da tíbia, 343f
  diáfise, 902-904, 903f, 904f, 905-906, 906f, 907-909
  proximal, 889-890, 889f
 na fratura diafisária, 90
 na fratura do fêmur, 221-222
  colo, 808, 808f
  diáfise, 791, 792f, 793, 799-800, 799f, 800f
  distal, 830-831, 830f, 831f, 834
  pediátrica, 407, 408, 408f-410f
  proximal, 779, 779f
 na fratura do olécrano, 648
 na fratura do úmero, 222, 601, 601f, 603, 609, 617-618, 617f, 618f, 619
 na fratura exposta, 343-344, 343f, 344f
 na fratura metafisária, 230, 230f
 na fratura pediátrica, 392, 393f, 394, 395f
 na fratura periprotética, 846, 847f
 na lesão flutuante do joelho, 227
 na não união, 524, 524f
 na redução, 132
 na tíbia, 221, 222, 227, 227f
 não fresadas sólidas, 218
 não união e, 237
 no antebraço, 222
 no encavilhamento femoral anterógrado, 226-227, 226f
 no encavilhamento femoral retrógrado, 227
 no encavilhamento tibial anterógrado, 227, 227f
 no maléolo lateral, 223
 no politraumatismo, 220-221
 no tratamento da infecção crônica, 553
 osteomielite e, 534, 535f, 538, 538f, 539f-540f, 543
 parafusos bloqueados com, 17, 237-238, 237f
 parafusos *Poller* com, 229-230, 230f
 planejamento pré-operatório com, 223-224, 244f
 posicionamento do paciente com, 223
 preparação do ponto de entrada com, 225, 225f, 226-227, 226f
 resposta local às, 218-219
 resposta sistêmica às, 219
 rotação das, 234-236, 235f, 236f
 seleção de implantes com, 223-224, 244f
 seleção do comprimento com, 223-224, 244f
 seleção do diâmetro, 224, 224f
 sem bloqueio, 218
 sem fresagem, 218, 219
 sem fresagem mas com bloqueio, 218
 sequência de bloqueio com, 231-232, 232f
 sistema bloqueado estável angular com, 218
 sistema de fresagem, irrigação e aspiração com, 219
 técnica do cabo com, 234, 234f
 técnicas de fixação com, 237-238, 237f
 técnicas de inserção, 225-228, 225f-227f
 técnicas de redução com, 228-237, 228f-236f
 tipos de, 217-218, 217f
 universal, 217
 via de acesso cirúrgica com, 225, 225f
HBPM. *Ver* Heparina de baixo peso molecular (HBPM)
Hemostasia, importância da, 142. *Ver também* Suprimento sanguíneo
Heparina, 432
Heparina de baixo peso molecular (HBPM), 432
Hidrocodona, 441, 441t
Hidromorfona, 441, 441t
Hiper-homocisteinemia, 431t
Hipotensão, na fratura da pelve, 723
Hipotermia, no politraumatismo, 74
Hoffmann, Raoul, 3

I

Ibuprofeno, 440t
Idade do paciente, tomada de decisão e, 76
Impactor ósseo, 129
Implantes poliméricos biodegradáveis, 33
Implantes. *Ver também* Fratura periprotética; Placas
 biomecânica dos, 16, 20-22, 21f, 22f
 compatibilidade com a RM, 33
 estabilidade absoluta e, 20-22, 21f, 22f
 estabilidade relativa dos, 16
 indução de tumor e, 32
 infecção associada a, 530-532, 531f
 metais nos, 27
 na consolidação viciosa, 498-499, 498f
 na fratura da clavícula, 576-577, 576f
 na fratura da mão, 701-702, 701t, 702f
 na fratura da patela, 857
 na fratura da tíbia
  diáfise, 901
  proximal, 882
 na fratura do acetábulo, 751
 na fratura do antebraço, 661
 na fratura do fêmur
  diáfise, 793-795, 794f, 795f
  distal, 818-819, 819f
  proximal, 776-779, 777f-779f
 na fratura do maléolo, 946
 na fratura do pilão, 919, 919f, 920f
 na fratura do úmero
  diáfise, 610-611, 610f
  distal, 625
  proximal, 593
 na osteossíntese com placa minimamente invasiva, 153
 na redução, 132-134, 132f, 133f, 134f, 153
 nas placas em ponte, 245-247, 245f-247f
 poliméricos, 33-34
 reações alérgicas e, 32
 remoção dos, 448, 538
 remoção precoce dos, 448
 revestimentos em, 33
 suscetibilidade a infecções com, 31-32
Incidência de Velpeau, 588, 589f
Incisão. *Ver também* Fechamento
 fratura diafisária e, 143
 manuseio de partes moles e, 142, 142f
 redução e, 143-144, 143f, 144f
Inclinação palmar, 674, 674f
Inclinação radial, 674, 674f
Índice tornozelo-braquial (ITB), 54
Indometacina, 440t
Indução de tumor, materiais de implante e, 32
Indução de tumores, materiais de implante e, 32
Infecção. *Ver também* Antibioticoterapia; Osteomielite
 aguda
  antibioticoterapia na, 541-542
  associada ao implante, 530-532, 531f
  classificação da, 529, 530t
  debridamento na, 537-538
  diagnóstico, 536-537
  exames de imagem, 536
  histopatologia, 536-537

início da, 529-533, 530t, 531f, 532f
irrigação na, 538
microbiologia, 536-537
na necrose da borda da ferida, 530
no distúrbio de cicatrização da ferida, 530
no hematoma da ferida, 530
precoce, 530, 530t
remoção do implante na, 538
retardada, 530, 530t
retenção do implante na, 538
tardia, 530, 530t
tratamento, 537-542, 537f-542f
tratamento aberto da, 541
tratamento da ferida por pressão negativa, 541
tratamento fechado da, 541
após fixação externa, 266-267
crônica
  antibioticoterapia na, 556
  bacteriologia, 549
  cobertura das partes moles no tratamento da, 556
  debridamento na, 551, 551f
  diagnóstico, 549-551, 549f, 550f
  encavilhamento intramedular no tratamento da, 553
  enxertos ósseos no tratamento da, 553, 553f, 556
  estabilização na, 551-553, 552f
  exames de imagem na, 549, 549f, 550f
  fixação externa no tratamento da, 552-553, 552f
  histologia, 549
  na não união desvitalizada, 557-558
  na não união hipertrófica, 557, 557f
  no encavilhamento intramedular, 560
  no uso de placas, 559
  reconstrução óssea na, 552f-555f, 553-556
  técnica de Ilizarov no tratamento da, 555, 555f
  técnica de Masquelet no tratamento da, 553-554, 554f
  tração do calo no tratamento da, 555, 555f
  tratamento, 551-560, 552f-555f, 557f, 560f
  uso de placas no tratamento da, 553
diabetes e, 76
fatores de risco, 421t
fixação externa e, 265
materiais do implante e, 31-33
momento da cirurgia e, 78
na fratura exposta, 334, 338
na lesão de Morel-Lavallée, 140-141
na osteossíntese minimamente invasiva, 170
osso-implante, microbiologia, 422
prevenção, 544, 544t
revestimentos dos materiais e, 33
tipos de fratura e, 422
tipos de procedimento cirúrgico e, 422

Inflamação
  na cicatrização de partes moles, 52
  na consolidação de fraturas, 13, 14f
  no politraumatismo, 312-313
Inibidores da COX-2, 440
Intensificador de imagem móvel, 483-485, 483f-485f, 486-488, 487f
ITB. Ver Índice tornozelo-braquial (ITB)

J

Joelho, fratura periprotética do, 838. Ver também Fêmur, fratura do, distal; Patela, fratura da

K

König, Fritz, 3
Küntscher, Gerhard, 3, 4, 4f, 149

L

Lambotte, Alain, 3, 3f, 4, 149
Lambotte, Elie, 3
Lane, William Arbuthnot, 3
LCA. Ver Ligamento cruzado anterior (LCA)
LCP. Ver Ligamento cruzado posterior (LCP)
LCP. Ver Placa de compressão bloqueada (LCP)
LCR. Ver Ligamento colateral radial (LCR)
LCUL. Ver Ligamento colateral ulnar lateral (LCUL)
Lei de Wolff, 455
Lesão cerebral. Ver Trauma craniencefálico
Lesão da articulação radioulnar distal, 695-696, 696f
Lesão da articulação tarsometatarsal
  anatomia, 990
  avaliação, 991-993, 991f-993f
  cuidados pós-operatórios, 994
  divergente, 993f
  divergente lateral completa, 993f
  divergente medial, 993f
  exame físico, 994
  exames de imagem, 991, 992f
  fios de Kirschner na, 994, 995f
  momento da cirurgia na, 993
  padrões de fratura na, 991-993, 991f-993f
  parafusos na, 994, 995f
  planejamento pré-operatório, 993
  tratamento cirúrgico, 994
Lesão de Essex-Lopresti, 654, 654f, 660, 660f
Lesão de Morel-Lavallée, 54, 140-141, 141f
Lesão de partes moles. Ver também Perda de partes moles
  avaliação, 53-55, 54f
  avaliação da fratura na, 55

avaliação da pele na, 53-54
avaliação do estado neurológico na, 54-55
avaliação do estado vascular na, 54
avaliação muscular na, 53-54
biomecânica da, 51, 51t
cicatrização da
  fase inflamatória na, 52
  fase proliferativa na, 52
  fase reparadora na, 52
  fases na, 51, 51t
  respostas fisiopatológicas na, 52
classificação da, 58-68, 59t, 60t, 61f-67f
dano secundário à, 53, 53f
desenluvamento de pele fechada na, 54
e conceito de "zona de lesão", 51
edema na, 53, 53f
exame, 53-55
exposta, 58
fechada, diagnóstico, 53-57, 53f-57f
fechada, tratamento, 53-57, 53f-57f
fisiopatologia da, 51, 51t
flictenas na, 54, 54f
história do caso na, 53
na classificação de Gustilo, 58, 59t
na classificação de Tscherne, 59
na fratura articular, 102
na fratura diafisária, 84, 85f, 86
no politraumatismo, 318t
osteomielite e, 533
resposta sistêmica às, 53
síndrome compartimental na, 55-57, 55f-57f
sistema de graduação da AO para, 60, 61f-67f
suprimento sanguíneo na, 54, 357f
Lesão do nervo ciático, na fratura do acetábulo, 749, 751
Lesão flutuante do joelho, 227
Lesão penetrante, 332, 332f
Lesão por esmagamento, 332
Lesão por explosão, 325-326, 327f, 333
Lesão torácica, no politraumatismo, 324-325, 325f
Lesão uretral, na fratura do anel pélvico, 724
Lesão vascular, na fratura exposta, 349-350, 349f-351f
Lesões por arma de fogo, 53, 352, 352f
Levofloxacino, 542
LHS. Ver Parafusos de cabeça bloqueada (LHS)
Ligamento calcaneocubóideo, 937
Ligamento colateral radial (LCR), 640
Ligamento colateral ulnar lateral (LCUL), 640
Ligamento cruzado anterior (LCA)
  na fratura proximal da tíbia, 880, 880f
  na luxação do joelho, 865, 866, 870, 872
Ligamento cruzado posterior (LCP)
  na fratura proximal da tíbia, 880, 880f
  na luxação do joelho, 865, 866, 870, 871, 872-873

Ligamento iliolombar, 719f
Ligamento oblíquo posterior (LOP), 866, 866f
Ligamento sacroespinal, 719f
Ligamento sacroilíaco anterior, 719f
Ligamento sacroilíaco posterior, 719f
Ligamento sacrotuberoso, 719f
Ligamento talofibular anterior, 837f, 937, 941
Ligamento talofibular posterior, 837f, 937, 941
Ligamentos tibiofibulares, 936, 936f
Ligamentotaxia, na fratura articular, 101
Linezolida, 424
LISS. *Ver* Sistema de estabilização menos invasivo (LISS)
LOP. *Ver* Ligamento oblíquo posterior (LOP)
Lucas-Championnière, 4
Luxações
   cirúrgica anterior do quadril, 760-761, 760f
   da articulação radioulnar distal (ARUD), 657
   do cotovelo, 651-652, 651f, 653, 653f
     na fratura do coronoide, 653, 653f
   do joelho
     anatomia, 866-868, 866f-868f
     avaliação, 868-870, 869f
     avaliação neurovascular na, 868-869
     canto posterolateral na, 866f, 867, 867f, 872, 872f
     canto posteromedial na, 866, 866f, 872, 873f
     complicações, 874
     cuidados pós-operatórios, 873, 873f
     desfechos, 874
     epidemiologia, 865-866
     exame sob anestesia na, 871
     exposta, 869, 869f
     fossa poplítea, 868, 868f
     indicações cirúrgicas na, 870
     ligamento cruzado anterior na, 865, 866, 870, 872
     ligamento cruzado posterior na, 865, 866, 870, 871, 872-873
     ligamentos colaterais na, 872, 872f, 873f
     ligamentos cruzados na, 872-873
     mecanismo extensor na, 868
     momento da cirurgia na, 870
     paralisia do nervo fibular na, 869
     pivô central na, 866
     planejamento pré-operatório, 870-871
     preservação meniscal na, 871, 871f
     reparo da cápsula posterior na, 871
     tomada de decisão na, 870
     tratamento, 870-871
     tratamento primário, 868-870
   do quadril
     cirúrgica anterior, 760-761, 760f
     na fratura do acetábulo, 749

fratura posterior de Monteggia, 652-653, 652f-653f
fratura transolecraniana, 651-652, 651f
momento da cirurgia e, 79t
na fratura da clavícula
   articulação acromioclavicular, 581-583, 582f, 583f
   articulação esternoclavicular, 584

M

MA. *Ver* Manufatura aditiva (MA)
Macrófagos, 52
Magnésio, 440
Maléolo, fratura do. *Ver também* Fíbula, fratura da
   anatomia, 936-938, 936f, 937f
   ângulo talocrural na, 934, 935f
   articulação tibiofibular na, 957, 958f
   avaliação, 933
   características especiais da, 933
   classificação, 938-945, 938f-945f
   complexo tibiofibular inferior na, 936, 936f
   complexos ligamentares colaterais na, 937
   complicações na, 957-959, 958f
   configuração da sala de cirurgia na, 946-947, 947f
   congruência da pinça na, 937-938
   consolidação viciosa na, 510, 511f
   cuidados pós-operatórios, 439t, 956-957
   desafios, 956
   desfechos, 959
   desvio da pinça na, 934, 935
   diagnóstico, 933
   encurtamento da fíbula após, 511f
   epidemiologia, 933
   exame físico, 933
   exames de imagem na, 934-935, 934f, 935f
   exploração medial na, 951-952, 952f
   fio de Kirschner na, 950f, 951
   fixação da, 949-956, 950f, 952f-955f
   fratura do pilão vs., 943
   fratura exposta, 957
   fratura da fíbula na, 938f, 940f, 941, 942f, 945, 950, 950f, 951, 952f, 954, 954f, 955f
   história do caso na, 933
   indicações cirúrgicas para, 945
   infecção na, 543f
   infrassindesmal, 938f, 943, 945, 950-951, 950f
   mecanismos da, 939f, 940f, 941f, 942f, 943-945, 943f-945f
   momento da cirurgia na, 946, 946f
   na osteoporose, 956, 957
   neuropatia periférica, 956
   no diabetes, 956, 959
   parafuso tibiofibular sindesmal de posição, na, 955-956, 955f
   parafusos de tração na, 950f

pediátrica, 386
perda de partes moles na, 377f
placa de proteção na, 951, 952f
placa de suporte na, 951, 952f
planejamento pré-operatório, 946-947, 946f, 947f
posterior, 952f, 953, 953f
posterolateral, 952f, 953, 953f
problemas com partes moles na, 946f, 957
reconstrução fibular na, 949
redução da, 102, 949-956, 950f, 952f-955f
seleção de implantes na, 946
síndrome de dor regional complexa na, 446f
suprassindesmal, 938f, 942f, 945, 954-955, 954f
trans-sindesmal, 938f, 940f, 944, 944f, 945, 945f, 951-953, 952f
via de acesso lateral na, 948, 948f
via de acesso medial na, 948, 948f
via de acesso posterolateral na, 948, 949f
via de acesso posteromedial na, 949, 949f
vias de acesso cirúrgicas na, 948-949, 948f, 949f
Maléolo lateral, hastes intramedulares no, 223
Maléolo medial, osteossíntese com placa minimamente invasiva no, 151
Manufatura aditiva (MA), 35
Mão, fratura da
   anatomia, 699-701, 700f, 701f
   anatomia da articulação carpometacarpal na, 699, 700f
   anatomia da articulação interfalângica na, 700, 700f, 701f
   anatomia da articulação metacarpofalângica na, 700, 700f
   anatomia da falange na, 700, 700f
   anatomia metacarpal na, 699
   cirurgia, 703-704, 703f, 704f
   configuração da sala de cirurgia na, 702, 703f
   cuidados pós-operatórios, 714, 714f
   desfecho, 714
   fixação da, 699, 704
   fratura da articulação carpometacarpal do dedo na, 706
   fratura da articulação carpometacarpal do polegar na, 704-706, 704f-707f
   fratura da falange na, 709-712, 709f-713f
   fratura de Bennett na, 704-705, 705f
   fratura de Rolando na, 706, 706f
   fratura metacarpal na, 707-708, 708f
   fraturas específicas na, 704-712, 705f-712f
   metas do tratamento na, 699
   parafuso de tração na, 704
   placas na, 704

planejamento pré-operatório, 701-702, 701f, 701t, 702f
prognóstico, 714
redução da, 703
seleção de implantes na, 701-702, 701t, 702f
Materiais, 27
compatibilidade com a RM, 33
ductilidade dos, 28
força dos, 28, 28t
indução de tumor e, 32
propriedades de biocompatibilidade dos, 29-32, 30f, 32f
propriedades de superfície dos, 30-31, 30f, 32f
propriedades de torção dos, 29
propriedades mecânicas dos, 27-29, 28t
reações alérgicas e, 32
resistência à corrosão, 29-30, 29f
revestimentos em, 33
rigidez dos, 27-28
suscetibilidade à infecção e, 31-32
Mecanobiologia. *Ver também* Biomecânica
da consolidação direta, 22-24, 23f, 24f
da consolidação indireta, 17-19, 17f-19f
Medicamentos, tomada de decisão e, 77
Membrana interóssea distal (MIOD), 695-696, 696f
Meperidina, 441, 441t
Meropeném, 427t
MESS. *Ver* Escala de gravidade de mutilação da extremidade (MESS)
Metacarpo, fratura do
diáfise, 707
intra-articular, 708
simples, 708, 708f
uso de placas na, 701t
via de acesso cirúrgica, 708, 708f
Metáfise, na classificação de fraturas, 41
Metamizol, 462
Metatarso, fratura do. *Ver também* Lesão da articulação tarsometatarsal
de múltiplos raios, 996, 997f
de um único raio, 996, 996f
instável, 996, 997f
intra-articular, 996, 997f
princípios do tratamento da, 994
proximal do quinto, 998
tratamento, 996-998, 996f, 997f
Metronidazol, 424t
Miniplacas na redução, 131
MIOD. *Ver* Membrana interóssea distal (MIOD)
Mobilização precoce, 443, 443f
nos pacientes com fratura do acetábulo, 769-770
nos pacientes com fraturas articulares, 98
nos pacientes com fraturas diafisárias, 87
Moldagem das placas, 202, 202f
de compressão bloqueada, 153
de compressão dinâmica de baixo contato, 153, 153f

de reconstrução, 192
ductilidade e, 28
estabilidade absoluta e, 198
fixação e, 109
manuseio de partes moles e, 152
na osteossíntese com placa minimamente invasiva, 155, 160, 162, 166, 167f
tubulares, 191, 191f
Momento da cirurgia, 78-79, 79t
considerações sobre partes moles, 140-141, 141f
na fratura articular, 100
na fratura da escápula, 566
na fratura da tíbia
diáfise, 901
proximal, 881
na fratura de clavícula, 576
na fratura diafisária, 89, 89f
na fratura do acetábulo, 100, 751
na fratura do anel pélvico, 732
na fratura do antebraço, 641, 661
na fratura do fêmur
diáfise, 793
distal, 818, 818f
proximal, 776
na fratura do maléolo, 946, 946f
na fratura do pilão, 918, 919f
na fratura do rádio, 678
na fratura do úmero
diáfise, 610
proximal, 593
na fratura exposta, 79t, 339, 339t
na fratura por fragilidade, 467
na lesão da articulação tarsometatarsal, 993
na luxação de joelho, 870
na reconstrução de partes moles, 366
Montagem da armação, na fixação externa, 263-265, 263f-265f
Morfina, 441, 441t, 462
Morfologia, na classificação de fraturas, 42-45, 42t,-45t
Movimento passivo contínuo (MPC), na fratura articular, 98
Moxifloxacino, 542
MPC. *Ver* Movimento passivo contínuo (MPC)
MRSA. *Ver* S. aureus resistente à meticilina (MRSA)
Müller, Maurice E., 4, 5)

N

Não união
aloenxertos na, 522-523
anti-inflamatórios não esteroides e, 77, 518
apresentação clínica, 513-514
articular, 524-525
atrófica
definição, 513
manejo, 519-521

biológica
definição, 513
manejo, 519, 521f
classificação, 514, 514f
defeitos na, 526
definições na, 513
diabetes e, 518, 518f
diafisária, 525-526, 526f
diagnóstico, 513-514
dispositivo de tensão articulado na, 523, 523f
doença renal e, 76
encavilhamento intramedular na, 524, 524f
enxertos ósseos na, 519, 521f, 522
estabilização na, 523-524, 523f, 524f
etiologia, 515-517, 515t, 516f
fatores biológicos na, 515-517, 515t
fatores do paciente na, 518, 518f
fatores mecânicos na, 515, 515t, 516f
fixação externa e, 524
hipertrófica
definição, 513
fixação externa e, 22
nas fraturas expostas, 373f
infectada desvitalizada, 557-558
infectada hipertrófica, 557, 557f
lesões abertas de partes moles e, 58
mecânica
definição, 513
manejo, 519, 519f, 520f
metafisária, 525
na fratura da diáfise da tíbia, 910
na fratura do antebraço, 671
na fratura do fêmur
diáfise, 813
distal, 834
na fratura do úmero, 605
na fratura exposta, 348, 349
na osteoporose, 526
neuropatia e, 518, 518f
tratamento, 518-521, 519f-522f
tratamento cirúrgico, 521-523, 522f
tratamentos adjuvantes na, 523
uso de placas em ponte e, 516f
uso de placas na, 523, 523f
vascularização e, 517, 517f
Naproxeno, 440t
Navicular, fratura do
anatomia, 983-984, 984f
de avulsão cortical, 984, 984f
padrões de fratura, 984-987, 984f-987f
panorama geral, 983, 983f
tratamento, 984-987, 984f-987f
tuberosidade, 986, 986f
uso de bandas de tensão na, 987f
uso de enxertos na, 987
Necrose avascular
na fratura do acetábulo, 770
na fratura do fêmur, 404f, 408, 411, 774, 780, 786
na fratura do tálus, 980
na fratura do úmero, 604, 605

na fratura por fragilidade, 476f
na não união, 517f
Necrose, na consolidação óssea, 13
Nervo axilar, 150
Nervo radial
 na anatomia da diáfise umeral, 608, 608f
 na fratura de Holstein-Lewis, 609
Nervo supraclavicular, na fratura da clavícula, 574, 574f
Nervo ulnar, na fratura distal do úmero, 627
Neuropatia periférica, fratura do maléolo e, 956
Neutrófilos polimorfonucleares (PMNs), 52, 313
NISSSA. *Ver* Escala de lesão do nervo, isquemia, lesão de partes moles, lesão esquelética, choque e idade do paciente (NISSSA)

O

Óculos com proteção de chumbo, 486
Ocupação do paciente, tomada de decisão e, 77
Olécrano, fratura do. *Ver também* Antebraço, fratura do
 cuidados pós-operatórios, 438t
 encavilhamento intramedular na, 648
 fios de banda de tensão na, 645-648, 647f
 fios de Kirschner na, 645-648, 646f
 redução da, 645-648, 646f, 647f
 uso de placas na, 647-648, 647f
 vias de acesso cirúrgicas, 643
Ombro flutuante, 570
OMI. *Ver* Osteossíntese minimamente invasiva (OMI)
OPMI. *Ver* Osteossíntese com placa minimamente invasiva (OPMI)
Osso, características e consolidação, 10
Osso cortical
 consolidação, vs. osso esponjoso, 14
 osteoporose no, 455, 455f
Osso esponjoso
 biomecânica da fratura no, 23
 consolidação, vs. osso cortical, 14
 osteoporose no, 455, 456f
Osso metacarpal, anatomia, 699
Osteoartrite pós-traumática
 na fratura articular, 95, 95f
 na fratura da patela, 864
 na fratura do calcâneo, 972
 na fratura do pilão, 930
 na fratura do tálus, 980
Osteogênese de distração, fixação externa na, 266
Osteomielite. *Ver também* Infecção
 aguda, 532, 532f
 classificação, 548
 com artrite séptica concomitante, 532-533, 532f

cortical, 547, 547f
crônica, 533
dano às partes moles e, 533
difusa, 532f
fatores de risco para, 533-534, 533f, 534f
fixação externa e, 533f, 534, 544
localizada, 532f
medular, 532f
negligenciada, 533
recorrência da, 560, 560f
superficial, 532f
técnicas de fixação e, 533-534, 533f, 534f
uso de hastes intramedulares e, 534, 535f, 538, 538f, 539f-540f, 543
uso de placas e, 534, 534f
Osteoporose
 comorbidades com, 457-458
 definição, 451
 epidemiologia, 451-454, 454f
 fixação da fratura articular na, 98
 fixação e, 456
 fratura comum na, 451
 fratura do acetábulo na, 769
 fratura do maléolo na, 956, 957
 fratura do pilão na, 928
 fratura do úmero na, 623
 fraturas múltiplas na, 451, 452f-453f
 medicação, 466
 medição da, 456
 não união na, 526
 no osso cortical, 455, 455f
 no osso esponjoso, 455
 parafusos de cabeça bloqueada na, 284, 284f
 parafusos na, 273f, 274f, 276f
 placas de compressão bloqueada na, 272, 272t, 273f-276f, 288t, 289, 290f
 quedas e, 456
Osteossíntese. *Ver também* Osteossíntese minimamente invasiva (OMI)
 história da, 149
 propriedades de superfície e, 30
 rigidez e, 27
Osteossíntese com placa minimamente invasiva (OPMI). *Ver também* Osteossíntese minimamente invasiva (OMI)
 cerclagem na, 152
 cuidados pós-operatórios, 154
 em segmentos ósseos específicos, 154-170, 155f-169f
 estabilidade absoluta na, 153
 estabilidade na, 149, 153
 estabilidade relativa na, 153
 exames de imagem, 154
 implantes na, 153
 indicações, 150
 manuseio das partes moles na, 152
 na clavícula, 155, 155f, 579, 579f
 na diáfise da tíbia, 166, 166f-167f
 na diáfise do fêmur, 151, 162, 162f, 794, 794f

na diáfise do úmero, 151, 158-160, 158f, 159f, 615-617, 616f, 617f
na porção distal da diáfise da tíbia, 151
na porção distal da tíbia, 168-170, 168f-169f
na porção distal do fêmur, 162-164, 163f, 822, 822f
na porção proximal da tíbia, 164, 165f
na porção proximal do fêmur, 160, 160f-161f
na porção proximal do úmero, 150, 156, 156f-157f, 602
no maléolo medial, 151
placa-lâmina angulada na, 206f, 207f
placas de compressão bloqueada na, 153, 272t, 278, 279f, 294, 294f, 302f
placas de compressão dinâmica de baixo contato na, 153, 153f
planejamento pré-operatório, 150-154, 151f-153f
plano alternativo na, 154
redução na, 151-152, 151f, 152f
uso de placa em ponte na, 249f
zonas de perigo na, 150-151
Osteossíntese minimamente invasiva (OMI)
 colapso cutâneo com, 170
 complicações, 170
 conjunto de passador de fio, 131f
 consideração das partes moles na, 141
 consolidação retardada na, 170
 consolidação viciosa na, 170
 definição, 149
 educação na, 171
 estabilidade na, 149
 falha do implante na, 170, 171f
 infecção profunda na, 170
 não união na, 170
 pinça de redução colinear na, 123t
 remoção do implante na, 171
Osteostomia em chevron, na fratura distal do úmero, 629, 629f
Osteotomia
 biomecânica dos parafusos na, 176, 177f
 diafisária, 499
 do olécrano, 293f, 625, 626, 627f, 628-629
 em plano único, na consolidação viciosa, 499, 500f
 fixação externa na, 265
 fluxo sanguíneo e, 11
 intra-articular, na consolidação viciosa, 494, 494f
 metafisária, 499
 na consolidação viciosa, 493, 493f, 497f
 na consolidação viciosa da clavícula, 501
 na consolidação viciosa da tíbia, 506-510, 508f, 509f
 na consolidação viciosa diafisária, 496, 496f
 na consolidação viciosa do antebraço, 504, 504f
 na consolidação viciosa do fêmur, 504-506, 506f, 507f

na consolidação viciosa do tornozelo, 510, 511f
na consolidação viciosa do úmero, 501-504, 501f-503f
na consolidação viciosa metafisária, 495, 495f
na osteossíntese com placa minimamente invasiva, 154
no planejamento pré-operatório, 111, 111f
osteogênese de distração e, 266
para discrepância de comprimento, 493, 493f
parafusos de tração na, 21f
transporte ósseo e, 266
uso de hastes intramedulares, na consolidação viciosa, 499
uso de placas, na consolidação viciosa, 498, 498f
Osteotomia corretiva, fixação externa na, 265
Osteotomia do olécrano, 293f, 625, 626, 627f, 628-629
Oxicodona, 441, 441t

P

Padrões moleculares associados ao dano (DAMPs), 313
Padrões moleculares associados ao patógeno (PAMPs), 313
Paracetamol, 437, 440t, 462
Parafusos. *Ver também* Fixação; Placas
  afrouxamento dos, 182, 182f
  automacheantes, 178, 178f, 283f
  autoperfurantes, 178, 179f, 283f
  biomecânica dos, 175-176, 175f-177f
  bloqueados
    hastes intramedulares e, 17, 217, 237-238, 237f
    mecanismo, 179t
  calor gerado por, 175
  características do desenho dos, 173, 174f
  chaves de fenda com limitação de torque e, 181
  com placa, mecanismo dos, 179t
  compressão aplicada pelos, 176, 177f, 181, 181f, 182, 182f
  convencionais, 173
  de ancoragem
    mecanismo, 179t
    na fratura da tíbia, 415f, 416f
  de cabeça bloqueada (LHS)
    acessório de limitação de torque com, 282
    bicorticais, 284, 284f
    características, 200, 200f, 201f
    como parafusos de posição, 282, 282t
    como parafusos de redução, 282t
    como parafusos de tração, 282t
    estabilidade com, 173
    funções, 282, 282t, 283f
    mecanismo, 175f, 179t
    monocorticais, 286, 287f
    na fratura da tíbia, 283f
    na fratura do úmero, 286f, 625
    na fratura periprotética, 846
    na fratura por fragilidade, 473
    na história das placas bloqueadas, 269f, 270
    na osteoporose, 284, 284f
    na osteossíntese com placa minimamente invasiva, 167f
    nas placas de compressão bloqueada, 193f, 195
    número de, 286
    princípios da aplicação, 280-286, 280f, 281f, 282t, 283f-287f
    rosca nos, 177
    subcorticais, 285, 285f
    tipos de, 282, 282t, 283f
  de osso esponjoso, rosca nos, 177
  de posição
    mecanismo, 179t
    na redução, 102
    parafusos de cabeça bloqueada como, 282, 282t
  de puxa-empurra, mecanismo dos, 179t
  de redução
    mecanismo, 179t
    na osteossíntese com placa minimamente invasiva, 159f, 162f, 165f, 167f
    parafusos de cabeça bloqueada como, 282t
  de Schanz
    na fixação externa, 255, 260, 260f, 264, 264f
    na fratura do fêmur, 795, 795f, 803f
    na redução, 228, 228f, 245f
    na redução modular, 264, 264f
  de tração
    aplicações clínicas, 183-184, 183f, 184f
    biomecânica dos, 20-21, 21f
    compressão com, 20, 20f
    estabilidade absoluta e, 20-21, 21f, 173, 198-199, 198f, 199f
    mecanismo, 179t
    na compressão interfragmentar, 179-180, 180f, 181f
    na fratura da mão, 704
    na fratura da patela, 861f
    na fratura da tíbia pediátrica, 415f, 416f
    na fratura diafisária, 80, 81f
    na fratura do anel pélvico, 757f
    na fratura do colo do fêmur, 806, 806f
    na fratura do fêmur, 7f
    na fratura do maléolo, 950f
    na fratura do navicular, 986, 986f
    na fratura do tálus, 977, 977f
    na fratura do úmero, 600, 600f
    na região epifisária, 184, 184f
    na região metafisária, 184, 184f
    nas placas de suporte, 203, 203f
  parafuso completamente rosqueado como, 179-180, 180f
  parafusos de cabeça bloqueada como, 282t
  parafusos parcialmente rosqueados como, 180, 181f
  posicionamento dos, 183, 183f
  um vs. dois, 177f
  denominação dos, 173, 174f
  dinâmicos do quadril (DHS)
    desenho dos, 196f
    na fratura proximal do fêmur, 778, 778f
    na osteossíntese minimamente invasiva, 160
  embutidor com, 176, 176f
  força axial produzida pelos, 175, 175f
  força tangencial com, 174f, 175
  função, 179, 179t
  inserção dos, 182-183, 182f, 183f
  modos de falha, 183
  na fratura da diáfise da tíbia, 908
  na fratura do maléolo, 179t
  na fratura do pilão, 927, 927f
  na fratura do tálus, 965, 968f
  na lesão da articulação tarsometatarsal, 994, 995f
  nas placas de compressão bloqueada, 192, 193f
  nas placas de compressão dinâmica de baixo contato, 187-188, 187f
  necrose térmica com, 175
  no osso osteoporótico, 273f, 274f, 276f
  Poller
    mecanismo, 179t
    na fratura metafisária, 230, 230f
    na redução com hastes intramedulares, 229-230, 230f
  poliaxiais, nas placas de compressão bloqueada, 194, 194f
  pontas dos, 177-179, 178f, 179f
  pré-tensão e, 173
  roscas dos, 177
  torque com, 175-176
  unicorticais, na redução, 134
Parafusos de titânio, 21
Paralisia do nervo fibular, 869
Paralisia do nervo interósseo anterior, 670
Paralisia do nervo interósseo posterior, 670
Paralisia do nervo supraescapular, 570
Partes moles
  fixação externa e perda de, 254
  incisão e, 142, 142f
  momento da cirurgia e, 140-141, 141f
  na cirurgia de fratura por fragilidade, 467, 467f, 468f
  na osteossíntese com placa minimamente invasiva, 152
  na pelve, 718
  placas em ponte e, 248-250, 249f
  via de acesso cirúrgica e, 139, 139f
Partes moles, anatomia das, 137-139, 138f
Partes moles, fatores relacionados na tomada de decisão, 78

Partes moles, suprimento sanguíneo para, 137-139, 138f
Patela alta, 854, 864, 854f
Patela baixa, 864
Patela bipartida, 854-855
Patela, fratura da
    anatomia, 854-855, 854f
    articular completa, 855f
    articular parcial, 855f
    artrite pós-traumática na, 864
    avaliação, 853-854, 854f
    avulsão, 856f
    características especiais da, 853
    cicatrização da ferida na, 863
    classificação, 855, 855f, 856f
    complicações, 863-864
    conceito de banda de tensão na, 210-211, 211f, 213, 213f, 214f, 215
    configuração da sala de cirurgia na, 857, 857f
    cuidados pós-operatórios, 439t, 862
    desafios, 862
    desfechos, 864
    diagnóstico, 853
    em cunha, 856f
    epidemiologia, 853
    exame físico, 853
    exames de imagem, 854
    extra-articular, 855f
    fechamento da ferida na, 862
    fixação na, 858-860, 859f-861f
    fraturas em desenluvamento, 862
    história da, 853
    história do caso na, 853
    indicações cirúrgicas para, 855
    infecção na, 557f, 863
    lateral, 856f
    medial, 856f
    multifragmentada, 856f, 860, 860f
    patela alta na, 864
    patela baixa na, 864
    patela bipartida vs., 854-855
    patelectomia na, 862
    patelectomia parcial na, 862, 863f
    perda da redução na, 863
    perda de movimento na, 863
    planejamento pré-operatório, 857, 857f
    prognóstico, 864
    redução da, 858, 863
    seleção de implantes na, 857
    simples, 856f
    vias de acesso cirúrgicas, 858, 858f
Patelectomia, 862, 863f
Pauwels, Frederic, 209
PC-Fix, 5, 270
Pé mutilado, 998, 999f
PEEK. *Ver* Poli-éter-éter-cetona (PEEK)
PEKK. *Ver* Poli-éter-cetona-cetona (PEKK)
Pele, avaliação na lesão de partes moles, 53-54
Pele, suprimento sanguíneo para a, 137-138, 138f

Pelve
    estrutura osteoligamentar na, 718, 719f
    estruturas neurovasculares na, 718
    partes moles na, 718
Pelve, fratura da. *Ver também* Acetábulo, fratura do; Anel pélvico, fratura do
    controle da hemorragia na, 324
    liberar a pelve, 723
    profilaxia do tromboembolismo na, 433-434, 433t
    sangramento intra-abdominal e, 723
Perda de partes moles. *Ver também* Lesão de partes moles
    aspectos organizacionais do cuidado inicial na, 364
    avaliação da fratura na, 360
    avaliação das partes moles na, 358-360, 359f, 360t
    avaliação do paciente na, 358, 358f
    avaliação dos defeitos na, 358-360, 358f, 359f, 360t
    cirurgião de trauma na, 364
    cirurgião ortopédico na, 364
    cirurgião plástico, 365
    coloração acizentada na, 359
    coloração azulada na, 359
    desafio da, 357
    enchimento capilar na, 359, 359f
    estadiamento dos procedimentos na, 366
    manejo inicial na, 364
    na extremidade inferior, 363
    no membro superior, 362, 362f, 363f
    perfusão cutânea na, 359, 359t
    pulso na, 360
    reconstrução na, 366-376, 367f, 369f, 371t, 373f-375f
    salvação do membro vs. amputação precoce na, 361-364, 361f-363f
    tomada de decisão interdisciplinar na, 364-366, 365f
    viabilidade muscular na, 359
Perfurantes musculares verdadeiros, 137
Perkins, George, 4
Pérolas de antibióticos, técnicas com
    na fratura exposta, 338-339, 347
    na infecção crônica, 556
    no fechamento, 146, 147f
Perren, Stephen, 5
"Personalidade" da lesão, 73, 73f, 76-78
PHILOS, 196f
    na fratura do úmero, 157f, 158f, 307f, 476f, 602, 611
    parafuso de cabeça bloqueada na, 473
Pilão, fratura do
    anatomia na, 914, 915f-917f
    angiossomas na, 914, 916f
    artrite pós-traumática na, 930
    avaliação, 914
    características especiais da, 913
    classificação, 918
    cominução articular na, 914
    cominução central na, 914
    cominução lateral na, 914

    cominução medial na, 914
    complicações, 928-930
    configuração da sala de cirurgia na, 921, 921f
    cuidados pós-operatórios, 928
    desafios com, 928, 929f
    desfechos, 930
    diagnóstico, 914
    epidemiologia, 913
    exame físico, 914
    exames de imagem, 914
    exposta, 922, 922f
    fixação da, 925-928, 926f, 927f
    fragmento anterolateral na, 914, 915f, 924, 924f
    fragmento maleolar medial na, 914, 915f
    fragmento posterolateral na, 914, 915f, 924
    fragmentos na, 914, 915f
    fratura do maléolo vs., 943
    história da, 913
    história do caso na, 914
    indicações cirúrgicas na, 918
    momento da cirurgia na, 918
    na osteoporose, 928
    parafusos na, 927, 927f
    placa de compressão bloqueada na, 926f
    placa de suporte na, 927, 927f
    placa em ponte na, 923
    planejamento pré-operatório, 918-921, 919f, 920f, 923
    posição do pé e, 913, 913f
    prognóstico, 930
    redução aberta e fixação externa na, 918
    redução da, 925, 925f
    seleção do implante na, 919, 919f, 920f
    terapia da ferida por pressão negativa, 922, 922f
    uso de placas na, 920f, 923, 927, 927f
    via de acesso anterior na, 924
    via de acesso fibular na, 923
    via de acesso posterolateral na, 923, 923f, 925
    vias de acesso cirúrgicas na, 922-924, 923f, 924f
Pinça
    considerações sobre as partes moles, 142
    de Farabeuf, 123t, 127, 127f
    de Jungbluth, 123t, 127, 127f
    de Matta, 123t, 126
    de redução
        colinear, 123t, 126, 126f, 151f
        com pontas, 122t, 124, 124f
        denteada, 122t, 125, 125f
        pélvica, 123t, 126, 126f, 127, 127f
    de redução colinear, 123t, 126, 126f, 151f
    de Verbrugge, 122t, 125, 125f
    de Weber, 122t, 124, 124f
    para segurar osso, 122t, 125, 125f
Pinça de redução pélvica angulada, 123t, 126

Pinça de redução pélvica com ponta esférica, 126, 126f
Piperacilina, 424t, 427t
Piritamida, 462
Placas. *Ver também* Fixação; Implantes; Osteossíntese com placa minimamente invasiva (OPMI); Parafusos; *placas específicas*
   anatomicamente moldadas, na redução, 134, 134f
   biomecânica das, 21-22, 22f, 186t
   compressão com pré-tensionamento, 201, 201f
   desenhos das, 185-197, 186f-194f, 186t, 196f, 197f
   em ponte, 204-205, 205f
   especiais, 195, 196f, 197f
   estabilidade absoluta das, 21-22, 22f, 198-202, 198f-202f
   evolução das, 270f
   funções das, 186t, 202
   interface placa-osso, 269, 269f
   lâmina angulada, redução com, 132f, 133, 206, 206f
   moldagem das, 202, 202f
      de compressão bloqueada, 153
      de compressão dinâmica de baixo contato, 179t
      de reconstrução, 192
      ductilidade e, 28
      estabilidade absoluta e, 198
      fixação e, 109
      manuseio de partes moles e, 152
      na osteossíntese com placa minimamente invasiva, 155f, 160, 162, 165f, 166
      tubulares, 191, 191f
   na fratura da clavícula, 576-577, 576f, 578, 578f, 580-583, 580f-583f
   na fratura da diáfise da tíbia, 904-905, 905f, 906-907, 907f, 908
   na fratura da diáfise do fêmur, 792, 793-794, 794f, 800-801, 800f, 801f, 809, 809f
   na fratura da escápula, 570, 571f
   na fratura da mão, 704
   na fratura diafisária, 90, 91f
   na fratura do calcâneo, 970f
   na fratura do cuboide, 989f
   na fratura do olécrano, 647-648, 647f
   na fratura do pilão, 920f
   na fratura do rádio, 648-650, 648f, 649f, 679-684, 680f-683f, 684-686, 687f
   na fratura do tálus, 977
   na fratura epifisária, 396-397, 397f
   na fratura pediátrica, 392
   na fratura por fragilidade, 471, 472f
   na infecção crônica, 559-560
   na mão, 699, 699f
   nas falanges, 701t, 702f
   no metacarpo do polegar, 701t, 702f
   no tratamento da infecção crônica, 553
   nos metacarpais, 701t
   osteomielite e, 534, 534f
   porose transitória com, 11

   redução sobre, 132-134, 132f-134f
   suprimento sanguíneo e, 11
Placa antideslizante, 203, 203f. *Ver também* Placa de suporte
   parafusos de tração na, 203, 203f
   placa tubular como, 191, 191f
   redução com, 133, 133f
Placa com banda de tensão
   critérios para, 203
   funções, 204
   na consolidação viciosa, 498f
   na fratura do olécrano, 645-648, 647f
   na fratura navicular, 987f
   no fêmur, 212f, 498f
Placa de compressão bloqueada (LCP)
   aplicação híbrida da, 287, 294f, 295f
   biomecânica da, 17, 21-22, 192-194, 193f, 194f, 288-289, 288t
   características da, 287
   como uma placa em ponte, 247, 247f, 301, 302f-304f
   comprimento da, 297-300, 298f-301f
   de ângulo variável, 271, 271f, 846
   desenho da, 192-194, 193f, 194f
   do olécrano, 196f
   em ossos moles, 277, 277f
   em ossos pequenos, 277, 277f
   estabilidade absoluta com, 289-294, 290f-294f, 305
   estabilidade relativa da, 17, 294-305, 295f-307f
   evolução da, 5
   híbrida, 287, 294f, 295f
   história da, 270, 270f, 271
   indicações para, 272-279, 272t, 273f-279f
   metafisária, 196f
   modos de falha da, 305
   moldagem da, 153
   na cirurgia de revisão, 277
   na consolidação viciosa, 498
   na fratura articular, 291, 291f-293f, 305
   na fratura da clavícula, 576
   na fratura da tíbia, 196f, 292f, 295f, 296f, 303f, 304f, 306f, 908
   na fratura diafisária, 289
   na fratura do antebraço, 289
   na fratura do fêmur, 196f, 829-830, 829f
   na fratura do fêmur pediátrica, 404, 405f-406f
   na fratura do pilão, 926f
   na fratura do rádio, 197f
   na fratura do úmero, 196f, 197f, 291f, 610f, 611f, 619, 620f, 621f, 630, 631f, 633-634, 633f
   na fratura metafisária, 272t, 288t, 289, 290f
   na fratura multifragmentada, 288t
   na fratura periarticular, 278, 278f, 291, 291f-293f
   na fratura periprotética, 272t, 277, 277f, 846, 847f
   na osteoporose, 272, 272t, 273f-276f, 288t, 289, 290f

   na osteossíntese com placa minimamente invasiva, 153, 272t, 278, 279f, 294, 294f, 302f
      na clavícula, 155
   no estoque ósseo pobre, 272-277, 272t, 273f-277f
   no uso de placas em ponte, 247, 247f
   orifícios combinados na, 192, 193f
   parafusos na, 192, 193f
   parafusos poliaxiais na, 194, 194f
   planejamento pré-operatório com, 195
   suprimento sanguíneo e, 11, 11f
   suscetibilidade a infecções com, 31
   técnica de aplicação, 194-195
Placa de compressão dinâmica (DCP). *Ver também* Placa de compressão dinâmica de baixo contato (LC-DCP)
   como placa em ponte, 245
   na fratura da diáfise do úmero, 610
   na fratura do anel pélvico, 735f
   suprimento sanguíneo e, 11, 11f, 185
Placa de compressão dinâmica de baixo contato (LC-DCP). *Ver também* Placa de compressão dinâmica (DCP)
   como placa de suporte, 189, 189f
   compressão com, 202
   desenho da, 186-188, 186f-189f
   dispositivo de tensão articulado com, 188
   funções, 186
   guias de perfuração na, 189, 189f
   moldagem da, 153, 153f
   na fratura do anel pélvico, 735f, 740
   na fratura do antebraço, 187
   na fratura do úmero, 610f, 625
   na osteossíntese com placa minimamente invasiva, 153, 153f
   orifícios do parafuso na, 187-188, 187f
   pegada da, 186
   suprimento sanguíneo e, 11, 11f, 185
   tamanhos da, 187
   técnica de aplicação, 188-190, 189f, 190f
Placa de proteção
   definição, 21
   estabilidade absoluta e, 198-199, 198f, 199f
   na osteossíntese minimamente invasiva, 149
   na redução, 90
Placa de reconstrução
   desenho da, 192, 192f
   na osteossíntese com placa minimamente invasiva, 144
Placa de redução, 165f, 206, 206f, 207f
Placa de suporte, 203, 203f. *Ver também* Placa antideslizante
   biomecânica da, 21
   na fratura do fêmur, 829-830, 829f
   na fratura do maléolo, 951, 952f
   na fratura do pilão, 927, 927f
   parafusos de tração na, 203, 203f
   placa de compressão dinâmica de baixo contato como, 189, 189f

placa tubular como, 191, 191f
redução com, 133, 133f
Placa em ponte, 204-205, 205f
　biológica, 241
　biomecânica da, 17, 21, 204-205, 205f
　calo e, 242, 242f, 243f
　considerações sobre implantes, 245-247, 245f-247f
　considerações sobre partes moles, 248-250, 249f
　da fratura subtrocantérica, 6f
　estabilidade e, 241
　estabilidade relativa da, 17
　na fratura da tíbia, 85f, 248, 249f, 251f
　na fratura de clavícula, 578
　na fratura diafisária, 241, 242, 242f
　na fratura do pilão, 923
　na fratura do rádio, 694, 694f
　na fratura metafisária, 244
　na fratura multifragmentada, 241, 241f, 242, 242f, 243f
　na fratura simples, 242, 242f
　na fratura subtrocantérica, 6f
　na osteossíntese com placa minimamente invasiva, 249f
　placa de compressão bloqueada, 247, 247f, 301, 302f-304f
　placa de compressão dinâmica como, 245
　redução indireta com, 244-245, 244f
　técnica de Masquelet e, 250
　teoria do *strain* de Perren e, 242, 242f
Placa palmar, na fratura do rádio, 679-684, 680f-683f
Placa tubular
　como placa de suporte, 191, 191f
　desenho da, 190-192, 190f, 191f
　empilhada, 191
　na osteossíntese com placa minimamente invasiva, 164, 165f
Placa-lâmina condilar, redução com, 132f, 133, 206, 206f
Placas biológicas. *Ver* Placa em ponte
Planejamento pré-operatório
　avaliação no, 106
　com hastes intramedulares, 223-224, 244f
　com placas de compressão bloqueada, 195
　consumação do, 111, 111f
　equipamentos no, 109, 109f
　exames de imagem no, 106, 107
　fechamento no, 109
　fixação no, 108f, 109
　inadequado, problemas com, 105
　materiais para, 107
　método para, 106-111, 107f-111f
　na consolidação viciosa, 497, 497f
　na fratura articular, 100-101
　na fratura da clavícula, 576-577, 576f, 577f
　na fratura da escápula, 566
　na fratura da mão, 701-702, 701f, 701t, 702f

na fratura da patela, 857, 857f
na fratura da tíbia
　diáfise, 901-902, 902f
　proximal, 881-882, 882f
na fratura diafisária, 90
na fratura do acetábulo, 751-752, 752f
na fratura do antebraço, 641-643, 642f, 643f, 661-662, 661f, 662f
na fratura do calcâneo, 965
na fratura do fêmur
　diáfise, 793-795, 794f, 796f
　distal, 818-820, 818f-820f
　proximal, 776-780, 777f-780f
na fratura do maléolo, 946-947, 946f, 947f
na fratura do pilão, 918-921, 919f, 920f, 923
na fratura do rádio, 678, 678f
na fratura do tálus, 975-976
na fratura do úmero
　diáfise, 610-612, 610f-612f
　distal, 625-626, 625f, 626f
　proximal, 593, 593f
na fratura periprotética, 844-845, 844f, 845f, 848
na lesão da articulação tarsometatarsal, 993
na luxação do joelho, 870-871
na osteossíntese com placa minimamente invasiva, 150-154, 151f-153f
razões para, 105
reconstrução no, 107-108, 107f, 108f
redução no, 109
regime pós-operatório, 109
tática cirúrgica no, 109-110, 109f, 110f, 112f
tomada de decisão na, 108-109
PMMA. *Ver* Polimetilmetacrilato (PMMA), pérolas de, impregnadas com aminoglicosídeos
PMN. *Ver* Neutrófilos polimorfonucleares (PMNs)
Poli-éter-cetona-cetona (PEKK), 34
Poli-éter-éter-cetona (PEEK), 34
Polifarmácia, 461
Polimetilmetacrilato (PMMA), pérolas de, impregnadas com aminoglicosídeos
　na fratura exposta, 338-339, 347
　no fechamento, 146, 147f
Politraumatismo
　avaliação primária no, 74
　avaliação secundária no, 74
　cirurgia como um "segundo impacto" no, 220, 314-315, 314f, 315t
　cirurgia de controle de danos no, 75, 75f
　coagulopatia no, 314-315, 314f, 318t
　controle de danos ortopédicos no, 220, 311-312, 317-319, 318t, 319t
　cuidado apropriado precoce no, 76, 312, -312
　cuidado total precoce no, 75-76, 211, 220, 311-312, 319, 319t
　cuidados definitivos no, 75-76, 75f
　definição, 311

fisiopatologia no, 312-315, 314f, 315t
fixação externa no, 253
fratura da diáfise femoral no, 220-221
fresagem e, 219
hastes intramedulares no, 220-221
hipotermia no, 74
importância da fratura no, 311-312
lesão cerebral traumática, 324
lesão torácica no, 324-325, 325f
lesões isoladas no, 76
momento da cirurgia no, 79t
na lesão por explosão, 325-326, 327f
nos pacientes pediátricos, 382
padrões de lesão específicos no, 320-326, 320f-323f, 325f, 327f
profilaxia do tromboembolismo no, 433
reações ao, 313
reações sistêmicas ao, 313
reanimação no, 74, 315-316
síndrome da resposta inflamatória sistêmica no, 312, 313
sistema cardiovascular no, 312, 382
tomada de decisão no, 74-76, 74f, 75f
"tríade letal" no, 314, 314f
Pós-operatório, cuidados e manejo
atividade no, 444, 444f
avaliação radiográfica no, 444, 447-448
carga no, 444, 444f
comunicação no, 444
curativos no, 442
elevação do membro lesado no, 438t-439t, 442-443, 443f
manejo da dor no, 437-442, 437f, 440t, 441t
mobilização precoce no, 443, 443f
monitoração no, 447-448
na fase pós-operatória imediata, 437-444, 437f, 438t-439t, 440t, 441t, 443f, 444f
na fixação externa, 266-267
na fratura articular, 102
na fratura da clavícula, 584
na fratura da escápula, 570
na fratura da mão, 714, 714f
na fratura da patela, 439t, 862
na fratura da tíbia, 439t, 894, 909
na fratura diafisária, 91
na fratura do acetábulo, 769-770
na fratura do anel pélvico, 743
na fratura do antebraço
　diáfise, 670
　proximal, 655
na fratura do calcâneo, 439t, 972
na fratura do fêmur, 438t, 439t
　distal, 834
　proximal, 786
na fratura do maléolo, 439t, 956-957
na fratura do olécrano, 438t
na fratura do pilão, 928
na fratura do rádio, 438t
na fratura do tálus, 979
na fratura do úmero, 438t, 604, 604t, 620, 634-635

na lesão da articulação tarsometatarsal, 994
na luxação do joelho, 873, 873f
na osteossíntese com placa minimamente invasiva, 154
na reconstrução de partes moles, 376
no cuidado clínico fora do hospital, 445
no planejamento pré-operatório, 109
nos pacientes com fratura por fragilidade, 463-466
remoção do implante na, 448
remoção precoce do implante no, 448
segunda fase do, 445-448, 445f, 446f
síndrome da dor regional complexa, 445-447, 446f
suporte do membro lesionado no, 438t-439t, 442-443, 443f
terceira fase do, 448
Pregabalina, 440
Preservação meniscal na luxação do joelho, 871, 871f
Pressão tecidual, medida da, 56-57
Pré-tensão compressiva, 20, 20f
Pré-tensão, parafusos e, 173
Problemas cardiorrespiratórios
fratura por fragilidade e, 457-458
tomada de decisão e, 76
Profilaxia com antibióticos
administração local de, 426
Clostridium difficile e, 425, 427t
diretrizes, 426, 427t
duração, 424, 424t
e descolonização de portadores nasais de *S. aureus*, 425
espectro de cobertura, 424
fármacos na, 422-423
glicopeptídeos na, 424
indicações, 421
momento da, 423
na fratura exposta, 424, 427t
na fratura fechada, 424
resistência a antibióticos e, 425
tópicos controversos, 424-426
Profilaxia do tromboembolismo
dispositivos de compressão sequencial na, 432
filtro de veia cava inferior, 432
justificativas para, 431
mecânica, 432
métodos de, 432
na fratura do quadril, 433, 433t
na fratura isolada da extremidade inferior, 433t, 434
nas fraturas do acetábulo e da pelve, 433-434, 433t
nas lesões vertebrais, 433, 433t
no politraumatismo, 433
nos pacientes com fratura por fragilidade, 464-465
química, 432
Propriedades de superfície, 30-31, 30f, 32f
Propriedades de torção, 29
Proteína C, deficiência de, 431t
Proteína C ativada, resistência à, 431t

Proteína morfogenética óssea-2
efeitos adversos, 35
recombinante, 35
Proteína S, deficiência de, 431t
Proteínas morfogenéticas ósseas (BMPs), na consolidação de fraturas, 13
Prótese articular, fratura por fragilidade e, 475
Prótese. *Ver* Fratura periprotética
Protetores de tireoide, 486, 486f
Protetores do quadril, 466
Protrombina, mutação, 431t
Pseudoartrose, 513, 514f, 520f, 521. *Ver também* Não união
Punho. *Ver* Antebraço, fratura do; Rádio, fratura do

Q

Quadril, fratura do. *Ver também* Acetábulo, fratura do; Fêmur, fratura do; Pelve, fratura da; Anel pélvico, fratura do
epidemiologia, 451-454, 454f
periprotética, 837-838, 838t
profilaxia do tromboembolismo na, 433, 433t
Qualidade óssea. *Ver também* Osteoporose
definição, 454
placas de compressão bloqueadas e, 272-277, 272t, 273f-277f
Quedas, fraturas por fragilidade e, 456, 465
Quinolonas, 532, 542

R

Radiação, riscos da exposição à, 481-482, 482t
Radiação, segurança na, 484f, 485-488, 486f-488f
Rádio, fratura do. *Ver também* Antebraço, fratura do
abordagem de Thompson na, 666, 666f
colo, 650
consolidação viciosa, 504, 504f
cuidados pós-operatórios, 438t
distal
anatomia, 676, 677f
avaliação, 673-676, 674f-676f
biomecânica na, 676
características especiais da, 673
classificação de Fernandez da, 677, 677t
classificação na, 677, 677f, 677t
complexa, 692, 692f-693f
complicações na, 694, 695f
configuração da sala de cirurgia na, 678, 678f, 679f
consolidação viciosa na, 694
desafios, 692-694, 692f-693f
desfechos, 695
diagnóstico, 673-676, 674f-676f
epidemiologia, 673
exame físico, 673

exames de imagem na, 673-676, 674f-676f
fixação externa na, 686-690, 687f-691f
fixação na, 682-684, 683f, 686, 687f
história do caso na, 673
indicações cirúrgicas na, 678
lesões associadas na, 676, 676f
lesões do complexo da fibrocartilagem triangular na, 676, 676f
momento da cirurgia na, 678
planejamento pré-operatório, 678, 678f
prognóstico, 695
radiografias na, 673
redução da, 681-682, 681f, 682f, 686, 687f
ruptura do tendão na, 694
seleção de implantes na, 678
síndrome da dor regional complexa na, 694
síndrome do túnel do carpo na, 694
tenossinovite na, 694
tomografia computadorizada na, 674-676, 675f, 676f
uso de placas em ponte na, 694, 694f
uso de placas na
dorsal, 684-686, 687f
em ponte, 694, 694f
palmar, 679-684, 680f-683f
epidemiologia, na osteoporose, 454
luxação do cotovelo na, 653, 653f
multifragmentada, 650
pediátrica, 399-400, 400f, 402, 402f, 403f
redução da, 667, 667f
uso de placas na, 648-650, 648f, 649f
via de acesso posterolateral na, 666, 666f
vias de acesso cirúrgicas na, 643-644, 643f, 644f, 664, 664f, 665f, 666, 666f
Rádio, proximal, anatomia, 638
Radiografias. *Ver também* Exames de imagem
na fratura articular, 98, 99f
na fratura da clavícula, 574, 574f
na fratura diafisária, 84-86
na fratura do rádio, 673
no diagnóstico de infecção, 536
no planejamento pré-operatório, 106, 107, 112
Radiossensibilidade, 482, 482t
RAFI. *Ver* Redução aberta e fixação interna (RAFI)
Raios X. *Ver* Radiografias
Ramo ascendente lateral da artéria circunflexa umeral anterior, 591f
Reabilitação. *Ver também* Pós-operatório, cuidados e manejo
fratura por fragilidade e, 465
na fratura do acetábulo, 769-770
na fratura periprotética, 848, 850f

Reações alérgicas
  a antibióticos, 422, 423, 424, 427t
  a materiais do implante, 32, 448
Reconstrução de partes moles
  aspectos funcionais na, 367
  cirurgia secundária na, 376
  conceito de "escada de reconstrução" na, 367-368, 367f
  cuidados pós-operatórios, 376
  debridamento na, 366
  enxertos cutâneos na, 368-370, 369f
  estadiamento do tratamento na, 366
  fixação e, 366
  momento da, 366
  na fratura exposta, 348, 348f
  no planejamento pré-operatório, 107-108, 107f, 108f
  plano alternativo na, 367
  princípio de substituição pelo mesmo, 367
  princípio do "banco de tecido" na, 367
  princípios de, 366-367
  retalhos na, 370-376, 371t, 373f-375f, 377f
  tipos de, 368-376, 369f, 371t, 373f-375f
Reconstrução, no planejamento pré-operatório, 107-108, 107f, 108f. Ver também Reconstrução de partes moles
Redes de trauma regional (RTR), 312
Redução
  auxílio, 228-231, 228f-231f
  avaliação da, 135, 135t
  classificação de fraturas e, 46
  com afastador de Hohmann, 128-129, 128f, 129f
  com afastador ósseo, 125, 125f
  com hastes intramedulares, 228-237, 228f-236f
  com pinça de Farabeuf, 127, 127f
  com pinça de Jungbluth, 127, 127f
  com pinça de redução colinear, 126, 126f
  com pinça de redução pélvica, 126, 126f
  com pinça de Weber, 124, 124f
  com pinça para segurar osso, 125, 125f
  com placa antideslizante, 133, 133f
  com placa de suporte, 133, 133f
  com placa em ponte, 244-245, 244f
  com placa-lâmina angular, 132f, 133, 206, 206f
  consolidação e, 119
  definição, 118
  desvio e, 117, 117f
  direta, 120, 120t
  dispositivo de tensão articulado na, 132f
  distrator na, 229, 229f
  esfera com ponta na, 129
  estabilização e, 15, 119
  fios de cerclagem na, 130, 131f, 153
  fixação externa na, 121, 254
  gancho ósseo na, 129
  hastes intramedulares na, 132
  impactor ósseo na, 129
  implantes na, 132-134, 132f, 133f, 134f, 153
  incisão e, 143-144, 143f, 144f
  indireta, 120, 120t, 244-245, 244f, 254, 598, 599f, 846
  instrumentos para, 121-131, 122t, 123t, 124f-131f
  miniplacas na, 134
  modular, na fixação externa, 264-265, 264f, 265f
  na consolidação viciosa, 498-499, 498f, 500f
  na fratura articular, 101, 101f
    imperfeita, 95f
    momento da cirurgia e, 100
    objetivo, 119
    técnicas, 101-102, 101f
  na fratura da clavícula, 578
  na fratura da escápula, 568-570, 569f
  na fratura da mão, 703
  na fratura da patela, 858, 863
  na fratura da tíbia
    com encavilhamento intramedular, 228
    diáfise, 905-907, 906f-908f
    pediátrica, 417
    proximal, 885-887, 885f, 886f
  na fratura da ulna, 667, 667f
  na fratura de Monteggia, 401, 401f
  na fratura diafisária, 83f, 85f, 88f, 120
    momento da cirurgia e, 89
    técnicas, 90-91
  na fratura do acetábulo, 761-767, 763f-767f
  na fratura do antebraço
    diáfise, 667, 667f
    pediátrica, 402, 402f
    proximal, 645-650, 646f-659f
  na fratura do calcâneo, 968, 968f
  na fratura do fêmur
    cabeça do fêmur, 785, 785f
    com encavilhamento intramedular, 228
    diáfise, 802-805, 802f-804f
    distal, 826-832, 826f-833f
    intertrocantérica, 784, 784f
    proximal, 782, 782f
  na fratura do maléolo, 102, 949-956, 950f, 952f-955f
  na fratura do olécrano, 645-648, 646f, 647f
  na fratura do pilão, 925, 925f
  na fratura do rádio
    diáfise, 667, 667f
    distal, 681-682, 681f, 682f, 686, 687f
    pediátrica, 400, 400f
  na fratura do úmero
    diáfise, 619
    distal, 631-632, 631f, 632f
    proximal, 597-604, 597f-602f
  na fratura periprotética, 846, 848, 849f
  na fratura supracondilar em pacientes pediátricos, 396, 396f
  na imobilização externa, 16
  na osteossíntese com placa minimamente invasiva, 151-152, 151f, 152f
  na tração, 16f
  no planejamento pré-operatório, 109
  objetivo da, 119, 119f
  parafusos de Schanz na, 228, 228f, 245f
  parafusos unicorticais na, 134
  placas anatomicamente moldadas na, 134, 134f
  placas de proteção na, 90
  placas na, 132-134, 132f-134f
  suprimento sanguíneo e, 24
  técnicas, 119-134, 120t, 121f, 122t, 123t, 124f-134f
  tipoia com campo, 228
  tração na, 120-121, 121f
Redução aberta e fixação interna (RAFI)
  cuidados pós-operatórios e, 438t
  momento da, 140
  na fratura condilar, 398
  na fratura da escápula, 569, 570
  na fratura da mão, 704, 706, 708
  na fratura da patela, 213f
  na fratura da tíbia, 168f
    proximal, 882
  na fratura de anel pélvico, 734, 734f
  na fratura de Galeazzi, 659
  na fratura do acetábulo, 763-767, 763f-767f
  na fratura do antebraço, 635
  na fratura do pilão, 918
  na fratura do rádio, 696
  na fratura do úmero, 103f, 594, 615f, 633f, 635
  na fratura femoral, 160
  nas fraturas diafisárias, 89
  nas fraturas expostas, 342, 342f, 343f, 345f
  nas fraturas intra-articulares, 100
  nas fraturas periprotéticas, 844-844f
  no politraumatismo, 322f, 323f, 327f
Redução com coxim, 228
Redução com *joystick*, 130, 130f, 597-598, 598f
Redução de Kapandji, 130
Regeneração óssea, 34-35
Reinhold, Paul, 270
Remodelação
  haversiana, 11
  interna, 11
  na consolidação de fraturas, 13, 14f
  necrose e, 11
Resistência à corrosão, 29-30, 29f
Resistência à vancomicina, 423, 424
Resistência aos antibióticos, 423, 425
Resistência, dos materiais, 28, 28t
Ressecção da cabeça radial, 650
Ressonância magnética (RM)
  compatibilidade, materiais de implante e, 33
  na fratura periprotética, 840
  na fratura proximal da tíbia, 878
  no diagnóstico de infecção, 536

Ressuscitação
    no politraumatismo, 74, 315-316
    suprimento sanguíneo e, 10, 315-316
Retalhos
    a distância, 376, 377f
    classificação dos, 370, 371t
    definição, 372
    do bíceps femoral, 375f
    do músculo gastrocnêmio lateral, 375f
    do músculo gastrocnêmio medial, 375f
    do músculo glúteo máximo, 375f
    do músculo grácil, 374f
    do músculo reto do abdome, 374f
    do músculo sóleo, 375f
    do músculo vasto lateral, 374f
    fasciocutâneo da virilha, 374f
    fasciocutâneo interno, 375f
    fasciocutâneo lateral distal da coxa, 374f
    fasciocutâneo medial distal da coxa, 374f
    fasciocutâneo medial do pé, 375f
    fasciocutâneo radial do antebraço, 377f
    fasciocutâneo safeno, 374f
    fasciocutâneo sural, 375f
    gastrocnêmio lateral, 375f
    locais, 372, 373f
    microvascular, 376, 377f
    musculocutâneo do tensor da fáscia lata, 374f
    na reconstrução de partes moles, 370-376, 371t, 373f-375f
    osteosseptocutâneo da fíbula, 374f
    padrão axial, 372
    pediculado, 372, 373f, 374f
    regionais, 372, 374f
    supramaleolar fasciocutâneo lateral, 374f
Revestimento com hidroxiapatita (HA), 33
Revestimentos, em implantes, 33
RIA. *Ver* Fresagem, irrigação e aspiração (RIA), sistema de
Rifampicina, 532, 541-542
Rigidez
    dos materiais, 27-28
    na fixação externa, 255, 255f
Riscos da exposição à radiação, 481-482, 482t
RM. *Ver* Ressonância magnética (RM)
RTR. *Ver* Redes de trauma regional (RTR)
Ruptura da sínfise púbica, na fratura do anel pélvico, 734-736, 734f, 735f
Ruptura do tendão patelar, 862
Ruptura sacroilíaca, 737-740, 738f-741f

S

S. aureus resistente à meticilina (MRSA), 423, 424, 425
Sacro, fratura do, 741f, 742, 742f
Salvação do membro, amputação vs., 326, 361-364, 361f-363f
Sarcopenia, 458
Saúde mental, tomada de decisão e, 77
Schneider, Robert, 4

SDRC. *Ver* Síndrome da dor regional complexa (SDRC)
Segmento maleolar, proximal, classificação de fraturas, 43, 43t
"Segundo impacto", 220, 314-315, 314f, 315t
Segurança com o uso de radiação, 484f, 485-488, 486f-488f
Sequestro, 532, 548, 549f, 550f, 560
Sherman, William O'Neill, 3
Sinal da páprica, 551, 551f
Sinal de Destot, 717
Síndrome compartimental
    diagnóstico, 56-57
    efeitos da, 56
    fasciotomia na, 57, 57f
    fechamento e, 144
    fisiopatologia, 55
    manifestação clínica, 55-56, 56f
    medida da pressão do tecido na, 56-57
    na fratura da diáfise da tíbia, 899
    na fratura diafisária, 84
    na fratura do antebraço, 670
    na fratura do úmero, 623
    na lesão de partes moles, 55-57, 55f-57f
    tratamento, 57, 57f
Síndrome da dor regional complexa (SDRC), 10, 445-447, 446f, 670, 694
Síndrome da resposta anti-inflamatória compensatória (SRAC), 312, 313
Síndrome da resposta inflamatória sistêmica (SIRS), 312, 313
Síndrome do homem vermelho, 423
Síndrome do túnel do carpo, 694
Síndrome pós-trombótica (SPT), 429-430
Sínfise púbica, 719f
Sinostose radioulnar pós-traumática, 670-671
SIRS. *Ver* Síndrome da resposta inflamatória sistêmica (SIRS)
Sistema bloqueado estável angular (ASLS), 218
Sistema de Classificação Unificado, 841-843, 841t, 842f-844f
Sistema de codificação, 40f
Sistema de estabilização menos invasivo (LISS)
    desenvolvimento do, 270
    na fratura da tíbia, 249f
    na fratura distal do fêmur, 829-830, 829f
    na osteossíntese com placa minimamente invasiva, 163f, 249f
    parafusos no, 173f
    placa de compressão bloqueada vs., 192
    uso de placas em ponte e, 249f
Sistema de fixação externa monolateral, 261, 261f
Sistema de tubo e haste, na fixação externa, 260, 260f
Sistema vascular fasciocutâneo, 137
Sistema vascular musculocutâneo, 137
SPT. *Ver* Síndrome pós-trombótica
SRAC. *Ver* Síndrome da resposta anti-inflamatória compensatória (SRAC)

Stoppa, via de acesso. *Ver* Via de acesso de Stoppa modificada
Strain, teoria de Perren, 18, 242, 242f
Substituição da cabeça radial, 650
Suprimento sanguíneo
    comorbidades e, 10
    e mecanismo da lesão, 10
    e sequelas traumáticas, 11
    e tratamento inicial do paciente, 10
    estabilidade absoluta e, 23-24, 24f
    fratura e, 10-12, 11f, 12f
    fresagem e, 12, 218
    implante e, 11
    incisão e, 142
    na diáfise do fêmur, 790-791, 790f
    na fratura articular, 96
    na fratura exposta, 337-338, 338f
    na lesão de partes moles, 54, 357f
    no politraumatismo, 74, 315-316
    no traumatismo pélvico, 718, 723, 725, 730-731, 730f
    para a pele, 137-138, 138f
    para as partes moles, 137-139, 138f
    placa de compressão dinâmica de baixo contato e, 11, 11f, 185
    placa de compressão dinâmica e, 11, 185
    proximal do úmero, 591, 591f
    recuperação do, 23-24, 24f
    ressuscitação e, 10, 315-316
    via de acesso cirúrgica e, 11
Sutura de Allgöwer-Donati, 145, 145f, 146f
Sutura de tração, na fratura do úmero, 597, 597f

T

"Tala do aleijado", 694, 695f
Tálus, fratura do
    anatomia, 974
    artrite na, 980
    avaliação, 974
    classificação da, 974, 975t
    classificação de Hawkins da, 975t
    complicações, 979-980
    configuração da sala de cirurgia na, 966f, 976
    consolidação viciosa na, 980
    cuidados pós-operatórios, 979
    desfechos, 980
    diagnóstico, 974
    exposta, 978f
    indicações cirúrgicas na, 975
    necrose avascular na, 980
    no politraumatismo, 323f
    parafusos de tração na, 977, 977f
    parafusos na, 979
    planejamento pré-operatório, 975-976
    prognóstico, 980
    uso de placas na, 977
    via de acesso anterolateral na, 976, 976f
    via de acesso anteromedial na, 976, 976f
    vias de acesso cirúrgicas, 976, 976f
Tazobactam, 424t, 427t

TC. *Ver* Tomografia computadorizada
Tecido necrótico, suprimento sanguíneo e, 11
Técnica de Ilizarov, 555, 555f
Técnica de Masquelet, 250, 348, 553-554, 554f, 928, 929f
Técnica de redução modular, na fixação externa, 264-265, 264f, 265f
Teicoplanina, 423, 424, 424t, 427t
Tendão subescapular, 590, 591f
Teoria do *strain* de Perren, 18, 242, 242f
Tepic, Slobodan, 5
Terapia por pressão negativa (TPN), 347, 347f, 541, 556, 922, 922f
TEV. *Ver* Tromboembolismo venoso (TEV)
Tíbia, fratura da. *Ver também* Pilão, fratura do
   articular, 94f
   consolidação viciosa na, 494f, 495f, 506-510, 508f, 509f
   cuidados pós-operatórios, 439t
   diáfise
      anatomia, 900, 900f
      avaliação, 899-900
      características especiais da, 899
      classificação, 900, 901f
      complicações na, 910
      configuração da sala de cirurgia na, 902, 902f
      cuidados pós-operatórios, 439t, 909
      desafios na, 909
      desfecho, 910
      diagnóstico, 899-900
      encavilhamento intramedular na, 902-904, 903f, 904f, 905-906, 906f, 907-909
      epidemiologia, 899
      exame físico, 899
      exame neurovascular na, 899
      exames de imagem, 900
      fixação da, 907-909
      fixação externa na, 905, 905f, 909
      história da, 899
      história do caso na, 899
      indicações cirúrgicas na, 900-901
      infecção na, 910
      mau alinhamento aceitável na, 381t
      momento da cirurgia na, 901
      não união na, 910
      osteossíntese com placa minimamente invasiva, 151, 166, 166f-167f
      parafusos na, 908
      placa de compressão bloqueada na, 908
      planejamento pré-operatório na, 901-902, 902f
      prognóstico, 910
      redução da, 905-907, 906f-908f
      seleção de implantes na, 901
      síndrome compartimental na, 899
      tratamento não cirúrgico, 901
      uso de placas na, 904-905, 905f, 906-907, 907f, 908
   vias de acesso cirúrgicas na, 902-905, 903f-905f
   distal (*Ver também* Pilão, fratura do)
      história da, 913
      osteossíntese com placa minimamente invasiva na, 168-170, 168f-169f
   encavilhamento intramedular na, 221, 222, 227, 227f, 343t
   exame físico, 877-878, 877f
   fixação externa da, 256, 258f, 345f
   história do caso na, 877-878, 877f
   momento da cirurgia na, 140
   multifragmentada, 85f
   parafusos bloqueados na, 283f
   pediátrica, 381t, 415-419, 415f, 416f, 418f, 419f
   placas de compressão bloqueada na, 196f, 292f, 295f, 296f, 303f, 304f, 306f
   proximal
      anatomia, 878-880, 879f-881f
      articular completa, 893, 893f, 894f
      articular parcial, 890-893, 890f-892f
      avaliação, 877-878, 877f-879f
      classificação, 880, 881f
      com depressão articular, 893
      complicações, 896
      configuração da sala de cirurgia na, 882, 882f
      cuidados pós-operatórios, 439t, 894
      da coluna lateral, 890-891, 890f, 891f
      da coluna medial, 891
      da coluna posterior, 891-892, 892f
      desafios com, 893, 895f
      desfecho, 896
      diagnóstico, 877-878, 877f-879f
      do planalto tibial ipsilateral, 893
      encavilhamento intramedular na, 889-890, 889f
      exames de imagem, 878, 878f
      extra-articular, 887-890, 887f-889f
      fixação na, 887-893, 887f-894f
      indicações cirúrgicas na, 881
      ligamento cruzado anterior na, 880, 880f
      momento da cirurgia na, 881
      osteossíntese com placa minimamente invasiva na, 164, 165f
      planejamento pré-operatório na, 881-882, 882f
      prognóstico, 896
      redução da, 885-887, 885f, 886f
      seleção de implantes na, 882
      via de acesso anterolateral na, 882, 883f
      via de acesso em formato de L invertido, 885, 885f
      via de acesso posterolateral na, 883, 884f
      via de acesso posteromedial na, 883, 884f
      vias de acesso cirúrgicas na, 882-885, 883f-885f
   redução da, com encavilhamento intramedular, 228
   redução da, pediátrica, 417
   segmento maleolar, 43, 43t
   uso de placa em ponte na, 85f, 248, 249f, 251f
Tipoia com campo, 228
Titânio
   como material, 27
   ductilidade do, 28
   erosão do, 30
   formação de cápsula fibrosa com, 31, 32f
   propriedades de superfície do, 30-31
   reações alérgicas e, 32
   resistência, 28t
   resistência à corrosão, 29f
Titânio, ligas de, 27
   erosão das, 30
   propriedades de superfície das, 30-31
   propriedades de torção das, 29
   reações alérgicas e, 32
Tomada de decisão
   ambiente de cuidados de saúde e, 80
   comunicação e, 80
   condições neurológicas e, 77
   diabetes e, 76
   doença arterial periférica e, 76
   doença articular e, 77
   doença hepática e, 77
   doença maligna e, 77
   doença renal e, 76-77
   doença venosa e, 76
   estado de saúde e, 76-77
   fatores relacionados à fratura, 78
   fatores sociais e, 77-78
   interdisciplinar, 364-366, 365f
   medicamentos e, 77
   na consolidação viciosa, 497, 497f
   na fratura do acetábulo, 750-751
   na fratura do anel pélvico, 721-725, 722f, 725f-729f, 731-732, 731t
   na fratura periprotética, 844, 848
   na perda de partes moles, 364-366, 365f
   no planejamento pré-operatório, 108-109
   no politraumatismo, 74-76, 74f, 75f
   obesidade e, 77
   ocupação do paciente e, 77
   partes moles e, 78
   "personalidade" da lesão e, 73, 73f, 76-78
   problemas cardiorrespiratórios e, 76
   saúde mental e, 77
   sobre o momento da cirurgia, 78-79, 79t
Tomografia computadorizada (TC). *Ver também* Exames de imagem
   na fratura articular, 98, 99f
   na fratura de clavícula, 574
   na fratura do acetábulo, 750, 750f
   na fratura do anel pélvico, 723
   na fratura do calcâneo, 963, 963f
   na fratura do maléolo, 935, 935f
   na fratura do pilão, 914
   na fratura do rádio, 674-676, 675f, 676f
   na fratura do úmero, 590, 590f
   na fratura periprotética, 840, 840f

na fratura proximal da tíbia, 878
no diagnóstico de infecção, 536, 549, 550f
no planejamento pré-operatório, 106
Tomografia por emissão de pósitrons (PET), no diagnóstico de infecção, 536, 549, 550f
Tórax flácido, 325
Tornozelo. *Ver* Maléolo, fratura do
Toxicidade, resistência à corrosão e, 29-30, 29f
Tração
   como tratamento não cirúrgico de fratura, 15, 16f
   na fratura articular, 101, 120-121, 121f
   na fratura diafisária, 87
   na redução, 120-121, 121f
   redução na, 16f
Transmissão de carga, na fratura diafisária, 91
Transporte ósseo, fixação externa no, 266
Tratamento não cirúrgico da fratura, 15-16, 15f, 16f
   na fratura articular, 100
   na fratura da tíbia, 901
   na fratura diafisária, 87-89, 88f
   na fratura do cuboide, 988
   na fratura periprotética, 845
Trauma craniencefálico, 324
Traumatismo. *Ver* Fratura; Politraumatismo; Partes moles
"Tríade letal", 314, 314f
Triângulo de Volkmann, 938, 940f, 951
Tromboembolismo venoso (TEV), 429-431, 431t. *Ver também* Profilaxia do tromboembolismo
Trombose venosa profunda (TVP), 429-430, 770. *Ver também* Profilaxia do tromboembolismo

U

Ulna, fratura da. *Ver também* Antebraço, fratura do
   diáfise, 658, 659, 659f
   distal, 695-696, 696f
   pediátrica, 401, 402, 402f
   redução da, 667, 667f
   tratamento não cirúrgico, 641
   vias de acesso cirúrgicas, 663, 663f
Ulna, proximal, anatomia da, 639
Ultrassonografia, no diagnóstico de infecção, 536
Úmero, fratura do
   consolidação viciosa na, 501-504, 501f-503f, 605
   cuidados pós-operatórios, 438t
   distal
      abordagem anterior extensível à, 608f
      anatomia, 607-608, 608f
      avaliação, 607
      cirurgia, 612-620, 613f-619f
      classificação, 609, 609f
      complicações, 620
      configuração da sala de cirurgia na, 611-612, 611f, 612f
      cuidados pós-operatórios, 620
      desfechos, 620-621
      diagnóstico, 607
      encavilhamento intramedular na, 609, 617-618, 617f, 618f, 619
      epidemiologia, 607
      exames de imagem, 607
      fixação externa na, 619, 619f
      imobilização na, 609, 609f
      indicações cirúrgicas para, 609, 609f
      mau alinhamento aceitável na, 381t
      momento da cirurgia, 610
      osteossíntese com placa minimamente invasiva na, 151, 158-160, 158f, 159f, 615-617, 616f, 617f
      PHILOS na, 611
      placa de compressão bloqueada na, 610
      placa de compressão dinâmica de baixo contato na, 610f
      placa de compressão dinâmica na, 610
      planejamento pré-operatório na, 610-612, 610f-612f
      prognóstico, 620-621
      redução da, 619
      seleção do implante na, 610-611, 610f
      via de acesso anterior, 611, 611f, 612-615, 613f
      via de acesso cirúrgica, 608f, 612-618, 613f-618f
      via de acesso medial, 617
      via de acesso posterior, 612, 612f, 614f, 615, 615f
   distal
      abordagem de Bryan-Morrey, 630, 630f
      anatomia, 624, 624f
      articular, 628-629
      avaliação, 623
      cirurgia, 626-634, 626f-634f
      classificação, 624, 624f
      complicações, 635
      configuração da sala de cirurgia na, 626, 626f
      cuidados pós-operatórios na, 634-635
      desafios, 634
      desfechos, 635
      diagnóstico, 623
      epidemiologia, 623
      exame físico, 623
      exames de imagem, 623
      fixação na, 632-634, 633f, 634f
      história do caso na, 623
      indicações cirúrgicas para, 624
      na osteoporose, 623
      nervo ulnar na, 627
      osteotomia de chevron na, 629, 629f
      placa de compressão bloqueada na, 196f, 197f, 291f, 293f, 625, 633-634, 633f
      placa de compressão dinâmica de baixo contato, 625
      planejamento pré-operatório, 625-626, 625f, 626f
      prognóstico, 635
      redução da, 631-632, 631f, 632f
      seleção de implantes na, 625
      síndrome compartimental na, 623
      vias de acesso cirúrgicas, 626-630, 626f-630f
   epidemiologia, na osteoporose, 454
   fixação externa da, 259f
   hastes intramedulares na, 222
   momento da cirurgia, 140
   na osteoporose, 469f, 470f, 476f, 477f
   pediátrica, 381t, 394-398, 395f-398f
   PHILOS na, 157f, 158f, 307f, 476f, 602, 611
   placa de compressão bloqueada na, 307f
   proximal
      anatomia, 590-591, 591f
      avaliação, 587-590, 588f-590f
      características especiais da, 587
      classificação da, 43, 43t, 592, 592f
      classificação de Neer da, 592
      classificação LEGO da, 592
      complicações, 604-605
      configuração da sala de cirurgia na, 593, 593f
      consolidação viciosa na, 605
      cuidados pós-operatórios, 604, 604t
      desafios, 603
      desfechos, 605
      diagnóstico, 587-590, 588f-590f
      encavilhamento intramedular na, 601, 601f, 603
      epidemiologia, 587
      exame físico, 587
      exames de imagem na, 588-590, 588f-590f
      fixação da, 597-604, 597f-602f
      história do caso na, 587
      indicações cirúrgicas para, 592
      mau alinhamento aceitável na, 381t
      momento da cirurgia na, 593
      não união na, 605
      necrose avascular na, 605
      osteossíntese com placa minimamente invasiva na, 150, 156, 156f-157f, 602
      parafusos bloqueados na, 206f
      parafusos de tração na, 600, 600f
      penetração do parafuso na, 604
      placa de compressão bloqueada na, 302f, 601, 602f
      planejamento pré-operatório, 593, 593f
      prognóstico, 605
      redução com *joystick* na, 597-598, 598f
      redução da, 597-604, 597f-602f
      redução indireta da, 598, 599f
      seleção de implantes na, 593
      suprimento sanguíneo na, 591, 591f

suturas de tração na, 597, 597f
via de acesso cirúrgica, 594-596, 595f, 596f
via de acesso deltopeitoral, 594, 595f
via de acesso transdeltoide, 596, 596f
Urist, Marshall, 13

V

VA. *Ver* Ângulo variável (VA), placa de compressão bloqueada
Validade de conteúdo, na classificação de fraturas, 48
Vancomicina, 424
Varfarina, 432, 463
Variância ulnar, 674, 674f
Vasos cutâneos, 137-138
Vasos perfurantes, 137
Via de acesso cirúrgica
   com hastes intramedulares, 225, 225f
   considerações sobre partes moles e, 139, 139f
   na fratura da articulação metacarpofalângica do polegar, 706, 707f
   na fratura da clavícula, 577f, 578
   na fratura da escápula, 567-568, 568f
   na fratura da falange, 709-710, 709f-713f, 712
   na fratura da patela, 858, 858f
   na fratura da tíbia
      diáfise, 902-905, 903f-905f
      distal, *ver* em Pilão
      proximal, 882-885, 883f-885f
   na fratura do acetábulo, 753-761, 754f, 756f-760f, 762f
   na fratura do antebraço, 643-645, 643f-645f, 662-666, 663f-666f
   na fratura do coronoide, 644-645, 644f, 645f
   na fratura do fêmur
      cabeça do fêmur, 785
      diáfise, 797-801, 798f-801f
      distal, 821-825, 821f-825f
      proximal, 780, 781f
   na fratura do maléolo, 948-949, 948f, 949f
   na fratura do metacarpo, 708, 708f
   na fratura do olécrano, 643
   na fratura do pilão, 922-924, 923f, 924f
   na fratura do rádio, 643-644, 643f, 644f, 645f 664, 664f, 665f, 666, 666f
   na fratura do tálus, 976, 976f
   na fratura do úmero
      diáfise, 608f, 612-618, 613f-618f
      distal, 626-630, 626f-630f
      proximal, 594-596, 595f, 596f
Via de acesso de Kocher-Langenbeck, 752, 752f, 753-755
Via de acesso deltopeitoral
   na fratura da escápula, 567
   na fratura proximal do úmero, 594, 595f
Via de acesso de Stoppa modificada, 758-759, 758f-759f
Via de acesso iliofemoral estendida, 761, 762f
Via de acesso ilioinguinal, 752, 752f, 755, 756f-757f
Via de acesso intrapélvica anterior, 758-759, 758f-759f
Via de acesso medial subvasto, 824, 824f
Via de acesso parapatelar, 823, 823f
Via de acesso superior, na fratura da escápula, 567
Via de acesso transdeltoide, na fratura proximal do úmero, 596, 596f
Viabilidade muscular, 359
Vias de acesso posteriores, na fratura da escápula, 567, 568f
Vitamina D, 465-466
Vitamina K, antagonistas, 432, 463

W

Willenegger, Hans, 4, 4f

Z

Zona de lesão, 51, 75, 75f, 78, 96, 140, 263, 264, 332, 341, 339, 349
Zonas seguras, na fixação externa, 256, 257f-259f